トートラ
人体解剖生理学

原書11版

佐伯由香・細谷安彦
髙橋研一・桑木共之
編訳

石橋隆治・伊藤誠二・伊藤正裕
上田祐司・尾﨑　繁・菊田彰夫
黒澤美枝子・桑名俊一・顧　寿智
小林直人・阪中雅広・杉野一行
千田隆夫・武田利明・樗木晶子
照井直人・徳田信子・松下松雄
山本三幸・吉永一也・依藤　宏
訳

Introduction to the Human Body
11th Edition
Gerard J. Tortora・Bryan Derrickson

丸善出版

Introduction to The Human Body

11 th edition

by

Gerard J. Tortora

Bryan Derrickson

本書は正確な適応症（効能），副作用（有害作用），および投薬スケジュールを記載していますが，これらは変更される可能性があります．読者は医薬品の製造販売業者の添付文書をご参照ください．
　本書の著者，編集者，出版社と頒布する者および翻訳者は，その記載内容に関しては最新かつ正確を来すように努めておりますが，読者が本書の情報を利用するに当り，過誤あるいは遺漏あるいはいかなる結果についても責任をもつものではありません．また，出版物の内容に関して明示的又は黙示的ないかなる保証をいたしません．
　本書の著者，編集者，出版社と頒布する者および翻訳者は，この出版物から生じる，身体および／または財産に対するいかなる損傷および／または損害に対していかなる責任も負わないものとします．

Copyright © 2019 John Wiley & Sons, Inc.
All Rights Reserved. This translation published under license with the original publisher
John Wiley & Sons, Inc., through Japan UNI Agency, Inc., Tokyo.
Japanese translation copyright © 2020 by Maruzen Publishing Co., Ltd., Tokyo.

まえがき

　チーム医療を遂行するためには，医療従事者の全員がクライアントの情報を共有し，時代にあった良質の医療を提供しなければなりません。クライアントの経時的な変化を科学的に，正確に観察して表現し，チームで共有しながら医療をすすめる必要があります。医療に携わる者が情報を正しく理解し，共有するには医療従事者一人ひとりが基本的に同じ知識を持たなければならないのです。基礎医学の知識はそれを支える土台となるものです。

　この意味で本書が扱う解剖学と生理学は専門知識を学ぶ魁として重要な学問なのです。本書は2019年に発刊された原書11版の翻訳です。米国では1987年の第1版から使われている息の長い参考書で，ほぼ2～3年に1度の改訂を重ね，その都度，内容が豊富にそして正確になっています。ですから本書は医療従事者にとって，日進月歩の医学の進歩に遅れることなく伴走し，理解できるだけの知識が詰まった参考書であると私達は思っています。

　本書を手にとって下さった方々の多くは，看護学，理学療法学，作業療法学，薬学，柔道整復学，鍼灸学の領域などで医療従事者として働くことになります。医療従事者がヒトのからだの構造と働きを理解することは，難しいことではあれ，非常に重要なことです。人体解剖の実習を行えば，筋や内臓の位置や形，神経や血管の走行を観察することはできます。しかし，それぞれの器官がどのように連携しながら働いているのかを理解するには，各人の脳の中で知識を整理し，統合しなければなりません。

　本書は，その知識の整理と統合が容易にできるよう，簡潔にわかりやすく書かれています。イラストはカラーでわかりやすいのはもちろんですが，各解剖図が全体の中のどの部分のものであるのか，どの方向からみた図なのかわかるようになっているため，初めてみる図でも容易に理解できると思います。また，各系統器官がどのような働きをしているのか解説しているだけにとどまらず，ホメオスタシス（からだ内部の環境の恒常性）の維持にどのようにかかわっているのか，他の器官との連携についても書かれています。これによって，ヒトのからだを単なる部品の寄せ集めではなく全体として理解できるようになっています。

　また，前版同様「よくみられる病気」，「臨床関連事項」，「クリティカルシンキングの応用」もさらに充実し，これによって，学習した解剖生理学の知識を疾患や臨床に結びつけ，応用力を養うことができる構成となっています。各章のはじめの「目標」はすべての読者の学習目標ですが，講義をする先生の参考にもしていただけると思います。

　このような本書を使用することによって，読者の方がヒトのからだの構造や機能に関する知識を得るだけでなく，興味をもち，さらにもっと詳しく知りたいと向上心をもってくださることを願っています。

最後に改訂版を出すにあたり前版と同様，丸善出版(株)企画・編集部の糠塚さやか氏をはじめ同編集部スタッフの方々のおかげで出版までこぎつけることができました。訳者一同心より感謝いたします。

2020年7月

訳者代表 佐伯由香
細谷安彦
髙橋研一
桑木共之

訳者一覧

石橋	隆治	金沢医科大学薬理学　教授	
伊藤	誠二	関西医科大学名誉教授，大阪医科大学麻酔科学教室客員教授	
伊藤	正裕	東京医科大学人体構造学分野　教授	
上田	祐司	獨協医科大学解剖学（マクロ）講座　准教授	
尾﨑	繁	目白大学保健医療学部理学療法学科　教授	
菊田	彰夫	産業医科大学名誉教授	
黒澤	美枝子	国際医療福祉大学大学院薬学研究科医療・生命薬学専攻　教授	
*桑木	共之	鹿児島大学大学院医歯学総合研究科先進治療科学専攻　教授	
桑名	俊一	植草学園大学保健医療学部　教授	
顧	寿智	聖隷クリストファー大学リハビリテーション学部　教授	
小林	直人	愛媛大学大学院医学系研究科医学専攻・教授，医学部附属総合医学教育センター長	
*佐伯	由香	愛媛大学大学院医学系研究科看護学専攻　教授	
阪中	雅広	愛媛大学名誉教授	
杉野	一行	つくば国際大学医療保健学部理学療法学科　教授	
千田	隆夫	岐阜大学大学院医学系研究科解剖学分野　教授	
*髙橋	研一	沖縄統合医療学院　名誉学院長	
武田	利明	岩手県立大学名誉教授	
檮木	晶子	福岡歯科大学客員教授，福岡医科歯科総合病院健診センター長	
照井	直人	東京保健医療専門職大学リハビリテーション学部理学療法学科　教授	
德田	信子	獨協医科大学解剖学（マクロ）講座　教授	
*細谷	安彦	筑波大学医療技術短期大学部名誉教授	
松下	松雄	筑波大学名誉教授	
山本	三幸	筑波大学人間系客員研究員，メモリークリニックお茶の水　医師	
吉永	一也	熊本大学名誉教授	
依藤	宏	群馬大学名誉教授	

（五十音順，＊は編集，2020 年 7 月現在）

著者紹介

ジェリー・トートラ Jerry Tortora 氏はニュージャージー州パラマスの Bergen Community 大学の生物学の教授で，以前生物学科コーディネーターをしていた。現在は微生物学に加えて，ヒトの解剖学と生理学を教授している。Fairleigh Dickinson 大学で学士号を，Montclair 州立大学では科学教育に関する修士号を取得している。HAPS（Human Anatomy and Physiology Society），ASM（American Society of Microbiology），AAAS（American Association for the Advancement of Science），NEA（National Education Association），MACUB（Metropolitan Association of College and University Biologists）など多くの専門家組織の会員である。

何よりも，彼は彼の学生や彼らの向上心を満足させることに心血を注いでいる。これが評価され，MACUB から 1992 年度の学長記念賞を，1996 年には，NISOD（National Institute for Stuff and Organizational Development）の優秀賞を Texas 大学から受賞している。そして，community college がより高度な教育にどれほど大切かをキャンペーンする Bergen Community 大学の代表に選ばれている。

ジェリーは，何冊かのベストセラーの科学書と科学研究マニュアルの著者になっており，大学教育に携わる時間に加えて時には週に 40 時間の仕事もしている。それにもかかわらず，さらに週に 4，5 時間，自転車やランニングなどの有酸素運動をしている。また，大学のバスケットボールやプロのホッケーのゲームに参加し，メトロポリタンオペラハウスでも活躍している。

私のすべての子どもたち Lynne Marie，Gerard Joseph，Kenneth Stephan，Anthony Gerard，Andrew Joseph へ：彼らの愛と支援によって私の世界が価値あるものになり続けている。彼らが私にしてくれたことすべてに対して恩返ししすぎることはない。**G J T**

ブライアン・デリクソン Bryan Derrickson 氏はフロリダ州オーランドの Valencia 大学の生物学教授で，解剖学と生理学を，また一般生物学と人間の性を教授している。Morehouse 大学で生物学の学士号を，Duke 大学で細胞生物学の Ph.D. を取得している。Duke 大学での研究は細胞生物学科の生理学部門で行われていたので，Ph.D. は細胞生物学になっている。そこでは主に生理学の研究を行っていた。Valencia 大学では人事委員会の委員として活躍している。大学の行政主体である評議員会 Faculty Senate および教授会メンバーの終身教授取得の基準を決める教授会 Faculty Academy Committee（現在は Teaching and Learning Academy）のメンバーである。公共の立場では人間解剖生理学会（HAPS），生物学教育者学会（NABT）の会員である。ブライアンは教育に関心を常に持ち続けている。学生の時に生物学の教授数人に感化され，大学レベルの内容を教えるという視点で，生理学を追及していこうと決心した。年齢，民族，学習能力が異なる多様な学生の学習努力を喜んで受け入れ，これらの違いを越えて彼らのすべてがやりがいのある仕事にかかわれることに喜びを見出している。学生はいつもブライアンの努力を認め，「Valencia 大学をより高いレベルに引き上げた Valencia の教授」として知られる大学賞に彼を推奨したいと望んでいるので，ブライアンはこの賞を 3 回受賞している。

私の家族 Rosalind，Hurley，Cherie，Manuel へ：あなた方の支えと後押しは何ものにも変えがたいものです。**B.H.D.**

原著まえがき

解剖学と生理学の学習コースへようこそ！ あなた方の多くは医療従事者になろうと考えて，このコースを選んだかもしれません．あるいは，自分自身のからだについて今以上に知りたくなったのかもしれません．あなた方の動機がどうであれ，本書第11版には，からだの構造と機能との関係を理解するのに必要なすべての内容とツールが含まれていますし，あなた方の将来の仕事にこれらの知識がどのように関連しているかがわかります．

本書第11版は，概念を視覚化するために，イラストと写真を追加して改訂しました．さらに，本文に記載しているさまざまな生理学的過程をより理解しやすくするために，背景にある作用メカニズムの詳細を追加しました．

謝 辞

本書に有意義な貢献をしてくれた大学関係者にとくに感謝の意を表したい．内容を査読し，集中した議論や会合に参加し，改訂点について示唆をいただいた関係者に非常に感謝している．以下の関係者の専門知識や技術のおかげで，本書の内容が大きく改訂され，内容が豊富になった：

Des Moines Area Community 大学の Matt Abbott 氏，Chippewa Valley Community 大学の Evelyn Biluk 氏，Eastern Florida State 大学の Nick Butkevich 氏，New York 州立大学の Oswego 校の Anthony Cotento 氏，Northwest Mississippi Community 大学の Melissa Greene 氏，Palomar 大学の Gene Gushansky 氏，Santa Fe 大学の Margaret Howell 氏，Wytheville Community 大学の Cynthia Kincer 氏，Temple 大学の Jason Locklin 氏，Anne Arundel Community 大学の Javanika Mody 氏，Georgia Perimeter 大学の Erin Morrey 氏，Eastern Florida 州立大学の Gisele Nasr 氏，Madisonville Community 大学の Pamela Smith 氏，Southern Maryland 大学の George Spiegel 氏，Ozarks Technical Community 大学の Jill Tall 氏，Hudson Valley Community 大学の Jarmey Thompson 氏，Wor-Wic Community 大学の Terry Thompson 氏，Stark 州立大学の Caryl Tickner 氏

最後に，Wiley の関係者すべてに脱帽しお礼を述べたい．Wiley 社の努力家で，熱心で，能力のある出版のプロチームと楽しく共同作業ができた．以下のすべてのチームメイトに感謝したい：シニアエディターの Maria Guarascio 氏，ディベロップメントエディターの Lindsey Myers 氏，エディトリアルアシスタントの MaryAlice Skidmore 氏と Alyce Pellegrino 氏，シニアプロダクションエディターの Trish McFadden 氏，シニアフォトエディターの Mary Ann Price 氏，イラストレーションエディターの Claudia Volano 氏，シニアデザイナーの Tom Nery 氏，シニアプロダクトデザイナーの Linda Muriello 氏，マーケティングマネジャーの Kristy Ruff 氏．

ジェラルド・J・トートラ Gerard J. Tortora
Department of Science and Health, S229
Bergen Community College
400 Paramus Road
Paramus, NJ 07652
gtortora@bergen.edu

ブライアン・デリクソン Bryan Derrickson
Department of Science, PO Box 3028
Valencia College
Orlando, FL 32802
bderrickson@valenciacollege.edu

目　次

1　人体の成り立ち　［千田隆夫］　1

- **1.1** 解剖学と生理学：概観　**1**
  解剖学と生理学の定義　1 /
  人体構造の階層性と人体を構成する系　1
- **1.2** 生命プロセス　**6**
- **1.3** ホメオスタシス：正常範囲内での維持　**7**
  ホメオスタシスの調節：フィードバックシステム　7 /
  ホメオスタシスと疾患　10
- **1.4** 加齢とホメオスタシス　**10**
- **1.5** 解剖学用語　**10**
  からだの部位の名称　11 / 方向を表す用語　12 /
  平面と断面　12
- **1.6** 体　腔　**14**
  腹骨盤腔の九領域と腹骨盤腔の四領域　17

医学用語と症状　18
1章のまとめ　18
クリティカルシンキングの応用　20
図の質問の答え　20

2　化学概説　［伊藤誠二］　21

- **2.1** 化学の概要　**21**
  元素と原子　21 / イオン，分子，化合物　24 /
  化学結合　24 / 化学反応　27
- **2.2** 化合物と生命過程　**28**
  無機化合物　29 / 有機化合物　31

2章のまとめ　40
クリティカルシンキングの応用　41
図の質問の答え　42

3　細　胞　［千田隆夫］　43

- **3.1** 細胞の概観　**43**
- **3.2** 細胞膜　**44**
- **3.3** 細胞膜を通過する輸送　**45**
  受動過程　46 / 能動過程　49
- **3.4** 細胞質　**52**
  サイトゾル　52 / 細胞小器官　53
- **3.5** 核　**58**
- **3.6** 遺伝子の働き：タンパク質の合成　**59**
  転写　61 / 翻訳　61
- **3.7** 体細胞分裂　**64**
  分裂間期　64 / 分裂期　64
- **3.8** 細胞の多様性　**66**
- **3.9** 加齢と細胞　**67**

よくみられる病気　68 / 医学用語と症状　69
3章のまとめ　70
クリティカルシンキングの応用　72
図の質問の答え　72

4　組　織　［小林直人］　73

- **4.1** 組織の分類　**73**
- **4.2** 上皮組織　**74**
  上皮組織の一般的特徴　74 / 上皮組織の分類　74 /
  腺上皮　83
- **4.3** 結合組織　**84**
  結合組織の一般的特徴　84 / 結合組織の細胞　84 /
  結合組織の細胞外マトリクス　85 /
  結合組織の分類　87
- **4.4** 膜　**93**
  粘膜　93 / 漿膜　93 / 滑膜　93
- **4.5** 筋組織　**93**
- **4.6** 神経組織　**95**
- **4.7** 組織修復：ホメオスタシスを回復する　**95**
- **4.8** 加齢と組織　**96**

よくみられる病気　96 / 医学用語と症状　97
4章のまとめ　97
クリティカルシンキングの応用　99
図の質問の答え　99

5　外皮系　［武田利明］　100

- **5.1** 皮　膚　**100**
  皮膚の構造　100 / 表皮　100 / 真皮　103 /
  皮膚の色　103 / 刺青とボディピアス　104
- **5.2** 皮膚付属器の構造　**104**
  毛　105 / 腺　106 / 爪　107

5.3	皮膚の機能　**108**	
5.4	皮膚創傷の治癒　**109**	
5.5	加齢と外皮系　**109**	

ホメオスタシスの観点から　113 /
よくみられる病気　114 / 医学用語と症状　116
5章のまとめ　117
クリティカルシンキングの応用　118
図の質問の答え　118

6　骨格系　　［細谷安彦］　**119**

6.1	骨と骨格系の働き　**119**	
6.2	骨の形　**120**	
6.3	骨の構造　**120**	

肉眼レベルでの骨の構造　120 /
顕微鏡レベルでの骨の構造　122

6.4	骨形成　**125**	

胚子や胎児で起る最初の骨形成　125 /
骨の長さと太さの成長　127 /
骨のリモデリング（再構築）　128 / 骨折　128 /
骨の成長とリモデリングに影響を与える要因　129 /
カルシウムのホメオスタシスにおける骨の役割　129

6.5	運動と骨　**130**	
6.6	骨格系の分類　**132**	
6.7	頭蓋：概観　**132**	

脳頭蓋骨　132 / 顔面頭蓋骨　137

6.8	頭蓋にだけみられる構造　**139**	

舌骨　140

6.9	脊　柱　**141**	

脊柱の部位　141 / 脊柱の正常な彎曲　141 /
椎骨　141

6.10	脊柱の領域　**143**	

頸椎　143 / 胸椎　143 / 腰椎　143 /
仙椎と尾椎　143

6.11	胸　郭　**146**	

胸骨　146 / 肋骨　146

6.12	上肢帯（肩帯）　**147**	

鎖骨　147 / 肩甲骨　148

6.13	自由上肢骨　**148**	

上腕の骨格—上腕骨　148 /
前腕の骨格—尺骨と橈骨　149 /
手の骨格—手根骨，中手骨，指骨　149

6.14	下肢帯（寛帯）　**152**	
6.15	自由下肢骨　**154**	

大腿部の骨格—大腿骨と膝蓋骨　154 /
下腿の骨格—脛骨と腓骨　155 /
足の骨格—足根骨，中足骨，指（＝趾）骨　157

6.16	女性骨格と男性骨格の比較　**158**	
6.17	加齢と骨格系　**159**	

ホメオスタシスの観点から　160 /
よくみられる病気　161 / 医学用語と症状　162
6章のまとめ　163
クリティカルシンキングの応用　165
図の質問の答え　166

7　骨の連結　　［顧　寿智］　**167**

7.1	骨の連結の分類　**167**	
7.2	線維性の連結　**168**	
7.3	軟骨性の連結　**170**	
7.4	滑膜性の連結　**171**	

滑膜性の連結の構造　171

7.5	滑膜性の連結における運動の種類　**172**	

滑り　172 / 角運動　172 / 回旋　174 /
特殊運動　174

7.6	滑膜性の連結の種類　**175**	
7.7	膝関節　**178**	
7.8	加齢と関節　**181**	

よくみられる病気　181 / 医学用語と症状　182
7章のまとめ　183
クリティカルシンキングの応用　184
図の質問の答え　184

8　筋　系　　［松下松雄］　**185**

8.1	筋組織の概観　**185**	

筋組織の種類　185 / 筋組織の特性　186 /
筋組織の機能　186

8.2	骨格筋組織　**186**	

結合組織性要素　186 / 神経と血液供給　188 /
組織構造　188

8.3	骨格筋の収縮と弛緩　**190**	

神経筋接合部　190 /
筋フィラメントの滑り機構　192 /
筋収縮の生理機序　192 / 弛緩　194 / 筋緊張　195

8.4	骨格筋組織の物質代謝　**195**	

収縮に必要なエネルギー　195 / 筋疲労　197 /
運動後の酸素消費　197

8.5	筋張力の調節　**197**	

単収縮　197 / 刺激の頻度　198 /
運動単位の動員　199 / 骨格筋線維の種類　199

8.6	運動と骨格筋組織　**199**	
8.7	心筋組織　**200**	
8.8	平滑筋組織　**200**	
8.9	加齢と筋組織　**202**	
8.10	骨格筋はどのようにして運動を起すか　**203**	

起始と停止　203 ／ 筋群の作用　203
8.11　主要な骨格筋　**204**
　　　顔面の表情をつくる頭部の筋　208 ／
　　　下顎骨を動かし，咀嚼と構音を助ける筋　209 ／
　　　眼球と上眼瞼を動かす筋（外眼筋）　209 ／
　　　腹部内臓を保護し，脊柱を動かす腹部の筋　211 ／
　　　呼吸を助ける胸郭の筋　213 ／
　　　上肢帯を動かす胸郭の筋　214 ／
　　　上腕骨を動かす胸郭と肩の筋　215 ／
　　　橈骨と尺骨を動かす上腕の筋　218 ／
　　　手根，手，指を動かす前腕の筋　220 ／
　　　脊柱を動かす頸部と背部の筋　222 ／
　　　大腿骨を動かす殿部の筋　224 ／
　　　大腿骨および脛骨と腓骨を動かす大腿部の筋　226 ／
　　　足と足趾を動かす下腿筋　227
ホメオスタシスの観点から　230 ／
よくみられる病気　231 ／ 医学用語と症状　232
8章のまとめ　232
クリティカルシンキングの応用　235
図の質問の答え　235

9　神経組織　　[杉野一行]　**236**

9.1　神経系の概観　**236**
　　　神経系の構成　236 ／ 神経系の機能　238
9.2　神経系の組織学　**238**
　　　ニューロン（神経細胞）　239 ／
　　　グリア細胞（神経膠細胞）　241 ／ 髄鞘化　241 ／
　　　神経組織の集合　241
9.3　活動電位　**243**
　　　イオンチャネル　243 ／ 静止膜電位　244 ／
　　　活動電位の発生　245 ／ 神経インパルスの伝導　246
9.4　シナプス伝達　**247**
　　　化学シナプスのしくみ　248 ／ 神経伝達物質　249
よくみられる病気　250 ／ 医学用語と症状　251
9章のまとめ　251
クリティカルシンキングの応用　253
図の質問の答え　253

10　中枢神経系，脊髄神経と脳神経
　　　　　　　　　　　　　[阪中雅広]　**254**

10.1　脊髄の構造　**254**
　　　保護と被膜：脊柱管と髄膜　254 ／
　　　脊髄の肉眼解剖学　255 ／ 脊髄の内部構造　258
10.2　脊髄神経　**258**
　　　脊髄神経の被膜　258 ／ 脊髄神経の分布　259
10.3　脊髄の機能　**259**
10.4　脳　**261**
　　　主要部位と保護被膜　261 ／

　　　脳の血液供給と血液脳関門　261 ／ 脳脊髄液　264 ／
　　　脳幹　264 ／ 間脳　267 ／ 小脳　268 ／ 大脳　268
10.5　脳神経　**277**
10.6　加齢と神経系　**278**
よくみられる病気　279 ／ 医学用語と症状　280
10章のまとめ　280
クリティカルシンキングの応用　282
図の質問の答え　282

11　自律神経系　　[桑木共之]　**283**

11.1　体性神経系と自律神経系との比較　**283**
11.2　自律神経系の構造　**285**
　　　解剖学的構成　285 ／ 交感神経系組織　285 ／
　　　副交感神経系組織　287
11.3　自律神経系の機能　**289**
　　　自律神経系の神経伝達物質　289 ／
　　　自律神経系の活動　289
ホメオスタシスの観点から　292 ／
よくみられる病気　293
11章のまとめ　293
クリティカルシンキングの応用　294
図の質問の答え　294

12　体性感覚と特殊感覚　　[依藤　宏]　**295**

12.1　感覚の概観　**295**
　　　感覚の定義　295 ／ 感覚の特徴　296 ／
　　　感覚受容器の種類　296
12.2　体性感覚　**298**
　　　接触による感覚（広義の触覚）　298 ／
　　　温度感覚　299 ／ 痛覚　299 ／ 固有感覚　299
12.3　嗅覚：においの感覚　**301**
　　　嗅上皮の構造　301 ／ 嗅覚受容器の刺激　301 ／
　　　嗅覚伝導路　301
12.4　味覚：味の感覚　**303**
　　　味蕾の構造　303 ／ 味覚受容器の刺激　303 ／
　　　味覚伝導路　303
12.5　視　覚　**305**
　　　眼の付属器官　305 ／ 眼球壁の層構造　306 ／
　　　眼球の内部　309 ／ 結像と両眼視　309 ／
　　　光受容細胞の刺激　312 ／ 視覚伝導路　314
12.6　聴覚と平衡感覚　**315**
　　　耳の構造　315 ／ 聴覚の生理学　316 ／
　　　聴覚伝導路　318 ／ 平衡感覚の生理学　318 ／
　　　平衡感覚の伝導路　321
よくみられる病気　322 ／ 医学用語と症状　323
12章のまとめ　323
クリティカルシンキングの応用　325

13　内分泌系　［山本三幸・尾﨑　繁］　326

- **13.1** 序　論　326
- **13.2** ホルモン作用　328
  - 標的細胞とホルモン受容体　328 /
  - ホルモンの化学　328 /
  - ホルモン作用のメカニズム　329 /
  - ホルモン分泌の制御　329
- **13.3** 視床下部と下垂体　330
  - 下垂体前葉ホルモン　332 / 下垂体後葉ホルモン　333
- **13.4** 甲状腺　334
  - 甲状腺ホルモンの作用　336 /
  - 甲状腺ホルモンの分泌調節　336 / カルシトニン　338
- **13.5** 副甲状腺　338
- **13.6** 膵　島　341
  - グルカゴンとインスリンの作用　341
- **13.7** 副　腎　341
  - 副腎皮質ホルモン　341 / 副腎髄質ホルモン　347
- **13.8** 卵巣と精巣　347
- **13.9** 松果体　348
- **13.10** その他のホルモン　348
  - その他の内分泌組織および器官から分泌されるホルモン　348 / プロスタグランジンとロイコトリエン　348
- **13.11** ストレス反応　349
- **13.12** 加齢と内分泌系　350

ホメオスタシスの観点から　352 /
よくみられる病気　353 / 医学用語と症状　354
13 章のまとめ　354
クリティカルシンキングの応用　356
図の質問の答え　357

14　心臓血管系：血液　［樗木晶子］　358

- **14.1** 血液の機能　358
- **14.2** 血液の成分　359
  - 血漿　359 / 血球成分　359
- **14.3** 止　血　367
  - 血管の攣縮　367 / 血小板血栓の形成　367 /
  - 血液凝固　368 / 止血の調節機構　369 /
  - 血管内血液凝固　369
- **14.4** 血液型分類と血液型　370
  - ABO 式血液型　370 / Rh 式血液型　370 /
  - 輸血　370 /
  - 輸血のための血液の血液型判定と交差試験　371

よくみられる病気　372 / 医学用語と症状　373
14 章のまとめ　374

クリティカルシンキングの応用　375
図の質問の答え　375

15　心臓血管系：心臓　［石橋隆治］　376

- **15.1** 心臓の構造と構成　376
  - 心臓の位置と心臓を包む膜　376 / 心臓の壁　379 /
  - 心臓の部屋（区画）　379 / 心臓の大血管　379 /
  - 心臓の弁　381
- **15.2** 心臓内の血液の流れと心臓への血液供給　384
  - 心臓内の血流　384 / 心臓への血液供給　384
- **15.3** 心臓の刺激伝導系　386
- **15.4** 心電図　387
- **15.5** 心周期　388
  - 心音　389
- **15.6** 心拍出量　389
  - 一回拍出量の調節　389 / 心拍数の調節　390
- **15.7** 運動と心臓　391

よくみられる病気　392 / 医学用語と症状　394
15 章のまとめ　394
クリティカルシンキングの応用　395
図の質問の答え　396

16　心臓血管系：血管と循環　［菊田彰夫］　397

- **16.1** 血管の構造と機能　397
  - 動脈と細動脈　397 / 毛細血管　399 /
  - 細静脈と静脈　401
- **16.2** 血管内の血流　402
  - 血圧　402 / 血管抵抗　402 / 静脈還流　402 /
  - 血圧と血流の調節　403
- **16.3** 循環路　406
  - 体循環　406 / 肺循環　406 /
  - 大動脈とその枝　406 / 大動脈弓　406 /
  - 骨盤と下肢の動脈　413 / 体循環の静脈　416 /
  - 頭頸部の静脈　418 / 上肢の静脈　419 /
  - 下肢の静脈　422
- **16.4** 肝門脈循環と胎児循環　425
  - 肝門脈循環　425 / 胎児循環　425
- **16.5** 循環検査　428
  - 脈拍　428 / 血圧測定　428
- **16.6** 加齢と心臓血管系　428

ホメオスタシスの観点から　430 /
よくみられる病気　431 / 医学用語と症状　431
16 章のまとめ　432
クリティカルシンキングの応用　433
図の質問の答え　433

17 リンパ系と免疫　［徳田信子・上田祐司］　434

17.1 リンパ系　435
リンパ管とリンパ循環　435 /
リンパ器官とリンパ組織　438

17.2 自然免疫　440
一次防衛線：皮膚および粘膜　440 /
二次防衛線：体内の防御　440

17.3 獲得免疫　442
T細胞とB細胞の成熟　443 /
獲得免疫のタイプ　443 / クローン選択：原理　445 /
抗原と抗体　445 / 抗原の処理と提示　446 /
T細胞と細胞媒介性免疫　447 /
B細胞と抗体媒介性免疫　450 / 免疫学的記憶　451

17.4 加齢と免疫系　453
ホメオスタシスの観点から　454 /
よくみられる病気　455 / 医学用語と症状　457
17章のまとめ　458
クリティカルシンキングの応用　459
図の質問の答え　460

18 呼吸器系　［桑名俊一］　461

18.1 呼吸器系の概要　461
呼吸にかかわる段階　461 / 呼吸器系の構成要素　461

18.2 呼吸器系の器官　462
鼻　462 / 咽頭　464 / 喉頭　464 /
発声の構造　465 / 気管　465 /
気管支と細気管支　466 / 肺　466

18.3 肺換気　468
吸息筋と呼息筋　469 / 呼吸中の圧の変化　471 /
肺気量分画と肺容量　472 /
呼吸パターンと修飾された呼吸運動　473

18.4 酸素と二酸化炭素の交換　474
外呼吸：肺におけるガス交換　475 /
内呼吸：全身におけるガス交換　475

18.5 呼吸ガスの運搬　475
酸素の運搬　475 / 二酸化炭素の運搬　477

18.6 呼吸調節　478
呼吸中枢　479 / 呼吸中枢の調節　480

18.7 運動と呼吸器系　482

18.8 加齢と呼吸器系　482
ホメオスタシスの観点から　483 /
よくみられる病気　484 / 医学用語と症状　485
18章のまとめ　486
クリティカルシンキングの応用　487
図の質問の答え　488

19 消化器系　［髙橋研一］　489

19.1 消化器系の概観　489

19.2 消化管の管壁と腹膜ヒダ　490

19.3 口（口腔）　492
舌　493 / 唾液腺　493 / 歯　494 /
口腔内での消化　495

19.4 咽頭と食道　496

19.5 胃　498
胃の構造　498 / 胃における消化と吸収　500

19.6 膵臓　501
膵臓の構造　501 / 膵液　501

19.7 肝臓と胆嚢　503
肝臓と胆嚢の構造　503 / 胆汁　504 /
肝臓の機能　504

19.8 小腸　505
小腸の構造　505 / 腸液　507 /
小腸における機械的消化　507 /
小腸における化学的消化　507 /
小腸における吸収　508

19.9 大腸　511
大腸の構造　511 / 大腸における消化と吸収　512 /
排便反射　513

19.10 消化の相　514
脳相　514 / 胃相　514 / 腸相　514

19.11 加齢と消化器系　515
ホメオスタシスの観点から　516 /
よくみられる病気　517 / 医学用語と症状　518
19章のまとめ　519
クリティカルシンキングの応用　521
図の質問の答え　521

20 栄養と代謝　［佐伯由香］　522

20.1 代謝　522
糖質代謝　523 / 脂質代謝　526 /
タンパク質代謝　527

20.2 代謝と熱　529
熱の測定　529 / 体温のホメオスタシス　529 /
体温調節　530

20.3 栄養素　532
健康的な食生活のためのガイドライン　532 /
ミネラル　533 / ビタミン　533
よくみられる病気　537 / 医学用語と症状　538
20章のまとめ　539
クリティカルシンキングの応用　540
図の質問の答え　540

21 泌尿器系　［黒澤美枝子］　541

- **21.1** 泌尿器系の概観　541
- **21.2** 腎臓の構造　543
  腎臓の外部構造 544 / 腎臓の内部構造 544 /
  腎臓への血液供給 544 / ネフロン 544
- **21.3** ネフロンの機能　547
  糸球体濾過 548 / 尿細管再吸収 550 /
  尿細管分泌 551 /
  ネフロン機能に対するホルモン性調節 552 /
  尿の成分 553
- **21.4** 尿の輸送，貯蔵，排出　555
  尿管 555 / 膀胱 555 / 尿道 557 / 排尿 557
- **21.5** 加齢と泌尿器系　557

ホメオスタシスの観点から　558 /
よくみられる病気　559 / 医学用語と症状　559
21章のまとめ　560
クリティカルシンキングの応用　561
図の質問の答え　561

22 体液，電解質と酸塩基平衡　［照井直人］　562

- **22.1** 体液区分と体液バランス　562
  水の摂取と排出の源 563 /
  水と溶質の排出の調節 565 /
  体液区分間の水の移動 566
- **22.2** 体液の電解質　566
- **22.3** 酸塩基平衡　568
  緩衝系の作用 568 / 二酸化炭素の排出 570 /
  腎臓による H^+ の排出 571 / 酸塩基平衡異常 571
- **22.4** 加齢と体液および電解質のバランス（平衡），酸塩基平衡　572

22章のまとめ　573
クリティカルシンキングの応用　574
図の質問の答え　574

23 生殖器系　［吉永一也］　575

- **23.1** 男性生殖器系　575
  陰嚢 575 / 精巣 575 /
  男性生殖器系における精路 582 / 付属生殖腺 582 /
  精液 583 / 陰茎 583
- **23.2** 女性生殖器系　584
  卵巣 584 / 卵管 587 / 子宮 587 / 腟 587 /
  会陰と女性の外性器 589 / 乳腺 590
- **23.3** 女性の性周期　591
  ホルモンによる女性の性周期の制御 591 /
  女性の性周期の4期 593
- **23.4** 避妊法と流産　594
  避妊法 594 / 流産 598
- **23.5** 加齢と生殖器系　598

ホメオスタシスの観点から　600 /
よくみられる病気　601 / 医学用語と症状　603
23章のまとめ　604
クリティカルシンキングの応用　606
図の質問の答え　606

24 発生と遺伝　［伊藤正裕］　607

- **24.1** 胚子期　607
  発生第1週 607 / 発生第2週 610 /
  発生第3週 612 / 発生第4〜8週 615
- **24.2** 胎児期　616
- **24.3** 妊娠中の母体の変化　617
  妊娠にかかわるホルモン 617 / 妊娠中の変化 618
- **24.4** 運動と妊娠　619
- **24.5** 分娩　619
- **24.6** 乳汁分泌　620
- **24.7** 遺伝　621
  遺伝子型と表現型 621 / 常染色体と性染色体 623

よくみられる病気　625 / 医学用語と症状　626
24章のまとめ　627
クリティカルシンキングの応用　628
図の質問の答え　628

クリティカルシンキングの応用の答え　629
索　引　635

CHAPTER 1

人体の成り立ち

これから人体を巡る夢多き探検に出発する。そこでは，人体がどのようにつくられ，どのように機能しているかを学ぶことになる。この探検の最初に，解剖学と生理学の学問上の取り決めごとを紹介し，生き物を特徴づけている構造の階層性や，すべての生き物が備えている特性について考える。次に，からだの内部環境をどのようにして一定に保つのかについて追究していく。ホメオスタシス（恒常性）と呼ばれる休むことのないこのプロセスは，本書のすべての章において，主要なテーマとなっている。さらに，からだ全体の健康を維持するために，人体を構成しているさまざまなシステムがどのように協調しているかについて考えてみる。そして最後に，人体について話をする際に，科学者や医療関係者たちに理解してもらえるだけの基本的な用語を身につけることにする。

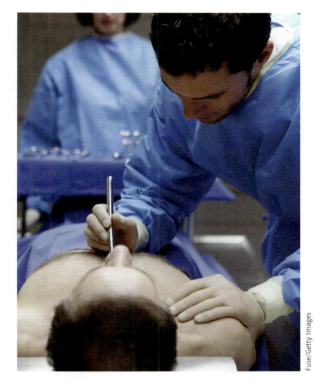

Q なぜ剖検が行われるのか考えたことはありませんか？　答えは 1.2 節の「臨床関連事項：剖検」でわかるでしょう。

1.1　解剖学と生理学：概観

目 標

- 解剖学と生理学を定義する。
- 人体をつくり上げている構造の階層的構成について述べる。
- 人体を構成する 11 の器官系を挙げ，各系に含まれる代表的な臓器と各系の全体的な機能を述べる。

解剖学と生理学の定義

解剖学と生理学は，人体の構造と機能を理解するための基本である。**解剖学 anatomy**（ana- ＝上；-tomy ＝切る動作）はからだの**構造 structure** の科学であり，また構造間の関係を知る科学である。**生理学 physiology**（physio- ＝自然；-logy ＝～学）はからだの**機能 function** の科学であり，からだの各部がどのように働いているかを知る科学である。機能と構造とを完全に切り離して説明することはできないので，人体をしっかりと理解するためには，解剖学と生理学を一緒に学ぶ必要がある。これから私たちは，ある機能を行うために人体の各構造がどのように構成されているか，また，ある部分の構造が機能をどのように決定しているかをみていく。例えば，頭蓋骨は脳を保護する頑丈なケースをつくるためにしっかりと結合する。対照的に，指の骨の結合はずっと緩いため，本書のページをめくるというような多彩な動きが可能である。

人体構造の階層性と人体を構成する系

人体構造の階層的構成は，言語の構成と比べてみると理解しやすい。一つの言語は，文字，単語，文，およびパラグラフで構成される。人体も同様である。人体を構成する六つの階層を，小さなものから大きなものへの順に挙げると，物質，細胞，組織，器官，器官系，個体となる（図 1.1）。

❶ **物質レベル chemical level** に含まれるのは，化学反応に関与する物質の最小構成単位である**原子 atom** と，原子が 2 個またはそれ以上結合した**分子 molecule** である。原子と分子は言語でいうと，アルファベットの個々の文字に相当する。ある種の原子，例えば，炭素(C)，水素(H)，酸素(O)，窒素(N)，リン(P)などは，生命を維持するうえで不可欠である。からだの中にある，よく知られた分子の例を四つ挙げる。DNA（デオキシリ

1

2 CHAPTER 1 人体の成り立ち

図 1.1 人体構造の階層性。

人体構造の階層性は，物質，細胞，組織，器官，器官系，個体の各レベルである。

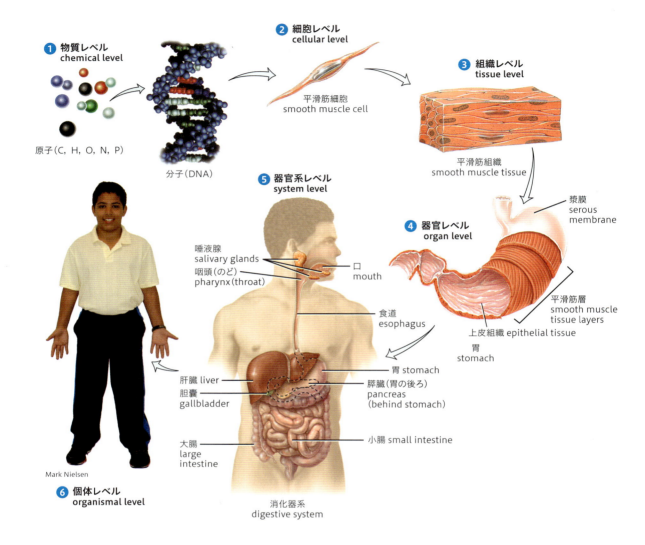

Q 通常，二つ以上の特定の機能を有する組織からなり，それとわかる形をした階層構造は何か？

ボ核酸)は，ある世代から次の世代に引き継がれる遺伝物質である。ヘモグロビンは血液中にあって，酸素を運ぶタンパク質である。グルコース(ブドウ糖)は血糖としてよく知られている。ビタミンはさまざまな化学反応に必要な物質である。2章と20章では物質に焦点をあてている。

❷ 分子が結合して，次の階層である**細胞レベル cellular level** をつくる。生物にとって，**細胞 cell** は構造的にも機能的にも基本単位である。言語においては単語が最小単位であるように，細胞は人体の中での最小の生命単位である。からだの中には，筋細胞，ニューロン(神経細胞)，血液細胞といった，さまざまなタイプの細胞が存在する。図1.1では，体内に存在する3種類の筋細胞の一つである平滑筋細胞を示した。3章で述べるように，細胞の中には，核，ミトコンドリア，リソソームなど，**細胞小器官 organelle** と呼ばれる特徴ある構造が存在し，それぞれ特有の機能を行っている。

❸ 人体構造の次の階層は**組織レベル tissue level** である。**組織 tissue** は細胞とその周囲に存在する物

質からなり，これらは共同して特定の機能を果たしている。単語が集まって文をつくるのと同じように，細胞が集まって組織をつくる。人体を構成する基本的な組織は，**上皮組織** epithelial tissue，**結合組織** connective tissue，**筋組織** muscular tissue，**神経組織** nervous tissue の 4 種類である。異なる組織間の類似性と相違点については，4 章で取り上げている。図 1.1 では，平滑筋細胞がぎっしり詰まって平滑筋組織をつくっていることに注目してほしい。

❹ 異なる組織が一緒になって，次の階層である**器官レベル** organ level の構造をつくり上げる。**器官（臓器）organ** は通常，それとわかる形をしていて，二つ以上の異なる組織で構成されている。器官には特定の機能がある。文が集まってパラグラフをつくるのと同じように，組織が集まって器官をつくるのである。器官の例としては，胃，心臓，肝臓，肺，脳などがある。図 1.1 では，いくつかの組織が胃をつくり上げているようすを示した。胃の外表面を取り巻くのは上皮組織と結合組織からなる層で，胃を保護するとともに，胃が動いてほかの器官と擦れ合う際の摩擦を少なくしている。この外表面の層のすぐ下には**平滑筋層** smooth muscle tissue layer が存在し，その収縮によって食物はかき混ぜられ，次の消化器官である小腸に送り込まれる。胃の最内層は**上皮組織** epithelial tissue で，消化に必要な液体と物質を産生する。

❺ 人体構造の次の階層は**器官系レベル** system level（系レベル）である。**器官系** system は共通の機能をもつ関連した器官群で構成される。パラグラフが集まって章をつくるのと同じように，いくつかの器官が集まって器官系をつくる。図 1.1 に示した例は消化器系である。消化器系は食べ物を分解し，その中の分子を吸収する。以降の章で，人体を構成する各系の解剖学と生理学を解説する。表 1.1 はこれらの系の構成要素と機能を示している。人体を構成する系を学ぶと，健康を維持し，病気からからだを守り，子孫を増やすために，それらの系がどのように協調しているかがわかる。

❻ 人体構造でもっとも大きな階層は**個体レベル** organismal level である。人体中のすべての系が統合されて一つの**個体** organism，すなわちヒトをつくり上げる。いくつかの章が集まって 1 冊の本ができるのと同じように，いくつかの器官系が集まって個体をつくり上げる。

> **チェックポイント**
> 1. 解剖学と生理学の基本的な違いは何か？
> 2. からだのある部分の構造がその機能とどのように関係しているかを示す例を，一つ挙げなさい。
> 3. 次の語句を定義しなさい：原子，分子，細胞，組織，器官，器官系，個体。
> 4. 表 1.1 を参照して，不要なものを除去する系はどれかを答えなさい。

表 1.1　人体を構成する 11 の器官系

1. 外皮系 integumentary system（5 章）

構成要素：皮膚 skin および皮膚に由来する構造，例えば，毛 hair，爪 nail，汗腺 sweat gland，皮脂腺 oil gland。
機能：体温の調節を補助する；からだを保護する；ある種の老廃物を排出する；ビタミン D 合成を助ける；触覚，圧覚，痛覚，温冷覚などの感覚を感知する；脂肪を貯蔵し保温材として働く。

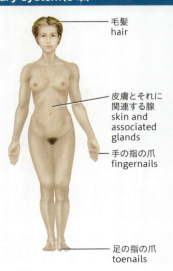

- 毛髪 hair
- 皮膚とそれに関連する腺 skin and associated glands
- 手の指の爪 fingernails
- 足の指の爪 toenails

2. 骨格系 skeletal system（6，7 章）

構成要素：骨 bone と関節 joint および付随する軟骨 cartilage。
機能：からだを支持し保護する；筋の付着部位を提供する；からだの運動を補助する；血球産生細胞を貯蔵する；無機質（ミネラル）と脂肪を貯蔵する。

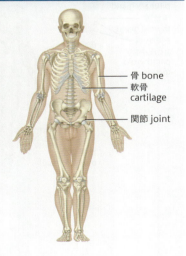

- 骨 bone
- 軟骨 cartilage
- 関節 joint

表 1.1　つづく

表 1.1　人体を構成する 11 の器官系（つづき）

3. 筋系 muscular system（8 章）

構成要素：骨格筋組織 skeletal muscle tissue で通常，骨につく（ほかの筋組織は平滑筋組織と心筋組織）。
機能：歩行などのからだの運動に関係する；姿勢を維持する；熱を産生する。

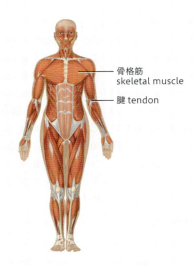

4. 神経系 nervous system（9〜12 章）

構成要素：脳 brain，脊髄 spinal cord，神経 nerve および眼 eye，耳 ear などの特殊感覚器。
機能：神経インパルスによってからだの活動を調節する；環境の変化を感知してそれを判断し，筋収縮または腺分泌という方式で反応する。

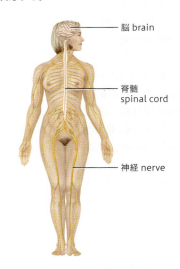

5. 内分泌系 endocrine system（13 章）

構成要素：からだの機能を調節するホルモンという物質を産生する，すべての腺と組織。
機能：ホルモンによってからだの機能を調節する。ホルモンは血液によって標的臓器に運ばれる。

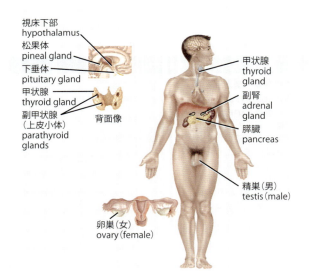

6. 心臓血管系 cardiovascular system（14〜16 章）

構成要素：血液 blood，心臓 heart，血管 blood vessel。
機能：心臓のポンプ作用で血液を血管に流す；血液は酸素と栄養素を細胞に運び，二酸化炭素と老廃物を細胞から運び出す；血液は酸性度，体温，体液中の水分量を調節する；血液成分は病気に対する防御と損傷を受けた血管の修復に関与する。

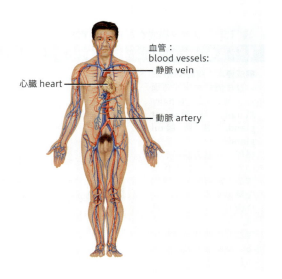

7. リンパ系と免疫 lymphatic system and Immunity（17章）

構成要素：リンパ lymphatic fluid(lymph) とリンパ管 lymphatic vessel, 脾臓 spleen, 胸腺 thymus, リンパ節 lymph node, 扁桃 tonsil, 免疫反応を起こす細胞（B細胞 B cell, T細胞 T cell など）。
機能：タンパク質と体液を血液に戻す；消化管から吸収した脂肪を血液に運ぶ；病原体からからだを守る B 細胞と T 細胞の成熟と増殖の場を含む。

8. 呼吸器系 respiratory system（18章）

構成要素：肺 lung, 咽頭 pharynx[のど], 喉頭 larynx[発声器], 気管 trachea などの気道と肺の中の気管支 bronchial tube。
機能：空気を吸い込んで，その中の酸素を血液に運ぶ，血液の二酸化炭素を呼気中に排出する；体液の酸性度を調節補助する；肺からの空気の流れが声帯を通って，声を発する。

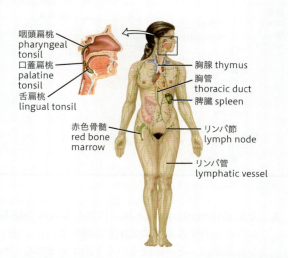
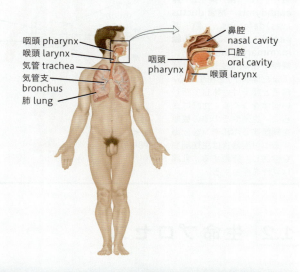

9. 消化器系 digestive system（19章）

構成要素：消化管を構成する諸器官（口腔 mouth, 咽頭 pharynx[のど], 食道 esophagus, 胃 stomach, 小腸 small intestine, 大腸 large intestine, 直腸 rectum, 肛門 anus）；消化管に付属し消化を助ける器官群（唾液腺 salivary gland, 肝臓 liver, 胆嚢 gallbladder, 膵臓 pancreas）。
機能：食物を物理的，化学的に分解する；栄養分の吸収；固形老廃物の排出。

10. 泌尿器系 urinary system（21章）

構成要素：腎臓 kidney, 尿管 ureter, 膀胱 urinary bladder, 尿道 urethra。
機能：尿の生成，貯留，排出；老廃物を排出し，血液の量と化学組成を調節する；体液の酸塩基平衡の調節；電解質平衡の維持；赤血球の産生調節に関与。

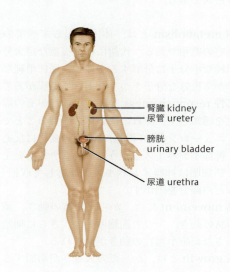

表1.1 つづく

表 1.1　人体を構成する11の器官系（つづき）

11. 生殖器系 reproductive system（23章）

構成要素：性腺 gonad（男の精巣 testis と女の卵巣 ovary）と付属器官（女では卵管 uterine tube［ファロピオ管 fallopian tube］，子宮 uterus, 腟 vagina, 男では精巣上体 epididymis, 精管 ductus (vas) deferens, 陰茎 penis）；さらに女の乳腺 mammary gland.

機能：性腺は生殖細胞（精子または卵子）を産生する，精子と卵子は合体して新しい個体をつくる；性腺はさらに，生殖やその他の機能を調節するホルモンを分泌する；付属器官は生殖細胞を輸送し，貯蔵する；乳腺は乳汁を産生する．

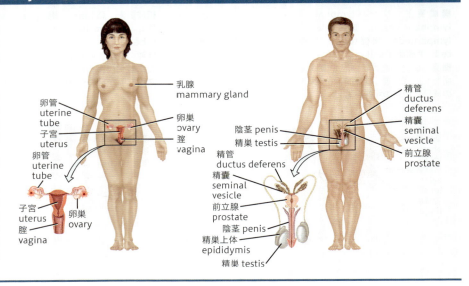

1.2 生命プロセス

目標

・ヒトの重要な生命プロセスを定義する．

生き物はすべて，非生物と区別されるいくつかの特徴を備えている．以下は，ヒトにおける六つの重要な生命プロセスである．

1. **代謝 metabolism** とは，体内で起るすべての化学反応の総和である．代謝には，複雑な巨大分子を単純な小分子に分解する過程と，逆に単純な小分子から複雑な分子をつくり上げる過程がある．
2. **反応性 responsiveness** とは，からだがその環境変化を感知して，それに反応する能力のことである．ニューロン（神経細胞）は環境の変化に反応して，神経インパルスという電気シグナルを発生する．筋細胞は神経インパルスに反応して収縮し，からだの部分を動かす．
3. **運動 movement** には，からだ全体の動き，個々の器官の動き，一つの細胞の動き，さらに細胞内の小さな細胞小器官の動きが含まれる．
4. **成長 growth** とは，からだの大きさが増加することである．これは，(1)すでにある細胞の大きさの増加，(2)細胞の数の増加，あるいは，(3)細胞を取り巻く物質の増加，によって起りうる．
5. **分化 differentiation** とは，特徴をもたない細胞が特徴を有する細胞に変化する過程である．分化した細胞は，その細胞をつくり出すもとになった未分化な細胞とは，構造も機能も異なっている．例えば，一つの受精卵は途方もない分化を繰り返し，両親とは似てはいるが，はっきりと異なる特有の個人をつくり上げる．
6. **再生（生殖）reproduction** とは，(1)成長，修復あるいは交換のために新しく細胞をつくること，もしくは，(2)新しい個体をつくり出すことである．

臨床関連事項

剖検

剖検 autopsy（自分の目でみること）とは，死亡の原因を確認あるいは決定するために，死後，遺体を検分し，解剖すること．剖検をすることによって，生前にはわからなかった疾病の存在が明らかになることがあり，また，障害の程度が明らかになることによって，その障害がその人の死にどのように関わったかを説明できるようになる．あるいは，剖検はある病気に関するより多くの情報を提供してくれることもあり，それによって統計学的データが集積して，医療の教育に役立つ．さらには，剖検によって，子孫や家系まで影響が及ぶような情報が明らかになることもある（例えば，先天性心疾患）．時には，犯罪捜査のように，剖検が法律的に必要なこともあるし，保険金受取人と保険会社の間の死因を巡るいざこざの解決に，剖検が有効になることもある．

これらのプロセスすべてが体内の全細胞で常に起っているわけではないが、これらの生命プロセスのどれかが適切に起らなくなると、その結果、細胞と組織が死んで、それが個体の死を引き起こすこともある。臨床的には、心拍動の停止、自発呼吸の停止および脳機能の喪失をもって人体の死とする。

> **チェックポイント**
> 5. 成長にはどのような異なる意味があるか？

1.3 ホメオスタシス：正常範囲内での維持

目 標

- ホメオスタシスを定義し、その重要性を説明する。
- フィードバックシステムの構成要素を述べる。
- ネガティブフィードバックシステムとポジティブフィードバックシステムの作用を比較する。
- 病気の症状と徴候を区別する。

人体を構成する膨大な数の細胞がその機能を効果的に発揮して、人体が個体として生存するためには、相対的に安定した状態が必要である。相対的に安定した状態を維持することを、**ホメオスタシス(恒常性)** homeostasis(homeo- ＝ 変化しないこと；-stasis ＝ じっと立つ)と呼ぶ。ホメオスタシスとは体内あるいは体外の変化があっても、からだの内部環境を一定に維持する機能である。からだの内部環境とは**細胞外液** extracellular fluid、つまり細胞の周囲にある液体のことである。

人体を構成する個々の器官系は何らかの形でホメオスタシスに関与している。例えば、心臓血管系では、心臓が交互に収縮・弛緩することによって、全身の血管に血液を送っている。血液が細い血管を流れる間に、栄養素と酸素が血液から細胞に移動し、老廃物が細胞から血液に移動する。ホメオスタシスは**動的** dynamic である；つまりホメオスタシスは、細胞の生命プロセスを維持できる狭い範囲の中で変化しうるのである。例えば、血中グルコース濃度(血糖値)は狭い範囲内に維持されていて、食事と食事の間に低くなりすぎることもなければ、グルコース含量の多い食事をした後であっても、高くなりすぎることはない。脳が機能するためには、常に一定量のグルコースが供給されなければならない。血糖値が低くなると意識喪失や死を招くことさえある。逆に血糖値がずっと高いままだと、血管に障害が生じ、尿中に大量の水が失われる。

ホメオスタシスの調節：フィードバックシステム

幸いなことに、細胞から器官系にいたるまでの体内の各階層構造は、それぞれに一つ以上のホメオスタシス機構を備えており、これが内部環境を正常範囲に維持するのに役立っている。ホメオスタシス機構は、主として神経系と内分泌系の二つの調節機構によって調節されている。神経系は、安定平衡状態からの逸脱を感知すると、その逸脱を元に戻す能力のある器官に**神経インパルス** nerve impulse の形でメッセージを送る。例えば、体温が上昇すると、神経インパルスは汗腺に働きかけてより多く汗を出させ、汗の蒸発によってからだを冷やす。内分泌系は**ホルモン** hormone と呼ばれる分子を血液中に分泌することにより、逸脱を補正する。ホルモンは特定の細胞に作用し、そこでホメオスタシスを回復させる応答を引き起す。例えば、インスリンというホルモンは、血糖値が高くなりすぎたときにそれを低下させる。神経インパルスが迅速な補正を行うのに対し、ホルモンは通常ゆっくりと作用する。

ホメオスタシスは多くのフィードバックシステムによって維持されている。**フィードバックシステム** feedback system または**フィードバックループ** feedback loop は、からだの状態を休むことなく監視し、それを評価し、変化させ、再度モニターし、再度評価する、ということを繰り返す、複数の生体反応からなる回路である。体温、血圧、血糖値などの監視される可変量を**調節された状態** controlled condition といい、調節された状態を変化・撹乱させるものを**刺激** stimulus という。刺激は酷暑や酸素欠乏のように、外部環境(からだの外)による場合もあるし、低血糖のように、内部環境(からだの中)で発生する場合もある。ホメオスタシスの乱れは、仕事や学校からの期待のような、社会的環境における心理的ストレスによって生じることもある。多くの場合は、ホメオスタシスの破綻はわずかで一時的なものであり、細胞の応答によってすぐに内部環境のバランスは回復する。このほか、中毒、極端な温度変化、重篤な感染、愛する人の死亡などでは、ホメオスタシスが大きく破綻してそれが長引くことがある。

フィードバックシステムは三つの主要な要素で構成されている：受容器、調節中枢、効果器(図 1.2)。

1. **受容器** receptor は、調節された状態の変化をモニターする構造であり、調節中枢に**入力** input(神経インパルスか化学的シグナル)と呼ばれる情報を送る。体内にはさまざまな受容器が存在する。温度を感知する皮膚の神経終末も受容器の一つで

図 1.2 フィードバックシステムを構成する要素。

フィードバックシステムの三つの基本要素は，受容器，調節中枢，効果器である。

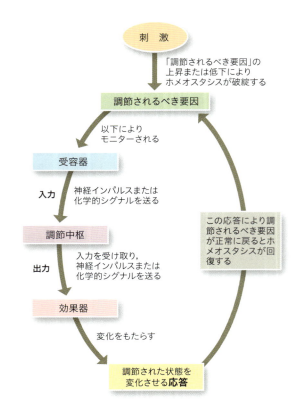

Q ネガティブフィードバックシステムとポジティブフィードバックシステムの基本的な違いは何か？

ある。
2. 体内の**調節中枢** control center として，例えば，脳は調節された状態を維持する範囲を定め，受容器から受け取った入力を判断して，必要に応じて出力を送り出す。**出力** output は神経インパルスもしくは化学的シグナルの形で送られる情報で，調節中枢から効果器に伝えられる。
3. **効果器** effector は，調節中枢からきた出力を受け取る構造で，調節された状態を変化させる**応答** response ないしは効果 effect を起す。体内のほとんどすべての器官と組織は効果器として働く。例えば，体温が急に下がったときには，脳（調節中枢）が骨格筋（効果器）に神経インパルスを送り，筋の震えを起して熱を発生させ，体温を上げる。

フィードバックシステムは，調節された状態の方向を逆にするネガティブフィードバックシステムか，調節された状態の方向を強めるポジティブフィードバックシステムのどちらかに分類できる。

ネガティブフィードバックシステム 調節された状態に生じた変化を元に戻す reverse のが**ネガティブフィードバックシステム** negative feedback system である。血圧を調節するネガティブフィードバックシステムについて考えてみよう。**血圧** blood pressure (BP) とは，血液が血管壁を押す力のことである。心臓がより速くまたはより強く収縮すると，血圧は上昇する。もし刺激によって血圧（調節された状態）が上昇すると，次のような現象が順々に起る（図 1.3）。高くなった血圧は，特定の血管壁に存在する圧感受性ニューロンからなる**圧受容器** baroreceptor に感知される（受容器）。圧受容器は神経インパルス（入力）を脳（調節中枢）へ送り，そこでそのインパルスが解釈され，神経インパルス（出力）が心臓（効果器）へ送られる。その結果，心拍数は減少し，血圧は低下する（応答）。この一連の現象により，調節されるべき要因，つまり血圧は正常に戻るとホメオスタシスが回復する。この回路は，効果器の活動が刺激の効果を逆転させて血圧低下をもたらすので，ネガティブフィードバックシステムである。血圧，血糖値，体温など，長時間にわたって安定に保たれる体内の系は，ネガティブフィードバックシステムによって調節される場合が多い。

ポジティブフィードバックシステム ネガティブフィードバックと異なり，**ポジティブフィードバックシステム** positive feedback system は生体内の何らかの調節された状態を**強める**ように働く。ポジティブフィードバックシステムにおける応答は，ネガティブフィードバックとは異なる方法で調節された状態に影響を与える。調節中枢は効果器に対して同じように命令を送る。しかしこの場合，効果器は調節された状態に，最初に起きた変化をさらに**増強させる** reinforce ような生理学的応答を引き起す。ポジティブフィードバックシステムの活動は，それが何らかのメカニズムで遮断されるまで続く。

正常出産はポジティブフィードバックシステムのよい例である（図 1.4）。出産の最初の収縮（刺激）は胎児の一部を子宮頸部に押し込む。子宮頸部は子宮の一番下の部分であり，腟につながっている。伸展感受性ニューロン（受容器）が，子宮頸部の伸展の程度（調節された状態）をモニターする。伸展が増大するにつれ，伸展感受性ニューロンはより多くの神経インパルス（入力）を脳（調節中枢）に送る。それによってオキシト

図1.3 ネガティブフィードバックシステムによる血圧のホメオスタシス。⊖を付した上向きの破線矢印はネガティブフィードバックを示す。応答がフィードバックされると、正常血圧（ホメオスタシス）に戻るまで血圧調節系が血圧を下げ続ける。

> 応答が調節されるべき要因の変化を打ち消しているなら，そのシステムにはネガティブフィードバックが働いている。

図1.4 出産の際，娩出を調節するポジティブフィードバック調節。⊕を付した上向きの破線矢印はポジティブフィードバックを示す。

> 応答が刺激を増強しているのであれば，そのシステムにはポジティブフィードバックが働いている。

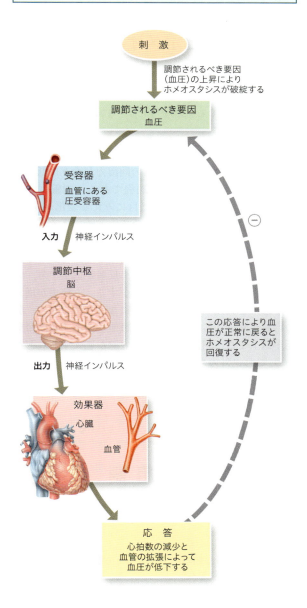

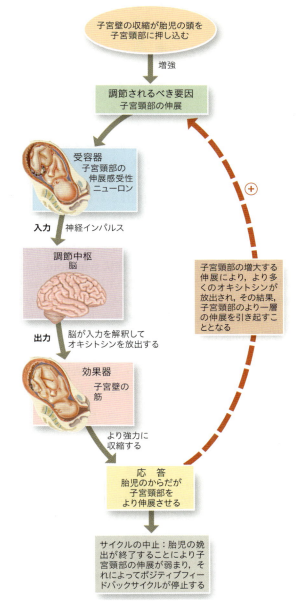

Q もしある刺激が血圧を低下させたら，心拍数はどうなるか？ それはポジティブフィードバックで起るのか，それともネガティブフィードバックで起るのか？

Q なぜ，正常な生理学的応答の部分であるポジティブフィードバックシステムが，そのシステムを終了させるメカニズムを併せもっているのだろうか？

シンというホルモン（出力）が血中に放出される。オキシトシンは子宮壁の筋（効果器）をより強力に収縮させる。その強力な収縮によって胎児は子宮のより下方に押し下げられ，それによって子宮頸部はさらに伸展する。伸展とホルモン放出により強力な収縮のサイクルは，胎児の出生によって終了する。そのとき子宮頸部の伸展は止み，オキシトシンのそれ以上の放出は起らない。

ホメオスタシスと疾患

体内のすべての調節された状態が，ある一定の狭い範囲にある限り，細胞は効果的に機能し，ホメオスタシスが維持され，からだは健康である。しかし，体内のいくつかの調節されるべき要因でホメオスタシスが維持できなくなると，体内の生命プロセス全体での正常なバランスが崩れる。ホメオスタシスのバランスの崩れ方が少ないときには，障害や疾患にとどまるが，大きく崩れると死にいたる可能性がある。

障害 disorder とは，構造または機能あるいはその両者が正常でない状態である。**疾病 disease** とは，認識されうる症状と徴候の組合せで特徴づけられる病気を示す具体的な用語である。**症状 symptom** とは，観察者にはわからない，からだの**主観的 subjective** な機能の変化であり，例えば，頭痛や不安や吐き気などである。**徴候 sign** とは，医者がみたり測ったりできる**客観的 objective** な変化であり，例えば，出血，腫脹，嘔吐，下痢，発熱，発疹，麻痺などである。疾患に陥ると，その疾患に特有なからだの構造や機能の変化が起り，多くの場合，はっきりとした症状と徴候とが現れる。

> **臨床関連事項**
>
> #### 診　断
>
> **診断 diagnosis**（dia- ＝〜を通して；-gnosis ＝知識）とは，患者の症状と徴候，病歴，理学的検査，時には臨床検査データなどを科学的に判断して，疾患や障害を同定することである。**病歴 medical history** をとるとは，患者の病気に関係すると思われる出来事の情報を集めることであり，これには主訴，現病歴，既往症，家族歴，患者の社会的な履歴が含まれる。**理学的検査 physical examination** とは，一定のやり方でからだとその機能を調べることである。それには，**視診 inspection**（正常と異なる変化がないかどうか，身体を観察すること），**触診 palpation**（体表を手で触って感じること），**聴診 auscultation**（からだの音を聞くことであり，しばしば聴診器を使う），**打診 percussion**（体表を軽く叩いてその反響音を聞く），**バイタルサイン**（体温，脈拍，呼吸数，血圧）の**測定 measuring vital sign** が含まれる。よく行われる臨床検査は，血液検査と尿検査である。

> **チェックポイント**
> 6．どのような種類の乱れがフィードバックシステムを動かす刺激として作用するのか？
> 7．ネガティブフィードバックシステムとポジティブフィードバックシステムで，類似点と相違点はどこか？
> 8．疾患の症状と徴候を区別し，それらの例を挙げなさい。

1.4 加齢とホメオスタシス

目　標

・加齢に伴って生じる解剖学的または生理学的変化を述べる。

後になって理解できるようになると思うが，**加齢 aging** とは，ホメオスタシスの回復力が徐々に低下していく，正常な（生理的な）過程である。加齢によって，からだの構造や機能には目にみえる変化が現れ，ストレスや病気に対して弱くなる。加齢による変化はからだのすべての系で明らかにわかる。その例として，皮膚にしわがよる，髪の毛が灰色になる，骨量が減少する，筋肉量と筋力が低下する，反射が低下する，いくつかのホルモンの産生量が減少する，心疾患が増える，感染を受けやすくなる，癌になりやすくなる，肺の容量が減少する，消化器系の機能が低下する，腎機能が低下する，閉経が起る，前立腺が肥大するなどがある。これ以外のものも含めた加齢の影響については，後の章で詳しく述べる。

> **チェックポイント**
> 9．加齢の他覚症状にはどのようなものがあるか？

1.5 解剖学用語

目　標

・解剖学的正位を述べる。
・からだの主要部位を同定でき，からだの各部の一般名称を解剖学用語にあてはめる。
・人体各部の位置を表すのに用いる方向用語と，解剖学で用いる平面および断面を定義する。

解剖学と生理学で使う用語は非常に厳密である。手首の位置を述べるときに，"手首は指の上方にある"といって正しいだろうか？　腕が自分のからだの側面に垂れているときにはこの表現は正しいだろうが，腕を頭より上に挙げていたら，指のほうが手首より上になってしまう。このような混乱を防ぐために，科学者

や医療関係者たちは，標準的な肢位を規定し，からだの各部を相互に関係づける特別な語彙を用いる。

解剖学の研究では，人体のいかなる部分であっても，からだが**解剖学的正位** anatomical position という特別な姿勢にあることを想定して記載している。解剖学的正位では，被験者は観察者に向かって直立しており，頭部と目は前方を向いている。両下肢は平行で，足の裏の全面が床について，つま先は前に向け，腕は体側に垂らして手掌を前に向ける（図 1.5）。解剖学的正位では，からだは直立している。横たわっているからだの体位を表現する二つの用語がある。顔面を下に向けて横たわっているとき，**腹臥位**（うつぶせ）prone という。顔面を上に向けて横たわっているとき，**背臥位**（あおむけ）supine という。

からだの部位の名称

ヒトのからだは，外からみてわかる，いくつかの大きな部位に分けられる。それは頭部，頸部，体幹，上肢，下肢である（図 1.5）。**頭部** head は頭蓋と顔面からなる。頭部の一部である**頭蓋** skull は，脳を取り囲

図 1.5 解剖学的正位。からだの各部を表す一般名とそれに対する解剖学名（日本語は一般名と異なる場合のみカッコ内に記す）を示す。例えば，一般名の「頭」は解剖学名では「頭部」である。

解剖学的正位では，被験者は観察者に向かって直立し，頭部と眼はまっすぐ前を向く，両下肢は平行で，足の裏は全面が床について，つま先は前に向け，両腕をからだの側面に垂らして手掌を前に向ける。

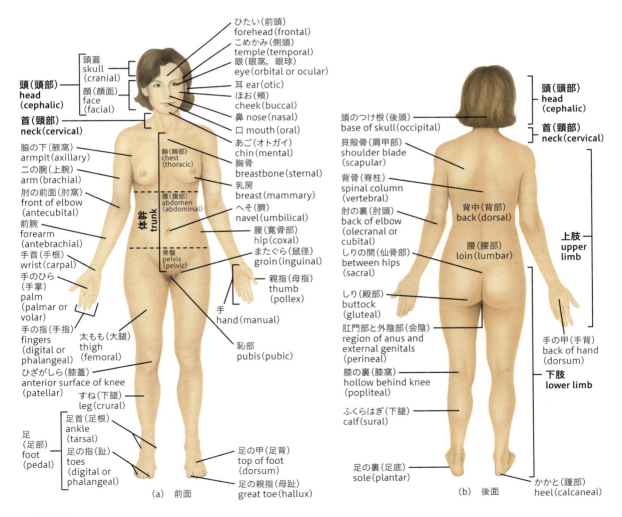

(a) 前面　　(b) 後面

Q 足底疣贅(そくていゆうぜい)はどこにできるか？

んで保護する。**顔面** face は頭部の前方部で，眼，鼻，口，前頭，頬，顎を含んでいる。**頸部** neck は頭部を支え，頭部を体幹につないでいる。**体幹** trunk は胸，腹，骨盤からなる。**上肢** upper limb は体幹についており，肩，腋窩，上腕（上肢の肩から肘までの部分），前腕（上肢の肘から手首までの部分），手首，手からなる。**下肢** lower limb も体幹についており，殿部，大腿（下肢の殿部から膝までの部分），下腿（下肢の膝から足首までの部分），足首，足からなる。**鼠径部** groin は体幹が左右の大腿に移行するところにあり，溝を目印とした体表前面の領域である。

図 1.5 に，からだの各部の一般名称とそれに対応する解剖学名（訳注：英語表記は形容詞形）をカッコで表示した。例えば，しり buttock に破傷風の予防注射がなされたら，それは殿部 gluteal 注射である。からだの各部の解剖学名はギリシャ語とラテン語に由来し，同じ部位を表す際には同じ語幹を使う。例えば，脇の下（腋窩）を意味するラテン語は"axilla"なので，腋窩を通る神経を**腋窩神経** axillary nerve と呼ぶ。本書を読み進めると，解剖学用語と生理学用語の多くの語幹を学ぶことになる。

方向を表す用語

さまざまな人体構造の位置を規定するために，解剖学者は特別な**方向を表す用語** directional term を用いる。これらは，からだのある部分とほかの部分との相対的な位置関係を表す言葉である。方向を表す用語は，前（腹側）と後ろ（背側）のように，対になっているものがある。図 1.6 と表 1.2 を参照し，ほかの臓器との関係で，胃が肺よりも上にあるかどうかを判断してみよう。

人体を記述するために用いる方向を表す用語のほとんどは，反対の意味をもつ語と対になっている。例えば，**上** superior はからだの上のほうを意味し，**下** inferior はからだの下のほうを意味する。重要なことは，方向を表す用語の意味は**相対的** relative であり，ある構造の位置をほかの構造の位置との比較で記述する場合にのみ意味をもつということである。例えば，膝と足首はいずれも下半身にあるが，膝は足首よりも上にある。次の方向を表す用語とその使い方に習熟しよう。使い方の例を読む際に，図 1.6 をみながら，それぞれの構造がどこにあるかを確かめよう。

平面と断面

次に人体各部の探索に必要な平面について述べる。**平面** plane とは，からだのある部分を通る，仮想した平らな面であり（図 1.7），矢状面，前頭面，横断面，斜面の4面がある。**矢状面** sagittal plane（sagitt-＝矢）は，からだもしくは器官を左右に分ける垂直面をいう。矢状面の中で，からだを左右**均等** equal に分断する面をとくに，**正中矢状面** midsagittal plane と呼ぶ。矢状面がからだの真ん中を通らずに，からだを

表 1.2　方向を表す用語

方向を表す用語	定　義	使用例
上 superior（頭部 cephalic または 頭側 cranial）	頭に近いほう，または構造の上部	心臓は肝臓の上にある
下 inferior（尾側 caudal）	頭から遠いほう，または構造の下部	胃は肺の下にある
前 anterior（腹側 ventral）	からだの前面，またはそれに近いほう	胸骨は心臓の前にある
後ろ posterior（背側 dorsal）	からだの後面，またはそれに近いほう	食道は気管の後ろにある
内側 medial	正中線（からだを右側と左側に等分する仮想の垂直線）に近いほう	尺骨は橈骨よりも内側にある
外側 lateral	正中線または正中矢状面から遠いほう	肺は心臓の外側にある
中間 intermediate	二つの構造の間	横行結腸は上行結腸と下行結腸の中間にある
同側 ipsilateral	他の構造とからだの同じ側	胆嚢と上行結腸は同側にある
反対側（対側）contralateral	他の構造とからだの反対の側	上行結腸と下行結腸は反対側にある
近位 proximal	四肢と体幹の接続点により近い；起始により近い	上腕骨は橈骨の近位にある
遠位 distal	四肢と体幹の接続点からより遠い；起始からより遠い	指は手根の遠位にある
浅 superficial（外 external）	からだの表面または表面に近いほう	肋骨は肺よりも浅いところにある
深 deep（内 internal）	からだの表面から離れている	肋骨は胸背部の皮膚よりも深いところにある

図1.6 方向を表す用語。

方向を表す用語は，からだの各部の相互位置関係を正確に定める。

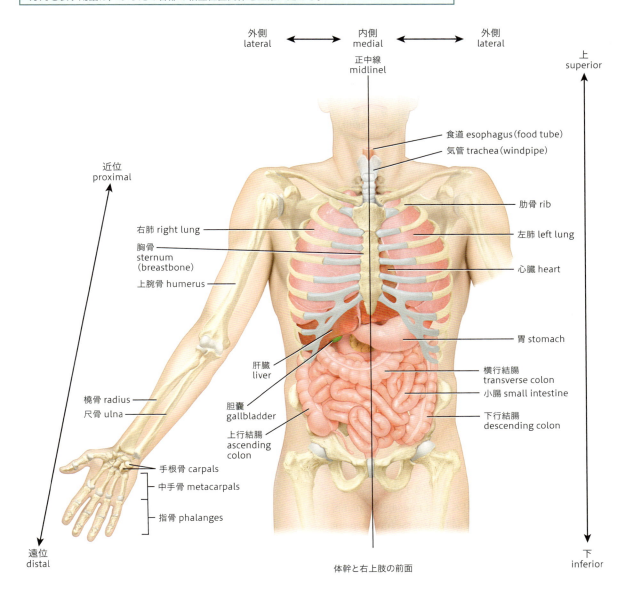

体幹と右上肢の前面

Q 橈骨は上腕骨よりも近位にあるか？　食道は気管の前にあるか？　肋骨は肺よりも浅いところにあるか？　上行結腸と下行結腸は同側にあるか？　胸骨は下行結腸よりも外側にあるか？

左右**不均等** unequal に分ける場合，その面を**傍矢状面** parasagittal plane（para- ＝近く）と呼ぶ。**前頭面** frontal plane（または**冠状面** coronal plane）は，からだや器官を前 anterior（front）と後ろ posterior（back）に分ける。**横断面** transverse plane はからだや器官を上 superior（upper）と下 inferior（lower）に分ける。横断面は**水平面** cross-sectional plane（horizontal plane）ともいう。矢状面，前頭面，横断面は互いに直交す

る。対照的に，**斜面** oblique plane は，矢状面，横断面，前頭面に対して斜めにからだや器官を分断する面である。

からだのある部位を調べるとき，しばしば断面で観察することがある。**断面** section とは，すでに説明した平面の中の一つに沿って，からだまたはある器官を切った割面である。その場合，人体各部の解剖学的な位置関係を理解するためには，どのような平面で切ら

図1.7 人体を通る平面。

前頭面，横断面，矢状面，斜面によって，からだはそれぞれに特定の方向に分割される。

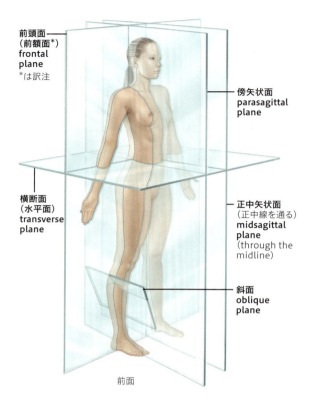

Q 心臓を前部と後部に分割するのは，何という平面か？

図1.8 脳を異なる平面で切った断面。

模式図（左）は面を，得られた断面を写真（右）で示す（注意：模式図中の矢印は，各断面写真をみる方向を示している。この方向の表し方は，本書全体で一貫して用いられている）。

断面を得るためにからだをさまざまな面で分ける。

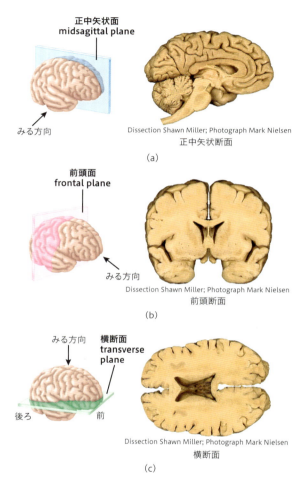

Q 脳を左右均等に分ける平面はどれか？

れたかを知ることが重要である。図1.8では，三つの異なる断面，つまり**正中矢状面** midsagittal plane，**前頭面** frontal plane，**横断面** transverse (cross) planeが脳ではどのように違ってみえるかを示した。

チェックポイント

10. 次の二つの構造の位置関係を示すために用いられる方向を表す用語は何か？
    (1) 肘と肩，(2) 左肩と右肩，(3) 胸骨と上腕骨，(4) 心臓と横隔膜
11. 解剖学的正位について述べ，それがなぜ必要なのかを説明しなさい。
12. 自分自身のからだの各部位について，その一般名と解剖学名を述べなさい。
13. 表1.2に示した方向を表す用語を用いて，自分自身のからだの異なる部位の関係を説明しなさい。
14. からだを分断する面にはどのようなものがあるか？それらの面がからだをどのように分断するかを説明しなさい。

1.6 体 腔

目標

- 主要な体腔とそこにある器官について述べる。
- 腹骨盤腔をいくつかの領域に分ける理由を説明する。

体腔 body cavity とはからだの内部にある空間のことで，器官を納め，保護し，隔て，支持する。ここではいくつかの大きな体腔について述べる（図1.9）。

図 1.9 体腔。黒い破線は腹腔と骨盤腔の境界を示す。

体幹にある主な体腔は胸腔と腹骨盤腔である。

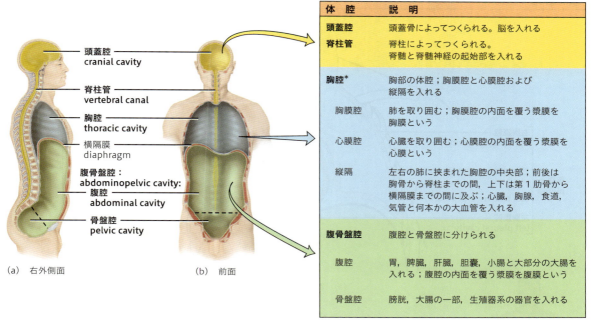

体腔	説明
頭蓋腔	頭蓋骨によってつくられる。脳を入れる
脊柱管	脊柱によってつくられる。脊髄と脊髄神経の起始部を入れる
胸腔*	胸部の体腔；胸膜腔と心膜腔および縦隔を入れる
胸膜腔	肺を取り囲む；胸膜腔の内面を覆う漿膜を胸膜という
心膜腔	心臓を取り囲む；心膜腔の内面を覆う漿膜を心膜という
縦隔	左右の肺に挟まれた胸腔の中央部；前後は胸骨から脊柱までの間，上下は第1肋骨から横隔膜までの間に及ぶ；心臓，胸腺，食道，気管と何本かの大血管を入れる
腹骨盤腔	腹腔と骨盤腔に分けられる
腹腔	胃，脾臓，肝臓，胆嚢，小腸と大部分の大腸を入れる；腹腔の内面を覆う漿膜を腹膜という
骨盤腔	膀胱，大腸の一部，生殖器系の器官を入れる

*胸腔の詳細は図 1.10 参照

Q 次の器官はどの体腔にあるか？　膀胱，胃，心臓，小腸，肺，女性生殖器，胸腺，脾臓，肝臓。解答には次の記号を用いなさい：T＝胸腔，A＝腹腔，P＝骨盤腔。

　頭蓋腔 cranial cavity は頭蓋骨で形成され，脳を入れる。**脊柱管** vertebral (spinal) canal は脊柱の骨（背骨）によって形成される体腔で，脊髄を入れる。
　体幹にある主要な体腔は，**胸腔** thoracic cavity (thorac-＝胸）と腹骨盤腔である。胸腔は胸にある体腔で，その中には三つの小さな腔がある。その一つは**心膜腔** pericardial cavity (peri-＝めぐる；-cardial＝心臓）で，心臓を取り巻き，少量の潤滑性の液体で満たされている。あとの二つは**胸膜腔** pleural cavity (pleur-＝肋骨または側壁）である。それぞれの胸膜腔は片側の肺を取り囲み，中には少量の潤滑性の液体が貯留している（図 1.10）。胸腔の中央部は**縦隔** mediastinum (media-＝中；-stinum＝パーティション）と呼ばれる。縦隔は左右の肺の間にあり，前は胸骨から後ろは脊柱まで，そして，上方は第1肋骨から下方は横隔膜に及ぶ（図 1.10）。縦隔には，肺を除くすべての胸部内臓が入る。縦隔の臓器には，心臓，食道，気管と何本かの大血管がある。**横隔膜** diaphragm (＝仕切り，壁）はドーム型の筋で，呼吸に必要な力を産み出すとともに，胸腔と腹骨盤腔を隔てている。

　腹骨盤腔 abdominopelvic cavity (abdomin-＝腹；-pelvic＝鉢）は横隔膜から鼠径部にまで広がっていて，腹筋および骨盤の骨と筋で囲まれる。その名が示すように，腹骨盤腔は二つの部分に分けられるが，分ける仕切りはない（図 1.9）。上方の部分は**腹腔** abdominal cavity と呼ばれ，胃，脾臓，肝臓，胆嚢，小腸および大腸の大部分が入っている。下方の部分は**骨盤腔** pelvic cavity と呼ばれ，膀胱，大腸の一部および生殖器系の臓器が入っている。胸腔と腹骨盤腔にある臓器を**内臓** viscera と総称する。

　膜 membrane とは薄くて滑らかな組織で，構造を被ったり，裏打ちしたり，区分けしたり，結合したりしている。その一例が**漿膜** serous membrane と呼ばれる膜である。漿膜は体腔に付随する滑らかな2層構造の膜で，体外には直接つながっていない。漿膜は胸腔と腹腔の中にある内臓を覆い，さらに胸壁の内面と腹壁の内面を裏打ちしている。漿膜には，(1)**壁側漿膜**（壁側葉）parietal layer，胸腔壁と腹腔壁の内面を

図1.10 胸腔。破線は縦隔の境界を示す。注意：横断面を下方から(すなわち下半身から)みると，からだの前方は図の上方にあり，からだの左側は図の右側にくる。心膜腔が心臓を取り囲み，胸膜腔が肺を取り囲んでいる。

縦隔は両肺よりも内側の領域で，前は胸骨から後ろは脊柱まで，上方は第1肋骨から下方は横隔膜にまで及ぶ。

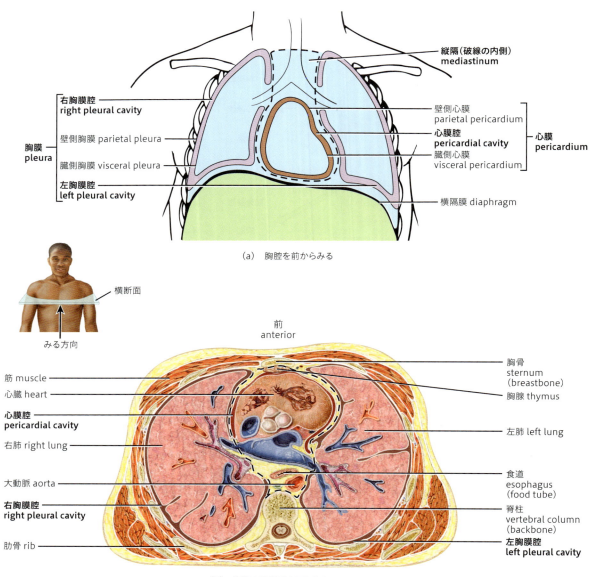

(a) 胸腔を前からみる

(b) 胸腔の横断面を下からみる

Q 次の構造のうち，縦隔に含まれるのはどれか：右肺，心臓，食道，脊髄，大動脈，左胸膜腔。

裏打ちする部分, と(2)臓側漿膜(臓側葉)visceral layer, 胸腔と腹腔の内部にある臓器に密着して, その臓器を覆う部分, がある。壁側漿膜と臓側漿膜の間には潜在的な腔があり, そこには少量の潤滑性の液体(漿液)が存在する。漿液があることによって, 呼吸に伴って肺が膨らんだりしぼんだりするときのように, 臓器が動く際にはある程度滑ることができる。

胸膜腔にある漿膜を**胸膜 pleura** と呼び, 心膜腔にある漿膜を**心膜 pericardium** と呼ぶ。腹腔にある漿膜は**腹膜 peritoneum** である。

これらの体腔に加えて, これ以降の章で, さらにほかの体腔も学ぶことになる。舌と歯がある**口腔 oral (mouth) cavity**；鼻の中にある**鼻腔 nasal cavity**；左右の眼球を入れる**眼窩腔 orbital cavity**；中耳の小さな骨を収める**中耳腔 middle ear cavity**；自由に動く関節内にあり, 滑液を満たす**滑膜腔 synovial cavity** などである。

腹骨盤腔の九領域と腹骨盤腔の四領域

多くの腹部器官と骨盤器官をより正確に説明する必要上, 腹骨盤腔をさらに小さな領域に分割する。一つの分け方は, 2本の水平線と2本の矢状線を引いて, 碁盤の目のように, 腹骨盤腔を**九領域 9 abdominopelvic region** に分割する方法である(図1.11)。九領域の名称は, **右下肋部 right hypochondriac**, **上胃部 epigastric**, **左下肋部 left hypochondriac**, **右側腹部 right lumbar**, **臍部 umbilical**, **左側腹部 left lumbar**, **右鼠径部 right inguinal (右腸骨部 right iliac)**, **下腹部 hypogastric**, **左鼠径部 left inguinal (左腸骨部 left iliac)** である。

もう一つの分け方は, **臍 umbilicus** (umbilic- = へそ)を通る水平線と矢状線によって, 腹骨盤腔を**四領域 quadrant** (quad- = 1/4 の部分)に分割する方法である(図1.12)。四領域の名称は, **右上腹部 right upper quadrant (RUQ)**, **左上腹部 left upper quadrant (LUQ)**, **右下腹部 right lower quadrant (RLQ)**, **左下腹部 left lower quadrant (LLQ)** である。解剖学研究では九領域区分がよく用いられるが, 臨床家が腹骨盤腔の痛みや腫瘍などの異常を記載する際には, 四領域のほうがよく用いられる。

図1.11 **腹骨盤腔の九領域。**骨盤腔に存在する生殖器は図23.1と図23.6に示した。

九領域区分法は解剖学の研究で用いられる。

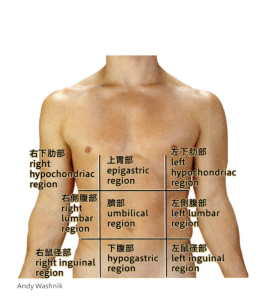
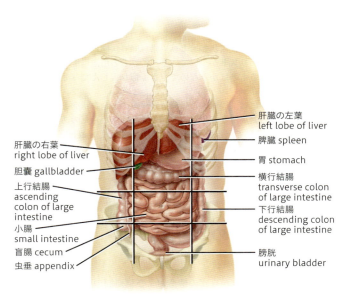

(a) 前からみた腹骨盤腔の九領域　　(b) 腹骨盤腔の臓器を前からみた表面観

Q 次の構造はそれぞれどの腹骨盤領域にあるか：肝臓の大部分, 上行結腸, 膀胱, 虫垂。

18　CHAPTER 1　人体の成り立ち

図 1.12　腹骨盤腔の四領域（破線の下）。2本の線は臍の位置で直交する。

四領域区分法は痛み，腫瘍その他の異常の位置を記載する際に用いられる。

チェックポイント

15．各体腔とその他の体腔とを隔てている構造を挙げなさい。
16．腹骨盤部の九領域と四領域がどこかを，自分のからだで確かめてみよう。さらに，それぞれの領域にある器官をいくつか挙げなさい。

・・・

　次の2章では，人体構造をつくる物質レベルについて学ぶ。そこでは体内のさまざまな物質群について学び，それらがどのように働いてホメオスタシスに貢献しているかがわかる。

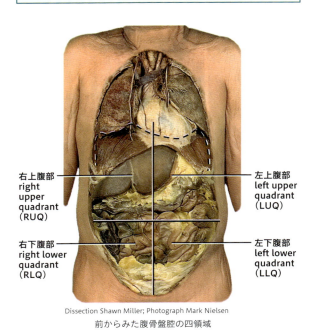

右上腹部 right upper quadrant (RUQ)
左上腹部 left upper quadrant (LUQ)
右下腹部 right lower quadrant (RLQ)
左下腹部 left lower quadrant (LLQ)

Dissection Shawn Miller; Photograph Mark Nielsen
前からみた腹骨盤腔の四領域

Q 虫垂炎の痛みはどの腹骨盤腔の四領域で感じるか？

医学用語と症状

　本書では，章末に正常状態および異常（病的）状態に関する重要な医学用語のリストがついている。それらの用語は医学用語の基礎となるものばかりなので，よく慣れ親しんでほしい。
　医学用語の中には，局所的な状態を表すものと全身状態を表すものがある。局所性疾患 local disease とは，からだのある一部分に限局して起る病気である。全身性疾患 systemic disease とは，全身もしくはからだのいくつかの部分にまたがって起る病気である。

疫学 epidemiology（epi- ＝上に；-demi ＝人々）　疾病がなぜ，いつ，どこで起り，ある範囲の人々の間にどのように伝播するかを扱う科学。
病理学 pathology（patho- ＝病気）　疾患の特性，原因，進行と疾患がもたらす構造的・機能的変化を扱う科学。
薬理学 pharmacology（pharmac- ＝薬）　病気の治療における薬剤の効果と使用法を扱う科学。
老年医学 geriatrics（ger- ＝老いた；-iatrics ＝医学）　老人に関する医学上の問題と老人看護を扱う科学。

1章のまとめ

1.1　解剖学と生理学：概観

1．解剖学 anatomy はからだの構造および構造間の関係を知る科学である。
2．生理学 physiology はからだの機能に関する科学である。
3．人体は次の六つの階層によって構成される：物質 chemical，細胞 cellular，組織 tissue，器官 organ，器官系 system，個体 organismal。
4．細胞 cell は生物を構成する基本的な構造的かつ機能的単位であり，人体では最小の生命単位である。
5．組織 tissue は細胞とその周囲に存在する物質からなり，それらは共同して特定の機能を果たしている。
6．器官 organ は通常，それとわかる形をしていて，二つ以上の異なる組織で構成されている。器官には特定の機能が

ある。
7. 器官系 system は共通の機能をもつ関連した器官(臓器)群で構成される。
8. 表 1.1 に人体を構成する 11 の器官系を示した：外皮系，骨格系，筋系，神経系，内分泌系，心臓血管系，リンパ系と免疫，呼吸器系，消化器系，泌尿器系，生殖器系。
9. 個体(ひとりの人間)は，構造的かつ機能的に統合された器官系の集合体である。人体を構成する器官系は互いに協力しあって，健康を維持し，病気を防ぎ，子孫を増やすことができる。

1.2 生命プロセス

1. 生き物はすべて，非生物と区別されるいくつかの特徴を備えている。
2. ヒトの生命プロセスには，代謝 metabolism，反応性 responsiveness，運動 movement，成長 growth，分化 differentiation，再生(生殖)reproduction がある。

1.3 ホメオスタシス：正常範囲内での維持

1. ホメオスタシス(恒常性)homeostasis とは，ある一定の範囲内で，からだの内部環境を安定した状態に維持することである。
2. からだの内部環境は細胞外液で，それはすべての細胞の周囲にある。
3. ホメオスタシスは，神経系と内分泌系が単独もしくは協力して働くことによって調節されている。神経系はからだの変化を感知し，ホメオスタシスを維持するための神経インパルスを送る。内分泌系はホルモンを分泌することによって，ホメオスタシスを調節する。
4. ホメオスタシスの破綻は，外部や内部からの刺激によって起り，あるいはまた心理的ストレスによっても起る。ホメオスタシスが一時的に軽い破綻を来した場合には，細胞の応答によって速やかに内部環境のバランスは回復する。しかし破綻が著しい場合には，ホメオスタシスが回復できないことがある。
5. フィードバックシステム feedback system は，(1)調節された状態に生じた変化を感知して調節中枢に入力を送る受容器 receptor と，(2)調節された状態を維持する範囲を定め，受け取った入力を判断して必要な出力を送り出す調節中枢 control center と，(3)調節中枢からの出力を受け取り，調節された状態を変化させる応答(効果)を起す効果器 effector，で構成されている。
6. 調節された状態の変化に対して逆の応答が起きた場合，そのシステムをネガティブフィードバック negative feedback system と呼ぶ。調節された状態の変化をさらに増幅する応答が起きた場合は，そのシステムをポジティブフィードバック positive feedback system と呼ぶ。
7. ネガティブフィードバックの一つの例は，血圧の調節系である。ある刺激によって血圧(調節された状態)が上昇すると，血管にある圧受容器(圧感受性ニューロン，受容器)が神経インパルス(入力)を脳(調節中枢)へ送る。脳は心臓(効果器)にインパルス(出力)を送る。その結果，心拍数が減少し(応答)，血圧は正常に戻る(ホメオスタシスの回復)。

8. ポジティブフィードバックの一つの例は分娩である。分娩が始まると，子宮頸部が伸展し(刺激)，子宮頸部にある伸展感受性ニューロン(受容器)が神経インパルス(入力)を脳(調節中枢)に送る。脳はそれに応答してオキシトシンを放出し(出力)，オキシトシンは子宮(効果器)を刺激してより強力に収縮させる(応答)。胎児の移動は子宮頸部をさらに伸展させ，より多くのオキシトシンを放出させ，より強い子宮収縮が起る。このサイクルは胎児の娩出(出生)によって終了する。
9. ホメオスタシスの破綻，つまりホメオスタシスの乱れはからだに障害や疾患を引き起こし，さらには個体を死にいたらしめることさえある。障害 disorder とは，構造または機能，あるいはその両方が正常でない状態である。疾患 disease とは，一定の症状と徴候の組合せで特徴づけられる病気に用いる，より特異的な用語である。
10. 症状 symptom とは観察者にはわからない，からだの主観的な機能の変化である。徴候 sign とは他人がみてわかる，あるいは測定することができるような客観的な変化である。
11. 疾患の診断 diagnosis には，症状と徴候，病歴，理学的検査，そして時には臨床検査が利用される。

1.4 加齢とホメオスタシス

1. 加齢 aging によって，構造や機能には目にみえる変化が現れ，ストレスや病気に対して弱くなる。
2. 加齢に伴う変化は体内のすべての系で起る。

1.5 解剖学用語

1. からだのいかなる部分を記載する際にも，からだは解剖学的正位 anatomical position にあるものとする。解剖学的正位とは，観察者に向かって直立し，顔面と目をまっすぐに前方に向け，両下肢は平行で足の裏の全面を床につけ，つま先を前に向け，両腕をからだの側面に垂らし，手掌を前に向けた状態である。
2. 人体はいくつかの大きな部位に分けられる：頭部 head，頸部 neck，体幹 trunk，上肢 upper limb，下肢 lower limb である。
3. からだの各部には一般名称とそれに対応した解剖学名がある。例えば，胸 chest に対する胸部の thoratic，鼻 nose に対する鼻の nasal，手首 wrist に対する手根の carpal などである。
4. 方向を表す用語 directional term は，からだのある部分とほかの部分との関係を示す。表 1.2 に，よく使われる方向を表す用語をまとめた。
5. 平面 plane とは，からだや器官を分断する仮想の平らな面である。正中矢状面 midsagittal plane はからだを左右均等に分け，傍矢状面 parasagittal plane は左右不均等に分ける。前頭面 frontal plane はからだや器官を前と後ろに分ける。横断面 transverse plane はからだや器官を上と下に分ける。斜面 oblique plane は横断面と矢状面の間の角度，あるいは横断面と前頭面の間の角度で，からだや器官を斜めに分断する。
6. 断面 section はからだの構造を切ることによって得られる。断面の名称は，どの平面で切ったかによってつけられ

る：横断面，前頭断面，矢状断面．

1.6 体腔

1. からだの内部にあって，器官を納め，それを保護し，隔離し，支えている空間を**体腔** body cavity という．
2. **頭蓋腔** cranial cavity は脳を入れ，**脊柱管** vertebral canal は脊髄を入れる．
3. **胸腔** thoracic cavity はさらに三つの小さな腔に分けられる：心臓を取り囲む**心膜腔** pericardial cavity と，肺を取り囲む二つの**胸膜腔** pleural cavity である．
4. 胸腔の中央部は**縦隔** mediastinum である．縦隔は左右の肺の間にあり，前は胸骨から後ろは脊柱まで，上は第1肋骨から下は**横隔膜** diaphragm に及ぶ．縦隔には，肺を除くすべての胸部内臓が存在する．
5. **腹骨盤腔** abdominopelvic cavity は横隔膜によって胸腔と隔てられる．腹骨盤腔は上方の**腹腔** abdominal cavity と下方の**骨盤腔** pelvic cavity に分けられる．
6. 胸腔と腹骨盤腔にある臓器を**内臓** viscera という．腹腔にある内臓は，胃，脾臓，肝臓，胆嚢，小腸および大腸の大部分である．骨盤腔にある内臓は，膀胱，大腸の一部，生殖器系の臓器である．
7. 臓器の位置を記載するために，2本の水平線と2本の矢状線によって腹骨盤腔を九つの領域 9 abdominopelvic region に分ける．九領域の名称は，右下肋部，上胃部，左下肋部，右側腹部，臍部，左側腹部，右鼠径部，下腹部，左鼠径部である．
8. 腹骨盤腔を臍（へそ）を通る水平線と矢状線によって，四つの領域 quadrant に区分することもある．四領域の名称は，右上腹部(RUQ)，左上腹部(LUQ)，右下腹部(RLQ)，左下腹部(LLQ)である．

クリティカルシンキングの応用

1. テイラーは雲梯で逆さ吊りの最長時間の記録に挑んだが，失敗して落下し，腕を骨折した疑いがあった．救急外来の技師は，解剖学的正位でテイラーの腕のX線写真を撮影しようとした．X線写真に映っているテイラーの腕の位置を，適切な解剖学用語を用いて表せ．
2. あなたは研究者で，新しい生き物を観察しようと考えている．その構造を観察するのに，もっとも小さな構造レベルは何か．それが生きているということを確認するには，どのような特徴を観察する必要があるか．
3. ガイは先日のラグビーの試合のつくり話をして，ジェンナの気を引こうとした．「コーチがいうには，ぼくは鼠径部にある背側腓腹部の尾側を負傷したんだってさ」．ジェンナはそれに対して，「あなたかコーチのどっちかが頭にでもケガしたんじゃない」といった．ジェンナがガイの武勇伝を好印象に思わなかったのはなぜか？
4. からだの半分は隠れるが，隠れていない部分は二重に写るという，ビックリハウスの特殊鏡の部屋がある．そこでは，鏡の中で両足を地面からもち上げてしまう離れ業が可能である．このとき，鏡はどんな面に沿ってあなたのからだを分割しているのか．次の部屋には別の鏡があって，頭が二つ，腕が4本，足がない状態で映っている．この鏡はどんな面に沿って，あなたのからだを分割しているのか．

図の質問の答え

1.1 器官はそれとわかる形をしていて，二つまたはそれ以上の異なる組織からなり，特定の機能を有する．
1.2 ネガティブフィードバックとポジティブフィードバックの基本的な違いは，ネガティブフィードバックでは刺激に対して調節された状態に逆の応答が起るのに対して，ポジティブフィードバックでは刺激による調節された状態の変化が増幅されることである．
1.3 刺激によって血圧が低下すると，ネガティブフィードバックシステムによって心拍数が増加する．
1.4 ポジティブフィードバックは最初の刺激を継続的に増強するので，その応答を終わらせるためには，あるメカニズムが必要である．
1.5 足底疣贅は足の裏にできる．
1.6 ×，橈骨は上腕骨より遠位にある；×，食道は気管の後ろにある；○，肋骨は肺より浅いところにある；×，上行結腸と下行結腸は反対側にある；×，胸骨は下行結腸よりも内側にある．
1.7 心臓は前頭面によって前後に分けられる．
1.8 脳は正中矢状面によって左右に均等に分けられる．
1.9 膀胱＝P，胃＝A，心臓＝T，小腸＝A，肺＝T，女性生殖器＝P，胸腺＝T，脾臓＝A，肝臓＝A
1.10 縦隔にある構造は，心臓，食道，大動脈である．
1.11 肝臓の大部分は上胃部にある；上行結腸は右側腹部にある；膀胱は下腹部にある；虫垂は右鼠径部（右腸骨部）にある．
1.12 虫垂炎の痛みは右下腹部(RLQ)に感じる．

CHAPTER 2

化学概説

　私たちが飲食する多くの共通の物質，つまり水，糖類，食塩，タンパク質，デンプン，脂肪は私たちが生き続けるのに非常に重要な役割がある。本章では，これらの物質が体内でどのように働くか学習する。あなたのからだは物質でできており，身体の活動は，実際，化学的である。化学の用語と基本的な概念に親しくなる（熟知する）ことは人体の解剖学や生理学を理解するために重要である。

> **先に進むための復習**
> ・人体構造の階層性と人体を構成する系（1.1節）

Q これまでどの種類の脂肪が健康を促進し，どの種類の脂肪が健康上の問題を引き起こすか考えたことはありませんか？　答えは2.2節の「臨床関連事項：健康と病気での脂肪酸」でわかるでしょう。

2.1 化学の概要

目標
- 元素，原子，イオン，分子，化合物を定義する。
- 化学結合はどのように形成するか説明する。
- 化学反応で何が起きるのか述べ，それが人体にとってどうして重要なのかを述べる。

　化学 chemistry は，空間的な大きさと質量をもつ**物質 matter** の構造とそれら物質同士の相互関係を論ずる科学である。生物にあっても，無生物にあっても，物質の量とは，その物質の**質量 mass** にほかならない。

元素と原子

　すべての物質は限られた数の**元素 chemical element** から構成されていて，通常の化学的手段では物質を元素より単純な形に分解することはできない。現在では，118の異なる元素が存在することが知られている。それらの元素は**化学記号 chemical symbol** で示され，英語やラテン語，あるいはほかの言語でいい表されている元素名の一文字または二文字が用いられる。例えば，Hは水素，Cは炭素，Oは酸素，Nは窒素，Kはカリウム，Naはナトリウム，Feは鉄，Caはカルシウムである。
　26の異なる元素が正常なからだの中に存在する。

　主要元素 major element と呼ばれるたった四つの元素，酸素，炭素，水素と窒素が体重の約96％を構成する。八つの**少量元素** lesser element，カルシウム（Ca），リン（P），カリウム（K），硫黄（S），ナトリウム（Na），塩素（Cl），マグネシウム（Mg）と鉄（Fe）が体重の3.6％を占めている。さらに14の元素（**微量元素** trace element）がわずかに存在する。これらをあわせると，体重の残りの0.4％を占める。これらの微量元素は量としては少ないが，そのいくつかは生体にとって重要な機能をもつ。例えば，ヨウ素（I）は甲状腺ホルモンの合成に必要である。いくつかの微量元素の機能はわかっていない。表2.1は人体における主な元素を示す。

　個々の元素は**原子 atom** からなり，物質の最小の単位であり，元素特有の性質と特徴を有する。元素の例として，例えば，純度の高い石炭に含まれる炭素は炭素原子のみを含み，ヘリウムガスを詰めた容器にはヘリウム原子のみが含まれている。
　原子は原子核と一つ以上の電子という二つの基本的な要素から成り立っている（図2.1）。中心に位置する**原子核 nucleus** は正に帯電した**陽子 proton**（p$^+$）と帯電していない（中性の）**中性子 neutron**（n^0）を含む。それぞれの陽子が正に帯電しているため核もまた正の電荷をもつ。**電子 electron**（e$^-$）は小さな負に帯電した粒子であり，原子核の周囲の大きな空間を動き回っている。それらは決まった経路や軌道をたどるのでは

21

表 2.1　からだの主な元素

元素(記号)	全体重に対する%	特徴
主要元素 major element	約96%	
酸素(O) oxygen	65.0	水や多くの有機(炭素を含む)分子の一部。一時的に化学エネルギーとして細胞の中に蓄えられるATPの合成に寄与する。
炭素(C) carbon	18.5	すべての有機分子の骨格となる鎖や環を構成。糖質(炭水化物)，脂質(脂肪)，タンパク質，核酸(DNAやRNA)。
水素(H) hydrogen	9.5	水や多くの有機分子の構成成分。水素イオン(H^+)は体液を酸性に傾ける。
窒素(N) nitrogen	3.2	すべてのタンパク質と核酸の構成成分。
少量元素 lesser element	約3.6%	
カルシウム(Ca) calcium	1.5	骨や歯を硬くする。カルシウムイオン(Ca^{2+})は血液の凝固，ホルモンの分泌，筋収縮，その他多くの過程に必要。
リン(P) phosphorus	1.0	核酸やATPの構成成分。骨や歯の構成に必要。
カリウム(K) potassium	0.35	カリウムイオン(K^+)は細胞内液にもっとも多く存在する陽イオン。活動電位の発生に必要。
硫黄(S) sulfur	0.25	ビタミンや多くのタンパク質の構成成分。
ナトリウム(Na) sodium	0.2	ナトリウムイオン(Na^+)は細胞外液にもっとも多く存在する陽イオン。水分調節に不可欠であり，活動電位の発生に必要。
塩素(Cl) chlorine	0.2	塩化物イオン(Cl^-)は細胞外液にもっとも多く存在する陰イオン。水分調節に不可欠。
マグネシウム(Mg) magnesium	0.1	マグネシウムイオン(Mg^{2+})は生体の化学反応の速度を増加させる多くの酵素活性に必要。
鉄(Fe) iron	0.005	鉄イオン(Fe^{2+}, Fe^{3+})はヘモグロビン(赤血球中の酸素運搬タンパク質)やある種の酵素の一部。
微量元素 trace element	約0.4%	アルミニウム(Al)，ホウ素(B)，クロム(Cr)，コバルト(Co)，銅(Cu)，フッ素(F)，ヨウ素(I)，マンガン(Mn)，モリブデン(Mo)，セレン(Se)，ケイ素(Si)，スズ(Sn)，バナジウム(V)，亜鉛(Zn)。

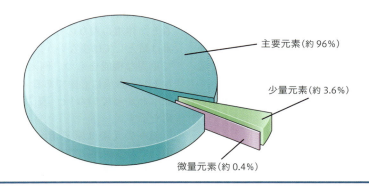

なく，その代わりに核を覆い，負に帯電した"雲"を形成する(図 2.1 a)。一つの原子の電子の数と陽子の数は等しい。それぞれの電子は負に帯電しており，負に帯電した電子と正に帯電した陽子が互いに釣り合っている。その結果，個々の原子は電気的に中性でトータルの電荷はゼロとなる。

原子核の陽子数はその原子の**原子番号 atomic number**と呼ばれている。元素が違うとその原子核に含まれる陽子の数も違う。水素原子は1個の陽子，炭素原子には6個の陽子，ナトリウム原子には11個の陽子，塩素原子には17個の陽子などである(図 2.2)。それゆえ，それぞれのタイプの原子すなわち元素には異なった原子番号がある。原子の陽子と中性子の総数はその原子の**質量数 mass number**である。例えば，ナトリウムの原子は陽子数11と中性子数12で，質量数は23である。

電子の正確な位置を予測することはできないが，特定の電子の集団は，原子核の周囲の一定な領域を動く場合がほとんどである。これらの領域は **電子殻** electron shell と呼ばれ，電子殻は必ずしも球体ではないが，便宜上電子殻を原子核のまわりの円とし，図 2.1 b および図 2.2 のように表現する。原子核にもっとも近い第 1 電子殻は最大二つの電子を保持できる。第 2 電子殻は最大八つの電子を，一方，第 3 電子殻は 18 までの電子を保持できる。このように，7 番目までの電子殻が存在し，それにつれて多数の電子を保持する。電子殻は第 1 電子殻から始まり，決められた順番に電子で満たされていく。

図 2.1 **原子の構造の二つの表現**。電子は原子核のまわりを動き，核は中性子と陽子を含む。(a) 原子の電子雲モデルでは，ボカシの程度が原子核のまわりの領域で電子に遭遇する確率を示す。(b) 電子殻モデルでは，塗りつぶされている円が個々の電子を示し，占有する電子殻に従って同心円のそれぞれにグループ分けされている。二つのモデルは 6 個の陽子，6 個の中性子，6 個の電子をもつ炭素原子を示している。

原子は物質のもっとも小さな単位であり，その元素の機能と性質をもっている。

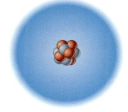
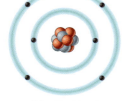

(a) 電子雲モデル　　(b) 電子殻モデル

Q 炭素の原子番号は何番か？

図 2.2 **人体で重要な役割を担う元素の原子構造**。

異なった元素の原子は異なった陽子数をもつため，異なった原子番号をもつ。

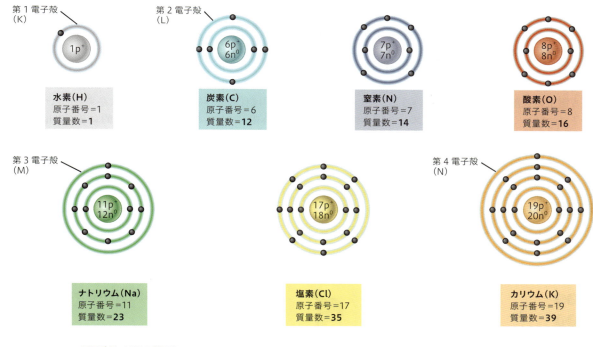

原子番号＝原子の陽子数
質量数＝原子の中にある陽子と中性子の数

Q 生体中でもっとも豊富な四つの元素はどれか？

イオン，分子，化合物

それぞれの元素の原子はほかの原子との相互作用により電子を失ったり，獲得したり，共有したりする性質をもっている。原子が電子を**失ったり** give up，**獲得したり** gain すると**イオン** ion，すなわち，陽子数と電子数が異なるため正あるいは負に帯電した原子となる。イオンはその原子の化学記号に続けて正（＋）か負（－）の価数を表記して示す。例えば，Ca^{2+} は二つの電子を失ったため二つの陽電荷をもつカルシウムイオンを表す。生体におけるいくつかのイオンの重要な機能は表 2.1 を参照しなさい。

一方，二つ以上の原子が電子を**共有** share し，結合したものを**分子** molecule という。**分子式** molecular formula は分子を構成する原子の数と種類を示す。分子は酸素分子や水素分子のように同一元素で二つ以上の原子からなるもの，水分子のように二つ以上の異なる元素の原子からできているものがある（図 2.3）。酸素分子の分子式は O_2 である。添字の 2 は酸素分子に酸素が 2 原子あることを示す。水分子の H_2O では，一つの酸素原子が二つの水素原子と電子を共有する。注目すべきことは二つの水素分子が一つの酸素分子と結合し，二つの水分子をつくることである（図 2.3）。

化合物 compound とは二つ以上の異なる元素の原子を含む物質である。私たちのからだ中の原子の大部分は，例えば，水（H_2O）のように化合物となっている。酸素分子（O_2）は，一つの元素の原子からなるので化合物ではない。

フリーラジカル（遊離基） free radical は最外殻に不対電子をもつイオンあるいは分子である（原子を構成する電子の大部分は対になっている）。フリーラジカルとしてよくみられる例は**スーパーオキシド** superoxide であり，酸素分子に 1 個の電子が付加されて形成される。不対電子をもつことによりフリーラジカルは不安定となり近くの分子に対して破壊的になる。フリーラジカルは不対電子をほかの分子に与えるか，ほかの分子の電子を奪うか，どちらかで生体内の重要な分子を壊す。

臨床関連事項

フリーラジカルと健康への影響

私たちのからだではいくつかの過程によりフリーラジカルが形成される。これらは太陽光中の紫外線，X 線，オゾン，タバコの煙や大気汚染物質に曝露された結果である。正常な代謝過程におけるいくつかの反応でもフリーラジカルが生成する。さらに，四塩化炭素（溶剤）のようなある種の有害な物質が生体の代謝反応に加わることによってフリーラジカルの発生が引き起される。酸素由来のフリーラジカルに関連する多くの疾患と疾病には，癌，血管壁への過酸化脂質の蓄積（アテローム性動脈硬化），アルツハイマー病，肺気腫，糖尿病，白内障，網膜の黄斑変性症，関節リウマチおよび，加齢に伴う劣化（老化）が挙げられる。より多く摂取された**抗酸化物質（剤）** antioxidant（酸素由来のフリーラジカルを不活性化する物質）はフリーラジカルによる損傷の速度を遅くすると考えられている。食物中の重要な抗酸化物質には，セレン，亜鉛，β－カロテン，ビタミン C と E が挙げられる。赤，黄，紫色の果物や野菜は高レベルの抗酸化物質を含む。

化学結合

分子や化合物中の原子を分離しないように結びつけている力は**化学結合** chemical bond である。原子が別の原子と化学結合する機会は**原子価殻** valence shell と呼ばれる最外殻の電子の数に依存する。八つの電子を外殻に保持する原子は**化学的に安定** chemically stable しているが，それはほかの原子と化学結合しえないことを意味する。例えば，ネオンはその外殻に八つの電子をもっており，そのためほかの原子と化学結合することはまれである。

生物学的に重要な原子は外殻に八つの電子をもたない。条件が整えば，二つ以上のこのような原子は，それぞれの原子の外殻に化学的に安定する八つの電子を配置するように，相互作用したり，結合することができる（**オクテットの法則** octet rule〔八隅説〕）。一般的な化学結合には，イオン結合，共有結合，水素結合の 3 種類がある。

イオン結合　正に帯電したイオンと負に帯電したイオンは互いに引きつけ合う。反対の電荷によるイオン間の引力を**イオン結合** ionic bond という。ナトリウムと塩素の原子の例でどのようにイオン結合が形成さ

図 2.3　分子。

分子は同じ元素の二つ以上の原子からなるか，異なる元素の二つ以上の原子からなる。

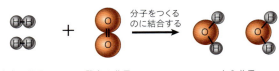

水素 2 分子　　酸素 1 分子　　　　　　　水 2 分子
（2 H_2）　　　（O_2）　　　　　　　（2 H_2O）

分子をつくるのに結合する

Q 図中のどの分子が化合物か？

れるか考えてみよう（図2.4）。ナトリウムは一つの外殻電子をもつ（図2.4 a）。もしナトリウム原子が電子を一つ**失えば** lose，第2電子殻は八つの電子になる。しかし，いま，陽子の総数(11)は電子数(10)を上回る。結果として，ナトリウム原子は正に帯電したイオンである**陽イオン（カチオン）**cation となる。ナトリウムイオンの価数は1＋であり，Na⁺と書く。塩素は外殻に七つの電子があり，これらの電子を失うには多すぎる（図2.4 b）。そこで，近くにある原子から1個の電子を**受け取れば** accept，第3電子殻に八つの電子をもつことになる。こうして陽子数(17)を電子数(18)が上回るため，塩素原子は負に帯電した**陰イオン（アニオン）**anion となる。イオン化した塩素を塩化物イオン（塩素イオン）といい，価数は1－であり，Cl⁻と書く。ナトリウムの原子が一つの外殻電子を塩素の原子に供給すると，正と負の帯電が互い同士を引きよせ，イオン結合を形成する（図2.4 c）。そしてイオン化合物の塩化ナトリウムまたは食塩となり，NaClと表記される。

生体ではイオン結合は主に歯や骨にみられ，組織に強い強度を与えている。体内におけるほかのほとんどのイオンは体液中に溶解している。イオン化合物は溶解したときに陽イオンと陰イオンに分解し，その溶液が電気を通すようになることから，これを**電解質** electrolyte という。後の章で述べるように電解質はたくさんの重要な働きをもっている。例として身体内部の水分の移動調節，酸塩基平衡の維持，神経インパルスの発生などに深く関与している。

共有結合 共有結合 covalent bond が形成される場合，結合するどちらの原子も電子を失ったり獲得したりしない。その代わりに，原子は，外殻にある1，2または3対の電子を**共有** sharing することによって分子を形成する。二つの原子の間で共有される電子対の数が多いほど，共有結合はより強くなる。共有結合は体内でもっとも一般的な化学結合であり，それらから生じる化合物はからだの構造の大部分を形成する。イオン結合と異なり，分子が水に溶けても，ほとんどの共有結合が切れることはない。

共有結合の性質を理解するには同じ元素の原子の間で形成された共有結合を考えるのがもっとも簡単である（図2.5）。二つの原子が1対の電子を共有するとき，**一重共有結合** single covalent bond が結果として生じる。例として二つの水素原子がそれぞれ一つずつ原子価殻の電子を共有するとき，水素分子が形成され，その電子は両方の原子に完全な原子価殻をつくる（図2.5 a；第1電子殻は二つの電子だけを保持することを思い出そう）。二つの原子が2対ないし3対の電子を共有するとき，**二重共有結合** double covalent bond（図2.5 b）あるいは**三重共有結合** triple covalent bond（図2.5 c）が生じる。図2.5に共有結合した分子の**構造式** structural formula を示したので注意してほしい。二つの原子を示す化学記号間の線の本数は，結合が一重（－），二重（＝），または三重（≡）の共有結合であるかを示す。

同じ元素の原子に適用される共有結合の原則は，異なった元素の原子間の共有結合にも適用される。天然ガスの主成分のメタン（CH_4）は四つの別々な一重共有結合を有し，各水素原子は炭素原子と1対の電子を共有する（図2.5 d）。

ある種の共有結合では，原子は均等に電子を共有する。すなわち片方の原子が共有した電子をほかの原子より強く引きつけることはない。これは**非極性共有結合** nonpolar covalent bond と呼ばれる。二つの同じ原

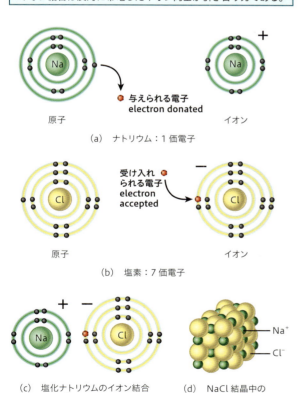

図2.4 **イオンとイオン結合の形成**。与えられる電子と受け入れられる電子を赤色にした。

イオン結合は反対に帯電したイオン同士が引き合う力である。

(a) ナトリウム：1価電子

(b) 塩素：7価電子

(c) 塩化ナトリウムのイオン結合（NaCl）

(d) NaCl結晶中のイオンの充填構造

Q カリウム元素（K）は陽イオンと陰イオンのどちらになりやすいか？ なぜか？（ヒント：図2.2に戻って，K原子の構造をみてみよう）

図 2.5 共有結合の形成。
赤色の電子が(a)～(d)では等しく, (e)では不均等に共有される。共有結合した分子を, より単純に右側に示す。構造式では, 共有結合の一つ一つが二つの原子を示す化学記号の間に引いた直線で表される。分子式では, それぞれの分子での原子の数は添字によって表される。

> 共有結合では二つの原子が1～3対の外殻電子を共有する。

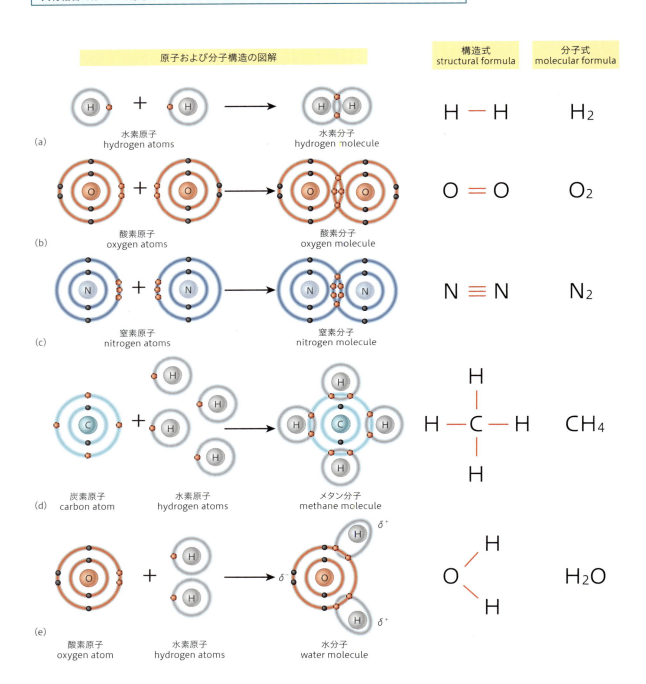

Q イオン結合と共有結合で大きく違うことは何か?

子の間の結合は常に非極性共有結合である(図 2.5 a 〜 c)。非極性共有結合に関する別の例はメタン分子における炭素と水素の各原子の間で形成される一重共有結合である(図 2.5 d)。

極性共有結合 polar covalent bond では，原子間の電子の共有は不均等であり，一つの原子が共有した電子をほかの原子よりも強く引きつける。部分的な荷電については，ギリシャ文字デルタの小文字(δ)に－と＋の記号をつけて表す。例えば，極性共有結合が形成される場合，分子はより強く電子を引きつける原子付近に δ^- で表される部分的な負の帯電をもっている。そして，分子中の少なくとも一つの異なる別の原子には δ^+ で表される部分的な正の帯電がある。生体系での重要な極性共有結合の例は水分子における酸素と水素の結合である(図 2.5 e)。

水素結合 水素原子とその他の原子との間で形成される極性共有結合は，化学結合の三つ目のタイプとして，水素結合が挙げられる。**水素結合** hydrogen bond は部分的な陽電荷(δ^+)をもった水素原子が近傍の電気陰性原子(もっともよくみられるのは窒素や酸素である)の部分的な陰電荷(δ^-)を引きつける場合に形成される。このように水素結合は共有結合による電子の共有というより，むしろ分子の反対に帯電している部分との引力による。イオン結合や共有結合と比べると水素結合は弱い。このように水素結合では分子中に原子を結合することはできない。しかしながら水素結合は水分子のように分子間の，あるいはタンパク質とデオキシリボ核酸(DNA)の場合のような巨大分子の異なった部位間の重要な結合を確立する。水素結合は分子の強度と安定性を高め，分子の三次元構造を決定するのに役立つ(図 2.15 参照)。

化学反応

化学反応 chemical reaction は，原子間で新しい結合が形成される場合と，古い結合が切断される場合との両方あるいはどちらか一方で起る。化学反応によって身体構造が形成され，そして身体機能が実行されるが，これらの過程はエネルギー移動を伴っている。

エネルギーの形態と化学反応 **エネルギー** energy (en- =〜の中；-ergy =働き)とは仕事をする能力である。エネルギーの主な二つの形態は**貯蔵された** stored **位置エネルギー** potential energy と**物体の動き** motion による**運動エネルギー** kinetic energy である。例として，電池に貯蔵されたエネルギー，もしくは，いくつかの段を飛び下りようと身構えている人の中にあるエネルギーが位置エネルギーである。電池が時計を動かしたり，人がジャンプするとき，位置エネルギーは運動エネルギーに変換される。**化学エネルギー** chemical energy は分子の結合に貯蔵された，位置エネルギーの形態である。からだの中では，摂取した食物の化学エネルギーが最終的に歩いたり話したりすることに用いられる機械的エネルギーや，体温を保つために使われる熱エネルギーのようなさまざまな形態の運動エネルギーに変換される。化学反応において，古い結合を切断するにはエネルギーの投入を必要とし，新しい結合を形成するにはエネルギーを放出する。ほとんどの化学反応が古い結合の切断と新しい結合の形成を含むので，**反応全体** overall reaction ではエネルギーを放出するか，吸収するかである。

合成反応 二つ以上の原子，イオンあるいは分子が新たに，より大きな分子を形成するために結合する場合，その過程を**合成反応** synthesis reaction という。**合成** synthesis という言葉は"一緒にすること"を意味する。合成反応は次のように表すことができる。

$$A + B \xrightarrow{結合} AB$$
原子，イオン，　原子，イオン，　　　　　　　　新しい
分子A　　　　　分子B　　　　　　　　　　　　分子AB

水素と酸素の分子から水を合成する合成反応の例(図 2.3 参照)：

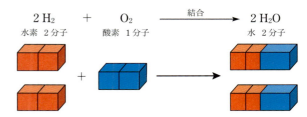

$$2\,H_2 + O_2 \xrightarrow{結合} 2\,H_2O$$
水素 2分子　　酸素 1分子　　　　　　　水 2分子

私たちのからだの中で生じるすべての合成反応は，一括して**同化** anabolism という。同化を説明する例として，アミノ酸のような単純な分子が結合してタンパク質のような巨大分子が形成される例が挙げられる(本章で後述)。

分解反応 **分解反応** decomposition reaction では分子は小片に分けられる。**分解** decompose という言葉はより小さく分かれるという意味である。大きな分子はより小さな分子，原子あるいはイオンに分解される。分解反応は次のように起る。

$$AB \xrightarrow{分解} A + B$$
分子AB　　　　　　　原子，イオン，　原子，イオン，
　　　　　　　　　　　分子A　　　　分子B

例として適切な条件下にメタン分子は一つの炭素原子と二つの水素分子に次のように分解することができる。

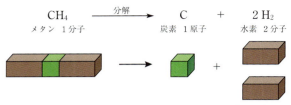

私たちのからだの中で生じるすべての分解反応は，一括して**異化** catabolism という．異化の説明として消化の間に巨大なデンプン分子が多数の小さなグルコース分子に分解される例が挙げられる．

一般に，エネルギー放出反応はグルコースのような栄養物が分解反応によって分解されるときに起る．放出されるエネルギーのいくらかは，本章の後のほうでより詳しく論じられる**アデノシン三リン酸** adenosine triphosphate（ATP）と呼ばれる特別な分子に一時的に貯蔵される．ATP分子に移し変えられたエネルギーは，筋肉や骨といったからだの構造を形成する，エネルギーを必要とする合成反応に使われる．

交換反応 生体内における多くの反応が**交換反応** exchange reaction である．それらは合成反応と分解反応の両方からなる．交換反応の一つのタイプは次のようなものである．

$$AB + CD \longrightarrow AD + BC$$

AとBの間，CとDの間の結合は切断され（分解），次にAとDの間と，BとCの間に新しい結合（合成）ができる．交換反応の例を一つ示す．

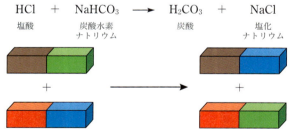

両方の化合物中の原子あるいはイオンが結合する"パートナーの交換"を行ったことに注意：HCl由来の水素イオン（H^+）はNaHCO$_3$由来の炭酸水素（重炭酸）イオン（HCO_3^-）と結合し，NaHCO$_3$由来のナトリウムイオン（Na^+）はHCl由来の塩化物イオン（Cl^-）と結合する．

可逆反応 これまで1本の矢印で示してきたように，ある化学反応はただ1方向にのみ進行する．別の化学反応に可逆的なものがある．**可逆反応** reversible reaction は異なった条件下でそれぞれの方向に進行し，正反対の方向をさす二つの片矢印で示される．

ある反応では特別な条件下のみ可逆的である．

$$AB \underset{熱}{\overset{水}{\rightleftarrows}} A + B$$

矢印の上下に書かれていることはすべて，反応が起るのに必要な条件である．これらの反応では，ABが分解するのは水を加えた場合のみであり，さらにAとBが反応してABが合成されるのは加熱した場合のみである．

生体のすべての化学反応の総体を**代謝** metabolism （metabol- ＝変化）と呼ぶ．栄養と代謝は20章で詳しく論じる．

チェックポイント

1. 原子番号，質量数，イオン，分子の意味を比較しなさい．
2. 原子にとって原子価（外の）殻の電子はどんな重要性があるのか？
3. イオン結合，共有結合，水素結合を区別しなさい．
4. 同化と異化の違いについて説明しなさい．合成反応はどちらに含まれるか？

2.2 化合物と生命過程

目 標

- 水と無機の酸，塩基そして塩の働きを論じる．
- pHを定義でき，からだはどのようにしてホメオスタシス（恒常性）の範囲内でpHを保つかを説明する．
- 糖質（炭水化物），脂質，タンパク質の機能を述べる．
- 酸素の働きとはどのようなものかを述べる．
- デオキシリボ核酸（DNA），リボ核酸（RNA），アデノシン三リン酸（ATP）の重要性を説明する．

生体内における物質は無機物と有機物という主な二つの種類の化合物に分けられる．一般に，**無機化合物** inorganic compound はたいてい炭素がなく，構造的に単純であり，イオン結合もしくは共有結合で構成される．それらには，水，多くの塩，酸，塩基がある．炭素をもった2種類の無機化合物は，二酸化炭素（CO_2）と炭酸水素イオン（HCO_3^-）である．一方，必ず炭素を含む**有機化合物** organic compound はたいてい水素を含み，そして必ず共有結合がある．例としては糖質（炭水化物），脂質，タンパク質，核酸，ATPなどが挙げられる．有機化合物については19章およ

び20章で詳しく考察する。**巨大分子** macromolecule と呼ばれる大きな有機分子は同一の，もしくは類似した種類の構成要素のサブユニット（**単量体（モノマー）** monomer）が多数集まって，それぞれが共有結合することによって形成される。

無機化合物

水　水 water はすべての生体系におけるもっとも重要で豊富な無機化合物であり，肥満していない成人のからだでは体重の 55 〜 60 % を構成する。例外を除き細胞と体液の体積はほとんど水である。なぜ，水が生命にとってとくに不可欠な化合物であるのか，水がもつ，いくつかの性質によって説明できる。

1. **水は優れた溶媒である**：**溶媒** solvent は，**溶質** solute と呼ばれる物質を溶かす液体もしくは気体である。溶媒と溶質をあわせたものを**溶液** solution という。水は栄養や酸素や老廃物をからだのいたるところに運ぶ溶媒である。水が溶媒として多才なのは，極性をもつ共有結合と"折れ曲がった bent"構造のためであり（図 2.5 e 参照），個々の水分子が近隣のイオンあるいは分子のいくつかと相互作用することができるためである。荷電しているあるいは極性をもつ共有結合を含む溶質は**親水性** hydrophilic（hydro- = 水；-philic = 好む）で，水に容易に溶けることを意味する。親水性溶質のありふれた例は砂糖と塩である。反対に，主として非極性共有結合を含む分子は**疎水性** hydrophobic（-phobic = 嫌がる）である。これらはあまり水に溶けない。疎水性化合物の例として動物性脂肪と植物性油が挙げられる。
2. **水は化学反応に関与する**：水はさまざまな多くの物質を溶かすことができるので，化学反応には理想的な媒体である。水はある種の分解および合成反応に積極的にかかわっている。例えば，消化では，分解反応で水分子を付加することで，大きな栄養分子をより小さな分子に分解する。この反応のタイプを**加水分解** hydrolysis（-lysis = 緩めるあるいは引き裂く）と呼ぶ（図 2.8 a 参照）。加水分解は食べた栄養物を体内に吸収できるようにする。
3. **水は非常にゆっくりと熱を吸収し放出する**：水はほかの物質よりわずかな温度変化だけで相対的に大きな熱を吸収し，あるいは放出することができる。こうした体内の多量の水が環境温度の変化を緩和して体温のホメオスタシスを維持するのを助けている。
4. **水は液体から気体に変化するのに多量の熱を必要とする**：汗の水分が皮膚の表面から蒸発するときに，大量の熱を奪い，優れた冷却機構となる。
5. **水は潤滑液として役立つ**：水は唾液，粘液，およびほかの潤滑液の主な成分である。内臓が互いに接触し，擦れ合う胸腔や腹腔では滑らかさがとくに必要である。関節においても同様に，骨，靱帯，腱のそれぞれが擦れ合うため潤滑液が必要である。

無機の酸，塩基，および塩　ほとんどの無機化合物は酸，塩基，あるいは塩として分類することができる。**酸** acid は水に溶けると，一つ以上の**水素イオン** hydrogen ion（H^+）に分解または**解離** dissociate する物質である（図 2.6 a）。対照的に，**塩基** base は水に溶けると一つ以上の**水酸化物イオン** hydroxide ion（OH^-）を解離する（図 2.6 b）。**塩** salt は水に溶けると，H^+ でも OH^- でもなく，陽イオン（カチオン）と陰イオン（アニオン）に解離する（図 2.6 c）。

酸と塩基は互いに反応し塩を形成する。例えば，塩酸（HCl）と塩基の水酸化カリウム（KOH）の反応は水（H_2O）とともに塩である塩化カリウム（KCl）をつくり出す。以下にこの交換反応を示す。

$$\text{HCl} + \text{KOH} \longrightarrow \text{KCl} + \text{H}_2\text{O}$$
酸　　　塩基　　　　　塩　　　水

図 2.6　酸，塩基，塩。(a)水中で塩酸 HCl は H^+ と Cl^- にイオン化する。(b)水中で塩基の水酸化カリウム KOH は OH^- と K^+ にイオン化する。(c)水中で塩の塩化カリウム KCl は陽イオンと陰イオン（K^+ と Cl^-）にイオン化し，H^+ や OH^- にはならない。

> イオン化とは無機の酸，塩基および塩が溶液中でイオンに分離することである。

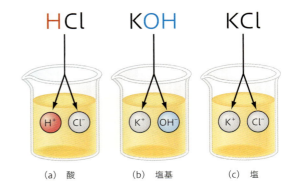

(a) 酸　　　(b) 塩基　　　(c) 塩

Q 化合物の $CaCO_3$（炭酸カルシウム）はカルシウムイオン（Ca^{2+}）と炭酸イオン（CO_3^{2-}）に解離する。$CaCO_3$ は酸，塩基，塩のうちどれか？　二つの H^+ と一つの SO_4^{2-} に解離する H_2SO_4 ではどうか？

酸塩基平衡：pH の概念　ホメオスタシスを確実にするため体液は酸と塩基の量的な平衡を保たねばならない。溶液中に，水素イオン(H^+)がより多く溶けていればより酸性であり，逆により多くの水酸化物イオン(OH^-)が溶けていればより塩基性(アルカリ性)である。からだで起る化学反応は体液に生じた酸性やアルカリ性のわずかな変化であっても非常に敏感である。水素イオンと水酸化物イオンの狭い正常濃度範囲から少しでも逸脱すれば身体機能に深刻な混乱を引き起す。

　溶液の酸性あるいはアルカリ性は 0 〜 14 の範囲の **pH スケール pH scale** で表される(図 2.7)。このスケールは溶液中の水素イオンの数に基づく。pH スケールの中点は H^+ と OH^- の数が等しい 7 である。純水などの pH 7 の溶液は中性で，酸性でもアルカリ性でもない。OH^- より H^+ を多くもっている溶液は **酸性 acidic** であり，pH は 7 より小さい。H^+ より OH^- が多い溶液は **塩基性 basic(アルカリ性 alkaline)** であり，pH は 7 を超える。pH スケールの 1 の変化は H^+ の数で 10 倍の変化を示している。pH 6 は pH 7 よりも H^+ の数が 10 倍であり，いい換えると，pH 6 が pH 7 よりも 10 倍酸性であり，pH 9 は pH 7 よりも 100 倍アルカリ性である。

pH を維持する：緩衝系　体液の pH はその種類によってそれぞれ異なり，その正常範囲はかなり狭い。図 2.7 に，代表的な体液と普通の家庭にある物質の pH を比較したものを示す。ホメオスタシスの機構が，血液の pH を 7.35 と 7.45 の間に維持するので，血液は純水よりもわずかに塩基性である。たとえ強い酸や塩基を体内に摂取しても，あるいは体細胞でつくられたとしても，細胞内液と細胞外液の pH はほとんど一定のままである。重要な理由の一つは **緩衝系 buffer system** の存在である。

　緩衝剤 buffer は H^+ とすばやく一時的に結合する化合物で，反応性に富む過剰な H^+ を，からだから除くのではなく，溶液から除く。緩衝剤は強酸あるいは強塩基を弱酸あるいは弱塩基に変換して体液の pH の急激な変化を防ぐ。強酸は弱酸より容易に H^+ を遊離してより多くの遊離 H^+ を供給する。同様に，強塩基

図 2.7　pH スケール。7 より低い pH は酸性溶液を示し，OH^- より H^+ が多い。pH の数値が下がれば下がるほど H^+ 濃度は累進的に上昇するので，より酸性になる。7 より高い pH は塩基性(アルカリ性)溶液であり，H^+ より OH^- が多い。pH が高ければ高いほどより塩基性の溶液となる。

pH 7(中性)では H^+ と OH^- の濃度は等しい。

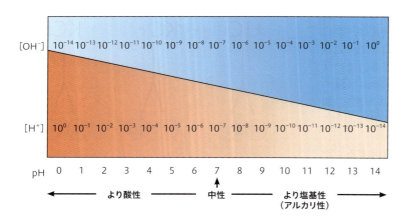

主な物質の pH 値	
物　質*	pH 値
胃液	1.2〜3.0
レモン果汁	2.3
グレープフルーツ果汁, 食酢, ワイン	3.0
炭酸飲料水	3.0〜3.5
オレンジ果汁	3.5
腟液	3.5〜4.5
トマト果汁	4.2
コーヒー	5.0
尿	4.6〜8.0
唾液	6.35〜6.85
牛乳	6.8
蒸留水(純水)	7.0
血液	7.35〜7.45
精液	7.20〜7.60
脳脊髄液	7.4
膵液	7.1〜8.2
胆汁	7.6〜8.6
マグネシア乳(緩下剤)	10.5
灰汁	14.0

*人体にある物質は黄色で強調している。

Q pH 6.82 と 6.91 ではどちらがより酸性か？　pH 8.41 と 5.59 ではどちらが中性に近いか？

は弱塩基よりpHを上げる。

　緩衝系の一例として**炭酸-炭酸水素塩緩衝系** carbonic acid-bicarbonate buffer system がある。この緩衝系は**炭酸水素イオン** bicarbonate ion（HCO_3^-）が弱塩基，**炭酸** carbonic acid（H_2CO_3）が弱酸として働く。炭酸水素イオンは細胞内液，細胞外液いずれにおいても重要な陰イオンである。腎臓は濾過された炭酸水素イオンを再吸収するので，この重要な緩衝剤が尿から失われることはない。過剰のH^+があると，炭酸水素イオンは弱塩基として過剰のH^+を次のように除去することができる。

$$H^+ + HCO_3^- \longrightarrow H_2CO_3$$
水素イオン　炭酸水素イオン　　炭酸
　　　　　　　（弱塩基）

反対にH^+が足りない場合には，炭酸が弱酸としてH^+を以下のように供給する。

$$H_2CO_3 \longrightarrow H^+ + HCO_3^-$$
炭酸(弱酸)　　水素イオン　炭酸水素イオン

> **§ 臨床関連事項**
>
> **緩衝剤と病気**
>
> 　ホメオスタシスで非常に重要な点は，血液を正常なpHの7.35と7.45の間に維持することである。原因が何であれ，pHが7.35以下に下がる状態は**アシドーシス** acidosis と呼ばれる。アシドーシスは神経系の働きを低下させ，ひどくなると意識が薄れ，昏睡状態になり，死にいたることもある。反対に，pHが7.45以上に上がると，この状態は**アルカローシス** alkalosis と呼ばれる。この状態では神経系は過剰に興奮し，神経過敏になり，筋硬直，痙攣が起り死にいたる。

緩衝剤に関してはさらに22章で学習する。

有機化合物

糖質（炭水化物）　**糖質（炭水化物）** carbohydrate は有機化合物で糖類，グリコーゲン，デンプン類そしてセルロースが含まれる。糖質を構成する元素は炭素，水素そして酸素である。炭素と水素と酸素の原子の比率は通常1：2：1である。例えば，小さな糖質であるグルコースの分子式は$C_6H_{12}O_6$である。糖質は，大きさによって単糖（類），二糖（類），多糖（類）の三つに分けられる。単糖（類）と二糖（類）は**単純糖** simple sugar と呼ばれ，多糖（類）はまた，**複合炭水化物** complex carbohydrate という。

1. **単糖（類）** monosaccharide（mono- ＝ 1；racchar- ＝ 糖）は糖質の構成単位である。体内では単糖であるグルコース（ブドウ糖）の主要な働きは代謝反応の燃料であるATPをつくり出すための化学エネルギーの源になるということである。リボースとデオキシリボースも単糖で，それぞれリボ核酸（RNA）とデオキシリボ核酸（DNA）の合成に用いられる。これについては本章で後述する。

2. **二糖（類）** disaccharide（di- ＝ 2）は共有結合によって結合している二つの単糖からなる単純糖である。二つの単糖（小さな分子）が結合して二糖（より大きな分子）をつくる際，水1分子が形成され除去される。この反応は**脱水縮合** dehydration synthesis（de- ＝ 〜から，下，外；hydra- ＝ 水）として知られている。このような反応は巨大分子の合成で生じる。例えば，単糖のグルコースglucoseとフルクトース（果糖）fructoseは図2.8 a に示すように結合して二糖であるスクロース（ショ糖）sucroseを形成する。二糖は水分子を加えることによって**加水分解** hydrolysis で単糖に分解する。例えば，スクロースは水を加えることにより，グルコースとフルクトースの2分子に加水分解される（図2.8 a）。ほかに，二糖にはマルトース（グルコース＋グルコース；図2.8 c）すなわち麦芽糖，および乳汁中の糖であるラクトース（乳糖；グルコース＋ガラクトース；図2.8 b）が含まれる。

3. **多糖（類）** polysaccharide（poly- ＝ 多くの）は巨大分子であり，複合炭水化物である。それらは脱水縮合によって結合した数十から数百の単糖からなっている。二糖のように多糖も加水分解によって単糖に分解される。ヒトの体内の主な多糖は**グリコーゲン** glycogen であり，構成単位はグルコースで，鎖状に結合し，分岐している（図2.9）。グリコーゲンは肝細胞と骨格筋に貯蔵されている。身体のエネルギー要求が高くなるとグリコーゲンはグルコースに分解され，エネルギー要求が低いとグルコースは再びグリコーゲンにつくり戻される。**デンプン** starch もまたグルコースを単位としてつくられており，たいていは植物によりつくられる多糖である。私たちは別のエネルギー源として，デンプンをグルコースへと消化する。**セルロース** cellulose は植物の細胞壁にみられる多糖である。ヒトは消化できないが（繊維性の食品あるいは繊維として）容量を増やし，大腸中で便が移動するのを助ける。単純糖と違って多糖（類）は通常水に溶けず，甘くない。

脂質　糖質のように**脂質** lipid（lip- ＝ 脂肪）には炭素，水素，酸素が含まれる。しかし，糖質と異なり，2：1の比率の水素と酸素をもっていない。脂質中の

図 2.8 脱水縮合とスクロース分子の加水分解。
(a)の左→右に進行する脱水縮合において二つのより小さな分子であるグルコースとフルクトースは縮合し，より大きなスクロース分子を形成する。同時に水分子が除かれる。(a)の右→左に進行する加水分解においては，より大きなスクロース分子が二つのより小さな分子であるグルコースとフルクトースに分解される。ここで，反応のためにスクロースに水分子が付加される。

単糖類は炭水化物の構成単位である。

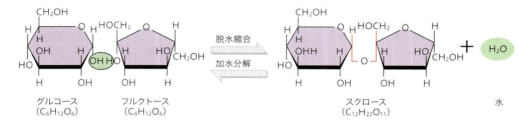

(a) スクロースの脱水縮合と加水分解

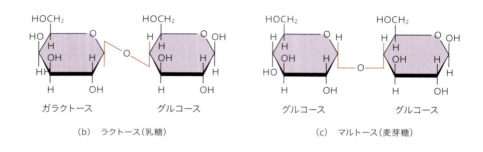

(b) ラクトース（乳糖）　　　(c) マルトース（麦芽糖）

Q フルクトースにはいくつの炭素原子が含まれているか？　スクロースではどうか？

図 2.9 人体の主な多糖であるグリコーゲンの一部。

グリコーゲンはグルコース単位からなり，人体での炭水化物の貯蔵形である。

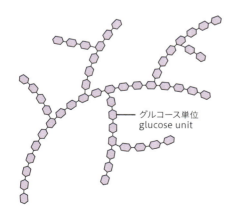

Q グリコーゲンは体内のどの細胞に蓄えられるか？

酸素分子の割合は糖質よりも少ないので，極性のある共有結合もずっと少ない。結果として，ほとんどの脂質は疎水性である；すなわち水に溶けない。

脂質は多様であり，トリグリセリド（脂肪と油），リン脂質（リンを含む脂質），ステロイド，脂肪酸，脂溶性ビタミン（ビタミンA, D, E, K）などがある。

ヒトの体内や，食事に含まれているもっとも豊富な脂質は**トリグリセリド** triglyceride（tri- = 3）である。室温においてトリグリセリドは固体（脂肪）か液体（油）のどちらかである。それは体内におけるもっとも凝縮された形で化学エネルギーを，グラム当り糖質やタンパク質の2倍以上に蓄えている。私たちの脂肪組織 adipose tissue に貯蔵されるトリグリセリドの量には事実上制限がない。過剰な食事による糖質，タンパク質，油脂などはすべて同じ結果をもたらす。すなわち，それらはトリグリセリドとして脂肪組織の中に貯蔵される。

トリグリセリドは2種類の構成単位からなる。グリセロール1分子と脂肪酸3分子である。炭素数3のグ

リセロール glycerol 分子はトリグリセリドの骨格をなす(図 2.10)。3 分子の**脂肪酸** fatty acid は脱水縮合によって，一つ一つがグリセロール骨格のそれぞれの炭素と結びつく。トリグリセリドの脂肪酸鎖は飽和か，一価不飽和か，多価不飽和である。**飽和脂肪酸** saturated fatty acid は脂肪酸の炭素原子の間に**一重共有結合** single covalent bond だけをもつ。これらの脂肪酸は炭素原子の間に二重結合をもっていないので，それぞれの炭素原子は**水素原子で飽和** saturated with hydrogen atom されている(図 2.10 ステアリン酸とパルミチン酸を参照)。主に飽和脂肪酸からなるトリグリセリドは室温で固体であり，主に肉(とくに赤身の肉)や脱脂していない乳製品(全乳，チーズやバター)に存在する。それらはまたカカオやヤシ，ココナツのような熱帯性植物にも存在する。大量の飽和脂肪酸を含む食事は心臓病や結腸や直腸の癌に関係する。**一価不飽和(モノエン)脂肪酸** monounsaturated (monoenoic) fatty acid (mono- = 1)は二つの脂肪酸炭素分子の間に二重共有結合を一つもっている。それゆえ水素原子で完全には飽和していない(図 2.10 オレイン酸を参照)。オリーブ油，落花生油，キャノーラ油，多くの木の実やアボカドは一価不飽和脂肪酸を含むトリグリセリドが豊富である。一価不飽和脂肪酸は心臓病の危険を減らすと考えられている。**多価不飽和(ポリエン)脂肪酸** polyunsaturated (polyenoic) fatty acid (poly- = 多)は脂肪酸炭素原子の間に二つ以上の二重共有結合 more than one double covalent bond をもっている。コーン油，紅花油，ひまわり油，大豆油や脂肪に富む魚(鮭，マグロや鯖)では多価不飽和脂肪酸が高い割合で含まれている。多価不飽和脂肪酸も心臓病の危険を減らすと信じられている。しかし，多価不飽和脂肪酸からマーガリンや植物性ショートニングが製造される際，**トランス脂肪酸** trans fatty acid と呼ばれる化合物がつくり出される。トランス脂肪酸は飽和脂肪酸と同様に心臓や血管の病気の危険を増大するという事実が示されている。

リン脂質 phospholipid はトリグリセリドのようにグリセロールを骨格として，初めの二つの炭素についた二つの脂肪酸をもっている(図 2.11 a)。グリセロールの骨格の三つ目の炭素に結合するのはリン酸基(PO_4^{3-})で，小さな帯電部をグリセロールに結合する。リン脂質では極性のない脂肪酸が疎水性の"尾部"を構成し，極性のあるリン酸基と帯電している原子団が親水性の"頭部"を形成する(図 2.11 b)。リン脂質はそれぞれの細胞を取り巻く細胞膜をつくるために 2 列になって尾同士を向き合わせて並ぶ(図 2.11 c)。

炭素原子からなる四つの環をもった**ステロイド** steroid の構造はトリグリセリドやリン脂質の構造と

図 2.10 **トリグリセリドはグリセロールを骨格として，三つの脂肪酸が結合する。**脂肪酸は長さと炭素原子間の二重結合(C＝C)の数，位置によって異なる。ここに示したトリグリセリド分子は 2 分子の飽和脂肪酸と 1 分子の一価不飽和脂肪酸から構成される。

> トリグリセリドは 2 種類の構成単位からできていて，1 分子のグリセロールと 3 分子の脂肪酸からなる。

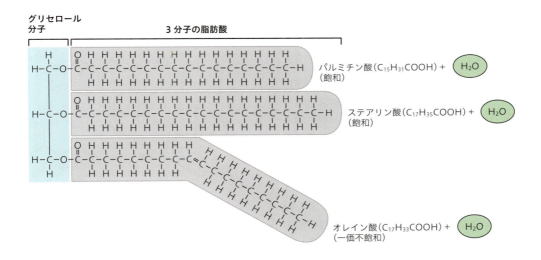

Q 一価不飽和(モノエン)脂肪酸の中に二重結合はいくつあるか？

図 2.11 リン脂質。(a)リン脂質の合成では二つの脂肪酸がグリセロール骨格の初めの二つの炭素に結合する。リン酸基は小さな帯電部をグリセロールの三つ目の炭素に結合する。(b)円の領域は極性頭部を表し，2本の波線は非極性尾部を表す。

> リン脂質は細胞膜の主要な脂質である。

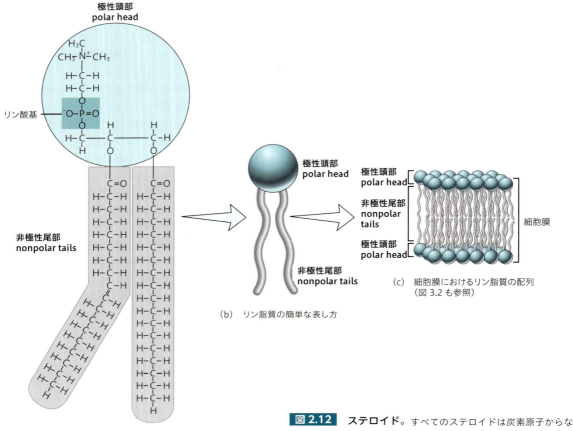

(a) リン脂質の化学構造
(b) リン脂質の簡単な表し方
(c) 細胞膜におけるリン脂質の配列（図 3.2 も参照）

Q リン脂質はトリグリセリドとどのように異なっているか？

図 2.12 ステロイド。すべてのステロイドは炭素原子からなる四つの環をもつ。個々の環は A，B，C，D で示される。

> コレステロールは体内でほかのステロイド合成のための原材料である。

大きく異なる。コレステロール（図 2.12 a）は，膜構造に必要であり，ステロイドに属し，このコレステロールから体内の細胞によってほかのステロイドが合成される。例えば，女性の卵巣内の細胞は**エストロゲン** estrogen（女性ホルモン）の一種，エストラジオール（図 2.12 b）を合成する。エストロゲンは性機能を調節する。ほかのステロイドには性機能を調節する**テストステロン** testosterone（主要な男性ホルモン），正常な血糖値を維持するのに必要なコルチゾール，脂質の消化吸収に必要な胆汁酸塩，そして骨形成に関与するビタミン D が含まれる。

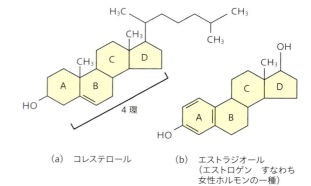

(a) コレステロール
(b) エストラジオール（エストロゲン すなわち女性ホルモンの一種）

Q どの食用脂質がアテローム性動脈硬化に関与すると考えられるか？

2.2 化合物と生命過程

臨床関連事項

健康と病気での脂肪酸

必須脂肪酸 essential fatty acid（EFA）と呼ばれる一群の脂肪酸はヒトの健康に欠くことができない。しかしながら，これらは生体で合成できず，食物やサプリメントから摂取しなければならない。より重要な必須脂肪酸は**ω（オメガ）3 脂肪酸** omega-3 fatty acid，**ω6 脂肪酸** omega-6 fatty acid と**シス脂肪酸** cis-fatty acid である。

ω3 と ω6 の脂肪酸は全コレステロールを減少，高密度リポタンパク質 HDL（high-density lipoprotein あるいは善玉コレステロール）を増加，低密度リポタンパク質 LDL（low-density lipoprotein あるいは悪玉コレステロール）を減少させて，心臓病や脳卒中に対して予防効果がある多価不飽和脂肪酸である。加えて，骨消失を減らし，炎症による関節炎の症状を軽減し，創傷の治癒を促進し，ある種の皮膚疾患（乾癬，湿疹やにきび）を改善し，精神機能を向上させる。ω3 脂肪酸の主要源はフラクスシード（アマの種子），脂肪に富む魚，多価不飽和脂肪酸を大量に含む油，魚油やクルミである。ω6 脂肪酸の主要源は多くの加工食品（シリアル，パン，白米），卵，焼き菓子，多価不飽和脂肪酸を大量に含む油や肉（とくに肝臓などの内臓）である。

シス脂肪酸は生体にとってホルモン様調節因子や細胞膜をつくるのに使われる栄養学的に有用な一価不飽和脂肪酸である。しかしながら，シス脂肪酸は"**水素添加** hydrogenation"と呼ばれる過程で加熱，加圧，触媒（通常はニッケル）を添加されると健康によくないトランス脂肪酸に変換される。植物油が室温で固形化し，悪臭が出ないようにするため製造業者により水素が添加される。水素化されたすなわちトランス脂肪酸は売られている焼き菓子（クラッカー，ケーキやクッキー），塩辛いスナック菓子，ある種のマーガリン，揚げ物（ドーナツやフライドポテト）に含まれている。もし製品の表示に水素添加や一部水素添加という言葉があったら，その製品はトランス脂肪酸を含んでいる。トランス脂肪酸の副作用として全コレステロールの増加，HDL の減少，LDL の増加，トリグリセリドの増加がある。これらの心臓病やほかの心循環器系に罹患する危険を増大させる作用は，飽和脂肪酸の作用と同様である。

タンパク質

タンパク質 protein は炭素，酸素，水素そして窒素を含んだ巨大分子であり，いくつかのタンパク質は硫黄も含んでいる。タンパク質は脂質や糖質よりもずっと複雑な構造で，体内で多くの役割を果たし，体細胞の構造に大きく寄与する。例えば，酵素と呼ばれるタンパク質は特定の化学反応の速度を速くし，別のタンパク質は筋の収縮を担い，抗体と呼ばれるタンパク質は体内に侵入する病原菌からからだを守る働きを助け，いくつかのホルモンもまたタンパク質である。

アミノ酸 amino acid はタンパク質を構成する単位である。すべてのアミノ酸は一端に**アミノ基** amino group（$-NH_2$）を，もう一つの一端に**カルボキシ基** carboxy group（$-COOH$）をもつ。20 種の異なるアミノ酸はそれぞれ違った**側鎖** side chain（R 基）をもつ（図 2.13 a）。アミノ酸同士を結合して，より大きな分子にする共有結合を**ペプチド結合** peptide bond という（図 2.13 b）。

二つ以上のアミノ酸の結合は**ペプチド** peptide を形成する。二つのアミノ酸が結合している場合その分子は**ジペプチド** dipeptide と呼ばれる（図 2.13 b）。ジペプチドにさらにもう一つアミノ酸が付加すると**トリペプチド** tripeptide を形成する。**ポリペプチド** polypeptide は多数のアミノ酸から成り立っている。タンパク質は少なくて 50，多くて 2,000 のアミノ酸からなるポリペプチドである。アミノ酸の数と並び方の違いによって異なったタンパク質ができるので，非常に多様なタンパク質をつくることができる。これはアルファベット 20 文字を使って単語をつくるのとよく似ている。それぞれの文字はアミノ酸に相当し，それぞれの単語は異なったタンパク質に相当する。

アミノ酸配列の変化は重大な結果をもたらすことがある。例えば，血液タンパク質のヘモグロビンにおいて一つのアミノ酸の置換が分子の変形をもたらし，**鎌状赤血球症** sickle-cell disease を起す（14 章"よくみられる病気"参照）。

タンパク質はただ一つのポリペプチドか，いくつかの絡み合ったポリペプチドからなる。ある種のタンパク質は 1 本のポリペプチドがほかのポリペプチドと結びつく場合，それぞれのポリペプチドがねじれ，互いに畳み合うことで独自の三次元構造を示す。もし温度，pH やイオン濃度などが著しく変化してタンパク質が好ましくない環境に出合うと三次元構造が崩れ，その特徴的な形状を失う。この過程を**変性** denaturation という。変性したタンパク質はもはや機能をもたない。ありふれた変性の例は，卵焼きである。生卵では卵白のタンパク質（アルブミン）は可溶性で，卵白は透明で，粘稠な液体である。しかしながら卵を加熱するとアルブミンは変性して形状が変り，不溶性となり白くなる。

酵素

これまでみてきたように原子，イオン，または分子が互いに衝突して化学結合を形成するか，または切断するとき化学反応が起る。普通の体温のもと

図 2.13　アミノ酸。(a)アミノ酸は名称にあるようにアミノ基(青色の部分)とカルボキシ(カルボン酸)基(赤色の部分)をもつ。側鎖(R 基)はそれぞれのアミノ酸で異なり，ここでは黄色で示した。(b)二つのアミノ酸が化学的に脱水縮合によって結合すると(左から右に進む)，それらの間にペプチド結合と呼ばれる共有結合ができる。ペプチド結合が形成される個所で，水が失われる。ここではアミノ酸のグリシンとアラニンが反応してジペプチドのグリシルアラニンができる。ペプチド結合は加水分解によって切られる(右から左へ)。

> アミノ酸はタンパク質の構成単位である。

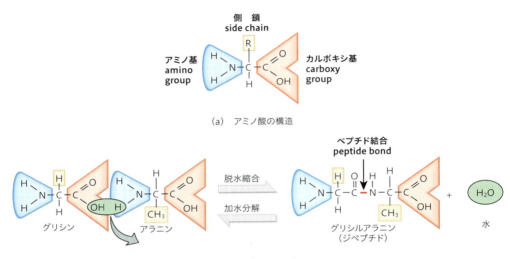

(a) アミノ酸の構造

(b) タンパク質の形成

Q トリペプチド中にはいくつのペプチド結合があるか？

で生命を維持するには衝突が少なすぎる。**酵素 enzyme** は生きた細胞における，この問題への解決策である。なぜなら酵素は衝突の頻度を増加し，衝突分子群を正しく方向づけることによって化学反応を速くするからである。酵素のように自らが変化することなく化学反応を促進する物質を**触媒 catalyst** と呼ぶ。生きている細胞の中では，ほとんどの酵素はタンパク質である。通常，酵素の名前は -ase で終わる。それらが触媒する化学反応の種類によって，すべての酵素を分類することができる。例えば，**オキシダーゼ oxidase** は酸素をつけ加え，**キナーゼ kinase** はリン酸をつけ加え，**デヒドロゲナーゼ dehydrogenase** は水素を取り除き，**アンヒドラーゼ anhydrase** は水を取り，**ATP 分解酵素(ATP アーゼ)ATPase** は ATP を分解し，**プロテアーゼ protease** はタンパク質を分解し，そして，**リパーゼ lipase** は脂質を分解する。

　酵素は，多くの内蔵された制御機構のもとで，特定の反応だけをきわめて効率よく触媒する。酵素のすばらしい特性は特異性，効率，制御の三つである。

1. **特異性 specificity**：酵素は非常に特異的である。それぞれの酵素はその酵素が作用する特定の**基質 substrate** にかかわる特定の化学反応を触媒する。そして，反応によって得られた分子，すなわち特定の**生成物 product** をつくり出す。ある場合には，鍵がうまく鍵穴に入るように，基質が酵素にはまる。また，別な場合には，いったん基質と酵素が一緒になると，酵素は基質のまわりでぴったりと密接するように形を変える(図 2.14)。

2. **効率 efficiency**：最適の条件の下で，酵素を用いた反応は，酵素なしで同じような反応をする場合の数百万から数十億倍の速さで行うことができる。単一酵素分子が基質分子を生成分子に変換する速度は，一般的に 1 秒間に最大 60 万回まで速くなる。

3. **制御 control**：酵素はさまざまな細胞内調節を受けている。その合成速度と濃度はどんなときにでも細胞の遺伝子の調節を受けている。細胞中の物質は場合によって酵素の活性を高めたり抑制したりする。多くの酵素は活性型，不活性型の両方の

状態で細胞の中に存在している。不活性型が活性型になるか，またはその逆になる割合は細胞中の化学的環境によって決まる。多くの酵素は適切に作用するために，**補助因子 cofactor** または**補酵素 coenzyme** として知られている非タンパク性物質が必要である。鉄，亜鉛，マグネシウム，カルシウムなどのイオンは補助因子であり，ビタミンB類の誘導体であるナイアシンまたはリボフラビンは補酵素として作用する。

図2.14に酵素の作用を図解した。

❶ 基質は酵素分子の**活性部位 active site**（反応を触媒する酵素の特定部位）に付着し，**酵素-基質複合体 enzyme-substrate complex** と呼ばれる一時的な化合物を形成する。ここでの反応の基質は二糖のスクロースと水分子である。

❷ 基質分子は既存の原子の再配列，基質分子の分解，またはいくつかの基質分子が組み合わされることによって生成物に変えられる。ここでの生成物は二つの単糖，グルコースとフルクトースである。

❸ 反応が完了して，反応生成物が酵素から離れ去った後は，反応前と変りない酵素は自由にまた別の基質分子につくことができる。

臨床関連事項

乳糖不耐症

酵素欠乏がある種の異常を引き起こすことがある。例えば，ある人たちは二糖の乳糖を単糖のグルコースとガラクトースに分解する酵素，ラクターゼを十分つくり出せない。この欠乏により**乳糖不耐症 lactose intolerance** と呼ばれる状態を引き起こす。この状態では糞便中の未消化の乳糖が水分を保持し，乳糖のバクテリア発酵によりガスが産生される。乳糖不耐症の症状はミルクやほかの乳製品摂取後の下痢，ガス，膨満，および腹部の痙攣を含む。症状は比較的軽いものから治療を必要とする重篤なものまでさまざまである。乳糖不耐症の人は乳糖の消化を助ける消化酵素サプリメントを食事ごとに摂取することで克服できる。

図2.14 酵素はどのように働くか。

酵素は自分自身を変化，消費することなく化学反応の速度を上げる。

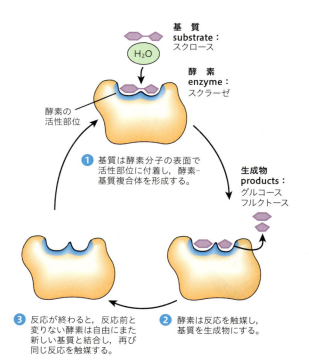

Q 酵素のどの部分が基質と結合するのか？

核酸：デオキシリボ核酸（DNA）とリボ核酸（RNA） **核酸 nucleic acid** は細胞の核の中で初めて発見されたためそのような名前がつけられた。炭素，水素，酸素，窒素，リンを含む巨大有機分子である。2種類の核酸があり，**デオキシリボ核酸 deoxyribonucleic acid（DNA）** と**リボ核酸 ribonucleic acid（RNA）** である。

核酸分子は**ヌクレオチド nucleotide** と呼ばれる構造単位が繰り返し結合して構成されている。DNAを形成する個々のヌクレオチドは三つの要素から構成されている（図2.15 a）。

- C，H，O，Nを含む環状の分子で，4種類の異なった**窒素性塩基 nitrogenous base** からなる一要素。
- **デオキシリボース deoxyribose** と呼ばれる五炭糖。
- **リン酸基 phosphate group**（PO_4^{3-}）。

DNA分子の中には，アデニン（A），チミン（T），シトシン（C），グアニン（G）の四つの塩基がある。図2.15 bはDNA分子の構造的特徴を示している。

1. DNAは2本のひも（鎖）が横木でつながっている構成をしている。そのひもは互いにねじれていて，**二重らせん構造 double helix** であり，ちょうど縄ばしごがねじれている状態に似ている。
2. DNAの縦方向は，リン酸基とヌクレオチドのデオキシリボース部分が交互に並んでいる。

図 2.15 DNA 分子。(a) ヌクレオチドは窒素性塩基，五炭糖，リン酸基で構成されている。(b) 1 対の窒素性塩基は二重らせん構造の中心につき出る。その構造は，それぞれの塩基間の水素結合（点線）によって固定されている。水素結合はアデニンとチミンの間には二つ，シトシンとグアニンの間には三つ存在する。

> ヌクレオチドは核酸の構成単位である。

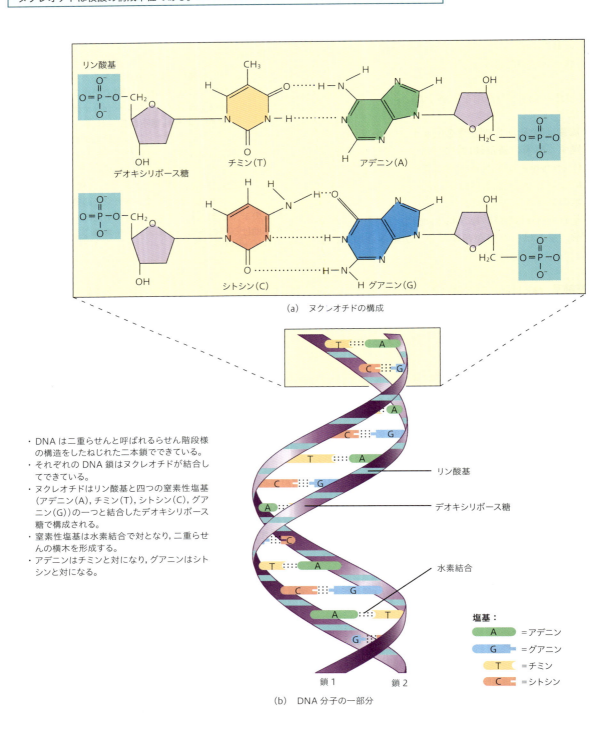

- DNA は二重らせんと呼ばれるらせん階段様の構造をしたねじれた二本鎖でできている。
- それぞれの DNA 鎖はヌクレオチドが結合してできている。
- ヌクレオチドはリン酸基と四つの窒素性塩基（アデニン(A)，チミン(T)，シトシン(C)，グアニン(G)）の一つと結合したデオキシリボース糖で構成される。
- 窒素性塩基は水素結合で対となり，二重らせんの横木を形成する。
- アデニンはチミンと対になり，グアニンはシトシンと対になる。

Q RNA に含まれない窒素性塩基はどれか？ DNA に含まれない窒素性塩基は何か？

3. DNA の横木は 1 対の窒素性塩基を含んでおり，水素結合によって保持されている。アデニンは常にチミンと対になり，シトシンは常にグアニンと対になる。

遺伝子 gene は DNA の約 1,000 の横木で構成されている。遺伝子は特別な働きをするひもの一部分で，例えばホルモンのインスリンを合成するための指示書となる。人間には約 21,500 の遺伝子が存在する。遺伝子はどの特性を相続するか決定し，一生を通して細胞中のすべての活動を制御する。遺伝子の窒素性塩基の並び方に起るどんな変化も**変異** mutation と呼ばれる。変異によって細胞死を引き起したり，癌の原因となったり，また将来の世代に遺伝的欠陥を生むことになる。

もう一方の核酸である RNA は，DNA をコピーしてつくられるが，DNA とはいくつかの点で異なる。DNA は二本鎖であるのに対し，RNA は一本鎖である。RNA ヌクレオチドに存在する糖はリボースで，窒素性塩基はチミンではなくウラシルを有する。細胞はメッセンジャー RNA(mRNA)，リボソーム RNA(rRNA)，転移 RNA(tRNA) の 3 種類の RNA を有する。それぞれは DNA の中にある暗号化された指示によりタンパク質合成を行う特別な役割を担っている(3章)。

DNA と RNA の主な相違点は**表 2.2** に要約している。

アデノシン三リン酸 アデノシン三リン酸 adenosine triphosphate(ATP) は生物の"エネルギーの通貨"である。すでに学んだように，ATP はエネルギー放出反応から得られたエネルギーを細胞活動の維持に必要なエネルギー要求反応に渡す。これらの細胞活動には，筋収縮，細胞分裂時の染色体の移動，細胞内の構造要素の運動，細胞膜を通過する物質の移動，小さな分子から大きな分子への合成などである。

ATP は，アデニンとリボースからなるアデノシンに三つのリン酸基が結合した構造である(**図 2.16**)。エネルギー移動反応は加水分解によって起る。最後のリン酸基(PO_4^{3-}；以後 Ⓟ と表す)は水分子の付加によってはずれることでエネルギーを解放し，**アデノシン二リン酸** adenosine diphosphate(ADP) と呼ばれ

図 2.16 **ATP と ADP の構造**。エネルギーの移動に使われる二つのリン酸結合は波線(〜)で示される。多くの場合，エネルギー移動は ATP の末端にあるリン酸結合の加水分解による。

| ATP が伝達する化学エネルギーは細胞活動の原動力となる。 |

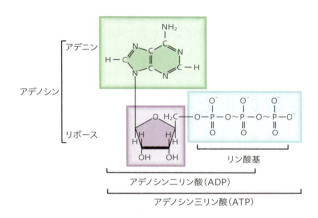

Q ATP が供給するエネルギーに依存する細胞活動は何か？

表 2.2　DNA と RNA の比較

特徴	DNA	RNA
窒素性塩基	アデニン(A)，シトシン(C) グアニン(G)，チミン(T)*	アデニン(A)，シトシン(C) グアニン(G)，ウラシル(U)
ヌクレオチドの糖	デオキシリボース	リボース
鎖の数	2 本(二重らせん，ねじれたはしご状)	1 本
対になる窒素性塩基(水素結合の数)	A と T(2)，G と C(3)	A と U(2)，G と C(3)
どのようにコピーされるか	自己複製	DNA を設計図として使って複製
機能	タンパク質を合成する情報を暗号化する	遺伝暗号を運び，タンパク質合成を助ける
種類	核，ミトコンドリア†	メッセンジャー RNA(mRNA)，転移 RNA(tRNA)，リボソーム RNA(rRNA)‡

* 青字は，DNA と RNA で異なるものを強調している。
† 核とミトコンドリアは 3 章で説明する細胞小器官である。
‡ これらの RNA は 3 章で説明するタンパク質合成の過程に関係する。

る分子が残る。ATP の加水分解を促進する酵素を **ATP 分解酵素（ATP アーゼ）ATPase** と呼ぶ。この反応は次のように示される。

$$\text{ATP} + \text{H}_2\text{O} \xrightarrow{\text{ATPase}} \text{ADP} + \text{P} + \text{E}$$

アデノシン　　水　　　　　　　　アデノシン　リン酸基　エネルギー
三リン酸　　　　　　　　　　　　二リン酸

ATP が分解され ADP に変ることで供給されるエネルギーは間断なく細胞によって使われる。ATP の供給にはどんなときでも上限があるので，それを補給する機構が存在している。**ATP 合成酵素（ATP シンターゼ）ATP synthase** は ADP にリン酸基を付加する。その反応は次のように示される。

$$\text{ADP} + \text{P} + \text{E} \xrightarrow{\text{ATP シンターゼ}} \text{ATP} + \text{H}_2\text{O}$$

アデノシン　リン酸基　エネルギー　　　　　　アデノシン　　水
二リン酸　　　　　　　　　　　　　　　　　三リン酸

この反応からわかるように，ATP をつくるにはエネルギーが必要である。リン酸基と ADP を結合するのに必要なエネルギーは，細胞の呼吸と呼ばれる過程の中でグルコースの分解によって主に供給される（20 章）。

チェックポイント

5. 無機化合物は有機化合物とどのように異なるか？
6. 体内で水はどんな働きをするか？
7. 緩衝剤とは何か？
8. 飽和脂肪酸，一価不飽和脂肪酸，多価不飽和脂肪酸の違いを明らかにしなさい。
9. 酵素の重要な性質は何か？
10. DNA と RNA はどのように異なるのか？
11. なぜ ATP は重要なのか？

…

1 章で，人体はさまざまな構成レベルで特徴づけされることを学んだ。そしてまた，物質のレベルは原子と分子で構成されていることを知った。いま，生体の物質について理解を得たので，次の章では，細胞の構造をつくるのに，またホメオスタシスにかかわる細胞活動を行うのに，物質がどのように組織化されているのかを学習する。

---

2 章のまとめ

2.1 化学の概要

1. 化学とは物質の構造と相互作用についての科学であり，物質とは空間を占め，質量をもつものである。物質は**元素 chemical element** からなる。その元素の酸素（O），炭素（C），水素（H），窒素（N）が，体重の 96% を占める。
2. 各元素は**原子 atom** と呼ばれる単位からなり，原子は**陽子 proton** と**中性子 neutron** を含む**核 nucleus** とその周囲にある**電子殻 electron shell** の中を動き回る**電子 electron** からなる。電子の数は原子中の陽子の数と等しい。**原子番号 atomic number** すなわち陽子の数はある元素の原子とほかの元素の原子とを区別する。一つの原子の中の陽子と中性子の合計がその**質量数 mass number** である。
3. 電子を失うか，または電子を獲得した原子は**イオン ion** になる。陽子数と電子数が異なるために正あるいは負に帯電する。
4. **分子 molecule** は二つ以上の化学結合した原子からなる物質である。分子式は分子を構成する原子の数と種類を示す。
5. **化合物 compound** は普通の化学的手段によって二つ以上の異なった元素に分解されうる物質である。
6. **フリーラジカル（遊離基）free radical** はその最外殻に不対電子をもっている，破壊的なイオンあるいは分子である。
7. **化学結合 chemical bond** は分子の原子同士を結合する。原子価殻 **valence shell**（最外殻）にある電子は結合の形成や切断にかかわる化学反応に関与する原子の一部である。
8. 外殻電子が一つの原子から別の原子に移されるとき，その転移はイオンを形成する。そして帯電しただけでなく，イオン同士が互いに引きつけ合う**イオン結合 ionic bond** を形成する。正に帯電したイオンを**陽イオン（カチオン）cation**，負に帯電したイオンを**陰イオン（アニオン）anion** と呼ぶ。**共有結合 covalent bond** では，対の外殻電子を二つの原子間で共有する。**水素結合 hydrogen bond** は，水素とその他の原子による弱い結合である。水分子のように分子間の，あるいはタンパク質とデオキシリボ核酸（DNA）のような巨大分子の異なった部位間の重要な結合を確立する。水素結合は分子の強度と安定性を高め，分子の三次元構造の決定を助ける。
9. **エネルギー energy** は仕事をする能力である。**位置エネルギー potential energy** は，その物体の存在する場所に貯蔵されている。**運動エネルギー kinetic energy** は物質の動きによるエネルギーである。**化学エネルギー chemical energy** は，分子の結合に貯蔵された位置エネルギーの形態である。化学反応では，古い結合を切断するには，エネルギーの投入を必要とし，新しい結合を形成するにはエネルギーが放出される。
10. **合成反応 synthesis reaction**（同化反応）とは，二つ以上の原子，イオンあるいは分子が新たに，より大きな分子を形成するために結合することをいい，また**分解反応 decomposition reaction**（異化反応）とは分子がより小さな分子，イオンあるいは原子に分解されることをいう。
11. グルコースのような栄養物が分解反応によって分解されるとき，放出されたエネルギーのいくらかは一時的にアデ

ノシン三リン酸 adenosine triphosphate（ATP）に貯蔵されて，その後，筋や骨などを形成する，エネルギーを必要とする合成反応に使われる。

12. **交換反応** exchange reaction とは合成反応と分解反応の組合せである。**可逆反応** reversible reaction は異なった条件下で両方向いずれにも進行できる。

2.2 化合物と生命過程

1. **無機化合物** inorganic compound はたいてい構造的に単純で炭素がない。必ず炭素を含む**有機化合物** organic compound はたいてい水素を含み，そして必ず共有結合がある。
2. **水** water はからだにおいてもっとも豊富な物質である。それは優れた**溶媒** solvent であり，化学反応に関与し，ゆっくりと熱を吸収，放出し，液体から気体に変化するのに多量の熱を必要とし，潤滑液として役立つ。
3. 無機の**酸** acid，**塩基** base，および**塩** salt は，水の中でイオンに解離する。酸は水素イオン（H^+）に，塩基は水酸化物イオン（OH^-）に，イオン化される。塩は H^+ にも OH^- にもイオン化されない。
4. 体液の pH はからだのホメオスタシスを維持するために常に一定でなければならない。**pH スケール** pH scale は 7 が中性である。7 を下回ると**酸性** acidic の溶液であり，7 を上回ると**アルカリ性** basic (alkaline)の溶液である。
5. **緩衝系** buffer system は，強酸や強塩基を弱酸性や弱塩基に変化することによって，pH の維持に関与する。
6. **糖質(炭水化物)** carbohydrate には，糖類やグリコーゲン，デンプン類が含まれる。それらは**単糖(類)** monosaccharide，**二糖(類)** disaccharide，**多糖(類)** polysaccharide として存在する。糖質は ATP を生成するのに必要な化学エネルギーの大半を供給する。糖質やその他の大きな有機分子は**脱水縮合** dehydration synthesis によって合成され，分子中から水が失われる。**加水分解** hydrolysis と呼ばれる逆の過程で大きな分子は水を付加した小さな分子に分解される。
7. **脂質** lipid はトリグリセリド triglyceride（脂肪と油），リン脂質 phospholipid，ステロイド steroid を含む広汎な種類の化合物である。トリグリセリドはからだを保護し，絶縁し，エネルギーを供給するものであり，脂肪組織に貯蔵される。リン脂質は，重要な細胞膜の成分である。ステロイドはコレステロールから合成される。
8. **タンパク質** protein は，アミノ酸 amino acid から構成されている。それらは，からだの構造をつくり，さまざまな過程を調節し，生体防御にかかわり，筋の収縮を助け，物質の輸送をし，酵素として働く。
9. **酵素** enzyme は，化学反応を促進する物質で，通常はタンパク質からなり，細胞内でさまざまな調節を受けている。
10. **デオキシリボ核酸** deoxyribonucleic acid（DNA）や**リボ核酸** ribonucleic acid（RNA）は**ヌクレオチド** nucleotide と呼ばれる反復単位からなる核酸である。ヌクレオチドは**窒素性塩基** nitrogenous base，五炭糖とリン酸基で構成される核酸である。DNA は二重らせん構造で，遺伝子の中でもっとも基本的な物質である。RNA は構造や化学的構成が DNA と異なっている。その主な機能は，DNA に暗号化された指示によりタンパク質合成を行う。
11. **アデノシン三リン酸** adenosine triphosphate（ATP）は生命系の中の主なエネルギー輸送分子である。ATP がエネルギーに変換される際に，ATP は加水分解でアデノシン二リン酸 adenosine diphosphate（ADP）と Ⓟ に分解される。ATP は主にグルコースの分解（異化）によって供給されるエネルギーを使って，ADP と Ⓟ から合成される。

クリティカルシンキングの応用

1. お茶会をしているときに，あなたのいとこである 3 歳のサブリーナは，彼女の紅茶に牛乳とレモンジュースとたくさんの砂糖を加えた。その紅茶には，いま，奇妙な白い塊が浮かんでいる。どうして凝乳したのか？
2. あなたはより健康的な食習慣に変えようと決心して夕食に一切れの鮭を買う。あなたは純粋なコーン油からつくったマーガリンか食器棚にあるコーン油のどちらを使って調理するのがよいか決められない。よい選択はどちらか？ その理由は？
3. アルバート Jr. は，彼の誕生日に買ってもらったばかりの超天才家庭用化学実験キットを取り出した。彼はレモンジュースとダイエットコーラからなる秘密の処方の pH を調べることにした。その pH は 2.5 だった。次に彼は気持ちの悪い混合物の中に pH 3.5 までトマトジュースを加えた。すると彼は「すごい！ 2 倍も強くなったぞ」といった。さて，アルバート Jr. は "超天才" による創造物を手に入れたのか？ 説明しなさい。
4. 化学実験室で，マリアはスクロース（ショ糖）をガラスのビーカーに入れ水を加えかき混ぜた。スクロースが消えたので彼女はスクロースをフルクトースとグルコースに化学的に分解できたと大きな声で宣言している。マリアの化学分析は正しいか？

図の質問の答え

2.1 炭素の原子番号は6である。

2.2 生体中にもっとも多く含まれる4元素は,酸素,炭素,水素,窒素である。

2.3 水は化合物である。なぜならば,二つの異なる元素(水素と酸素)の原子を含んでいるからである。

2.4 Kは電子供与体である。つまり,Kがイオン化したとき,陽イオン,K^+になる。なぜならば第4電子殻から1個の電子を失い,第3電子殻に8個の電子が残るからである。

2.5 イオン結合は電子の得失を意味する。そして共有結合は1対の電子の共有を意味する。

2.6 $CaCO_3$は塩であり,H_2SO_4は酸である。

2.7 pH 6.82はpH 6.91よりも酸性である。pH 8.41とpH 5.59はどちらも1.41単位分中性(pH 7)から離れる。

2.8 フルクトースには6個の炭素があり,スクロースには12個の炭素がある。

2.9 グリコーゲンは肝臓や骨格筋の細胞の中に貯蔵されている。

2.10 一価不飽和脂肪酸には炭素-炭素間の二重結合が一つある。

2.11 トリグリセリドは三つの脂肪酸がグリセロール骨格に結合している。そしてリン脂質には尾部になる二つの脂肪酸と頭部になるリン酸基がグリセロール骨格に結合している。

2.12 アテローム性動脈硬化に関与していると考えられる食用脂質は,コレステロールや飽和脂肪酸である。

2.13 トリペプチドは二つのペプチド結合をもち,それぞれが二つのアミノ酸を結びつけている。

2.14 酵素の活性部位が基質と結合する。

2.15 チミンはDNA中に存在するが,RNAには存在しない。そしてウラシルはRNA中に存在するが,DNAには存在しない。

2.16 ATPによって供給されるエネルギーに頼っているいくつかの細胞活動は筋収縮,染色体の移動,細胞膜を通過する物質の移動や合成反応である。

CHAPTER 3

細　　胞

　約200種類の細胞がからだを構成している。個々の細胞は，膜に包まれた生きた構造的・機能的単位である。すべての細胞は既存の細胞から生じる。すなわち，1個の細胞が2個の細胞に分かれることによって，新しい細胞が生まれるのである。からだの中で，ホメオスタシスを保ち，ヒトとしての多くの機能を発揮できるように，いろいろな種類の細胞がそれぞれに特有な役割を演じている。細胞内のいろいろなパーツとそれら互いの関係を学ぶと，細胞の構造と機能が密接に関連していることがわかるようになる。

> **先に進むための復習**
> - 人体構造の階層性と人体を構成する系（1.1節）
> - イオン，分子，化合物（2.1節）
> - 糖質（炭水化物）（2.2節）
> - 脂質（2.2節）
> - タンパク質（2.2節）
> - デオキシリボ核酸（DNA）とリボ核酸（RNA）（2.2節）

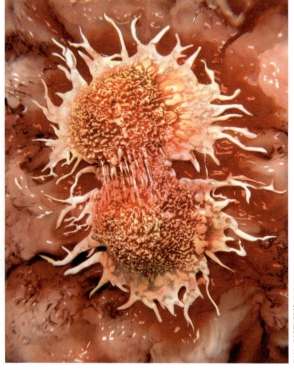

癌細胞の分裂

Q なぜ癌の治療は難しいのか考えたことはありませんか？　答えは「よくみられる病気：癌」でわかるでしょう。

3.1 細胞の概観

目　標

- 細胞を構成する三つの主要部分の名称を挙げ，述べる。

　細胞生物学 cell biology は細胞の構造と機能を研究する学問である。図3.1は細胞の主要な構成要素を模式的に示している。人体中の大部分の細胞は，この図に描かれた構成要素の多くをもち合わせているが，中にはそうでない細胞もある。理解しやすいように，一つの細胞を三つの主要部分に分けることにする。三つの主要部分とは，細胞膜と細胞質と核である。

1. **細胞膜 plasma membrane** は細胞のしなやかな外表面をつくっていて，細胞の内部環境（細胞内）と外部環境（細胞外）を隔てている。細胞膜は，正常な細胞活動をするのに必要な環境を適切に維持するために細胞に出入りする物質の流れを調節している。同時に細胞膜は，細胞間の，あるいは細胞と外部環境とのコミュニケーションを担う重要な役割を果たしている。

2. **細胞質 cytoplasm**（-plasm＝形づくられた，成形された）は，細胞膜と核の間にあるすべての細胞内容物からなる。細胞質にはサイトゾルと細胞小器官という2種類の成分がある。**サイトゾル cytosol** は細胞質の液体部分で，主に水，水に溶けた溶質および浮遊粒子からなる。サイトゾルは**細胞内液 intracellular fluid** とも呼ばれる。サイトゾルの中に何種類かの**細胞小器官 organelle**（＝小さな器官）が存在し，それぞれが特徴的な構造と特定の機能をもっている。

3. **核 nucleus**（＝木の実の芯）は細胞内でもっとも大きな細胞小器官である。核は，細胞の構造と大部分の細胞の機能を調節する遺伝子を含んでいるので，細胞の調節中枢として働いている。

> **チェックポイント**
> 1. 細胞の三つの主要部分の一般的な機能は何か？

43

図3.1 体細胞の概観図。

細胞は人体の，生きている，基本的な構造的・機能的単位である。

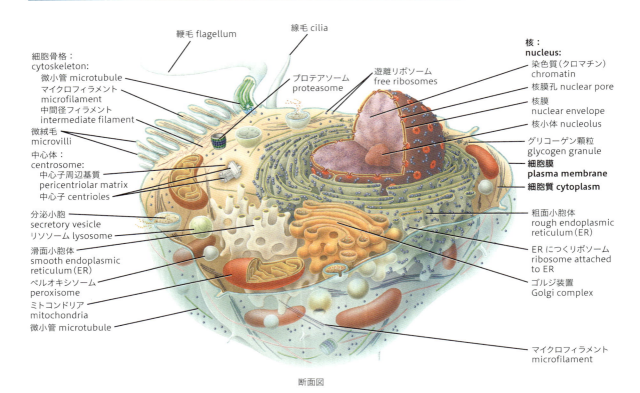

断面図

Q 細胞の主な三つの部分は何か？

3.2 細 胞 膜

目 標

・細胞膜の構造と機能を述べる。

　細胞膜 plasma membrane（＝形質膜）は，脂質とタンパク質からなる，柔軟でありながらしっかりしたバリアである。細胞膜の基本骨格は，背中合わせに並んだ**脂質二重層 lipid bilayer**で，3種類の脂質分子で構成されている。脂質分子は**リン脂質 phospholipid**（リンを含んだ脂質），**コレステロール cholesterol**，**糖脂質 glycolipid**（糖質に結合した脂質；glyco＝炭水化物）である（図 3.2）。膜タンパク質には膜内在性タンパク質と膜周辺タンパク質の2種類がある（図 3.2）。**膜内在性タンパク質 integral protein** には，脂質二重層の中に埋まっているものもあれば，脂質二重層を貫いて細胞膜の外に飛び出しているものもあ

る。**膜周辺タンパク質 peripheral protein** は膜の外表面または内表面に緩く接着している。**糖タンパク質 glycoprotein** と呼ばれる膜周辺タンパク質は糖質に結合したタンパク質である。

　細胞膜は，ある物質の細胞内外への移動を許す一方，別の物質の移動を制限する。膜のこの性質を**選択的透過性 selective permeability** と呼ぶ。膜の脂質二重層部分は水を透過させ，また脂肪酸，脂溶性ビタミン，ステロイド，酸素，二酸化炭素のような非極性（脂溶性）分子のほとんどを透過させる。一方，イオン，荷電していない極性のある大きな分子のグルコースやアミノ酸などは透過させない。これらの小・中サイズの水溶性物質は膜内在性タンパク質の助けを借りて膜を通過することができる。膜内在性タンパク質のあるものは，例えばカリウムイオン（K^+）のような特定のイオンが，細胞内外に移動できるように**イオンチャネル ion channel** を形成する（図 3.5 参照）。別の膜タンパク質は形を変えることによって，膜の片側から反対側へ物質を運ぶ**キャリア carrier**（トランスポーター

図 3.2 細胞膜の構造と化学的組成。

細胞膜は主としてリン脂質とタンパク質からなる。リン脂質は2層に配列し，タンパク質の大部分は糖タンパク質である。

細胞膜の機能
1. 細胞の内と外を隔てるバリアとして働く。
2. 細胞内外への物質の流れを調節する。
3. ある細胞とほかの細胞を区別するのを助ける（例：免疫細胞）。
4. 細胞内情報伝達に関与する。

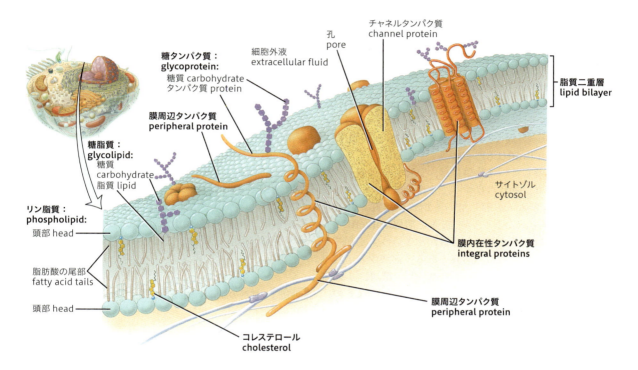

Q 膜タンパク質によって行われる機能を挙げなさい。

---

transporter）として働く（図 3.6 参照）。タンパク質のような大きな分子は，小胞による輸送以外では細胞膜を通過できない（本章で後述する）。

　細胞膜の機能の多くは，そこに存在するタンパク質の種類に依存する。**受容体 receptor** と呼ばれる膜内在性タンパク質は細胞の機能を支配する特定の分子，例えばインスリンのようなホルモンを認識し，結合する。ある種の膜内在性タンパク質は特定の化学反応の反応速度を上げる**酵素 enzyme** として働く。膜にある糖タンパク質や糖脂質はしばしば**細胞認識マーカー cell identity marker** となる。それによって，組織を形成する中で，細胞は自分と同種の細胞を認識することができ，また潜在的に危険な外来細胞を認識して，それに対処することができる。

チェックポイント
2. 細胞膜をつくっている分子は何か？　またそれらの働きは何か？
3. 選択的透過性とはどういう意味か？

3.3 細胞膜を通過する輸送

目標
・細胞膜を通過する物質輸送の過程を述べる。

　細胞膜を通過する物質の移動は細胞の生命維持の基本である。ある物質は細胞の代謝反応を助けるために細胞内に運び込まれなければならないし，逆に，細胞

外に放出されるために産生された物質や細胞の老廃物は細胞外へ運び出さなければならない。物質がどのようにして細胞の中へ，あるいは外へ移動するのかを述べる前に，どのような物質が移動するのか，またその物質が移動するためにどのような形をとる必要があるのか，を正しく理解する必要がある。

体液の約3分の2は細胞内にあり，これを**細胞内液** intracellular fluid（ICF；intra- ＝内）という。先に述べたように，ICFは細胞のサイトゾルのことである。細胞の外にある溶液は**細胞外液** extracellular fluid（ECF；extra- ＝外）という。組織をつくる細胞間にある，顕微鏡でしかみえない微小な空間にあるECFを**間質液** interstitial fluid（inter- ＝間）という。血管内にあるECFを**血漿**（blood）plasmaといい，リンパ管内にあるECFを**リンパ** lymphという。また，脳と脊髄の内部と周囲にあるECFを**脳脊髄液** cerebrospinal fluid（CSF）という。

体液中に溶解している物質には，気体，栄養素，イオンなどがあり，それらはすべて生命の維持に必要な物質である。液体に溶解している物質を**溶質** soluteと呼び，溶質を溶かしている液体を**溶媒** solventと呼ぶ。体液とは，さまざまな溶質が水というよく知られた溶媒に溶けている希釈溶液である。溶液中の溶質の量を**濃度** concentrationという。**濃度勾配** concentration gradientとは，例えばICFとECFのように，二つの異なる領域間の濃度差である。高濃度の領域（より多くの溶質が存在する）から低濃度の領域（溶質が少ない）へ溶質が移動することを，濃度勾配に従う，あるいは濃度勾配に伴って移動するという。低濃度領域から高濃度領域へ溶質が移動することを，濃度勾配に逆らって移動するという。

物質が細胞膜を通過する過程には，受動過程と能動過程がある。**受動過程** passive processとは，物質が自分の運動エネルギーだけを利用して，濃度勾配に従って膜を通過する移動であり，これには単純拡散と浸透がある。一方，**能動過程** active processでは，ATPによる細胞エネルギーによって，濃度勾配とは"逆の方向"に物質が"押し上げられる"ように膜を通過する。その一つの例として**能動輸送** active transportがある。さらに別の例として，細胞内外に物質を輸送するために，**小胞** vesicleという小さな膜性の袋を利用する方法がある。

受動過程

拡散：その原理 **拡散** diffusion（diffus- ＝広がること）とは，物質がそれ自身のもつ運動エネルギーによって移動する，受動的な過程である。もしある物質が高濃度領域と低濃度領域に分かれて存在する場合，その物質の多くの粒子は高濃度領域から低濃度領域へ拡散し，その逆方向の拡散は少ない。一方向に拡散する分子が逆方向に動く分子よりも多い部分の拡散を**正味の拡散** net diffusionという。正味の拡散は，高濃度領域から低濃度領域への，その濃度勾配に従った物質移動である。しばらくすると**平衡** equilibriumに達して，物質は溶液中で均一に分布し濃度勾配は消失する。

水を満たした容器の中に染料の結晶を入れてみると，拡散のようすをみることができる（図3.3）。初めは，溶けつつある結晶のすぐ近くの色がもっとも濃く，染料の濃度もそこがもっとも濃い。距離が離れるにつれて染料の濃度が低くなるため，色はどんどん薄くなる。染料分子は水中で一様に混ざり合うまで，濃度勾配に従って正味の拡散を続ける。平衡に達すると溶液全体が均一な色になる。染料の拡散の例では膜は存在していない。膜を透過できる物質であれば，その物質は膜を通過して拡散できる。

いま，拡散の基本を理解したので，単純拡散と促進拡散の2種類の拡散について考えてみよう。

単純拡散 **単純拡散** simple diffusionでは，物質は膜の脂質二重層を通過して拡散する（図3.4）。脂質二

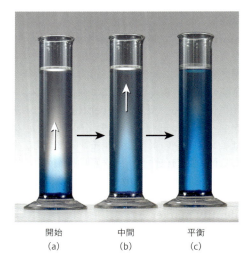

図3.3 **拡散の原理**。水を入れたシリンダーの中に置かれた染料の結晶が溶解し(a)，染料の高濃度領域から低濃度領域に向かって正味の拡散が生じる(b)。平衡状態では，染料の濃度は溶液中で均一になる(c)。

> 平衡では，正味の拡散は止まるが，無秩序な移動は続いている。

開始 (a)　　中間 (b)　　平衡 (c)

Andy Washnik

Q 単純拡散と促進拡散の違いは何か？

図3.4 **単純拡散**。脂溶性分子は脂質二重層を通って拡散する。

> 単純拡散では，物質が高濃度領域から低濃度領域に動く正味の(より多い)移動がある。

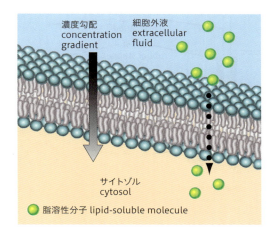

Q 脂質二重層を拡散によって通過する物質の例を挙げなさい。

重層を通って単純拡散により膜を通過する物質には，酸素，二酸化炭素，窒素などの気体や，脂肪酸，ステロイド，脂溶性ビタミン(A，D，E，K)がある。水や尿素のような極性分子も脂質二重層を通る。血液と体細胞間や，呼吸時に肺で行われる血液と空気間の酸素と二酸化炭素の交換は，脂質二重層を通る単純拡散の重要な例である。単純拡散は脂溶性栄養素の吸収や体細胞から老廃物を放出するための輸送方法でもある。

促進拡散 単純拡散により脂質二重層を通過できない物質は，**促進拡散 facilitated diffusion** と呼ばれる受動過程によって細胞膜を通過する。この過程において，膜内在性タンパク質は特定の物質が膜を通過する手助けをする。その膜タンパク質は膜チャネルをつくるかキャリアとして働く。

イオンチャネル ion channel が関係する促進拡散では，イオンは濃度勾配に従って脂質二重層を通過する。大部分の膜チャネルはイオンチャネルであり，特定のイオンがイオンチャネルの孔を通って膜を通過できる。一般的な細胞膜にみられるもっとも共通したイオンチャネルは，K^+(カリウムイオン)あるいはCl^-(塩化物イオン)を選択的に通す。また，数は少ないがNa^+(ナトリウムイオン)やCa^{2+}(カルシウムイオン)に対して選択的なチャネルもある。多くのイオンチャネルにはゲートとしての働きがある。つまり，チャネルをつくるタンパク質の一部が"ゲート gate"として働き，チャネルを開口するためにある方向へ移動し，チャネルを閉鎖するために別の方向に移動する(図3.5)。ゲートが開くと，イオンは濃度勾配に従って，細胞の内か外へ拡散する。ゲートをもつチャネルは体細胞が電気的信号を発生するために重要である。

キャリア carrier が関与する促進拡散では，物質が膜の片側にある特定のキャリアに結合すると，キャリアはその形を変えて膜の反対側でその物質を遊離する。

キャリアが関与する促進拡散により細胞膜を通過する物質には，グルコース，フルクトース，ガラクトース，ある種のビタミンがある。グルコースは次のように，促進拡散によって体細胞内に入る(図3.6)．

❶ グルコースは膜の外表面上にあるグルコースキャリアタンパク質に結合する。
❷ キャリアがその形を変えると，グルコースは膜を通過する。
❸ キャリアは膜の反対側でグルコースを離す。

細胞膜の選択的透過性は，ホメオスタシスが維持できるよう，常に調節を受けている。例えば，ホルモンのインスリンは細胞膜内へのグルコースキャリアの挿入を促進する。つまりインスリンの作用は促進拡散による体細胞へのグルコースの取り込みを促進することである。

図3.5 **開閉型K^+チャネルを通るカリウムイオン(K^+)の促進拡散**。開閉型チャネルは，チャネルタンパク質の一部がチャネルの孔をイオンが通過する際に，開閉するゲートとして作用する。

> イオンチャネルは膜内在性タンパク質であり，その中を特定の小さな無機イオンが通過する。

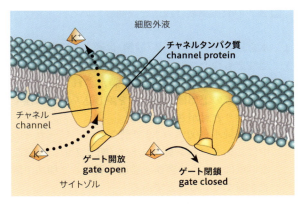

カリウムチャネルの詳細

Q 体細胞のK^+濃度はサイトゾルと細胞外液中と比較してどちらが高いか？

図 3.6 促進拡散によるグルコースの細胞膜通過。キャリアタンパク質が細胞外液中のグルコースと結合し，サイトゾルに運び入れる。

> 膜を通過する促進拡散はキャリアを必要とする。キャリアが，細胞内へグルコース，フルクトース，ガラクトースのような糖を運ぶ重要な機構である。

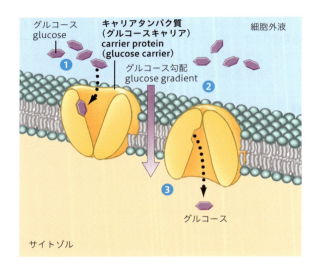

Q インスリンは，促進拡散によるグルコースの輸送をどのようにして変化させるだろうか？

図 3.7 浸透の原理。

> 浸透とは選択的透過膜を通過する正味の水分子の移動のことである。

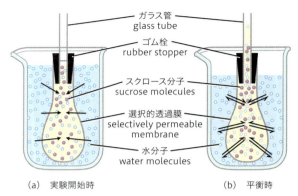

(a) 実験開始時　　(b) 平衡時

Q ガラス管内の溶液は，スクロースの濃度がビーカー内と袋内で等しくなるまで上昇を続けるか？

浸透

浸透 osmosis とは，選択的透過膜を通って水が移動する受動過程のことである。水は浸透により水濃度の高いほうから低いほうへ（すなわち，溶質濃度の低いほうから高いほうへ）移動する。水分子が細胞膜を通過する方法は二つある。一つは脂質二重層を通過する方法で，もう一つは膜内在性タンパク質からなる水チャネルを通過する方法である。

図 3.7 の装置実験は浸透を説明している。

1. 水を通すがスクロース（砂糖）は通さない選択的透過性をもつセロハンでつくられた袋が，20％スクロースと 80％が水の溶液で満たされている。セロハン袋の上部はガラス管を差し込んだゴム栓でしっかりと封がされている。
2. 次に，純水（100％の水）で満たされたビーカーの中にこのセロハン袋を入れる（図 3.7 a）。注意したい点はセロハン膜が水濃度の異なる 2 種類の溶液を隔てていることである。
3. 浸透によって，水は水濃度の高いほう（ビーカー中の 100％の水）から水濃度の低いほう（袋の中の80％の水）へ，セロハン膜を通って動き始める。しかし，セロハン膜はスクロースを通さないので，すべてのスクロース分子は袋の中にとどまったままである。
4. 袋の中に水が移動する結果，スクロース溶液の体積は増加し，溶液はガラス管の中を上がっていく（図 3.7 b）。ガラス管内を溶液が上昇するため，その水圧は水分子を袋の中からビーカーの中へ逆に押し戻す。平衡状態に達すると，水分子は水圧により袋からビーカー内に移動し，それと同じ量の水分子が浸透によりビーカー内から袋の中に移動する。

膜を通過できない溶質粒子を含む溶液は**浸透圧 osmotic pressure** と呼ばれる圧を膜に与える。ある溶液の浸透圧は溶質粒子の濃度に依存し，溶質濃度が高いほど浸透圧も高い。サイトゾルと間質液の浸透圧は同じなので，細胞の体積は一定に保たれている。細胞は浸透によって水を失いすぎて縮むこともなければ，浸透によって水をもらいすぎて膨らむこともない。

細胞が正常な形や体積を保つことができる溶液を**等張液 isotonic solution**（iso- ＝同じ；tonic ＝張力）という。これは溶質の濃度が膜の内外で同じになっている溶液である。例えば，**生理食塩水** normal saline solution と呼ばれる 0.9％ NaCl（塩化ナトリウム，または食塩）溶液は赤血球に対して等張である。赤血球を 0.9％ NaCl 中に浸すと，赤血球に入る水分子と赤血球から出る水分子は同じ割合となり，その結果，赤血球は正常な形と体積を保つことができる（図 3.8 a）。

赤血球のサイトゾルより溶質濃度が低い（水濃度が

3.3 細胞膜を通過する輸送　49

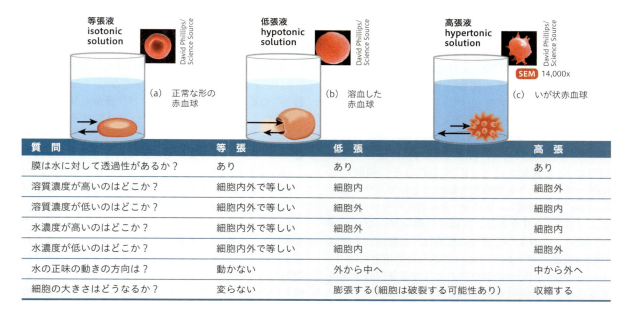

図3.8 赤血球(RBC)に対する浸透の影響。矢印は赤血球に出入りする水の移動の方向と量を表している。走査電子顕微鏡写真(SEM)の倍率は14,000倍である。

等張液中では，細胞は正常な形と体積を維持する。

質　問	等　張	低　張	高　張
膜は水に対して透過性があるか？	あり	あり	あり
溶質濃度が高いのはどこか？	細胞内外で等しい	細胞内	細胞外
溶質濃度が低いのはどこか？	細胞内外で等しい	細胞外	細胞内
水濃度が高いのはどこか？	細胞内外で等しい	細胞外	細胞内
水濃度が低いのはどこか？	細胞内外で等しい	細胞内	細胞外
水の正味の動きの方向は？	動かない	外から中へ	中から外へ
細胞の大きさはどうなるか？	変らない	膨張する（細胞は破裂する可能性あり）	収縮する

Q 2% NaCl溶液中では，赤血球は溶血を起すか，それともいが状赤血球となるか？

高い）溶液を**低張液** hypotonic solution（hypo- ＝より少ない）という。赤血球を低張液に浸すと（図3.8 b），浸透によって細胞内に入る水分子のほうが細胞外に出る水分子よりも速く移動する。この状態では赤血球は膨張し，最後には破裂する。赤血球が破裂することを**溶血** hemolysis という。

赤血球のサイトゾルより溶質濃度が高い（水濃度が低い）溶液を**高張液** hypertonic solution（hyper- ＝より大きい）という（図3.8 c）。細胞を高張液に置くと，浸透によって，細胞内に入る水分子よりも細胞外へ出る水分子のほうが速度は速い。その結果，細胞は縮む。このような赤血球を**いが状赤血球** crenation という。

能動過程

能動輸送　能動輸送 active transport とは，濃度勾配に逆らって（低濃度側から高濃度側へ）膜を通過して物質を移動させる輸送であり，そのためには細胞のエネルギーが必要である。

ATPの分解で生じたエネルギーが**ポンプ** pump と呼ばれるキャリアタンパク質の形を変化させ，細胞膜を通過して濃度勾配と逆方向に物質を運ぶ。典型的な体細胞はそのATPの約40%を能動輸送のために消費している。毒薬として知られるシアン化物のような薬物はATPの産生を阻害し，その結果，からだ中の細胞の能動輸送を止めてしまうために死にいたるのである。能動輸送によって細胞膜を通過する物質は，

臨床関連事項

等張液，高張液，低張液の医療における利用

低張液や高張液の中では，赤血球もほかの細胞も障害を受けたり破壊されることがある。この理由により，患者の静脈血に注入されるほとんどの**静脈内溶液** intravenous (IV) solution は**等張液** isotonic solution である。その例として，生理食塩水(0.9% NaCl)やD5W (5%デキストロース水溶液)がある。**高張液** hypertonic solution を静注することが，脳の間質液過剰状態である**脳浮腫** cerebral edema の治療に役立つことがある。高張液を静注することによって，間質液を血液に引き戻す浸透が生じ，脳浮腫を緩和するのである。その結果，血中に増えた過剰な水は，腎臓で尿として排泄される。脱水状態の人の処置に，**低張液** hypotonic solution の経口または経静脈投与がある。低張液中の水が血中から間質液をへて細胞に入り，細胞に水を補給するのである。運動後の給水として摂取する水や大部分のスポーツドリンクはからだの細胞よりも低張にしてある。

Na⁺，K⁺，H⁺，Ca²⁺，I⁻，Cl⁻ など，主としてイオンである。

もっとも重要な能動輸送ポンプは細胞からナトリウムイオン（Na⁺）を汲み出し，カリウムイオン（K⁺）を取り込むポンプである。ポンプタンパク質は ATP 分解酵素としても作用する。このポンプが動かすイオンの種類から，このポンプは**ナトリウム-カリウムポンプ** sodium-potassium（Na⁺-K⁺）pump と呼ばれている。すべての細胞がその細胞膜内に，何千ものナトリウム-カリウムポンプをもっている。ナトリウムカリウムポンプは Na⁺ の濃度勾配に逆らって Na⁺ を細胞外に汲み出すことで，サイトゾルの Na⁺ 濃度を低く保っている。と同時に，K⁺ の濃度勾配に逆らって細胞内に K⁺ を移動させる。K⁺ や Na⁺ はその濃度勾配に従ってゆっくりと細胞膜を漏れ出るので，サイトゾルの Na⁺ を低濃度に，また K⁺ を高濃度に保つために，ナトリウム-カリウムポンプは常に働いていなければならない。このような濃度の相違は，細胞内液と細胞外液の浸透のバランスにとってきわめて重要であり，またある種の細胞が活動電位のような電気信号を発生するためにも非常に重要である。

図 3.9 にナトリウム-カリウムポンプがどのように働いているかを示す。

❶ サイトゾル内の 3 個の Na⁺ がポンプタンパク質と結合する。
❷ Na⁺ の結合が引き金となって，ATP が ADP と 1 個のリン酸基（Ⓟ）に分解され，そのリン酸基はポンプタンパク質に結合する。この化学反応によりポンプタンパク質の形が変化すると，3 個の Na⁺ が細胞外液に排出される。ポンプタンパク質の形状変化により，次に細胞外液中の 2 個の K⁺ がポンプタンパク質に結合しやすくなる。
❸ K⁺ の結合によりポンプタンパク質からリン酸基が離れ，これによりポンプタンパク質は元の形に戻る。
❹ ポンプタンパク質が元の形に回復すると，2 個の K⁺ はサイトゾル中に放出される。この時点で，ポンプは Na⁺ と再び結合できるようになり，サイクルが繰り返される。

小胞による輸送 小胞 vesicle は膜を引きちぎられるようにしてできる，小さな丸い袋である。小胞は細胞内のある構造から別の構造へ物質を輸送したり，細胞外液から物質を取り入れたり，物質を細胞外液に放出したりする。小胞の輸送には ATP から供給されるエネルギーが必要なので，小胞輸送は能動過程の一つである。細胞と細胞外液の間の主要な小胞輸送には，

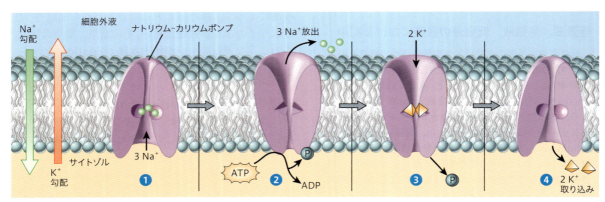

図 3.9 ナトリウム-カリウムポンプの作用。ナトリウムイオン（Na⁺）は細胞から汲み出され，カリウムイオン（K⁺）は細胞内に取り込まれる。サイトゾルに Na⁺ と ATP が，細胞外液中に K⁺ がないとナトリウム-カリウムポンプは働かない。

ナトリウム-カリウムポンプは細胞内の Na⁺ 濃度を低く維持している。

❶ サイトゾル由来の 3 個のナトリウムイオン（Na⁺）がナトリウム-カリウムポンプの内側表面に結合する

❷ Na⁺ の結合が引き金となって ATP がポンプに結合し，ADP と Ⓟ（リン酸）に分解される。ATP の分解によるエネルギーがポンプタンパク質の形を変える。それによって，Na⁺ が細胞外に移動する

❸ 2 個のカリウムイオン（K⁺）がポンプの外側表面に結合し，それによって Ⓟ が放出される

❹ Ⓟ が放出されることによりポンプは元の形に戻り，K⁺ が細胞内に移動する

Q このポンプの作用に対する ATP の役割は何か？

(1) **エンドサイトーシス** endocytosis (endo- ＝内)：物質が細胞膜でつくられた小胞に取り込まれて**細胞内**に移動する，(2) **エクソサイトーシス** exocytosis (exo- ＝外)：細胞の中でつくられた小胞が細胞膜に融合して小胞内の物質を**細胞外**に運び出すの2種類がある。

エンドサイトーシス　エンドサイトーシス endocytosis により細胞内に取り込まれる物質は細胞膜の小片に包まれる。この細胞膜の小片は引きちぎられるようにして細胞内に入り，取り込んだ物質を含んだ小胞となる。エンドサイトーシスには貪食と液相エンドサイトーシス（飲作用）の2種類がある。

1. **貪食（食作用）**：貪食 phagocytosis (phago- ＝食べること)，すなわち"細胞食作用"とは細菌，ウイルス，古くなった細胞，死んだ細胞のような大きな固形粒子を細胞が取り込むことである（図3.10）。貪食は粒子が細胞膜の受容体に結合することで始まり，それが引き金となって細胞は**偽足** pseudopod (pseudo- ＝偽の；-pod ＝足) を伸ばす。偽足は細胞膜を伴う細胞質の突出物である。2本あるいはそれ以上の偽足が粒子を取り囲み，偽足の膜が部分的に融合して，サイトゾルに入る**食べ込み小体** phagosome と呼ばれる小胞を形成する。食べ込み小体は一つ以上のリソソームと融合し，取り込んだ物質をリソソーム酵素が分解する。多くの場合，未消化物は**残渣小体** residual body と呼ばれる小胞としてずっと残るか，または細胞によって排出される。

貪食は**食細胞** phagocyte でのみ起る。貪食細

図3.10 貪食。

貪食は病気からからだを守るための生体防御機構の一つである。

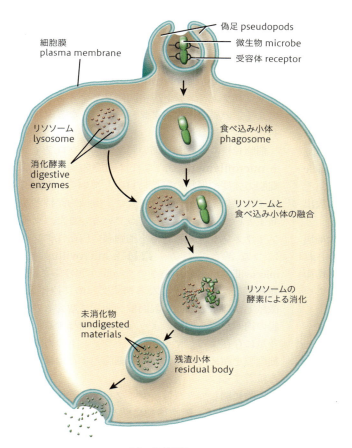

(a) 貪食過程

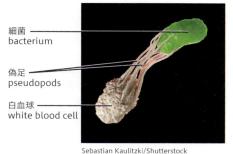

(b) 白血球が微生物を食べ込む

Q 何が偽足形成の引き金となるか？

胞は細菌や外来物質を飲み込み破壊するために特殊に分化した細胞で，からだ中のどの組織にもみられ，ある種の白血球とマクロファージ（大食細胞）である。貪食は病気からからだを守るための，一種の生体防御機構である。

2. **液相エンドサイトーシス：液相エンドサイトーシス** bulk-phase endocytosis（飲作用 pinocytosis），すなわち"細胞飲作用"とは細胞が細胞外液の小滴を取り込むことである。この現象はほとんどの体細胞で起っていて，細胞外液中に溶けたあらゆる溶質を取り込むことができる。液相エンドサイトーシスでは，細胞膜の一部が細胞内に陥入して，細胞外液の小滴を中に含んだ小胞を形成する。その小胞は"引きちぎれ"によって細胞膜から離れ，サイトゾルに入る。小胞は細胞内でリソソームと融合し，そこで飲み込んだ溶質を酵素が分解する。その結果生じたアミノ酸や脂肪酸などの小分子はリソソームを離れ，細胞内のどこかで利用される。

エクソサイトーシス　物質を細胞内に取り込むエンドサイトーシスとは対照的に，**エクソサイトーシス** exocytosis は物質を細胞から放出する，**分泌** secretion を起す。あらゆる細胞がエクソサイトーシスを行うが，とくに次の2種類の細胞ではエクソサイトーシスは重要である。(1)分泌細胞は消化酵素，ホルモン，粘液，その他の分泌物を放出する。(2)ニューロン（神経細胞）は**神経伝達物質** neurotransmitter と呼ばれる物質をエクソサイトーシスによって放出する（図 9.8 参照）。エクソサイトーシスでは，**分泌小胞** secretory vesicle と呼ばれる膜に囲まれた小胞が細胞内で形成され，それが細胞膜と融合し，その内容物が細胞外液中に放出される。

エンドサイトーシスで失われた細胞膜の断片は補填されたり，エクソサイトーシスによりリサイクルされる。エンドサイトーシスとエクソサイトーシスの均衡によって，細胞膜の表面積がほぼ一定に保たれている。

表3.1 に，物質が細胞に出入りする過程をまとめた。

> **チェックポイント**
> 4. 受動過程と能動過程の重要な違いは何か？
> 5. 単純拡散と促進拡散とはどのように異なるか？
> 6. エンドサイトーシスとエクソサイトーシスの似ている点と異なっている点は何か？

3.4　細胞質

目標

・細胞質，サイトゾルおよび細胞小器官の構造と機能を述べる。

細胞質 cytoplasm は細胞膜と核の間に存在するすべての細胞内容物からなり，サイトゾルと細胞小器官が含まれる。

サイトゾル

サイトゾル cytosol（**細胞内液** intracellular fluid）は細胞質の液体部分で細胞の全体積の約55％を占め，その中に細胞小器官が存在する。その組成と濃度は細胞の場所ごとに違いがあるものの，一般にサイトゾルの75～90％は水で，ここに溶質と浮遊物が加わる。これらにはさまざまなイオン，グルコース，アミノ酸，脂肪酸，タンパク質，脂肪，ATP，老廃物が含まれる。ある種の細胞には，トリグリセリドを含む**脂肪滴** lipid droplet やグリコーゲン分子の集合体である**グリコーゲン顆粒** glycogen granule が存在する（図 3.1 参照）。サイトゾルは細胞の構造を維持し，細胞の成長にかかわるさまざまな化学反応が起る場所である。

細胞骨格 cytoskeleton はサイトゾル全体に伸びたマイクロフィラメント，中間径フィラメント，微小管の3種類の異なる線維タンパク質からなる網状構造である。

細胞骨格のもっとも細い要素は**マイクロフィラメント** microfilament で，これは細胞の周辺に密集し，細胞の強度や形状の維持に貢献している（図 3.11 a）。マイクロフィラメントは一般に，機械的保持と運動の発生という二つの機能をもっている。また，マイクロフィラメントは細胞骨格を細胞膜の内在性タンパク質につなぎとめたり，**微絨毛** microvillus（複数形 microvilli；micro- ＝小さい；-villi ＝毛のふさ）という顕微鏡的な細胞膜からなる指状突起の支持体となる。微絨毛があると細胞の表面積が非常に増えるので，小腸の内面を覆う細胞のような吸収に関与する細胞には多量に存在する。マイクロフィラメントのあるものは細胞膜を超えて伸び，ほかの細胞とまたは細胞外物質と接着する。

運動に関してみれば，マイクロフィラメントは筋収縮，細胞分裂，細胞移動に関与している。マイクロフィラメントが関与する細胞運動には，発生中の胚細胞の移動，感染時の白血球の組織への侵入，あるいは創傷治癒過程における皮膚細胞の移動などがある。

中間径フィラメント intermediate filament は，

表 3.1　細胞内外への物質の輸送

輸送機構	特　徴	移動する物質
受動過程 passive processes	平衡に達するまで濃度勾配に従って物質が移動する；細胞はATPの分解によるエネルギーを必要としない。	
拡散 diffusion	平衡に達するまで濃度勾配に従い，運動エネルギーによって物質が移動する。	
単純拡散 simple diffusion	細胞膜の脂質二重層を通って物質が受動的に移動する。	脂溶性分子：酸素，二酸化炭素，窒素ガス；脂肪酸；ステロイド；脂溶性ビタミン(A, D, E, K)。極性のある分子：水と尿素。
促進拡散 facilitated diffusion	イオンチャネルおよびキャリアにより，濃度勾配に従って物質が受動的に移動する。	K^+, Cl^-, Na^+, Ca^{2+}, グルコース，フルクトース，ガラクトース，ある種のビタミン。
浸透 osmosis	水濃度の高い領域から低い領域に向かって，水分子が選択的透過膜を通って移動する。	水。
能動過程 active processes	濃度勾配に逆らって物質が移動する；細胞はATPの分解によるエネルギーを必要とする。	
能動輸送 active transport	ポンプとして働く膜タンパク質の力を借りて，濃度勾配に逆らって，物質が膜を通過して移動する；その際，膜タンパク質はATPの分解によって供給されるエネルギーを必要とする。	Na^+, K^+, Ca^{2+}, H^+, I^-, Cl^-, その他のイオン。
小胞による輸送 transport in vesicles	物質が細胞膜から発芽する小胞に含まれて，細胞の中へまたは外へ移動する；ATPの分解によって供給されるエネルギーを必要とする。	
エンドサイトーシス endocytosis	小胞によって物質が細胞内へ移動する。	
貪食 phagocytosis	"細胞食作用"。偽足が固形粒子を取り囲み，細胞内に取り込む。	細菌，ウイルス，老化した細胞，死滅した細胞。
液相エンドサイトーシス bulk-phase endocytosis	"細胞飲作用"。細胞膜が陥入して，細胞外液を細胞内に取り込む。	細胞外液中の溶質。
エクソサイトーシス exocytosis	分泌小胞が細胞膜と融合し，小胞の中の物質を細胞外液に放出する。	神経伝達物質，ホルモン，消化酵素。

その名が示すように，マイクロフィラメントより太く，微小管よりも細い(図3.11 b)。中間径フィラメントは細胞の一部が伸展するような張力のかかる部位にあり，核や細胞小器官を決まった場所にとどめたり，細胞と細胞を接着するのに役立っている。

もっとも太い細胞骨格である**微小管 microtubule**は長い中空の管である(図3.11 c)。微小管は細胞の形を決定するのに役立つほか，運動機能として分泌小胞などの細胞小器官の細胞内運動および細胞分裂時における染色体の移動といった両方の運動にかかわっている。微小管はまた，線毛や鞭毛の運動にも重要な働きをする。

細胞小器官

細胞小器官 organelleは特徴的な形と特有の機能をもった，細胞内の特殊構造である。細胞小器官の種類ごとに特定の処理過程を起す機能的な区画で，それぞれがほかと違う特別な一連の酵素群をもっている。

中心体　**中心体 centrosome**は核のそばに位置し，1対の中心子と中心子周辺基質の二つの要素で構成されている(図3.12)。2個の**中心子 centriole**は円柱構造体で，各中心子は3本組の微小管(**トリプレット triplet**)が9組，環状に並んでつくられている。中心子は**中心子周辺基質 pericentriolar matrix**で囲まれ，そこには**チューブリン tubulin**と呼ばれる環状のタンパク質が豊富に含まれる。中心子周辺領域のチューブリンは，細胞分裂時に重要な働きをする紡錘体の成長や，非分裂細胞における微小管形成の調節センターとなる。

線毛と鞭毛　線毛と鞭毛の構造と機能の上で，微小

| 図 3.11 | 細胞骨格。|

細胞骨格はサイトゾル内に伸びたタンパク質性細線維がつくる網工である。細線維にはマイクロフィラメント，中間径フィラメント，微小管の3種類がある。

細胞骨格の機能
1. 細胞骨格は細胞の形を決め，細胞内容物の編成を助ける足場として働く。
2. 細胞骨格は細胞内で細胞小器官，細胞分裂時の染色体，そして食細胞のような細胞全体の移動を助ける。

| 図 3.12 | 中心体。|

中心体の中心子周辺基質は細胞分裂の際に紡錘体を形成する。

中心体の機能
中心体の中心子周辺基質は，非分裂時の細胞では微小管をつくるチューブリンを，細胞分裂時には紡錘体を形成するチューブリンを含んでいる。

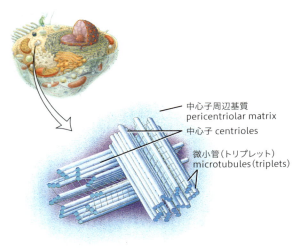

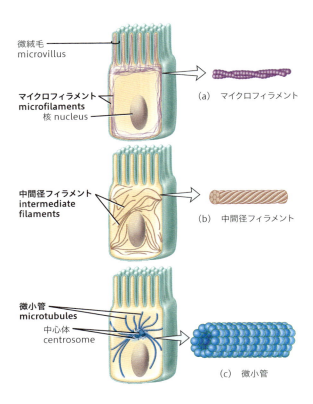

Q 中心体の構成要素は何か？

Q 中心子，線毛，鞭毛の構造をつくるのは，どの細胞骨格か？

管は重要な成分である。線毛と鞭毛はいずれも細胞表面にある可動性の突起である。**線毛 cilia**（単数形 cilium まつ毛）は細胞表面から伸び出した，たくさんの短い髪の毛のような突起である（図 3.1 参照）。人体中では，所定の位置にしっかりと固定された細胞の表面に沿って線毛が液体の流れをつくる。細胞表面にある多数の線毛が強調して動くことによって，細胞表面に沿って液体が安定して流れることが可能になる。例えば，気道の細胞の多くはたくさんの線毛をもっていて，粘液が捉えた外来粒子を，その線毛によって肺から掃き出している。タバコの煙の中にあるニコチンは線毛の動きを麻痺させる。そのため喫煙者は気道の外来粒子を除くために頻繁に咳をする。卵管（ファロピオ管）の粘膜上皮も線毛を有し，卵細胞（卵子）を子宮のほうに送り流している。

鞭毛 flagellum（＝むち；複数形 flagella）は線毛と同じ構造をもつが，線毛よりも著しく長い（図 3.1 参照）。通常，鞭毛は細胞全体を動かす。人体中にある鞭毛の唯一の例は精子の尾で，卵子との遭遇可能な場所に向かって精子を駆動する。

リボソーム　リボソーム ribosome（-some＝体）はタンパク質合成を行う場所である。高濃度の**リボ**ribo核酸(RNA)があることからリボソームという名称がついた。この小さな細胞小器官は**リボソーム RNA** ribosomal RNA(rRNA) のほかに，リボソームタンパク質を含んでいる。構造的に，1個のリボソームは大小二つのサブユニットからなり，小サブユニットは大サブユニットの約半分の大きさである（図 3.13）。大小のサブユニットは核にある核小体でつくられる。その後，大小のサブユニットは核から細胞質に出て，そこで二つのサブユニットが合体して機能を発揮するようになる。

3.4 細胞質

図 3.13 リボソーム。

タンパク質合成の場であるリボソームは，大サブユニットと小サブユニットからなる。

リボソームの機能
1. 小胞体に結合したリボソームは細胞膜に埋め込むためのタンパク質，あるいは細胞から分泌するためのタンパク質を合成する。
2. 遊離リボソームはサイトゾルで使うタンパク質を合成する。

図 3.14 小胞体(ER)。

ERは折り畳まれた膜の網工で，細胞質中に広がっていて，核膜に結合している。

小胞体の機能
1. 粗面小胞体は，細胞小器官に輸送し，細胞膜に埋め込む，あるいはエクソサイトーシス時に分泌する糖タンパク質とリン脂質を合成する。
2. 滑面小胞体は脂肪酸と，エストロゲンやテストステロンのようなステロイドを合成する；薬物やほかの危険な物質を不活性化または無毒化する；グルコース 6-リン酸からリン酸基を取り除く；そして筋細胞の収縮の引き金となるカルシウムイオンを貯蔵し遊離する。

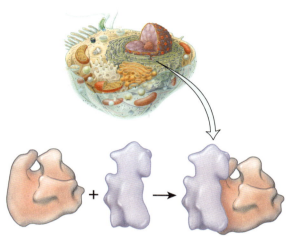

大サブユニット　小サブユニット　完成した機能的リボソーム
large subunit　small subunit

リボソームサブユニットの詳細

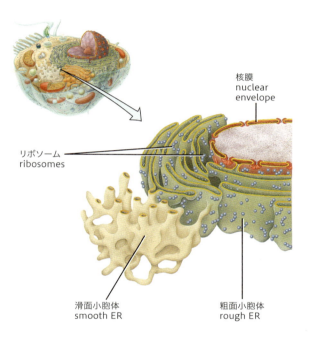

核膜 nuclear envelope
リボソーム ribosomes
滑面小胞体 smooth ER
粗面小胞体 rough ER

Q リボソームのサブユニットはどこで合成され，どこで合体するか？

Q 粗面小胞体と滑面小胞体の構造的・機能的な違いは何か？

リボソームのあるものは，核膜の外表面や小胞体と呼ばれる複雑に折れ曲がった膜に付着している。膜に付着したリボソームで合成されるタンパク質には，特定の細胞小器官に限局するもの，細胞膜に組み込まれるもの，あるいは細胞外に放出されるものがある。膜結合リボソームとは別に，ほかの細胞質構造物に付着しない，遊離リボソームがある。遊離リボソームはサイトゾルで利用されるタンパク質を合成する。リボソームはミトコンドリアにも存在し，そこでミトコンドリアのタンパク質を合成する。

小胞体　小胞体 endoplasmic reticulum (ER；-plasmic ＝細胞質；reticulum ＝網目)は，膜でできた扁平な嚢または管が曲がりくねって，網目をつくった構造である(図 3.14)。ERは細胞質全体に広がっていて，ほとんどの細胞では，細胞質にある全膜面積の半分以上を占めている。

細胞には 2 種類の ER があり，それらは構造も機能も異なっている。**粗面小胞体 rough ER** は核膜(核を取り囲む膜)から広がっており，その外表面にリボソームが付着しているために"ざらざら"にみえる(図 3.14)。粗面小胞体に付着したリボソームで合成されたタンパク質は ER の内腔に入り，プロセシングを受け(訳注：タンパク質が活性をもつように修飾を受けること)，仕分けされる。これらの分子(糖タンパク質とリン脂質)は，細胞小器官の膜あるいは細胞膜に組み込まれる。このように，粗面小胞体は分泌タンパク質や膜分子を合成するための工場である。

滑面小胞体 smooth ER は粗面小胞体から伸び出した膜性の管からなる網工である(図 3.14)。すでに予想しているように，滑面小胞体はリボソームがないた

めに"滑らか"にみえる。滑面小胞体は脂肪酸あるいはエストロゲンやテストステロンなどのステロイドを合成する場所である。肝細胞では，滑面小胞体の酵素は，血流中へのグルコースの放出を助け，さらにアルコール，殺虫剤，**発癌物質** carcinogen など，さまざまな薬物や有害物質を不活性化または解毒する。筋細胞では，筋収縮に必要なカルシウムイオンが筋小胞体と呼ばれる滑面小胞体の一形態に蓄えられ，放出される。

> **臨床関連事項**
>
> **滑面小胞体と薬剤耐性の増強**
>
> すでに述べたように，滑面小胞体の機能の一つに薬物の解毒がある。鎮静剤のフェノバルビタールのような薬物を反復して服用している人では，肝細胞内の滑面小胞体に変化が起る。フェノバルビタールを長期間投与していると，その薬剤に対する耐性が増強して，同じ量ではもはや同じ鎮静効果が得られなくなってしまう。これはその薬剤に繰り返し暴露されることによって，滑面小胞体とその酵素の量が増え，細胞をその薬剤の毒性からよりいっそう強く守るようになったためである。滑面小胞体の量が増えるにつれ，その薬剤の以前の効果と同じ効果を得るのは，ますます高濃度の量が必要になる。その結果，薬剤の多量服用と薬物依存に陥ることになる。

ゴルジ装置　粗面小胞体に付着したリボソームで合成されたタンパク質は，やがて細胞のほかの場所へ輸送される。その輸送経路の最初の段階は**ゴルジ装置** Golgi complex という細胞小器官を通過することである。ゴルジ装置は3〜20枚の端がふくらんだ**小嚢** cistern（＝空洞）という扁平な袋が座布団を積み重ねるように重なったものである（図3.15）。ほとんどの細胞には，ゴルジ装置が複数個ある。タンパク質を分泌する細胞では，ゴルジ装置はいちだんと発達している。

ゴルジ装置の主な機能はタンパク質の修飾と梱包である。粗面小胞体上のリボソームで合成されたタンパク質は，ゴルジ装置に入ってそこで修飾を受けて，糖タンパク質またはリポタンパク質になる。その後，修飾されたタンパク質は行き先ごとに仕分けされ，梱包される。修飾されたタンパク質のあるものは，エクソサイトーシスによって細胞から放出される。膵臓のある種の細胞はインスリンというホルモンをこのような方法で放出する。また，別の修飾されたタンパク質は，細胞膜の既存の部分が失われるのに伴って，新しい細胞膜部分としてつけ加わる。さらにリソソームという細胞小器官に取り込まれる修飾されたタンパク質もある。

図3.15　ゴルジ装置。

粗面小胞体上のリボソームで合成された大部分のタンパク質は，プロセシングを受けるためにゴルジ装置を通過する。

ゴルジ装置の機能
1. 粗面小胞体から受け取ったタンパク質を修飾し，分類し，梱包して輸送する。
2. エクソサイトーシスにより細胞外液へタンパク質を放出する分泌小胞をつくる；細胞膜へ新しい分子を運ぶ膜小胞をつくる；リソソームのようなほかの細胞小器官へ分子を運ぶ輸送小胞をつくる。

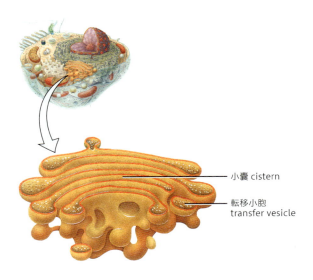

小嚢 cistern
転移小胞 transfer vesicle

Q よく発達したゴルジ装置をもっていると思われるものは，どのような細胞か？

リソソーム　リソソーム lysosome（lyso- ＝融解すること；-some ＝体）は膜に囲まれた小胞（図3.1 参照）で，60種類以上の消化酵素が含まれている。リソソームがエンドサイトーシスによって生じた小胞と融合すると，リソソーム酵素はさまざまな分子を分解することができる。リソソームの膜にはキャリアタンパク質があり，消化の最終産物である単糖類，脂肪酸，アミノ酸をサイトゾルに運び出すことが可能である。

リソソームの酵素はまた，使い古した構造のリサイクルにもかかわっている。リソソームはほかの細胞小器官を取り込み，消化し，消化された後の成分を再利用するためにサイトゾルに戻す。このようにして，古くなった細胞小器官は継続的に交換される。老朽化した細胞小器官が消化される過程を，**自己貪食** autophagy（auto- ＝自身；-phagy ＝食べること）という。自己貪食では，消化される細胞小器官が小胞体に由来する膜に包み込まれて小胞となり，やがてリソソームと融合する。このようにして，例えば，ヒトの

肝細胞は毎週，その細胞質内容物の半分をリサイクルしている。リソソームの酵素はそれ自体を含んでいる細胞を融解することもあり，これは**自己融解 autolysis** として知られている。自己融解はいくつかの病的状態で起ることがあるし，死の直後に起る組織融解もこれによるものである。

> **臨床関連事項**
>
> **テイ-サックス病**
>
> リソソーム酵素の異常または欠損によって起る病気がいくつかある。例えば，**テイ-サックス病 Tay-Sachs disease** は，アシュケナージ族（東ヨーロッパのユダヤ人）の子どもにもっとも多くみられる，リソソーム酵素の単独欠損によって起る遺伝性の疾患である。この酵素は正常では，ガングリオシド G_{M2} という，ニューロンの細胞膜にとくに豊富な糖脂質を分解する。ガングリオシド G_{M2} が分解されずに蓄積すると，ニューロンの機能は低下する。典型的なテイ-サックス病の子どもは，痙攣と筋硬直を呈する。次第に視力が低下し，知能が低下し，失調を起して，通常は5歳までに死亡する。現在では，欠損遺伝子のキャリアであるかどうかを判定するテストがある。

ペルオキシソーム リソソームよりやや小さいが，構造上よく似ているもので，**ペルオキシソーム peroxisome**（peroxi- ＝過酸化物）という細胞小器官がある（図3.1参照）。ペルオキシソームは，さまざまな有機物を酸化する（水素原子を取り除く）**オキシダーゼ oxidase** と呼ばれる何種類かの酵素を含んでいる。例えば，アミノ酸と脂肪酸は正常な代謝の一部として，ペルオキシソームで酸化される。さらに，ペルオキシソーム内の酵素は有毒物質を酸化する。したがって，ペルオキシソームはアルコールやほかの有害物質が解毒される場所である肝臓に大量にある。酸化反応の副産物として過酸化水素（H_2O_2）ができるが，これは潜在的に有害な化合物であり，スーパーオキシドのようなフリーラジカルに関連する。しかしながら，ペルオキシソームは同時に**カタラーゼ catalase** という酵素をもっており，これが過酸化水素を分解する。過酸化水素の生成と分解が同じ細胞小器官で起るので，ペルオキシソームは細胞のほかの部分を過酸化水素の有害な作用から守る。さらにペルオキシソームはスーパーオキシドを分解する酵素をもっている。

プロテアソーム リソソームは小胞の形で運ばれてきたタンパク質を分解するが，サイトゾル内のタンパク質も生きている細胞のある時点で処分される必要がある。不必要なタンパク質あるいは欠損や欠陥のあるタンパク質を継続的に処理する機能は，**プロテアソーム proteasome**（＝タンパク質体）という小さな樽状の構造が担っている（図3.1参照）。一般に細胞は，サイトゾル内と核内とをあわせ，何千ものプロテアソームをもっている。プロテアソームは，タンパク質を小さなペプチドに分解する酵素である**プロテアーゼ protease** を多量に含有しているので，このように名づけられた。いったんプロテアーゼがタンパク質を小さな断片に切り出すと，別の酵素がそのペプチドをアミノ酸に分解し，新しいタンパク質の合成に再利用される。

> **臨床関連事項**
>
> **プロテアソームと疾病**
>
> ある種の疾患は異常なタンパク質を分解する**プロテアソーム proteasome** の欠損から起る。例えば，**パーキンソン病 Parkinson's disease** や**アルツハイマー病 Alzheimer's disease** に罹った人の脳細胞内に，三次元的に誤って畳まれたタンパク質の塊が蓄積する。プロテアソームがこれらの異常タンパク質をなぜ処分できないのか，この理由を明らかにすることが，いま行われている研究のゴールである。

ミトコンドリア その機能がATPの産生なので，**ミトコンドリア mitochondria**（mito- ＝糸；-chondria ＝顆粒；単数形 mitochondrion）は細胞の"発電所"であるといえる。1個の細胞にあるミトコンドリアの数は，その細胞の活動状態に応じて，少なくとも100個から数千個までさまざまである。活発な細胞，例えば，筋，肝臓，腎臓などの細胞にはたくさんのミトコンドリアがある。それは，これらの細胞がATPを大量に消費するからである。ミトコンドリアは細胞膜と同じような構造をした2枚の膜からできている（図3.16）。**ミトコンドリア外膜 outer mitochondrial membrane** は平滑であるが，**ミトコンドリア内膜 inner mitochondrial membrane** は**クリステ cristae**（稜；＝櫛；単数形**クリスタ crista**）と呼ばれる一連のヒダをつくる。内膜とクリステに囲まれた，液体を貯蔵した中央の大きな腔は**ミトコンドリア基質 mitochondrial matrix** と呼ばれる。クリステの複雑なヒダは，細胞のATPのほとんどを産生する化学反応が連続して起るために必要な，非常に広い表面積を提供している。これらの化学反応を触媒する酵素群は基質とクリステに局在する。ミトコンドリアには少数の遺伝子と少量のリボソームが含まれており，ある種のタンパク質を合成することができる。

図 3.16 ミトコンドリア。

ミトコンドリアの中で起る化学反応によって，細胞が消費するATPの大部分がつくられる。

ミトコンドリアの機能
好気的細胞呼吸の反応によるATPの産生。

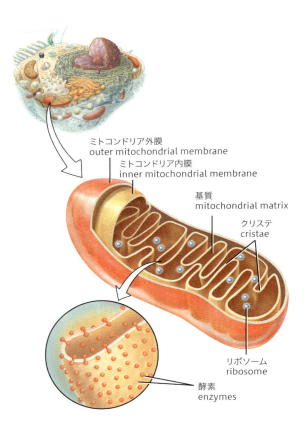

Q ミトコンドリアのクリステはATP産生能にどのようにかかわっているか？

チェックポイント
7. 細胞質にあってサイトゾルにないものは何か？
8. 細胞小器官とは何か？
9. リボソーム，ゴルジ装置，ミトコンドリアの構造と機能を述べなさい。

3.5 核

目 標
・核の構造と機能を述べる。

核 nucleus は球状あるいは卵形の構造で，普通，細胞内でもっとも目立つ構造である（図3.17）。ほとんどの細胞は核を1個もつが，成熟した赤血球のように，核をもたない細胞もある。対照的に，骨格筋細胞やほかのいくつかの細胞は複数の核をもつ。**核膜 nuclear envelope** と呼ばれる二重膜が核と細胞質を隔てている。核膜を構成する二重膜のいずれの膜も，細胞膜と同じ脂質二重層からなる。核膜の外膜は粗面小胞体に連続していて，構造的にも似ている。核膜には，**核膜孔 nuclear pore** という多数の孔がある。核膜孔は核と細胞質の間の物質の動きを調節している。

核内には，**核小体 nucleolus**（複数形 nucleoli）と呼ばれる1個ないし数個の球状体がある。核小体はタンパク質，DNA，RNAの集合体で，ここでリボソームがつくられる。リボソームは核から核膜孔を通って細

図 3.17 核。

核には細胞のもつ遺伝子の大部分があり，染色体に局在している。

核の機能
1. 細胞構造を調節する。
2. 細胞活動を指示する。
3. 核小体でリボソームを産生する。

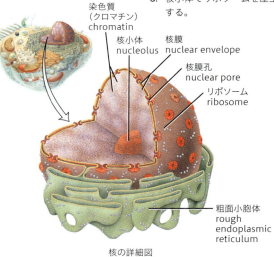

核の詳細図

Q 核にある遺伝子の機能は何か？

臨床関連事項

幹細胞研究

幹細胞 stem cell はいつまでも分裂を続けて，特殊化した細胞を生み出す能力をもった，未分化な細胞である。個体を丸ごとつくり上げる能力をもった幹細胞を**全能性幹細胞** totipotent stem cell と呼ぶ。接合子（受精卵）と 4 日齢の胚子をつくる細胞は**全能性幹細胞**である。5 日齢の胚子の細胞は，それと対照的に，多くの（すべてではない）異なる細胞を生み出す。そのような幹細胞は**多能性幹細胞** pluripotent stem cell と呼ばれる。その後，多能性幹細胞はさらに分化して，特殊な機能をもち，かつ密接に関連する同系列の細胞群を生み出す。これらの細胞は**多分化能性幹細胞** multipotent stem cell と呼ばれるが，その基本的な役割は組織を維持し，修復することである。**寡能性幹細胞** oligopotent stem cell に由来する細胞は種類が少なく，違った種類の血球を生み出す骨髄系幹細胞やリンパ球系幹細胞などである。**単能性幹細胞** unipotent stem cell からつくられる細胞は 1 種類だけではあるが，自己複製できる点で非幹細胞とは区別される。その例として，皮膚の角化幹細胞や筋にある衛星細胞がある。最近の研究で使用される多能性幹細胞は(1)不妊症の治療に使用される予定がなくなった 5 日齢の胚子と(2)妊娠 3 カ月以内に死亡した胎児から採取される。

科学者は成人以降も体内に残っている幹細胞である**寡能性幹細胞**と**単能性幹細胞**を臨床応用できないかどうかも研究している。最近の研究では大人のマウスの卵巣に新しい卵（卵細胞）に分化する幹細胞の存在が示唆されている。もし同様の幹細胞が成人女性の卵巣でみつけられたら，科学者は，不妊を引き起こすような医学的処置（化学療法等）を受けている女性から幹細胞を採取して保存し，医学的処置が終了した後，受胎能力を回復させるのに幹細胞を女性の卵巣に戻すことができると考えている。いくつかの研究が成人の赤色骨髄にある幹細胞は肝臓，腎臓，心臓，肺，骨格筋，皮膚，消化管の臓器に分化する能力をもっていることを示唆している。理論的に，ある患者の赤色骨髄から得られた成人の幹細胞は，胚子の幹細胞を使用することなく，当該患者の体内のほかの組織や臓器を修復するために使うことができる。

ヒト胚性幹細胞
human embryonic stem cell

胞質に出て，細胞質内でタンパク質の合成を行う。筋細胞や肝細胞のように大量のタンパク質を合成する細胞は，よく目立つ核小体をもっている。

核の内部には，**遺伝子** gene と呼ばれる細胞の遺伝単位がある。遺伝子は細胞の構造と機能を規定する。核内の遺伝子は**染色体** chromosome（chromo- ＝色がある）に沿って配列している（図 3.21 参照）。ヒトの体細胞は 46 本の染色体をもっており，父，母それぞれから 23 本ずつを受け継いでいる。分裂していない細胞では，46 本の染色体はびまん性の顆粒の集まりとしてみえ，これを**染色質**（クロマチン）chromatin と呼ぶ（図 3.17）。一つの細胞あるいは一つの個体がもっている遺伝情報の全体を，**ゲノム** genome という。

細胞の主要成分とその機能を，表 3.2 にまとめた。

チェックポイント

10．細胞の生命活動において，核はなぜ重要なのか？

3.6 遺伝子の働き：タンパク質の合成

目 標

・タンパク質の合成の一連の流れの概略を述べる。

細胞はホメオスタシスを保つために多くの物質を合成するが，細胞の働きの多くはタンパク質をつくり出すことを目的としている。細胞は絶えることなく，多種多様なタンパク質をつくり続けている。一方，つくられたタンパク質は細胞の物理的・化学的性質を決定し，もっと大きなスケールでみれば，個体の物理的・化学的性質を決定しているといってもよい。

遺伝子に含まれる DNA はタンパク質をつくるための指示書である。タンパク質を合成するために，まず最初に，DNA の特定の領域にある情報が**転写**（複写）**されて** transcribed，RNA（リボ核酸 ribonucleic acid）の特定の分子ができる。この RNA はリボソームに付着し，そこで RNA に含まれている情報が対応する特定のアミノ酸配列に**翻訳され** translated，新しいタン

表 3.2 細胞の成分とその機能

成　分	構　造	機　能
細胞膜(=形質膜) plasma membrane	種類の異なるタンパク質が組み込まれた，リン脂質，コレステロール，糖脂質からなる脂質二重層で構成される；細胞質を取り囲む。	細胞の内容物を保護する；ほかの細胞と接触する；チャネル，キャリア，受容体，酵素，細胞認識マーカーを含む；物質の出入りを仲介する。
細胞質 cytoplasm	細胞膜と核の間にある細胞内容物；サイトゾルと細胞小器官。	核内で起ることを除くすべての細胞内活動の場。
サイトゾル cytosol	水，溶質，浮遊粒子，脂肪滴，グリコーゲン顆粒からなる。細胞骨格は3種類のタンパク質性細線維(マイクロフィラメント，中間径フィラメント，微小管)からなる，細胞質内に張りめぐらされた網工。	液体で，細胞の化学反応の多くがこの中で起る。細胞内容物の形状と全体的な配置の維持；細胞運動を起す。
細胞小器官 organelles	特徴的な形と特有の機能をもつように分化した構造。	それぞれの小器官は一つ以上の特有な機能をもつ。
中心体 centrosome	1対の中心子と中心子周辺基質。	中心子周辺基質は微小管と紡錘体の形成中心である。
線毛と鞭毛 cilia and flagella	運動能をもった細胞表面の突起。芯は微小管。	線毛は細胞表面に沿って液体を動かす；鞭毛は細胞全体を動かす。
リボソーム ribosome	リボソームRNAとタンパク質を含んだ二つのサブユニットからなる；サイトゾル中に遊離しているか，粗面小胞体に付着している。	タンパク質を合成する。
小胞体 endoplasmic reticulum(ER)	折り畳まれた膜の網工；粗面小胞体は飾りボタン状のリボソームに覆われ，核膜に連続する；滑面小胞体にリボソームはない。	粗面小胞体は糖タンパク質とリン脂質の合成の場である；滑面小胞体は脂肪酸とステロイドの合成の場である。さらに滑面小胞体は，グルコースを血流中に放出し，薬物や有害物質を不活性化あるいは解毒し，筋細胞では筋収縮のために必要なカルシウムイオンを貯蔵し放出する。
ゴルジ装置 Golgi complex	小嚢と呼ばれる3〜20枚の扁平な膜性の袋からなる。	粗面小胞体からタンパク質を受け取る；糖タンパク質とリポタンパク質をつくる；タンパク質を貯蔵し，梱包し，放出する。
リソソーム lysosome	ゴルジ装置からつくられる小胞；消化酵素を含む。	小胞に融合してその内容物を消化する；古くなった細胞小器官(自己貪食)，細胞全体(自己融解)，細胞外物質を消化する。
ペルオキシソーム peroxisome	酸化酵素を含む小胞。	過酸化水素と関連するフリーラジカルのような有害物質を解毒する。
プロテアソーム proteasome	プロテアーゼ(タンパク質分解酵素)を含む小さな樽状構造。	不必要な損傷したあるいは欠陥のあるタンパク質をより小さなペプチドに分解処理する。
ミトコンドリア mitochondria	外膜，内膜，クリステ，基質からなる。	細胞に必要なATPの大部分を産生する反応の場である。
核 nucleus	孔のある核膜，核小体，染色質(染色体)からなる。	細胞の構造と機能を規定する遺伝子をもつ。

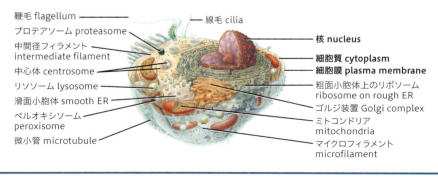

図 3.18 転写と翻訳の概要。

転写は核内で起り；翻訳は細胞質で起る。

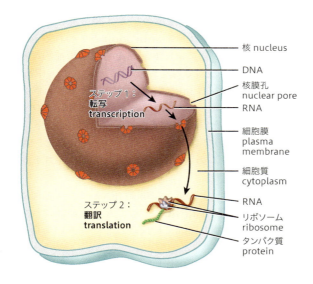

Q タンパク質はなぜ細胞が生きていくうえで重要なのか？

パク質分子が合成される（図 3.18）。

情報は核酸の中で繰り返される構成単位である 4 種類のヌクレオチド nucleotide の形で DNA の中に保存されている（図 2.15 参照）。3 個の DNA ヌクレオチドの配列は相補的な（対応する）3 個の RNA ヌクレオチド配列に転写される。そのような 3 個の DNA ヌクレオチドの連続配列を**塩基トリプレット base triplet** という。転写された 3 個の連続する RNA ヌクレオチドを**コドン codon** と呼ぶ。翻訳されるとき、特定のコドンが特定のアミノ酸を指定する。

転　写

核内で起る**転写 transcription** で、DNA の塩基トリプレット中の遺伝情報が RNA の 1 本の鎖の中にコドンの相補的配列として複写される。DNA の転写は **RNA ポリメラーゼ RNA polymerase** という酵素によって触媒される。RNA ポリメラーゼは転写過程をどこで始め、それをどこで終えるかを指示する役目を担っている。RNA ポリメラーゼが結合する DNA の部分は**プロモーター promoter** と呼ばれる特別な配列のヌクレオチドであり、遺伝子の始まりの近くにある（図 3.19 a）。DNA から 3 種類の RNA がつくられる。

- メッセンジャー RNA messenger RNA (mRNA) はタンパク質の合成を指令する。

- リボソーム RNA ribosomal RNA (rRNA) はリボソームをつくるために、リボソームタンパク質に結合する。

- **転移 RNA transfer RNA (tRNA)** はアミノ酸に結合して、翻訳中にそのアミノ酸がタンパク質内に組み込まれるまで、リボソーム上の特定の場所にそのアミノ酸を保持する。20 種類以上ある tRNA の一つ一つが 20 種類の異なるアミノ酸の中の 1 個とのみ結合する。

転写において、ヌクレオチドは相補的な方法で対をつくる。DNA の窒素含有塩基シトシン (C) は新しい RNA 鎖の相補的窒素含有塩基のグアニン (G) を、DNA の G は RNA の C を、DNA のチミン (T) は RNA のアデニン (A) を、DNA の A は RNA のウラシル (U) を指定する（図 3.19 b）。例として、DNA のある部分が ATGCAT の塩基配列をもつとすると、新たに転写された RNA 鎖は UACGUA の相補的な塩基配列をもつことになる。

DNA の転写は、遺伝子の終わりを示す**ターミネーター terminator** と呼ばれる、DNA 上にある特別なヌクレオチド配列部で終わる（図 3.19 a）。ターミネーターに到着すると、RNA ポリメラーゼは転写した RNA 分子と DNA 鎖から離れる。mRNA、rRNA（リボソーム内の）そして tRNA がひとたび合成されると、これらの RNA は核膜孔を通って核から出ていく。出ていった RNA は細胞質でタンパク質合成の次の段階である翻訳に携わる。

翻　訳

翻訳 translation の過程では、mRNA 分子内のヌクレオチドの配列がタンパク質のアミノ酸配列を決定する。細胞質のリボソームが翻訳を行う。リボソームの小サブユニットは mRNA の結合部位を有し、大サブユニットは tRNA 分子の三つの結合部位（P 部位、A 部位、E 部位）を有する（図 3.20）。P (peptidyl) 部位は伸びつつあるポリペプチド鎖を運ぶ tRNA と結合する。A (aminoacyl) 部位は伸びつつあるポリペプチド鎖に付け加えられる次のアミノ酸を運んでくる tRNA と結合する。E (exit) 部位はリボソームから離れる直前の tRNA と結合する。翻訳は以下のように進行する（図 3.20）。

❶ mRNA 分子がリボソームの小サブユニットにある mRNA 結合部位に結合する。そして、**開始 tRNA initiator tRNA** と呼ばれる特殊な tRNA が mRNA 上の開始コドン (AUG) に結合し、ここから翻訳が始まる。

図3.19 核の中での転写。

転写によって，DNAのもつ遺伝情報はRNAにコピーされる。

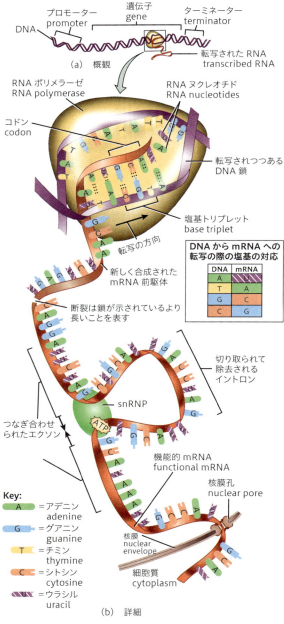

(訳注)
エクソン：タンパク質の一部をコードする領域
snRNP：低分子リボ核タンパク質

Q DNAの転写を触媒する酵素は何か？

❷ 次に，リボソームの大サブユニットが小サブユニット-mRNA複合体と結合し，機能を発揮できるリボソームをつくる。開始tRNAはリボソーム上の特定の位置（訳注：P部位；図3.20）にはまる。tRNAの一端は特定のアミノ酸を運び，反対側の端は**アンチコドン anticodon** といわれるヌクレオチドのトリプレット配列をもつ。相補的な窒素含有塩基の間で対をつくることにより，tRNAアンチコドンはmRNAコドンに結合する。例えば，mRNAコドンがAUGとすると，アンチコドンUACをもつtRNAがそれに結合する。

❸ 別のtRNAのアンチコドンはそのアミノ酸と一緒にリボソームのA部位で2番目のmRNAコドンに付着する。

❹ 大サブユニットの成分は開始tRNAによって運ばれたアミノ酸とtRNAによってA部位に運ばれてきたアミノ酸との間に形成されるペプチド結合を触媒する。

❺ ペプチド結合形成に伴い，その結果できた二つのペプチドからなるタンパク質はA部位でtRNAに結合する。

❻ ペプチド結合が形成された後，リボソームは1コドン分，mRNA鎖を移動する。P部位のtRNAはE部位に入り，リボソームから遊離する。二つのペプチドからなるタンパク質を抱えているA部位のtRNAはP部位に移動し，その結果，別のtRNAとそのアミノ酸が新たに露出したA部位のコドンに結合する。ステップ❸からステップ❺の過程が繰り返され，タンパク質が長くなる。

❼ リボソームがA部位の終止コドンに達するとタンパク質合成は終了し，この時点で完成したタンパク質は最後のtRNAから離れる。加えて，tRNAがP部位から離れると，リボソームは大小のサブユニットに分離する。

　タンパク質合成は1秒間に約15アミノ酸の割合で進行する。リボソームがmRNAに沿って移動し，全タンパク質の合成を完了する前に別のリボソームがその後に付着して，同じmRNA鎖の翻訳を始めることもある。このように，数個のリボソームが同じmRNAに付着することがある。このようなリボソームの集合体を**ポリリボソーム polyribosome** という。数個のリボソームが同じmRNA鎖に沿って同時に移動することで，各mRNAから大量のタンパク質が合成される。

図3.20 細胞質で翻訳中に起るタンパク質の伸長と合成の終了。

タンパク質を合成している間はリボソームの大小サブユニットが結合し，合成が終了すると離れる。

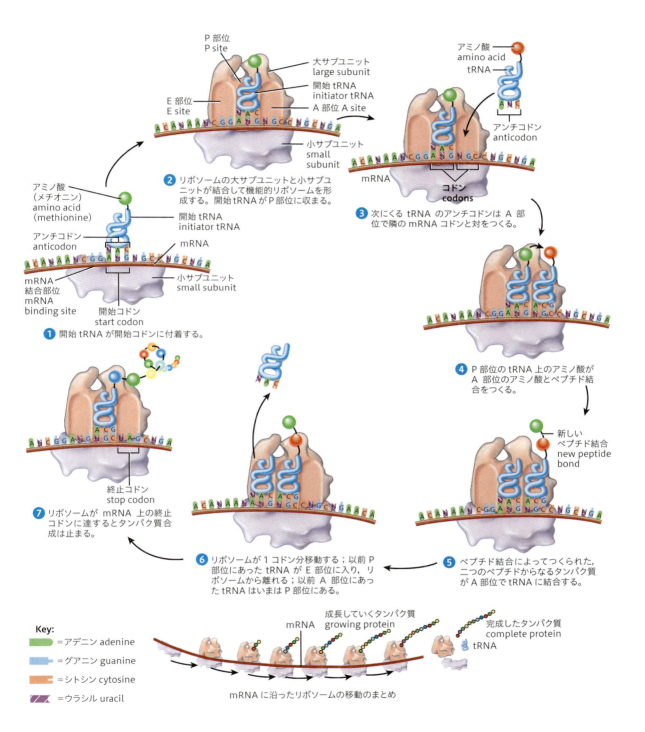

Q 終止コドンの機能は何か？

> チェックポイント
> 11. タンパク質合成を定義しなさい。
> 12. 転写と翻訳はどう違うか。

3.7 体細胞分裂

目標
・体細胞分裂で細胞周期の各時期に起る出来事とその意義を論じる。

　細胞が傷を受けたり，病気になったり，古くなったりしたら，**細胞分裂** cell division によって新しい細胞に置き換えられる。細胞分裂とは細胞が自分自身をつくり出す現象である。細胞分裂には生殖細胞分裂と体細胞分裂の2種類がある。**生殖細胞分裂** reproductive cell division あるいは**減数分裂** meiosis は配偶子 gamete（精子と卵子）を産生する機構である。配偶子とは有性生殖生物において次の世代をつくるために必要な細胞のことである。減数分裂については23章で述べる。ここでは体細胞分裂に焦点を絞る。

　配偶子を除いたからだのすべての細胞は**体細胞** somatic cell（soma＝体）と呼ばれる。**体細胞分裂** somatic cell division では，一つの細胞が二つのまったく同じ細胞に分裂する。体細胞分裂の重要なところは遺伝子や染色体をつくるDNA配列が複製（二倍化）されるということであり，それによって同じ遺伝物質を新しくできた細胞に渡すことができる。体細胞分裂の後，新しくできた細胞は分裂前の細胞と同数の染色体をもつ。体細胞分裂は死んだ細胞あるいは傷ついた細胞を置き換え，組織の成長のために新しい細胞をつくり出す。例えば，皮膚の細胞は体細胞分裂によって，絶えず置き換わっている。

　細胞周期 cell cycle とは，細胞がその内容物を複製し二つに分裂するまでの一連の順序立った現象である。体細胞の細胞周期には二つの主要な時期がある。細胞が分裂していない分裂間期 interphase と細胞が分裂している分裂期（M期 mitotic phase）である。

分裂間期

　分裂間期 interphase に細胞はDNAを複製する。同時に細胞分裂に備えて，中心体のような細胞小器官とサイトゾル成分を増産する。分裂間期は代謝活動が亢進する時期であり，この時期に細胞はおおかたの成長を遂げる。

　分裂間期の細胞を顕微鏡で観察すると，核膜，核小体および絡みついた染色質の塊が明瞭に識別できる（図3.21 a）。細胞がDNAの複製と分裂間期に予定された活動を終えると，分裂期が始まる。

分裂期

　細胞周期の**分裂期** mitotic phase は核の分裂である**有糸分裂** mitosis と，それに引き続く細胞質の分裂によって二つの細胞に分かれる**細胞質分裂** cytokinesis とからなる。有糸分裂と細胞質分裂で起る現象は顕微鏡で明瞭に観察できる。なぜなら染色質が濃縮してはっきりとした染色体になるからである。

核の分裂：有糸分裂　**有糸分裂** mitosis（mitos＝糸）とは，2セットの染色体の分配である。二つの分裂した核にそれぞれ1セットずつ，染色体が受け渡される。便宜上，生物学者は有糸分裂を四つの時期，前期，中期，後期，終期に分けている。しかし，有糸分裂は連続的な過程であり，一つの期が境目なく次の期に移行する。

前期　**前期** prophase の早期に染色質線維が濃縮し，短くなり，光学顕微鏡下で観察できる染色体になる（図3.21 b）。濃縮過程は有糸分裂中に長いDNA鎖が動いて絡むことを避けている。DNAの複製は分裂間期に起ることを思い出そう。つまり，分裂前期の染色体は1組の同一の二本鎖**染色分体** chromatid からなる。染色分体は**セントロメア** centromere と呼ばれる染色体の緊縮部で束ねられている。

　前期の後半，二つの中心体の中心子周辺基質は**紡錘体** mitotic spindle と呼ばれる微小管の集合体をつくり始める（図3.21 b）。中心体間の微小管が伸びるにつれて，中心体は細胞の両極（両端）に押し込まれ，結局，紡錘体が極と極を橋渡しするようになる。そして核小体と核膜は消滅する。

中期　**中期** metaphase には，対になっている染色分体のセントロメアは紡錘体のちょうど中央部に紡錘体の微小管に沿って配列する（図3.21 c）。このセントロメアが配列する平面を**中期赤道板** metaphase plate という。

後期　**後期** anaphase に入るとセントロメアが裂け，対になっている染色分体を2本の染色分体に分離する。それぞれの染色分体は細胞の両極に移動する（図3.21 d）。分離した染色分体は染色体と呼ばれる。染色体は後期に紡錘体の微小管によって引っ張られるので，染色体はV字形にみえる。それは，セントロメアが先頭に立って，染色体の腕を細胞極に向かって

3.7 体細胞分裂　65

図 3.21 細胞分裂：有糸分裂と細胞質分裂。一連の過程は、図の一番上の(a)から始まり、時計回りに進む。

体細胞分裂では、1個の細胞からまったく同じ2個の細胞が生じる。

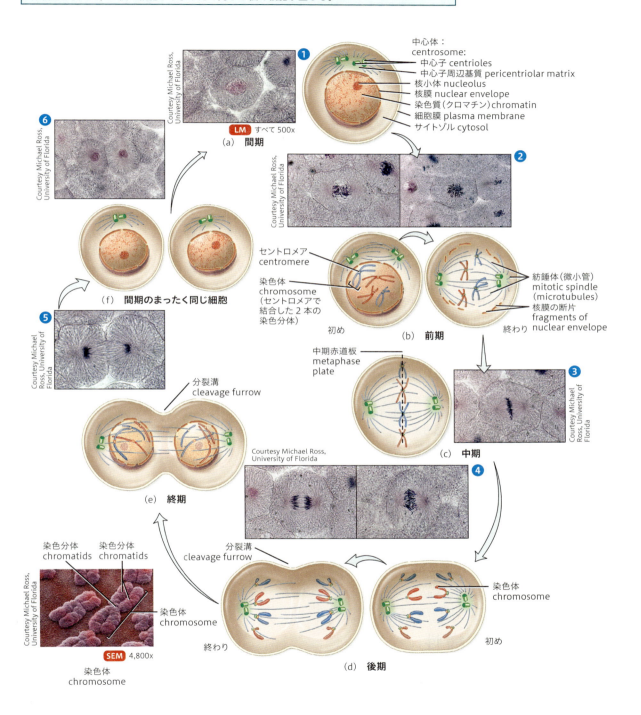

Q 細胞質分裂は有糸分裂のどの期で始まるか？

引っ張るようにみえるからである。

終期 有糸分裂の最終段階である**終期 telophase** は染色体の移動が終了した後に始まる(図 3.21 e)。細胞の両極に位置を定めた，同一のセットからなる染色体はコイル構造がほどけて，糸のような染色質の構造に戻る。新しい核膜がそれぞれの染色質の塊のまわりに形成され，核小体が出現し，最後に紡錘体は消滅する。

細胞質の分裂：細胞質分裂 細胞小器官を含む細胞質の分裂を**細胞質分裂 cytokinesis**(-kinesis＝動き)という。後期の終わりに，細胞の中心を取り巻く細胞膜のわずかな窪みである**分裂溝 cleavage furrow** の形成が細胞質分裂過程の始まりとなる(図 3.21 d, e)。分裂溝中のマイクロフィラメントは細胞膜を次第に内側に引き込み，あたかもベルトがウエストを締めるように細胞の中心部分を締めつけ，最後には細胞を二つに分断してしまう。細胞質分裂の後には，同じ細胞質，同じ細胞小器官，そしてまったく同じ染色体のセットをもった2個の新しい細胞ができる。細胞質分裂が終わると，分裂間期が始まる(図 3.21 f)。

> **臨床関連事項**
>
> **化学療法**
>
> 癌細胞の際立った特徴の一つは分裂を調節できないことである。そのような分裂の結果生じた細胞の塊を新生物または腫瘍と呼ぶ。癌を治療する方法の一つに抗癌剤を使用する**化学療法 chemotherapy** がある。これらの抗癌剤のあるものは紡錘体の形成を妨げ，細胞分裂を止める。残念ながら，この種の抗癌剤はからだの中で急速に分裂しているあらゆる細胞を殺してしまうので，"よくみられる病気"に記載したような副作用を引き起す。

> **チェックポイント**
>
> 13. 体細胞分裂と生殖細胞分裂を区別しなさい。それらはなぜ重要か？
> 14. 有糸分裂の各時期に起る主な出来事は何か？

3.8 細胞の多様性

目標

・細胞の大きさと形がどれほど違うかを述べる。

平均的な成人のからだはおよそ100兆個の細胞からなる。細胞の大きさは実にさまざまである。

細胞の大きさは**マイクロメートル micrometer** という単位で計測する。1マイクロメートル(μm)は1メートルの100万分の1，すなわち 10^{-6} m(1インチの1/25,000)である。もっとも小さな細胞を観察するには高性能の顕微鏡が必要である。最大の細胞は1個の卵細胞で，直径は約140 μm あり，肉眼でかろうじてみることができる。赤血球の直径は8 μm である。この細胞の大きさをもっと実際に則して想像するなら，頭の毛をみればよい。髪の毛1本の平均的な直径は約100 μm である。

細胞の形もまた実にさまざまで(図 3.22)，円形，卵円形，扁平，立方体，直方体，長いもの，星形，円柱状，円板状などいろいろである。細胞の形はその細胞の体内での機能と関連している。例えば，精子は長いむちのような尾(鞭毛)をもっていて，これを使って移動する。精子はかなりの距離を動くことが必要とされる唯一の男性の細胞である。赤血球の円板状の形は表面積を広くするのに役立っていて，酸素をほかの細胞に受け渡す能力を高めている。弛緩時の平滑筋細胞は長い紡錘状であるが，収縮すると短くなる。この平滑筋細胞の形態の変化は，平滑筋細胞の集団が血管を

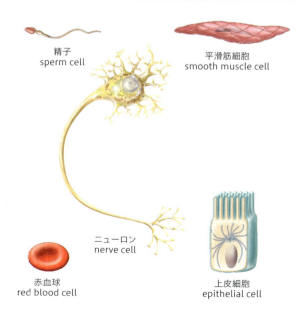

図 3.22 ヒトの細胞の多様な形と大きさ。もっとも小さな細胞ともっとも大きな細胞の相対的な大きさの違いは実際にはここに示すよりもはるかに大きい。

平均的な大人の約100兆個の細胞がおよそ200種類の異なる細胞に分類される。

Q からだの細胞の中で，精子だけがなぜ鞭毛をもたなければならないのか？

流れる血液の通路を狭めたり，広げたりすることを可能にしている。このようにして，平滑筋はさまざまな組織における血流を調節している。微絨毛をもつ細胞があることを思い出そう。これによって細胞の表面積は著しく増加する。微絨毛は小腸の内面を覆う上皮細胞にびっしり生えていて，その広い表面積が消化された食物の吸収速度を速めている。ニューロンは長い突起を有しているが，それによって神経インパルスを遠くまで伝えることができる。後に続く章でわかるように，細胞の多様性がより複雑な組織や器官へと細胞が組織化されるのを可能にしている。

チェックポイント
15. 細胞の形はどのように機能と関連しているか？ 例を挙げて説明しなさい。

3.9 加齢と細胞

目 標
・加齢に伴って生じる細胞の変化を述べる。

加齢 aging とはからだのホメオスタシスを維持する適応反応が進行性に変化し，それに伴って起る通常の変化である。加齢は外見的にわかるような構造的および機能的な変化を伴い，外界からのストレスや疾病に対して弱くなる。老人の医学的問題やそのケアを扱う医学の専門分野を**老年医学** geriatrics (ger- ＝老年；-iatrics ＝医学) という。**老年学** gerontology とは，加齢に関連した現象や問題を扱う科学である。

正常では，1分ごとに何百万個もの新しい細胞が産生されているにもかかわらず，体内のある種の細胞（骨格筋細胞とニューロンを含む）は分裂しない。ほかの多くの種類の細胞は分裂の能力に限界があることが，実験で示されている。体外で成長させた正常細胞は一定の回数だけ分裂し，その後は分裂しなくなる。このような事実から，有糸分裂の停止は，正常な，遺伝的にプログラムされた現象であることがわかる。このような観点から，"加齢遺伝子"は出生時にあって，すでに遺伝設計図の一部になっている。これらの遺伝子は正常細胞で重要な機能を担っているが，その活性はゆっくりと時間をかけて発現する。加齢遺伝子は，生命を維持するのにきわめて重要な過程の進行を抑え，あるいは停止させることによって，加齢を引き起こす。

加齢に関するものとして，**テロメア** telomere と呼ばれる，各染色体の先端にだけみられる特殊なDNA配列部分がある。このDNA断片は染色体の先端が摩耗したり，ほかの染色体とくっついてしまうことを防いでいる。しかし大部分の正常な体細胞では，細胞分裂の1周期ごとにテロメアが短くなる。細胞が何度も分裂すると最後には，テロメアが完全になくなってしまい，機能している染色体のある部分さえ失われることがある。このようなことから，染色体の先端からDNAが摩耗することは，加齢や細胞の死に強く関係していることがわかる。強いストレスを経験した人はテロメアの長さが明らかに短い。

体内にもっとも多量に存在する糖であるグルコースは加齢の過程にかかわっている。グルコースは細胞内外のタンパク質にやみくもに付加され，タンパク質同士の間に不可逆的な架橋をつくる。年をとるに従って，形成されるより多くの架橋が，老化した組織で拘縮や弾力性の低下を引き起す。

フリーラジカルは脂質，タンパク質，核酸を酸化して障害する。それが原因で，皮膚のしわ，関節のこわばり，動脈硬化が起る。ペルオキシソームやサイトゾルに本来存在する酵素が正常にフリーラジカルを処理する。食事に含まれるビタミンE，ビタミンC，β（ベータ）-カロテン，亜鉛，セレンなどの物質はフリーラジカルの産生を抑える抗酸化物である。

細胞レベルで加齢を説明するいくつかの説がある一方，個体全体の中で作用する調節機構に焦点をあてた説もある。例えば，免疫系がその個体自身の細胞を攻撃し始めることが起りうる。このような**自己免疫反応** autoimmune response は細胞膜のある種の糖タンパク質や糖脂質（細胞認識マーカー）の変化によって引き起されることがある。その変化によって抗体が破壊すべき細胞に結合したり，破壊すべき細胞に印を付けたりする。細胞膜上のタンパク質に変化が増えるにつれ，自己免疫反応が増強し，よく知られた加齢の徴候が出てくる。

チェックポイント
16. 加齢に伴って起る細胞の変化を簡単に説明しなさい。

• • •

次の4章では，後に本書で議論する組織や器官の形成に，細胞がどのようにかかわるかを明らかにする。

よくみられる病気

癌

癌 cancer は調節不能な異常細胞増殖を特徴とする疾患群である。からだのある部分の細胞が調節を受けることなく分裂するとき、その結果生じた過剰な組織を**腫瘍** tumor または**新生物** neoplasm（neo- = 新しい）と呼ぶ。腫瘍に関する研究を**腫瘍学** oncology（onco- = 膨らむまたは大きな塊）という。腫瘍には癌性の死にいたるもの、一方で害のないものもある。癌性の新生物を**悪性腫瘍** malignant tumor (malignancy)と呼ぶ。大部分の悪性腫瘍の一つの特性は**転移** metastasis を起すということである。転移とは、からだのほかの部位に癌細胞が広がることである。**良性腫瘍** benign tumor は転移を起さない新生物である。いぼはその一例である。良性腫瘍はそれが正常なからだの機能を妨げたり、見栄えが悪かったりする場合、外科的に取り除くことができる。良性腫瘍でも手術不能で致命的なものもある。

癌の成長と広がり　悪性腫瘍の細胞は急速にかつ継続的に増殖する。もともと細胞分裂が盛んな細胞は癌になるリスクがより高い。悪性の細胞が周囲の組織に浸潤する際、しばしば**血管新生** angiogenesis、すなわち新しい血管網の成長を誘導することがある。腫瘍中の血管新生を刺激するタンパク質を**腫瘍血管新生因子** tumor angiogenesis factor(TAF) という。新しい血管の形成は TAF の過剰産生か、正常では存在する血管新生抑制因子が欠乏したか、いずれかによる。癌が成長するにつれて、癌と正常組織が競合し、場所と栄養を奪い合うようになる。結局、正常組織は減少し、やがて死滅する。悪性細胞の中には、最初にできた（原発の）腫瘍から離れ、体腔に侵入したり、血管またはリンパ管に入るものがある。それらはからだをめぐってほかの組織に浸潤し、そこで二次的な腫瘍をつくる。悪性細胞は生体のもつ抗腫瘍防御機構に抵抗する。癌に伴う痛みは腫瘍が神経を圧迫している場合、器官の導管が塞がれ分泌物がたまって圧力が発生している場合、あるいは組織や臓器が死んだ場合に生じる。

癌の原因　正常細胞が調節力を失い、癌化する引き金となるいくつかの要因がある。原因の一つは環境要因である。つまり呼吸している空気、飲み水、食べ物の中に含まれるある物質が原因となりうる。癌を引き起す物質または放射線を**発癌物質** carcinogen という。発癌物質は**変異** mutation を引き起す。変異とは、遺伝子の DNA 塩基配列の永続的な変化のことである。世界保健機関は、すべてのヒトの癌の 60～90％に発癌物質が関与していると見積もっている。発癌物質の例としては、タバコのタール中に含まれる炭化水素、地表から出るラドンガス、日光中の紫外線（UV）などがある。

現在、癌を引き起す遺伝子、すなわち**癌遺伝子** oncogene の研究に多大な努力が費やされている。癌遺伝子には、それが不適切に活性化されると正常細胞を癌細胞に形質転換させる働きがある。大部分の癌遺伝子は増殖や発達を調節する正常な遺伝子、**癌原遺伝子** proto-oncogene に由来する。癌原遺伝子が不適切に発現したり、あるいはその産物が過剰に産生されたり、間違った時期に産生されるなどの変化が生じることがある。ある癌遺伝子は細胞増殖を刺激する物質である成長因子の過剰な産生を引き起こす。またあるものは細胞表面の受容体を変化させ、あたかも成長因子によって活性化されているかのようなシグナルを送ることになる。その結果、細胞の増殖パターンが異常になる。

ウイルスに起源をもつ癌もある。ウイルスは RNA か DNA のどちらか一方の核酸を含んだ小さな粒子で、感染した細胞の中でしか増殖できない。**癌ウイルス** oncogenic virus と呼ばれるある種のウイルスは細胞の増殖を刺激することによって癌を引き起す。例えば、**ヒトパピローマウイルス** human papillomavirus(HPV)は実際に、すべての子宮頸癌を引き起こす。このウイルスが産生するタンパク質は、無秩序に細胞分裂が起きないように抑えているタンパク質を分解するようプロテアソームに働きかける。この細胞分裂抑制タンパク質がなくなると、細胞は統制を失って増殖する。

最近の研究によって、ある種の癌は染色体の数の異常と関係があることがわかってきた。その結果、その細胞に過剰な癌遺伝子を産生させたり、癌抑制遺伝子の産生を著しく抑制する。いずれの場合でも、細胞増殖の異常を引き起こす結果となる。さらに、正常な幹細胞が癌性幹細胞に分化し、そこから悪性腫瘍が形成される可能性を示唆する証拠もある。

後の章で詳しく述べるが、炎症とは組織の傷害に対する防御反応である。癌の進行のさまざまな過程に、炎症が関与しているようである。慢性炎症が変異を起した細胞の増殖を刺激し、その生存を補助し、血管新生を亢進させ、癌細胞の浸潤と転移を促進することを示す証拠がある。ある種の慢性炎症状態と炎症組織から悪性腫瘍組織への形質転換との間には、明確な因果関係がある。例えば、慢性胃炎（胃の内腔面の炎症）と消化性潰瘍は胃癌の 60～90％で原因因子となっているようである。慢性肝炎（肝臓の炎症）と肝硬変は約 80％の肝癌の原因だと信じられている。潰瘍性大腸炎やクローン病のような大腸の慢性炎症性疾患をもった患者では大腸癌の発症率が 10 倍も高い。さらに、アスベスト肺と珪肺という 2 種類の慢性炎症性肺疾患と肺癌の関係も以前から指摘されている。慢性炎症はさらに、慢性関節リウマチ、アルツハイマー病、うつ病、統合失調症、心臓血管疾患、糖尿病などの潜在的発症素地でもある。

発癌：多段階発癌過程　発癌 carcinogenesis とは癌ができる過程のことである。細胞が癌化するまでには、10 回以上の異なる遺伝子の変異が一つの細胞に集中して起る、多段階過程をへる。大腸癌では、1 回の遺伝子変異によって細胞増殖の亢進した組織領域が、腫瘍形成の始まりとなる。この増殖はやがて異常な、しかし癌ではない、腺腫と呼ばれる増殖に進展する。さらにいくつかの遺伝子変異が起きた後に、癌になる。癌ができるのにそれほどに多くの遺伝子変異が必

要であるという事実は，通常の細胞増殖が多くのチェック機構と均衡によって正常に制御されていることを示している。

癌の治療　多くの癌は外科的に取り除かれる。しかし，癌がからだ中に広がってしまった場合や，脳のようにその機能が手術によって著しく損なわれる臓器に癌がある場合は，手術の代わりに化学療法と放射線療法が行われる。手術と化学療法と放射線療法を組み合わせて行うこともしばしばある。化学療法では，癌細胞を殺す薬剤を投与することが行われる。放射線療法は染色体を破壊することによって，細胞分裂を止める。癌細胞は急速に分裂しているので，正常細胞よりも化学療法と放射線療法による破壊的作用に対して反応しやすい。患者にとって残念なことは，毛包細胞，赤色骨髄細胞，消化管上皮細胞も急速に分裂していることである。したがって，化学療法と放射線療法の副作用として，毛包細胞の死滅による脱毛，胃腸の上皮細胞の死による悪心と嘔吐，赤色骨髄における白血球の産生低下による易感染性などが起る。

癌の治療は難しい。それは，癌が単一の病気ではないからであり，さらに単一の癌細胞集団を構成する癌細胞であっても同じような挙動を示すわけではないからである。大部分の癌はたった1個の異常細胞に由来すると考えられている。にもかかわらず，癌は臨床的に認知されうる大きさになるまでに，多様な異常細胞の集団によって構成されるようになる。例えば，ある癌細胞は容易に転移を起すが，ほかの癌細胞は転移しない。ある癌細胞は化学療法に対する感受性があるが，ほかの癌細胞は薬剤抵抗性である。癌細胞の薬剤抵抗性に違いがあるために，1種類の抗癌剤の投与では，それに感受性のある癌細胞は死滅するが，その薬剤に抵抗する癌細胞は生き残って，それが増殖してくることがある。

現在開発されつつある，可能性のあるもう一つの癌治療法は**ウイルス療法 virotherapy** である。ウイルス療法とは，ウイルスを利用して癌細胞を殺す方法である。この治療法で使用されるウイルスは，からだの中の健康な細胞には影響を与えないで，癌細胞だけを特異的に攻撃するようにデザインされている。例えば，癌細胞の表面にのみ存在する受容体に特異的に結合するタンパク質(抗体など)をウイルスに結合させるという方法がある。そのウイルスを体内に投与すると，ウイルスは癌細胞に結合し，感染する。ウイルス感染によって細胞溶解が起き，その癌細胞は死滅する。

癌細胞の転移能力を制御する**転移制御遺伝子 metastasis regulatory gene** の働きの研究も行われている。研究者たちは転移制御遺伝子を操作する治療薬を開発し，それを用いて癌細胞の転移を防ぐことをめざしている。

医学用語と症状

アポトーシス apoptosis(枯れた葉が木から落ちるように，細胞が脱落すること)　"細胞自殺"遺伝子が活性化することにより，順序よく遺伝的にプログラムされた細胞死である。これらの遺伝子により産生された酵素は細胞骨格と核を破壊する；細胞は萎縮し，周囲の細胞から引き離される；核内のDNAは断片化し；細胞膜は正常のまま残るが，細胞質は萎縮する。そして，近くの食細胞が死につつある細胞を食べ込む。アポトーシスにより，出生前の発生過程において不必要な細胞が取り除かれ，生後も組織における細胞の数の調節と癌細胞のような潜在的に危険な細胞を取り除く作用とが継続する。

異形成 dysplasia(dys- ＝異常)　慢性刺激や慢性炎症による細胞のサイズ，形状，構築の変化；新生物に進行することがあるが(通常は悪性の腫瘍形成)，刺激が取り除かれると正常に復することもある。

萎縮 atrophy(a- ＝なしに；-trophy ＝栄養)　細胞のサイズの縮小，およびそれに続く関連する組織または臓器の縮小；衰えること。

ウェルナー症候群 Werner syndrome　まれな遺伝性疾患で，通常，男女ともに20代で急速に老化が進行する。症状は，皮膚にしわが増える，白髪が増えるあるいははげる，白内障，筋萎縮，糖尿病，癌，心臓血管系疾患になりやすい，などが特徴である。大部分の患者は50歳前に死亡する。最近，ウェルナー症候群の原因遺伝子が同定された。研究者は，この病気の患者を救うために，さらには加齢のメカニズムを知るために，この病気とその原因遺伝子の情報の利用を望んでいる。

壊死 necrosis(＝死)　組織の傷害による細胞の病的な死。隣り合った一群の細胞が膨らみ，破裂し，細胞質が組織間液中に流れ出る；その結果生じた細胞残渣が炎症反応を起すことが多く，これはアポトーシスでは起らない。

過形成 hyperplasia(hyper- ＝を越えて)　細胞分裂の頻度が増加し，組織中の細胞数が増えること。

化生 metaplasia(meta- ＝転換)　ある種類の細胞が別の種類の細胞に形質転換すること。

子孫 progeny(pro- ＝前へ；-geny ＝生産)　子どもや孫。

腫瘍マーカー tumor marker　腫瘍組織によってつくられ，循環系に出現する物質。それが検出されると腫瘍の存在を意味し，腫瘍の種類もわかる。腫瘍マーカーは癌のスクリーニング，診断，予後判定，治療に対する反応性の評価，再発のチェックなどに利用される。

生検 biopsy(bio- ＝生命；-opsy ＝観察する)　診断のために生体から組織を取り出し，その組織の顕微鏡検査のこと。

退形成 anaplasia(an- ＝ない；-plasia ＝形をなす)　大部分の悪性腫瘍でみられる，組織の分化と機能の喪失。

肥大 hypertrophy　細胞分裂を伴わないで，組織内の細胞が大きくなること。

プロジェリア progeria　生後，1年間は正常に発育するが，それ以後急速に老化する病気。遺伝子異常によって起る病気で，患者のテロメアは正常人に比べて明らかに短い。症状には，乾燥したしわの多い皮膚，完全な禿頭，鳥のような顔貌などがある。通常，13歳頃に死亡する。

プロテオミクス proteomics(proteo- ＝タンパク質)　産生されたすべてのタンパク質を同定するために，プロテオーム(1個体の全タンパク質)を解析する研究；タンパク質間相互作用の解析やタンパク質の三次元構造決定などがこれに含まれる。これによって，疾病の診断や治療に役立つように，タンパク質の活性を変化させることを目的として，薬物をデザインすることが可能になる。

3章のまとめ

はじめに

1. **細胞** cell は生命を有する，人体の基本的な構造的機能的単位である。
2. **細胞生物学** cell biology は細胞の構造と機能を研究する学問である。

3.1 細胞の概観

1. 図3.1はからだにあるさまざまな種類の細胞の構成要素を，一つの細胞に模式的に示している。
2. 細胞の主要部分は，**細胞膜** plasma membrane，**サイトゾル** cytosol と **細胞小器官** organelle からなる **細胞質** cytoplasm，**核** nucleus である。

3.2 細胞膜

1. 細胞膜(＝形質膜)は細胞を取り囲んで，その中に細胞質を含む。細胞膜は脂質とタンパク質とからなる。
2. **脂質二重層** lipid bilayer は，**リン脂質** phospholipid，**コレステロール** cholesterol，**糖脂質** glycolipid からなる背中合わせに並んだ二重の層である。
3. **膜内在性タンパク質** integral protein は細胞膜の中にあるか，または脂質二重層を貫いて伸びている。**膜周辺タンパク質** peripheral protein は細胞膜の内表面か外表面に接着している。
4. 膜の **選択的透過性** selective permeability によって，ある物質はほかの物質より容易に膜を通過する。脂質二重層は水とほとんどの脂溶性分子に対して透過性がある。小・中サイズの水溶性物質は膜内在性タンパク質の助けを借りて膜を通過する。
5. 膜タンパク質にはいくつかの機能がある。**イオンチャネル** ion channel と **キャリア** carrier(トランスポーター transporter)は，特定の溶質が膜を通過するのを助ける膜内在性タンパク質である。**受容体** receptor は細胞認識部位となる。膜タンパク質は，あるものは **酵素** enzyme であり，あるものは **細胞認識マーカー** cell identity marker である。

3.3 細胞膜を通過する輸送

1. 細胞の内部にある溶液を **細胞内液** intracellular fluid (ICF)，細胞の外にある溶液を **細胞外液** extracellular fluid (ECF)という。組織をつくる細胞間にある，顕微鏡でしかみえない微小な空間にあるECFを **間質液** interstitial fluid という。血管内にあるECFを **血漿** plasma といい，リンパ管内にあるECFを **リンパ** lymph という。
2. 液体に溶解している物質を **溶質** solute といい，溶質を溶かしている液体を **溶媒** solvent という。体液とは，さまざまな溶質が水という溶媒に溶けている希釈溶液である。
3. 細胞膜の選択的透過性によって，膜の両側にある物質の濃度の差である **濃度勾配** concentration gradient ができる。
4. 物質は，**受動過程** passive process または **能動過程** active process によって細胞膜を通過する。受動過程では，物質は濃度勾配に従って膜を通過する。能動過程では，物質の濃度勾配に逆らって濃度の高いほうに物質が移動するために，細胞のエネルギーが消費される。
5. 小胞による輸送では，細胞内に物質を取り込む際に小胞を細胞膜から引き離し，細胞から物質を放出する際には小胞を細胞膜に融合する。
6. **拡散** diffusion は物質がもつ運動エネルギーによる移動をいう。拡散では，**平衡** equilibrium に達するまで，物質は高濃度領域から低濃度領域へ移動する。平衡状態では，濃度は溶液のどこでも同じである。**単純拡散** simple diffusion では，脂質に溶ける物質が脂質二重層を通って移動する。**促進拡散** facilitated diffusion では，物質はイオンチャネルとキャリアの助けを借りて膜を横切る。
7. **浸透** osmosis は，水濃度の高いほうから低いほうへ，選択的透過膜を通って，水分子が移動することである。**等張液** isotonic solution 中では，赤血球は正常な形を保つ。**低張液** hypotonic solution 中では，赤血球は水を吸収して **溶血** hemolysis する。**高張液** hypertonic solution 中では，赤血球は水を失って縮み，いが状赤血球 crenation となる。
8. **能動輸送** active transport では，通常はATPの形の細胞エネルギーを消費して，溶質はその濃度勾配に逆らって膜を通過する。能動的に輸送される溶質には，Na^+，K^+，H^+，Ca^{2+}，I^-，Cl^- などのイオン，アミノ酸，単糖類がある。もっとも重要な能動輸送ポンプはナトリウム-カリウムポンプ sodium-potassium pump で，Na^+ を細胞外へ，K^+ を細胞内へ運ぶ。
9. **小胞** vesicle による輸送には，**エンドサイトーシス** endocytosis(**貪食** phagocytosis と **液相エンドサイトーシス** bulk-phase endocytosis(飲作用 pinocytosis))と **エクソサイトーシス** exocytosis がある。貪食とは固形粒子の細胞内取り込みである。貪食は，体内に侵入した細菌を処理するために，ある白血球が利用する重要な過程である。液相エンドサイトーシスは細胞外液の細胞内取り込みである。エクソサイトーシスは分泌物や老廃物を細胞の外に放出する。それらを包んでいる小胞が細胞膜と融合する。

3.4 細胞質

1. **細胞質** cytoplasm は細胞膜と核の間に存在するすべての細胞内容物である。細胞質はサイトゾル cytosol と **細胞小器官** organelle からなる。細胞質の液体部分をサイトゾルという。サイトゾルの大部分は水であるが，そのほかにイオン，グルコース，アミノ酸，脂肪酸，タンパク質，脂肪，ATP，老廃物が含まれる。サイトゾルは細胞の生存に必要な，多くの化学反応が起る場である。細胞小器官は特徴的な形状と特有の機能をもった，特殊化した細胞内構造である。
2. **細胞骨格** cytoskeleton は細胞質内に伸びる，3種類のタンパク質性細線維の網状構造である。細胞骨格は細胞に構造的な枠組みを提供するとともに，細胞の運動にも重要である。細胞骨格は，**マイクロフィラメント** microfilament，

中間径フィラメント intermediate filament および微小管 microtubule からなる。
3. 中心体 centrosome は二つの中心子と中心子周辺基質からなる細胞小器官である。中心体は間期にある細胞では微小管を編成し，細胞分裂中の細胞では紡錘体を編成するセンターとして働く。
4. 線毛 cilia と鞭毛 flagellum は細胞表面に生えている，可動性の突起である。線毛は液体を細胞表面に沿って動かす。鞭毛はその細胞自身を動かす。
5. リボソーム ribosome はリボソーム RNA とリボソームタンパク質からなる。二つのサブユニットで構成される。リボソームはタンパク質合成の場である。
6. 小胞体 endoplasmic reticulum (ER) は膜の網工であり，核膜から伸び出して細胞質全体に広がっている。粗面小胞体 rough ER にはリボソームが付着している。リボソームで合成されたタンパク質は ER に入り，プロセシングを受け，仕分けされる。また ER では，糖タンパク質とリン脂質がつくられる。滑面小胞体 smooth ER にはリボソームが付着していない。ここでは脂肪酸とステロイドが合成される。滑面小胞体は，肝臓から血流中へグルコースを放出し，薬物や潜在的に有害な物質を不活性化または解毒する。そして筋細胞の収縮を引き起すカルシウムイオンを貯蔵し，放出する。
7. ゴルジ装置 Golgi complex は，粗面小胞体で合成されたタンパク質を受け取る，小嚢 cistern と呼ばれる扁平な袋からなる。ゴルジ小嚢内で，タンパク質は修飾を受け，仕分けされ，梱包されて，さまざまな目的地に輸送される。修飾を受けたタンパク質の中で，あるものは分泌小胞となって細胞外に向かい，あるものは細胞膜に取り込まれ，またあるものはリソソームに向かう。
8. リソソーム lysosome は膜に囲まれた小胞で，消化酵素を含んでいる。リソソームは古くなった細胞小器官を消化 (自己貪食 autophagy) し，その細胞自身さえも消化する (自己融解 autolysis) ことがある。
9. ペルオキシソーム peroxisome はリソソームと似ているが，リソソームより小さい。ペルオキシソームはアミノ酸，脂肪酸，有毒物質などさまざまな有機物を酸化し，その過程で過酸化水素とそれに関連したフリーラジカル，例えば，スーパーオキシドを産生する。過酸化水素は，カタラーゼというペルオキシソーム内の酵素によって分解される。
10. プロテアソーム proteasome は，不必要なタンパク質，欠損したタンパク質，あるいは欠陥のあるタンパク質を継続的に分解するプロテアーゼを含んでいる。
11. ミトコンドリア mitochondria は，平滑な外膜，クリステ cristae (単数形クリスタ crista) と呼ばれるヒダを伴う内膜，液体を貯蔵した基質 matrix という腔からなる。ミトコンドリアは細胞の ATP のほとんどを産生するので，細胞の"発電所"と呼ばれる。

3.5 核

1. 核 nucleus は，二重膜からなる核膜 nuclear envelope；核と細胞質間の物質移動にかかわる核膜孔 nuclear pore；リボソームをつくる核小体 nucleolus；染色体 chromosome に配列した遺伝子 gene で構成される。
2. ほとんどの細胞は核を1個もつが，ある細胞 (赤血球) には核がなく，ある細胞 (骨格筋細胞) には複数の核がある。
3. 遺伝子は細胞の構造と細胞のほとんどすべての機能を規定する。

3.6 遺伝子の働き：タンパク質の合成

1. 細胞の働きのほとんどは，タンパク質の合成を目的としている。
2. 細胞は DNA 中の4種類の窒素含有塩基配列に保存された遺伝情報を転写し，翻訳することによって，タンパク質をつくる。
3. 転写 transcription では，DNA 塩基配列 (塩基トリプレット base triplet) に保存された遺伝情報がメッセンジャー RNA messenger RNA (mRNA) 鎖に塩基の相補的配列 (コドン codon と呼ばれる) として複写される。転写は DNA 上のプロモーター promoter と呼ばれる領域から始まる。
4. 翻訳 translation は mRNA がリボソームと協同して，タンパク質合成を指示する過程であり，mRNA のヌクレオチド配列をアミノ酸の特定の配列に転換する。
5. 翻訳の過程では，mRNA がリボソームに結合し，特定のアミノ酸が転移 RNA transfer RNA (tRNA) に結合し，tRNA のアンチコドン anticodon は mRNA のコドンに結合し，産生されつつあるタンパク質上に特定のアミノ酸をもち込む。翻訳は開始コドンで始まり，終止コドンで終わる。

3.7 体細胞分裂

1. 細胞分裂 cell division は細胞が自分自身を再生する過程である。体細胞の数が増える細胞分裂を体細胞分裂という。体細胞分裂 somatic cell division は有糸分裂 mitosis と名づけられた核の分裂と，細胞質分裂 cytokinesis と名づけられた細胞質の分裂からなる。精子と卵子をつくる細胞分裂は生殖細胞分裂 reproductive cell division と呼ばれる。
2. 細胞周期 cell cycle とは，細胞がその内容物を複製して，二つに分裂するまでの一連の順序立った現象をいう。細胞周期は分裂間期 interphase と分裂期 mitoticphase からなる。
3. 分裂間期の間に，DNA 分子すなわち染色体は自分自身を複製するので，まったく同じ染色体が次世代の細胞に受け渡されることになる。分裂と分裂の間にあり，分裂を除くあらゆる生命現象を行っている細胞は，分裂間期にあるという。
4. 有糸分裂とは，染色体を複製し，その結果できた2セットの染色体を，分離した等しい核の中に配分することをいう。有糸分裂は，前期 prophase，中期 metaphase，後期 anaphase，終期 telophase からなる。
5. 後期の後半に始まり終期に終わる細胞質分裂では，分裂溝 cleavage furrow ができてそれが次第に細胞の内方に食い込んでいき，細胞を分断して2個のまったく同じだが別々の細胞ができる。新しくできた2個の細胞には，細胞質，細胞小器官，染色体が等しく配分されている。

3.8 細胞の多様性
1. 体内にはいろいろな種類の細胞があるが，それらの大きさと形はかなり異なっている。
2. 細胞の大きさはマイクロメートル（ミクロン）の単位で計測する。1マイクロメートル（μm）は 10^{-6} m である。人体の細胞の大きさは，8 μm から 140 μm の範囲にある。
3. 細胞の形はその機能に関連している。

3.9 加齢と細胞
1. **加齢 aging** とは，からだのホメオスタシスを維持する適応反応が進行性に変化し，それに伴って起る通常の変化である。
2. 加齢に関する多くの説が提唱されている。その中には，加齢の原因として，遺伝的にプログラムされた細胞分裂の停止，テロメアの短縮，タンパク質へのグルコースの付加，フリーラジカルの蓄積，自己免疫反応の増強などがある。

クリティカルシンキングの応用

1. 骨の機能の一つに，無機質，とくにカルシウムを貯蔵することがある。からだの組織で利用するカルシウムを遊離するためには，骨組織を溶かさなければならない。どの細胞小器官が骨組織の分解に関与するだろうか。
2. あなたは夢の中で，いかだに乗って大海原の真ん中に浮かんでいる。太陽は熱くて，喉がとても渇いており，水に取り囲まれている。あなたは冷えた海水が飲みたくてしかたがない。しかし，解剖生理学で学んだ何かが，あなたが海水を飲むことを禁じて，あなたの命を助ける。なぜ海水を飲んではいけないのか。
3. ムチンは唾液に含まれる糖タンパク質である。ムチンを水と混ぜると，粘液 mucus として知られるヌルヌルした物質になる。唾液腺の細胞内をムチンが通る経路，つまり細胞小器官でムチンを合成するところから始め，ムチンが細胞から放出されるまでをたどりなさい。
4. あなたの友人のジェアードは航空管制官で，とてもストレスの多い仕事をしている。勤務中の彼の食事は，主にチョコレートと清涼飲料水である。彼はよく病気になり，あなたに冗談っぽく，こう愚痴る。「この仕事は僕を早くふけさせるんだ。」あなたはジェアードに，この考えは真実からはほど遠い，と答えた。その理由は？

図の質問の答え

3.1 細胞の三つの主要部分は細胞膜，細胞質，核である。
3.2 膜内在性タンパク質のあるものは，膜を通過して物質を運ぶために，チャネルあるいはキャリアとして機能する。またあるものは受容体として働く。膜の糖脂質と糖タンパク質は細胞認識にかかわる。
3.3 単純拡散では，物質は脂質二重層とイオンチャネルを通って膜を通過する。促進拡散ではイオンチャネルとキャリアがかかわる。
3.4 酸素，二酸化炭素，窒素などの気体，脂肪酸，脂溶性ビタミン，ステロイドは，脂質二重層を通り単純拡散によって，細胞膜を通過することができる。
3.5 サイトゾルの K^+ 濃度は細胞外液の K^+ 濃度よりも高い。
3.6 インスリンは細胞膜へのグルコースキャリアの埋め込みを促進する。その結果，促進拡散によるグルコースの細胞内取り込みが増大する。
3.7 続けない。水の濃度は決して同じにはならない。なぜなら，ビーカー内はいつも純水であるが，袋の溶液の水濃度は100％より低いからである。
3.8 2％の NaCl 溶液は高張液なので，赤血球はいが状赤血球となる。
3.9 ATP はポンプタンパク質にリン酸基を付加して，ポンプの三次元構造を変える。
3.10 偽足の伸展を引き起すのは，膜受容体への粒子の結合である。
3.11 微小管が集合して，中心子，線毛，鞭毛の構造を形成する。
3.12 中心体は二つの中心子と中心子周辺物質からなる。
3.13 リボソームの大サブユニットと小サブユニットは核内の核小体で合成され，細胞質で合体する。
3.14 粗面小胞体にはリボソームが付着している。細胞小器官または細胞質で利用されるタンパク質や細胞外に放出されるタンパク質はリボソームで合成される。滑面小胞体にはリボソームはなく，脂質合成やほかの代謝反応に関与する。
3.15 細胞外液中にタンパク質を分泌する細胞はよく発達したゴルジ装置をもっている。
3.16 ミトコンドリアのクリステは化学反応に必要な大きな表面積を用意し，ATP 産生に必要な酵素をもっている。
3.17 核にある遺伝子は細胞の構造を決定し，細胞活動のほとんどを管理する。
3.18 タンパク質は細胞の物理的・化学的性質を決定する。
3.19 RNA ポリメラーゼが DNA の転写を触媒する。
3.20 リボソームが mRNA 内の終止コドンに出合うと，できあがったタンパク質は最後の tRNA から離れる。
3.21 細胞質分裂は通常，後期の後半に始まる。
3.22 運動に鞭毛を使用する精子は，かなりの距離を移動しなければならない唯一の細胞であるからである。

CHAPTER 4

組　　　織

　2章で学んだように，細胞とは，それぞれが生命を維持できるようにするために生化学反応を行っている部品の，複雑な集合体である。しかし細胞それ自体が孤立した単位として機能することはまれである。むしろ細胞は，組織と呼ばれる細胞の集団，すなわち，多くの場合には発生学的な由来を同じくしていて，その組織に特化した機能を発揮するためにほかの細胞と協力して機能する細胞の集団の，一部として働くことが普通である。それぞれの組織の構造と特徴は，細胞の外で細胞を取り囲む物質の性質や，組織を構成する細胞同士の結合など，さまざまな要因に左右されている。組織は，骨，脂肪組織，血液などを例にとれば，硬かったり，柔らかかったり，液体でさえあったりと，さまざまである。さらに，細胞はどのように並んでいるのか，細胞外にはどのような物質があるのか，などの視点からみれば，組織は驚くべきほど多様な細胞が含まれている。

> **先に進むための復習**
> - 人体構造の階層性と人体を構成する系（1.1 節）
> - 細胞の概観（3.1 節）
> - 貪食（3.3 節）
> - 細胞質（3.4 節）
> - 細胞小器官（3.4 節）
> - 線毛（3.4 節）

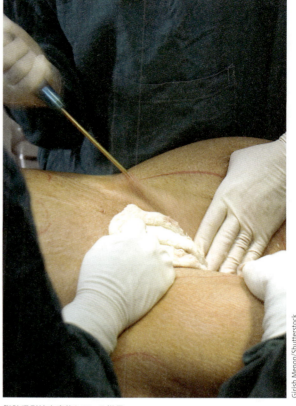

Girish Menon/Shutterstock

脂肪吸引法を実施している様子

Q 脂肪吸引法の効果より副作用がより大きいかもしれないと疑ったことはありませんか？　答えは「表 4.3 B：脂肪組織」でわかるでしょう。

4.1　組　織　の　分　類

目　標

- 人体を構成する四大組織の名称を挙げ，それぞれの特徴を述べる。

　組織 tissue とは，通常，発生学的な由来を同じくする類似した細胞の集団であり，特定の活動を行うために共同で機能する。**組織学 histology**（histo- ＝組織の；-logy ＝〜学）とは組織を扱う学問である。**病理学者 pathologist**（patho- ＝疾患の）はほかの医師が正確な診断を下すのを助けるために，実験室で細胞や組織を専門に調べる医学者である。病理学者の重要な役割の一つは，組織に疾患を示すような変化があるかどうかを検査することである。

　からだの組織は，その構造と機能から基本的な四つのタイプに分類される。

1. **上皮組織 epithelial tissue** はからだの表面を覆い；体腔・中腔器官・導管の内腔を裏打ちし；腺を形成する。
2. **結合組織 connective tissue** はからだとその器官（内臓）を保護ならびに支持し，器官同士を結びつけ，脂肪としてエネルギーを蓄え，免疫反応の場を与える。
3. **筋組織 muscular tissue** はからだの構造を動かすために必要な，物理的な力をつくりだす。
4. **神経組織 nervous tissue** はからだの内外の変化をとらえ，ホメオスタシスを維持するためにからだの活動を調節する神経インパルス（活動電位）を発し，かつ伝達する。

上皮組織とほとんどの結合組織については本章で詳しく述べる。骨組織と血液（ともに結合組織），筋組織，神経組織の構造と機能については後の章で詳述する。

ほとんどの上皮細胞と一部の筋細胞およびニューロン（神経細胞）は，**細胞間結合 cell junction** と呼ばれる細胞膜同士の接着点によって機能的単位として強固に結びつけられている。ある種の細胞間結合は細胞を非常に強固に接着するため，細胞の間を物質が通り抜けるのを防ぐことができる。胃腸や膀胱の内腔を裏打ちする組織にとってこのような接着は，器官の内容物が漏れ出すのを防ぐものであるため非常に重要である。別の細胞間結合は，機能を発揮する際に細胞同士が離れないように細胞を結びつける。またある種の細胞間結合は，細胞間をイオンや分子が通り抜けられるようなチャネルをつくる。これによって細胞は組織の中にあって互いに連絡しあい，神経や筋は構成細胞にすばやくインパルスを伝えることができる。

> **チェックポイント**
> 1. 組織を定義しなさい。からだの四大組織とは何か？
> 2. 細胞間結合はなぜ重要なのか？

4.2 上 皮 組 織

目 標
- 上皮組織の一般的特徴を論じる。
- さまざまなタイプの上皮組織の構造，局在，機能について述べる。

上皮組織 epithelial tissue，あるいはもっと簡潔にいうと**上皮 epithelium**（複数形 epithelia）は，大きく二つに分類される。(1) **被蓋上皮** surface epithelium or covering and lining epithelium と(2) **腺上皮** glandular epithelium。名称からわかるように，被蓋上皮は皮膚の外表面やいくつかの内部器官の外側面の覆いを構成している。被蓋上皮はまた，体腔，血管，導管，さらに呼吸器，消化器，泌尿器，生殖器の内腔を裏打ちする。上皮組織は神経組織とともに，聴覚，視覚，触覚のような感覚器系の一部を構成する（訳注：このような上皮を生理的な働きから感覚上皮と呼ぶことがある。また，呼吸器系の器官の内腔を裏打ちする上皮は呼吸上皮，消化器系の内腔を裏打ちする上皮は吸収上皮，と区別することもある）。腺上皮は，汗腺のような腺の分泌部を形成する。

上皮組織の一般的特徴

これからみていくように，上皮組織にはさまざまなタイプがあり，それぞれが特有の構造と機能をもっている。しかし，さまざまなタイプの上皮のすべてに共通する特徴もある。上皮組織の一般的特徴には次のようなものがある。

- 上皮組織は，かなりあるいは完全に密につまった細胞から構成され，細胞間に細胞外物質がほとんどなく，細胞は1層あるいは多層の連続したシート状に配列している。
- 上皮組織の細胞には，体腔や内部器官の内腔，からだの外部などに面した**頂上面** apical surface（**自由面** free surface），隣の細胞に面した**外側面** lateral surface，そして基底膜に接着している**基底面** basal surface がある。多層の上皮組織について考えると，**最表層** apical layer とはもっとも表面の細胞層をさし，**基底層** basal layer とはもっとも深部の細胞層をさす。**基底膜** basement membrane は主に線維状のタンパク質分子からなる，薄い膜状の細胞外構造である。基底膜は上皮組織とその下にある結合組織層との間に位置し，上皮組織を結合組織につなぎとめている（図 4.1）。
- 上皮組織は血管のない，**無血管性** avascular（a- ＝無；vascular ＝血管）組織である。上皮組織に栄養を補給し，そこから老廃物を運び出す血管は，隣接する結合組織の中にある。上皮組織と結合組織の間の物質交換は拡散によって行われる。
- 上皮組織は神経支配を受ける。
- 上皮組織はかなりの消耗，剥離，損傷に曝されるため，細胞分裂による高い再生能力をもつ。

> **臨床関連事項**
>
> **基底膜とその病気**
>
> ある条件下では，線維の合成が増えて基底膜が著しく肥厚する。糖尿病が治療されていない状態では，とくに眼球と腎臓で細い血管（毛細血管）の基底膜が肥厚する。このような血管は本来の働きができないため，失明したり腎不全に陥ることがある。

上皮組織の分類

上皮組織は2種類に分類される。(1) **被蓋上皮** surface epithelium（covering and lining epithelium）は単層ないし多層の細胞でできた連続して切れ目のないシートであって，皮膚の外表面や内部臓器の表面を覆っている。被蓋上皮はまた，血管や導管，体腔，そ

4.2 上皮組織

図4.1 被蓋上皮の細胞の形態と層の配列。

細胞の形態と層の配列が被蓋上皮の分類の基本条件である。

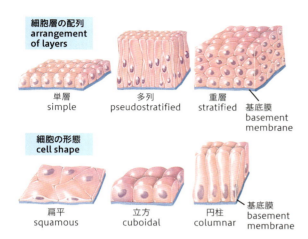

Q 物質が細胞から細胞へと急速に移動するのにもっとも適した細胞の形態は？

して呼吸器・消化器・泌尿器・生殖器の器官の内腔面を覆っている。(2) **腺上皮** glandular epithelium は，甲状腺・副腎・汗腺・消化腺などのように，腺の分泌部をつくる上皮細胞からなる。

被蓋上皮 からだのさまざまな部分を覆い，内腔を裏打ちしている上皮は，層状になった細胞の配列と細胞の形態によって分類される(図4.1)。

1. **層状になった細胞の配列 arrangement of cells in layers**：被蓋上皮の細胞は，その上皮に求められる機能によって，1層あるいは多層に配列されている。
   a. **単層上皮** simple epithelium は細胞が1層に並んでいる上皮で，拡散，浸透，濾過，分泌，吸収などの機能をもつ。**分泌** secretion とは，粘液，汗，酵素などの物質を合成して放出することである。**吸収** absorption とは，液体や消化済みの食物のような物質を消化管から取り入れることである。
   b. **多列上皮** pseudostratified epithelium (pseudo-＝偽)は，細胞の核がさまざまな高さに並んでおり，すべての細胞が最表層に達しているわけではないので，細胞が多層に並んでいるようにみえる。(訳注：代表的な多列上皮である多列線毛上皮では)最表層に達している細胞が線毛をもつ(線毛細胞)か，あるいは粘液を分泌(杯細胞)する。多列上皮は，すべての細胞が基底膜に接しているため実際は単層上皮である。
   c. **重層上皮** stratified epithelium (stratum＝層)は，かなりの強さの摩耗や剥離が起る部位でその下の組織を保護するために，2層以上の細胞層からなる。

2. **細胞の形態 cell shapes**：
   a. **扁平細胞** squamous (＝平らな) cell は薄いため物質をすばやく通過させることができる。
   b. **立方細胞** cuboidal cell は幅と丈が同じ程度の長さで，立方体か六角形をしている。頂上面に微絨毛をもつことがあり，分泌か吸収のどちらかの機能をもつ。
   c. **円柱細胞** columnar cell は幅よりも丈がずっと高くて円柱状であり，下層の組織を保護している。多くの場合頂上面には線毛か微絨毛があり，しばしば分泌と吸収のために特殊化している。
   d. **移行細胞** transitional cell は，膀胱のような器官(内臓)が大きく膨らんだり(伸展したり)小さく縮んだりする際，扁平から立方形へ，またその逆へと形を変える。

これらの二つの特徴(層の配列と細胞の形)を組み合わせることにより，被蓋上皮は以下のように分類される。

I. 単層上皮
   A. 単層扁平上皮
   B. 単層立方上皮
   C. 単層円柱上皮(非線毛単層円柱上皮か線毛単層円柱上皮)
   D. 多列円柱上皮(非線毛多列円柱上皮か多列線毛円柱上皮)
II. 重層上皮＊
   A. 重層扁平上皮(角化重層扁平上皮か非角化重層扁平上皮)
   B. 重層立方上皮
   C. 重層円柱上皮
   D. 移行上皮

それぞれの被蓋上皮については**表4.1**に記載されている。表はそれぞれ，顕微鏡写真，写真に対応する模式図，からだの中でその組織の主な局在を示す挿図から構成され，その組織の特徴，局在，機能を説明している。

＊ 重層上皮の分類は，最表層の細胞の形態に基づいている。

表 4.1　上皮組織：被蓋上皮

A. 単層扁平上皮 simple squamous epithelium

特徴　1層の扁平な細胞で，頂上面をみるとタイルを敷き詰めた床に似ている。細胞の中央に位置する核は，扁平で卵円形か，球形である。

局在　心臓，血管，リンパ管，肺胞，腎臓のボーマン嚢，鼓膜の内側面などの表面を覆う；腹膜などの漿膜の上皮層（中皮）をなす。心臓や血管，リンパ管の内腔を裏打ちする単層扁平上皮は**内皮 endothelium**（endo- ＝内；-thelium ＝カバーする）と呼ばれる；腹膜，胸膜，心外膜のような漿膜の上皮層を形成する単層扁平上皮は**中皮 mesothelium**（meso- ＝中）と呼ばれている（図 4.3 b 参照；訳注：内皮や中皮を上皮に含めない定義（狭義の上皮）もある。とくに，悪性腫瘍の由来する組織を議論する場合には注意）。

機能　濾過，拡散，浸透圧調節と漿膜での分泌。

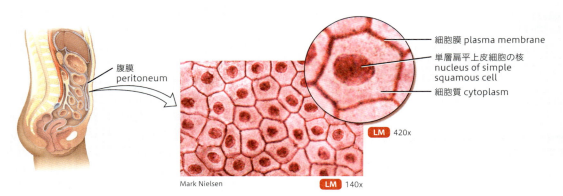

腹膜を裏打ちする中皮からなる単層扁平上皮を上からみた表面像

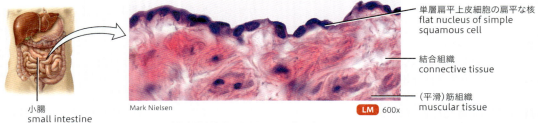

小腸を覆う腹膜の単層扁平上皮（中皮）の断面像

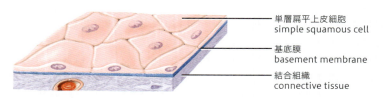

単層扁平上皮

B. 単層立方上皮 simple cuboidal epithelium

特徴　1層の立方形をした細胞；核は丸くて細胞の中央に位置する。立方形であることは，組織の切片を横からみたときに明らかである。

局在　尿細管や分泌腺の細い導管，甲状腺のような腺の分泌部，卵巣表面の被覆，眼球の水晶体（レンズ）前面の被覆，眼球の後面にある網膜色素上皮を形成する。

機能　分泌と吸収。

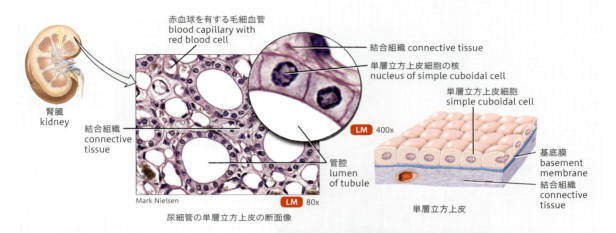

C. 非線毛単層円柱上皮 nonciliated simple columnar epithelium

特徴　1層の非線毛円柱細胞。核は細胞の基底部付近に位置する。微絨毛をもつ細胞と杯細胞が含まれる。**微絨毛 microvillus** は細胞膜の表面積を増加させるための細い指のような突起であり（図3.1 参照），微絨毛があることによって細胞による吸収速度が上がる。**杯細胞 goblet cell** は特殊化した円柱上皮細胞で，その頂上面から少しねばねばした液体である粘液を分泌する。放出される前の粘液が細胞の上半部に集まるために，その部分が膨れる。この際に細胞全体の形態が杯あるいはワイングラスのような形になる。

局在　消化管（胃から肛門まで），多くの腺の導管，胆嚢の内腔を裏打ちする。

機能　分泌と吸収。分泌された粘液は消化器，呼吸器，生殖器，および尿路の大部分の内面を滑らかにする。粘液は気道に入ってくる埃を捉えたり，胃酸によって胃の内腔面が溶かされるのを防いでいる。

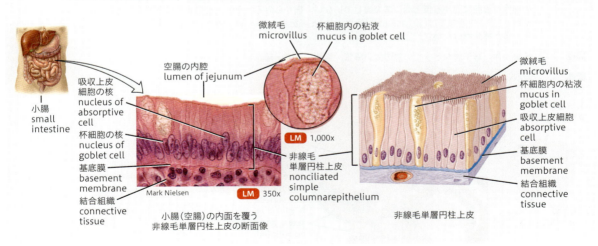

表4.1　つづく

表 4.1 上皮組織：被蓋上皮（つづき）

D. 線毛単層円柱上皮 ciliated simple columnar epithelium

特徴 1層の線毛円柱上皮細胞。核は細胞の基底部付近に位置する。杯細胞が混在する部位がある。

局在 上気道のごく一部，卵管（フォロピオ管），子宮，いくつかの副鼻腔，脊髄の中心管の内腔を裏打ちする。

機能 杯細胞から分泌された粘液は，体外から吸入された外来粒子を捉えるために気道表面に薄い粘液層をつくる。線毛は同期して動き，捉えた外来粒子とともに粘液を喉のほうに移動させる。それらは咳払いをしたり，飲み込んだり，あるいは痰として吐き出される。線毛はまた，排卵された卵細胞が卵管を通って子宮に移動するのを助けている。

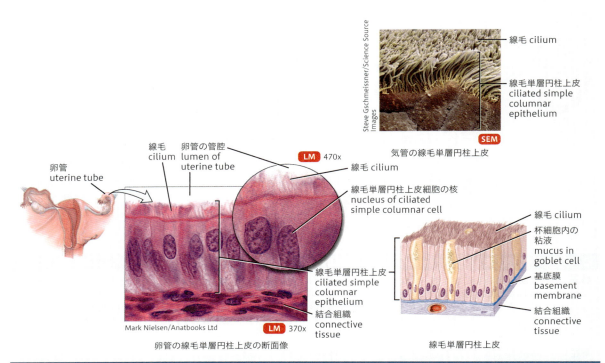

E. 非線毛多列円柱上皮 nonciliated pseudostratified columnar epithelium

特徴 核がばらばらの高さのところにあるため，数層にみえる。すべての細胞は基底膜に付着していて単層であるが，一部の細胞は管腔に面する頂上面にまで達していない。横からみると重層上皮のように誤解を与えるため，多列上皮と呼ばれる（訳注：原文では「偽（pseudo-）重層上皮」と表記されている）。多くの細胞は頂上面に達しているが線毛をもたず，また杯細胞はない。

局在 精巣上体，耳下腺など多くの腺の太い導管，男性尿道の一部。

機能 吸収と分泌。

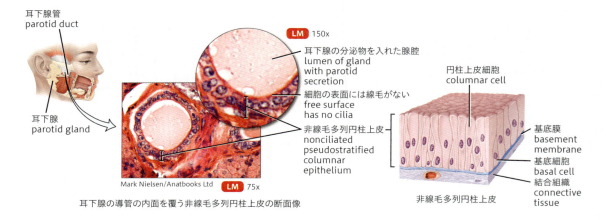

F. 多列線毛円柱上皮 pseudostratified columnar epithelium

特徴 核がばらばらの高さのところにみられるため，数層あるようにみえる。すべての細胞は基底膜に付着していて単層であるが，一部の細胞は管腔に面する頂上面にまで達していない。

局在 上気道の大部分で，その内腔を裏打ちする。横からみると重層上皮のような誤解を与えるため，多列上皮（訳注：原文では偽（pseudo-）重層上皮）と呼ばれる。多くの細胞は頂上面に達し，線毛をもつものと粘液を分泌するもの（杯細胞）とがある。

機能 外来粒子を捉えるための粘液を分泌し，線毛は粘液を動かして異物を体外に排除する。

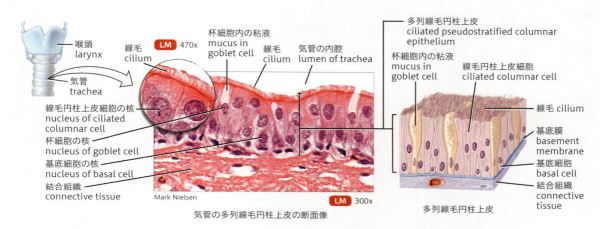

気管の多列線毛円柱上皮の断面像　　多列線毛円柱上皮

気管支（肺に出入りする気道の一部）の多列線毛円柱上皮

表 4.1　つづく

表 4.1　上皮組織：被蓋上皮（つづき）

G. 重層扁平上皮 stratified squamous epithelium

特徴　2層以上の細胞層。最表層とそのすぐ下の数層の細胞は扁平である。深層の細胞は立方形あるいは円柱形である。最深層の基底細胞は継続的に細胞分裂を行っている。新しい細胞が成長するにつれ，基底層の細胞は表層に向かって押し上げられる。細胞が深層から離れるにつれ，下層の結合組織からの血液供給がなくなるので，細胞は脱水状態となって縮み，より硬くなる。最表層では細胞は細胞間結合を失って上皮から脱落するが，絶えず基底細胞から新生される細胞で置き換えられている。**角化重層扁平上皮** keratinized stratified squamous epithelium では，最表層の細胞とそれに接した数層の細胞にケラチンの丈夫な層が蓄積している（ケラチン keratin は，皮膚や皮下組織を，微生物，熱，物質から保護している丈夫なタンパク質である）。**非角化重層扁平上皮** nonkeratinized stratified squamous epithelium の表層部とそのすぐ下の数層の細胞はケラチンを含まず湿潤性を保っている。

局在　角化するタイプは皮膚の表面（表皮）を形成する。角化しないタイプは，湿潤性のあるさまざまな部位の表面（口腔，食道，喉頭蓋や咽頭の一部，腟の内面）や舌の表面を覆う。

機能　保護。病原微生物に対する最初の防衛線となる。

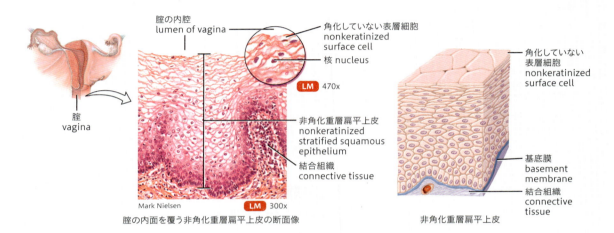

腟の内面を覆う非角化重層扁平上皮の断面像

非角化重層扁平上皮

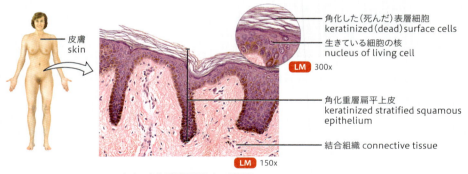

表皮の角化重層扁平上皮の断面像

H. 重層立方上皮 stratified cuboidal epithelium

特徴　2層以上の細胞層。最表層の細胞は立方形をしている。かなりまれなタイプ。

局在　成人の汗腺や食道腺の導管，男性尿道の一部。

機能　保護と，ごく限定された分泌や吸収を行う。

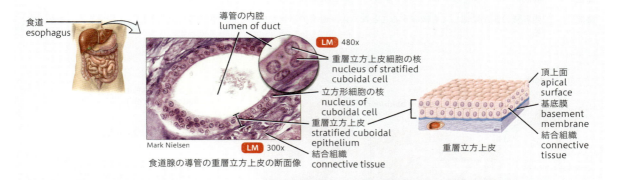

食道腺の導管の重層立方上皮の断面像　　　　重層立方上皮

I. 重層円柱上皮 stratified columnar epithelium

特徴　基底層の細胞は通常背が低く不定形だが，最表層だけは円柱形の細胞で構成されている。まれである。

局在　尿道の一部，食道腺に代表されるいくつかの腺の太い導管部分，肛門部の粘膜のごく一部，眼球結膜の一部など。

機能　保護と分泌。

咽頭の内腔を覆う重層円柱上皮の断面像　　　　重層円柱上皮

表4.1　つづく

表 4.1　上皮組織：被蓋上皮（つづき）

J. 移行上皮（泌尿器の上皮）transitional epithelium（urothelium）

特徴　状態によってみえ方が変る（移行する）。弛緩した状態の移行上皮は，最表層の細胞が大きく丸くなる傾向があるほかは，重層立方上皮に似ている。組織が引き伸ばされるに従って細胞はより扁平になり，重層扁平上皮にみえるようになる。多層の細胞層とその伸展性を生かして，内部から拡張させられる中空構造（膀胱）を裏打ちするには理想的な上皮となる。

局在　膀胱の内腔を裏打ちする。尿管や尿道の一部にもみられる。

機能　内容液の量が増減しても破裂することなく泌尿器系の器官を拡張させ，保護のための裏打ちを維持することができる。

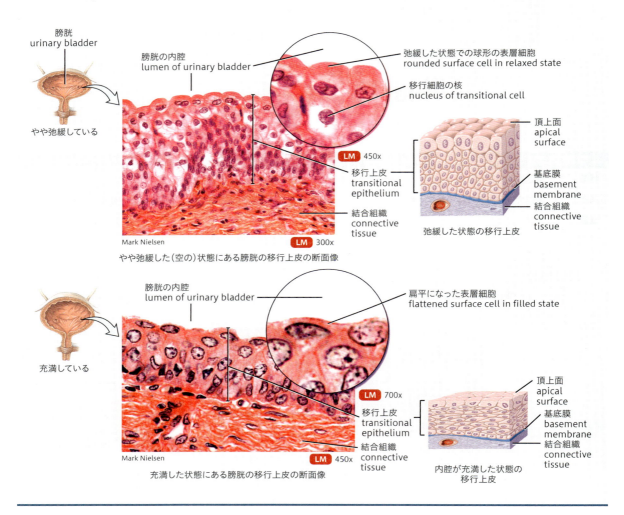

腺上皮

腺上皮 glandular epithelium の機能は分泌であり，分泌を行う腺細胞はしばしば被蓋上皮よりも深部で集団を形成している。**腺 gland** は分泌物を導管内，体表面あるいは血液中に分泌する高度に特殊化した単一のあるいは一群の上皮細胞からなる。からだのすべての腺は内分泌腺と外分泌腺とに分けられる。

内分泌腺 endocrine gland（endo- ＝〜中の；-crine ＝分泌；表 4.2 A）の分泌物は間質液に入った後，血液中に拡散していき，導管内を流れることはない。このような分泌物は**ホルモン hormone** と呼ばれ，ホメオスタシスを保つために多くの代謝や生理的活動を制御している。下垂体，甲状腺，副腎は内分泌腺の例である。内分泌腺については 13 章で詳しく述べる。

外分泌腺 exocrine gland（exo- ＝〜外の；表 4.2 B）は分泌物を導管に分泌し，皮膚のような体表にある被蓋上皮の表面や，中腔器官の内腔面に，分泌物を放出する。外分泌腺の分泌物には，粘液，汗，皮脂，耳垢，乳汁，唾液，消化酵素などがある。外分泌腺の例

表 4.2　上皮組織：腺上皮

A. 内分泌腺 endocrine glands

特徴	分泌物（ホルモン）は，間質液を介して血液中に拡散する。
局在	例えば，脳の底部にある下垂体，脳の松果体，喉頭の近くにある甲状腺や副甲状腺（上皮小体），腎臓の上にある副腎，胃の近くにある膵臓，骨盤腔にある卵巣，陰嚢にある精巣，胸腔にある胸腺など。
機能	からだの多様な活動を調節するホルモンを分泌する。

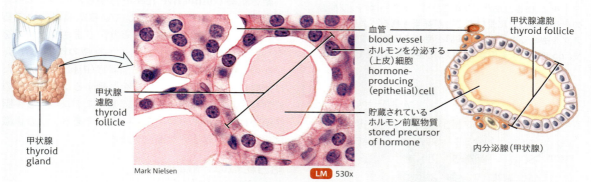

内分泌腺（甲状腺）の断面像　　内分泌腺（甲状腺）

B. 外分泌腺 exocrine glands

特徴	分泌物は導管に放出される。
局在	皮膚の汗腺，皮脂腺，耳道腺。口腔に分泌する唾液腺や，小腸に分泌する膵臓などの消化腺。
機能	汗，皮脂，耳垢（みみあか），唾液，消化酵素などを分泌する。

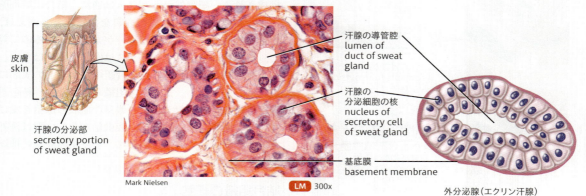

外分泌腺（エクリン汗腺）の分泌部の断面像　　外分泌腺（エクリン汗腺）

としては，体温を下げるのに役立つ汗を分泌する汗腺や，粘液と消化酵素を分泌する唾液腺などが挙げられる．後でみるように，膵臓，卵巣，精巣などの腺は内分泌組織と外分泌組織の双方を備えている．

> ### 臨床関連事項
>
> #### パパニコロー検査
>
> **パパニコロー検査** Papanicolaou test あるいは**パップ検査** Pap test（**パップスメア** Pap smear）とは，組織の表層を剥がして上皮細胞を集め，顕微鏡で検査することである．もっともよく用いられるパップ検査は，子宮頸部（子宮の下部）の非角化重層扁平上皮細胞を調べるものである．このタイプのパップ検査は，主に細胞の初期病変を調べるために行われる．細胞を組織からこすり取り，それを顕微鏡のスライドガラスの上に擦りつける．スライドガラスは分析のために検査室に送られる．（訳注：子宮頸癌の早期発見のため）21歳から始め3年ごとにパップ検査を受けることが推奨される．さらに30歳から65歳までの女性では，パップ検査とHPV（ヒトパピローマウイルス）検査の双方を5年ごとに，あるいはパップ検査のみを3年ごとに受けることが推奨される．より高いリスクを抱える女性では，検診を受ける回数を増やすことや，65歳以降でも受診を続ける必要があるかもしれない．

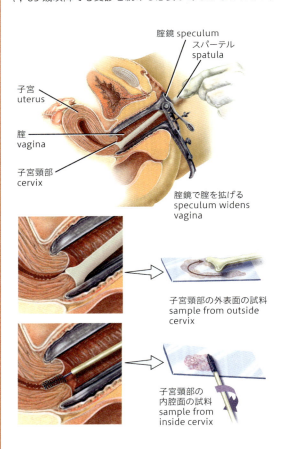

> ### チェックポイント
>
> 3．すべての上皮組織に共通する特徴は何か？
> 4．上皮のさまざまな細胞の形態と層配列を述べなさい．
> 5．以下の上皮の構造が機能とどのように関係づけられるか説明しなさい：単層扁平上皮，単層立方上皮，単層円柱上皮（非線毛か線毛上皮），多列円柱上皮（非線毛か線毛上皮），重層扁平上皮（角化上皮か非角化上皮），重層立方上皮，重層円柱上皮，移行上皮．

4.3 結合組織

目標

- 結合組織の一般的特徴を論じる．
- さまざまなタイプの結合組織の構造，局在，機能について述べる．

結合組織 connective tissue はからだの中でもっとも豊富でもっとも広く分布している組織の一つである．結合組織は種々の構造をとり，さまざまな機能をもつ．結合組織は互いに結合し，支持の機能をもち，ほかの組織を強固にする；内部器官（内臓）を保護または隔離し，骨格筋などの構造を区画する；血液などの液性結合組織は体内の主たる運搬システムである；脂肪組織はエネルギーの主たる貯蔵場である；結合組織は免疫反応が起る主な部位である．

結合組織の一般的特徴

結合組織は二つの基本要素からなる：細胞と細胞外マトリクスである．結合組織の**細胞外マトリクス** extracellular matrix とは，間が広くあいた細胞同士の間を埋める物質のことである．細胞外マトリクスは，タンパク質でできた**線維** fiber と，細胞と線維の間を埋める物質である**基質** ground substance とから構成される．細胞外マトリクスは通常，結合組織細胞によって産生され，組織の性質を決定する．例えば，軟骨の細胞外マトリクスは硬いが柔軟性があるのに対し，骨組織の細胞外マトリクスは硬く柔軟性はない．

上皮組織とは対照的に，結合組織はからだの表面に現れることはない．また上皮組織とは異なり，結合組織は普通血管に富む；つまり豊富な血液の供給を受けている．血管のない軟骨や血液供給が乏しい腱は例外である．軟骨以外の結合組織は，上皮組織同様に神経支配を受けている．

結合組織の細胞

結合組織の細胞は組織の種類によってさまざまであ

4.3 結合組織　85

図 4.2 結合組織の代表的な細胞と線維。

線維芽細胞は，結合組織を構成する細胞の中で通常もっとも多い。

細網線維 reticular fibers
コラーゲンと糖タンパク質からできている。血管壁を保持し，さまざまな細胞（脂肪，平滑筋，神経を構成する）の周囲で分岐した網目構造を形成する

線維芽細胞 fibroblasts
大きく扁平な細胞で，結合組織の中を動き回り線維と基質を分泌する

膠原線維 collagen fibers
強靭で柔軟性のあるコラーゲンタンパク質の束で，からだの中でもっとも豊富なタンパク質である

マクロファージ macrophage
単球から分化し，細菌を破壊し，細胞の断片を貪食作用によって食べる

弾性線維 elastic fibers
伸展可能の強靭な線維で，エラスチンやフィブリリンなどのタンパク質でできている。皮膚，血管，肺組織に存在する

肥満細胞 mast cells
血管に沿って豊富に存在する。炎症反応の際に小血管を拡張させるヒスタミンを産生する。ヒスタミンは細菌を殺す

形質細胞 plasma cells
白血球の一種の B リンパ球（B 細胞）から分化する。外来物質を攻撃したり無毒化する抗体を分泌する

脂肪細胞 adipocytes
脂質を蓄える。皮下や器官（心臓や腎臓）の周囲に存在する

好酸球 eosinophils
白血球の一種で，寄生虫の侵入部位やアレルギー反応の部位に移動する

好中球 neutrophils
白血球の一種で，感染が起こっている部位に移動して微生物を貪食作用によって破壊する

基質 ground substance
結合組織の細胞と線維の間を埋める物質。水と有機物（ヒアルロン酸，コンドロイチン硫酸，グルコサミン）からできている。細胞を支え，細胞同士を結びつけ，血液と細胞との間で物質を交換する際の媒体となる

膠原線維 collagen fiber
弾性線維 elastic fiber

Prof. PM. Mott/Science Source Images　SEM 4,500x

Q 線維芽細胞の機能は何か？

り，以下のようなものが挙げられる（図 4.2）。

- **線維芽細胞 fibroblast**（fibro- ＝線維）は大きく扁平で，枝分れした突起をもつ細胞である。線維芽細胞はいくつかの結合組織に存在し，通常，もっとも数が多い。
- **マクロファージ（大食細胞）macrophage**（macro- ＝大きな；-phages ＝捕食者）は白血球の一種の単球から分化した食細胞である。
- **形質細胞 plasma cell** は免疫反応のために重要な要

素である。
- **肥満細胞 mast cell** は炎症反応に関与し，また細菌を殺す。
- **脂肪細胞 adipocyte** は脂肪を蓄える細胞である。

白血球は，正常では結合組織にそれほど多く存在しない。しかし，ある種の状態に反応して，白血球は血液から出て結合組織に侵入する。例えば，**好中球 neutrophil** は感染部位に集まり，**好酸球 eosinophil** は寄生虫の侵入部位やアレルギー反応の部位に移動する。

結合組織の細胞外マトリクス

　結合組織は，細胞間に蓄積された特徴的な細胞外マトリクス物質によって，それぞれ独自の特性をもつ。細胞外マトリクスはタンパク質でできた線維を含む液状か，ゲル状かあるいは固形状の基質からできている。

基　質　**基質 ground substance** は結合組織の細胞と線維の間を埋める要素である。基質は細胞を支え，細胞同士を結びつけたり，血液と細胞との間で物質が交換される媒体となる。基質は，組織がどのように発生，移動，増殖，変形し，どのように代謝機能を行うか，ということに関して積極的な役割を果たす。

　基質は水分と種々の高分子を含む。高分子の多くは

多糖類とタンパク質が複雑に結合したものである。例えば，多糖類の一種である**ヒアルロン酸** hyaluronic acid は粘稠で滑りやすい物質で，細胞同士を結びつけたり，関節を滑らかにしたり，眼球の形を保つのを助けたりする。ヒアルロン酸は，発生の過程や損傷の修復時には，食細胞が結合組織の中を移動するのを助けることにも関与するらしい。白血球や精子，ある種の細菌は，ヒアルロン酸をばらばらに分解する**ヒアルロン酸分解酵素** hyaluronidase を産生して，結合組織の基質を水のようにする。この酵素を産生することによって，白血球が結合組織を通って感染部位に到達したり，受精の際に精子が卵子に侵入したりできる。同じしくみによって，細菌は結合組織を通って広がることができる。

その他の基質として，多糖(類)である**コンドロイチン硫酸** chondroitin sulfate があり，骨，軟骨，皮膚，血管での結合組織に保持力と接着性を与えている。**グルコサミン** glucosamine は糖タンパク質分子である。

臨床関連事項

コンドロイチン硫酸，グルコサミン，関節の疾患

近年，**コンドロイチン硫酸** chondroitin sulfate や**グルコサミン** glucosamine（プロテオグリカンの一種）が単独で，あるいは二つの成分を組み合わせて，関節軟骨の構造と機能を促進し維持するため，骨関節炎の痛みを和らげるため，そして関節の炎症を抑えるために，サプルメントとして用いられている。これらの成分は中程度から重度の骨関節炎の患者にはある程度の効果があるものの，軽症例では効果は小さい。これらの成分がどのように働き，なぜ効く人とそうでない人がいるかについてはさらなる研究が必要である。

線　維　細胞外マトリクスの**線維** fiber は結合組織を強靭にするとともに保護する。膠原線維，弾性線維，細網線維の三つのタイプの線維が細胞間の細胞外マトリクスの中に入っている。

膠原線維 collagen fiber（コラーゲン線維；colla＝膠，接着剤）は非常に強くて牽引力に抵抗できるが，硬くはなく，それゆえ組織の柔軟性を高める。これらの線維はしばしば互いに平行に並んだ束になっている（図 4.2）。このように束になることで強靭さが生じる。化学的には，膠原線維は**コラーゲン** collagen というタンパク質から構成されている。コラーゲンはからだ中でもっとも豊富なタンパク質であり，総タンパク質量の25％を占める。膠原線維はほとんどの結合組織に存在し，とくに骨，軟骨，腱，靭帯で豊富である。

臨床関連事項

捻　挫

その強靭さにもかかわらず，靭帯（骨と骨とを結びつける）が正常な性能を越えて引き伸ばされることがある。この結果，**捻挫** sprain，すなわち靭帯の過伸展あるいは断裂が生じる。足首の関節（訳注：距腿関節）がもっとも捻挫しやすい。血流が乏しいため，靭帯の部分的な断裂でさえその治癒の過程は非常に遅く，靭帯の完全な断裂には手術が必要である。

弾性線維 elastic fiber は，膠原線維よりも直径が細く，分岐しつつ互いに結合しあって組織内で網目をつくる。弾性線維は**エラスチン** elastin というタンパク質とそれを取り囲む**フィブリリン** fibrillin という糖タンパク質からできている。フィブリリンは弾性線維の安定化に必要である。弾性線維は強く，弛緩した状態の1.5倍にまで，分断することなく引き伸ばすことができる。同じく重要なことは，弾性線維が伸展された後でも元の形に戻る能力，すなわち**弾性** elasticity という特性を備えていることである。弾性線維は皮膚，血管壁，肺の組織に豊富に存在する。

臨床関連事項

マルファン症候群

マルファン症候群 Marfan syndrome はフィブリリン遺伝子の異常による遺伝性の疾患である。この遺伝子異常は弾性線維の形成異常を引き起こし，弾性線維に富んだ組織が異常な形になったり脆弱になったりする。もっとも強く影響されるのは，骨を包む骨膜，眼球の水晶体を牽引する靭帯，そして太い動脈の壁である。マルファン症候群の患者は背が高い傾向があり，不釣合いに長い腕，脚，指，趾（足の指）をしている。共通した症状は，眼球の水晶体がずれることによってかすんでみえることである。マルファン症候群でもっとも致命的な合併症は，大動脈（心臓から出る太い動脈）が弱くなって突然破裂することである。

細網線維 reticular fiber（reticul-＝網の）は，**コラーゲン** collagen とそれを包む糖タンパク質から構成されており，血管壁を保持したり，脂肪細胞，神経線維，骨格筋や平滑筋細胞の周囲で，分岐した網目構造を形成する。細網線維は線維芽細胞によって産生されるが，膠原線維よりもずっと細い。膠原線維と同様，細網線維は組織を保持し強度を与えるとともに，脾臓やリンパ節のような多くの柔らかい器官（内臓）で支柱の役目を果たす**支質**（ストローマ）stroma を形成する。この線維は基底膜の形成にも関与する。

結合組織の分類

 細胞と細胞外マトリクスの種類が豊富でその構成比率が異なるため，結合組織の分類は常に明解なわけではない。ここでは下記の分類を提示する。

I．疎性結合組織（広義）
　A．疎性結合組織（狭義）
　B．脂肪組織
　C．細網組織

表 4.3　結合組織：疎性結合組織（広義）

A．疎性結合組織（狭義）areolar connective tissue（areol- ＝小空間）

特徴	体内においてもっとも広く分布している結合組織の一つ。ランダムに配列した線維（膠原線維，弾性線維，細網線維）と数種の細胞（線維芽細胞，マクロファージ，形質細胞，脂肪細胞，肥満細胞と数種類の白血球）がゼリー状の基質に埋め込まれている。脂肪組織と組み合わさって，皮膚を下層の組織や器官につなぎとめる**皮下組織** subcutaneous layer を形成する。
局在	からだのほとんどすべての構造の内部と周囲に存在（このため，からだの"梱包材"といわれる）；皮膚の皮下組織；真皮の浅層；粘膜の結合組織層；血管や神経，器官の周囲。
機能	強度や弾力性を与え，保護する。

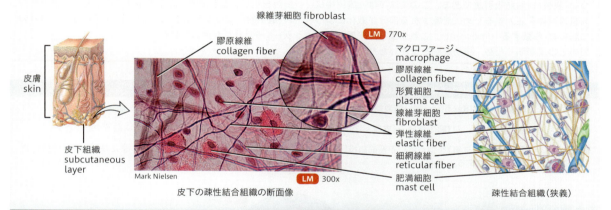

皮下の疎性結合組織の断面像　　　疎性結合組織（狭義）

B．脂肪組織 adipose tissue

特徴	トリグリセリド（脂質）を貯蔵するために特殊化した**脂肪細胞 adipocyte**（adipo- ＝脂肪の）と呼ばれる細胞をもつ。細胞が一つの大きな脂肪滴に占められるため，細胞の核と細胞質は周辺部に押しやられている。体重が増えるに従って脂肪組織の量は増加し，そこに新しい血管がつくられる。このため肥満した人はやせた人よりも血管の量がずっと多く，心臓の負荷が増大するため，高血圧になりやすい。
局在	疎性結合組織（狭義）のあるところならどこでも；皮膚の皮下組織，心臓や腎臓の周囲，黄色骨髄，関節周囲や眼窩の眼球の後方。
機能	皮膚からの体熱の損失を低減する；エネルギー源を貯蔵する；器官の支持と保護を行う。

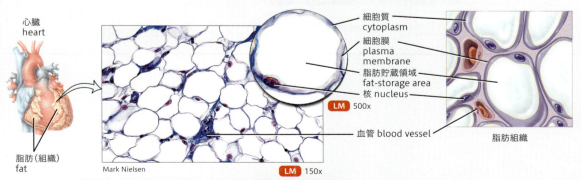

白色脂肪の脂肪細胞を示すための脂肪組織の断面像と脂肪細胞の詳細

表 4.3　つづく

表 4.3　結合組織：疎性結合組織(広義)（つづき）

臨床関連事項

脂肪吸引法または脂肪凍結法

脂肪吸引法 liposuction（lip- ＝脂肪）または**吸引脱脂術 suction lipectomy**（-ectomy ＝切り出す）という術式では，からだのあちこちから少量の脂肪組織を吸い出す。脂肪吸引法の一例では，皮膚に切開を入れた後，カニューレと呼ぶステンレス製の中空の管を通して，強力な吸引装置を使って脂肪を取り除く。脂肪を液状化して取り除くために，超音波やレーザー光が使われることもある。この技術は，大腿，殿部，腕，胸部，腹部などの痩身術として，さらに脂肪をからだの別の部位に移すために利用される。術後の合併症として，術中に破れた血管に侵入した脂肪が血流を妨げる脂肪塞栓，感染，体液喪失，内部構造の損傷，ひどい術後の痛みが起ることもある。

脂肪吸引法にはほかにもいくつかの方法がある。その一つは「膨張式」脂肪吸引法である。この変法では，施術中に大量の液体を注入するために処置される部分が液体によって膨らむ（**膨張する** tumescent）。これによって皮膚と皮下組織との間が開くため，脂肪細胞をはがしたり，脂肪組織の中でカニューレを動かすのが容易になる。もう一つは「**超音波補助**」**脂肪吸引法** ultrasound-assisted liposuction（UAL）である。この方法では，特殊なカニューレによって高周波数の音波（超音波）をあてることにより，脂肪細胞を液状化してから吸引して除去する。「**レーザー補助**」**脂肪吸引法** laser-assisted liposuction という脂肪吸引法もあり，ここでは特殊なカニューレが，脂肪細胞を液状化し液体を吸引して除去するためのエネルギーを持ったレーザー光を発射する。

脂肪凍結法 cryolipolysis（cryo- ＝冷やす）あるいは**凍結脂肪吸引法** CoolSculpting とは，体外からコントロールしながら冷却することによって，脂肪細胞を破壊する方法のことである。脂肪は冷却されると脂肪組織の周辺にある細胞よりも早く氷晶ができるため，低温に曝すことによって，ニューロンや血管，その他の構造を傷害することなく脂肪細胞を殺すことができる。施術後数日のうちにアポトーシス（遺伝的にプログラムされた細胞死）が始まり，数カ月のうちに脂肪細胞が除去される。

C. 細網組織 reticular connective tissue

特徴	**細網線維** reticular fiber（細い膠原線維）と細網細胞によって形成された網目状の構造。
局在	肝臓，脾臓やリンパ節の骨組み（**支質** stroma）；血球の由来となる赤血骨髄；基底膜の成分；血管や筋の周囲。
機能	器官の骨組み（支質）をつくる。平滑筋組織同士を結合する。脾臓では古くなった赤血球を，またリンパ節では微生物を濾過し除去する。

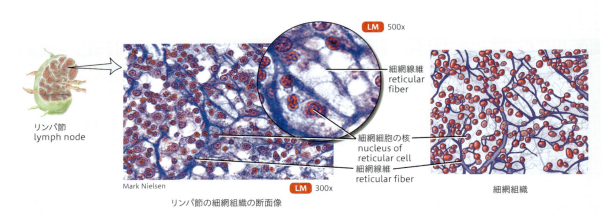

リンパ節の細網組織の断面像　　細網組織

表 4.4　結合組織：密線維性結合組織

A. 規則的緻密結合組織（平行線維性緻密結合組織）dense regular connective tissue

特徴　細胞外マトリクスは銀白色を呈する。主に，束になり平行に配列した豊富な膠原線維からなる。その間に線維芽細胞が列をなして存在する。膠原線維は生きた細胞ではなくて，線維芽細胞が分泌するタンパク質による構造なので，傷んだ腱や靱帯はゆっくり治癒する。

局在　**腱** tendon（筋を骨に付着させる），ほとんどの**靱帯** ligament（骨と骨をつなぐ），**腱膜** aponeurosis（筋と筋，あるいは筋と骨をつなぐ膜状の腱）。

機能　さまざまな構造体を強固に連結させる。この組織の構造は線維の長軸に沿った牽引力に抵抗する。

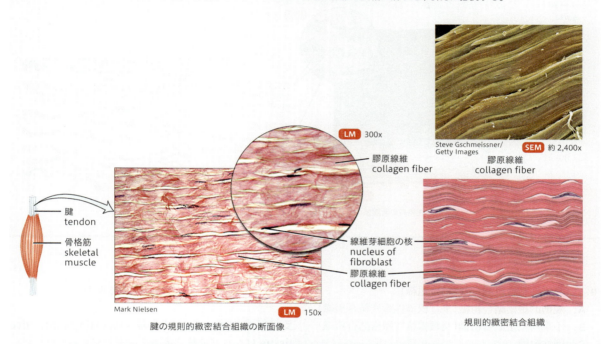

B. 不規則緻密結合組織（交織線維性緻密結合組織）dense irregular connective tissue

特徴　不規則に配列した豊富な膠原線維と少数の線維芽細胞から構成されている。

局在　しばしばシート状になる。例えば，**筋膜** fasciae（皮膚の下，筋，その他の器官の周囲にみられる），真皮の深層，骨膜，軟骨膜，関節包，さまざまな器官（腎臓，肝臓，精巣，リンパ節）の被膜，心膜；加えて心臓の弁。

機能　さまざまな方向への牽引力に対する強さを与える。

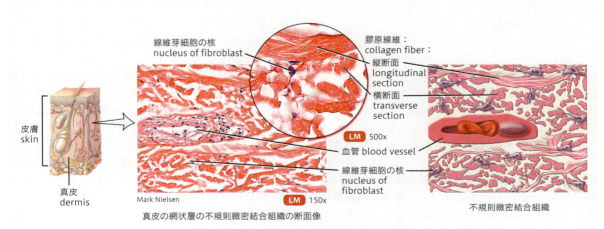

表 4.4　つづく

表 4.4　結合組織：密線維性結合組織（つづき）

C. 弾性組織 elastic connective tissue

特徴	主として弾性線維から構成される。線維芽細胞は線維の隙間に存在する。無染色で黄色みをおびている。
局在	肺，弾性動脈の壁，気管，気管支，真声帯，陰茎堤靱帯，椎骨間の靱帯など。
機能	種々の器官に伸展性を与える。強く，引き伸ばした後で元の形に戻る。この弾性力は，息を吐き出すときに元に戻ろうとする肺組織や，心拍と心拍の間で弾性動脈の元に戻ろうとする力が血流量の維持に役立っている。

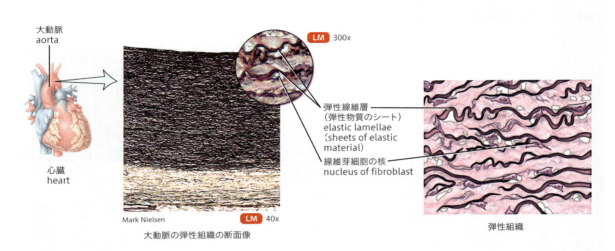

大動脈の弾性組織の断面像 / 弾性組織

II．密線維性結合組織（緻密結合組織）
　A．規則的緻密結合組織（平行線維性緻密結合組織）
　B．不規則緻密結合組織（交織線維性緻密結合組織）
　C．弾性組織
III．支持結合組織
　A．軟骨
　　1．硝子軟骨
　　2．線維軟骨
　　3．弾性軟骨
　B．骨組織
　C．液性結合組織
　　1．血液
　　2．リンパ

疎性結合組織　疎性結合組織 loose connective tissue（広義）の線維は，多数の細胞の間にまばらに配列している。疎性結合組織（広義）に入るのは，疎性結合組織（狭義），脂肪組織，細網組織である（表 4.3）。

密線維性結合組織　密線維性結合組織（緻密結合組織）dense connective tissue では，疎性結合組織（広義）に比べて，線維がより多く，より太く，より密に（よりぎっしり詰め込まれている）入っているが，細胞数はより少ない。規則的緻密結合組織，不規則緻密結合組織，弾性組織の 3 種類がある（表 4.4）。

支持結合組織　支持結合組織 supporting connective tissue はからだの軟部組織を保護し支える。

軟　骨　軟骨 cartilage では，膠原線維あるいは弾性線維の密な網目構造が，ゴムのように弾性のある基質であるコンドロイチン硫酸の中にしっかりと埋め込まれている。疎性結合組織あるいは密線維性結合組織に比べて，軟骨はずっと強い外力に耐えることができる。軟骨の強さがそこに含まれている膠原線維によっている一方，その**復元力** resilience（変形された後で元の形に戻る能力）はコンドロイチン硫酸による。

　成熟した軟骨の細胞は**軟骨細胞** chondrocyte（chondro- ＝軟骨の）と呼ばれ，細胞外マトリクスの中の腔所である**軟骨小腔** lacuna（複数形 lacunae；＝小さな湖）内に，1 個あるいは数個みられる。ほとんどの軟骨の表面は**軟骨膜** perichondrium（peri- ＝まわり）と呼ばれる，不規則緻密結合組織でできた膜によって覆われている。ほかの結合組織と異なり，軟骨膜を除けば，軟骨組織には血管や神経は存在しない。軟骨は，**抗血管新生因子** antiangiogenesis factor（anti ＝抗，angio ＝血管の，genesis ＝新生），すなわち血管の成長を抑える物質を分泌するため血流の供給がな

表 4.5　結合組織：支持結合組織

軟骨
A. 硝子軟骨 hyaline cartilage（hyalinos＝ガラス質の）

特徴	基質として弾力性のあるゲルを含み，体内にあるときは青白く光沢をもった構造としてみえる（顕微鏡観察のためにピンクあるいは紫に染色できる）。微細な膠原線維は通常の染色法では（訳注：光学顕微鏡下でも）認めることはできない；小腔に存在する軟骨細胞は明瞭；軟骨膜に包まれている（例外は，関節の関節軟骨と，からだが成長するときに骨を伸ばす骨端板軟骨）。からだの中でもっとも豊富な軟骨である。
局在	長骨の骨端，肋骨の前端，鼻軟骨，喉頭の一部，気管，気管支，気管支の枝，胚子と胎児の骨格。
機能	関節においては，運動に適するように表面を滑らかにする。柔軟性と保持を与える。軟骨の内ではもっとも脆弱である（折れることがある）。

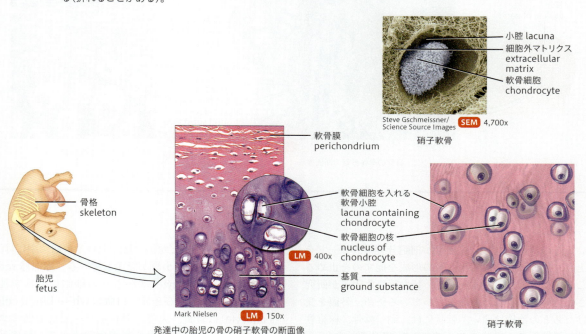

B. 線維軟骨 fibrocartilage

特徴	軟骨細胞が，細胞外マトリクスの中にある膠原線維の明瞭な束の間に散在している。軟骨膜はない。
局在	**恥骨結合** pubic symphysis（左右の寛骨が前方で結合する部位），**椎間円板** intervertebral disc（椎骨間にある円板状構造物），**半月** meniscus（膝関節内にみられる軟骨性のパッド），軟骨に入る腱の部分。
機能	支持と構造同士の接着。強さと硬さの両方をあわせもち，軟骨の中でもっとも強い。

表 4.5　つづく

表 4.5　結合組織：支持結合組織（つづき）

C. 弾性軟骨 elastic cartilage

特徴	細胞外マトリクスを伴い網目状になった弾性線維の間にある軟骨細胞から構成されている。軟骨膜がある。
局在	喉頭蓋（喉頭の上部にある覆い），耳介（外耳の一部），耳管（オイスタキオ管）。
機能	強さと弾力性を与える。特定の構造物の形を一定に保つ。

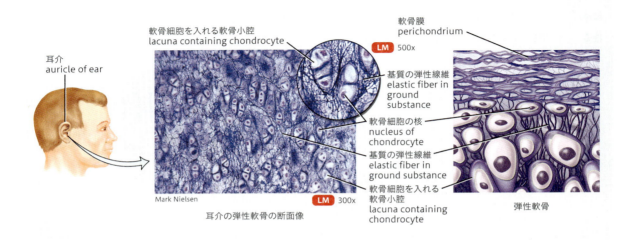

い。この特性のため，癌細胞が細胞分裂のスピードを上げ，拡大に必要な新生血管の形成を促すのを止めることができる癌治療法として，抗血管新生因子が研究されている。軟骨は血流を欠いているため，外傷を受けたあとの治癒は悪い。軟骨には，硝子軟骨，線維軟骨，弾性軟骨の三つのタイプがある（表 4.5）。

骨組織　骨は**骨組織 bone tissue**（osseous tissue）を含め，いくつかの異なった結合組織から構成されている器官である。骨組織にはいくつもの機能がある。軟部組織を支持し，壊れやすい構造を保護し，骨格筋と連携して関節の運動を引き起こす。骨はカルシウムとリンを貯蔵する。骨の中にはまた，血球を産生する赤色骨髄や，トリグリセリドの貯蔵場所である黄色骨髄が入っている。骨組織の詳細は 6 章で述べる。

液性結合組織　**液性結合組織 liquid connective tissue** では細胞外マトリクスが液体である。例として血液とリンパがある。

血液　**血液組織**（あるいは単純に**血液**）**blood tissue** は，**血漿 blood plasma** と呼ばれる液状の細胞外マトリクスを有する結合組織である。血漿はやや黄色みをおびた液体で，成分の大部分は水であり，さまざまな物質，例えば，栄養素，老廃物，酵素，ホルモン，呼吸ガス，イオンなどが溶け込んでいる。血漿中には，赤血球，白血球，血小板が浮遊している。**赤血球 red blood cell**（erythrocyte）はからだの細胞に酸素を運び，二酸化炭素を運び去る。**白血球 white blood cell**（leukocyte）は貪食，免疫，アレルギー反応に関与する。**血小板 platelet** は血液凝固に関係する。血液については 14 章で詳述する。

リンパ　**リンパ lymph** はリンパ管を流れる液体である。リンパは結合組織の一種で，血漿とよく似ているがタンパク質含量のずっと少ない透明な液状の細胞外マトリクスの中に，数種の細胞が含まれている。リンパについては 17 章で詳述する。

> **チェックポイント**
> 6. 結合組織を構成する細胞，基質，線維の特徴は何か？
> 7. 以下の結合組織の構造は機能とどのように関係づけられるか？：疎性結合組織（狭義），脂肪組織，細網組織，規則的緻密結合組織（平行線維性緻密結合組織），不規則緻密結合組織（交織線維性緻密結合組織），弾性組織，硝子軟骨，線維軟骨，弾性軟骨，骨組織，血液，リンパ。

4.4 膜

目 標

・膜を定義する。
・膜の分類を述べる。

膜 membrane（図4.3）とは，からだの一部を覆うあるいは裏打ちする，平らなシート状の柔軟な組織をさす。上皮層とその下の結合組織層が組み合わさって，**上皮膜** epithelial membrane がつくられる。からだの中の基本的な上皮膜は粘膜，漿膜，皮膚である（皮膚については5章で詳しく述べるのでここでは触れない）。もう一つの膜として滑膜がある。滑膜は関節の内腔を裏打ちし，結合組織をもつが上皮ではない。

粘 膜

粘膜 mucous membrane（mucosa）は体外に直接開くからだの腔所を裏打ちする。消化器系，呼吸器系，生殖器系のすべてと泌尿器系の大部分の内腔を裏打ちしている。粘膜の上皮層は粘液を分泌し，粘液は内腔が乾燥するのを防いでいる（図4.3 a）。粘膜は呼吸器の気道では粒子を捉える。消化管では食物が移動する際に内面を潤滑にしつつ栄養分を吸収し，また消化酵素を分泌する。結合組織の層（疎性結合組織）が上皮とその下層にある構造を結びつけている。さらに，結合組織層は血管を経由して，上皮に酸素や栄養分を供給しそこから老廃物を運び去る。

漿 膜

漿膜 serous membrane（serous＝水溶性）は，体外に直接開いていない体腔の内面と体腔の中にある器官（内臓）の表面を覆っている。漿膜が二つの部分，すなわち壁側葉と臓側葉とに分けられることに注目してほしい（図1.10 a 参照）。**壁側葉** parietal layer（pariet-＝壁）は体腔の壁に貼りついた部分，**臓側葉** visceral layer（viscer-＝からだの器官）は体腔内の器官を覆い器官を固定している部分である。壁側葉と臓側葉のそれぞれは，**中皮** mesothelium に覆われた疎性結合組織（狭義）からできている（図4.3 b）。中皮は単層扁平上皮である。漿膜は，器官同士あるいは器官と体腔壁との間の動きを滑らかにする水のような潤滑液である**漿液** serous fluid を分泌する。

1章にあったように，胸腔の壁を裏打ちし肺の表面を覆う漿膜は**胸膜** pleura という。心膜腔の内面と心臓の表面を覆っている漿膜を**心膜** pericardium という。腹腔を裏打ちし腹部臓器の表面を覆う漿膜を**腹膜** peritoneum という。

滑 膜

滑膜 synovial membrane は関節腔を裏打ちしている。滑膜は，膠原線維が混在する疎性結合組織（狭義）と脂肪組織から構成されているが，上皮層をもたない（図4.3 d）。滑膜には**滑液** synovial fluid を分泌する**滑膜細胞** synoviocyte がある。滑液は，関節で骨同士が動くときにそれを滑らかにし，また骨を覆う関節軟骨に栄養を供給し，関節腔の中から微生物や死んだ細胞片を除去する。

> **チェックポイント**
> 8．次に挙げるタイプの膜を定義しなさい：粘膜，漿膜，滑膜。
> 9．それぞれの膜はからだのどこにあるか？　その機能は何か？

4.5 筋組織

目 標

・筋組織の機能を述べる。
・3種類の筋組織の局在部位を比較する。

筋組織 muscular tissue は，力を生み出すために高度に特殊化した**筋線維** muscle fiber という細長い細胞でできている。この特徴のために，筋組織は運動を引き起こし，姿勢を維持し，そして熱を産生する。また，保護の機能もある。局在部位および構造と機能の特徴から，筋組織は骨格筋，心筋，平滑筋の三つに分類される。**骨格筋組織** skeletal muscle tissue は通常骨格を構成する骨についており，この名称はその局在に由来する。**心筋組織** cardiac muscle tissue は心臓壁の大部分を構成している。**平滑筋組織** smooth muscle tissue は血管，肺への気道，胃，腸，胆囊，膀胱といった中腔器官の壁に局在している。筋組織についての詳細は8章で述べる。

> **チェックポイント**
> 10．筋組織の機能は何か？
> 11．筋組織の三つのタイプを列挙しなさい。

図 4.3 膜。

膜とは，からだの部分を覆うあるいは裏打ちする柔軟な組織の平らなシートである。

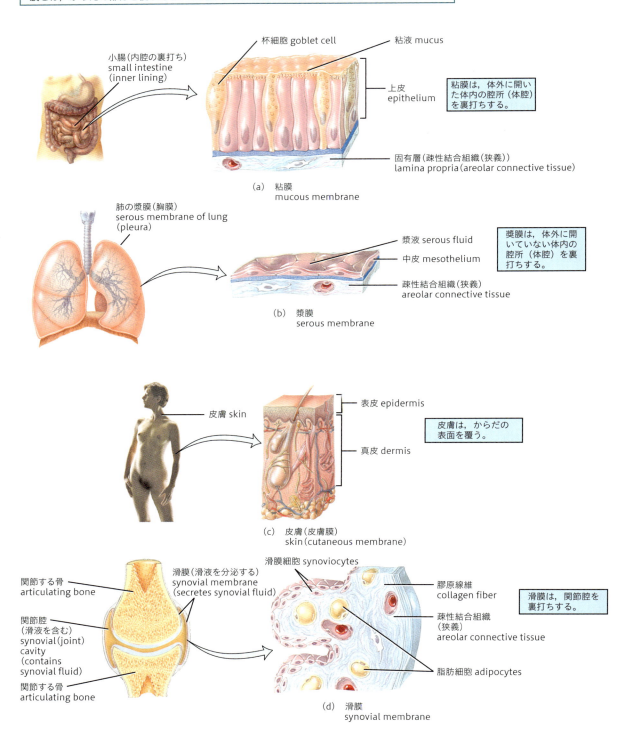

Q 上皮膜とは何か？

4.6 神経組織

目標

・神経組織の機能を述べる。

神経系は畏敬の念を起こさせるほど複雑であるのに、たった2種類の細胞、すなわちニューロンとグリア細胞とから構成されている。**ニューロン（神経細胞）** neuron（nerve cell；neuro- ＝ 神経，神経組織，神経系）は種々の刺激に対して感受性がある。ニューロンは刺激を神経インパルス（活動電位）に変換し、これをほかのニューロン、筋線維、腺に伝える。**グリア細胞（神経膠細胞）** neuroglia（-glia ＝ 膠）は神経インパルスを生み出すことも伝えることもしないが、ほかの多くの重要な保護および支持の機能を担っている。ニューロンとグリア細胞の構造と機能については9章で詳述する。

> **チェックポイント**
> 12．ニューロン（神経細胞）はグリア細胞（神経膠細胞）とどう違うのか？

4.7 組織修復：ホメオスタシスを回復する

目標

・ホメオスタシスを回復する際の組織修復の役割を述べる。

組織修復 tissue repair とは、古くなって傷ついたり死んだりした細胞が置き換えられる過程である。新しい細胞は、骨組みとしての結合組織である**支質** stroma や、組織や器官（内臓）で機能している部分を構成する**実質** parenchyma の細胞から、細胞分裂によって生まれてくる。成人では、傷害や疾病その他の過程によって失われた実質細胞を補充する能力は、四種の基本的な組織（上皮組織、結合組織、筋組織、神経組織）のそれぞれで異なっている。

上皮細胞は、部位によってはかなり強い摩耗と剥離（そして傷害さえも）を受けているため、細胞を常に新生し続ける能力をもつ。場合によっては、失われたり傷ついたりした細胞を置き換えるために、**幹細胞** stem cell と呼ばれる未熟で未分化な細胞が分裂する。例えば、最表層で死んでいく細胞を補充するために、幹細胞は皮膚や消化管の上皮の中で保護された部位に局在する。

結合組織にも継続的な細胞新生の能力をもつものがある。一例は、豊富な血液の供給を受けている骨である。軟骨などのほかの結合組織は、血液の供給量が少ないこともあって細胞の補充は骨より遅い。

筋組織は失われた細胞を新生する能力には比較的乏しい。ある特別な条件下では心筋線維が幹細胞から新生されうる（8.1節）。骨格筋組織では、広範囲に傷ついた筋線維を置き換えるために十分なほどにすばやく細胞が分裂することはない。平滑筋線維はある程度増殖することが可能だが、その増殖は上皮組織や結合組織に比べればはるかに遅い。

神経組織の細胞新生能力はもっとも低い。脳の中に幹細胞があることは実験的に証明されているものの、通常、傷ついたニューロンを置き換えるために幹細胞が分裂することはない。

もし実質細胞が修復されれば、**組織再生** tissue regeneration が可能になり、傷ついた組織をほぼ完全に再構築することができるかもしれない。しかし、修復にあたって支質の線維芽細胞が活発になると、置き換えられた組織は新生した結合組織になってしまう。線維芽細胞は、集合して瘢痕組織をつくるコラーゲンやその他の細胞外マトリックス物質を合成する。この過程を**線維化** fibrosis という。瘢痕組織は元の組織の実質が担っていた機能を発揮するように特殊化しているわけではないため、その組織や器官の本来の機能は損なわれてしまう。

> **臨床関連事項**
>
> **癒着**
>
> 瘢痕組織は、組織の異常な結合である**癒着** adhesion をつくりうる。癒着は、虫垂炎などの炎症があった部位の周囲や手術の後に腹部では決まって生じる。癒着は必ずしも常に問題を引き起こすわけではないが、組織の柔軟性を低下させ、閉塞（例えば、腸）の原因となり、その次の手術をより困難にする。外科的に癒着を除去することが必要になることもある。

> **チェックポイント**
> 13．支質と実質の組織修復はどう違うか？

4.8 加齢と組織

目標
・加齢が組織に与える影響を述べる。

組織という観点からみると，加齢によって上皮組織はどんどん薄くなり，結合組織はより壊れやすくなる。その証拠は，皮膚や粘膜の異常が増えること，しわ，あざのできやすさ，骨密度の減少と骨折の起りやすさ，関節痛や関節症が増えること，などである。筋組織にも加齢の影響はみられ，その証拠は，骨格筋の量と減少と筋力の低下，心臓が血液を拍出する効率の低下，消化管などの平滑筋を含む臓器の活動の低下，などである。

一般に，老人に比べて若い人の組織の治癒はより早くほとんど傷跡を残さない。実際，胎児に施された手術では瘢痕が残らない。通常，若い人のからだはよりよい栄養状態にあり，組織は良好な血液供給を受けていて，細胞はより高い代謝活性をもっている。そのため，細胞はより速やかに必要な物質を合成し分裂することができる。組織の細胞外構成要素もまた，加齢に伴って変化する。グルコースは体内にもっとも豊富に含まれる糖であり，老化の過程にも役目を担っている。グルコースが細胞内外のタンパク質に無秩序に付加されると，隣りあうタンパク質分子同士が非可逆的に架橋される。年をとるに従って架橋は増加し，これが老化した組織が硬くなり弾力性を失うことに関与している。膠原線維は腱を強靭にするが，加齢とともに量が増加し質的な変化も生じる。もう一つの細胞外要素であるエラスチンは血管や皮膚の弾力性に関与する。この分子は加齢に伴って，太くなるとともに断片化し，さらにカルシウムに対する親和性が高くなる。この変化は，動脈壁における脂肪分の蓄積であるアテローム性動脈硬化症の発症にも関連すると考えられている。

> **チェックポイント**
> 14．加齢によって上皮組織と結合組織に起る共通の変化は何か？

...

さて，組織については理解できたと思うので，これからは組織が器官(内臓)に，器官が器官系に統合されるようすをみてみよう。次章では，皮膚とその他の器官がからだの外側を覆う系として機能するようすを考えよう。

よくみられる病気

シェーグレン症候群

シェーグレン症候群 Sjögren's syndrome は，とくに涙腺や唾液腺のような外分泌腺の炎症と破壊を引き起こす，高頻度にみられる自己免疫疾患である。症状には，眼，口，鼻，耳，皮膚，腟の乾燥や，唾液腺の肥大がある。全身症状には，倦怠感，関節炎，嚥下困難，膵炎，胸膜炎，筋痛，関節痛などがある。障害は9：1の比率で男性より女性に起きやすい。老人の約20％がシェーグレン症候群の徴候を経験している。治療は対症的で，目を潤すために人工涙液を使う，少量ずつ水を飲む，糖分のないガムを噛む，口腔を湿らせるための代用唾液を使う，皮膚を湿らせるためのクリームを外用する，などである。症状や合併症が重い場合には薬物治療が必要となる。薬には点眼用のシクロスポリン，唾液の産生を増やすピロカルピン，免疫抑制薬，非ステロイド抗炎症薬，副腎皮質ホルモンなどがある。

全身性エリテマトーデス

全身性エリテマトーデス(全身性紅斑性狼瘡)systemic lupus erythematosus(SLE)，あるいは単に狼瘡 lupus ともいうが，この疾患は結合組織の慢性炎症性の疾患で，主として妊娠可能年齢にある非白人女性にみられる。この疾患は，あらゆる器官系の組織に障害を及ぼす自己免疫疾患の一つである。この疾病は，大多数の患者では軽いものから，急速に死にいたるようなものまであり，その程度はさまざまであるが，悪化と寛解の期間があることが特徴である。SLEの原因は明らかでないが，遺伝的，環境的，ホルモン的な要因が示唆されている。遺伝要因は双子の研究や家族歴から示唆されている。環境要因にはウイルス，細菌，物質，薬物，過剰な太陽光への曝露，情緒的なストレス，などが含まれる。

SLEの症候には，関節痛，微熱，疲労，口腔内の潰瘍，体重減少，リンパ節と脾臓の腫脹，太陽光に対する感受性，急速な頭髪の大量脱毛，食欲の消失などがある。狼瘡の特異な徴候として，"蝶形紅斑"と呼ばれる，鼻を越えてつながる両頬の発疹がある。ほかの皮膚障害として，疱疹や潰瘍を起すことがある。一部のSLEの皮膚病変の糜爛の様相があたかも，狼に噛まれた傷を思わせたため，この疾患が狼瘡 lupus(＝狼)と呼ばれるようになった。この疾患のもっとも重篤な合併症には，腎臓，肝臓，脾臓，肺，心臓，脳，胃腸管の炎症がある。SLEには治療法はなく，処置は対症的で，アスピリンのような抗炎症薬や免疫抑制薬の投与を行う(17章"よくみられる病気"参照)。

医学用語と症状

異種間移植 xenotransplantation（xeno- ＝異種の，外来の）　疾病あるいは外傷によって障害された組織あるいは器官を動物の細胞あるいは組織で置き換えること。現在まで，異種間移植の成功例はごくわずかしか報告されていない。

（組織）拒絶反応 tissue rejection　移植された組織や器官（内臓）の外来（非自己）タンパク質に対するからだの免疫反応。シクロスポリンのような免疫抑制剤が心・腎・肝移植の患者の拒絶反応を大幅に減少させた。

組織移植 tissue transplantation（臓器移植）　疾病あるいは外傷によって障害された組織あるいは器官を置き換えること。もっとも有効な移植は自分自身の組織あるいは一卵性双生児の組織を用いることである。

4章のまとめ

4.1 組織の分類

1. 組織は，通常発生学的な由来を同じくする類似した細胞の集団で，特定の機能を担うために特殊化している。
2. からだのさまざまな組織は，**上皮組織 epithelial tissue**，**結合組織 connective tissue**，**筋組織 muscular tissue**，**神経組織 nervous tissue** の四つに分類される。

4.2 上皮組織

1. 一般的な上皮組織（**上皮 epithelium**）の分類として，被蓋上皮と腺上皮が挙げられる。上皮組織には次のような一般的な特徴がある。細胞外物質をほとんどもたない細胞によって構成され，シート状になっていて，**基底膜 basement membrane** によって結合組織に付着し，**無血管性 avascular** 組織で，神経支配を受けており，自己再生することができる。
2. 上皮細胞の層は単層（1層）か重層（数層）である。細胞の形態は，扁平，立方，円柱（直方体の形状），あるいは移行（形態が変化する）である。
3. **単層扁平上皮 simple squamous epithelium** では，扁平な細胞が1層に配列している（表 4.1 A）。濾過や拡散が主要な働きとなるような部位に局在する。単層扁平上皮の一種である**内皮 endothelium** は，心臓や血管の内腔を裏打ちしている。同じく**中皮 mesothelium** は，胸腔や腹腔の内面や体腔中の器官の表面を覆う漿膜を構成している。
4. **単層立方上皮 simple cuboidal epithelium** は，吸収あるいは分泌の機能を有する立方形をした細胞が，1層に配列した構造である（表 4.1 B）。卵巣の被膜，腎臓や眼球の内部，腺の導管にみられる。
5. **非線毛単層円柱上皮 nonciliated simple columnar epithelium** は，線毛をもたない円柱形の細胞が，1層に配列した構造である（表 4.1 C）。ほとんどすべての胃腸管の内腔を裏打ちしている。**微絨毛 microvillus** をもつ特殊化した細胞が栄養分の吸収を行う。**杯細胞 goblet cell** は粘液を分泌する。
6. **線毛単層円柱上皮 ciliated simple columnar epithelium** は，線毛をもつ円柱形の細胞が，1層に配列した構造である（表 4.1 D）。上気道のごく一部にみられ，粘液に捕捉された外来粒子を気道から排出させる。
7. 非線毛多列円柱上皮には線毛細胞や杯細胞はなく（表 4.1 E），精巣上体や多くの腺の導管，男性尿道の一部の内腔を裏打ちしている。非線毛多列円柱上皮には吸収と分泌の機能がある。多列線毛上皮と杯細胞があり（表 4.1 F），上気道のほとんどの内腔を裏打ちしている。杯細胞は外来の粒子を捉えるための粘液を分泌し，線毛は粘液を動かして外来粒子をからだの外に排除する。
8. **重層扁平上皮 stratified squamous epithelium** では，細胞が数層に重層した配列をしており，最表層およびそこから数層だけ深部にある細胞は扁平である（表 4.1 G）。保護の役割をもつ。非角化重層扁平上皮は口腔を裏打ちし，角化重層扁平上皮は皮膚の最外層である表皮を形成する。
9. **重層立方上皮 stratified cuboidal epithelium** では，細胞が数層に重層した配列をしており，最表層の細胞は立方形を呈する（表 4.1 H）。成人の汗腺と，男性の尿道の一部にみられる。保護と，ごく限定された分泌や吸収の働きがある。
10. **重層円柱上皮 stratified columnar epithelium** では，細胞が数層に重層した配列をしており，最表層の細胞は円柱形である（表 4.1 I）。男性の尿道の一部と，数種の腺の太い導管にみられる。保護と分泌の働きがある。
11. **移行上皮 transitional epithelium** では，伸展の程度に依存して形が変化する細胞が数層に配列している（表 4.1 J）。膀胱の内腔を裏打ちしている。
12. **腺 gland** は分泌に適応した単一の細胞，あるいはそのような上皮細胞の一群である。**内分泌腺 endocrine gland** は間質液を介して血液中にホルモンを分泌する（表 4.2 A）。**外分泌腺 exocrine gland**（粘液腺，汗腺，皮脂腺，消化腺）は導管内へ，あるいは自由表面に直接，分泌物を放出する（表 4.2 B）。

4.3 結合組織

1. **結合組織 connective tissue** は体内でもっとも豊富に存在する組織である。結合組織は，細胞と，基質と線維からなる**細胞外マトリクス extracellular matrix** で構成されている。比較的細胞数は少なく，細胞外マトリクスが豊富である。通常は自由表面に露出しておらず，神経が分布しており（軟骨を除く），豊富な血管の供給がある（軟骨，腱，靱帯を除く）。
2. 結合組織を構成する細胞には，**線維芽細胞 fibroblast**（細胞外マトリクスを分泌する），**マクロファージ macrophage**（貪食を行う），**形質細胞 plasma cell**（抗体を

分泌する)，**肥満細胞 mast cell**(ヒスタミンを産生する)，**脂肪細胞 adipocyte**(脂肪を蓄える)などがある。

3. **基質 ground substance** と**線維 fiber** が細胞外マトリクスを構成する。基質は細胞同士の保持や結合に寄与し，物質交換のための媒体となり，細胞の機能に積極的に影響を与える。

4. 細胞外マトリクスの線維成分は組織を強靱にするとともに保持する。以下の3種類がある：(a) **膠原線維 collagen fiber**(コラーゲンから構成されている)は骨，腱，靭帯に大量に存在する。(b) **弾性線維 elastic fiber**(エラスチン，フィブリリン，その他の糖タンパク質から構成されている)は皮膚，血管壁，肺に存在する。(c) **細網線維 reticular fiber**(コラーゲンと糖タンパク質から構成されている)は脂肪細胞，神経線維，骨格筋細胞や平滑筋細胞の周囲に局在している。

5. 結合組織は疎性結合組織(広義)，密線維性結合組織，支持結合組織(軟骨，骨組織)，液性結合組織(血液とリンパ)に分けられる。(表4.3～4.5)

6. **疎性結合組織 loose connective tissue**(広義)には，疎性結合組織(狭義)，脂肪組織，細網組織がある。**疎性結合組織(狭義)areolar connective tissue** は3種類の線維成分，数種類の細胞，ゼリー状の基質から構成される(表4.3 A)。皮下組織や粘膜にあるほか，血管，神経，器官の周囲にみられる。**脂肪組織 adipose tissue** はトリグリセリドを貯蔵する**脂肪細胞 adipocyte** から構成される(表4.3 B)。皮下組織，器官の周囲，黄色骨髄にみられる。**細網組織 reticular connective tissue** は細網線維と細網細胞から構成されており，肝臓，脾臓，リンパ節にみられる(表4.3 C)。

7. **密線維性結合組織(緻密結合組織)dense connective tissue** には，規則的緻密結合組織(平行線維性緻密結合組織)，不規則緻密結合組織(交織線維性緻密結合組織)，弾性組織がある。**規則的緻密結合組織(平行線維性緻密結合組織)dense regular connective tissue** は平行に配列した膠原線維の束と線維芽細胞から構成される(表4.4 A)。腱，靭帯の大部分，帽状腱膜を形成している。**不規則緻密結合組織(交織線維性緻密結合組織)dense irregular connective tissue** は，通常，不規則に配列した膠原線維と，少数の線維芽細胞とから構成される(表4.4 B)。筋膜，皮膚の真皮，器官(臓器)を包む被膜を形成している。**弾性組織 elastic connective tissue** は，分岐した弾性線維と線維芽細胞とから構成される(表4.4 C)。大動脈，肺，気管，気管支の壁にみられる。

8. 支持結合組織には，軟骨，骨，血液，リンパがある。
   a. **軟骨 cartilage** は支持結合組織で，その中には**軟骨細胞 chondrocyte** があり，膠原線維と弾性線維を含むゴム状の弾力のある基質(コンドロイチン硫酸)をもつ。**硝子軟骨 hyaline cartilage** は，胎生期の骨格，骨端部，鼻，呼吸系の器官にみられる(表4.5 A)。柔軟で，可動性があり，構造の保持に役立つ。**線維軟骨 fibrocartilage** は，恥骨結合，椎間円板，膝関節の半月(軟骨でできたパッド)に存在する(表4.5 B)。**弾性軟骨 elastic cartilage** は，喉頭の喉頭蓋，耳管(オイスタキオ管 eustachian tube)，耳介などの器官の形を維持する(表4.5 C)。
   b. **骨 bone**(すなわち骨組織)は支持結合組織で，器官の支持と保護のほか，からだの動きを助け，無機物を貯蔵し，造血組織をいれる容器としても機能する。
   c. **血液 blood tissue** は液性結合組織で，**血漿 blood plasma** から構成される。血漿中に，赤血球，白血球，血小板が浮遊する。血球は，酸素と二酸化炭素の運搬，貪食作用，アレルギー反応への関与，免疫力の付与，血液凝固などの機能をもつ。
   d. **リンパ lymph** はリンパ管を流れる細胞外液で，液性結合組織の一種である。リンパは血漿によく似た透明な液体であるが，タンパク質含量は血漿より少ない。

4.4 膜

1. **上皮膜 epithelial membrane** は上皮層と，それが覆っている結合組織層とから構成されている。例として，粘膜，漿膜，滑膜が挙げられる。
2. **粘膜 mucous membrane** は消化管のように外界に開口した管腔の内面を裏打ちしている。
3. **漿膜 serous membrane**(胸膜，心膜，腹膜)は閉鎖された体腔の内面を裏打ちし，体腔内にある器官の表面を覆う。漿膜には**壁側葉 parietal layer** と**臓側葉 visceral layer** とがある。
4. **滑膜 synovial membrane** は関節腔，滑液包，腱鞘の内腔を裏打ちする。疎性結合組織から構成されており，上皮層をもたない。

4.5 筋組織

1. **筋組織 muscular tissue** は，収縮のために特殊化した筋細胞(筋線維とも呼ばれる)から構成されている。運動，姿勢の維持，熱の産生，からだの保護などを行う。
2. **骨格筋組織 skeletal muscle tissue** は骨に付着し，**心筋組織 cardiac muscle tissue** は心臓壁の大部分を構成し，**平滑筋組織 smooth muscle tissue** は内腔をもつ器官(血管や中腔器官)の壁に存在する。

4.6 神経組織

1. 神経系はニューロン(神経細胞)**neuron** と**グリア細胞 neuroglia**(神経膠細胞；保護ならびに支持する細胞)から構成されている。
2. ニューロンは刺激に対して感受性があり，刺激を神経インパルス(活動電位)に変換し，神経インパルスを伝える。

4.7 組織修復：ホメオスタシスを回復する

1. **組織修復 tissue repair** とは，古くなって傷ついたり死んだりした組織を健康な組織に置き換えることである。
2. 失われたり傷ついた細胞を置き換えるために，**幹細胞 stem cell** が細胞分裂することもある。瘢痕組織の形成は**線維化 fibrosis** と呼ばれる。

4.8 加齢と組織

1. 老人に比べて，若い人の組織の治癒はより早く，ほとんど瘢痕を残さない。胎児に施された手術では瘢痕が残らない。
2. 膠原線維や弾性線維などの組織の細胞外構成要素は，加齢に伴って変化する。

クリティカルシンキングの応用

1. あなたの小さな甥は彼の兄のように眉にピアスをつけたくてしかたがない。ふと気がつくと，彼は指先に縫い針を突き刺したままで歩き回っている。みた限り出血はしていない。彼はどの組織を貫いたのか？（具体的に！）　なぜそれがわかるのか？

2. コラーゲンは新しい"奇跡の"化粧品である。コラーゲンはあなたの髪を輝かせて皮膚に張りを与え，しわを減らすために注射することもできると広告されている。コラーゲンとは何か？　もしあなた独自の化粧品のラインアップを新しくつくるとしたら，大量のコラーゲンをどの組織あるいはどの構造から集めるか？

3. あなたの実習のパートナーのサミールが，"卵管"と表示された組織スライド標本を顕微鏡に置いた。彼は標本に焦点をあわせて，叫んだ「みろよ！　これって，みんな毛が生えてる」と。この"毛"は本当は何なのか，サミールに説明しなさい。

4. 3歳のマラが，ソファーから飛びおりて右の脛骨（下腿の骨）を痛めた。救急救命担当の看護師が，"彼女は軟骨を傷めた"といった。マラの母親は，マラが骨折していなかったことで安堵した。2年後，マラは足をひきずるようになり，母親はマラの右足が左足より短いことに気づいた。マラには何が起ったのだろうか？

図の質問の答え

4.1　扁平上皮細胞は非常に薄いため，物質は扁平上皮を通過するのがもっとも速い。

4.2　線維芽細胞は細胞外マトリクスとなる線維成分と基質を分泌する。

4.3　上皮膜とは，上皮層とその下の結合組織層とからなる膜をいう。

CHAPTER 5

外皮系

皮膚は全身の器官のうち，もっとも視診が容易であり，また感染，疾患，傷害に曝されやすい。皮膚は目でみえるため，眉間のしわ，潮紅，発汗で示されるように，情動と正常な生理の一面を反映する。皮膚の色や状態の変化は，体内のホメオスタシス(恒常性)の乱れを表していることもある。例えば，水痘で生じる皮疹は全身感染症を表すが，皮膚の色の変化は黄疸の徴候であり，内臓である肝臓の疾患によることが多い。また，いぼ，しみ，にきびのように皮膚に限局する疾患もある。皮膚はからだを覆っているため，外傷，日光，微生物，環境汚染物質などによる損傷を受けやすい。第Ⅲ度熱傷など皮膚の広範囲損傷は，皮膚の防護機能を損なうため，生命を脅かすこともある。

栄養，衛生，体内循環，年齢，免疫，遺伝形質，心理状態，薬物使用といった多くの要因が相互に作用して，皮膚の外観と健康状態の両者に影響を与える。皮膚はからだのイメージに非常に重要であるため，人々は多くの時間と費用をかけても皮膚を回復させ，より若くみせたいと思うのである。

> **先に進むための復習**
> ・組織の分類(4.1節)
> ・上皮組織の一般的特徴(4.2節)
> ・重層扁平上皮(4.2節)
> ・結合組織の一般的特徴(4.3節)
> ・疎性結合組織(4.3節)
> ・不規則緻密結合組織(4.3節)

5.1 皮膚

目標
・皮膚の構造と機能について述べる。
・皮膚の色が異なる理由について説明する。

器官系は特定の機能を発揮するため協調して働く一群の器官(臓器)からなる，という1章の記述を思い出そう。**外皮系** integumentary system (in- ＝内部，tegere ＝被覆する)は，皮膚，毛，脂腺，汗腺，爪，感覚受容器からなる。**皮膚** skin (cutaneous membrane) はからだの外表を覆っている。皮膚は重量と表面積がもっとも大きな身体器官である。成人で

Q 広範な第Ⅲ度熱傷の患者を救うことが非常に困難なのはなぜか考えたことはありませんか？ 答えは「よくみられる病気：熱傷」でわかるでしょう。

はからだを覆う皮膚の面積はおよそ $2\,m^2$，重量は総体重のおよそ7%に相当する4.5〜5kgにもなる。

皮膚科学 dermatology (dermato- ＝皮膚，-logy ＝〜の研究)は医学の一分野であり，外皮系の構造，機能，障害について取り扱う。

皮膚の構造

構造的には，皮膚は二つの主要な部分からなる(図5.1)。表面近くの薄い部分は**表皮** epidermis (epi- ＝上の)と呼ばれる**上皮組織** epithelial tissue で構成されている。その深層の厚みのある**結合組織** connective tissue は**真皮** dermis である。

真皮より深層は**皮下組織** subcutaneous tissue (hypodermis (hypo- ＝下の))であるが，これは皮膚の一部ではない。この層は，疎性結合組織と脂肪組織からなる。真皮から伸びる線維が皮膚を皮下組織に固定し，皮下組織はさらに深層の組織や器官と結びついている。皮下組織は脂肪の貯蔵場所として機能し，皮膚に供給する太い血管を有する。この領域には(時には真皮にも)，圧力を感知する**層板(パチニ)小体** lamellated (pacinian) corpuscle と呼ばれる神経終末も含まれる(図5.1)。

表皮

表皮 epidermis は角化重層扁平上皮からなり，主要な4種類の細胞すなわち，ケラチノサイト(角化細胞)，メラニン細胞，表皮内マクロファージ，触覚上皮細胞を含む(図5.2)。表皮細胞のおよそ90%は**ケラチノサイト** keratinocyte (keratino- ＝角状の，

5.1 皮膚 **101**

図 5.1 **外皮系の構造**。皮膚は，表層にある薄い表皮と，深層の厚みのある真皮からなる。皮膚の深部にある皮下組織は，真皮とその下の器官や組織をつないでいる。

外皮系には，皮膚とその付属器，すなわち毛，爪，および腺などが，関連する筋や神経とともに含まれている。

皮膚の機能
1. 体温調節。
2. 血液の貯蔵。
3. 外界からの保護。
4. 皮膚感覚。
5. 排泄と吸収。
6. ビタミン D 合成。

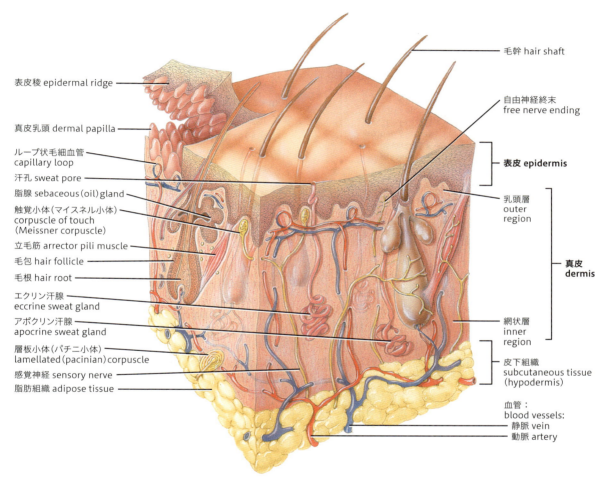

皮膚と皮下組織の断面

Q 表皮や真皮は，主にどのような組織からできているのか？

図 5.2 表皮の層。

表皮は，角化重層扁平上皮からなる。

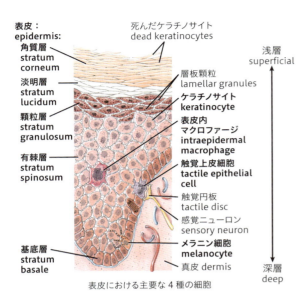

表皮における主要な4種の細胞

Q 絶えず分裂している幹細胞が含まれる表皮の層はどこか？

-cytes＝細胞)であり，4層ないしは5層に配列され，タンパク質である**ケラチン** keratin を産生する。ケラチンは丈夫な線維性タンパク質である，という4章の記述を思い出そう。これは，剥離，熱，微生物，化学物質から皮膚とその下の組織を保護する働きがある。ケラチノサイトは層板顆粒も産生し，これは防水性物質を放出する。

表皮細胞のおよそ8%はメラニン色素を産生する**メラニン細胞** melanocyte(melano-＝黒い)である。メラニン細胞の細長い突起は，ケラチノサイトの間に伸びており，メラニン顆粒をこれらの細胞に渡す。**メラニン** melanin は黄赤色あるいは黒褐色の色素であり，皮膚の色をつくり，有害な紫外線(UV)を吸収する。ケラチノサイトはメラニン顆粒によってある程度保護されているが，メラニン細胞そのものは紫外線による損傷に対してとくに感受性が高い。

表皮内マクロファージ intraepidermal macrophage (ランゲルハンス細胞 Langerhans cell)は皮膚に侵入した微生物に対する免疫反応に関与する。表皮内マクロファージは免疫系のほかの細胞が抗原(外来の微生物や物質)を認識するのを助ける。これは抗原が破壊されるようにするためである(17章)。しかし，表皮内マクロファージは紫外線により容易に傷害される。

触覚上皮細胞 tactile epithelial cell は感覚ニューロンの扁平になった突起と接触している。この構造は**触覚円板** tactile disc と呼ばれる。触覚上皮細胞と触覚円板は触覚を感知する。

さまざまな発生段階のケラチノサイトからなるいくつかの異なる層が表皮を形成している(図 5.2 参照)。表皮はからだのほとんどの部分において，基底層，有棘層，顆粒層，薄い角質層の4層に分かれている。これは**薄い皮膚** thin skin と呼ばれている。指先，手掌，足底など，大きな摩擦に曝される部分では，基底層，有棘層，顆粒層，淡明層，厚い角質層の5層に分かれている。これは**厚い皮膚** thick skin と呼ばれている。

表皮の最深層は**基底層** stratum basale(basal-＝基底部の)であり，1列の立方あるいは円柱状のケラチノサイトからなる。この層の細胞の一部は**幹細胞** stem cell であり，細胞分裂を行って新しいケラチノサイトを絶えず産生する。

基底層の上層は**有棘層** stratum spinosum(spinos-＝棘様の)であり，8～10層の多角形のケラチノサイトが密に組み合わさっている。この層により，皮膚に強度と柔軟性が与えられる。この層のより浅層に近い部分の細胞はやや扁平になっている。

臨床関連事項

植 皮

損傷が基底層およびその幹細胞に達した場合，新たな皮膚は再生しない。このような重度の皮膚創傷を治療するためには，皮膚移植が必要となる。**植皮 skin graft** は創傷を覆うためにドナー部位からとった健康な皮膚片を移すことである。組織拒絶を避けるため，移植皮膚は通常本人(**自家移植片** autograft)または一卵性双生児(**同系移植片** isograft)からとられる。皮膚損傷が広範囲に及び，自家移植が危険な場合には，**自家培養皮膚移植** autologous skin transplantation と呼ばれる自己提供の手法を用いることもできる。この手法は重度の熱傷患者に対して行われることがもっとも多いが，患者の表皮を少量とり，実験室でケラチノサイトを培養して薄い皮膚シートをつくらせる。この新しい皮膚を患者に移植して戻すと，熱傷創を覆って永久的な皮膚を生じる。割礼を受けた乳児の包皮をもとに実験室で作製された製品(Apligraf や Transite)を皮膚移植片として用いることもできる。

表皮の中間部領域には**顆粒層** stratum granulosum (granulos-＝小粒子)があり，3～5層の扁平なアポトーシス中のケラチノサイトからなる。アポトーシスは遺伝的にプログラムされた細胞死であり，細胞死に先立ち核が断片化する。これらの細胞の核およびほかの細胞内小器官は変性を始めている。この層の細胞に特有な性質はケラチンが認められることである。ケラチノサイトには膜で包まれた**層板顆粒** lamellar granule も認められ，これは脂質に富む分泌物を放出する．この分泌物は防水剤として働き，体液の喪失と異物の侵入を防ぐ．

淡明層 stratum lucidum（lucid- ＝透明な）は指先，手掌，足底などの部位の厚い皮膚にのみ存在する．これは 3〜5 層の透明で扁平な死んだケラチノサイトからなり，このケラチノサイトには多量のケラチンが含まれている．

角質層 stratum corneum（corne- ＝角，角状の）は25〜30 層の扁平な，死んだケラチノサイトからなる．これらの細胞は絶えず剥がれ落ちて，深層からの細胞と置き換わっている．細胞の内部に含まれているのはほとんどがケラチンである．何層にもなった死細胞は深層を損傷や微生物の侵入から保護するのに役立つ．皮膚に摩擦刺激が持続的に加わると，角質層の異常な肥厚である胼胝（たこ）callus が生じる．

基底層で新しく形成された細胞はゆっくりと表面に押し上げられる．細胞が表皮のある層から次の層へ移動するにつれ，次第にケラチンが蓄積していく．この過程を角化 keratinization と呼ぶ．最終的にケラチノサイトは剥がれ落ち，その下の細胞と置き換わってまた角化が起る．基底層で細胞がつくられ，表面に上がって角化し，剥がれ落ちるというすべての過程は平均的な厚さ 0.1 mm の表皮ではおよそ 4 週間かかる．頭皮から脱落する過剰な量の角化細胞をふけ dandruff と呼ぶ．

真　皮

皮膚深層の第二の部分である**真皮** dermis は，主として膠原線維と弾性線維を含む結合組織から構成される．真皮の浅層部は層全体の厚さのおよそ 5 分の 1 を占める（図 5.1 参照）．これは細い弾性線維を伴う疎性結合組織からなる．真皮の表面積は**真皮乳頭** dermal papillae（＝ nipple：乳頭）と呼ばれる小さな指状の突起により，きわめて大きくなっている．この乳頭型の構造は表皮の下面に突出しており，**ループ状毛細血管** capillary loop（毛細血管係蹄）をもつものもある．ほかの真皮乳頭には，触覚を感知する神経終末である**触覚小体** corpuscle of touch（マイスネル小体 Meissner corpuscle）と呼ばれる触覚受容器も含まれている．真皮乳頭には，温感，冷感，痛み，むずむずした感じ，かゆみなどの感覚にかかわる**自由神経終末** free nerve ending も存在する．

真皮の深層部は皮下組織に接し，不規則緻密結合組織からなり，膠原線維と若干の粗い弾性線維の束を含んでいる．この線維間には，脂肪細胞，毛包，神経，脂腺，汗腺が認められる．

真皮の深層部の膠原線維と弾性線維の組合せにより，皮膚に強度，**伸展性** extensibility（伸びやすさ），および**弾力性（弾性）** elasticity（引き伸ばした後，元の形に復元する力）が与えられる．皮膚の伸展性は妊娠や肥満のときに容易に認められる．しかし極度の伸展は真皮に小さな亀裂を生じ，**線条** striae（＝線，しま）あるいは伸展裂創を引き起こす．これは皮膚表面に赤色あるいは銀白色の線として認められる．

皮膚の色

メラニン，ヘモグロビン，カロテンの 3 種の色素は皮膚に多様な色を与える．**メラニン** melanin の量により，皮膚の色は淡い黄色から赤褐色，黒色までさまざまに変化する．メラニン細胞がもっとも豊富なのは，陰茎，乳房の乳頭，乳頭の周辺（乳輪），顔面，四肢の表皮である．メラニン細胞は粘膜にも存在する．メラニン細胞の**数** number はあらゆる人でほとんど差がないので，皮膚の色の差は主として，メラニン細胞が産生してケラチノサイトに渡す**色素の量** amount of pigment によって決まる．メラニンが蓄積して**雀卵斑** freckle（そばかす）と呼ばれる斑点ができる人もいる．加齢に伴い，**しみ** age spot（**肝斑** liver spot）が生じることもある．この扁平な斑点は雀卵斑に似ており，色は淡褐色から黒色である．雀卵斑と同様，しみもメラニンが蓄積したものである．メラニン細胞の良性限局性過形成であり，通常小児期から青年期に生じる円形の扁平または隆起した領域を**母斑** nevus または**黒子** mole と呼ぶ．

紫外線に対する曝露はメラニン産生を促進する．メラニンの量と濃さがいずれも上昇すると皮膚は日焼けした状態となり，からだを紫外線照射からさらに保護する．したがって，適度のメラニンは保護機能として働く．とはいえ，皮膚を繰り返し紫外線に曝すのは皮膚癌の原因となる．メラニンを含むケラチノサイトが角質層から剥がれ落ちると，日焼けの色は消失する．**白皮症** albinism（albin- ＝白）とは，先天的にメラニンが産生されない人をさす．白皮症に罹患した人である**アルビノ** albino の大部分では，毛髪，眼，皮膚にメラニンが認められない．また，**白斑** vitiligo という別の病態では，皮膚から斑状にメラニン細胞が欠如し，不規則な白い斑点を生じる．メラニン細胞の欠如は免疫系の異常と関係があり，抗体がメラニン細胞を攻撃してしまうものと考えられている．

肌の黒い人は表皮のメラニン量が多い．そのため表皮は黒色調になり，皮膚色は黄色から赤色，褐色，黒色までさまざまとなる．肌の白い人は表皮にメラニンがほとんどない．そのため表皮は透き通ってみえ，皮膚の色は真皮の毛細血管内を流れる血液の酸素含量に応じてピンクから赤色までさまざまとなる．赤色は赤

血球内の酸素運搬色素である**ヘモグロビン** hemoglobin による。

カロテン carotene（carot＝ニンジン）は黄〜橙色の色素であり，卵黄やニンジンの色調のもとになっている。視覚に必要な色素の合成に使われるこのビタミンAの前駆体は，過剰に摂取すると，角質層，および真皮や皮下組織の脂肪領域に蓄積される。実際に，カロテンが豊富な食品を大量に摂取すると，多量のカロテンが皮膚に沈着するため皮膚が橙色に変り，これはとくに色の白い人で目立つ。カロテンの摂取量を減らせばこの問題は解消する。

> ### § 臨床関連事項
>
> #### 診断の手がかりとしての皮膚と粘膜の色
>
> 皮膚と粘膜の色により，ある病態を診断する手がかりが得られる。呼吸が止まった場合などのように，血液が肺で十分な量の酸素を受け取らない場合，粘膜，爪床および皮膚は青くなって**チアノーゼ** cyanotic（cyan-＝青）を呈する。**黄疸** jaundice（jaund-＝黄色）は黄色色素のビリルビンが皮膚中に蓄積することによって起り，この状態では皮膚や白目が黄色みをおびる。通常，黄疸は肝疾患の存在を示している。**紅斑** erythema（eryth-＝赤）は皮膚が赤くなることであり，皮膚の創傷，熱，感染症，炎症あるいはアレルギー反応による真皮の毛細血管の充血によって起る。**皮膚蒼白** pallor はショック，貧血などの状態で生じることがある。皮膚色調の変化はいずれも，明るい色の皮膚では容易に観察されるが，濃い色の皮膚では識別が困難である。しかし皮膚の黒い人でも爪床と歯肉を観察することにより，循環動態についての情報が得られる。

刺青とボディピアス

刺青 tattooing は，針を用いて外来の色素を真皮に沈着させ，皮膚を永久に着色することである。この習慣は，紀元前4000〜2000年の古代エジプトで始まったと考えられている。今日，世界のほぼすべての国でさまざまな形の刺青が行われており，米国では大学生のほぼ5人に1人が一つ以上の刺青をしていると推定される。刺青は，針で表皮を刺して1分間に50〜3,000回動かすことにより墨を注入し，真皮のマクロファージに墨を沈着させることでつくられる。真皮は（約4週間で脱落する表皮とは異なり）安定なため，刺青は永久的である。しかし，日光曝露，治癒異常，痂皮剝離，リンパ系による墨粒子の流出などが原因で次第に退色する場合もある。刺青は，放射線療法での照射部位の目印としてや，永久的な化粧（アイライン，リップライン，リップ，チーク，アイブロウ）として施されることがある。刺青のリスクには，感染症（ブドウ球菌感染症，膿痂疹，蜂巣炎），刺青色素に対するアレルギー反応，瘢痕がある。刺青は，集中光束を利用したレーザーにより除去できる。この手技は連続的な処置を要するが，刺青の墨や色素が強力なレーザー光線を選択的に吸収するので，周囲の正常な皮膚組織は破壊されない。このレーザーにより刺青が小さな墨粒子に分解され，最終的には免疫系により除去される。レーザーによる刺青除去には相当な時間と出費を要し，激しい痛みを伴うことがあり，瘢痕や皮膚変色が生じるおそれもある。

ボディピアス body piercing は，人工的に開けた穴にアクセサリーを差し込むことである。エジプトのファラオやローマの兵士も行っていた古代からの習慣であるが，現在では多くの米国人に広まっている。今日，米国では大学生のほぼ2人に1人がボディピアスを有していると推定される。ほとんどの部位で次のようにピアスをする。術者が消毒薬で皮膚をきれいにし，鉗子で皮膚を押し込んで，皮膚に針を差し込む。その針にアクセサリーをつなげて，皮膚に通す。完全治癒には1年ほどかかることもある。穴を開ける部位には，耳，鼻，眉，唇，舌，乳頭，臍，性器などがある。ボディピアスの合併症としては，感染，アレルギー反応，瘢痕，解剖学的損傷（神経損傷，軟骨変形など）が起りうる。また，ボディピアスは，蘇生用マスク，気道確保，尿カテーテル留置，X線撮影，分娩など，一部の医学的手技の妨げになることがある。そのため，医学的手技を行う前にボディピアスを取り外さなければならない。

> ### チェックポイント
>
> 1. 外皮系に含まれる構造は何か？
> 2. 皮膚の表皮と真皮の主な違いは何か？
> 3. 皮膚に認められる3種類の色素は何か？ これらの色素は皮膚の色にどのように寄与しているか？
> 4. 刺青とは何か？ ボディピアスに伴ってどのような問題が生じうるか？

5.2 皮膚付属器の構造

目標

・毛，皮膚腺，爪の構造と機能について述べる。

胎児の表皮から発達した**皮膚付属器** accessory structures of the skin，すなわち毛，皮膚腺，爪は重要な機能を果たす。例えば，毛と爪はからだを保護し，汗腺は体温調節に役立つ。

毛

毛 hair（線毛 pili）は手掌あるいは手指の手掌側，足底，足指の足底面を除くほとんどの皮膚表面に存在する。成人において毛は頭皮，眉，外部生殖器周囲にもっとも密生している。毛の濃さと分布パターンは主として遺伝子あるいはホルモンの影響を受けている。頭部の毛は外傷や太陽光線から頭皮を保護し，眉毛やまつげ（睫毛）は小さな異物から眼を守り，鼻孔内部の毛は虫や小さな異物の吸入から鼻孔を保護している。

それぞれの毛は幹と根からなり，死んで角化した表皮細胞が融合して糸状になったものである（図 5.3）。表面に出た部分が**毛幹 hair shaft** であり，皮膚の表面上に伸びている。**毛根 hair root** は表面より下の部分であり，真皮を突き抜け，時には皮下組織にまで達する。毛根を取り囲んでいる**毛包 hair follicle** は**結合組織鞘 connective tissue sheath** に包まれている**外毛根鞘 external root sheath** および**内毛根鞘 internal root**

図 **5.3** 毛。

毛は表皮が伸びたもので，死んで角化した細胞からなる。

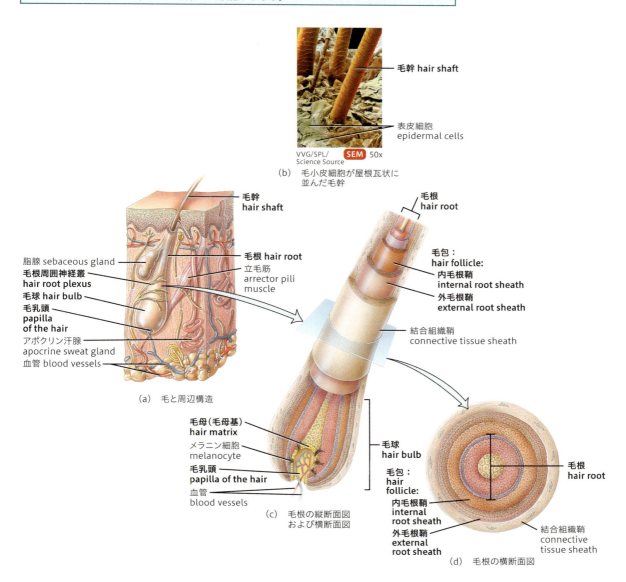

Q 細胞分裂によって新しい毛をつくり出すのはどの部分か？

sheath の 2 層の表皮細胞からなる。個々の毛包を囲んでいるのは，**毛根周囲神経叢** hair root plexuses と呼ばれる神経終末であり，触覚を感知する。毛幹を動かすと，毛根周囲神経叢が反応する。

各毛包の基部は大きくなってタマネギ状の構造である**毛球** hair bulb となる。毛球には**毛乳頭** papilla of the hair と呼ばれる乳頭形の陥凹があり，多くの血管が含まれて，毛の発育に必要な栄養分を供給する。毛球には毛母細胞が集まった**毛母（毛母基）**hair matrix と呼ばれる領域があり，古い毛が抜け落ちたときに，細胞分裂によって新しい毛が再生される。

毛を取り除く物質は**脱毛剤** depilatory と呼ばれる。これは毛幹のタンパク質を溶解させてゼラチン状の塊にし，拭き取れるようにする。毛根には影響を及ぼさないので，毛は再び成長する。**電気分解治療** electrolysis では，電流を用いて毛母基を破壊するので，毛は生えてくることはない。脱毛には**レーザー処理** laser treatment が用いられることもある。

> **臨床関連事項**
>
> ### 化学療法と脱毛
>
> **化学療法** chemotherapy は化学物質や薬剤を使って，通常は癌などの疾患を治療することである。化学療法剤は分裂が速い癌細胞の細胞周期を阻害する。残念なことに毛母細胞のように分裂の速い体内の細胞も影響を受ける。化学療法を受ける人に脱毛が生じるのはこのためである。毛髪の毛母細胞の約 15% は休止期にあるため，化学療法の影響を受けない。化学療法が終わるとこの毛母細胞が消失した毛包に代わり，毛の発育が再開する。

脂腺と平滑筋細胞が毛に付属している。この平滑筋は**立毛筋** arrector pili（arrect = 立たせる）と呼ばれ，真皮の上部から毛包の側面に伸びている。毛は，正常な位置では，皮膚表面から斜めに生えている。寒冷や恐怖などのストレス状態では，神経終末の刺激により立毛筋が収縮し，毛幹は皮膚表面に対して直立する。毛の周囲の皮膚がやや隆起し，この変化により"鳥肌"が生じる。

毛の色はメラニンによるものである。この色素は，毛球の毛母（基）にあるメラニン細胞によって合成されるものであり，毛根および毛幹の細胞に渡される。濃い色の毛には大部分で茶〜黒色のメラニンが含まれる。金髪あるいは赤毛には，黄〜赤色のメラニンの変異体が含まれ，その中には鉄や多くの硫黄が含まれている。メラニン合成の低下により毛の色は灰色となり，毛幹部分に空気の泡沫が蓄積すると白髪となる。

精巣が大量のアンドロゲン（男性ホルモン）を分泌し始める思春期の男性には，ひげや胸毛を含む典型的な男性的発毛が起る。思春期の女性では，卵巣と副腎で少量のアンドロゲンが産生され，これにより腋窩部と陰部の発毛が促進される。時に，副腎，精巣，卵巣の腫瘍が過剰のアンドロゲンを産生することがあり，女性または思春期前の男性にこれが生じると，体毛過剰の状態である**多毛症** hirsutism（hirsut- = 毛深い）が引き起される。

驚くべきことに，もっともよくあるタイプのはげ，すなわち**アンドロゲン性脱毛症** androgenic alopecia または**男性型脱毛症** male-pattern baldness にもアンドロゲンが関与している。遺伝的素因のある成人では，アンドロゲンが毛の成長を阻害する。男性では，こめかみと頭頂部の脱毛がもっとも顕著である。女性では，頭頂部の髪が薄くなりやすい。頭髪の成長を促進する薬として初めて承認されたのはミノキシジル（Rogaine®）である。これは血管拡張を引き起し（血管を広げる），循環を改善する。ミノキシジルを使用する人の約 3 分の 1 は毛の成長が改善し，頭皮の毛包が肥大して成長周期が長くなる。しかし，多くの場合，ミノキシジルによる育毛はごくわずかであり，すでにはげてしまった場合には無効である。

腺

腺は物質を分泌する単一の上皮細胞，または上皮細胞の集まりであると述べた 4 章の記述を思い出そう。皮膚には，脂腺，汗腺，耳道腺が存在する。

脂腺 **脂腺** sebaceous gland（sebace- = 油脂状の；oil gland）は，一部の例外を除いて毛包につながっている（図 5.3 a）。腺の分泌部は真皮に存在し，毛包に開口するか，あるいは直接皮膚表面に開口する。手掌および足底に脂腺は存在しない。

脂腺は，**皮脂** sebum という油状の物質を分泌す

> **臨床関連事項**
>
> ### 痤瘡
>
> **痤瘡（にきび）**acne は，通常，アンドロゲンにより脂腺が刺激される思春期にみられる脂腺の炎症である。痤瘡は主に，脂腺での細菌感染によって生じ，菌の一部は油分の多い皮脂の中で増殖する。治療には，痤瘡が生じた部位を低刺激性のせっけんで 1 日 1 〜 2 回やさしく洗い，局所用抗生物質（クリンダマイシン，エリスロマイシンなど），局所用薬剤（過酸化ベンゾイル，トレチノインなど），経口抗生物質（テトラサイクリン，ミノサイクリン，エリスロマイシン，イソトレチノインなど）を使用する。一般に信じられているのとは異なり，チョコレートや揚げ物などの食品が痤瘡を誘発または悪化させることはない。

る。皮脂は毛を乾燥から保護し、皮膚からの過剰な水分蒸発を防ぎ、皮膚の柔らかさを保ち、ある種の細菌の繁殖を阻止する。思春期を通じて、脂腺の分泌量は多くなる。

蓄積した皮脂のため顔面の脂腺が拡張した場合、**にきび blackhead**(小膿疱 pimple)が生じる。皮脂はある種の細菌に対して栄養剤となるため、**小膿疱 pimple**(boil)を生じることも多い。にきびの色調はメラニンや酸化された油によるものであり、汚れが原因ではない。

汗　腺

汗腺 sudoriferous gland(sudor- ＝ 汗、-ferous ＝関係；sweat gland)は、300 〜 400 万個存在する。汗腺細胞は、毛包にまたは孔を介して皮膚表面に汗を放出する。汗腺は、構造、位置、分泌物の種類に基づき、主としてエクリン汗腺とアポクリン汗腺の2種類に分けられる。

エクリン汗腺 eccrine sweat gland(eccrine ＝外側に分泌する)は、アポクリン汗腺よりもずっと多い(図5.1 参照)。エクリン汗腺は、全身のほとんどの部分の皮膚に分布し、とくに額、手掌、足底の皮膚に多い。しかし、口唇縁、手指や足趾の爪床、陰茎亀頭、陰核亀頭、小陰唇、鼓膜には存在しない。エクリン汗腺の分泌部は、大部分が真皮の深部(時には皮下組織の上部)にある。導管は真皮と表皮を通って伸び、表皮の表面の汗孔で終わる(図5.1 参照)。

エクリン汗腺で産生される汗(約 600 mL/ 日)には、水、イオン(大部分が Na^+ および Cl^-)、尿素、尿酸、アンモニア、アミノ酸、グルコース(ブドウ糖)、乳酸が含まれる。エクリン汗腺の主要な機能は蒸発により体温調節を助けることである。汗が蒸発するとき、からだ表面から多量の熱エネルギーが奪われる。エクリン汗腺は、恐怖や困惑などの精神的ストレスに反応して汗を分泌することもある。このタイプの発汗は**精神性発汗 emotional sweating** または **冷や汗 cold sweat** と呼ばれる。体温調節性発汗とは対照的に、精神性発汗はまず手掌、足底、腋窩に生じ、ついでからだのほかの部分へと広がる。後述するように、精神性発汗の際にはアポクリン汗腺も刺激される。

アポクリン汗腺 apocrine sweat gland(apo- ＝ 離れる)も、コイル型の単一管状腺であり(図5.1 参照)、主に腋窩部(脇の下)、鼠径部、乳房の乳輪(乳頭周囲の色素が沈着した部分)、成人男性顔面のひげの生えた部分の皮膚に認められる。アポクリン汗腺の分泌部は大部分が皮下組織にあり、導管は毛包に開口している(図5.1 参照)。

アポクリン汗腺の汗は、エクリン汗腺の汗と比較するとやや粘度が高く、乳白色または黄色っぽくみえる。アポクリン汗腺の汗は、エクリン汗腺の汗と同じ成分に脂質とタンパク質が加わったものである。アポクリン汗腺から分泌される汗は無臭であるが、これが皮膚の表面で細菌と相互作用すると、その成分が細菌により代謝され、**体臭 body odor** と呼ばれることが多い麝香様の臭気の原因となる。エクリン汗腺は出生直後に機能を開始するが、アポクリン汗腺は思春期まで機能を開始しない。

アポクリン汗腺は、エクリン汗腺とともに精神性発汗の際に刺激される。また、性行為中にもアポクリン汗腺からの分泌が生じる。エクリン汗腺とは対照的に、アポクリン汗腺は体温調節の役割は有していない。

耳道腺

耳道腺 ceruminous gland(cer- ＝ ワックス)は外耳道に存在する。耳道腺および脂腺の分泌物の混じった黄色がかった分泌物は**耳垢 cerumen**(earwax)と呼ばれている。耳垢と外耳道の毛は、異物や虫の侵入を妨げる粘着性のバリアとなっている。また、耳垢は水をはじき、耳道の細胞に細菌や真菌が侵入するのを防ぐ。

爪

爪 nail は表皮が死んで角化した細胞からなり、密に集積した硬い板である。それぞれの爪は爪体、遊離縁、および爪根からなる(図5.4)。**爪体 nail body** は爪としてみえている部分であり、**遊離縁 free edge** は手足の指先を越えて伸びた部分である。**爪床 nail bed** は遊離縁の下の角質層が厚くなった領域で、遊離縁を指先に固定している。**爪根 nail root** は隠れてみえない部分である。爪の大部分は爪の下を走っている毛細血管のためピンク色をしている。爪根に近い白っぽい半月形の部分は**爪半月 lunula**(＝小さい月)と呼ばれる。この部分の基底層は厚くなっているため、下にある血管が透けてみえず、白っぽくみえる。爪根の深さにある上皮の近位部は**爪母(爪母基)nail matrix** と呼ばれる。ここは表層細胞が有糸分裂し、新しい爪の細胞をつくり出すところである。手指の爪の平均的な成長速度は1週間でおよそ1mmである。**爪上皮 cuticle** は角質層からなる。

爪があることによって、小さいものをつかんだり巧みに扱ったりすることができ、手指やつま先が保護され、自分のからだのさまざまな場所を掻くことができる。

チェックポイント

5. 毛の構造を述べなさい。"鳥肌"を引き起こすものは何か？
6. 脂腺と汗腺の位置と機能を比較しなさい。
7. 爪の各部について述べなさい。

図 5.4　爪。指の爪を示す。

爪の細胞は，爪母基から形成された表層細胞が爪細胞に変化することによって生じる。

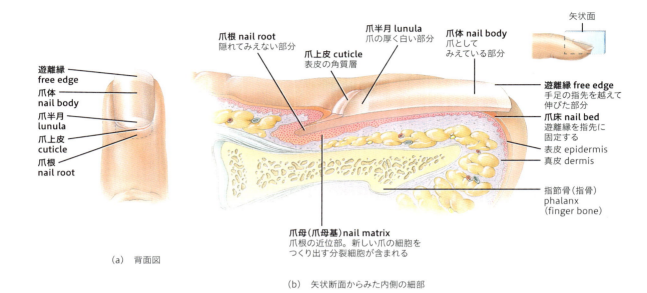

(a) 背面図

(b) 矢状断面からみた内側の細部

Q 爪はどうして硬いのか？

5.3　皮膚の機能

目標

・皮膚がどのように体温調節，保護，感覚，排泄と吸収，ビタミン D 合成に寄与しているか述べる。

皮膚の主な機能は次の通りである。

1. **体温調節 body temperature regulation**：皮膚は，皮膚表面に汗を出すことと，真皮の血流を調節することにより，体温の恒常性調節に寄与している。高い周囲温度あるいは運動で生じた熱に応じて，エクリン汗腺からの汗の産生が増大する。皮膚表面から汗が蒸発し，これが体温を下げるのに役立つ。さらに，真皮の血管が拡張し（広くなり），その結果真皮の血流量が増加して，からだからの放熱量が増加する。低い周囲温度に応じてエクリン汗腺からの汗の産生は減少し，これは熱を保つのに役立つ。同様に，真皮の血管が収縮し（狭くなり），皮膚の血流量が減少して，からだからの放熱量が減少する。

2. **保護作用 protection**：皮膚のケラチンは微生物，皮膚剝離，熱，および物質から下の組織を保護し，強固に結合したケラチノサイトは微生物の侵入を阻止する。層板顆粒によって放出される脂質は皮膚表面からの水分の蒸発を阻止し，からだを乾燥から保護する。皮脂は毛を乾燥から保護し，表在性細菌を殺傷する殺菌性物質を含んでいる。汗の酸性 pH はある種の微生物の増殖を遅らせる。メラニンは紫外線の有害作用に対してある程度保護の役割を果たす。毛と爪も保護的な機能を有する。表皮内マクロファージは，潜在的に有害な微生物の侵入を認識してプロセシングし，その存在を免疫系に警告する。真皮内マクロファージは，表皮内マクロファージを回避して侵入しようとする細菌やウイルスを貪食する。

3. **皮膚感覚**：**皮膚感覚 cutaneous sensation** とは皮膚で生じる感覚のことである。これには接触，圧力，振動，むずむずした感じなどの触覚と，温感，冷感などの温度感覚が含まれる。別の皮膚感覚である痛みは，差し迫った，あるいは実際に生じている組織傷害を示している。12 章で皮膚感覚に関する話題を詳しく取り上げる。

4. **排泄と吸収**：皮膚は通常，**排泄 excretion**（からだから物質を除去する）と **吸収 absorption**（外界からからだの細胞に物質を運ぶ）における小さな役割

を担っている。

> **臨床関連事項**
>
> **経皮薬剤投与**
>
> ほとんどの薬剤は消化器系を介してからだに吸収されるか，皮下組織または筋肉内に注入される。別の経路である**経皮薬剤投与 transdermal (transcutaneous) drug administration** では，粘着性皮膚パッチに含まれる薬剤を，表皮を介して真皮の血管に送り込むことができる。薬剤は1日〜数日にわたり，制御された速度で持続的に放出される。経皮投与が可能な薬剤には，狭心症（心疾患に伴う胸痛）を予防するニトログリセリン（ニトログリセリンは舌下および静脈内投与も可能である），乗り物酔い用のスコポラミン，更年期のエストロゲン補充療法に用いられるエストラジオール，避妊パッチのエチニルエストラジオールとノルエルゲストロミン，禁煙補助用のニコチン，癌患者の強い疼痛を緩和するフェンタニルなどがあり，その数は増えてきている。

5. **ビタミンD合成 synthesis of vitamin D**：皮膚が紫外線に曝されるとビタミンDが活性化する。ビタミンDは最終的にカルシトリオールと呼ばれる活性型のホルモンに変換される。カルシトリオールはカルシウムやリンを消化管から血中に吸収するのを助ける。日光曝露を避ける人や北方の寒冷地に住む人は食事やサプリメントで摂取しないとビタミンD欠乏症になることがある。

> **チェックポイント**
>
> 8. 皮膚が体温調節を助ける2通りの方法とは何か？
> 9. 皮膚はどのようにして保護バリアの役割を果たすか？
> 10. 皮膚の神経が刺激されるとどのような感覚が生じるか？

5.4 皮膚創傷の治癒

目標

・表皮の創傷および深い創傷がどのように治癒するか説明する。

皮膚に損傷が生じると，皮膚の構造と機能を正常な状態や正常に近い状態まで回復させる一連の出来事が始まる。いい換えると，この回復過程ではホメオスタシスを回復させるよう試みられる。表皮のみに及ぶ創傷，例えば，表皮の一部が剥がれ落ちた剝離では，基底細胞がその上を移動し，隙間を埋め，新しい表皮層を形成することで，創傷を修復する。この過程は，**表皮の創傷の治癒 epidermal wound healing** と呼ばれ，図5.5aで説明する。あるいは，創傷が深く，真皮に達する場合や皮下層にまで達する場合には，複数の層が損傷されているため，その修復過程はより複雑なものとなる。血管の損傷に加えて，瘢痕組織を形成することで，このような組織はいくつかの機能を失う。血液凝固塊を形成すると，さまざまな細胞がその中に移動し，損傷した組織や微生物を取り除き，細胞外マトリクスを形成し，新しい表皮細胞を生成することで，損傷を修復する。この過程は，**深い創傷の治癒 deep wound healing** と呼ばれ，図5.5bで説明する。

5.5 加齢と外皮系

目標

・加齢による外皮系への影響について述べる。

加齢に関連した変化の多くは40歳頃から現れ始め，真皮のタンパク質に認められる。真皮の膠原線維の数が減少し，強度が失われ，ばらばらになり，破壊されて形が崩れ，もつれた状態となる。弾性線維はいくぶん弾力性を失い，束ねられて厚みを増し，すり切れてしまう。このような変化は，喫煙者の皮膚で顕著に認められる。膠原線維と弾性線維の両方を産生する線維芽細胞の数は減少する。その結果，皮膚には特徴的な亀裂が生じ，**しわ wrinkle** の原因である深い溝ができる。

加齢による皮膚への明らかな影響は，40代後半になると現れてくる。表皮内マクロファージの数が減少したり，表皮内マクロファージが効果的な食作用をしなくなったりするので，皮膚の免疫反応が低下する。さらに，脂腺の縮小により，皮膚が乾燥しひび割れが生じて，感染しやすくなる。汗の産生も減少し，それによって高齢者の熱中症の発症が増加する。活発に機能するメラニン細胞の数が減少し，その結果毛髪は灰色となり，異常な皮膚の色素沈着が起る。加齢により毛包が毛を産生しなくなるため，脱毛が増加する。男性の約25％では30歳までに脱毛の徴候がみられ，約2/3では60歳までにかなりの脱毛が生じる。脱毛は男女ともに生じる。いくつかのメラニン細胞が大きくなると，色素斑(しみ)が生じる。真皮の血管壁が肥厚して透過性が低下し，皮下脂肪組織が減少する。老化した皮膚（とくに真皮）は，若い皮膚よりも厚みがなくなり，細胞が基底層から表層へ移動する速度はかなり鈍くなる。老年期に入ると，皮膚の修復能は低下し，皮膚癌や褥瘡などの病的状態に陥りやすくなる。**酒さ rosacea**（＝バラ色）は，皮膚の色が薄い30〜60歳

の成人に起ることが多い皮膚疾患である．発赤，小さな吹き出物，目立つ血管を特徴とし，通常は顔の中心部に生じる．

爪や毛髪の発育速度は 20～30 代に低下する．爪は乾燥したり，あるいはキューティクル・リムーバーやマニキュアを繰り返し用いることによって，加齢とともにもろくなる．

加齢の影響や日光による皮膚傷害を軽減するために，さまざまな老化を防ぐための美容処置が利用できる．以下に例を挙げる．

- **局所用製剤 topical product**：皮膚を脱色してしみや斑点を薄くするヒドロキノン，細かいしわや肌理の粗さを減らすレチノイン酸などがある．
- **マイクロダーマブレーション microdermabrasion**（mikros- ＝ 小さい，derm ＝ 皮膚，-abrasio ＝ すり減らす）：圧力をかけた微細な結晶を使って皮膚表面の細胞を除去・吸引することにより，肌理を細かくし斑点を薄くする．
- **ケミカルピーリング chemical peel**：グリコール酸などの弱い酸を皮膚に塗布して皮膚表面の細胞を除去することにより，肌理を細かくし斑点を薄くする．
- **レーザーリサーフェシング laser resurfacing**：レーザーを使って皮膚表面に近い血管を取り除き，しみや斑点を平らにし，細かいしわを減らす．IPL Photofacial® など．
- **皮膚充填剤 dermal fillers**：ヒトコラーゲン（Cosmoderm®）やヒアルロン酸（Restylane®, Juvaderm®），カルシウムヒドロキシアパタイト（Radiesse®），ポリ-L-乳酸（Sculptra®）を注入して皮膚をふくらませ，鼻や口周囲，眉間のしわを消す．
- **脂肪移植 fat transplantation**：からだのほかの部分からとった脂肪を眼周囲などに注入する．

図 5.5　皮膚の創傷の治癒．

表皮の創傷では，損傷は表皮までに限られる．深い創傷では，損傷は真皮に達し，皮下層にまで達する場合もある．

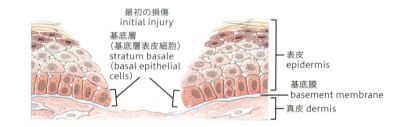

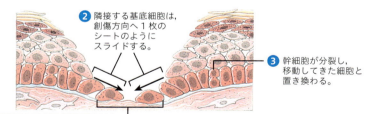

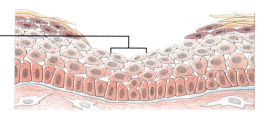

(a) 表皮の創傷の治癒

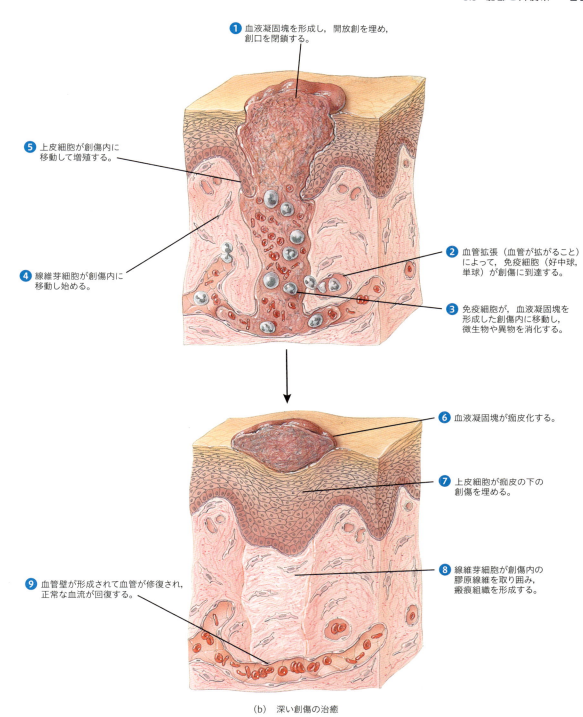

(b) 深い創傷の治癒

Q 表皮の創傷は出血すると思うか？ なぜ出血する(しない)のか？

- **ボツリヌス毒素** botulinum toxin（Botox®）：毒素を希釈して皮膚に注射し，しわの原因になる骨格筋を麻痺させる。
- **非外科的高周波フェイスリフト** radio frequency nonsurgical facelift：高周波を使ってあごや頸部の皮膚の深層をひきしめ，眉や眼瞼のたるみをとる。
- **フェイスリフト** facelift，**ブロウリフト** browlift，**ネックリフト** necklift：たるんだ皮膚と脂肪を手術で取り除き，その下にある結合組織と筋肉をひきしめる侵襲的手術。

チェックポイント

11. 加齢に関連した変化には皮膚のどの部分がかかわっているか？ 例をいくつか挙げなさい。

・・・

皮膚が生体におけるほかのホメオスタシスに寄与する多くの方法について，詳しく知るためには，次ページの"ホメオスタシスの観点から"を熟読しなさい。この欄は，本書には11カ所あり，次ページが最初である。各章の終わりに示したこの欄は，取り上げた生体システムが，からだのあらゆる部分のホメオスタシスにどのように関与しているかを解説している。"ホメオスタシスの観点から"によって，個々の生体システムが相互に連携して，全身のホメオスタシスにどのように寄与しているか，理解しやすくなるであろう。次の6章では，骨組織がどのように形成され，骨がいかにして臓器の大部分を保護する骨格系に配列されるかを調べることにする。

ホメオスタシスの観点から

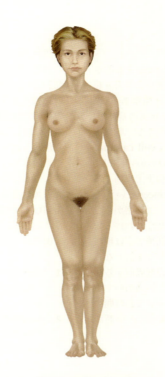

外皮系の役割

全身の器官系との関連
- 皮膚や毛はあらゆる内部臓器を外界の有害な物質から保護するためのバリアとなる。
- 汗腺および皮膚の血管系により，ほかの器官系が適切に機能するのに必要な体温の調節が行われる。

骨格系
- 皮膚は，骨の生成と維持に必要な食物中のカルシウムとリンがうまく吸収されるのに必要なビタミンDの活性化に役立つ。

筋系
- 皮膚は，筋収縮に必要なカルシウムイオンの供給に役立っている。

神経系
- 皮膚や皮下組織にある神経終末は，感触，圧，温度，痛みの感覚を信号として脳に送る。

内分泌系
- 皮膚のケラチノサイトは，ビタミンDのカルシトリオール（食物中のカルシウムとリンの吸収を促進するホルモン）への活性化を助ける。

心臓血管系
- 真皮における局所的な化学変化は，皮膚血管の拡張と収縮を引き起こし，皮膚への血流の調節に役立つ。

リンパ系と免疫系
- 皮膚は免疫においては"防御の最前線"であり，微生物の侵入と発育を阻害する機械的なバリアと物質の分泌を行う。
- 表皮内マクロファージは，異物を認識してプロセシングすることで免疫反応に関与している。
- 真皮内マクロファージは，皮膚表面を越えて侵入した微生物を貪食する。

呼吸器系
- フィルターの役割を果たす鼻毛は，吸い込んだ空気から埃の粒子を吸着する。
- 皮膚にある痛覚の神経終末の刺激は，呼吸数を変化させることがある。

消化器系
- 皮膚は，ビタミンDをホルモンであるカルシトリオールへと活性化し，小腸における食物由来のカルシウムやリンの吸収を促進する。

泌尿器系
- 腎臓の細胞は，部分的に活性化されたビタミンDホルモンを皮膚から受け取り，カルシトリオールに変える。
- 多少の老廃物が体内から汗として排泄され，泌尿器系による排泄に寄与している。

生殖器系
- 皮膚や皮下組織の神経終末は，性的な刺激に反応し，性的快楽に関係している。
- 乳児が哺乳することにより，皮膚の神経終末が刺激され，乳汁分泌につながる。
- 乳腺（汗腺が変化したもの）から乳汁が産生される。
- 妊娠中は，胎児の発育につれて皮膚が伸展する。

よくみられる病気

皮膚癌

米国では年間に 100 万症例が**皮膚癌** skin cancer と診断されるが，そのすべてが日光に過度にあたることにより引き起こされている．一般的にみられる皮膚癌には 3 種類ある（図 5.6）．**基底細胞癌** basal cell carcinoma は全皮膚癌の約 78% を占める．この腫瘍は表皮の基底層から発生し，転移することはまれである．**扁平上皮癌** squamous cell carcinoma は全皮膚癌の約 20% を占め，表皮の有棘層から発生し，転移の傾向はさまざまである．基底細胞癌と扁平上皮癌をあわせて，**非黒色腫皮膚癌** nonmelanoma skin cancer という．

悪性黒色腫 malignant melanoma はメラニン細胞から生じ，全皮膚癌の約 2% を占める．これは若年女性における致命的な癌としてはもっとも多い．黒色腫の生涯罹患率は現在 1/75 と推定されているが，これはわずか 15 年で 2 倍となった．この増加の一部は，上空で紫外線をある程度吸収するオゾン層が減少したのが原因である．しかし，この増加の主な理由は，多くの人々が日光の下や日焼け用ベッドで長時間すごしていることである．悪性黒色腫は急速に転移し，診断から数カ月以内で人の命を奪ってしまうこともある．

悪性黒色腫治療の成功の鍵は早期発見である．悪性黒色腫の早期の危険な徴候は頭文字 ABCDE を使って見分けられる（図 5.6）．A は asymmetry（非対称性）であり，悪性黒色腫は対称性を欠く傾向にある．B は border（境界）であり，悪性黒色腫では境界が不整（ギザギザ，湾入，波形，不明瞭）である．C は color（色調）であり，悪性黒色腫は色調が不均一で，数色含まれていることもある．D は diameter（直径）であり，通常のほくろは 6 mm，およそ鉛筆についた消しゴムの大きさより小さいのが普通である．E は evolving（進行）であり，悪性黒色腫は大きさ，形，色調が変化する．悪性黒色腫に A，B，C の特徴が認められる場合，通常 6 mm を超える大きさとなる．

皮膚癌の危険因子を以下に示す．

1. **皮膚のタイプ** skin type：皮膚の色が薄く，日焼けにより褐色にならず常に赤く炎症を起してしまう人は危険性が高い．
2. **日光曝露** sun exposure：年間に晴れの日が多い地域や標高の高い地域（紫外線が強い）に住んでいる人は，皮膚癌発症の危険性が高い．同様に，屋外作業に従事する人や，重度の日光皮膚炎を 3 回以上起したことがある人は，危険性が高い．
3. **家族歴** family history：皮膚癌の家族歴がある人は，ない人よりも罹患率が高い場合がある．
4. **年齢** age：高齢者は日光曝露の総時間が長いため，より皮膚癌になりやすい．
5. **免疫状態** immunological status：免疫抑制状態にある人は，皮膚癌の発生率が高い．

日光による傷害

暖かい日差しを浴びるのは気持ちがよいかもしれないが健康的な習慣ではない．皮膚の健康に影響を与える紫外線には 2 種類ある．波長の長い紫外線 A（UVA）波は地球に達する紫外線の 95% 近くを占める．UVA 波はオゾン層で吸収されない．UVA 波は皮膚の最深部まで到達し，メラニン細胞に吸収されるため健康な日焼けに関係する．また UVA 波は免疫系を抑制する．波長の短い紫外線 B（UVB）波は一部オゾン層で吸収され，UVA 波ほど皮膚の深部まで到達しない．UVB 波は日光皮膚炎を起し，皮膚のしわや老化，白内障の形成にいたる組織傷害（膠原線維と弾性線維を傷害するフリーラジカルの産生）の主な原因である．UVA 波と UVB 波は皮膚癌の原因と考えられている．長期間日光に過剰に曝されると，血管拡張，しみ，そばかす，肌理の変化などが生じる．

紫外線曝露により（自然光でも日焼けサロンの人工光でも）**光線過敏症** photosensitivity を生じることもある．これはある種の薬剤を内服したり，ある種の物質と接触したりした後の皮膚の反応が高まった状態である．光線過敏症の特徴は

図 5.6 一般的にみられる皮膚癌。

ほとんどの皮膚癌は，日光に過度にあたることにより引き起されている．

Publiphoto/Science Source

(a) 正常な母斑（ほくろ）
normal nevus (mole)

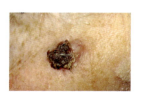

Biophoto Associates/Science Source

(b) 基底細胞癌
basal cell carcinoma

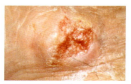

Biophoto Associates/Science Source

(c) 扁平上皮癌
squamous cell carcinoma

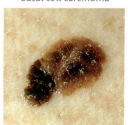

Biophoto Associates/Science Source

(d) 悪性黒色腫
malignant melanoma

Q どのタイプの皮膚癌がもっともよくみられるか？

発赤，掻痒，水疱形成，皮膚剥脱，蕁麻疹であり，ショックを起すこともある。光線過敏症反応を起す薬剤や物質としては，抗生物質(テトラサイクリン)，非ステロイド性抗炎症薬(イブプロフェン，ナプロキセン)，薬草のサプリメント(セント・ジョーンズ・ワート)，避妊薬，降圧薬，抗ヒスタミン薬，人工甘味料，香水，アフターシェーブ・ローション，洗剤，薬用化粧品などがある。

　日焼けローション self-tanning lotion (sunless tanner)は，局所に塗布する物質で，皮膚のタンパク質と相互作用することにより日焼けしたような肌色をつくる着色添加物(ジヒドロキシアセトン)が含まれている。

　サンスクリーン sunscreen は，UVBを吸収するがほとんどのUVAを通す種々の物質(ベンゾフェノン，その誘導体の一種など)を含む局所用製剤である。

　サンブロック sunblock は，UVBとUVAの両者を反射または散乱させる酸化亜鉛などの物質を含む局所用製剤である。

　サンスクリーンとサンブロックは，紫外線に対する保護レベルの指標である **SPF値** sun protection factor に基づいて分類される。この値が大きいほど，保護の程度が高いと考えられる。日光を長時間浴びる予定の人は，予防策としてSPF値15以上のサンスクリーンまたはサンブロックを用いるほうがよい。サンスクリーンは日光皮膚炎を防止するものの，本当に皮膚癌を防止するかどうかについては，かなり議論の余地がある。いくつかの研究によると，サンスクリーンは「これを使えば安心」という錯覚をもたらすので，実際には皮膚癌の発生率を上昇させてしまう可能性があるという。

熱傷

　熱傷 burn とは，皮膚細胞のタンパク質を変性(破壊)させるような過度の熱，電気，放射能，あるいは腐食性の物質によって引き起された組織傷害である。熱傷によって，ホメオスタシスにおける皮膚の重要な役割，すなわち微生物の侵入や脱水に対する保護，および体温調節が損なわれる。

　熱傷はその重症度により分けられる。**第Ⅰ度熱傷** first-degree burn は表皮に限局する(図5.7 a)。軽度の疼痛および**紅斑** erythema (発赤)を生じるが，水疱を形成しないことが特徴である。皮膚機能は損なわれていない。直ちに流水で冷やせば，第Ⅰ度熱傷による疼痛と傷害が軽減されることがある。一般的に，第Ⅰ度熱傷は3〜6日で治癒し，皮膚剥離を伴うこともある。第Ⅰ度熱傷の例としては，軽度の日光皮膚炎がある。

　第Ⅱ度熱傷 second-degree burn では，表皮および一部の真皮が破壊され(図5.7 b)，皮膚機能の一部が失われる。第Ⅱ度熱傷では，発赤，水疱形成，浮腫，疼痛を生じる。水疱内では表皮と真皮の間に組織液が蓄積するため，表皮が真皮から分離する。毛包，脂腺，汗腺などの付属器は，通常損傷を受けない。感染が生じなければ，第Ⅱ度熱傷は皮膚移植を行わずとも約3〜4週間で治癒するが，瘢痕を生じることがある。第Ⅰ度・第Ⅱ度熱傷をあわせて，**部分層熱傷** partial-thickness burn と呼ぶ。

　第Ⅲ度熱傷 third-degree burn (**全層熱傷** full-thickness

図5.7 熱傷。

熱傷とは，皮膚細胞のタンパク質を破壊するようなものによって引き起された組織傷害である。

David R. Frazier/Science Source

St. Stephen's Hospital/SPL/Science Source

St. Stephen's Hospital/SPL/Science Source

表皮 epidermis

表皮 epidermis
真皮 dermis

表皮 epidermis
真皮 dermis
皮下組織 subcutaneous tissue

(a) 第Ⅰ度熱傷（日光皮膚炎）　(b) 第Ⅱ度熱傷（水疱を認める）　(c) 第Ⅲ度熱傷

・軽度の疼痛 ・発赤(水疱なし) ・皮膚機能は正常 ・治療：流水で冷やし 疼痛を軽減 ・3〜6日で治癒 ・例：日光皮膚炎	・疼痛 ・発赤 ・水疱(表皮が基底層から分離して空間に液がたまる) ・浮腫 ・毛包や腺は損傷を受けない ・皮膚機能の一部が失われる ・感染がなく皮膚移植が不要であれば3〜4週間で治癒	・重度の疼痛(熱傷部位は神経損傷のため無感覚) ・著しい浮腫 ・白色〜黒色 ・皮膚機能の多くが失われる ・組織損傷 ・感染が生じやすい ・治癒が遅い ・治癒を促進し瘢痕化を最小限にとどめるには皮膚移植が必要になることもある

Q 熱傷の重症度を決める要因は何か？

burn)では，表皮，真皮，および皮下組織が破壊され(図5.7 c)，多くの皮膚の機能が失われる。このような熱傷では，白色〜赤褐色の変色から炭化して乾いた傷まで，さまざまな外観を呈する。著しい浮腫を生じ，熱傷部位は感覚神経終末が破壊されるため無感覚となる。再生はゆっくりと起り，表皮で覆われる前に多量の肉芽組織が形成される。治癒を促進し，瘢痕化を最小限にとどめるには，皮膚移植が必要になることもある。

　障害を与える物質とじかに接触して起る皮膚組織の損傷は，熱傷による**局所的影響** local effect である。しかし，一般的に，より生命を脅かすのは，重度の熱傷による**全身的影響** systemic effect である。熱傷の全身的影響には，(1)大量の水分，血漿，血漿タンパク質の喪失によるショック，(2)細菌感染，(3)血液循環の減少，(4)尿産生の減少，(5)免疫反応の低下などがある。

　熱傷の重症度は，深さ，受傷範囲に加え，受傷者の年齢や健康状態によって決まる。米国熱傷学会の熱傷分類によれば，体表面積の10％を超える第Ⅲ度熱傷，体表面積の25％を超える第Ⅱ度熱傷，あるいは顔面，手，足，**会陰部** perineum (肛門および尿生殖部)のいずれかに受けた第Ⅲ度熱傷が，重度の熱傷に含まれる。熱傷面積が70％を超える

図 5.8 成人の熱傷表面積を見積もる 9 の法則。体表面積に対するおおよその割合を百分率で表す。

9 の法則は熱傷表面積を見積もる簡易法である。

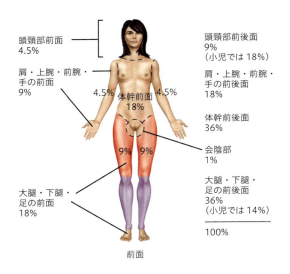

Q 体幹の前面と左上肢の前面のみに熱傷が生じた場合，からだの何％が受傷したことになるか？

と，受傷者の半数以上が死亡する。成人の熱傷表面積を見積もる簡易法を，9 の法則 rule of nines という（図 5.8）。

1. 頭頸部の前後両面に受傷したら，9％とみなす。
2. 各上肢の前後両面を 9％とみなす（両上肢で合計 18％）。
3. 体幹の前後両面（殿部を含む）を 4×9＝36％とみなす。
4. 各下肢（殿部に達するまで）の前面を 9％，後面を 9％とみなす（両下肢で合計 36％）。
5. 会陰部を 1％とみなす。

　火事で熱傷を負った人の多くは，煙も吸い込んでいる。この煙が非常に熱い，または濃い，あるいは吸入が長時間にわたると，深刻な問題が生じるおそれがある。熱い煙は気管に損傷を及ぼし，その内面に腫脹を引き起す。この腫脹により気管が狭まると，肺への気流が妨げられる。さらに，肺内部の細い気道も狭まって，喘鳴や息切れを起すことがある。煙を吸い込んだ人にはフェイスマスクで酸素を投与し，場合によっては呼吸補助のため気管挿管を行う。

褥瘡

　褥瘡 pressure ulcer は床ずれ decubitus ulcer ともいわれ，組織への血流が持続的に障害されることによって起る。通常は，骨の突起部上にある組織が，ベッド，ギプス，副木などに長時間押しつけられると生じる。数時間で圧迫を取り除けば，発赤は生じるものの，持続的な組織傷害は起らない。罹患部位の水疱は表皮の傷害を示し，紫色の変色は深部組織の傷害を示す。長時間の圧迫は組織の潰瘍を引き起す。表皮の小さな傷が感染を起こし，皮下組織と深部の組織に傷害が生じる。最終的に組織は死滅する。褥瘡は寝たきりの患者にもっとも多く起るが，適切なケアにより予防できる。しかし，高齢の患者や重症患者では，きわめて急速に生じてしまうことがある。

医学用語と症状

角化症 keratosis（kera-＝角）　日光角化症 solar keratosis（日光にあたった顔や手の皮膚に生じる前癌病変）のように，表皮組織が硬く増殖すること。

乾癬 psoriasis（psora ＝かゆみ）　一般的な慢性皮膚疾患である。ケラチノサイトの分裂と基底層から角質層までの移動が通常よりも速くなっており，薄片状鱗屑を形成する。好発部位は膝，肘，頭皮である。

局所適用 topical　薬物に関して，内服あるいは注射ではなく，皮膚表面に塗布すること。

血管腫 hemangioma（hem-＝血，-angi-＝血管，-oma＝腫瘍）　皮膚あるいは皮下組織に限局した腫瘍であり，血管の異常な増殖によって生じる。ポートワイン母斑 port-wine stain はその一つであり，出生時から存在する扁平なピンク色，赤色，あるいは紫色の病変で，通常は首筋にみられる。

ケロイド keloid（kelis ＝腫瘍）　治癒中の膠原線維形成により引き起こされる，過剰な瘢痕組織が盛り上がった不整形の暗色部分。元の創傷を越えて広がり，圧痛があり，疼痛を伴うことも多い。ケロイドは真皮とその下の皮下組織で生じ，通常は外傷，手術，熱傷，重度の痤瘡の後にみられ，アフリカ系の人に多い。

口唇ヘルペス cold sore　通常，口腔粘膜に病巣が認められ，Ⅰ型単純ヘルペスウイルス（HSV）によって起り，経口あるいは呼吸器を通じて感染する。このウイルスは，紫外線，ホルモンの変化，精神的ストレスなどにより活性化するが，それまでは潜伏状態を保つ。別名単純ヘルペス fever blister ともいう。

蕁麻疹 hives（urticaria）　赤く盛り上がった斑により特徴づけられる皮膚の状態であり，かゆみを伴うことが多い。一般的には，感染症，からだの外傷，薬物，精神的ストレス，食品添加物，ある種の食物アレルギーによって起る。

水疱 blister　短時間の強い摩擦によって，表皮内または表皮と真皮の間に漿液がたまったもの。

接触性皮膚炎 contact dermatitis（dermat-＝皮膚の，-itis＝炎症）　発赤，かゆみ，腫脹を特徴とする皮膚の炎症であり，

ツタウルシの毒など，アレルギー反応を引き起こす物質と接触することによって生じる。

搔痒症 pruritus(pruri- ＝かゆい)　かゆみを伴うよくみられる皮膚異常の一つ。皮膚疾患(感染症)，全身的疾患(癌，腎不全)，心因的要因(精神的ストレス)，あるいはアレルギー反応により起ることがある。

凍傷 frostbite　極度の寒冷のため，露出面の皮膚と皮下組織が局所的に破壊されること。軽症例では，皮膚が青く腫脹し，わずかな疼痛を伴う。重症例では，著しい腫脹，若干の出血，水疱がみられ，疼痛を伴わない。治療を行わないと，壊疽を生じるおそれがある。凍傷は速やかに温めることで治る。

膿痂疹(とびひ)impetigo　ブドウ球菌属 *Staphylococcus* の細菌によって引き起される皮膚表層の感染症で，小児にもっとも多い。

剝離 abrasion(ab- ＝〜から離れる，-raison ＝こする)　擦り取られた表皮の一部分。

皮内 intradermal(intra- ＝内に；intracutaneous)　皮膚の内部。

胼胝(たこ)corn　痛みを伴う表皮角質層の肥厚であり，足の指節間関節や中足指節間関節を覆う皮膚に認められる。摩擦あるいは圧迫が原因となることが多い。胼胝は，できる場所によって硬いことも軟らかいこともある。硬い胼胝は通常，指節間関節の上に，軟らかい胼胝は通常，第4・第5指の中足指節間関節の上にみられる。

水虫 athlete's foot　足の皮膚の表在性真菌感染症。

疣贅(いぼ)wart　表皮細胞の異常な増殖によって生ずる塊。パピローマウイルスによって引き起される。疣贅の大部分は非癌性である。

裂傷 laceration(lacer- ＝裂けた)　皮膚が不規則に裂けること。

5章のまとめ

5.1 皮　膚

1. 外皮系 integumentary system は皮膚と毛，爪などその他の構造からなる。
2. 皮膚の主な部分は表層の表皮 epidermis と深層の真皮 dermis である。真皮は皮下組織 subcutaneous tissue (hypodermis)を覆っている。
3. 表皮細胞には，ケラチノサイト keratinocyte，メラニン細胞 melanocyte，表皮内マクロファージ intraepithelial macrophage，触覚上皮細胞 tactile epithelial cell などがある。表皮の層は，深層から浅層に向かって，基底層 stratum basale(細胞分裂を行ってほかのすべての層をつくり出す)，有棘層 stratum spinosum(強度と柔軟性を与える)，顆粒層 stratum granulosum(ケラチンと層板顆粒を含む)，淡明層 stratum lucidum(手掌と足底にのみ存在する)，角質層 stratum corneum(死んだ皮膚が剝がれ落ちる)の順に並んでいる。
4. 真皮は二つの部分からなる。浅層部分は疎性結合組織であり，血管，神経，毛包，真皮乳頭 dermal papillae および触覚小体(マイスネル小体)を含む。さらに深層部分は，不規則緻密結合組織からなり，脂肪組織，毛包，神経，脂腺および汗腺が含まれる。
5. 皮膚の色は，メラニン melanin，カロテン carotene，ヘモグロビン hemoglobin の各色素によって決まる。
6. 刺青 tattooing は，針を用いて真皮に色素を沈着させることである。ボディピアス body piercing は，人工的に開けた穴にアクセサリーを差し込むことである。

5.2 皮膚付属器の構造

1. 皮膚付属器 accessory structures of the skin は胎児期に表皮から発生し，毛，皮膚腺(脂腺，汗腺，耳道腺)および爪が含まれる。
2. 毛 hair は死んで角化した細胞が融合して糸状になったものであり，保護機能を有している。毛は，皮膚表面から上の毛幹 hair shaft と，真皮を突き抜けて皮下組織にまで達する毛根 hair root および毛包 hair follicle からなる。
3. 毛には立毛筋 arrector pili と呼ばれる平滑筋の束と脂腺 sebaceous gland(oil gland)がつながっている。脂腺は通常，毛包につながっており，手掌および足底には存在しない。脂腺は皮脂 sebum を産生し，毛に潤いを与え，皮膚の防水効果に寄与する。
4. 汗腺 sudoriferous gland(sweat gland)にはエクリン汗腺とアポクリン汗腺の2種類がある。エクリン汗腺 eccrine sweat gland は広く分布し，導管は表皮の表面の汗孔で終わる。エクリン汗腺の主な機能は体温調節を助けることである。アポクリン汗腺は分布が限られており，導管は毛包に開口している。アポクリン汗腺 apocrine sweat gland は思春期に機能を開始し，精神的ストレスや性的興奮の際に刺激される。
5. 耳道腺 ceruminous gland は汗腺が変化したものであり，耳垢 cerumen を分泌する。この腺は外耳道にみられる。
6. 爪 nail は硬い死んで角化した表皮細胞であり，手足の指の先端部分を覆っている。爪の主な部分は，爪体 nail body，遊離縁 free edge，爪根 nail root，爪半月 lunula，爪床 nail bed，爪上皮 cuticle，爪母(基)nail matrix である。爪母細胞の分裂により，新しい爪が生じる。

5.3 皮膚の機能

1. 皮膚の機能には，体温調節，保護，感覚，排泄と吸収，ビタミンD合成がある。
2. 皮膚は表面に汗を出し，真皮内の血流を調節することによって体温調節に寄与する。
3. 皮膚は物理的，化学的，生物学的バリアとなってからだの保護に役立つ。
4. 皮膚感覚 cutaneous sensation には触覚，温度感覚，

痛覚が含まれる。

5.4 皮膚創傷の治癒
1. 表皮の創傷の治癒では，基底層細胞が創傷の上を移動し，隙間を埋め，新しい表皮層を形成することで，創傷を修復する。
2. 深い創傷の治癒では，血液凝固塊を形成し，免疫細胞が損傷組織や微生物を取り除き，結合組織の細胞外マトリクスを形成し，新しい表皮細胞を生成する。

5.5 加齢と外皮系
1. 加齢による影響の多くは，40代後半になると現れ始める。
2. 齢の影響には，しわ，皮下脂肪の減少，脂腺の縮小，メラニン細胞および表皮内マクロファージの数の減少などがある。

クリティカルシンキングの応用

1. 3歳のマイケルが初めて散髪に行った。床屋さんがマイケルの髪をはさみで切り始めると，マイケルは「やめて！髪が死んじゃうよ！」と叫んだ。そして自分の髪を引っ張って「痛い！ みて，生きてるんだよ！」と声をあげた。マイケルの髪の毛に対する考えは正しいか？
2. マイケルの双子の妹ミシェルは，公園で膝を擦りむいてしまった。ミシェルはお母さんに「しみのない新しい皮膚がほしいの」といった。お母さんは「ばんそうこうの下にすぐ新しい皮膚ができるわよ」と約束した。新しい皮膚はどうやって成長するのか？
3. タバサは初めての子を妊娠して7カ月である。彼女は，「お腹がとっても大きくなったわ」と思いつつ，腹部に現れた白い線のことが気になっている。妊娠に適応するための伸展には，皮膚のどの部分，どの構造が関与しているか？ この白い線の原因は何か？
4. 15歳のジェレミーは，ひどい"にきび"に悩まされていた。彼の叔母さんのフリーダによると，ジェレミーの皮膚トラブルは「深夜番組の観すぎと，冷凍ピザやチェダーチーズ味のポップコーンの食べすぎ」が原因とのこと。叔母さんのフリーダに，にきびの本当の原因を説明してあげなさい。

図の質問の答え

5.1 表皮は上皮組織からなり，真皮は結合組織からなる。
5.2 基底層は，常に細胞分裂をしている幹細胞を含む表皮の層である。
5.3 毛母(基)は，細胞分裂により新しい毛をつくる。
5.4 爪は，密に詰まった硬い死んで角化した表皮細胞からなるため硬い。
5.5 表皮には血管がないので，表皮の創傷は出血しないと考えられる。
5.6 基底細胞癌は，もっともよくみられるタイプの皮膚癌である。
5.7 熱傷の重症度は，深さ，受傷範囲，受傷者の年齢，健康状態によって決まる。
5.8 からだの約22.5％が受傷したことになる(腕4.5％＋体幹前面18％)。

CHAPTER 6

骨格系

骨組織は複雑でしかも動的に変化する生きた組織である。骨組織はつねに，骨再編成とよばれる過程に組み込まれている。**骨再編成** bone remodeling とは新しく骨組織をつくり，古い骨組織を破壊することである。どのようにして骨が形成され，加齢に伴ってどう変化し，運動が骨密度と強度にどのような影響を与えるかを理解できるように，本章のはじめで，骨を構成するいろいろな要素について調べることにする。章の後半では骨そのものについて学ぶことになる。骨なしでは生き続けられない。歩いたり握ったりの運動ができないし，頭や胸をちょっと打っただけでも脳や心臓を痛めてしまう。骨格系がからだの骨組みをつくっているので，個々の骨の名称，形，所在位置をよく知っていれば，骨以外の多くの解剖学的構造の位置や名前がいえるようになる。例えば，普通に脈をとる場所にある橈骨動脈は前腕外側にある橈骨に近接しているので名づけられているし，尺骨神経は前腕内側の骨である尺骨に近接しているから名づけられている。前頭骨（額の骨）より深い位置に脳の前頭葉がある。脛骨（すねの骨）の前面に沿って前脛骨筋がある。骨の一部が頭蓋内の構造を固定したり，肺や心臓，腹部臓器や骨盤臓器の形を決めるのに役立っている。

> **先に進むための復習**
> ・結合組織の細胞外マトリクス（4.3節）
> ・軟骨（4.3節）
> ・骨組織（4.3節）
> ・膠原線維（4.3節）
> ・不規則緻密結合組織（4.3節）

6.1 骨と骨格系の働き

目標
・骨と骨格系がもつ6種類の働きを論じる。

種類の異なる組織が一緒に働いて**骨** bone をつくっているので，骨は一つの器官である；骨を構成する組織は骨組織，軟骨組織，密線維性結合組織，上皮組織，造血組織，脂肪組織，神経組織である。骨と軟骨からなる枠組み全体が**骨格系** skeletal system をつくり上げている。骨の構造を研究したり，骨の病気の治

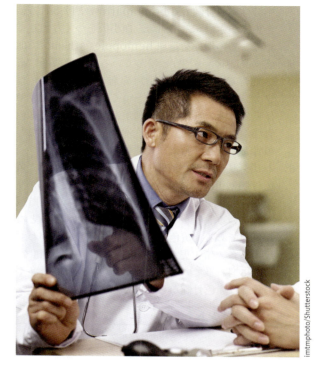

Q 女性は男性よりも骨粗鬆症に罹りやすい理由を考えたことはありませんか？ 答えは「よくみられる病気：骨粗鬆症」でわかるでしょう。

療を研究したりする学問が**骨学** osteology（osteo- ＝ 骨；-logy ＝～学）である。

骨格系は基本的な複数の機能を営んでいる。

1. **支持** support：骨格は軟部組織を支え，骨格筋の付着部になることでからだの枠組をつくっている。
2. **保護** protection：骨格は多くの内臓を外傷から守っている。例えば，頭蓋は脳を守り，椎骨は脊髄を守り，肋骨でできたカゴは心臓と肺を守っている。
3. **運動の補助** assistance in movement：多くの骨格筋は骨についているので，筋が収縮すると骨を牽引する。骨と筋が共同して運動を起こす。この機能は8章で詳しく述べる。
4. **ミネラルのホメオスタシス** mineral homeostasis：骨組織は数種のミネラル，とくに，カルシウムとリンを蓄えている。要求に応じて，骨はミネラルを血中に放出し，非常に重要なミネラルの平衡

119

(ホメオスタシス)を維持したり，からだの血液以外の部分にミネラルを分け与えたりしている。
5. **血球産生 blood cell production**：決まった骨の中では**赤色骨髄 red bone marrow** と呼ばれる結合組織が赤血球，白血球，血小板をつくり出している。この過程を**造血 hemopoiesis**(hemo- ＝血液；poiesis ＝産生)と呼んでいる。発達段階にある血球細胞，脂肪細胞，線維芽細胞，マクロファージなどが赤色骨髄をつくっている。胎児では発生途中の骨に赤色骨髄があり，成人では赤色骨髄が骨盤，肋骨，胸骨，椎骨(背骨)，頭蓋などの骨と，上腕骨および大腿骨の骨端にある。
6. **トリグリセリドの貯蔵 triglyceride storage**：**黄色骨髄 yellow bone marrow** は主に，トリグリセリドを貯蔵した脂肪細胞からできている。貯蔵されているトリグリセリドは化学エネルギーとなる資源である。黄色骨髄には血球性の細胞がわずかにある。新生児の骨髄はすべてが赤色骨髄で，造血に携わっている。年齢が進むにつれて，多くの骨髄は赤色骨髄から黄色骨髄に変る。

> **チェックポイント**
> 1. 骨格系をつくっている組織は何か？
> 2. 赤色骨髄と黄色骨髄では構成要素，所在，機能にどのような違いがあるか？

6.2 骨 の 形

目 標

・骨を形と位置から分類する。

からだに存在するほとんどすべての骨は骨の形に基づいて，長骨，短骨，扁平骨，不規則骨の4種類に大きく分類できる。**長骨 long bone** は幅よりも長さが大きく，骨幹と複数の骨端(骨によって数が違う)とからなっている。普通，強度を上げるために少し曲がっている。長骨として分類される骨は大腿(大腿骨)，下腿(脛骨と腓骨)，上腕(上腕骨)，前腕(橈骨と尺骨)，手と足の指(指骨)にある。

短骨 short bone はいくぶん立方形で長さと幅がほぼ等しい。短骨の例としては手首と足首の骨がある。

扁平骨 flat bone は一般に薄く，内臓を守る役割と筋の付着に必要な広い表面をもっている。扁平骨に分類されるものには脳を守る脳頭蓋骨，胸郭に入っている臓器を守る胸骨と肋骨，それに肩甲骨がある。

不規則骨 irregular bone は複雑な形をしていて，これまで述べた分類のどれにも入らない。椎骨といくつかの顔面頭蓋骨がこの分類に入る。

> **チェックポイント**
> 3. 長骨，短骨，扁平骨，不規則骨の例をいくつか挙げなさい。

6.3 骨 の 構 造

目 標

・長骨を構成する部分を述べる。
・骨組織の特徴を述べる。

これから，骨の構造を肉眼レベルと顕微鏡レベルで調べることにする。

肉眼レベルでの骨の構造

例えば，図6.1 に示したように，上腕骨(二の腕の骨)のような長骨の構成部分を考えれば骨の構造が理解できる。典型的な長骨は次の七つの部分からできている。

1. **骨幹 diaphysis**(＝〜の間に成長する)は骨体または骨軸で，長く，円柱状をした骨の主要部分である。
2. **骨端 epiphysis**(＝〜を越えて成長する；複数形 epiphyses)は骨の遠位端と近位端である。
3. **骨幹端 metaphysis**(meta- ＝ 〜の間；複数形 metaphyses)は，**完成した骨 mature bone** でみれば，骨幹が骨端に結合する領域である。**成長中の骨 growing bone** では，それぞれの骨幹端に薄い硝子軟骨の層からなる**骨端板 epiphyseal plate**(**成長板 growth plate**)がある。この骨端板があれば，骨幹が長軸方向に成長できる(本章の後半で説明する)。骨の長さの成長が止まると骨端板の軟骨は骨に置き換わる。その結果つくられた骨性の構造が**骨端線 epiphyseal line** である。
4. **関節軟骨 articular cartilage** は骨端を覆う硝子軟骨の薄い層で，この部でほかの骨と一緒に関節をつくる。自由に動く関節では，関節軟骨が摩擦を少なくし，衝撃を吸収している。関節軟骨には軟骨膜がないので，損傷を受けると治りにくい。
5. **骨膜 periosteum**(peri- ＝まわり)は血管を伴った不規則緻密結合組織からできた強靭な鞘で，関節軟骨で覆われている部分を除き，残りすべての骨表面を覆っている。骨膜には骨をつくる細胞があ

6.3 骨の構造

図 6.1 長骨を構成する部分：骨端，骨幹端，骨幹。 成人では，骨端と骨幹端の海綿質には赤色骨髄が，骨幹の骨髄腔には黄色骨髄が入る。

> 長骨の遠位と近位の両骨端は関節軟骨で覆われ，残りの部分は骨膜で覆われている。

骨組織の機能

1. 軟部組織を支え，骨格筋の付着部となる。
2. 内臓を保護する。
3. 骨格筋と共同して，運動を起す。
4. ミネラルを貯蔵し，放出する。
5. 血液細胞（血球）をつくる赤色骨髄をいれる。
6. トリグリセリド（脂肪）を貯蔵する黄色骨髄をいれる。

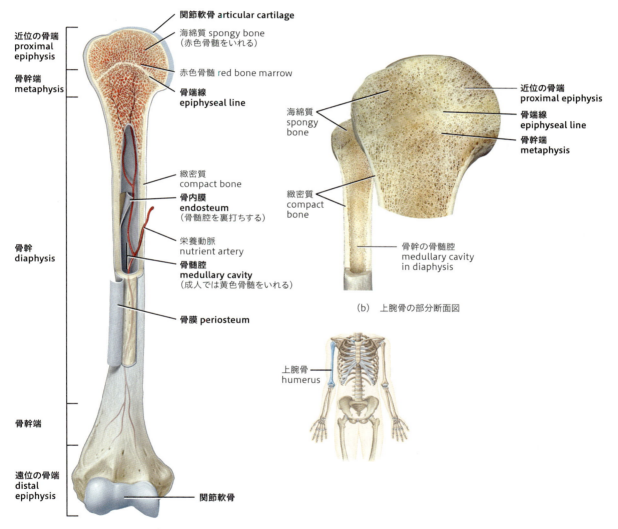

(a) 上腕骨の部分断面図（二の腕の骨）
(b) 上腕骨の部分断面図

Q 関節で骨の摩擦を減らす部分はどこか？ 血液細胞をつくる部分は骨のどこか？ 骨髄腔を裏打ちする骨の部分はどこか？

り，この細胞によって骨の径が増す，すなわち骨が太くなる．ここでは長さの成長が起らない．骨膜は骨を保護し，骨折の際その修復を助け，骨組織を養うのに役立ち，靱帯や腱の付着部となる．

6. **髄腔（骨髄腔）medullary cavity**（medulla- ＝髄，芯；または marrow cavity）は骨幹の内にある中空円筒状の腔所で，成体では脂肪組織に富んだ黄色骨髄をいれている．

7. **骨内膜 endosteum**（endo- ＝～の内側）は骨髄腔を裏打ちする薄い膜で，そこに骨をつくる細胞が1層に並んで存在する．

顕微鏡レベルでの骨の構造

骨すなわち**骨組織 bone tissue**（または **osseous tissue**）はその他の結合組織と同じように，細胞間物質である基質を豊富にもっている．このために細胞と細胞の間が広くなっている．骨基質はおよそ水25％，膠原線維25％，結晶化した無機塩50％からなる．無機塩が基質の膠原線維からなる枠組みに沈着し，結晶化して骨を硬くする．この**石灰化 calcification** の過程は骨をつくり上げる細胞，骨芽細胞によって始められる．

骨の**硬さ hardness** は結晶化した無機塩に依存するが，骨の**しなやかさ flexibility** は骨に含まれる膠原線維に依存している．コンクリートを補強する鉄筋のように，膠原線維とその他の有機分子は**張力に対する強さ tensile strength**，すなわち伸びや裂けに抵抗できる強さを骨に与えている．

骨組織には主要な4種類の細胞がある．骨形成原細胞，骨芽細胞，骨細胞，破骨細胞である（図6.2 a）．

1. **骨形成原細胞 osteogenic cell**（-genic ＝つくり出す）は，すべての結合組織のもとになる組織，すなわち，**間葉 mesenchyme** に由来した未分化な幹細胞である．骨形成原細胞は細胞分裂ができる唯一の骨組織の細胞である．分裂後の細胞は骨芽細胞となる．骨形成原細胞は骨膜の内層，骨内膜および血管を通す骨性の管の中にみられる．

2. **骨芽細胞 osteoblast**（-blast ＝芽，発芽）は骨質をつくる細胞である．骨芽細胞は骨基質をつくるのに必要な膠原線維とその他の有機分子を合成し，分泌する．基質物質で自らを囲むにつれ，分泌した基質の中に埋没するようになり，骨細胞となる（注意：骨やほかの結合組織にみられる**芽細胞 blast** は基質を分泌する）．

3. **骨細胞 osteocyte**（-cyte ＝細胞），すなわち成熟した骨の細胞は骨組織の主要な細胞であり，血液との間で栄養素と老廃物の交換をするといった日常の代謝を行っている．骨芽細胞と同様に，骨細胞も細胞分裂をしない（注意：骨やほかのすべての組織で使われる cyte とはその組織を維持する細胞をさす）．

4. **破骨細胞 osteoclast**（-clast ＝壊す）は巨大な細胞である．白血球の一種である単球が多くて50個ほど癒合したもので，骨内膜に集中して存在する．破骨細胞は骨基質のタンパク質と無機質要素を消化する強力なリソソーム酵素と酸を分泌する．このような骨基質の破壊を**骨吸収 resorption** と呼び，骨の正常な発生，成長，維持，修復などの一過程である（注意：**骨の破砕 clasts** とは骨基質を分解することである）．

骨はまったく隙間のない充実したものではなく，細胞要素と基質要素との間にたくさんの小さな腔所がある．それらは骨の細胞を養う血管の通路となる腔所や，赤色骨髄をいれる腔所になる．腔所の大きさと，それがどこにあるかによって，骨の部分を緻密質と海綿質に分類する（図6.1）．全体として，骨格の約80％が緻密質（緻密骨），20％が海綿質（海綿骨）である．

緻密質の組織 緻密質（＝緻密骨）**compact bone tissue** は**骨単位（オステオン）osteon**（ハヴァース系 **Haversian system**）と呼ばれる単位の繰り返しでつくられ，隙間がほとんどない（図6.2 c）．各骨単位は同心円状に配列した層板をもつ骨単位性導管 osteonic canal からできている．骨単位性導管（**中心管 central canal** または**ハヴァース管 Haversian canal**）は血管，神経，リンパ管をいれる通路である．中心管は骨の長軸に沿って縦に走る．中心管のまわりは**同心円状の層板 concentric lamellae**（訳注：ハヴァース層板）で，木の年輪に似た硬い石灰化した細胞外基質の輪である．管状の骨単位は長骨の長軸に沿って互いに平行に走り，連続した円柱配列を形成する．層板と層板の間には**骨小腔 lacuna**（複数形 lacunae；＝小さな湖）と呼ばれる小さな腔所があり，骨細胞がここに入る．骨小腔からあらゆる方向に走り出る細い管を**骨細管 canaliculi**（＝小さな水路）といい，組織液で満たされている．骨細管には骨細胞の細い指状の突起が入っている（図6.2 c の右挿入図参照）．骨細管は骨小腔と骨小腔を結びつけ，中心管とも連続する．すなわち，骨全体に広がる入り組んだ細い管系がたくさんのルートを供給することになり，栄養素や酸素を骨細胞に届け，老廃物を拡散させる．層板を横切る拡散は非常に遅いので，このルートが非常に重要である．

骨膜から骨を横切る方向に走る骨単位間連絡管 interosteonic canal（**貫通管 perforating canal** または

図 6.2 骨の組織学。

緻密質の骨細胞は中心管（ハヴァース管）のまわりに同心円状に配列した骨小腔の中にある。海綿質の骨小柱では，不規則に配列した骨小腔の中に骨細胞がある。

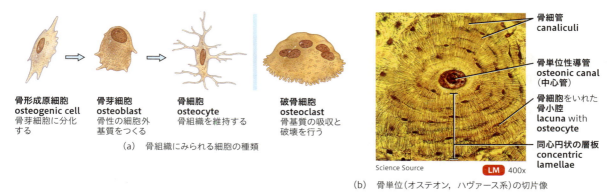

(a) 骨組織にみられる細胞の種類

(b) 骨単位（オステオン，ハヴァース系）の切片像

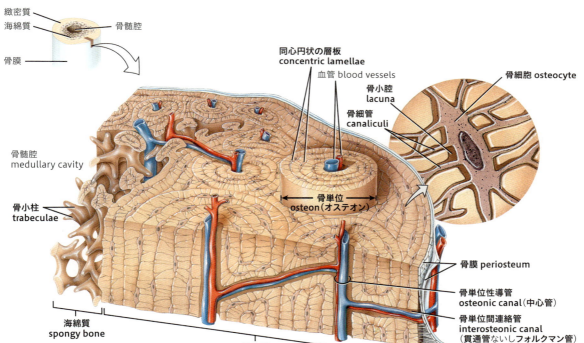

(c) 緻密質にみられる骨単位（オステオン，ハヴァース系）と海綿質の骨小柱

Q 加齢とともに中心管（ハヴァース管）は閉塞することがある。骨細胞にどんな影響があるか？

フォルクマン管 Volkmann's canal）を通って血管，リンパ管，神経が緻密質に侵入する。貫通管の血管と神経は骨髄腔，骨膜，中心管の血管と神経に連続する。

緻密質は骨組織の中でもっとも丈夫である。緻密質はすべての骨の骨膜直下にみられ，長骨では骨幹の大部分をつくり上げている。保護や支持の働きをもち，体重や運動によって生じた負荷に耐える。

海綿質の組織　緻密質の組織と比べてみると，**海綿質**（**海綿骨**）spongy bone tissue は完全な骨単位をもっていない。図 6.2 c で示したように，海綿質は骨性の細い柱が不規則に，格子状に組み合った**骨小柱 trabecula**（複数形 trabeculae；＝小さな梁）と呼ばれる要素からなる。骨小柱と骨小柱の間が大きく開いて，赤色骨髄で満たされている骨もある。骨小柱には同心円状の層板，骨小腔の中に入った骨細胞，骨小腔から放射状に伸びた骨細管がある。

多くの短骨，扁平骨，不規則骨は海綿質でつくられている。長骨では，骨端の大部分と骨幹の骨髄腔を裏打ちする薄い縁取り部分とをつくる。

海綿質と緻密質の組織では二つの点で違っている。一つ目は，海綿質は軽いので骨全体の重さが軽くなり，骨格筋が骨を引いたときに，より動きやすくなる。二つ目は，緻密質の骨細胞が中心管（ハヴァース管）のまわりで同心円状に配列した骨小腔の中にある。海綿質の骨小柱では，不規則に配列した骨小腔の中に骨細胞がある。赤色骨髄の支持と保護にあたっているのは海綿質の骨小柱である。寛骨，肋骨，胸骨，椎骨と長骨の骨端にある海綿質は赤色骨髄が存在する場所で，成人で造血が唯一行われている。

> **チェックポイント**
> 4．長骨の構成部分を図解し，それぞれの働きを挙げなさい。
> 5．骨組織にみられる 4 種類の細胞とは何か？
> 6．海綿質と緻密質とでは，顕微鏡的構造，所在，機能でどんな違いがあるか？

臨床関連事項

骨スキャン

骨スキャン bone scan は骨が生きた組織であることを利用した診断術である。骨にすばやく吸収される，少量の放射性トレーサーの複合体が静注される。トレーサーの取り込みの程度は骨への血流量と関係する。スキャン装置（ガンマカメラ）は骨から出る放射線量を計測し，その情報がモニター上で X 線写真を読むのと同じように，写真像に変換される。正常な骨組織であれば放射性トレーサーが一様に取り込まれるので，全体が均一な灰色で確認される。しかし，より暗かったり，明るかったりする領域は骨の異常を示すことになる。より暗い領域は"ホットスポット hot spot"（高摂取点）と呼ばれ，血流量が多いために放射性トレーサーをより多く取り込む，代謝が増えている領域である。ホットスポットは骨癌，骨折の異常治癒，あるいは骨の異常成長を示している可能性がある。より明るい部位を"コールドスポット cold spot"（低摂取点）といい，血流量が減少したために放射性トレーサーの取り込みが少なくなり，代謝の落ちた領域である。コールドスポットは変性骨疾患，脱石灰化骨，骨折，骨感染，パジェット疾患およびリウマチ様関節炎のような問題があることを示している。骨スキャンは通常の X 線法より 3 ヵ月から 6 ヵ月早く異常を突き止めることができ，しかも患者への放射線被曝を少なく抑えることができる。骨スキャンは骨密度スクリーニングでの標準的な検査法であり，とくに女性の骨粗鬆症のスクリーニングには有力な検査法である（章末の"よくみられる病気"を参照）。

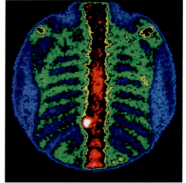

CNRI/Science Source

椎骨癌の例で，骨スキャンが示すホットスポット（白色領域）

Hero Images/Getty Images

骨スキャナーの下で横になる患者

6.4 骨 形 成

目 標

- 生涯のさまざまな時期で，骨形成の重要性を説明する。
- 一生涯を通して，骨の成長に影響を与える要因について述べる。

　骨が形成される過程を**骨化 ossification**(ossi- ＝ 骨；-fication ＝ 形成)と呼んでいる。骨化は主に4場面で起きる：(1) 胚子や胎児の中で起る最初の骨形成のとき，(2) 骨が成人の大きさになるまで，乳児期，幼児期，思春期を通して，成長するとき，(3) 骨がリモデリング(再構築)するとき(生涯を通して，古い骨組織が新しい骨組織で置き換わること)，(4) 生涯を通して，骨折した骨が修復するとき。

胚子や胎児で起る最初の骨形成

　まず，胚子や胎児で起る最初の骨形成について考えてみる。胚子の"骨格"は最初，骨化が起る場所にあって，骨のような形をした間葉からできている。これらの"骨格"は後に続く骨化のための雛形である。骨化の方法に2種類あり，胎生の6週中にそのどちらかで骨化が始まる。骨形成とは既存の結合組織を骨に置き換えることで，そのやり方は2種類あるが，単に骨の発生過程が違っているだけで，できあがった骨の構造には何の違いもない。一つ目の方法は**膜内骨化 intramembranous ossification**(intra- ＝ 〜 の中；membran- ＝ 膜)と呼ばれ，膜に似たシート状に配列した間葉の中で直接，骨がつくられる。二つ目は**軟骨内骨化 endochondral ossification**(endo- ＝〜の中；-chondral ＝軟骨)で，間葉に由来する硝子軟骨の中に骨形成が起る。

膜内骨化　膜内骨化 intramembranous ossification は2種類の骨形成の中で，より単純な骨形成の仕方である。扁平な脳頭蓋骨，大部分の顔面頭蓋骨と下顎骨(下アゴの骨)および鎖骨の一部がこの方法でつくられる。胎児の頭蓋には，産道を通過できるように骨化していない"柔らかな場所 soft spot"がある。その後，この領域は次に述べるような方法で，骨に置き換わる(図6.3)。

❶ **骨化中心の発生 development of the ossification center**：骨ができる場所を**骨化中心 ossification center** と呼び，間葉細胞が集まって固まりをつくっているところである。間葉細胞はまず骨形成原細胞に，ついで骨芽細胞へ分化する。骨芽細胞は骨の細胞外有機性基質を分泌する。

❷ **石灰化 calcification**：次に，細胞外基質の分泌を止め，骨細胞と呼ばれるようになった細胞は骨小腔の中に収まっていて，あらゆる方向に走る骨細管の中に細胞質の突起を伸ばす。数日のうちにカルシウムや他の無機塩が沈着して細胞外基質が硬くなる，すなわち石灰化する。

❸ **骨小柱の形成 formation of trabeculae**：骨性の細胞外基質が形成されるにつれ，骨基質は骨小柱に発達する。骨小柱は互いに癒合し，海綿質をつくる。骨小柱と骨小柱の隙間へ血管が侵入する。骨小柱の血管に伴って入ってきた結合組織が赤色骨髄に分化する。

❹ **骨膜の発生 development of the periosteum**：骨小柱の形成とともに，骨のまわりに間葉が集まり骨膜となる。海綿質の表層は最終的に緻密質に置き換わるが，骨の中心部は海綿質として残る。

軟骨内骨化　軟骨が骨に置き換わるのが**軟骨内骨化 endochondral ossification** である。からだの大部分の骨がこの方法でつくられるが，図6.4 で示したように，この種の骨化は長骨でもっともよく観察され，その過程は次のようである：

❶ **軟骨性雛形の発生 development of the cartilage model**：骨が形成される場所に間葉細胞が将来の骨の形に集まり，その後，間葉細胞は軟骨芽細胞に分化する。軟骨芽細胞は軟骨基質を分泌して，硝子軟骨でできた**軟骨性雛形 cartilage model** をつくる。この軟骨性雛形のまわりに，**軟骨膜 perichondrium** と呼ぶ膜ができる。

❷ **軟骨性雛形の成長 growth of the cartilage model**：軟骨基質の中に深く埋まってしまった軟骨芽細胞を軟骨細胞と呼ぶ。雛形となる軟骨が成長し続けるにつれて，中央部分にある軟骨細胞の大きさが増し，そのまわりの細胞外基質が石灰化を始める。石灰化が進行している軟骨の中にある，その他の軟骨細胞も基質を通して十分な栄養を迅速に獲得できなくなるので，死んでしまう。軟骨細胞が死ぬと，細胞のあったところが互いにつながり，最終的に小さな腔所になる。

❸ **一次骨化中心の発生 development of the primary ossification center**：骨化は骨の外表面から内に向かって進む。栄養動脈が軟骨膜と，さらに，軟骨性雛形の中央部分で石灰化が起きている軟骨の中へと進入する。その結果，軟骨膜にある骨形成原細胞が刺激を受け，骨芽細胞へと分化

図6.3 膜内骨化。❶と❷の図は❸と❹の図よりも高倍率でより小さな領域を示している。

膜内骨化では膜に似たシート状に配列された間葉の中で骨形成が起る。

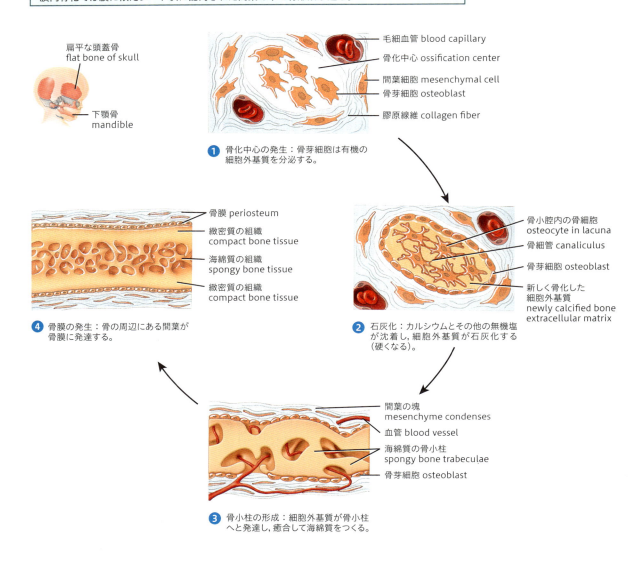

Q からだにある骨のうち，膜内骨化でつくられる骨はどれか？

する。いったん，軟骨膜が骨形成を始めると，**骨膜 periosteum** と呼ばれるようになる。雛形の中央付近で，骨膜から伸びた毛細血管が無秩序に石灰化している軟骨の中へと成長する。これらの毛細血管が**一次骨化中心 primary ossification center** の成長を促す。この領域では軟骨組織の大部分が骨組織で置き換わる。次に，骨芽細胞は石灰化して残っている軟骨の部分に骨基質を分泌，沈着させて，海綿質にみられる骨小柱を形成する。一次骨化が軟骨性雛形の両端に向かって広がる。

❹ **骨髄腔の形成 formation of medullary(marrow) cavity**：骨端に向かって一次骨化中心が成長するにつれて，新生された海綿質の骨小柱は破骨細胞によって破壊される。この働きは腔所，すなわち骨幹に骨髄腔をつくることになる。骨幹の壁の大部分が緻密質で置き換わる。

❺ **二次骨化中心の発生 development of secondary ossification center**：誕生時期のあたりで血管が骨端に進入すると，**二次骨化中心 secondary ossification center** ができる。骨形成は一次骨化中心の場合と同じやり方で起るが，骨端の内部は海綿質のまま残される(骨髄腔は形成されない)。

6.4 骨形成

図6.4 脛骨（すねの骨）の軟骨内骨化。

軟骨内骨化では，軟骨性の雛形が次第に骨で置き換わる。

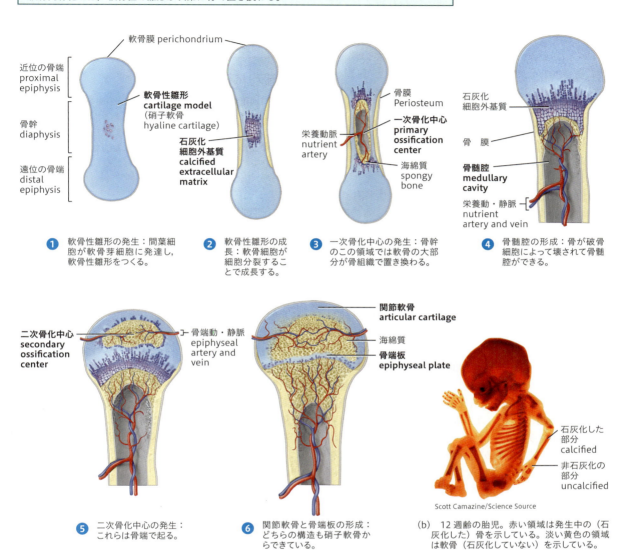

(a) 現れる事象の順序

(b) 12週齢の胎児。赤い領域は発生中の（石灰化した）骨を示している。淡い黄色の領域は軟骨（石灰化していない）を示している。

Q 長さの成長が終わってしまったことを示す構造はどれか？

二次骨化は骨端の中央から骨の外表面に向かって進む。

❻ **関節軟骨と骨端板の形成 formation of articular cartilage and the epiphyseal plate**：骨端を覆う硝子軟骨は関節軟骨 articular cartilage になる。成人前では，硝子軟骨が骨幹と骨端の間に**骨端板 epiphyseal plate**（**成長板 growth plate**）として残る。骨端板は長骨が長軸方向に成長するのに必要である。

骨の長さと太さの成長

乳幼児期，幼児期，思春期の長骨は成長し，その長さと太さが増す。

長さの成長 骨が成長して長くなるのは骨端板の活動が関係する。骨端板の中に，分裂し続ける若い軟骨細胞の一群が存在する。骨の長さが増しているときには骨端板の骨端側で新しい軟骨細胞がつくられ，骨端

板の骨幹側の古い軟骨細胞が骨で置き換わっていく。このようにして、骨端板の厚さはほぼ一定に保たれ、骨幹側の骨が長くなる。思春期の終わり近くになると、新しい細胞がつくられなくなり、細胞外基質の形成が少なくなって、最終的には18歳から25歳の間にこれらの活動が停止する。この時期、すべての軟骨が骨に置き換わり、**骨端線 epiphyseal line** と呼ばれる骨の構造が残る。骨端線が出現した骨では長さの成長が止まっている。骨折して骨端板が損なわれると、成人の身長になっても、骨折した骨の長さが正常な骨よりも短くなることがある。これは血管をもたない軟骨が損なわれ骨端板の閉鎖が早められるからで、結果として骨の長さの成長が抑えられる。

骨端板の閉鎖はゆっくりと進行するので、閉鎖の状態が骨の年齢を査定したり、成人になったときの身長を予測するのに使われたり、死亡したときの年齢査定を、とくに乳児、小児、青年で、残っている骨から確定するのに使われる。例えば、骨端板が閉鎖していないのは若い人を、部分的に閉鎖していたり完全に閉鎖しているのはより年をとった人を示している。女性では骨端板の閉鎖が(男性と比べて)平均して1, 2年早く起ることを覚えておいてほしい。

太さの成長 長骨の長さが増すにつれて、太さ(幅)の成長も起る。骨の表面で軟骨膜の細胞が骨芽細胞に分化し、骨性の細胞外基質を分泌する。ついで、骨芽細胞は骨細胞になり、骨の表面に骨層板がつけ加わり、緻密質からなる新しい骨単位が形成される。同時に、骨内膜の破骨細胞が骨髄腔を裏打ちする骨組織を破壊する。破骨細胞によって骨が内部から壊されていく速さは骨の外周表面で骨が新しくつくられていく速さよりも遅い。この結果、骨の太さが増すにつれて骨髄腔が大きくなる。

骨のリモデリング(再構築)

皮膚と同様に骨も誕生前に形成され、その後、更新され続ける。**骨のリモデリング bone remodeling** とは古い骨組織を新しい骨組織で取り替え続けることである。リモデリングには破骨細胞によって骨からミネラルとコラーゲンが取り除かれる**骨吸収 bone resorption** と、骨芽細胞によって骨にミネラルとコラーゲンが付加される**骨沈着 bone deposition** とがかかわっている。したがって、骨吸収は骨の細胞外基質を破壊することになり、骨沈着は骨の細胞外基質を形成することになる。からだの部位が違えば、違った速さでリモデリングが行われている。骨が成長して、成人の骨の形と大きさに達した後でも、古い骨は破壊され続け、その場所に新しい骨組織が形成される。外傷を受けた、あるいは傷ついた骨を取り除き、新しい骨組織でその部分を置き換えるのも骨のリモデリングである。リモデリングは運動、座りがちの生活、食事内容の変化といった要因で引き起されることがある。

> **臨床関連事項**
>
> **リモデリングと歯科矯正学**
>
> **歯科矯正学 orthodontics** は不揃いの歯を矯正したり、不揃いにならないように予防したりする歯学の一分野である。歯列矯正器(ブレース)で歯を動かし、歯の受け口をつくる骨に負荷を掛ける。この人為的な負荷に反応して、破骨細胞と骨芽細胞が歯の受け口をリモデリングするので、歯が正しく配列する。

破骨細胞と骨芽細胞の働きとの間には微妙なバランスが保たれている。新しい組織ができすぎれば、骨は異常に太く重くなる。過剰なミネラルが骨に沈着すると余分な骨組織が骨に大きなこぶや**棘 spur** と呼ばれる鋭い突起をつくることがあり、関節の動きを悪くすることになる。骨からカルシウムが過剰に失われると骨が弱くなり、骨粗鬆症の場合のように骨折したり、くる病や骨軟化症の場合のようにやたらと曲がるようになる(これらの病気についての詳しい記載は章末の"よくみられる病気"参照)。異常な速さでリモデリングが進むとパジェット病と呼ばれる状態になる。この病気では、とくに骨盤、四肢、下位の椎骨、頭蓋などで新しくつくられた骨が硬くもろくなり、簡単に骨折するようになる。

骨 折

どのような形であれ、骨が断裂した場合を**骨折 fracture** という。骨折を分類すると次のようになる。

- **部分骨折 partial**：骨の不完全な断裂で、亀裂(ヒビ)が入る。
- **完全骨折 complete**：骨の完全な断裂で、骨は二つ以上に断裂する。
- **閉鎖(単純)骨折 closed(simple)**：断裂した骨が皮膚を突き抜けていない。
- **開放(複雑)骨折 open(compound)**：断裂した骨が皮膚を貫いて、突き抜けている。

いくつかの段階を踏んで骨折の修復がなされる。まず、食細胞がすべての死んだ骨組織を取り除き始める。ついで、軟骨細胞が骨折した箇所で、骨折した骨の両端に橋をかけるように線維軟骨をつくる。次に、骨芽細胞によって線維軟骨が海綿質の組織に変換される。最後に、骨のリモデリングが行われ、死んだ骨の

部分は破骨細胞によって吸収されて，海綿質は緻密質に変換される。

骨は豊富な血管供給を受けてはいるが，治るまでに数ヵ月を要することがある。新しくつくられた骨を強く，硬くするのに十分な量のカルシウムとリンの沈着は実にゆっくりと行われる。一般に，骨細胞の成長と新生の速さも遅い。ひどい骨折の場合に治りが遅いのは，骨の血液供給が一時的にでも途絶えることによると説明されている。

骨の成長とリモデリングに影響を与える要因

若年者では骨の成長，成人では骨のリモデリング，骨折した骨の修復などはいくつかの要因に依存している（表6.1）。要因には次のようなものがある。(1) 十分なミネラル，中でももっとも大事なのはカルシウム，リン，マグネシウム，(2) ビタミン A, C, D, (3) 数種のホルモン，(4) 加重運動（骨に負荷を与える運動）。思春期前，骨形成を刺激するようなホルモンは下垂体前葉でつくられるヒト成長ホルモン（hGH）とインスリン様成長因子（IGF）である。IGF は hGH の刺激で全身の骨や肝臓などでつくられる。hGH が過剰に分泌されると，ひどく背が高く体重の重い**巨人症** giantism が，一方，hGH の分泌が異常に少ない場合は（背が低い）**低身長症** dwarfism が引き起される。甲状腺から分泌される甲状腺ホルモンと膵臓から分泌されるインスリンも正常な骨成長を促すように働いている。思春期には**エストロゲン** estrogen（卵巣でつくられる性ホルモン）と**アンドロゲン** androgen（男性の精巣と両性の副腎でつくられる性ホルモン）がより多く分泌されるようになる。10代で身長が急に伸びるのはこれらのホルモンの働きによる。エストロゲンは骨盤が広いといった女性特有の骨格になるように骨を変化させる。

カルシウムのホメオスタシスにおける骨の役割

骨はカルシウムの主要な貯蔵場所で，身体に存在する全カルシウム量の99％を貯蔵している。骨がリモデリングを受けて壊されると，ほかの組織がカルシウム（Ca^{2+}）を利用できるようになる。しかし，血中のカルシウム濃度が少しでも変化すると致死的である。カルシウム濃度が高くなりすぎると心臓の動きが止まり（心停止），また，カルシウム濃度が低くなりすぎると呼吸が止まる（呼吸停止）。さらに，ニューロン（神経細胞）の機能は適正な Ca^{2+} 濃度に依存しているし，多くの酵素は Ca^{2+} を補助因子として必要とするし，血液が凝固するのに Ca^{2+} が必要である。カルシウムのホメオスタシス（恒常性）という点で，骨の果たす役割は血中カルシウム濃度の変化を最小限にとどめること（バッファーとしての働き）である。血中カルシウム濃度が下がると骨から Ca^{2+} が放出され（破骨細胞の働きによる），カルシウムの血中濃度が上がると Ca^{2+} が骨に戻り，沈着する（骨芽細胞の働きによる）。

骨と血液との間で，Ca^{2+} の行き来を調節するもっとも重要なホルモンは副甲状腺（上皮小体）から分泌される**副甲状腺ホルモン（上皮小体ホルモン）** parathyroid hormone（PTH）である（図13.10）。分泌された PTH はネガティブフィードバック機構を介して作用する（図6.5）。ある種の刺激が血中の Ca^{2+} 濃度を下げるように働いたとすると，副甲状腺の腺細胞（受容器）がこの変化を感知し，サイクリックアデノシン一リン酸（サイクリック AMP，cAMP）として知られる分子を産生し，増やす。Ca^{2+} のホメオスタシスの調節中枢として働く副甲状腺の腺細胞の核内には PTH の遺伝子が存在し，サイクリック AMP の増加（入

臨床関連事項

身長に影響するホルモン異常

骨の成長を正常な状態に調節するホルモンが過剰に分泌されたり，欠乏したりすると，背が異常に高くなったり低くなったりする。幼児期に成長ホルモン（GH）の分泌が多すぎると，普通の人よりもはるかに背が高く，体重が重い**巨人症** giantism となる。背が低い**低身長症** dwarfism の典型的な身長は147 cm 以下で，低身長症の平均身長は122 cm である。一般に低身長症には2型ある：均衡性 proportionate か非均衡性 disproportionate かである。**均衡性低身長症** propoertionate dwarfism では身体のすべての部分が小さいが，均衡はとれている。均衡性低身長症を引き起す一つの原因は幼児期に GH の分泌が少なすぎることによるので，この状態を適切に示す，**下垂体性低身長症** pituitary dwarfism の用語があてられている。この低身長症には骨端板が閉じるまで GH を投与する医学的な治療ができる。**非均衡性低身長症** disproportionate dwarfism では身体のある部分は正常の大きさまたはより大きいが，ほかの部分は正常よりもずっと小さい。例えば，体幹は平均的な大きさであるのに四肢は短く，前頭部が隆起して鼻筋が平たい頭部は身体の残りの部分と比較して大きい。この種の異常を示すもっとも一般的な原因は**軟骨形成不全** achondroplasia（a＝ない；chondro＝軟骨；-plasia＝型にはめてつくる）と呼ばれる状態で，硝子軟骨を骨に置き換えることが正常にできず，また四肢の長骨が幼児期に成長を止めてしまう遺伝性の異常である。それ以外の骨は異常を示さないので，低身長ではあるが，頭部と体幹は正常な大きさである。この型の低身長症を**軟骨形成不全低身長症** achondroplastic dwarfism という。この低身長症では基本的に治療ができず，四肢を長くする外科手術を個人的に受けることしかできない。

図6.5 血中のカルシウム（Ca^{2+}）濃度を調節するネガティブフィードバック機構。PTH＝副甲状腺（上皮小体）ホルモン。

> 血中のカルシウム濃度を上げる主要な二つのやり方は，骨基質からカルシウムを放出することと，腎臓の働きで，カルシウムが尿中へ排出されるのを防ぐことである。

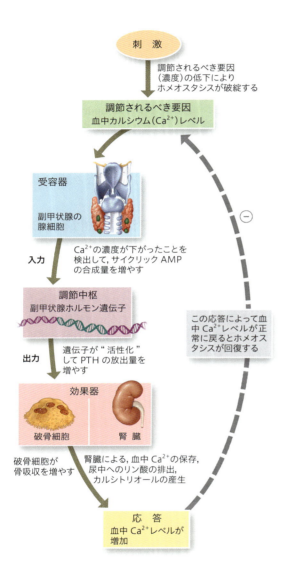

Q からだのどのような機能が，適切な Ca^{2+} 濃度に依存しているか？

力）を検出する。結果として，PTHの合成速度が速まり，血中により多くのPTHが放出（出力）されるようになる。PTHの血中濃度がより高く保たれると，破骨細胞（効果器）の数が増え，活動が活発になり，骨吸収が速くなる。骨から血中へ Ca^{2+} が放出される結果，血中の Ca^{2+} 濃度が正常に戻る。

さらに，PTHは尿中に排出されて失われる Ca^{2+} 量を少なくするように作用する。その結果，より多くの Ca^{2+} が血中に保持される。PTHは消化管からカルシウムの吸収を促進するホルモン，カルシトリオールの形成を促す。これら二つの効果が血中の Ca^{2+} 濃度を高めるのに役立っている。

13章で学習するが，カルシウムのホメオスタシスにかかわるもう一つのホルモンは**カルシトニン** calcitonin（CT）である。このホルモンは甲状腺でつくられ，破骨細胞の働きを抑え，すなわち，骨吸収を減少させて血中の Ca^{2+} 濃度を下げる。

チェックポイント

7. 膜内骨化と軟骨内骨化の違いを明らかにしなさい。
8. 骨の長さと太さの成長がどのようにして起こるかを説明しなさい。
9. 骨のリモデリングとは何か？ また，なぜ重要なのか？
10. 骨折を定義し，どのようにして骨折が治るかを説明しなさい。
11. 骨の成長に影響を及ぼす要因は何か？
12. からだの中で，カルシウムが果たす重要な働きをいくつか挙げなさい。

6.5 運動と骨

目 標

・運動と機械的負荷がどのようにして骨に影響を与えるのかを述べる。

骨は機械的負荷に反応し，ある程度，強度を変えることができる。負荷をかけると，骨は無機塩の沈着と膠原線維の産生を増やすことでその強度を上げるようになる。機械的な負荷がかからないと骨破壊のほうが骨形成よりも速く進むので，骨は正常なリモデリングをしなくなる。機械的負荷がかからなくなると膠原線維の数が減り，骨から**ミネラルが失われる** demineralization が引き起こされ，骨を弱くする。

骨にかかる主な機械的負荷は骨格筋と重力によって生じる張力に由来する負荷である。寝たきりになった人や骨折した骨をギプスで固定している人では負荷のかかっていない骨の強度が減少する。宇宙の無重力状態におかれた宇宙飛行士も骨の量が減る。どちらの場合でも骨の量が減っていくのは劇的で，1週間に1％も失われる。繰り返し強い負荷を受けている運動選手の骨は普通の人（nonathlete）に比べて格段に太い。負荷がかかるような運動，例えば，歩いたり，軽い重量

挙げをしたりなどの運動は骨量を保ち，増やすのに役立っている．年をとると骨の量が減るのは避けられないので，骨端板が閉鎖する前の思春期や青年期には，負荷がかかるような運動を規則的に行い，全骨量を増やすようにすべきである．しかし，運動の利点は青年期に限ったものではない．年をとった人でも負荷がかかるような運動をすれば骨を強くすることができる．

表 6.1 に骨代謝（成長，リモデリング，骨折した骨の修復など）に影響を与えるすべての要因をまとめた．

表 6.1　骨代謝に影響を及ぼす要因のまとめ

要　素	解　説
無機質 minerals	
カルシウムとリン calcium and phosphorus	骨基質を硬くする．
マグネシウム magnesium	骨性細胞外基質の形成を促進する．
フッ化物 fluoride	骨性細胞外基質の硬化を支援する．
マンガン manganese	骨性細胞外基質の合成酵素を活性化する．
ビタミン vitamins	
ビタミン A vitamin A	骨のリモデリングに活動する破骨細胞に必要；不足すると骨成長が妨げられる；高濃度では有害．
ビタミン C vitamin C	骨の主要タンパク質であるコラーゲンの合成に必要；骨基質が変化しないようにする；不足すると膠原線維の合成が減って，骨の成長と，骨折の修復が妨げられる．
ビタミン D vitamin D	活性型（カルシトリオール）は腎臓でつくられる；腸管から血液へ吸収されるカルシウムを増やし，骨形成を支援する；不足すると，石灰化と骨の成長が妨げられる；骨粗鬆症の発症を抑えるが，高濃度の摂取は有害．日焼け止めを使っている人では，紫外線にあたるのが極端に少なくなり，ビタミン D の補助食品をとっていない場合には，カルシウムを吸収するのに必要なビタミン D が十分でないことがある．
ビタミン K と B_{12}　vitamins K and B_{12}	骨のタンパク質合成に必要；不足すると，骨性細胞外基質に異常タンパク質がつくられるようになり，骨密度が下がる．
ホルモン hormones	
ヒト成長ホルモン（hGH） human growth hormone	下垂体前葉から分泌される；主に，インスリン様成長因子の産生を増やして，からだをつくる，骨を含めた，すべての細胞の成長を促す．
インスリン様成長因子（IGF） insulinlike growth factor	ヒト成長ホルモンの刺激を受けた肝臓，骨，その他の組織から分泌される；骨芽細胞を刺激して，および，新しい骨をつくるのに必要なタンパク質の合成を増やして，正常な骨成長を促す．
甲状腺ホルモン（サイロキシンとトリヨードサイロニン）thyroid hormones (thyroxine and triiodothyronine)	甲状腺から分泌される；骨芽細胞を刺激して正常な骨成長を促進する．
インスリン insulin	膵臓から分泌される；骨のタンパク質合成を増やして正常な骨成長を促進する．
性ホルモン（エストロゲンとテストステロン） sex hormones (estrogens and testosterone)	女性の卵巣（エストロゲン）と男性の精巣（テストステロン）から分泌される；骨芽細胞を刺激し，10代にみられる突然の"急激な成長"を起す；18〜21歳頃に骨端板の成長を止める；破骨細胞の骨吸収を抑え，骨芽細胞による骨形成を促して骨のリモデリングを支援する．
副甲状腺ホルモン（上皮小体ホルモン；PTH） parathyroid hormone	副甲状腺から分泌される；破骨細胞による骨吸収を促す；尿から，Ca^{2+} の再吸収を増やす；活性型のビタミン D（カルシトリオール）の合成を促進する．
カルシトニン（CT）calcitonin	甲状腺から分泌される；破骨細胞による骨吸収を抑える．
運動 exercise	負荷をかけるような運動は骨芽細胞を刺激し，結果としてより太く，より頑丈な骨をつくるように働く．また，加齢とともに起る骨量の減少速度を遅らせる．
加齢 aging	性ホルモンのレベルが中年から老人になるに従って減少すると，閉経後の女性ではとくに破骨細胞による骨吸収量が骨芽細胞による骨形成量よりも多くなる．そのため，骨量の減少を引き起し，骨粗鬆症に罹る危険度が大きくなる．

チェックポイント

13. どのような形の機械的負荷が骨組織を強くするのに有効か？

6.6 骨格系の分類

目標

・全身の骨を軸骨格と付属肢骨格に分ける。

　成人の骨格は206個の骨からなり，基本的には二つの群に大別される。すなわち，**軸骨格 axial skeleton** をつくる80個，**付属肢骨格 appendicular skeleton** をつくる126個である（表6.2 と図6.6）。軸骨格はヒトのからだの**長軸 longitudial axis** のまわりに並ぶ骨から構成されている。すなわち，頭蓋，耳小骨（耳の骨），舌骨，肋骨，胸骨，椎骨である。長軸とはからだの重心を通って頭から両足の間の空間へと走る仮想の線である。付属肢骨格には自由上肢骨と自由下肢骨すなわち**四肢 appendages** の骨に加えて，軸骨格と四肢をつなぐ，**肢帯 girdle** と呼ぶ一群の骨が入る。幼児や子どもの骨格は寛骨や椎骨などの骨が生後遅くになって癒合するので，206個以上ある。

チェックポイント

14. 四肢は軸骨格とどのようにつながっているか？

6.7 頭蓋：概観

目標

・脳頭蓋と顔面頭蓋を構成する骨の名称を挙げ，それらの骨が対になっているか，いないかがわかる。

　頭蓋 skull は22個の頭蓋骨からなり，脊柱の上端にのっている。構成する頭蓋骨を**脳頭蓋骨 cranial bone** と**顔面頭蓋骨 facial bone** の2群にわける。8個の頭蓋骨は脳を入れ，脳を守る頭蓋腔をつくり，全体を**脳頭蓋 cranium cerebrale** という。これらの骨は前頭骨，頭頂骨2個，側頭骨2個，後頭骨，蝶形骨，篩骨である。14個の頭蓋骨は**顔面頭蓋 cranium faciale** を構成し顔面をつくる。鼻骨2個，上顎骨2個，頬骨2個，下顎骨，涙骨2個，口蓋骨2個，下鼻甲介2個，鋤骨である。

表 6.2　成人の骨格系をつくる骨

骨格系の分類	構造	骨の数
軸骨格		
	頭蓋	
	脳頭蓋	8
	顔面頭蓋	14
	舌骨	1
	耳小骨（図6.7c）	6
	脊柱	26
	胸郭	
	胸骨	1
	肋骨	24
	小計 =	80
付属肢骨格		
	上肢帯	
	鎖骨	2
	肩甲骨	2
	自由上肢骨	
	上腕骨	2
	尺骨	2
	橈骨	2
	手根骨	16
	中手骨	10
	指骨	28
	下肢帯	
	寛骨	2
	自由下肢骨	
	大腿骨	2
	膝蓋骨	2
	腓骨	2
	脛骨	2
	足根骨	14
	中足骨	10
	指(趾)骨	28
	小計 =	126
	計 =	**206**

　脳頭蓋骨と顔面頭蓋骨が一つになって視覚，味覚，嗅覚，聴覚，平衡覚（バランス覚）にかかわる，繊細な特殊感覚器官を支え，保護している。本章では，脳頭蓋骨と顔面頭蓋骨を，それぞれ，より詳しく解説する。

脳頭蓋骨

　脳頭蓋骨は脳を保護するという役割以外にいくつかの働きがある。骨の内面は脳や血管や神経の位置を固定する膜（脳硬膜）がつくところとなる。外面の広い部分は頭部のさまざまな領域を動かす筋がつくところとなる。

　前頭骨 frontal bone は前額（脳頭蓋の前方部），眼

6.7 頭蓋：概観　133

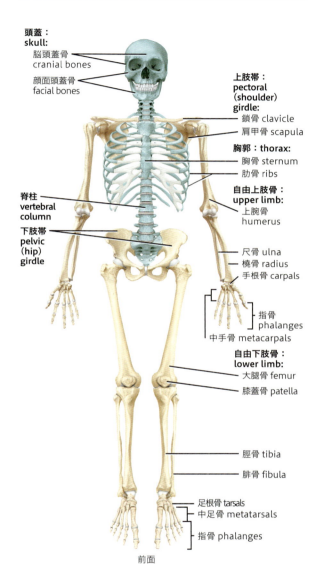

図 6.6　骨格系の分類。 軸骨格は灰青色で示した（舌骨の位置は図 6.7 c 参照）。

成人の骨格は 206 個の骨からできていて，軸骨格と付属肢骨格に分類される。

頭蓋：skull：
　脳頭蓋骨 cranial bones
　顔面頭蓋骨 facial bones

上肢帯：pectoral (shoulder) girdle：
　鎖骨 clavicle
　肩甲骨 scapula

胸郭：thorax：
　胸骨 sternum
　肋骨 ribs

脊柱 vertebral column

自由上肢骨：upper limb：
　上腕骨 humerus
　尺骨 ulna
　橈骨 radius
　手根骨 carpals
　指骨 phalanges
　中手骨 metacarpals

下肢帯 pelvic (hip) girdle

自由下肢骨：lower limb：
　大腿骨 femur
　膝蓋骨 patella
　脛骨 tibia
　腓骨 fibula
　足根骨 tarsals
　中足骨 metatarsals
　指骨 phalanges

前面

Q 次の各骨は，軸骨格に分類されるか，それとも付属肢骨格に分類されるか：頭蓋，鎖骨，脊柱，上肢帯，上腕骨，下肢帯，大腿骨。

側壁と天井にあたる広い部分をつくる（図 6.7 d）。

側頭骨 temporal bone（tempor- ＝こめかみ）2 個は脳頭蓋の側壁下部と頭蓋底の一部をつくる。頭蓋の外側面（図 6.7 b）をみると，側頭骨と頬骨が一緒になって**頬骨弓** zygomatic arch をつくっているのがわかる。側頭骨の**下顎窩** mandibular fossa は下顎骨の関節突起 condylar process と**顎関節** temporomandibular joint（TMJ）をつくる。下顎窩は図 6.8 で観察できる。**外耳道** external auditory meatus は側頭骨の中にできた，中耳につながる管である。**乳様突起** mastoid process（mastoid ＝乳房の形；図 6.7 b）は外耳道の後ろに突き出た丸みを帯びた突起である。いくつかの頸部の筋がこの乳様突起につく。**茎状突起** styloid process（styl- ＝杭あるいは棒；図 6.7 b）は側頭骨の下面から下がる細い突起で，頸部と舌の筋および靱帯がつく。**頸動脈孔** carotid foramen（訳注：＝頸動脈管外口；図 6.8）は内頸動脈が通る孔である。

後頭骨 occipital bone（occipit- ＝頭の後ろ）は脳頭蓋の後部と頭蓋底のかなり広い部分をつくる（図 6.7 b，c，図 6.8）。**大（後頭）孔** foramen magnum（＝大きい）は後頭骨にあいた頭蓋でもっとも大きな孔である（図 6.8，図 6.9）。脳の一部で脊髄につながる延髄と，椎骨動脈および脊髄動脈がこの大孔を通る（訳注：副神経も大孔を通る）。大孔の両側にある**後頭顆** occipital condyle（図 6.8）は卵円形の突起で，第一頸椎と関節（連結）する。

蝶形骨 sphenoid bone（sphenoid ＝くさび状の）は頭蓋底の中央部分にある（図 6.7 〜図 6.9）。蝶形骨は脳頭蓋を構成するすべての骨と関節して一つにまとめているので，頭蓋底の"かなめ石"と呼ばれる。形は翼を広げたコウモリに似ている。蝶形骨の中央部はほぼ立方形で，その中に鼻腔と連絡する**蝶形骨洞** sphenoidal sinus がある（図 6.7 c，図 6.11）。蝶形骨の上面に**下垂体窩** hypophyseal fossa と呼ばれる凹みがあり，下垂体をいれる。2 本の神経が蝶形骨の孔を突き抜ける。すなわち，**卵円孔** foramen ovale を通る下顎神経（訳注：蝶形骨の**正円孔** foramen rotundum を上顎神経が通る）と**視神経孔（管）** optic foramen（canal）を通る視神経である（訳注：視神経と一緒に眼動脈が通る）。

篩骨 ethmoid bone（ethmoid ＝篩状）は軽く，スポンジ状の骨で，頭蓋底の前方部で眼窩の間にある（図 6.10）。篩骨は頭蓋底前部の一部，眼窩の内側壁，鼻腔を左右に分ける隔壁である**鼻中隔** nasal septum の上部，そして鼻腔側壁のかなりの部分をつくる。篩骨には 3 〜 18 個の空洞，あるいは小室（訳注：篩骨蜂巣）がある。そのため，この骨が篩のような外観を示すことになる。篩骨の空洞が一つになって**篩**

窩 orbit（眼球を入れるくぼみ；図 6.7 a，b）の上壁，頭蓋底前方部の大部分をつくる。前頭骨の深部に**前頭洞** frontal sinus がある（図 6.7 c）。これら粘膜で裏打ちされた洞は声の共鳴装置としての作用をもっている。その他，洞の働きについては本章の後半で記載する。

頭頂骨 parietal bone（pariet- ＝壁）2 個は頭蓋腔の

図 6.7 頭蓋。舌骨は頭蓋の一部ではないが，参考までに(c)に示してある。

頭蓋は 2 組の頭蓋骨からできている。(脳頭蓋として)頭蓋腔をつくる 8 個の脳頭蓋骨，(顔面頭蓋として)顔をつくる 14 個の顔面頭蓋骨である。

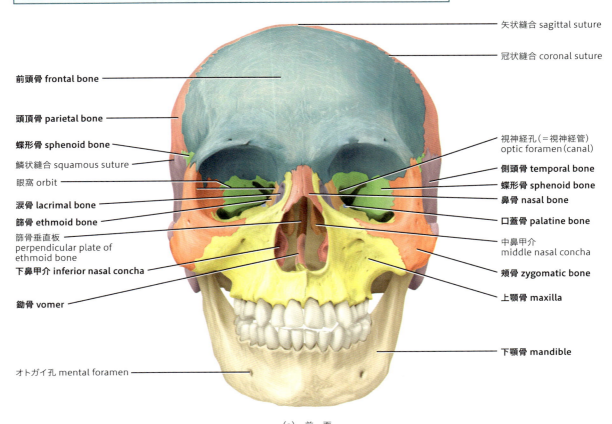

(a) 前面

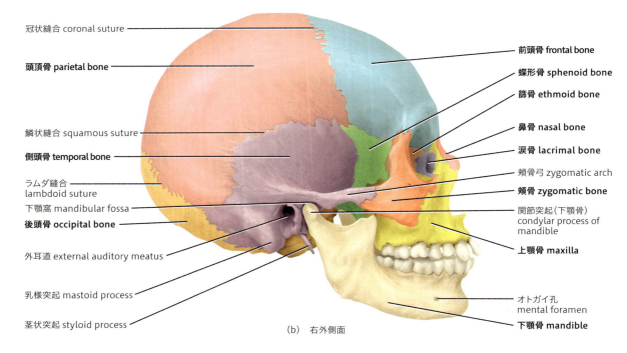

(b) 右外側面

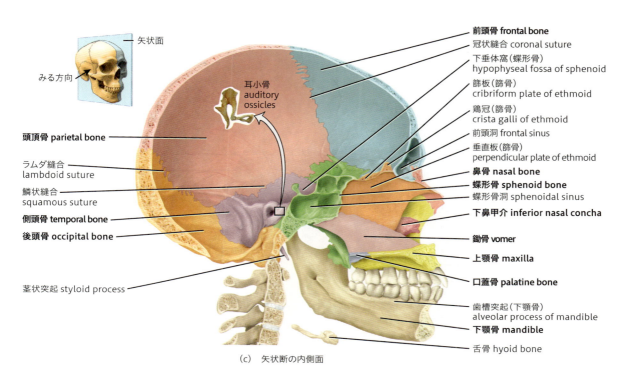

(c) 矢状断の内側面

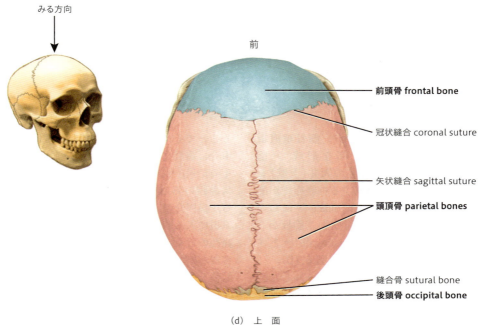

(d) 上面

Q 脳頭蓋をつくる8個の骨の名前は？

図 6.8 頭蓋の下面。

頭蓋後下部の大部分は後頭骨でつくられる。

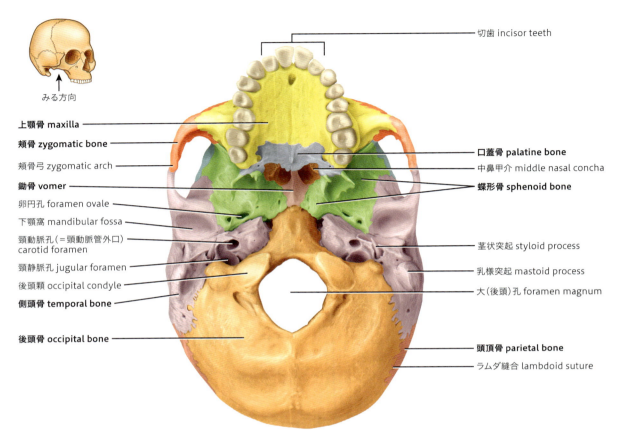

下面(下顎骨を除く)
(訳注：外頭蓋底)

Q 頭蓋でもっとも大きな孔は何か？

洞 ethmoid sinus をつくる(図 6.10 b)。**篩骨垂直板** perpendicular plate は鼻中隔の上部を形成し(図 6.10)，**篩板** cribriform plate は鼻腔の天井(上壁)を形成する(図 6.10)。嗅神経を構成する神経線維が篩板にある**嗅神経孔** olfactory foramen(olfact- ＝においを嗅ぐ；複数形 foramina)を通る(図 6.9)。篩板から上に突き出た三角形の突起は**鶏冠** crista galli(＝とさか)と呼ばれ，脳を覆う膜(髄膜)がつく(図 6.10)。

また，鼻中隔の両側に 2 種類の薄い，カールした篩骨の一部があり，これらの突起を**上鼻甲介** superior nasal concha(conch- ＝貝)，**中鼻甲介** middle nasal concha と呼ぶ。**甲介** concha の複数形は conchae である。3 番目の鼻甲介は下鼻甲介で，篩骨とは違う骨である(すぐ後で述べる)。鼻腔の血管と粘膜は肺に入る前の吸気を温め，湿り気を与えているが，鼻甲介のあることでそれらの分布と面積が非常に大きくなる。鼻甲介は鼻腔に入ってきた吸気の流れに乱れをつくる。その結果，吸気の中に含まれるゴミなどの小さな粒子は鼻腔の気道を裏打ちする粘膜にあたり，捕捉される。鼻甲介のこのような働きにより，吸気が次に続く気道に入る前にきれいになる。上鼻甲介は篩板の嗅神経孔の近くにあり，上鼻甲介の粘膜には嗅覚の感覚受容器が終わる。このように，上鼻甲介は嗅覚を捉える面積を大きくしている(訳注：頭蓋腔に面した頭蓋底 cranial base を内頭蓋底 internal surface of the cranial base，頭蓋底の外面を外頭蓋底 outer surface of the cranial base という。内頭蓋底には前から後ろに向かって階段状に下がる三つの凹み(窩)がある。1) 前頭蓋窩 anterior cranial fossa は前頭骨，篩骨，蝶形骨の前方部からつくられ，脳の前頭葉を，2) 中頭蓋窩

6.7 頭蓋：概観　**137**

| 図 6.9 | 蝶形骨。 |

蝶形骨は脳頭蓋をつくる残りすべての骨と関節するので，一緒にまとめるとの意味から，頭蓋底の"かなめ石"と呼ばれている。

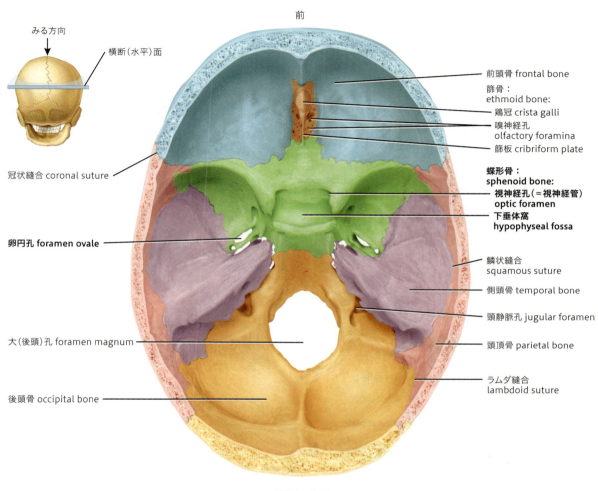

頭蓋底の上面
（訳注：内頭蓋底）

Q 篩骨の鶏冠から始めて，時計回りに，蝶形骨と関節する骨の名前を挙げなさい。

middle cranial fossa は蝶形骨と側頭骨からつくられ，下垂体と脳の側頭葉を，3) 後頭蓋窩 posterior cranial fossa は側頭骨の後部と後頭骨からつくられ，脳の一部である橋，延髄，小脳をのせる）。

顔面頭蓋骨

顔面の枠組みとなるほか，顔面頭蓋骨は消化器系と呼吸器系への入口をつくり，保護している。また，いろいろな顔の表情をつくり出す筋の付着部となる。

顔の形は生後 2 年の間に大きく変る。脳と頭蓋が大きくなり，歯がつくられて萌出し，副鼻腔がその体積を増す。顔の成長はおよそ 16 歳で止まる。

1 対の**鼻骨** nasal bone は鼻の支柱をつくる（図6.7 a）。鼻を支持する残りの部分は軟骨からなる。

1 対の**上顎骨** maxilla（複数形 maxillae；＝アゴの骨）が結合して上顎をつくり，下顎骨（下アゴの骨）をのぞいた顔面頭蓋の諸骨と関節する（図 6.7 a，b）。上顎骨には鼻腔に通じる**上顎洞** maxillary sinus がある（図 6.11）。上顎骨の**歯槽突起** alveolar process（alveol- ＝小腔）は弓状で，上顎歯（上の歯）が入る**歯槽**

図 6.10 篩骨。

篩骨は鼻腔の主要な枠組みとなる。

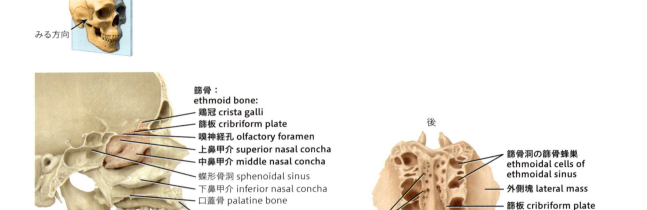

(a) 矢状断面

(b) 上面

(c) 頭蓋内の篩骨を前からみる

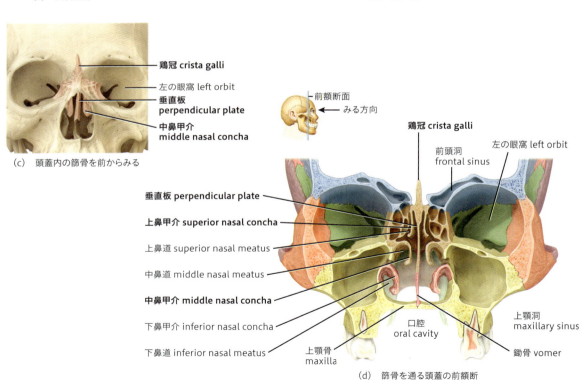

(d) 篩骨を通る頭蓋の前額断

Q 篩骨で，鼻中隔の上部をつくる部分を何というか？

alveolus（複数形 alveoli）をもつ．上顎骨は口腔の上壁に相当する**硬口蓋** hard palate の前3/4をつくる．

L字形をした1対の**口蓋骨** palatine bone（palat- ＝口腔の上壁）は左右が結合して，硬口蓋の後部，鼻腔の下壁と側壁の一部，そして眼窩下壁のごく一部をつくる（図6.8）．口蓋裂がある場合は口蓋骨も不完全に癒合していることがある．

下顎骨 mandible（mand- ＝噛む），すなわち下アゴの骨は顔面頭蓋をつくる骨のうちで，もっとも大きく，もっとも頑丈な骨である（図6.7 b）．下顎骨は可動性をもつ，ただ一つの頭蓋骨である．側頭骨のところで述べたように，下顎骨には**関節突起** condylar process があることを思い出そう．この突起は側頭骨の下顎窩と関節して顎関節をつくる．上顎骨と同じように下顎骨にも，下顎歯（下の歯）を受けいれる**歯槽** alveolus を備えた**歯槽突起** alveolar process がある（図6.7 c）．**オトガイ孔** mental foramen（ment- ＝アゴ）は下顎骨にあいた孔で，歯科医がオトガイ神経を麻酔するのに使う（図6.7 a）．

> **臨床関連事項**
>
> **顎関節症候群**
>
> 顎関節（TMJ）に起る問題の一つは**顎関節症候群 temporomandibular joint（TMJ）syndrome** である．耳のまわりに鈍い痛みがある，顎の筋に圧痛がある，口を開いたり閉じたりしたときにカクン，カクンと鳴る，異常に口の開きが制限されている，頭痛がする，歯が過敏である，歯が異常に削れている，などがこの症候群の特徴となる．TMJ症候群は歯が正しく配列していないこと，歯ぎしりをしたり歯を食いしばったりすること，頭部や頸部に外傷があったり，関節炎があったりすることなどで引き起こされる．治療には温湿布か冷湿布をする，柔らかな食事に制限する，アスピリンのような痛み止めを使う，筋トレーニングをする，とくに夜間，歯ぎしりや歯を食いしばったりするのを減らすのに咬合挙上板あるいは当て具を使う，歯の噛み合わせを調整したり，歯の整形をする（歯科矯正術を施す），外科手術をする，などがある．

2個の**頬骨** zygomatic bone（zygo- ＝くびき様）は一般に"ほほぼね"と呼ばれ，ほほの出っ張りと眼窩の側壁および下壁の一部をつくる（図6.7 a）．前頭骨，上顎骨，側頭骨と結合する．

1対の**涙骨** lacrimal bone（lacrim- ＝涙のしずく）は顔面頭蓋の中ではもっとも小さな骨で薄く，形と大きさが爪にほぼ似かよっている．図6.7のaとbに示したように，頭蓋の正面と側面でみることができる．

2個の**下鼻甲介** inferior nasal concha は篩骨の上鼻甲介と中鼻甲介よりも下で，鼻腔に突き出たカールした骨である（図6.7 a, c, 図6.10 a, d）．下鼻甲介は上鼻甲介や中鼻甲介と同様に，肺に入る前の空気をフィルターにかける働きがある．

鋤骨 vomer（＝鋤の刃）はほぼ三角形で鼻腔下壁の上に立ち，下にある上顎骨と口蓋骨とに頭蓋の正中に沿って結合する．図6.7 a で示した頭蓋の正面と図6.8 で示した下面で，鋤骨をはっきりと観察できる．鋤骨は**鼻中隔** nasal septum をつくる要素の一つである．鼻中隔は鋤骨，鼻中隔軟骨，篩骨垂直板でつくられている（図6.7 a）．鋤骨の前縁は鼻中隔軟骨（硝子軟骨）と結合して，鼻中隔の前方部を形成する．鋤骨の上縁は篩骨垂直板と結合して，鼻中隔の残りをつくる．

> **臨床関連事項**
>
> **口蓋裂と唇裂**
>
> 普通，胎生10～12週で，左右の上顎骨の結合が完了する．この結合に失敗すると**口蓋裂 cleft palate** と呼ばれる形になる．この場合，口蓋骨が不完全な形で癒合することもある（図6.8）．癒合に失敗した別の形は上唇に裂け目が入る，**唇裂 cleft lip** である．唇裂は口蓋裂を伴うものが多い．裂け目の位置と広がりによっては話し方や嚥下運動に影響がでる．顔面や口腔を扱う外科医は生まれてすぐ，数週のうちに手術して唇裂を閉じることを勧めている．外科手術をすれば満足な結果が得られる．口蓋裂を閉じる手術は子どもが話をするようになる前の12ヵ月から18ヵ月の間に行われるのが理想である．子音の発音に口蓋が重要な働きをするので，言語治療が必要になったり，歯の配列を正す，矯正が必要になったりする．繰り返しになるが，普通，治療の結果はすばらしいものになる．妊娠中に葉酸（ビタミンBの一つ）を補助食品から摂ると唇裂や口蓋裂の発生率を下げることができる．

> **チェックポイント**
>
> 15. 頭蓋の働きは何か？
> 16. 蝶形骨が頭蓋底の"かなめ石"といわれるのはなぜか？
> 17. 顔面頭蓋骨のうち，もっとも大きくて頑丈な骨はどれか？

6.8 頭蓋にだけみられる構造

目 標

・頭蓋にだけみられる次の特徴が記述できる：縫合，副鼻腔，泉門．
・頭蓋と舌骨との関係を記述できる．

頭蓋を構成する骨の名称については熟知したので，頭蓋にだけみられる，3種類の構造を詳しくみること

にする。すなわち，縫合，副鼻腔，泉門である。

縫　合　成人ではほとんどの場合，不動関節の**縫合** suture（＝縫い目）が頭蓋をつくる骨を一緒にまとめ上げている。頭蓋にみられるいくつかの縫合のうち，四つの重要な縫合だけをみることにする（図6.7）。

1. **冠状縫合** coronal suture（coron- ＝冠）は前頭骨と左右の頭頂骨（2個）とをつなぐ縫合。
2. **矢状縫合** sagittal suture（sagitt- ＝矢）は左右の頭頂骨（2個）をつなぐ縫合。
3. **ラムダ縫合** lambdoid suture（ギリシャ語の文字，Λに形が似ているので名づけられた）は左右の頭頂骨を後頭骨につなぐ縫合（訳注：人字縫合ともいう）。
4. **鱗状縫合** squamous suture（squam- ＝平たい部分）は頭頂骨を側頭骨につなぐ縫合。

副鼻腔　対になった腔所，**副鼻腔** paranasal sinus（para- ＝並んで）は鼻腔近くの，特定の脳頭蓋骨と顔面頭蓋骨に存在する（図6.11）。副鼻腔を裏打ちする粘膜は鼻腔を裏打ちする粘膜に連続している。副鼻腔をもつ頭蓋骨は前頭骨（**前頭洞** frontal sinus），蝶形骨（**蝶形骨洞** sphenoidal sinus），篩骨（**篩骨洞** ethmoidal sinus），上顎骨（**上顎洞** maxillary sinus）である。副鼻腔は粘液を分泌するほかに，話し声や歌声など，人それぞれに特徴のある声をつくる共鳴装置として働いている。また，頭蓋の重量を軽くしている。

図6.11　副鼻腔。

副鼻腔は粘膜で裏打ちされた洞で，鼻腔と連絡し，前頭骨，蝶形骨，篩骨，上顎骨にある。

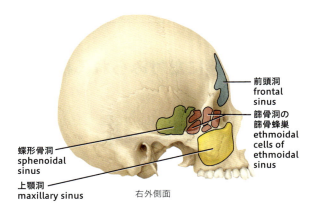

Q 副鼻腔の主な二つの働きは何か？

臨床関連事項

副鼻腔炎

　一つ以上の副鼻腔で起きた粘膜の炎症が**副鼻腔炎** sinusitis である。副鼻腔炎は微生物（ウイルス，細菌，カビなど）の感染，アレルギー反応，鼻腔にできたポリープ，極端に彎曲した鼻中隔などによって引き起される。炎症や閉塞が起きて分泌物が鼻腔へうまく排出されないと，副鼻腔に貯まった分泌液の圧が増して副鼻腔（洞）由来の頭痛が引き起される。その他の症状としては鼻づまり，においがわからなくなる，熱や咳が出るなどがある。選択できる治療法としては鼻づまりを改善する点鼻薬やスプレーあるいは飲み薬を使う，副腎皮質ホルモンを鼻粘膜に与える，抗生物質を使う，痛みを和らげる鎮痛薬を使う，温湿布をする，外科手術を受ける，などである。

泉　門　新しくつくられた胎児の骨格は骨の形をした軟骨あるいは膜状に並んだ間葉とからできていることを思い出そう。次第に，骨化が起き，間葉と軟骨が骨で置き換わる。誕生時，頭蓋骨の間には間葉細胞で満たされた**泉門** fontanel（＝小さな泉）あるいは"柔らかな場所"と呼ばれる領域がみられる。泉門には大泉門，小泉門，前側頭泉門，後側頭泉門がある。これらの骨化していない間葉からなる領域は最終的に膜内骨化で骨に置き換わり，それぞれ縫合をつくる。機能的には泉門があるから，胎児の頭蓋は産道を通るときに圧されて変形できるし，また，幼児期に起る急激な脳の発達にも対応できる。いくつかの泉門の形と局在を**表6.3**に図解し，記載した（訳注：原著は anterior fontanel（前泉門）と posterior fontanel（後泉門）と表記しているが，解剖学用語ではそれぞれを大泉門および小泉門という）。

舌　骨

　1個の**舌骨** hyoid bone（＝U字形）は軸骨格を構成する要素でありながら，ほかの残りの骨と結合したり，関節をつくったりしない，ただ一つの骨である。ほかの骨と関節しない代わり，側頭骨の茎状突起から伸びた靱帯と筋によってつり下げられている。舌骨は頸部にあって下顎と喉頭との間に存在する（図6.7 c）。舌の支持体であると同時に，いくつかの舌筋，頸部と咽頭の筋の付着部となっている。頸部を締められた場合，喉頭と気管の軟骨と同じように，舌骨も折れることが多い。そのため，絞殺が疑われる場合には剖検時にこれらの軟骨と舌骨を精査することになる。

表 6.3 泉門

泉門	局在	特徴
大泉門	左右の頭頂骨と前頭骨の間	ほぼ菱形で，泉門の中でもっとも大きい；通常，生後18～24ヵ月で閉じる。
小泉門	左右の頭頂骨と後頭骨の間	菱形で，大泉門よりもはるかに小さい；一般に，生後2ヵ月で閉じる。
前側頭泉門	前頭骨，頭頂骨，側頭骨，蝶形骨の間	頭蓋の両側に一つずつあり，小さく，不規則な形；通常は生後約3ヵ月で閉じる。
後側頭泉門	頭頂骨，後頭骨，側頭骨の間	頭蓋の両側に一つずつあり，不規則な形；生後1ヵ月ないし2ヵ月後に閉じ始めるが，通常，完全に閉じるのに1年以上かかる。

チェックポイント

18. 頭蓋の全体的な特徴を述べなさい。
19. 次の構造を定義しなさい：縫合，孔，鼻中隔，副鼻腔，泉門。

6.9 脊柱

目標

- 脊柱の部位と正常な彎曲を同定し，脊柱の構造上と機能上の特徴を述べる。

脊柱 vertebral column（spine, spinal column, あるいは**背骨** back-bone ともいう）は**椎骨** vertebra（複数形 vertebrae）と呼ばれる一繋がりの骨からできている。脊柱は回旋でき，また前方・後方・側方へ動くことができる1本の強い柔軟性のある心棒として働いている。脊髄を中にいれて保護するとともに，頭を支え，肋骨，下肢帯および背筋の付着部となっている。

脊柱の部位

椎骨の全数は発生の早い段階では33個である。その後，仙骨部と尾骨部でいくつかの椎骨が骨結合する。その結果，典型的な成人の脊柱 vertebral column（spinal column）は26個の椎骨をもつようになる（図 6.12）。これらの椎骨は次のように分布する。

- 頸部に**7個の頸椎** cervical vertebra（cervic- ＝頸）。
- 胸腔の後ろに**12個の胸椎** thoracic vertebra（thorax- ＝胸）。
- 背の下部を支える**5個の腰椎** lumbar vertebra（lumb- ＝腰）。
- 5個の仙椎が骨結合してつくり上げた**1個の仙骨** sacrum（＝神聖な骨）。
- 4個の尾椎が骨結合してつくり上げた**1個の尾骨** coccyx（＝カッコウのくちばしの形に似ている）。

頸椎，胸椎，腰椎は可動性をもつのに対し，仙骨と尾骨は動かない。第2頸椎から仙骨まで，隣り合った椎骨の間にはそれぞれに**椎間円板** intervertebral disc（inter- ＝間）が入る。各椎間円板は線維性軟骨からなる周辺部（訳注：**線維輪** annulus fibrosus）と柔らかなパルプ状の高い弾性を示す内部（訳注：**髄核** nucleus pulposus）からなっている。椎間円板は強固に結びつき，脊柱にいろいろな動きができるようにさせ，垂直にかかった衝撃を吸収する。

脊柱の正常な彎曲

横からみると脊柱は4ヵ所で軽く彎曲していて，これを**正常彎曲** normal curve（図 6.12）と呼ぶ。からだの前面に対して**頸部彎曲** cervical curve と**腰部彎曲** lumbar curve は前に凸（前彎）で，**胸部彎曲** thoracic curve と**仙骨部彎曲** sacral curve は後ろへ凸（後彎）である。脊柱の彎曲は脊柱の強度を上げ，直立姿勢で釣り合いをとりやすくし，歩行や駆け足の際には衝撃を吸収し，そして，折れにくくする。

胎児の彎曲は脊柱の全長にわたってただ一つで，凸のカーブである（図 6.12 b）。生後約3ヵ月で乳児が自分の頭を直立に保持できるようになると，頸部の彎曲がつくられる。その後，子どもが起きあがり，立ち，歩くようになると，腰部の彎曲が出現する。

椎骨

脊柱を構成する椎骨は部位によって大きさ，形，さらに細かな点でも違っているが，共通な要素をもっているので，典型的な椎骨を取り上げてその構造と働きを述べる（図 6.14）。

図 6.12 脊柱。

典型的な成人の脊柱は 26 個の椎骨からできている。

脊柱の機能
1. 運動を可能にする。
2. 脊髄をいれ，保護する。
3. 肋骨や背筋の付着部となる。

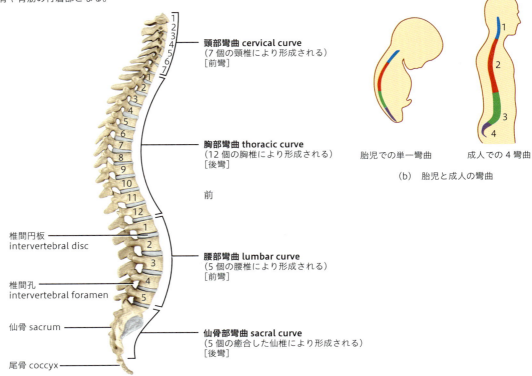

(a) 正常な四つの彎曲を示す，右外側面

(b) 胎児と成人の彎曲

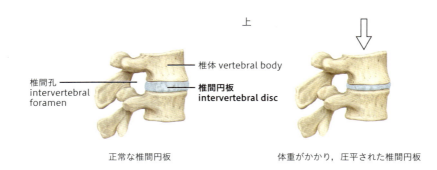

(c) 椎間円板

Q （からだの正面に対して）凹の彎曲になるのはどの彎曲か？

- **椎体** body は前方で厚くなった円板状の部分にあたり，体重を支える部分である．
- **椎弓** vertebral arch は椎体から後ろに伸びた部分である．椎弓は椎体から後ろに伸びる1対の短く太い突起，**椎弓根** pedicle（＝小さな足）によってつくられる．椎弓根は後方で椎弓板に連続する．**椎弓板** lamina（複数形 laminae；＝薄い板）は椎弓の平たい部分にあたり，**棘突起** spinous process と呼ばれる1個の鋭く細長い突起に連続する．椎弓と椎体とに囲まれた孔は脊髄をいれる**椎孔** vertebral foramen である．全椎骨の椎孔が一つに連続して**脊柱腔** vertebral cavity（訳注：**脊柱管** vertebral canal）となる．椎骨が次々と積み上げられると，脊柱の両側で隣り合った椎骨の間に開口部ができる．開口部は**椎間孔** intervertebral foramen と呼ばれ，1本の脊髄神経を通す孔となる．
- **7本の突起** process が椎弓からでる．椎弓板と椎弓根があうところで，両側に**横突起** transverse process が外側に伸びる．両側の椎弓板があうところから1本の**棘突起** spinous process（spine）がでる．これら3本の突起は筋の付着部となる．残り4個の突起は隣り合った上下の椎骨との間で関節をつくる．二つの**上関節突起** superior articular process はすぐ上の椎骨と関節をつくる．二つの**下関節突起** inferior articular process はすぐ下の椎骨と関節する．関節突起の滑らかな面を**関節面** facet（＝小さな面）と呼び，硝子軟骨で覆われている．

椎骨は領域ごとに，上から下に向かって順番に番号がつけられている．6.10節では脊柱の異なる領域にみられる椎骨の詳細を示している．

> **チェックポイント**
> 20．脊柱の働きは何か？
> 21．脊柱の部位別に，それぞれの椎骨を識別する主な特徴は何か？

6.10 脊柱の領域

目標
・頸椎，胸椎，腰椎，仙椎，尾椎がどこにあるかがわかり，それぞれの椎骨での表面形状がわかる．

頸椎

7個の**頸椎** cervical vertebra は C1（第1頸椎）から C7（第7頸椎）と呼ばれる（図6.13）．第2頸椎から第6頸椎までの棘突起はたいていが2分岐（bifid），すなわち二つに裂けている（図6.13c）．すべての頸椎は三つの孔をもつ．一つの椎孔と二つの横突孔である．各頸椎の横突起には血管と神経を通す**横突孔** transverse foramen がある．

上位2個の頸椎は残りの頸椎とかなり違う．第1頸椎（C1），すなわち**環椎** atlas は頭部を支え，肩で地球を支えるという神話にでてくるアトラスにちなんで名づけられている．環椎には椎体と棘突起がない．環椎上面には**上関節窩** superior articular facet があり，頭蓋の後頭骨と関節する．この関節により，"はい"を示す，頭を縦に振るうなずき運動ができる．環椎の下面には**下関節窩** inferior articular facet があり，第2頸椎と関節する．

第2頸椎（C2），すなわち**軸椎** axis には椎体と棘突起がある．歯の形をした突起は**歯突起** dens と呼ばれ，環椎の椎孔を通り抜けるほどに突出している．歯突起は一種の車軸で，これを中心に環椎と頭部が"いいえ"を示す頭を左右に振るように運動する．

図6.13cに示した第3頸椎から第6頸椎（C3～C6）はすでに記載した典型的な頸椎の形をしている．第7頸椎（C7）は**隆椎** vertebra prominens と呼ばれ，少し形が違っている．単一の大きな棘突起が特徴で，頸の根元で棘突起を観察することも触れることもできる．

胸椎

胸椎 thoracic vertebra（T1～T12）は頸椎と比べてかなり大きく，より頑丈である．胸椎を特徴づけるのは肋骨と関節をつくる関節面をもつことである（図6.14；訳注：椎体にある上肋骨窩と下肋骨窩，横突起にある横突肋骨窩）．肋骨が胸骨と結合しているので，胸部の運動は制限される．

腰椎

腰椎 lumbar vertebra（L1～L5）は脊柱を構成し，癒合しない椎骨の中で，もっとも大きく，もっとも頑丈である（図6.15）．腰椎にみられるいくつかの突起はいずれもが短くて太い．棘突起は大きな背筋が付着できるように都合のよい形をしている（訳注：図6.15に示されている腰椎横突起は肋骨が癒合してつくられるので，解剖学用語ではこの突起を**肋骨突起** costal process という）．

仙椎と尾椎

仙骨 sacrum は三角形の骨で5個の仙椎が癒合したものである．図6.16にS1からS5として示してあ

図 6.13 頸椎。

頸椎は頸部にある。

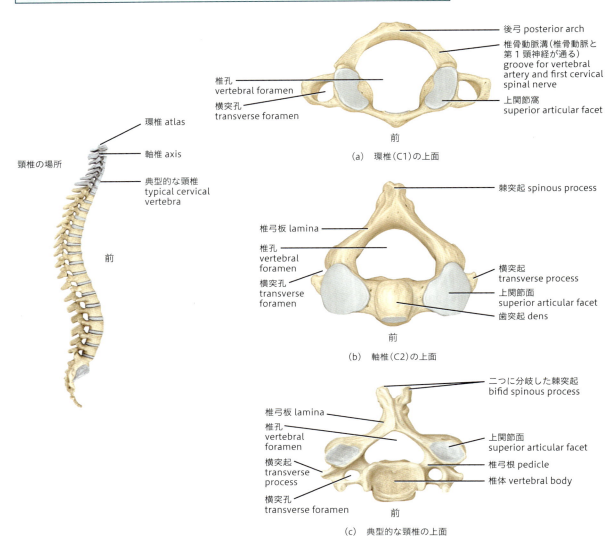

(a) 環椎（C1）の上面

(b) 軸椎（C2）の上面

(c) 典型的な頸椎の上面

Q どの骨が，"いいえ"を表す頭を左右に振る運動を可能にしているか？

る。仙椎の癒合は16歳から18歳の間に始まり，普通30歳で完了する。仙骨は骨盤の強固な土台となる。仙骨は骨盤腔の背側に位置し，その外側面が1対の寛骨と結合する。

仙骨前面と後面には4対の孔，すなわち**仙骨孔** sacral foramina がある。この孔を神経と血管が通る。**仙骨管** sacral canal は脊柱管の続きである。仙骨管の下口は**仙骨裂孔** sacral hiatus（＝開口）と呼ばれる。仙骨上面の前縁は突出し，**仙骨の岬角** sacral promontory と呼ばれ，出産前に骨盤を計測する目印として使われている。

臨床関連事項

脊髄尾部麻酔

麻酔薬が仙骨裂孔を通して仙骨神経と尾骨神経に作用するように注入される場合があり，この処置を**脊髄尾部麻酔 caudal anesthesia** という。分娩時の痛みを軽減するのに，あるいは会陰部の麻酔によく使われる。注入位置が脊髄の下端よりも下位にあるので，脊髄を損傷することはほとんどない。

6.10 脊柱の領域

図 6.14 胸椎を図解して，典型的な椎骨の構造を示す。（胸椎だけがもっている，肋骨窩に注意）。(b)では，理解しやすいように，椎間孔から引き出した，1本の脊髄神経を描いてある。

椎骨は椎体，椎弓ならびに数本の突起とから構成されている。

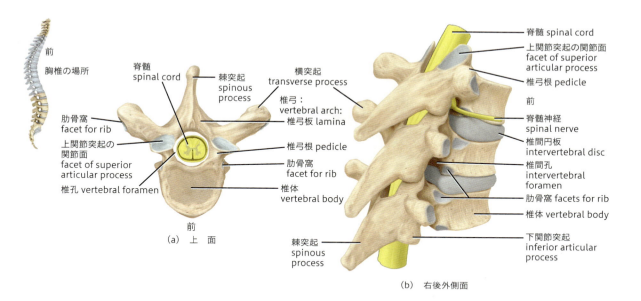

Q 椎孔と椎間孔は何をするための孔か？

図 6.15 腰椎。

腰椎は背中の下のほうにある。

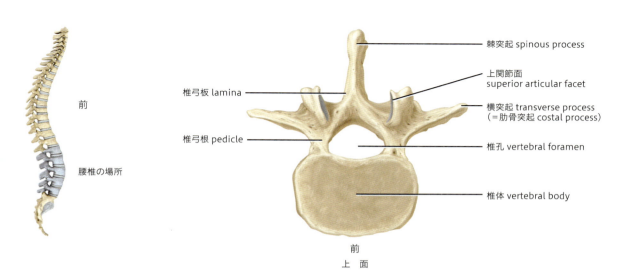

Q 腰椎が，脊柱の中でもっとも大きく，もっとも頑丈なのはなぜか？

図 6.16 仙骨と尾骨。

5個の仙椎が癒合して仙骨がつくられ，通常4個の尾椎が癒合して尾骨がつくられる。

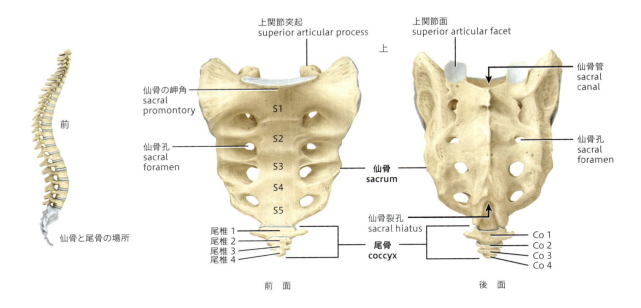

Q 仙骨孔は何のための孔か？

尾骨 coccyx は仙骨に似た三角形で，4個の尾椎が癒合してつくられる。尾椎は図6.16にCo1からCo4として示した。尾骨の上端が仙骨と関節する。

チェックポイント
22．環椎と軸椎は残りの頸椎とどのように違うか？
23．胸椎が他の椎骨と違う特徴をいくつか述べなさい。
24．腰椎が他の椎骨と違う特徴をいくつか述べなさい。
25．仙骨と尾骨は何個の椎骨が癒合したものか？

6.11 胸　　郭

目　標
・胸郭をつくる骨がわかり，それらの骨の基本的な形状がわかる。

胸郭 thorax という術語は胸全体をさす。胸郭の骨格部分すなわち**胸のカゴ** thoracic cage は胸骨，肋軟骨，肋骨，胸椎の椎体からできた骨性のカゴである（図6.17）。この"胸のカゴ"は胸腔と腹腔上部に入る内臓を包み，保護している。さらに，上肢帯および自由上肢骨の支持体にもなっている。

胸　骨

胸骨 sternum（breastbone）は扁平な幅の狭い骨で，前胸壁の中央にあり，25歳までに癒合する三つの部分からなっている（図6.17）。胸骨の上部が**胸骨柄** manubrium（＝取っ手状）；中央の大きな部分が**胸骨体** body；もっとも下の小さな部分が**剣状突起** xiphoid process（＝刀状）である。

胸骨柄は鎖骨，第1および第2肋骨と関節する。胸骨体は直接に，あるいは間接的に第2肋骨から第10肋骨と関節する。剣状突起は幼児や子どもでは硝子軟骨からできていて，40歳ぐらいまで骨化することはない。剣状突起に肋骨が結合することはないが，いくつかの腹部の筋がつく。心肺蘇生 cardiopulmonary resuscitation（CPR）を施す救助者が正しい位置に手を置かないと，剣状突起が折れ，内臓に突き刺さる危険がある。

肋　骨

12対の**肋骨** rib が胸腔の側壁をつくる（図6.17）。第1肋骨から第7肋骨までは長さが増し，それ以降の第12肋骨までは長さが短くなる。肋骨は背側で，対応する胸椎と関節する。

第1から第7までの肋骨は**肋軟骨** costal cartilage

図 6.17 胸郭の骨格。

胸郭をつくる骨は胸腔と腹腔上部の内臓を収め，内臓の保護にあたる。

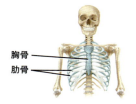

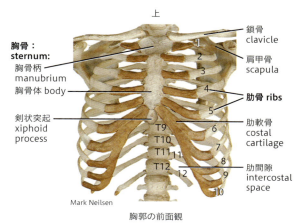

胸骨：sternum：
- 胸骨柄 manubrium
- 胸骨体 body
- 剣状突起 xiphoid process

鎖骨 clavicle
肩甲骨 scapula
肋骨 ribs
肋軟骨 costal cartilage
肋間隙 intercostal space

Mark Neilsen
胸郭の前面観

Q 真肋はどれか？ 仮肋はどれか？ 浮遊肋はどれか？

(cost＝肋骨) と呼ばれる細長い硝子軟骨を介して，腹側で胸骨とじかに結合する。これらの肋骨を**真肋** true rib と呼ぶ。残り 5 対の肋骨は**仮肋** false rib と呼ばれ，その肋軟骨はじかに胸骨と結合することはなく，間接的か，またはまったく胸骨に達しないかのどちらかである。第 8，第 9，第 10 肋骨の肋軟骨は互いが結合し，さらに第 7 肋骨の肋軟骨に結合する。第 11 と第 12 番の仮肋は前端の肋軟骨がまったく胸骨につか

ないので**浮遊肋** floating rib として知られている。浮遊肋は背側で唯一胸椎とだけ結合する。肋骨間は**肋間隙** intercostal space と呼ばれ，肋間筋，血管および神経で満たされる。

チェックポイント
26．胸郭を構成する骨の働きは何か？
27．胸骨の部分にはどんなものがあるか？

6.12 上肢帯（肩帯）

目 標
・上肢帯の骨とその基本的な形状がわかる。

自由上肢骨を体幹の骨格に結合するのが**上肢帯** pectoral girdle (shoulder girdle) である (図 6.18)。左右の上肢帯はそれぞれ二つの骨，すなわち鎖骨と肩甲骨からなる。前方の構成要素である鎖骨は胸骨と関節し，一方，後方の構成要素である肩甲骨は鎖骨と上腕骨とに関節する。上肢帯は脊柱と関節しない。上肢帯の関節は可動性が大きいので，多様な方向の運動ができるようになる。

鎖 骨

第 1 肋骨の上にあって，水平に置かれた**鎖骨** clavicle (＝鍵；collarbone) は長くほっそりとした S 字状の骨である。鎖骨の内側端（胸骨端）は胸骨と関節し，外側端（肩峰端）は肩甲骨の肩峰と関節する (図 6.18)。鎖骨はこのような位置関係から，上肢にかかった機械的な力を体幹に伝えている。

臨床関連事項

肋骨骨折

肋骨骨折 rib fracture はもっとも頻度が高い外傷で，直接強打されたり，よくあることでは車のハンドルにぶつけたり，落下して強打したり，胸を押しつぶすような外傷を受けることが原因となる。骨折した肋骨が心臓，心臓に出入りする大血管，肺，気管，気管支，食道，脾臓，肝臓，腎臓などに突き刺さることもある。肋骨骨折は通常，痛みが激しい。正常な肺の換気が阻害されると肺炎を引き起こすので，肋骨が骨折しても包帯で固定することはない。

臨床関連事項

鎖骨骨折

上肢にかかった機械的な力は鎖骨を通って体幹に伝えられる。腕を外に伸ばした状態で落ちた場合など，鎖骨に伝えられる力が大きすぎると，**鎖骨骨折** fractured clavicle が引き起されることがある。自動車事故などで衝撃を受けた場合のように，前方から上部胸郭を強打された際にも鎖骨骨折が起ることがある。鎖骨はからだの中でもっとも骨折しやすい骨の一つである。肩を押さえるシートベルトを装着した人が自動車事故にあうと鎖骨が押されるので，鎖骨と第 2 肋骨との間を走る腕神経叢（上肢に向かう神経の"綾取り"）が多くの場合に障害を受ける。鎖骨骨折では，通常，8 の字形のつり包帯を使って上肢が外転しないようにする。

図 6.18 右の上肢帯。

上肢帯は自由上肢骨を軸骨格に連結する。

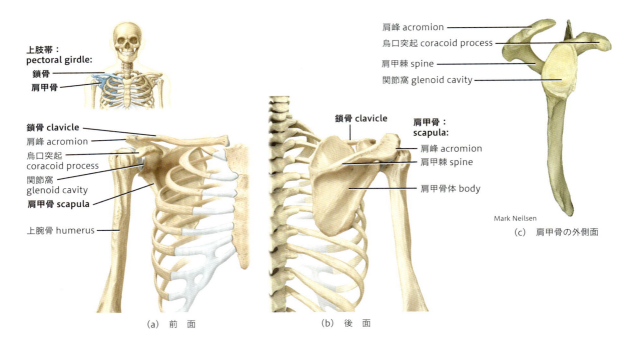

(a) 前面　(b) 後面　(c) 肩甲骨の外側面

Q 上肢帯をつくる骨は何か？

肩甲骨

肩甲骨 scapula（shoulder blade）は大きく，平らな三角形をした骨で胸郭の後ろにある（図 6.18）。平らな三角形をした肩甲骨体 body の後面を鋭く隆起した**肩甲棘 spine** が斜めに横切る（訳注：肩甲骨体という解剖学用語はない。後面を**背側面**，前面を**肋骨面**という）。肩甲棘の外側端は**肩峰 acromion**（acrom- ＝最上の）である。肩峰は肩の高点として簡単に触れることができ，鎖骨と関節をつくる場所である。肩峰の下に**関節窩 glenoid cavity** と呼ばれる凹みがある。この関節窩は上腕骨の骨頭と関節して肩関節をつくる。さらに，肩甲骨には**烏口突起 coracoid process**（＝カラスの嘴）と呼ばれる筋のつく突起がある。

> **チェックポイント**
> 28．上肢帯を構成する骨は何か？　また，上肢帯の働きは何か？

6.13　自由上肢骨

目 標

・自由上肢骨とその基本的な形状がわかる。

一側の**自由上肢骨 upper limb** は 30 個の骨からできている。自由上肢骨は上腕に上腕骨，前腕に尺骨と橈骨，手に 8 個の手根骨（手首の骨），5 個の中手骨（手掌の骨），14 個の指骨（指の骨）をもつ（図 6.6）。

上腕の骨格—上腕骨

上腕の骨，すなわち**上腕骨 humerus**（arm bone）は自由上肢骨の中ではもっとも長く，もっとも大きな骨である（図 6.19）。上腕骨は肩のところで肩甲骨と関節し，肘のところでは尺骨と橈骨の両者と関節する。上腕骨の近位端は**上腕骨頭 head** をつくり，肩甲骨の関節窩と関節する。上腕骨頭のすぐ遠位にある溝は**解剖頸 anatomical neck** である。ここは，かつて骨端板（成長板）があった場所に相当する。**外科頸 surgical neck** は解剖頸の遠位にあり，しばしば骨折がこの場所で起

図 6.19　肩甲骨，尺骨，橈骨と関節する，右上腕骨。

上腕骨は自由上肢骨の中で，もっとも長く，もっとも大きな骨である。

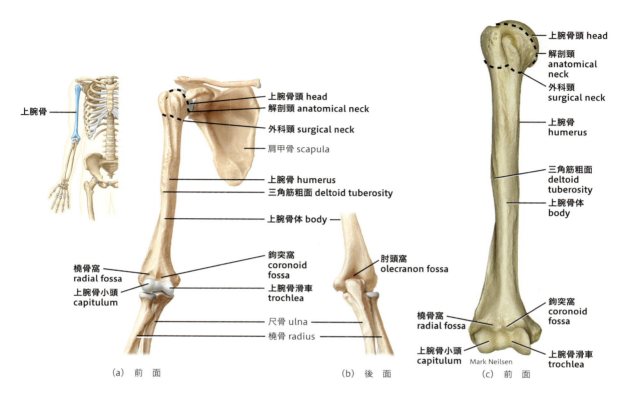

(a) 前面　　(b) 後面　　(c) 前面

Q 肩甲骨のどの部分が上腕骨と関節するか？

ることから名づけられている。**上腕骨体** body には**三角筋粗面** deltoid tuberosity と呼ばれるほぼV字形をした領域があり三角筋がつく。上腕骨の遠位端には橈骨頭と関節する丸い塊の**上腕骨小頭** capitulum (＝小さな頭) がある。**橈骨窩** radial fossa は前腕が屈曲した際に橈骨頭を受け入れる凹みである。**上腕骨滑車** trochlea は滑車の形をしていて，尺骨と関節する。**鈎突窩** coronoid fossa (＝とさか) は前腕が屈曲した際に尺骨部分 (訳注：尺骨の鈎状突起) を受け入れる凹みである。**肘頭窩** olecranon fossa は上腕骨の背面にある凹みで，上腕を伸展した際に (まっすぐに伸ばしたときに) 尺骨の肘頭が入り込むところである。

前腕の骨格―尺骨と橈骨

尺骨 ulna は前腕の内側 (小指側) にあって橈骨よりも長い (図 6.20)。尺骨の近位端が**肘頭** olecranon で，肘の隆起をつくっている。**鈎状突起** coronoid process と肘頭とが上腕骨滑車の受け口になっている。上腕骨滑車は肘頭と鈎状突起の間にできた大きな凹みの**滑車切痕** trochlear notch にはまり込む。**橈骨切痕** radial notch は橈骨頭を受ける凹みである。**茎状突起** styloid process は尺骨の遠位端にある。

橈骨 radius は前腕の外側 (親指側) にある。橈骨の近位端は円板状の**橈骨頭** head となり上腕骨小頭および尺骨の橈骨切痕と関節する。橈骨にはざらざらした隆起の**橈骨粗面** radial tuberosity と呼ばれる領域があり，上腕二頭筋の付着点となっている。橈骨の遠位端は手首にある3個の手根骨と関節する。橈骨の遠位端にも**茎状突起** styloid process がある。50歳以上の成人が倒れたときに経験する骨折では橈骨遠位端の骨折がきわめて多い。

手の骨格―手根骨，中手骨，指骨

手の**手根** carpus (手首 wrist) は8個の小さな骨，**手根骨** carpal からなり，互いに靱帯で結びついている (図 6.21)。手根骨は横2列に並ぶ。各列は4個からなり，それぞれの骨はその形に由来した名前がつけられている。解剖学的正位で上位の列 (近位列) の手根骨

図 6.20 上腕骨，手根骨と関節する，右の尺骨と橈骨。

前腕では，より長いほうの尺骨が内側にあり，橈骨が外側になる。

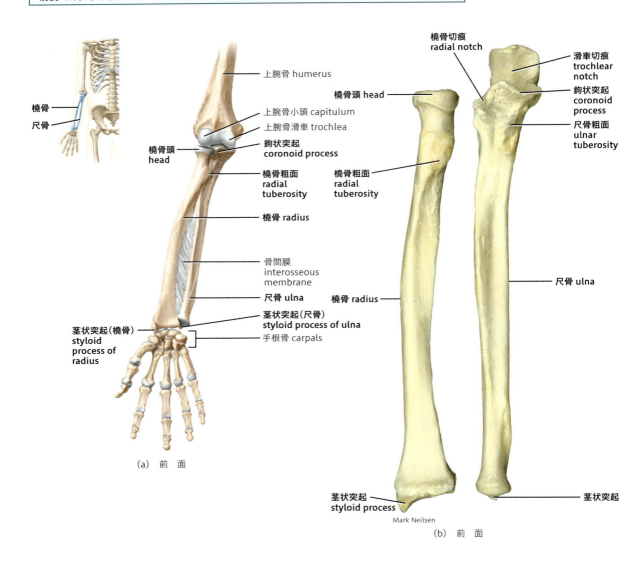

(a) 前面

(b) 前面

Q "肘"と呼ばれるのは，尺骨のどの部分か？

は外側から内側に**舟状骨** scaphoid（＝舟に似る），**月状骨** lunate（＝月の形），**三角骨** triquetrum（＝3個の角をもつ），**豆状骨** pisiform（＝豆の形）と並ぶ。手根骨が骨折した場合にはその約70％で舟状骨のみが骨折する。なぜならば，手にかかった力は舟状骨を介して橈骨に伝えられるからである。下位の列（遠位列）の手根骨は外側から内側に，**大菱形骨** trapezium（＝2辺が平行でない四角形），**小菱形骨** trapezoid（＝2辺が平行の四角形），**有頭骨** capitate（＝頭の形；手根骨の中でもっとも大きく，丸い突起の骨頭が月状骨と関節する），**有鉤骨** hamate（＝鉤；前面に鉤状の突起があることから名づけられた）と並ぶ。尺骨側で豆状骨と有鉤骨によってつくられる凹みと，橈骨側で舟状骨と大菱形骨によってつくられる凹みとが一緒になり，**手根管** carpal tunnel と呼ばれる空間を形成する。この手根管を指屈筋（訳注：浅指屈筋，深指屈筋，長母指屈筋）の長い腱，および正中神経が通る。

手掌 metacarpus（palm）には**中手骨** metacarpal（meta-＝後，の下）と呼ばれる5個の骨がある。各中手骨は近位の**底** base，中間の**体** body，遠位の**頭** head

6.13 自由上肢骨　**151**

図 6.21　尺骨，橈骨と関節する右の手根，および手。

手の骨格は手根骨，中手骨，指骨からなる。

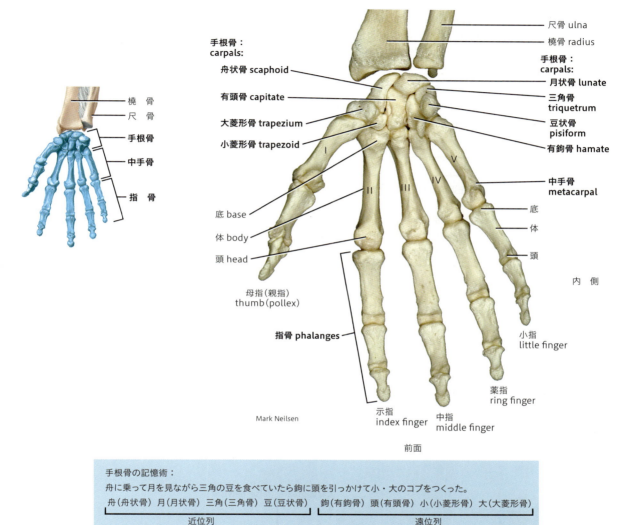

Mark Neilsen

前面

手根骨の記憶術：
舟に乗って月を見ながら三角の豆を食べていたら鉤に頭を引っかけて小・大のコブをつくった。
舟（舟状骨）　月（月状骨）　三角（三角骨）　豆（豆状骨）　｜　鉤（有鉤骨）　頭（有頭骨）　小（小菱形骨）　大（大菱形骨）
　　　　　　　　近位列　　　　　　　　　　　　　　　　　　　　　　　　　遠位列
外側　──────────────→　内側　　外側　──────────────→　内側

Q　"こぶし"と一般に呼ばれるのはどの骨の，どの部分か？

から構成されている。中手骨は母指の中にある外側の骨から順々にⅠ～Ⅴ（あるいは 1～5）までの番号がつけられている。中手骨の骨頭はいわゆる"こぶし"と呼ばれる部分に相当し，しっかり手を握れば容易に観察できる。

§ **臨床関連事項**

手根管症候群

　手根管が狭い場合には**手根管症候群 carpal tunnel syndrome** と呼ばれる状態になり，正中神経が圧迫される（図 8.21 d）。神経が圧迫されると，手の痛み，無感覚，うずき感，筋の衰弱が起る。

指骨 phalange (=戦列)は指の骨である。それぞれの手に14個ある。中手骨と同様に，指骨にも母指から始めて I～V (あるいは1～5) の番号をつける。手あるいは足の指をつくる骨の1個を**指節骨** phalanx と呼ぶ。中手骨と同様に，各指節骨は近位の**底** base，中間の**体** body，遠位の**頭** head とから構成されている。母指 (**親指** pollex) には2個の指節骨 (基節骨と末節骨)，残り4本の指にはそれぞれ3個の指節骨 (基節骨，中節骨，末節骨) がある。母指から順に，残り4本の指は示指 (人差し指) index finger，中指 middle finger，薬指 ring finger，小指 little finger と一般に呼ばれている (図6.21)。

チェックポイント
29. 自由上肢骨を構成する骨を近位から遠位に向かって述べなさい。
30. 上腕骨の解剖頸と外科頸とを区別しなさい。
31. 上腕二頭筋の付着点として使われている構造は何か？
32. 中手骨の骨頭と骨底では，どちらが遠位にあるか？

6.14 下肢帯 (寛帯)

目 標

・下肢帯の骨と主要な表面形状がわかる。

下肢帯 pelvic (hip) girdle は2個の**寛骨** hip bone (coxal bone) からなる (図6.22)。下肢帯は脊柱を安定に保つ強固な支持体となり，骨盤内臓を保護し，体幹に下肢をつないでいる。左右の寛骨は正面で**恥骨結合** pubic symphysis により互いに結合する。後面では仙腸関節により仙骨と結合する。

仙骨と尾骨および2個の寛骨とが**骨盤** pelvis (複数形 pelvises あるいは pelves) と呼ばれる水盤状の構造をつくる。ついで，骨性の骨盤は**骨盤縁** pelvic brim (訳注：**分界線** linea terminalis) と呼ばれる境界により，上部と下部に分けられる (図6.22)。分界線より上の骨盤部は**大骨盤** false (greater) pelvis と呼ばれる。大骨盤は実際には腹部の一部であって，骨盤内臓を一つもいれていないが，尿で充満した膀胱と妊娠中の子宮は大骨盤に入るようになる。分界線より下位の骨盤は**小骨盤** true (lesser) pelvis と呼ばれる。小骨盤は骨盤腔を取り囲む (図1.9)。小骨盤の上のほうの開口部は**骨盤上口** pelvic inlet，下のほうの開口部は**骨

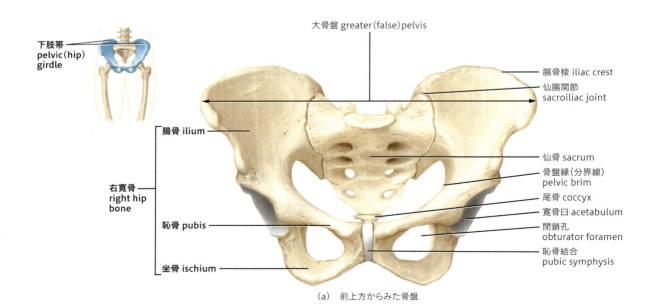

図6.22 女性の下肢帯。

左右の寛骨は恥骨結合により前方で結合し，後方では仙骨と結合する。

(a) 前上方からみた骨盤

6.14 下肢帯（寛帯） 153

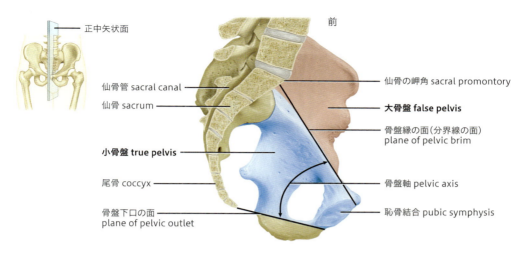

(b) 小骨盤（青）と大骨盤（ピンク）を示す正中矢状面

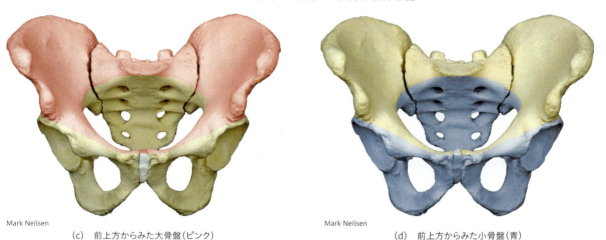

(c) 前上方からみた大骨盤（ピンク）　　　　　(d) 前上方からみた小骨盤（青）

Q 骨盤腔に収まる骨盤内臓を囲むのは，骨盤のどの部分か？

盤下口 pelvic outlet と呼ばれている。**骨盤軸 pelvic axis** とは小骨盤を通り抜ける想像上の曲線で，骨盤上口と骨盤下口の，それぞれの面の中心を結ぶ線である。分娩時に，新生児の頭が骨盤を下降する際にたどる道筋が骨盤軸である。

臨床関連事項

骨盤計測法

骨盤計測法 pelvimetry は産道の入口と出口の大きさを測る方法で，超音波画像によったり，実測したりして行われる。誕生時に，胎児が狭い骨盤の開口部を通り抜けるので，妊婦の骨盤腔を計測することは重要である。もしも骨盤腔が小さすぎて新生児が通れない場合には，普通，帝王切開が行われる。

新生児の寛骨は3部分からできている。腸骨，恥骨，坐骨である（図6.23）。**腸骨 ilium**（＝わき腹）はこれら3部分の中でもっとも大きい。腸骨の上縁は**腸骨稜 iliac crest** である。下面に**大坐骨切痕 greater sciatic notch** があり，ここをからだの中でもっとも長い坐骨神経が通る。寛骨の後下部が**坐骨 ischium**（＝殿部）である。**恥骨 pubis**（＝恥毛）は寛骨の前下部にあたる。23歳までに，これら3個の骨は1個の骨に癒合する。3個の骨があうところにできた深い凹みが**寛骨臼 acetabulum**（＝酢をいれる盃）で，大腿骨頭を受け入れる関節窩である。坐骨は恥骨と結合して骨格の中でもっとも大きな孔，**閉鎖孔 obturator foramen** を取り囲む。

図 6.23 右の寛骨。腸骨，坐骨，恥骨との癒合線が成人の寛骨でみられることがある。

左右の寛骨が下肢帯をつくり，自由下肢骨を軸骨格に結合する。また，脊柱と内臓を支える。

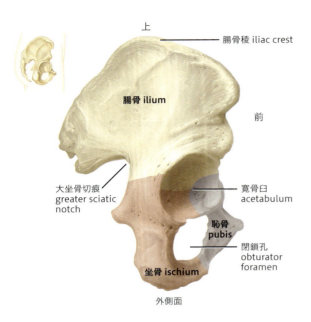

Q 寛骨臼がつくる受け口に嵌(はま)る骨は何か？

チェックポイント
33. 下肢帯をつくる骨は何か？　また，下肢帯の働きは何か？

6.15 自由下肢骨

目標
・自由下肢骨を構成する骨と，それらの骨の基本的な形状を列挙する。

　左右の**自由下肢骨** lower limb はそれぞれ 30 個の骨からできている；大腿の大腿骨，膝蓋骨 patella (kneecap)；下腿(下肢のうち，膝と足首との間の部分)の脛骨と腓骨；足では 7 個の足根骨(足首の骨)，5 個の中足骨，14 個の(足の)指(＝趾)骨である。

大腿部の骨格―大腿骨と膝蓋骨

大腿骨　大腿骨 femur (thigh bone) はからだの中でもっとも長く，重く，頑丈な骨である(図 6.24)。その近位端は寛骨と関節し，遠位端は脛骨と膝蓋骨とに関節する。大腿骨体は内側に曲がっている。その結果，膝関節の位置がからだの正中線よりになる。この曲がりは女性骨盤がより広いので男性に比べ，女性でより大きい。

　大腿骨頭 head は寛骨の寛骨臼と関節して**股関節** hip joint をつくる。**大腿骨頸** neck は骨頭の下で細く絞られた部位である。老人で，かなり普通にみられる骨折は大腿骨頸の部分で起る。老人では大腿骨頸が弱くなり体重を支えきれなくなるからである。実際には大腿骨が骨折しているのに，この状態を普通"腰くだけ broken hip"という。**大転子** greater trochanter は腰の外側にある凹みの前に隆起し，触れることも観察することもできる。大転子は大腿部と殿部の筋がつくところとなり，大腿部で筋肉内注射を行う際の目印となる。

　大腿骨の遠位端は広がって脛骨と関節する隆起，すなわち**内側顆** medial condyle と**外側顆** lateral condyle になる。**膝蓋面** patellar surface は大腿骨の前面で，内側顆と外側顆の間にあたる。

膝蓋骨　膝蓋骨 patella (＝小さな皿；kneecap) は小さな三角形をした骨で，大腿骨と脛骨の間につくられる関節(いわゆる膝関節として知られる)の前面にある(図 6.24)。膝蓋骨は大腿四頭筋の腱の中にできる。

臨床関連事項

膝蓋大腿ストレス症候群

　膝蓋大腿ストレス症候群 patellofemoral stress syndrome (ランナー膝)はランナーが共通に抱える問題の一つである。正常な状態で膝を曲げたり伸ばしたりすると，膝蓋骨は大腿骨の両顆の間にある溝を上下に滑り運動をする。膝蓋大腿ストレス症候群では正常な滑り運動が起きない。その代わり，膝蓋骨は上下の運動に加え，より外側で滑り運動をするので，関節にかかる力が増え，膝蓋骨の下や周囲が痛くなったり，痛覚過敏になったりする。運動した後にしばらく座って休んでいた人に痛みが出るのが一般的である。しゃがんだり，階段を下りたりするときにいっそう悪くなる。ランナー膝を起す原因の一つは，常に道路の同じ側を歩いたり走ったり，ジョギングをすることにある。道路は路肩に向かって傾斜ができていて，道路中央寄りの足は一歩一歩のまたぎで十分に伸展できない。それゆえに，道路中央寄りの足の膝に対側よりも大きな機械的な力がかかる。ランナー膝の原因とされるほかの要因は丘を走ったり，長距離を走ったり，異常形態の外反膝であったりする。

6.15 自由下肢骨

図6.24 寛骨，膝蓋骨，脛骨，腓骨と関節する右大腿骨。

大腿骨頭は寛骨の寛骨臼と関節し，股関節をつくる。

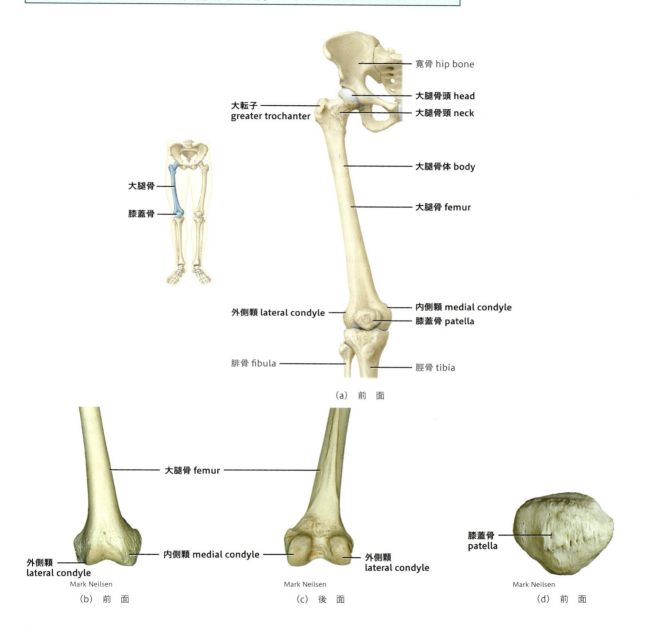

Q 大腿骨の遠位端はどの骨と関節するか？

膝蓋骨の働きは腱がテコの作用でその力を増加できること，膝を曲げたときに腱の位置を固定すること，膝関節を保護することである。膝関節を正常な状態で曲げたり伸ばしたりすると，膝蓋骨は大腿骨の内側顆と外側顆の間にできた溝を上下に滑り運動をする。

下腿の骨格―脛骨と腓骨

すねの骨，**脛骨 tibia**（shin bone）は下腿内側の大きな骨で（図6.25），体重がかかっている。脛骨は近位端で大腿骨と腓骨とに関節し，遠位端で腓骨と足根の距骨と関節する。脛骨の近位端は**外側顆** lateral condyle と**内側顆** medial condyle となって広がり，こ

156　CHAPTER 6　骨格系

図 6.25　大腿骨，膝蓋骨，距骨と関節する右の脛骨と腓骨。

> 脛骨の近位端は大腿骨と腓骨に関節し，遠位端は腓骨と距骨に関節する。一方，腓骨の近位端は，膝関節より下の高さで，脛骨と関節し，遠位端は距骨と関節する。

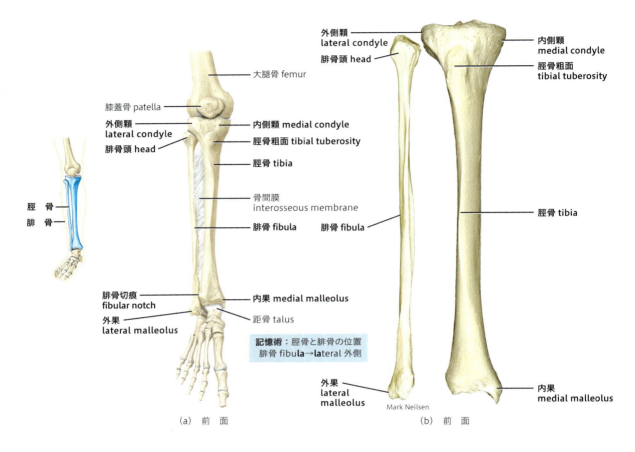

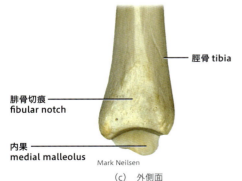

(c) 外側面

Q 体重は下腿のどちらの骨にかかるか？

れらの隆起は大腿骨の内側顆および外側顆と関節して**膝関節** knee joint をつくる。脛骨前面にある**脛骨粗面** tibial tuberosity は内側顆と外側顆の下にあり，膝蓋靱帯のつくところである。脛骨の遠位端ではその内側面が**内果** medial malleolus（＝小さなハンマー）となって足根の距骨と関節する。内果は足首の内側面に触れる隆起を形成する。

　腓骨 fibula は脛骨に平行でその外側にあり（図6.25），脛骨に比べてかなり小さい。**腓骨頭** head は膝関節の下で，脛骨の外側顆と関節する。遠位端には**外果** lateral malleolus と呼ばれる突起があり，足根の距骨と関節する。外果は足首の外側面に隆起をつくる。図6.25で示したように，腓骨は**腓骨切痕** fibular notch で脛骨と関節する。

足の骨格―足根骨，中足骨，指（＝趾）骨

足根 tarsus (ankle) は靱帯で互いに結びついた，7個の足根骨 tarsal からなる（図 6.26）。そのうち，距骨 talus (＝足首の骨) と踵骨 calcaneus (＝かかとの骨) は足の後部にある。足根の前方部は立方骨 cuboid, 舟状骨 navicular と第1（内側），第2（中間），第3（外側）楔状骨と呼ばれる3個の楔状骨 cuneiform bone からなる。足の骨では距骨だけが脛骨と腓骨に関節する。距骨の内側は脛骨の内果と，外側は腓骨の外果と関節する。歩行の際には距骨がまず

臨床関連事項

シンスプリント

シンスプリント shin splints は脛骨に沿って起る痛みにつけられた名前である。おそらく骨膜の炎症によるもので，筋や靱帯が繰り返し骨膜を引っ張ることによって起る。ウォーキングあるいは丘を走って登ったり下ったりすると，しばしば出現する。

図 6.26 右の足。

足の骨格は足根骨，中足骨，指骨からなる。

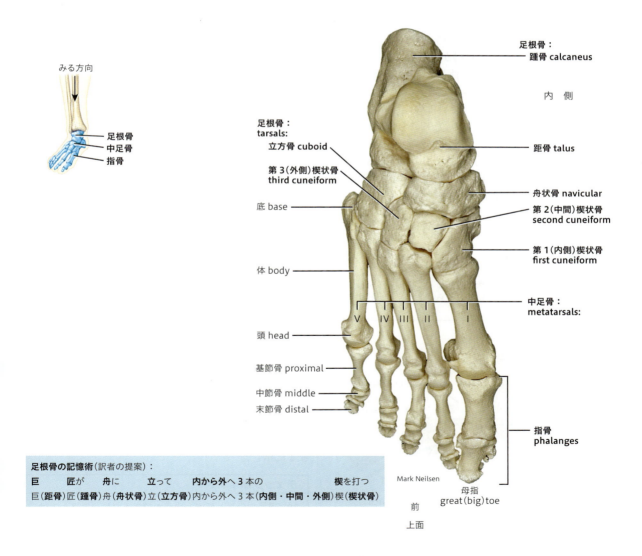

足根骨の記憶術（訳者の提案）：
巨　匠が　舟に　立って　内から外へ3本の　楔を打つ
巨（距骨）匠（踵骨）舟（舟状骨）立（立方骨）内から外へ3本（内側・中間・外側）楔（楔状骨）

Q 脛骨と腓骨に関節する足根骨はどれか？

全体重を受ける。ついで，体重のおよそ半分が踵骨に伝えられる。さらに半分の体重は残りの足根骨に伝えられる。踵骨は足根骨の中で，もっとも大きく頑丈な骨である。

中足骨 metatarsal と呼ばれる5個の骨はⅠ～Ⅴ（1～5）まで内側から外側に向かって番号がつけられ，**中足** metatarsus の骨格となる。手掌の中手骨と同様に，それぞれの中足骨は近位の**底** base, 中間の**体** body, 遠位の**頭** head からできている。第1中足骨は母指に連続するので，残りの中足骨に比べて体重がより多くかかる分，太い。

足の**指骨** phalange は手のものと数，配置ともに似かよっている。それぞれの指骨は近位の**底** base, 中間の**体** body, 遠位の**頭** head からできている。**母指** hallux は2個の大きな指節骨，すなわち基節骨と末節骨とからなる。残り4本の指は3個ずつの指節骨，すなわち基節骨，中節骨，末節骨からなる。

足の骨は2列の**弓** arch（＝足弓）の形に配列されている（図 6.27）。これらの足弓があるから足は体重を支えることができるし，足の骨と軟部組織に体重を理想的に分散させることができる。また，足弓は歩行の際にテコとして働いている。足弓は固定されたものではなく，体重がかかればたわみ，なくなれば元に戻る。このように衝撃を吸収する働きがある。足の前から後ろにかけて長軸に走る弓は**縦足弓** longitudinal arch で，内側と外側の2部に区別される。**横足弓** transverse arch は舟状骨，3個の楔状骨，5個の中足骨底によってつくられる。

図 6.27 右足の足弓。

足は体重を支え，その体重を分散するように働いているが，足弓はその働きを補助している。さらに，足弓は歩行の際，"テコ"として働いている。

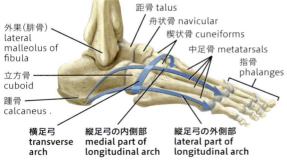

足弓の外側観

Q 衝撃を吸収するのに適しているのは，足弓のどの構造部分か？

臨床関連事項

扁平足

足弓をつくる骨は靱帯と腱によって，その場所に固定されている。これらの靱帯や腱に過剰な負荷がかかったり，異常な姿勢をとったり，遺伝的な素因があったりすると内側の縦足弓が低く，すなわち落ち込むことになる。その結果，いわゆる，**扁平足** flatfoot の状態になる。体重が重すぎる，姿勢が悪い，支持組織が弱い，遺伝的な体質などが原因となる。足弓の高さが低くなると，足底の筋膜が炎症を起したり（足底筋膜炎），アキレス腱炎，シンスプリント，疲労骨折，腱膜瘤，仮骨などが起る。しばしば扁平足の治療にその人の足にあった足弓サポーターが処方される。

チェックポイント

34．自由下肢骨を近位から遠位に従って述べなさい。
35．臨床上，大転子が重要視される理由は何か？
36．足首で，外側と内側の隆起をつくる構造は何か？
37．足根を構成する7個の骨，その名前を挙げなさい。
38．足弓の働きは何か？

6.16 女性骨格と男性骨格の比較

目標

・女性と男性の骨格の間の主な構造の違いがわかる。

男性の骨格は女性のものに比べて一般に，より大きく重い。関節をつくる骨端も骨幹との関係でより太い。加えて，男性の筋が女性の筋よりも大きいので，筋の付着点（粗面，線，稜）が男性骨格ではより大きい。

女性と男性の骨格には構造上の違いがたくさんあり，それらは妊娠と出産に関係したものである。男性のものに比べて，女性の骨盤はより広く，より浅いので，女性の小骨盤がより大きな空間をもつことになる。とくに，出産の際に新生児の頭が通る通路となる骨盤の上口と下口は男性に比べてより広い。女性骨盤と男性骨盤の間にみられる重要ないくつかの違いを**表 6.4** に示した。

チェックポイント

39．男性の骨格と妊娠と出産ができる女性の骨格とでは，どのような違いがあるか？

表 6.4 女性と男性の骨盤の比較

比較点	女性	男性
一般構造 general structure	軽くて，薄い	重くて，厚い
大骨盤 false (greater) pelvis	浅い	深い
骨盤上口 pelvic inlet	より大きく，卵円形	より小さく，ハート形
寛骨臼 acetabulum	小さく，関節面が前を向く	大きく，関節面が外側を向く
閉鎖孔 obturator foramen	卵円形	円形
恥骨弓(下角) pubic arch	90度以上	90度以下

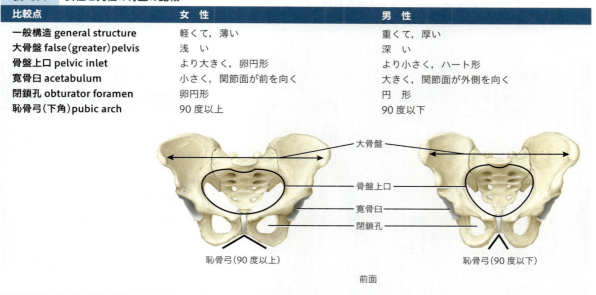

6.17 加齢と骨格系

目標
・骨格系に及ぼす加齢の影響を述べる。

　誕生から思春期にかけてはリモデリングで骨が失われるよりも，骨形成のほうが勝っている。青年では骨が失われる速さと，形成される速さとがほぼ等しい。中年になって性ホルモン(ステロイド)量が減少すると，とくに閉経後の女性では骨吸収量が骨形成量を越えるので，骨量が減少する。女性の骨は一般に男性の骨よりも，もともと小さいので，老人で骨量が減少すると女性特有な，より深刻な問題を引き起こすことになる。このような要因により女性で骨粗鬆症の発症率が高い。

　加齢は骨格系に対して二つの大きな影響を及ぼす。すなわち，もろくなること，骨量が失われることである。骨がもろくなるのはタンパク質を合成する速さが遅くなること，ヒト成長ホルモンの分泌量が少なくなることなどによる。ヒト成長ホルモンの量が減ると，骨を強くし，骨に柔軟性をもたせる膠原線維の産生量が減る。結果として，徐々に骨の細胞外基質の大部分がミネラルによって占められるようになる。通常，骨量が減少するのはミネラル減少によるもので，女性では30歳以降に始まり，エストロゲン量の減少に応じて45歳頃には加速されたように急激に骨量が減る。骨量の減少は続き，70歳までには骨に含まれるカルシウムの30%ほどが失われる。女性では，いったん，骨量減少が始まると10年間に約8%ずつの骨量が失われ続ける。男性では60歳になるまで骨からカルシウムが失われることはなく，その後は10年間に約3%ずつ骨量が失われる。骨粗鬆症が抱える問題の一つは骨からカルシウムが失われることである(章末"よくみられる病気"参照)。骨量が減少すると，骨の変形，痛み，関節の硬直や背が低くなったり，歯が抜け落ちたり，などが起る。

チェックポイント
40. 骨の構成成分や骨量に，加齢はどのようにかかわっているか？

・・・

　骨格系はいろいろなやり方で，ほかの系のホメオスタシス(恒常性)の維持に役立っていることを理解すべきである。そのためには，次ページの"ホメオスタシスの観点から"を参照しなさい。次の7章では，関節がどのようにして骨格をまとめ，運動に参加できるようにしているかをみることにする。

ホメオスタシスの観点から

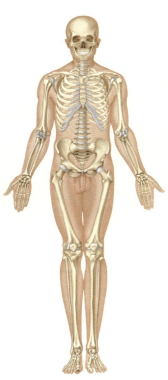

骨格系の役割

外皮系

- 骨は，骨を覆う筋と皮膚の強力な支持体となる。

筋系

- 骨は筋の付着点となり，運動を起すための筋のテコとなる。
- 筋の収縮にはカルシウムイオンが必要である。

神経系

- 頭蓋と脊柱は脳と脊髄を守る。
- ニューロン（神経細胞）とグリア細胞（神経膠細胞）が正常に働くためには正常な血中カルシウム濃度が必要である。

内分泌系

- ホルモンをいれた小胞を細胞外へ分泌するのに必要な，また多くのホルモンが正常に働くのに必要なカルシウムを骨が貯蔵し，放出する。

心臓血管系

- 赤色骨髄は造血（血球産生）を行う。
- 心臓が規則正しく拍動するためにはカルシウムイオンが必要である。

全身の器官系との関連
- 骨は内臓を支え，保護している。
- 骨はカルシウムを貯蔵し，放出する。カルシウムはからだの多くの組織が本来の機能を発揮するのに必要である。

リンパ系と免疫

- 赤色骨髄は免疫反応にかかわる白血球，すなわちリンパ球をつくる。

呼吸器系

- 体幹の骨からなる胸郭は肺を守る。
- 肋骨の運動は呼吸を補助する。
- 呼吸に使われる筋のいくつかは腱で骨につく。

消化器系

- 歯は食べ物を咀嚼する（咬む）。
- 肋骨のカゴは食道，胃，肝臓を守る。
- 骨盤は腸の一部を守る。

泌尿器系

- 肋骨は腎臓を部分的に守る。
- 骨盤は膀胱と尿管を守る。

生殖器系

- 骨盤は女性で，卵巣，卵管（ファロピオ管），子宮を守る。
- 骨盤は男性で，精管の一部と付属腺を守る。
- 骨は授乳期に乳汁の合成に必要なカルシウムの重要な源となる。

よくみられる病気

骨粗鬆症

骨粗鬆症 osteoporosis（por- ＝通路；-osis ＝状態）は文字通り，小さな孔がたくさんある状態の骨で，米国では毎年1,000万人が罹っている（図6.28）。加えて，およそ1,800万人が骨粗鬆症に罹る危険をもった**骨量が少ない**（osteopenia）状態にある。基本的な問題は骨吸収（骨を壊す）が骨形成（骨をつくる）の速さを上回っていることである。この現象は主に，からだからカルシウムが枯渇することで起る。すなわち，食物から吸収される以上のカルシウムが尿，便，汗とともに失われる。骨量があまりにも減少するので，日常生活で生じる機械的な負荷がかかっただけで自然に骨折が起きるほどになる。例えば，ちょっと急いで座っただけで，股関節骨折が引き起される場合もある。米国では1年間に150万例以上の股関節を含めた腰，手首，背骨の骨折が骨粗鬆症によって引き起されている。骨粗鬆症は骨格系全体を冒す。骨折に加えて，骨粗鬆症は椎骨の萎縮を招き，その結果，背が低くなったり，背が彎曲したり，骨性の痛みを生じたりする。

主として中年と高齢者がこの骨粗鬆症に罹り，その80％が女性である。年をとった女性は二つの理由から男性よりも骨粗鬆症に罹りやすい：（1）女性の骨は男性の骨に比べて骨量が少ないこと，（2）女性ではエストロゲン産生が閉経時に急激に減少することである。一方，年をとった男性のテストステロン産生は次第に減少するものの，ごくわずかである。エストロゲンとテストステロンは骨芽細胞の活動を上げ，細胞外基質の合成を促す。性の違いとは別に，骨粗鬆症を引き起す危険因子は家族の病歴，先祖がヨーロッパ系あるいはアジア系か，細い体型あるいは小さな体型か，怠惰な生活態度，喫煙，カルシウムとビタミンDが不足した食事，1日に2種類以上の酒類を飲む，ある種の投薬を受けているなどである。

骨粗鬆症であるかどうかは家族歴を調べることと，**骨のミネラル量** bone mineral density（BMD）検査から診断される。BMD検査はX線検査のように行い，骨量を計る。BMD検査は骨粗鬆症の確定診断に使われたり，骨量の減少率を調べたり，治療効果を知るのにも使われる。骨折する危険度を正確に計るために，骨のミネラル量以外に，別の危険因子とも組み合わせたFRAX®（骨折リスク評価ツール）と呼ばれる，比較的新しい手法もある。患者は危険因子，すなわち年齢，性別，身長，体重，人種，骨折歴，両親の股関節骨折歴，グルココルチコイド（例えば，コーチゾン）の投与，喫煙，飲酒量，関節リウマチの有無などをオンラインで問診票に書きいれる。これらの資料をもとに，FRAX®は10年以内に，股関節骨折あるいは脊柱，肩，前腕などの大きな骨の骨折を経験する可能性を算出してくれる。

骨粗鬆症の治療法にはいくつかの選択肢がある。栄養の観点からいえば，高カルシウム食は骨折が起きる危険度を下げるのに重要である。からだの中でカルシウムを利用するにはビタミンDが必要である。運動の観点からいえば，規則的な負荷をかける運動が骨量を維持し，増やすとされている。運動にはウォーキング，ジョギング，ハイキング，階段を登る，テニスをする，ダンスをするなどがある。重量挙げのような負荷のかかる運動は骨の強さを増し，筋の量を増やす。

骨粗鬆症の治療に使われる薬は一般に2種類ある：（1）骨量減少の進行を遅くさせる**骨吸収阻害剤** antireabsorptive drug と，（2）骨量の増加をうながす**骨形成剤** bone-building drug である。骨吸収阻害剤の中には（1）破骨細胞の活動を抑える**ビスホスホネート** bisphosphonate（Fosamax®，Actonel®，Boniva®，カルシトニン）；（2）不要な副作用をもたずにエストロゲンの効果を出す，**選択性エストロゲン受容体モジュレーター** selective estrogen receptor modulator（Raloxifene®，Evista®）；（3）閉経期とその後に失われたエストロゲンを補充するエストロゲン補充療法（ERT；Premarin®）とエストロゲンとプロゲステロンを補充するホルモン補充療法（HRT；Prempro®）などがある。ERTは閉経後の骨量を維持し，増やす効果をもつが，ERTを受けている女性は心疾患と血栓形成の危険度が少し増える。HRTでも骨量の維持と増加が期待できる。HRTを受けている女性では心疾患，乳癌，脳卒中，血栓形成，痴呆（認知症）になる危険度が増える。

骨形成剤の中には，新しい骨をつくるように骨芽細胞を刺激する副甲状腺ホルモン（PTH；Forteo®）がある。この薬剤以外は現在開発中である。

図6.28 健康な青年（a）と骨粗鬆症を患っている人（b）から得られた海綿質の比較。（b）の弱くなった骨小柱に注目。骨粗鬆症では緻密質も同じように冒されている。

骨粗鬆症では骨吸収の速さが骨形成を上回っているので，骨量が減少する。

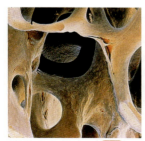

(a) 正常な骨　　　(b) 骨粗鬆症に罹った骨

Q 骨粗鬆症の状態を改善する薬物をつくろうとしたら，骨芽細胞と破骨細胞のうち，どちらの細胞活動を抑制する物質を探すことになるか？

くる病と骨軟化症

くる病 rickets と骨軟化症 osteomalacia（-malacia ＝ 柔らかさ）は同じ疾患の 2 型である。細胞外骨基質での石灰化が不十分なことによるもので，通常，ビタミン D の欠乏で引き起こされる。くる病は子どもの病気で，骨化しないので，たわんだ下腿と変形した頭蓋，肋骨および骨盤が共通にみられる。骨軟化症はくる病の成人型で，**大人のくる病 adult rickets** ともいう。リモデリング中につくられた新しい骨が石灰化しないので，主に腰部と下腿でさまざまな強さの痛みと骨の圧痛を経験する。ちょっとした外傷でも骨折が起る。くる病と骨軟化症の予防と治療は十分量のビタミン D を与えること，適度な日光浴をすることである。

鼻中隔彎曲

鼻中隔が正中線に沿っていないものが**鼻中隔彎曲 deviated nasal septum** で，どちらかに曲がっている。鼻に一撃が加えられると，きゃしゃな骨性の中隔が簡単に傷つき壊れ，位置がずれ，軟骨を障害する。時に，損なわれた鼻中隔が治ったとしても，中隔をつくる骨と軟骨がどちらかの側に偏ってしまうことが起きる。鼻中隔が彎曲すると狭くなった側の鼻腔を空気が通れなくなり，鼻腔の半分で息をするのが難しくなる。通常，彎曲は鋤骨と鼻中隔軟骨とが結合するところで起る。発生異常で鼻中隔彎曲が起ることもある。鼻中隔の偏位がひどい場合には鼻腔を通る空気の流れが完全に塞がれてしまう。部分的に空気の流れが塞がれても，感染症を引き起すことがある。炎症により，鼻腔粘膜のうっ血，副鼻腔開口部の閉塞，慢性的な副鼻腔炎，頭痛，鼻血を起すことがある。このような症状は外科的に治したり，改善したりできる。

椎間板ヘルニア

椎間円板 intervertebral disc を連結する靱帯が外傷を受けたり，弱くなったりすると，大きな圧力がかかって辺縁部の線維軟骨が破れることがある。破れると，椎間円板の内容物が脱出する。この状態を**椎間板ヘルニア herniated**（slipped）**disc** と呼ぶ。脊柱の中で，腰椎部が体重の大部分を支えていること，もっともよく曲がる部分であることなどから椎間板ヘルニアは腰椎部でもっともよく起る。

二分脊椎

二分脊椎 spina bifida は先天的に椎弓板が正中で癒合不全を起し，脊柱が欠損するものである。重症の場合，脊髄を囲む硬膜や脊髄そのものが突出して不全麻痺あるいは完全麻痺が起きたり，膀胱支配が部分的にあるいは完全に障害されたり，反射が欠落したりする。二分脊椎の発生を促す危険因子は妊娠初期に葉酸（ビタミン B の一つ）の濃度が低いことと関係しているので，妊娠の予定がある女性は率先して補助食品から葉酸を摂るべきである。

股関節骨折

下肢帯にあたる領域のどの場所でも骨折が起りうるが，多くの場合，股関節に関係した骨折，すなわち，大腿骨頭，大腿骨頸，転子領域あるいは寛骨臼をつくる骨の骨折を**股関節骨折 hip fracture** と総称する。米国では毎年，30 万人から 50 万人がこの種の骨折を経験する。その出現率が上昇しているのは寿命が延びたことと，ある程度関係する。老人では骨粗鬆症で骨量が減少すること，および転びやすくなることで股関節骨折に罹りやすくなる。

股関節骨折では，しばしば，外科的な処置が必要になる。その目的は骨折部分を修復して固定すること，運動性を高めること，痛みを軽減することである。場合によっては，大腿骨頭を確保するのに外科用の留め針，ねじ，釘，板などを使って修復がなされる。重篤な場合，大腿骨頭あるいは寛骨臼を人工関節（人工的につくった部品）で取り替えることがある。大腿骨頭あるいは寛骨臼のどちらかを取り替える手技が**半関節形成術 hemiarthroplasty**（hemi- ＝ 半分；-arthro- ＝ 関節；-plasty ＝ 造形）である。大腿骨頭と寛骨臼の両者を取り替える手技が**股関節完全形成術 total hip arthroplasty** である。人工の寛骨臼はプラスチック製，人工の大腿骨頭は金属製である。両者は大きな負荷に耐えるように設計されている。アクリルセメントとねじを使って，人工関節を骨の正常な部分に固定する。

医学用語と症状

カイロプラクティック chiropractic（cheir- ＝ 手；-praktikos ＝ 効果的な）　神経，筋，骨を中心に置いた，全身的な健康管理の考え方。カイロプラクター chiropractor は筋骨格系と神経系の物理的な障害の診断，治療とその予防に，また一般的な健康維持にかかわる健康管理の専門家である。治療はからだの矯正すべき（とくに脊柱の）関節に手を使って特別な力を加えて行う（手による矯正）。カイロプラクターはマッサージ，温熱治療，超音波療法，電気刺激，鍼などを施したりする。食事制限，運動の仕方，生活様式の変更，ストレスの処理法などについての情報を提供するが，カイロプラクターは処方箋を出したり，外科的な処置をしたりすることはない。

鉤爪趾 clawfoot　縦足弓の内側部が異常に盛り上がった症状を示す。糖尿病に由来する筋の変形などが原因となる。

腱膜瘤（外反母趾）bunion　母指の変形の一つで，きっちりと締まった靴を履くのが主な原因とされている。症状としては滑液包（関節にあって，滑液で満たされた袋）の炎症が起き，骨に距状突起（異常な棘状の突起）や瘤ができる。

骨関節炎 osteoarthritis（arthr- ＝ 関節）　関節軟骨が変性して，関節内の両骨端がじかに接触する；骨同士の摩擦が状態を悪化させる。普通，老人に起る。

骨髄炎 osteomyelitis　骨の感染は高熱，発汗，悪寒，痛み，吐き気，化膿，浮腫，そして冒された骨の上のほてりとその部の筋の硬直が特徴である。細菌によって引き起され，

一般には黄色ブドウ球菌 *Staphylococcus aureus* が原因菌となる。細菌は（開放骨折や穿通創から，あるいは整形外科の手術中に）からだの外から；血液を介してからだのほかの場所の感染場所（歯性膿瘍，熱傷後の感染，尿路感染あるいは上気道感染）から；そして，骨の近くで起きた軟部組織の感染場所（糖尿病から起る場合もある）から細菌が骨に侵入する。

骨肉腫 osteogenic sarcoma（＝結合組織に由来する腫瘍）主に骨芽細胞を冒す骨癌である。成長に拍車がかかっている10代で発症する。大腿骨，脛骨，上腕骨の骨幹端にもっともよく発生する。肺に転移することが多い。治療は多種類の薬物を使った化学療法と大きくなった腫瘍の摘出術あるいは罹患した四肢の切断術とからなる。

骨量欠乏症 osteopenia（penia＝欠乏）　正常な状態で起きている骨破壊を補填できないほどに，骨形成の速さが落ちて骨量が減少する状態である。つまり骨量は正常値以下に減少する。この症状の例は骨粗鬆症である。

脊柱後彎 kyphosis（kypho-＝曲がった；-osis＝症状）　脊柱のうち，胸部が極端に後彎している状態。老年になると椎間円板の変性が脊柱後彎を引き起す。くる病による場合や悪い姿勢をとることで起る場合がある。

脊柱前彎 lordosis（lord-＝後ろに曲がった）　脊柱のうち，腰部が極端に前彎している状態で，脊柱彎曲症 hollow back ともいう。妊娠してお腹が非常に重くなったことによるとか，極端な肥満，悪い姿勢，くる病あるいは椎骨が結核菌で冒されることなどが原因となる。

脊柱側彎症 scoliosis（scolio-＝曲がった）　脊柱の側彎で，通常は胸椎の部分に起る。先天的な（生まれながらの）椎骨の奇形，慢性の坐骨神経痛，脊柱を挟んで左右どちらか一方の筋の麻痺，悪い姿勢，下肢長差などが原因となる。

むち打ち症 whiplash injury　追突事故に伴って，頭が激しく過屈曲し，引き続いて，激しく過伸展（後に曲がる）することにより引き起された頸部の外傷である。靱帯や筋が伸ばされたり，裂けたり，椎骨の骨折が起きたり，椎間板ヘルニアが起きたりすることに関係した症状を示す。

6章のまとめ

6.1　骨と骨格系の働き
1. 骨格系は関節で連結されたすべての骨と関節の間にある軟骨からなる。
2. 骨格系の働きは支持，保護，運動，ミネラルのホメオスタシス，造血組織をいれる，エネルギーの貯蔵などである。

6.2　骨の形
1. 骨の形に基づいて，骨を長骨 long，短骨 short，扁平骨 flat，不規則骨 irregular に分類する。

6.3　骨の構造
1. 長骨を構成する部分は骨幹 diaphysis，骨端 epiphysis，骨幹端 metaphysis，関節軟骨 articular cartilage，骨膜 periosteum，骨髄腔 medullary cavity，骨内膜 endosteum である。骨幹は骨膜で覆われる。
2. 骨組織は散在する細胞とそのまわりの大量の細胞外基質とからなっている。骨形成原細胞 osteogenic cell，骨芽細胞 osteoblast（骨をつくる細胞），骨細胞 osteocyte（骨の活動を常に維持している），破骨細胞 osteoclast（骨を破壊する細胞）の4種が主要な細胞である。細胞外基質は膠原線維（有機質）と主としてリン酸カルシウムからなる無機塩（無機質）を含んでいる。
3. 緻密質 compact bone tissue の組織はほとんど隙間なく並んだ骨単位 osteon（ハヴァース系 Haversian system）からできている。緻密質は骨幹の骨組織の大部分を占める。緻密質は保護，支持の働きをし，負荷に耐える。
4. 海綿質 spongy bone tissue の組織は骨小柱 trabeculae をつくり赤色骨髄で満たされた空間を取り囲む。短骨，扁平骨，不規則骨および長骨の骨端はその構造の大部分が海綿質からできている。海綿質の働きは赤色骨髄を貯え，ある程度の支持体となることである。

6.4　骨形成
1. 骨は骨化 ossification と呼ばれる過程を経てつくられる。胚子あるいは胎児の骨形成は膜内骨化と軟骨内骨化により起るが，どちらも，前もって存在する結合組織を骨で置換する方法である。
2. 膜内骨化 intramembranous ossification では膜に似たシート状に配列した間葉の中で骨化が起る。
3. 軟骨内骨化 endochondral ossification は間葉からなる軟骨性雛形 cartilage model の中で起る。長骨の一次骨化中心 primary ossification center は骨幹の中にできる。軟骨が変性して腔所ができると，それらが合して骨髄腔となる。骨芽細胞が骨をつくる。ついで，骨化は骨端で起る。ここでは関節軟骨と骨端板 epiphyseal plate を除いて，軟骨が骨組織に置き換わる。
4. 骨端板の働きにより骨幹の長さが伸びる。
5. 骨の外表面に新しい骨が付加されて骨が太くなる。
6. 古い骨は破骨細胞によって常に壊され，一方，骨芽細胞によって新しい骨がつくられる。この過程を骨のリモデリング（再構築）bone remodeling と呼ぶ。
7. 骨の断裂を，どんな形であれ，**骨折 fracture** という。骨折の修復はリモデリングによる。
8. 正常な骨の成長はミネラル（カルシウム，リン，マグネシウム），ビタミン（A，C，D），ホルモン（ヒト成長ホルモン，インスリン様成長因子，インスリン，甲状腺ホルモン，性ホルモン，副甲状腺ホルモン）に依存している。
9. 骨は主に副甲状腺ホルモン parathyroid hormone（PTH）によって調節されながら，カルシウムとリン酸塩を貯蔵し，放出する。PTH は血中カルシウム濃度を上げる。カルシトニン（CT）は血中カルシウム濃度を下げる。

6.5 運動と骨

1. 機械的な負荷がかかると，無機（ミネラル）塩の沈着と膠原線維の産生が促され，骨の強度が上がる。
2. 機械的な負荷を除くと，ミネラル減少 demineralization と膠原線維の吸収が起り，骨が弱くなる。
3. 表6.1に，骨代謝に影響を与える要因をまとめた。

6.6 骨格系の分類

1. 軸骨格 axial skeleton はからだの長軸に沿って並ぶ骨によってつくられる。軸骨格を構成するのは頭蓋，舌骨，耳小骨，脊柱，胸骨，肋骨である。
2. 付属肢骨格 appendicular skeleton は肢帯および上肢と下肢をつくる骨からなる。付属肢骨格を構成するのは上肢帯，自由上肢骨，下肢帯，自由下肢骨である。

6.7 頭蓋：概観

1. 頭蓋 skull は22個の頭蓋骨からなり，脳頭蓋骨（脳頭蓋をつくる）と顔面頭蓋骨（顔面頭蓋をつくる）に分類される。
2. 脳頭蓋をつくる8個の脳頭蓋骨 cranial bone は前頭骨，頭頂骨(2個)，側頭骨(2個)，後頭骨，蝶形骨，篩骨である。
3. 顔面頭蓋をつくる14個の顔面頭蓋骨 facial bone は鼻骨(2個)，上顎骨(2個)，頬骨(2個)，涙骨(2個)，口蓋骨(2個)，下鼻甲介(2個)，鋤骨，下顎骨である。
4. 前頭骨は額（脳頭蓋の前方部）をつくる。
5. 前頭骨は眼窩の天井（上壁）と頭蓋底前方部の大部分をつくる。
6. 頭頂骨は脳頭蓋腔側壁のかなり大きな部分をつくる。
7. 頭頂骨は脳頭蓋腔の天井（頭蓋冠）の大部分もつくる。
8. 側頭骨は脳頭蓋の外側下壁をつくる。
9. 側頭骨は脳頭蓋底の一部をつくる。
10. 後頭骨は脳頭蓋の後部をつくる。
11. 後頭骨は頭蓋底の一部をつくる。
12. 蝶形骨は頭蓋底の中央部にある。
13. 蝶形骨は，脳頭蓋骨のすべてと結合して一つにまとめているので，頭蓋底のかなめ石（キーストーン）として知られている。
14. 篩骨は眼窩の内側で，頭蓋底の前方部にある。
15. 篩骨は蝶形骨の前方，鼻腔の後方にある。
16. 鼻骨は鼻の支柱をつくる。
17. 涙骨は鼻骨の後外側にあって両眼窩の内側壁の一部をつくる。
18. 口蓋骨は硬口蓋の後部，鼻腔底と鼻腔外側壁の一部，眼窩では下壁のごく一部をつくる。
19. 下鼻甲介は鼻腔の側壁下部をつくり，鼻腔に突出する。
20. 鋤骨は鼻中隔の下部をつくる。
21. 上顎骨は"上アゴ"をつくる。
22. 頬骨は頬の隆起部をつくり，両眼窩の外側壁と床（下壁）の一部をつくる。
23. 下顎骨は"下アゴ"の骨にあたり，顔面頭蓋骨の中でもっとも大きく，もっとも頑丈である。

6.8 頭蓋にだけみられる構造

1. 縫合 suture は脳頭蓋を構成する骨の間にできた不動の関節である。例として，冠状縫合，矢状縫合，ラムダ縫合，鱗状縫合が挙げられる。
2. 副鼻腔 paranasal sinus となる洞は頭蓋骨の中にあって，鼻腔に連続する空間である。頭蓋骨のうち前頭骨，蝶形骨，篩骨，上顎骨が副鼻腔となる洞をもつ。
3. 泉門 fontanel とは胎児や新生児の脳頭蓋骨間にできた，間葉で満たされた領域である。主要な泉門には大泉門，小泉門，前側頭泉門(2)，後側頭泉門(2)がある。生後，泉門は骨で満たされ，縫合となる。
4. 舌骨 hyoid bone はU字形をした骨で，どの骨とも関節をつくらない。
5. 舌骨は舌の支持体となり，いくつかの舌筋ならびに，頸部の筋の付着部となる。

6.9 脊柱

1. 脊柱，胸骨，肋骨が体幹の骨格をつくる。
2. 成人の脊柱 vertebral column を構成する骨は26個で，頸椎 cervical vertebra(7個)，胸椎 thoracic vertebra(12個)，腰椎 lumbar vertebra(5個)，仙骨 sacrum(5個の仙椎が癒合)，尾骨 coccyx(4個の尾椎が癒合)からなる。
3. 成人の脊柱は4ヵ所に正常彎曲 normal curve（頸部・胸部・腰部・仙骨部の彎曲）がある。それによって強度が増し，支持がしやすくなり，平衡をとりやすくなる。
4. 各椎骨は椎体 body，椎弓 vertebral arch，それに7本の突起 process からできている。脊柱での高さが違うと，椎骨の大きさや形に違いがみられ，さらに細かな点をみても違いがある。

6.10 脊柱の領域

1. 頸椎(C1～C7)は尾椎を除き，他の椎骨よりも小さい。
2. 第1頸椎と第2頸椎は環椎(C1)と軸椎(C2)である。
3. 胸椎(T1～T12)は頸椎よりもかなり大きく，頑丈である。
4. 胸椎は肋骨と関節する。
5. 腰椎(L1～L5)は脊柱を構成する椎骨の中で，癒合しない椎骨ではもっとも大きく，もっとも頑丈である。
6. 腰椎の突起は短く，分厚い。
7. 仙骨は5個の仙椎(S1～S5)が癒合したもので，三角形である。
8. 尾骨は通常4個の尾椎(Co1～Co4)が癒合してつくられる。

6.11 胸郭

1. 胸郭 thorax をつくる骨格は胸骨 sternum，肋骨 rib，肋軟骨，胸椎である。肋骨は真肋（対になる第1～第7肋骨）と仮肋（対になる第8～第12肋骨）に分類される。
2. 胸のカゴ（胸郭）thoracic cage は胸部の，生命を保つのに必要な器官を保護している。

6.12 上肢帯（肩帯）

1. 上肢帯 pectoral(shoulder)girdle は鎖骨 clavicle と肩甲骨 scapula からなる。
2. 上肢帯は自由上肢骨を体幹につなぐ。

6.13 自由上肢骨

1. 一側の自由上肢骨 upper limb は30個の骨からなる。
2. 自由上肢骨は上腕骨 humerus, 尺骨 ulna, 橈骨 radius, 手根骨 carpal, 中手骨 metacarpal, 指骨 phalange である。
3. 上腕骨 humerus は自由上肢骨の中でもっとも長く, もっとも大きい。
4. 上腕骨は近位で肩甲骨と, 遠位で尺骨と橈骨に関節する。
5. 尺骨 ulna は前腕の内側にあって, 橈骨よりも長い。
6. 前腕の骨でより小さなほうの橈骨 radius は前腕の外側にある。
7. 8個の手根骨 carpal は手の近位部にある。
8. 5個の中手骨 metacarpal は手の中間部にある。
9. 14個の指骨 phalange は手の遠位部にあり指にあたる。

6.14 下肢帯（寛帯）

1. 下肢帯 pelvic(hip)girdle は2個の寛骨 hip bone からなる。
2. 下肢帯が仙骨に結合し, 自由下肢骨を体幹につなぐ。
3. 腸骨 ilium, 恥骨 pubis, 坐骨 ischium の3部分が癒合して寛骨をつくる。

6.15 自由下肢骨

1. 左右の自由下肢骨 lower limb は30個の骨からなる。
2. 自由下肢骨は大腿骨 femur, 膝蓋骨 patella, 脛骨 tibia, 腓骨 fibula, 足根骨 tarsal, 中足骨 metatarsal, 指（趾）骨 phalange である。
3. 大腿骨 femur はからだの中でもっとも長く, もっとも頑丈な骨である。
4. 膝蓋骨 patella は膝関節の前面にある三角形をした骨である。
5. 脛骨 tibia は下腿の内側にあるより大きな, 体重を支える骨である。
6. 腓骨 fibula は脛骨と平行に置かれ, 外側にあって脛骨よりも小さい。
7. 7個の足根骨 tarsal bone は足の近位部にある。
8. 5個の中足骨 metatarsal は足の中間部にある。
9. 14個の指骨 phalange は足の遠位部にあり, 指にあたる。
10. 足の骨は支持体であると同時にテコとしても働くので, 縦足弓と横足弓と呼ばれる2種類の弓 arch の形に配列している。

6.16 女性骨格と男性骨格の比較

1. 男性の骨は一般に, 女性の骨よりも大きく重い。さらに, 男性の骨では筋の付着部がより明瞭な形状を示す。
2. 女性の骨盤は妊娠と出産に適応している。骨盤の構造の違いを表6.4に挙げた。

6.17 加齢と骨格系

1. 加齢による主な影響は骨からカルシウムが消失することで, この消失が骨粗鬆症を引き起こすこともある。
2. 加齢によるもう一つの影響は, 細胞外基質に存在するタンパク質（大部分が膠原線維）の産生が減少することである。減少すると, 骨はよりもろくなり, より折れやすくなる。

クリティカルシンキングの応用

1. J.R. がバイクに乗って長い大きな橋を走っている途中で, 近視のカモメと衝突し, 左下腿を挫滅した。下腿の骨2本を骨折, 前腕外側の骨では遠位端の小さな突起が折れ, 手首では近位列でもっとも外側の手根骨を折った。J.R. の折れた骨の名前を挙げなさい。
2. 法医解剖学の授業を受け始めた。謹師があなたの実習グループに完全な成人骨格標本を2体渡した。あなた方に与えられた課題はどちらの骨格が男性で, どちらが女性かを決定することである。性による骨格の違いを決めるのに, どんな特徴を使うのか？
3. おばあさんのオルガはユーモアが大好きで, からだは小さく, 腰が曲がっている。映画「オズの魔法使い」の中で, 意地悪な魔女が「溶けていくわ」というが, 彼女はこのセリフが大好きである。笑いながらおばあさんは「それは私よ。溶けていくから, 年ごとに, 背が低くなっていくわ」という。オルガおばあさんに何が起きているか, 説明しなさい。
4. バレーボールの試合で, ケイトがジャンプし, からだをねじって, スパイクを打ち, 得点し, そして悲鳴を上げた。彼女は左足に体重をまったくかけられない。X線診断により, 大腿骨近位部の骨折であることがわかった。一般人にわかる言葉で表現すれば, ケイトの骨折はどこか？ 骨を治すには, からだの中で何が必要か？

図の質問の答え

6.1 関節軟骨は関節での摩擦を少なくする；赤色骨髄は血球をつくる；骨内膜は骨髄腔を裏打ちする。

6.2 骨細胞への主な血管支配は中心管であるから，中心管が詰まると骨細胞は死にいたる。

6.3 頭蓋の扁平骨と下顎骨は膜内骨化でつくられる。

6.4 骨端線は機能を失った骨端板(成長板)を示している。

6.5 心臓の拍動，呼吸，ニューロン(神経細胞)の働き，酵素の働き，血液の凝固などのすべての過程が正常に行われるためには適切なカルシウム濃度が必要である。

6.6 軸骨格は頭蓋と脊柱である。付属肢骨格に入るのは鎖骨，上肢帯，上腕骨，下肢帯，大腿骨である。

6.7 脳頭蓋をつくる頭蓋骨は前頭骨，頭頂骨，後頭骨，蝶形骨，篩骨，側頭骨である。

6.8 大(後頭)孔は頭蓋に開いたもっとも大きな孔である。

6.9 篩骨の鶏冠，前頭骨，頭頂骨，側頭骨，後頭骨，側頭骨，頭頂骨，前頭骨，篩骨の鶏冠，これらすべての骨は時計回りに蝶形骨と関節する。

6.10 篩骨垂直板は鼻中隔の上部をつくる。

6.11 副鼻腔は粘液を分泌し，発声時には共鳴装置となる。

6.12 胸部彎曲と仙骨の彎曲(仙骨部彎曲)は前からみて凹である。

6.13 環椎と軸椎により，"いいえ"のサインを表すような，頭を左右に振る運動ができる。

6.14 椎孔は脊髄を入れる。椎間孔は脊柱を出る脊髄神経の通路となる。

6.15 胸椎や頸椎よりも，腰椎で支えるべき体重がより重くなるからである。

6.16 仙骨孔は神経と血管の通路である。

6.17 真肋は第1から第7肋骨である。仮肋は第8から第12肋骨である。浮遊肋は第11と第12肋骨である。

6.18 上肢帯は鎖骨と肩甲骨である。

6.19 上腕骨は肩甲骨の関節窩と関節する。

6.20 尺骨の"肘"にあたる部分は肘頭である。

6.21 こぶしは中手骨の骨頭である。

6.22 小骨盤は骨盤腔に入っている骨盤内臓を囲む。

6.23 大腿骨は寛骨臼に嵌る。

6.24 大腿骨の遠位端は脛骨および膝蓋骨と関節する。

6.25 下肢で体重を支える骨は脛骨である。

6.26 距骨は脛骨および腓骨と関節する。

6.27 足弓は固定されたものではなく，歩いたり，走ったりするときの衝撃を吸収できるように，体重がかかった場合にはたわみ，なくなるとばねのように戻る。

6.28 破骨細胞の活動を抑制する薬物が骨粗鬆症の発症を抑える可能性がある。

CHAPTER 7

骨 の 連 結

骨は剛性が高く，損傷なく曲げることはできない。幸い，曲げやすい結合組織が骨と骨を結びつける関節をつくるので，たいていある程度の運動ができる。関節のこの曲げやすさと動きがホメオスタシス（恒常性）に寄与する。もし，いままでに関節を痛めたことがあれば，膝にギプスをつけて歩いたり，指に副子をつけたままドアのノブを回すのがどんなに難しいかがわかるはずである。からだの骨が互いに動くときに起る驚くほどの可動域と協調運動の複雑さについて考えてみる。ゴルフボールを打つ，ピアノを弾くなどの運動は，ほとんどすべての機械運動よりはるかに複雑である。多くの関節運動が毎日繰り返され，子どもの頃から思春期まで，そして成人期の間を通して，継続的な働きを生み出す。関節の構造がこの信じられないほどの持続力をどのように可能にしているのだろうか？ なぜ関節が機能しなくなり，私たちの動きが痛くなるのだろうか。関節の効率的な機能をどのようにして延ばすことができるのか？ 毎日の活動を可能にする機械の構造と機能について学び，これらの質問に答えるために読み進めることにする。

> **先に進むための復習**
> ・膠原線維（4.3 節）
> ・規則的緻密結合組織（平行線維性緻密結合組織）（4.3 節）
> ・軟骨（4.3 節）
> ・滑膜（4.4 節）
> ・骨格系の分類（6.6 節）

Q ピッチャーがなぜ頻繁に腱板手術を必要とするのか疑問に思ったことはありませんか？ 答えは「よくみかける病気：一般的な関節の損傷」でわかるでしょう。

7.1 骨の連結の分類

目標
・骨を連結する構造が骨の連結の働きを決めている理由を説明する。
・骨の連結の構造と機能の分類を述べる。

骨の**連結 joint**（**関節 articulation** ともいう）は，骨と骨，軟骨と骨，歯と骨が接する部位である。一つの骨が他の骨と連結している場合は，二つの骨が関節をつくっているという意味である。**関節学 arthrology**（arthr- ＝関節；-ology ＝〜学）は骨の連結を研究する学問である。からだに多数の関節があることが運動を可能にしている。人体の運動に関する研究は**運動学 kinesiology**（kinesi- ＝運動）という。

骨の連結の構造が強さと柔軟性の組合せを決める。一つの極端な骨の連結の例は，運動できず，したがって非常に丈夫であるが，柔軟性のない結合である。対照的に，別の連結はかなり自由に運動することができて，柔軟性をもっているが，丈夫ではない結合である。一般に，骨と骨の接点が近ければ近いほど連結が強くなる。しっかりと結合した連結では，運動は明らかにより制限される。緩く結合すればするほど連結の運動性が大きい。しかし，緩く連結した骨では連結している骨が正常な位置からずれる，いわゆる**脱臼 dislocation** を起しやすい。骨の連結での運動は，(1)

連結する骨の形，(2)骨と骨の間を連結する靱帯の柔軟性（緊張の度合い），(3)関連する筋と腱の緊張の度合いで決定される。骨の連結の屈曲性はホルモンによっても影響されることがある。例えば，妊娠末期，リラキシンというホルモンは恥骨結合の線維軟骨の柔軟性を増加させ，仙骨，寛骨，尾骨間の靱帯を緩める働きがある。これらの変化は骨盤の出口を大きくするので分娩を容易にするのに役立つ。

関節は解剖学的特徴に基づく構造による分類と，可能な運動の種類に基づく機能による分類がある。

関節の構造による分類は，(1)関節する骨と骨の間に，滑膜腔 synovial cavity と呼ばれる間隙があるかどうか，(2)骨と骨を連結する結合組織の種類がどうであるか，に基づいている。構造からみた関節は次のように分類される。

- **線維性の連結 fibrous joint**：滑膜腔がなく，骨が多量の膠原線維を含む不規則緻密結合組織（交織線維性緻密結合組織）によって互いに固定される関節である。
- **軟骨性の連結 cartilaginous joint**：滑膜腔がなく，骨が軟骨によって互いに固定される関節である。
- **滑膜性の連結 synovial joint**：滑膜腔があり，骨のまわりに不規則緻密結合組織の関節包をつくり，しばしば副靱帯も関与する。

機能による骨の連結の分類は，その関節で起る運動の程度を考慮して決められる。機能からみた関節は次のように分類される。

- **不動関節 synarthrosis**（syn- ＝一緒に；複数形 synarthroses）：動かない連結である。
- **半関節 amphiarthrosis**（amphi- ＝両側に；複数形 amphiarthroses）：わずかに動く連結である。
- **可動関節 diarthrosis**（＝動きやすい連結；複数形 diarthroses）：自由に動く連結である。すべての可動関節は滑膜性の連結である。それらは多様な形をもち，運動についてもいくつかの異なった形を可能にする。

以下では，構造による分類に従った骨の連結について述べる。それぞれ種類ごとに，連結を調べると同時に，機能による分類のどれに相当するかについても述べる。

> **チェックポイント**
> 1. どの要因が関節の運動を決定するか？
> 2. 関節の構造と機能に基づき，どのように分類されるか？

7.2 線維性の連結

目 標

・3種類の線維性の連結について，その構造と機能を述べる。

　線維性の連結 fibrous joint はわずかに動くか，まったく動かない。3種類の線維性の連結は，(1)靱帯結合，(2)縫合，(3)骨間膜である（図7.1）。

1. **靱帯結合 syndesmosis**（syndesmo- ＝帯または靱帯）は線維性の結合で，関節表面の間の不規則緻密結合組織（交織線維性緻密結合組織）がある。この組織は束状（靱帯）に典型的な配列をし，関節は動きが制限される。靱帯結合の一つの例は**遠位脛腓関節 distal tibiofibular joint** である。縫合に比べて，骨の間がより広く，より多くの緻密線維性結合組織が存在する。不規則緻密結合組織は靱帯のように典型的に配列され（図7.1 a，左），この連結はわずかに動くことができる。それで，半関節に分類されている。靱帯結合のほかの例は**釘植 gomphosis**（gompho- ＝ボルトまたは釘；複数形 gomphoses）あるいは**歯歯槽結合 dentoalveolar joint** である。円錐形の釘がソケットにきちんとはまり込んだ形である。人体の釘植は上顎骨および下顎骨の歯槽と歯根の間の連結だけである（図7.1 a，右）。歯根と歯槽の間にある密線維性結合組織が歯周靱帯（歯根膜）である。釘植はまったく動かない。それで，不動関節に分類されている。歯肉，歯根靱帯と骨の炎症，衰えは**歯周病 periodontal disease** と呼ばれる。

2. **縫合 suture**（sutur- ＝縫い目）は靱帯結合よりも薄い不規則緻密結合組織の層でつくられた線維性の連結である。縫合は頭蓋の骨を連結し，頭蓋骨にしかみられない。前頭骨と頭頂骨の間の冠状縫合はその例である（図7.1 b）。縫合の不規則に連結している縁が，縫合する骨の強度を増し，骨折しにくくしている。乳児と小児の縫合は半関節（わずかに動く）に分類され，成人の縫合は不動関節（可動性がない）に分類される。縫合は，頭蓋骨の成長部位および衝撃吸収部位として重要な役割を果たす。

3. 線維性の連結の最後のものは**骨間膜 interosseous membrane** で，これは隣接の長管状骨を結び，わずかに動くことができる不規則緻密結合組織の丈夫な膜である（半関節）。人体には主な2種類の骨間膜がある。一つは前腕の橈骨と尺骨の間（図

7.2 線維性の連結 **169**

> **図 7.1** 線維性の連結。

線維性の連結では，不規則緻密結合組織によって骨と骨が固定される。

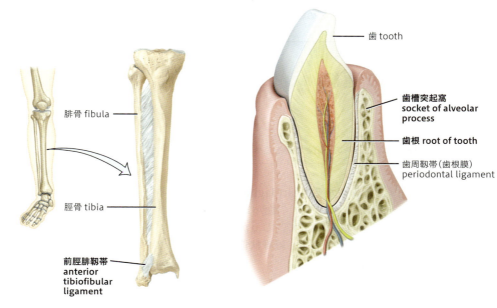

(a) 靱帯結合

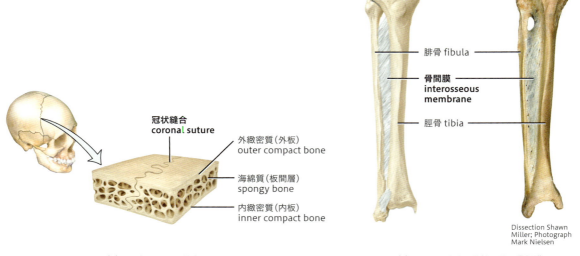

(b) 頭蓋骨の間の縫合

(c) 脛骨と腓骨の骨幹の間の骨間膜

Q なぜ縫合は不動関節に，靱帯結合は半関節に機能的に分類されるのか？

6.20），もう一つは下腿の脛骨と腓骨の間にある（図7.1 c）。

> **チェックポイント**
>
> 3．どの線維性の連結が不動関節に，どの線維性の連結が半関節に分類されるか？

7.3 軟骨性の連結

目　標
・2種類の軟骨性の連結について，その構造と機能を述べる。

　線維性の連結と同じく，**軟骨性の連結 cartilaginous joint** もわずかに動くか，あるいはまったく動かない。関節する骨は硝子軟骨あるいは線維軟骨で，しっかり結合される。軟骨性の連結には軟骨結合，線維軟骨結合，骨端軟骨の3種類がある（図7.2）。

1. **軟骨結合 synchondrosis**（chondro- ＝軟骨）は軟骨性の連結で，骨と骨を結びつけるのが硝子軟骨である。この例は第1肋骨と胸骨柄との軟骨性の連結［関節］部である（図7.2 a）。軟骨結合は半関節，わずかに動く半関節，不動結合，不動関節のいずれかである。
2. **線維軟骨結合 symphysis**（＝ともに成長する）は軟骨性の連結で，関節する骨の骨端が硝子軟骨で覆われる。しかし，骨と骨は幅の広い，扁平な線維軟骨の板によって連結されている。すべての線維軟骨結合はからだの正中線で起る。半関節またはわずかに動く半関節である寛骨の前面にある恥骨結合は線維軟骨結合の一例である（図7.2 b）。この種類の連結は，胸骨柄と胸骨体の接合部（図6.17 a）と椎骨の椎体間の連結にもみられる（図6.12 c）。椎間板の部分は線維軟骨で構成されている。椎間板の構造は，椎体間の重要な緩衝パッドとしての役割を果たしながら，脊柱の可動域を制限している。
3. **骨端軟骨 epiphyseal cartilages** は実際には軟骨性骨形成における成長中心であり，運動に関連する関節ではない。その例は，成長している長骨の骨端と骨幹とを連結する骨端板（成長板）である（図7.2 c）。機能的に，骨端軟骨は不動結合または不動関節である。骨の長さの成長が止まると，硝子軟骨は骨に置き換わり，骨端軟骨は骨結合または骨の連結になる（6.4節）。

図7.2　軟骨性の連結。

軟骨性の連結では軟骨組織によって骨と骨がしっかりと固定される。

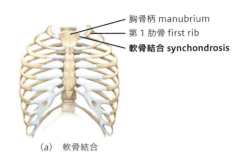

(a)　軟骨結合

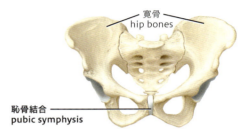

(b)　線維軟骨結合

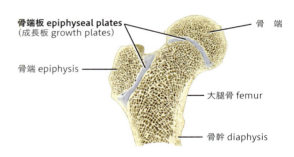

(c)　骨端軟骨結合

Q 軟骨結合，線維軟骨結合と骨端軟骨結合の構造的な違いは何か？

> **チェックポイント**
>
> 4．どの軟骨性の連結が不動関節に，どの軟骨性の連結が半関節に分類されるのか？

7.4 滑膜性の連結

目標
- 膜性の連結の各構成の機能を説明する。
- 滑膜性の連結の構造を述べる。

滑膜性の連結の構造

滑膜性の連結 synovial joint はそれ以外の連結と異なる顕著な特徴がある。それは**滑膜腔 synovial cavity** あるいは**関節腔 joint cavity** と呼ばれる空所が関節する骨の間にあることである（図7.3）。この滑膜腔は関節が自由に動くことを可能にしている。すなわち，すべての滑膜性の連結は，機能による分類では可動関節である。滑膜性の連結では関節面が**関節軟骨 articular cartilage** で覆われ，この軟骨は硝子軟骨である。関節軟骨は運動中に骨の間の摩擦を減少させ，衝撃の吸収にも役立つ。

滑膜性の連結を取り囲む袖のような**関節包 articular (joint) capsule** は滑膜腔を囲み，関節する骨を結合している。関節包は2層で構成され，外層は線維膜，内層は滑膜である（図7.3）。外層の**線維膜 fibrous membrane** は通常，不規則緻密結合組織からなり（ほとんどが膠原線維である），関節する骨の骨膜に付着する。ある種の線維膜の線維は，張力に耐えるのに非常に合理的に配列する平行な線維束をつくる。このような線維の束は**靱帯 ligament**（liga- ＝束ねる，結ぶ）と呼ばれ，滑膜性の関節で，密着した互いの骨を保持するための機械的な主要素の一つである。関節包の内層の**滑膜 synovial membrane** は，弾性線維を含む疎性結合組織でつくられる。多くの滑膜性の連結では滑膜に脂肪組織の集積が存在し，これを**膝蓋下脂肪体 infrapatellar fat-pad** という（図7.11 c）。

"二重関節 double-jointed"（自由自在に関節を曲げられる）の人は特別な関節をもっているわけではない。それらの人たちは，関節包と靱帯が異常に柔軟である。すなわち，可動域の増加が，親指を手首に触れたり，足首や肘を首の後ろにまわすなどしてパーティーの仲間を楽しませる。残念ながら，このような柔軟な関節は構造上の安定性を欠き脱臼しやすい。

滑膜は**滑液 synovial fluid**（ov- ＝卵）を分泌して，関節包の内表面で薄い膜を形成する。この粘り気のある透明あるいは淡い黄色の滑液は，外観と粘度が生の卵白（アルブミン）に似ていることから名づけられた。滑液がもつ多数の機能の中には，関節を潤滑して摩擦を減少させること，さらに，関節軟骨の中の軟骨細胞に栄養を供給し，代謝性の老廃物を取り除くことである。滑膜性の連結をしばらく動かさないと，滑液の粘

図7.3　典型的な滑膜性の連結の構造。 関節包は線維膜と滑膜の2層からなることに注意しなさい。滑液は滑膜と関節軟骨で囲まれた滑膜腔を満す。

> 滑膜性の連結の特徴は関節する骨の間に滑膜腔（関節腔）の存在がある。

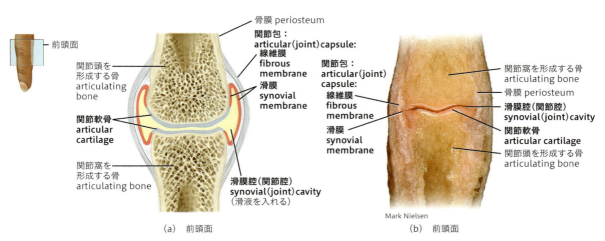

(a) 前頭面　　(b) 前頭面

（訳注：左図と上下が逆であり，上が中節骨底，下が基節骨頭である。）

Q 滑膜性の連結を機能的に分類すると，どの種類の関節か？

性が非常に高く（ゲル状）なるが，動きが増すにつれて，滑液の粘性が低下する．運動の前にウォーミングアップをすることの利点の一つは，滑液の産生と分泌を刺激することである．

特定の関節を動かすとパチンと鳴ったり，手指を曲げるときに聞こえる"ポキポキ音"はよく知られている．一つの考え方によると，関節包が広がるときに，部分的に滑液の圧力が減少し真空になる．吸引力は滑膜血管中の二酸化炭素と酸素を吸い出し，滑液の中に気泡が発生する．指を曲げる（屈曲）ときに気泡は破裂し，"パチンとした音"あるいは"ポキポキ音"が聞こえるというのである．

多くの滑膜性の連結は関節包の中，あるいは外に**副靱帯 accessory ligament** をもつ．関節包の外部にある副靱帯の例は，膝関節にある内側および外側側副靱帯である（図 7.11 e）．関節包の内部にある副靱帯の例は，膝関節にある前・後十字靱帯である（図 7.11 e）．

膝関節のようないくつかの滑膜性の連結の内部は，向かい合う関節面の間に線維軟骨でできたパッドが存在し，線維膜に付着している．このパッドは**関節円板 articular disc** または**半月（板）meniscus**（複数形 menisci）と呼ばれる．図 7.11 e, f に膝関節の外側および内側半月が示されている．関節円板は，関節している骨の関節面の形を修正することによって，関節面の形が適合しない骨と骨をよりしっかりした結びつきにする．さらに，関節円板は関節を安定させるとともに，最大の摩擦が生じる部位に向かって潤滑のための滑液を流す働きをする．

人体のさまざまな運動はその可動部に摩擦を引き起す．**滑液包 bursa**（複数形 bursae；＝財布）と呼ばれる袋状構造は，いくつかの滑膜性の連結，例えば，肩関節や膝関節にみられ，摩擦を減少させるのにもっとも効果がある場所に配置されている（図 7.11 c）．滑液包は厳密には滑膜性の連結の一部とはいえないが，滑液包の壁が滑膜で裏打ちされた結合組織でできているので，関節包に似ている．さらに，滑液包の内部は滑液と同じような液体で満たされている．皮膚と骨が擦れ合うような部位では，皮膚と骨の間に滑液包が存在する．また，腱と骨，筋と骨，靱帯と骨の間にも存在する．この液体で満たされた滑膜の袋は，からだの一部分がほかの部分に対して動く際のクッションの役割をする．

> **チェックポイント**
> 5. 可動関節である滑膜性の連結は，構造上どのように分類されるか？
> 6. 関節軟骨，関節包，滑液，関節円板，滑液包の機能は何か？

7.5 滑膜性の連結における運動の種類

目 標
・滑膜性の連結における運動の種類を述べる．

解剖学者，理学療法士，運動科学者は，滑膜性の連結で生じる特有の運動の種類を表現するために特別な専門用語を用いている．これらの的確な用語は，運動の形や，運動の方向，あるいは運動中のからだのある部分のほかの部分に対する関係などを表現する．**可動範囲 range of motion（ROM）**は，関節の骨が移動することができる測定運動範囲の角度をさす．滑膜性の連結における運動は主に四つに分類される：(1)滑り，(2)角運動，(3)回旋，(4)特殊運動である．最後の(4)は，特定の関節だけの運動である．

滑 り

滑り gliding は単純な運動で，比較的平らな関節面同士の相対的な前後あるいは左右への運動である（図 7.4）．このことは，上肢をからだの横で，頭付近まで上げ再び戻すときの鎖骨と肩甲骨の肩峰の間で説明できる．滑りの範囲は関節包，副靱帯および骨によって制限される．

角運動

角運動 angular movement は関節する骨の間の角度が増減することもある．主な角運動は解剖学的正位に関しての屈曲，伸展，過伸展，外転，内転と描円である．**屈曲 flexion**（＝曲げること）とは関節する骨の

> **臨床関連事項**
>
> **滑液包炎**
>
> 滑液包（例えば，肩や膝関節）の急性または慢性の炎症は**滑液包炎 bursitis** といわれる．滑液包炎は外傷や，急性または慢性の感染（梅毒や結核を含む），慢性関節リウマチ（章末"よくみられる病気"参照）などによっても起る．関節の激しい運動が繰り返されると，局所的な炎症や滑液の集積を伴った滑液包炎を誘発しやすい．疼痛，腫脹，圧痛，運動制限などの症状が起る．治療法には，抗炎症薬の経口投与，コルチゾール様ステロイド類の注射などがある．

7.5 滑膜性の連結における運動の種類　173

図 7.4　滑膜性の連結の滑り運動。

滑り運動は左右あるいは前後運動からなる。

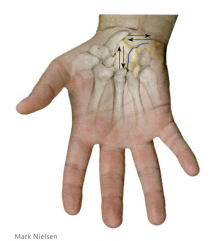

Mark Nielsen
手根間関節（矢印）における滑り

Q 滑り運動できる関節の二つの例は何か？

間の角度が小さくなることで，**伸展 extension**（＝引き伸ばすこと）とは関節骨の間の角度が大きくなることである。すなわち，屈曲した部位を解剖学的正位に戻す動作である。屈曲と伸展は通常は矢状面に沿って起る（図 7.5）。屈曲の例として，頭を胸に向かって曲げる運動（図 7.5 a）；歩行時に上肢を前に出すような運動で，肩関節で上腕骨が振り子のように前方へ向かう運動（図 7.5 b）；肘を曲げて腕のほうに向かうような前腕運動（図 7.5 c）；手掌が前腕に向かう運動（図 7.5 d）；歩行時に大腿部を前に出すような運動（図 7.5 e）；膝関節を曲げる運動（図 7.5 f）などがある。伸展はそれらの運動の単に逆運動となる。

　解剖学的正位を越える伸展は**過伸展 hyperextension**（hyper- ＝過度の）という。過伸展の例は，星を見上げたときのように頭を後方に倒す運動（図 7.5 a）；歩行時に上肢を振り子のように後ろに出すような運動で，上腕骨が後ろに向かう運動（図 7.5 b）；バスケットボールのシュートの準備のように手首の関節より手掌を後ろに向ける運動（図 7.5 d）；歩行時に大腿を後ろに引く運動（図 7.5 e）などがある。ほかの関節，例え

図 7.5　滑膜性の連結における角運動：屈曲，伸展と過伸展。

角運動では，関節する骨の間の角度が増減する。

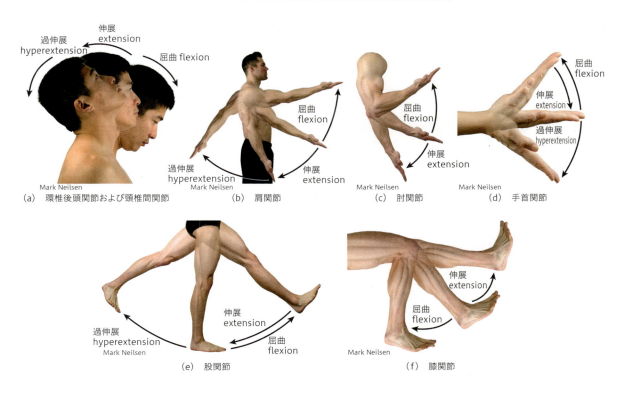

Q 滑膜性の連結ではどのようにして過伸展を防いでいるのか？

ば，肘関節，指節間関節（手と足の指），膝関節での過伸展は，普通，靭帯および骨の配列によって妨げられる．

外転 abduction（ab- ＝離れる；-duct ＝導く）あるいは**橈側偏位** radial deviation は，骨がからだの正中線から離れる運動であり，**内転** adduction（ad- ＝近づく）あるいは**尺側偏位** ulnar deviation は，骨がからだの正中線に近づく運動である．外転と内転は通常，前頭面に沿って起る．外転の例には，上腕骨を外側上方に向ける運動（図 7.6 a），手掌をからだから遠ざける運動（図 7.6 b），大腿骨をからだから離す運動（図 7.6 c）がある．反対側へ運動した場合（内側へ）は内転となる（図 7.6 a ～ c）．

描円（ぶん回し） circumduction（circ- ＝円）はからだのある部分の遠位端を円形にまわす運動である（図 7.7）．描円はそれ自身独立した運動ではなく，むしろ屈曲，外転，伸展と内転の連続過程である．描円のできる関節の例に，肩関節での上腕骨（試しに腕で円を描いてみる），股関節での大腿骨（足で円を描いてみる）がある．肩関節に比べて，股関節では靭帯と筋の張力がより強く，寛骨臼が深いため，円運動がより制限されている．

図 7.6　滑膜性の連結における角運動：外転と内転．

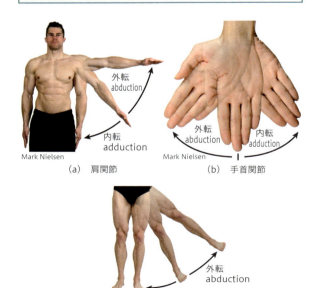
(a) 肩関節　(b) 手首関節　(c) 股関節

Q 内転の意味を覚える方法は"四肢を体幹につけ加える"という文を使えばよい．なぜこれが有効な学習方法なのか？

図 7.7　滑膜性の連結における角運動：描円（ぶん回し）．

描円はからだの末端部分が円を描く運動である．

(a) 肩関節　(b) 股関節

Q 描円（ぶん回し）ができる滑膜性の連結は何か？

回　旋

回旋 rotation（rota- ＝軸を中心に回る）は，骨をその長軸を軸に回転させることである．車軸関節と球関節は回旋ができる．例としては，"いいえ"を示すときに左右に頭を回旋させる場合である（図 7.8 a）．上肢では，回旋は正中線に関連して定義される．上肢の骨の前面を正中線のほうに回転させる場合は**内旋** medial（internal）rotation という．肩関節で上腕骨を内旋するには，まず解剖学的正位から肘を屈曲してスタート，そして，手掌を胸を横切るように動かす（図 7.8 b）．上肢の骨の前面を正中線から離れるように回転させる場合は**外旋** lateral（external）rotation という（図 7.8 b）．

特殊運動

特定の滑膜性の連結だけで起きる**特殊運動** special movement には，挙上，下制，前突，後退，内反，外反，背屈，底屈，回外，回内，対立がある（図 7.9）．

- **挙上** elevation（＝持ち上げること）はからだの一部が上方へ運動することである．例えば，下顎骨を挙上して口を閉じるとか（図 7.9 a），あるいは肩甲骨を挙上し肩をすくめるなどである．
- **下制** depression（＝押し下げる）はからだの一部が下方へ運動することである．例えば，下顎骨を下制して口を開ける（図 7.9 b），あるいは肩甲骨を下制し，すくめた肩をもとの解剖学的正位に戻すなどである．
- **前突** protraction（＝前方へ引張る）はからだの一部

図 7.8 滑膜性の連結における回旋。

回旋は骨の長軸を軸とする回転である。

(a) 環軸関節

(b) 肩関節

Q 内旋と外旋はどのように異なるか？

が前方へ運動することである。下顎骨を押し出すことで下顎骨を前突する（図 7.9 c）とか，あるいは，腕を交差させて鎖骨を突き出すことである。

- **後退 retraction**（＝後方へ引張る）は前突したからだの部分をもとの解剖学的正位に戻す運動である（図 7.9 d）。
- **内反 inversion**（＝内側に回転）は足底を内方に向ける運動で，足底同士が向かい合うことになる（図 7.9 e）。
- **外反 eversion**（＝外側に回転）は足底を外方に向ける運動で，足底同士が反対に向くことになる（図 7.9 f）。
- **背屈 dorsiflexion** は足を足背（足の上面）の方向に曲げる運動で，かかとで立っているような場合である（図 7.9 g）。
- **底屈 plantar flexion** は足を足底（足の下面）の方向に曲げる運動で，つま先で立っているような場合である（図 7.9 g）。
- **回外 supination** は手掌を前（肘を曲げた場合は上）に向ける前腕の運動である（図 7.9 h）。回外した手の向きは，解剖学的正位の要件の一つである（図 1.5）。
- **回内 pronation** は手掌を後に向ける前腕の運動である（図 7.9 h）。
- **対立 opposition** は親指の手根中手関節（大菱形骨と母指の中手骨の間）の運動である。母指が手掌を越えて同じ手の指先とのタッチ運動である（図 7.9 i）。これは正確に物をつかんだり，操作することのできるヒトやほかの霊長類特有の指運動能力である。

> **チェックポイント**
> 7. 滑膜性の連結において生じる各種の運動を定義し，さらに各々の例を挙げなさい。

7.6 滑膜性の連結の種類

目標

・滑膜性の連結の六つの型について述べる。

すべての滑膜性の連結はよく似た構造であるが，関節面の形が異なって，可能な運動の種類も多様である。それに応じて，関節は六つの型に分類される。すなわち，平面関節，蝶番関節，車軸関節，顆状関節，鞍関節と球関節である（図 7.10）。

1. **平面関節 plane**(planar)**joint** の関節面は，平らか少し曲がっている（図 7.10 a）。平面関節は主として骨の平らな面の間で前後，両側に運動することができる。また，骨は互いに対して回旋することができる多くの平面関節は二つの軸で運動できる**二軸性 biaxial** である。**軸 axis** は垂直線でこの線に沿って回旋運動ができる。平面関節は滑りのほかに回旋する場合，**三軸性（多軸性）triaxial (multiaxial) の運動**が可能である。例として，手根間関節（手首の手根骨の間），足根間関節（足首の足根骨の間），胸鎖関節（胸骨柄と鎖骨の間），肩鎖関節（肩甲骨の肩峰と鎖骨の間）がある。

図7.9 滑膜性の連結における特殊運動。

特殊運動は，特定の滑膜性の連結（関節）のみに可能な運動である。

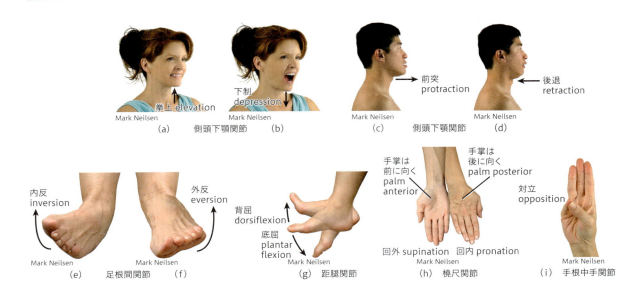

Q 両肘がつくまで上腕を前方へ差し出すときの上肢帯の運動はどんな種類の運動か？

2. **蝶番関節** hinge joint は，一方の骨の凸面が，他方の骨の凹面にはまり込む（図7.10 b）。その名前が示すように，蝶番関節では蝶番がついた扉のように角度のある開閉運動ができる。蝶番関節は単に屈曲，伸展ができる。蝶番関節は主に一つの軸のまわりで動くので**一軸性** uniaxial（monaxial）である。例として，膝関節，肘関節，足根関節と指節間関節（手，足の指節骨の間）がある。

3. **車軸関節** pivot joint は，一方の骨の円筒状あるいは円錐状の関節面が，他方の骨と靱帯とでつくられた"輪"で関節する（図7.10 c）。車軸関節はその長軸を軸として回転することができる**一軸性** uniaxial である。例として，環軸関節や上下の橈尺関節がある。環軸関節では，"いいえ"を示すときに，頭を左右に振るような運動を可能にする。上下の橈尺関節は手掌を前後に裏返す回外・回内を可能にする。

4. **顆状関節** condyloid joint（condyloid＝こぶし状）は，一方の骨の関節面は楕円形で凸を示し，他方の骨の楕円形の凹面にはまり込む（図7.10 d）。顆状関節は二つの軸のまわりで運動できる**二軸性** biaxial である。屈曲，伸展，外転，内転ができる。限定的な描円運動も可能である（描円運動は単独の運動ではないことを思い出そう）。例として，手首（橈骨手根関節）と第2から第5指の中手指節関節（中手骨と指骨の間）がある。

5. **鞍関節** saddle joint は，鞍関節は左右と上下運動ができる。鞍関節は屈曲，伸展，外転，内転，描円ができる。一方の骨の関節面が鞍型で，他方の骨の関節面は騎手が馬に乗っているような形ではまり込む（図7.10 e）。鞍関節の運動は顆状関節と同じで，**二軸性** biaxial（屈曲-伸展，外転-内転）で，限定的な描円運動も可能である。例として，手根の大菱形骨と第1中手骨の間の手根中手関節がある。

6. **球関節** ball-and-socket joint は，一方の骨の関節面が球状で，他方の骨のカップ状にくぼんだ関節面にはまり込む（図7.10 f）。球関節では，三つの軸（**三軸性** triaxial，**多軸性** multiaxial）の運動（屈曲-伸展，外転-内転，回旋）が可能で，人体では肩関節と股関節だけである。

7.7節に，滑膜性の連結がいかに複雑であるかを知るために，人体でもっとも大きくかつ複雑に修飾された蝶番関節である膝関節がもっている構造上の特徴を分析することにする。

> **チェックポイント**
> 8. 滑膜性連結の各型をからだのどの部位でみつけることができるか？

7.6 滑膜性の連結の種類

図 7.10 滑膜性の連結の種類。各種類の実際の関節の図と単純化した概念図とを示す。＊は訳注として付す。

> 滑膜性の連結は，関節面の形態に基づいて分類される。

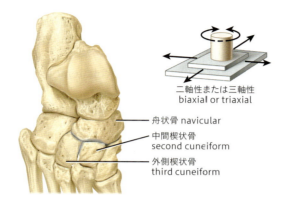

(a) **平面関節**：足根の舟状骨と中間および外側楔状骨との間の関節（足根間関節）＊

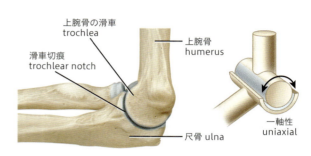

(b) **蝶番関節**：肘関節のうち上腕骨の滑車と尺骨の滑車切痕との間の関節

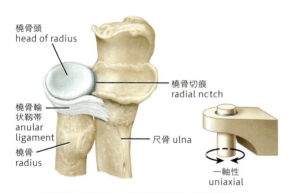

(c) **車軸関節**：橈骨頭と尺骨の橈骨切痕との間の関節（上橈尺関節）＊

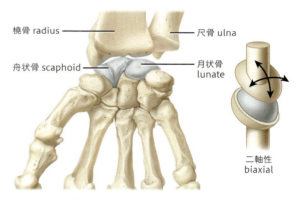

(d) **顆状関節（楕円関節）**：橈骨の下端と手根（手首）の舟状骨および月状骨との間の関節（橈骨手根関節）＊

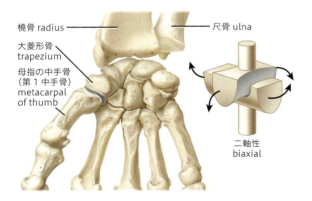

(e) **鞍関節**：手根の大菱形骨と第1中手骨との間の関節（母指の手根中手関節）＊

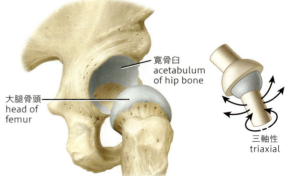

(f) **球関節**：大腿骨頭と寛骨臼との間の関節（股関節）＊

Q もっとも広範な動きができる関節はどれか？

7.7 膝関節

目標
・膝関節の基本構造と働きを述べる。

膝関節の重要な構造は以下の通りである（図7.11）。

- **関節包** articular capsule は関節を取り囲む筋の腱によって補強される。
- **膝蓋靱帯** patellar ligament は膝蓋骨から脛骨まで伸び、関節の前面を補強する。
- **斜膝窩靱帯** oblique popliteal ligament は膝関節の後面を補強する。
- **弓状膝窩靱帯** arcuate popliteal ligament は膝関節の後面で外側下部を補強する。
- **内側側副靱帯** tibial (medial) collateral ligament は関節の内側面を補強する。
- **外側側副靱帯** fibular (lateral) collateral ligament は関節の外側面を補強する。
- **前十字靱帯** anterior cruciate ligament (ACL) は脛

図 7.11 右の膝関節。

> 膝関節は人体の中でもっとも大きくもっとも複雑な関節である。

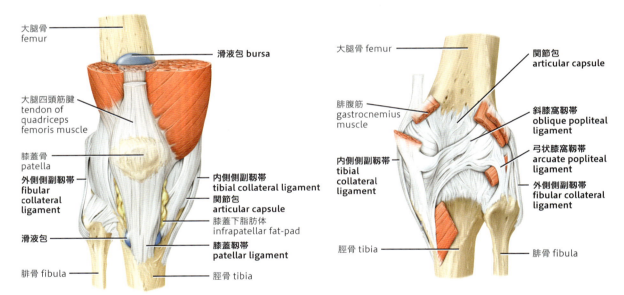

(a) 前面の浅層　　(b) 後面の深層

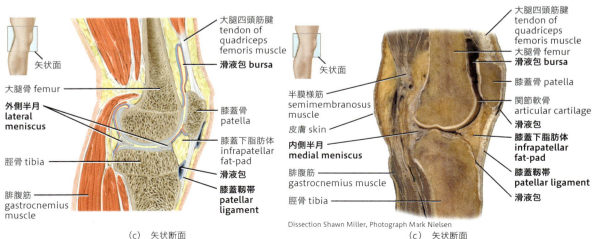

(c) 矢状断面　　(c) 矢状断面

Dissection Shawn Miller, Photograph Mark Nielsen

7.7 膝関節　179

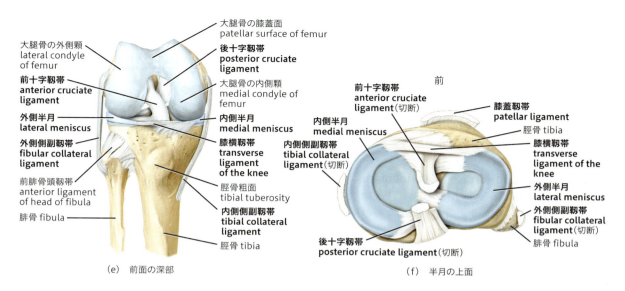

(e) 前面の深部

(f) 半月の上面

Q 軟骨損傷という膝の損傷はどの構造に損傷を受けているか？

臨床関連事項

半月板損傷と関節鏡検査

膝の関節円板（半月）の断裂は，一般的に**半月板損傷 torn cartilage** と呼ばれ，運動選手に発生しやすい。このような損傷した軟骨を外科治療しない限り，関節炎を発症する可能性があるため，外科的な切除（**関節半月板切除術 meniscectomy**）が必要である。半月板損傷の外科的な修復術には，**関節鏡検査法 arthroscopy**（scopy ＝観察）が用いられる場合がある。これは照明つきの鉛筆ほどの太さの器具の関節鏡を用いた関節（普通は膝関節）内部の目視検査である。関節鏡検査法は，膝の外傷に伴う損傷の性質と程度の判断，疾病の進行や治療の効果のモニターをするために使われる。さらに，医師が関節鏡またはほかの切開部から外科器具を挿入し，損傷した軟骨裂傷を除去して膝の十字靱帯の修復，形成不全の軟骨の形を修正，検査のための組織標本の採集，そして膝以外の関節，例えば，肩や，肘，足首，手首などの外科手術を行ったりするのに役立つ。

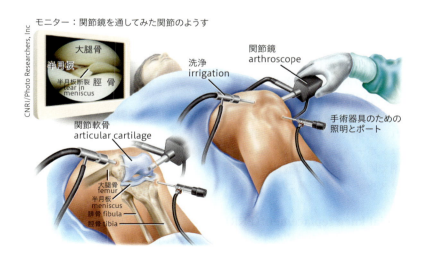

骨から大腿骨へ，外側後方に向かって伸びる。ACLは，膝関節の過伸展を制限する，大腿骨に接結する脛骨の前方にずれるのを防ぐ。膝に重度の外傷を受けた場合の70％にこの靱帯の過伸長または断裂がみられる。

- **後十字靱帯 posterior cruciate ligament（PCL）**は脛骨から大腿骨に，内側前方へ向かって伸びる。PCLは大腿骨に接結する脛骨の後方にずれるのを防ぐ。
- **関節円板 articular disc（半月（板）meniscus）**。脛骨と大腿骨の内側顆と外側顆の間には，線維軟骨の関節円板があり，関節する骨の不規則な形の補正や滑液を循環する働きがある。膝関節の二つの半月は，膝の内側部にある半円状の**内側半月 medial meniscus** と，膝の外側部にあってほぼ環状の**外側半月 lateral meniscus** である。両半月は**膝横靱帯 transverse ligament of the knee** によってつながれる。
- **滑液包 bursa** は摩擦を減らす働きがある液体で満たされた袋状の構造である。

関節炎疾病や外傷によって著しく損傷した関節は，**関節置換術 arthroplasty**（arthr- ＝関節；-plasty ＝形成）と呼ばれる手術で外科的に人工関節に取り換えることができる。体内のほとんどの関節は関節置換術を受けることができるが，もっとも一般的に取り換えられるのは股関節，膝関節と肩関節である。この手術では，損傷した骨端を摘出し，金属，セラミックスあるいはプラスチック製の部品で置き換える。関節形成術の目的は痛みが緩和され，動きが改善される。

現在，**膝関節置換術 knee replacement** には部分的かあるいは全面的に新しい関節軟骨を表面に取りつける方法がある。**膝関節全置換術 total knee replacement（TKR）**では大腿骨遠位端，脛骨近位端と膝蓋骨後面（膝蓋骨後面の損傷がひどくなければ，そのまま残される；図7.12）の損傷した軟骨が摘出され，大腿骨は金属の大腿骨コンポーネントの形状にあわせてつくり直され，接着剤で固定される。脛骨はプラスチックの脛骨コンポーネントの形状にあわせてつくり直され，接着剤で固定される。膝蓋骨後面の損傷がひどい場合はプラスチックの膝蓋骨コンポーネントが使われる。

膝関節半置換術 partial knee replacement（PKR）は膝関節の内側または外側の一方のみを置換する。大腿骨遠位端から損傷した関節軟骨を摘出し，大腿骨は整形され，金属の大腿骨コンポーネントが固定される。その後，脛骨近位端の損傷した関節軟骨は関節半月とともに摘出される。脛骨はプラスチックの脛骨コ

図7.12 膝関節全置換術。

膝関節全置換術では，損傷した軟骨が大腿骨，脛骨，膝蓋骨から取り除かれ，人工装具で置き換えられる。

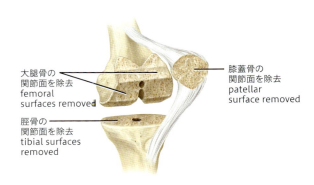

(a) 膝関節全置換術の準備

(b) 人工膝関節の構成要素（分解したものと装着した状態）

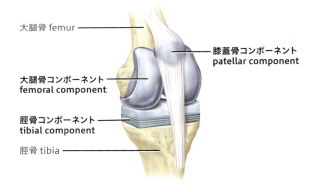

(c) 移植された人工膝関節全置換術のコンポーネント

Q 関節置換術の目的は何か？

ンポーネントの形状にあわせて整形され，固定される。

接着剤の強度の改善や置換された部位周辺の骨成長の刺激方法を研究している。関節形成術で起きやすい合併症には，感染症，血栓症，置換コンポーネントのゆるみやずれ，神経の損傷がある。

空港やその他の公共場所の金属探知機感度の増加に

よくみられる病気　**181**

伴って，金属製置換関節は金属探知機を作動させる可能性がある。

> **チェックポイント**
> 9．膝関節の後面を補強する靱帯はどれか？

7.8 加齢と関節

目標
・関節における加齢の影響を説明する。

　加齢は，普通，関節内の滑液の分泌を減少させる。さらに，加齢とともに関節軟骨は薄くなり，靱帯も縮み，かなり柔軟性を失う。加齢による関節への影響は遺伝的要因と摩耗や断裂の影響を受ける。関節の退行性変性は早くて20代から始まる人もいるが，大部分の人はもっと遅い時期に起る。ほとんどだれでも80歳までには，膝関節，肘関節，股関節，肩関節にある程度の変化が起きている。一般的に，加齢による脊柱の退行性変性が猫背を引き起し，神経根を圧迫することになる。変形性関節症という一種の関節炎は，少なくともある程度は加齢と関係している。70歳以上のほぼ全員がある程度の変形性関節症への移行の徴候をもつ（変形性関節症の詳細は，章末"よくみられる病気"参照）。完全な動作範囲を保つためのストレッチと有酸素運動は加齢による影響を最小にすることに有用である。それらは靱帯，腱，筋，滑液と関節軟骨の有効機能の維持に役立つ。

> **チェックポイント**
> 10．ほとんどすべての人が，加齢による変性の徴候を示す関節は何か？

　骨と関節について基本的に理解したので，以降の章では，筋組織と筋の構造と機能を調べる。それによって，さまざまな運動をするために骨，関節と筋がどのように一緒に働くのかを理解できる。

よくみられる病気

一般的な関節の損傷

　肩回旋筋腱板損傷 rotator cuff injury は回旋筋群（図8.19）の損傷や裂傷である。野球の投手，バレーボール選手，ラケットスポーツ選手，水泳選手やバイオリニストでよくみられる損傷で，激しい円運動を行う肩の運動に起因する。また，それは摩耗，裂傷，加齢，外傷性傷害，悪い姿勢，不適切に持ち上げることや繰り返し運動（例えば，頭の上の棚に物品を置くこと）によって生じる。肩回旋筋腱板のうち，棘上筋の腱の裂傷がもっとも多い。この腱は上腕骨頭と肩甲骨の肩峰の間にあるという位置関係から，肩の運動時に肩峰が腱を圧迫するためとくに摩滅・裂傷しやすい。悪い姿勢や貧弱な身体運動機能も棘上筋腱の圧迫を高める。

　肩鎖関節脱臼 separated shoulder は肩鎖関節すなわち肩甲骨の肩峰と鎖骨の肩峰端とでつくられる関節の損傷である。これは転倒して肩を地面に強く打つことでひどい外傷を伴って起る。

　テニス肘 tennis elbow は一般的に上腕骨の外側上顆またはその周囲に痛みがある状態で，通常，不適切なバックハンドの打ち方に起因する。伸筋群を痛めたり，くじいたりして痛みが生じる。**リトルリーグ肘** little-league elbow は内側上顆の炎症である。とくに少年が過度な投球練習やカーブの多投を行うことによって生じるものをいう。この場合，肘が腫れたり，ひびや剥離が生じたりする。

　橈骨頭の脱臼 dislocation of the radial head は，小児の上肢に起る脱臼の中でもっとも多い。この損傷では，上橈尺関節において橈骨頭がそのまわりを囲む靱帯から滑り抜けたり外れたりする。脱臼は，例えば，子どもの伸ばした両腕をもって振り回すときなどのように，肘を伸ばして前腕を回外した状態で前腕を強く引っ張ったときにもっとも起りやすい。

　膝関節は，可動性，重さに耐えている関節で，関連筋と靱帯でほぼ完全に固定され，さらに骨同士のはまり込みがまったくないため，非常に損傷を受けやすい関節である。**膝の腫れ** swollen knee は，損傷を受けてすぐ起る場合と何時間もたってから起る場合がある。腫れがすぐに起るのは，前十字靱帯の裂傷や滑膜の損傷，半月の損傷，骨折，側副靱帯の裂傷などの際に隣接する血管が損傷して出血した場合である。時間がたって起る膝の腫れは，滑液の過剰な産生によるものであり，よく"膝に水がたまる"と表現される状態（膝関節水腫）である。フットボールで起る膝の損傷のうちもっとも一般的なものは，**内側側副靱帯の断裂** rupture of the tibial collateral ligaments で，しばしば前十字靱帯の裂傷や内側半月の損傷（軟骨損傷）を伴う。この損傷は，通常，足が地面についた状態で膝の外側を強く打ったときに生じる。**膝関節の脱臼** dislocated knee は，大腿骨に対して骨の位置がずれてしまうことである。もっとも多い例は前方への脱臼で，膝の過伸展によって生じる。膝関節の脱臼の習慣性は，しばしば膝窩動脈の損傷を引き起す。

リウマチと関節炎

リウマチ rheumatism は，骨，靱帯，腱，筋など，からだを支えている構造に生じた痛みを伴う異常であって，感染や外傷によらないものをいう。**関節炎 arthritis** はリウマチの一種で，関節が腫れ，動きにくく，痛む。米国では約4,500万人が関節炎で苦しんでいる。65歳以上の成人の中で，身体障害の主な原因となっている。

関節リウマチ rheumatoid arthritis（RA）は免疫系が自分自身の組織を攻撃する自己免疫疾患で，この場合は軟骨組織と滑膜が攻撃される。RAの初期徴候は滑膜の炎症である。RAは関節の炎症が特徴で，関節の発赤，発熱，腫脹，疼痛，そして機能障害を引き起す。

変形性関節症 osteoarthritis は関節軟骨の変性を特徴とする退行性の関節疾患である。原因は加齢，関節の刺激，筋の虚弱・消耗・摩耗などの組合せである。変形性関節症は"擦り切れ関節炎"としてよく知られていて，関節炎のもっとも一般的なタイプである。変形性関節症と関節リウマチとを見分けるための主な特徴は，変形性関節症ではまず大きな関節（膝関節，股関節）に変化が生じるのに対して，関節リウマチはまず指の関節などの小さい関節が冒されることである。ある関節の変形性関節症に対する比較的新しい治療は，ヒアルロン酸製剤の**関節内補充療法 viscosupplementation** である。この療法でヒアルロン酸の関節内注入より関節の潤滑機能が改善され，コルチコステロイドと同様のよい効果がある。

捻挫と筋挫傷

捻挫 sprain は関節の無理なねじりやひねりによって，靱帯が伸ばされたり，損傷したりしているが，脱臼はしていない状態をいう。これは，靱帯が正常に耐えることができる範囲を超える張力を受けることによって生じる。捻挫によって，関節付近の血管や筋，腱，神経なども損傷を受ける場合がある。ひどい捻挫では痛みが強く，関節が動かせない場合がある。捻挫で生じる著しい腫れは，損傷を受けた細胞から放出される物質や血管が破れて出血する結果である。捻挫がもっとも生じやすいのは足首の側面で，もう一つの好発部位は手首である。**筋挫傷（肉離れ）strain** は，筋または筋と腱が引き伸ばされたり，部分的に断裂した状態をいう。筋挫傷が生じやすいのは，例えば，短距離ランナーがスタートで飛び出すときの下肢の筋のように，筋が急に強力な収縮を行ったときである。

捻挫をしたときのまず初めの処置として，PRICES（保護 protection，安静 rest，冷却 ice，圧迫 compression，挙上 elevation）を行う。PRICE処置を行うのは肉離れ，関節の炎症，骨折の疑い，打撲傷である。PRICESの五つの要素とは下記の通りである。

- **保護 protection** は傷がさらに損傷を受けないように保護することである。例えば，活動を中止してパッドや保護具をあて，必要に応じて添え木や三角巾，松葉杖などを使用する。
- **安静 rest** は，損傷部位の組織がそれ以上損傷されるのを防ぐために行う。損傷部位の痛みや腫れをもたらすような運動や活動を避ける。回復にも安静が必要である。傷が治癒する前に運動すると，また同じ損傷を生じる可能性がある。
- **冷却 ice** は，できるだけ速やかに行う。氷をあてることは，損傷部への血流を減少させ，腫れを引かせ，痛みをやわらげる。氷は，20分間あてた後，40分間間隔を空けて再び20分間あてる，というやり方を繰り返すのが効果的である。
- **圧迫 compression** は，包帯などで包んだり巻いたりすることで，腫れを抑えるのに役立つ。損傷部位を圧迫する際に血流まで止めないように注意する必要がある。
- **挙上 elevation** は，可能であれば損傷部位を心臓よりも高い位置に保つ。これにより，腫れを抑える。

医学用語と症状

滑液包切除術 bursectomy（-ectomy＝切除） 滑液包を切除すること。
滑膜炎 synovitis 関節の滑膜に生じる炎症。
関節痛 arthralgia（arthr-＝関節；-algia＝痛み） 関節に生じる痛み。
脱臼 dislocation（dis-＝離れて）または **luxation**（lux-＝脱臼） 靱帯，腱，関節包の損傷を伴い骨が関節からはずれる。部分的な，すなわち不完全な脱臼を**不全脱臼 subluxation** という。
軟骨炎 chondritis（chondro-＝軟骨） 軟骨に生じる炎症。

7章のまとめ

7.1 骨の連結の分類
1. 骨の連結 joint(広義の関節)は骨と骨，軟骨と骨，または歯と骨とが接する部位にある．
2. 骨の連結の構造が骨の連結の強さと柔軟性の組合せを決める．
3. 構造による分類は滑膜腔の有無および結合組織の種類に基づく．骨の連結は構造上，線維性 fibrous の連結，軟骨性 cartilaginous の連結あるいは滑膜性 synovial の連結に分類される．
4. 機能による分類は可能な運動の程度に基づく．骨の連結は機能上，不動関節 synarthrosis(まったく動かない)，半関節 amphiarthrosis(わずかに動く)，可動関節 diarthrosis(自由に動く)に分類される．

7.2 線維性の連結
1. 線維性の連結の骨は，不規則緻密結合組織によって互いに連結される．
2. これらの連結には，不動またはわずかに動く結合(頭蓋骨の間)，不動からわずかに動く靱帯結合(例えば，下顎骨および上顎骨の歯槽と歯根，遠位脛腓関節)，そしてわずかに動く骨間膜(前腕の橈骨と尺骨の間，下腿の脛骨と腓骨の間)が含まれる．

7.3 軟骨性の連結
1. 軟骨性連結の骨は，軟骨によって連結している．
2. これらの連結には，わずかに動くから不動を含む硝子軟骨結合(第1肋骨と胸骨柄の軟骨結合)，わずかに動く線維軟骨結合(恥骨結合)，および不動硝子軟骨の骨端軟骨(骨幹と骨端の間の骨端板または成長板と成長骨の骨端)が含まれる．

7.4 滑膜性の連結
1. 滑膜性の連結 synovial joint は滑膜腔 synovial cavity (関節腔 joint cavity)がある．すべての滑膜性の関節は可動性の結合である．
2. 滑膜性の連結のほかの特徴は，関節軟骨と関節包 articular(joint)capsule がある．関節包は線維膜 fibrous membrane および滑膜 synovial membrane からなる．
3. 滑膜は滑液 synovial fluid を分泌し，関節包の内表面を覆い，粘性のある薄い膜を形成する．
4. 多くの滑膜性の連結は，副靱帯 accessory ligament と関節円板 articular disc をもつ．
5. 滑液包 bursae は，関節包に似た構造をもつ嚢状の構造で，肩関節と膝関節のような関節での摩擦を減らす働きをする．

7.5 滑膜性の連結における運動の種類
1. 滑り gliding 運動では，骨の比較的平らな面同士が前後左右に運動する．
2. 角運動 angular movement では，関節する骨の間の角度が変化する．例として，屈曲 flexion-伸展 extension，過伸展 hyperextension，外転 abduction-内転 adduction，描円(ぶん回し)circumduction が挙げられる．
3. 回旋 rotation は，骨をその長軸を軸に回転させる．
4. 特殊運動 special movement は，特定の滑膜性の連結だけで起る．例として，挙上 elevation-下制 depression，前突 protraction-後退 retraction，内反 inversion-外反 eversion，背屈 dorsiflexion-底屈 plantar flexion，回外 supination-回内 pronation が挙げられる．

7.6 滑膜性の連結の種類
1. 滑膜性の連結を分類すると，平面関節，蝶番関節，車軸関節，顆状関節，鞍関節，球関節になる．
2. 平面関節 plane joint の関節面は平面で，平面関節は主として骨の平らな面の間で前後，左右に運動することができる(多くは二軸性である)．例として，手根骨と足根骨の間の関節がある．
3. 蝶番関節 hinge joint は，一方の骨の凸面が他方の骨の凹面にはまり込むもので，一軸性の角運動ができる(一軸性)．例として，肘関節，膝関節(修飾蝶番関節)，距腿関節が挙げられる．
4. 車軸関節 pivot joint は，一方の骨の円筒状あるいは円錐状の関節面が，他方の骨と靱帯とからなる"輪"の中にはまり込む，回旋(一軸性)運動ができる．例として，環軸関節と橈尺関節が挙げられる．
5. 顆状関節 condyloid joint は，一方の骨の楕円形の凸面が，他方の骨の楕円形の凹面にはまり込むもので，二軸性の角運動ができる(二軸性)．例として，手首関節と第Ⅱ(2)~第Ⅴ(5)中手指節関節が挙げられる．
6. 鞍関節 saddle joint は，一方の骨の関節面が鞍型で，他方の骨は騎手が馬に乗っているような形ではまり込み，二軸性の角運動ができる(二軸性)．例として，大菱形骨と母指の中手骨との間の手根中手関節が挙げられる．
7. 球関節 ball-and-socket joint は，一方の骨の関節面が球状で，他方の骨のコップ状にくぼんだ関節面にはまり込み，三軸性の運動ができる(三軸性)．例として，肩関節と股関節が挙げられる．

7.7 膝関節
1. 膝関節 knee joint は可動性関節で，このタイプの関節の複雑さがわかる．
2. この関節は関節包，関節の中と外に複数の靱帯，半月(板)，滑液包をもつ．
3. 激しく損傷された関節が関節置換術で外科的に人工関節に取り換えられる．

7.8 加齢と関節
1. 加齢とともに，滑液が減少し，関節軟骨の厚さは薄くなり，靱帯の柔軟性の低下が生じる．

2. 大部分の人が加齢により，膝関節，肘関節，股関節と肩関節に，ある程度の変性を経験する。

クリティカルシンキングの応用

1. 第2回A＆P試験が終わったとたん，あなたは一方の膝をつき，後ろに頭を傾け，腕を頭の上に挙げ，こぶしをしっかり握り，腕を上下に動かし，「よし」と叫んだ。適切な用語を使って各関節で行った運動を述べなさい。

2. ローザおばさんはこの数年，股関節を患っていて，現在，彼女はほとんど歩けない。医者は股関節の置換術を受けるようにと勧め，「これは同じ働きをする人工関節の一つです」とローザに説明した。股関節はどんな種類の関節か？どのような種類の運動ができるのか？

3. ケイト（6章で述べたバレーボール選手）を思い出そう。彼女のギプスはついに今日取れた。整形外科医は，彼女の膝の運動の範囲をテストし，ACLが完治していると告げた。ACLとは何か。ACLはどのように膝関節の安定に役立つか。

4. おばあさんは健康だが，この1年間は歩くのが困難である。彼女は病苦を訴えず，「82歳になったから，新しい足を買う必要があるよ」とあっさりいった。歩く困難の原因と新しい足を選択したのはなぜか？

図の質問の答え

7.1 成人頭蓋の縫合は動かないから，不動関節である。一方，靱帯結合は少し動くから半関節に分類される。

7.2 硝子軟骨は軟骨結合を結びつける。線維軟骨は線維軟骨結合を結びつける。骨端軟骨は成長している長骨の骨幹と骨端との成長中心である。

7.3 滑膜性の連結は可動関節で，自由に動く関節である。

7.4 滑り運動できる関節は手根間関節と足根間関節である。

7.5 滑膜性の連結のあるものでは，靱帯と骨の配列によって過伸展になるのを防いでいる。

7.6 上肢あるいは下肢を内転adductionさせると，からだの正中線に近づくことになり，まさに四肢を体幹にくっつける（加える）"adding"ことになると覚えておくとよい。

7.7 描円は肩関節と股関節で起る。

7.8 上腕あるいは骨の前面を正中線に回転させる場合は内旋という。正中線から離れる回転させる場合は外旋という。

7.9 両肘がつくまで上腕を前方へ差し出すときの上肢帯の運動は，前突の例である。

7.10 球関節がもっとも広範な動きができる。

7.11 膝関節で軟骨損傷が起きた場合，半月が損傷されていることである。

7.12 関節形成術の目的は痛みの緩和と，動きの改善である。

CHAPTER 8

筋　　　系

　身体が行う多くの作業は筋活動によって行われる。血管に血液を送る，食べる，呼吸する，胃腸管で食物を運ぶ，排尿する，熱を産生する，話す，直立する，骨格を動かすなどがその例である。

　動きは筋の収縮と弛緩を交互に行うことで起る。筋力は筋の本来の機能を表している。すなわち，化学的エネルギーを機械的エネルギーに変換して力を発生させ，作業を行わせて，運動を引き起こす。

　本章では，人体にある多くの主要な骨格筋について述べる。各骨格筋の付着部位を同定する。骨格筋の解剖学ではこの付着部位が重要である。この知識を活用すれば，どのようにして正常な運動が起るのかがわかるようになる。この知識は，外傷，外科手術，あるいは筋麻痺によって正常な運動パタンと身体の可動性を失った患者を治療する健康と機能回復訓練の専門家にとってとくに重要である。

　骨，筋そして関節が一体となって，**筋骨格系 musculoskeletal system** という一つの統合系が形成される。筋骨格系の疾患の予防や矯正にかかわる医科学の分野を**整形外科学 orthopedics**（ortho- ＝矯正する；pedi ＝子ども）と呼ぶ。

> **先に進むための復習**
> ・筋組織（4.5 節）
> ・アデノシン三リン酸（2.2 節）
> ・骨格系の分類（6.6 節）
> ・骨の連結の分類（7.1 節）
> ・滑膜性の連結における運動の種類（7.5 節）

8.1　筋組織の概観

目標

・筋組織の種類，特性，機能を述べる。

筋組織の種類

　筋に関する研究を**筋学 myology**（myo- ＝筋；-logy ＝〜学）と呼ぶ。体脂肪の割合，性別，運動療法によって異なるが，筋組織は全体重の約 40 〜 50％を占めている。筋組織は高度に分化した細胞からなり，骨格筋，心筋，平滑筋の 3 種類からなる（4 章）。**骨格筋**

Q どうして手根管症候群が起るのか考えたことはありませんか？　答えは 8.11 節の「臨床関連事項：手根管症候群」でわかるでしょう。

組織 skeletal muscle tissue は骨に付着して骨を動かす。骨格筋を顕微鏡でみると，タンパク質でできた明るい帯と暗い帯が交互に並ぶ**横紋 striation** がみられる（図 8.2 参照）。そのため，骨格筋組織は**横紋筋 striated muscle** と呼ばれる。骨格筋は意識的に収縮あるいは弛緩させることができるので**随意筋 voluntary muscle** である。分裂能をもつ細胞の数が多くないので骨格筋の再生能力には限界がある。

　心筋組織 cardiac muscle tissue は心臓にしか存在せず，心臓壁の大部分を構成する。心臓は血管によって全身に血液を送る。心筋組織は，骨格筋組織と同様に**横紋筋 striated muscle** であるが，収縮を意識的に制御できない**不随意筋 involuntary muscle** である。条件によっては，心筋は再生が可能である。例えば，心筋の細胞が傷害されるとそれに応答して，幹細胞が血中から心臓に移動し，機能する心筋細胞となって，傷害を修復するようである。**平滑筋組織 smooth muscle tissue** は血管，気道，胃，腸管などの中空器官の壁に存在し，消化や血圧調節などの体内における作用に関与している。平滑筋には**横紋がない nonstriated**。平滑筋は**不随意筋 involuntary muscle** であって，そ

の収縮は意識的に制御することはできない。平滑筋組織は、ほかの筋組織と比べて、著しく再生能が高いが、上皮のような組織と比べるとその能力は限られている。

筋組織の特性

筋組織は四つの特性によって筋組織を働かせて、ホメオスタシスに貢献している。

1. **電気的興奮性** electrical excitability とは、筋細胞や神経細胞がもつ特性で、刺激に応答して、**活動電位(インパルス)** action potential と呼ぶ電気信号を発生させる能力のことである。
2. **収縮性** contractility とは、筋組織がもつ特性で、活動電位で刺激されると、強く収縮する能力のことである。骨格筋は収縮すると、筋の付着点を引っ張って張力(収縮力)を発生させる。張力が増大して、物体の抵抗以上になると筋は短縮して運動が起る。
3. **伸展性** extensibility とは、筋組織が損傷されることなく、限界まで伸張できる能力のことである。筋の中にある結合組織によって伸展度が限定され、また筋細胞も収縮範囲内に保たれる。通常、平滑筋がもっともよく伸張する。例えば、胃壁の平滑筋は、胃が食物で充満するごとに引き伸ばされる。心筋は、心臓が血液で充満するごとに引き伸ばされる。
4. **弾性** elasticity とは、筋組織が、収縮後あるいは伸展後に元の長さと形に戻る能力のことである。

筋組織の機能

筋組織は持続的収縮、あるいは収縮と弛緩を交互に繰り返すことで、次の四つの主要な機能を行う。運動を起し、体位を安定化させ、体内において物質を蓄積して移動させ、そして熱を産生する。

1. **運動を起す**：歩行、ランニング、書字、うなずくなどの身体運動は骨格筋、骨、関節が統合的に働くことで行われる。
2. **体位の安定化**：骨格筋の収縮は関節を安定させて、立ったり、座ったりするときのような体位の維持を助ける。覚醒時には姿勢筋が持続的に収縮している。例えば、頸筋が持続的に収縮することで頭がまっすぐに保たれる。
3. **体内における物質の蓄積と移動：括約筋** sphincter と呼ぶ輪状の平滑筋の帯が持続的に収縮すると物質が蓄えられる。それは括約筋の収縮によって中空器官内の内容物が流れ出ないからである。食物を胃に、あるいは尿を膀胱に一時的に蓄えることができるのは、括約筋がこれらの器官の出口を閉じるからである。心筋の収縮によって血液が全身の血管に送り込まれる。血管壁の平滑筋が収縮や弛緩することで血管の径が調節され、血流が制御される。平滑筋の収縮は、また消化管において食物やその他の物質を移動させ、生殖器系では生殖子(精子と卵子)を押し進め、泌尿器系では尿を押し出す。骨格筋の収縮は静脈内の血液が心臓に帰還するのを促進する。
4. **熱産生**：筋は収縮するにつれて熱を発生する。筋から放出される熱の大部分は正常体温の維持に利用される。骨格筋の不随意収縮である"ふるえ"は熱の産生効率を著しく高めることで、からだの保温を助けている。

> **チェックポイント**
> 1. 筋組織を3種類に区別する特徴は何か？
> 2. 筋組織の特性と一般的な機能は何か？

8.2 骨格筋組織

目標

・結合組織性要素、血管、そして神経と骨格筋との関係を説明する。
・骨格筋線維の組織構造について述べる。

骨格筋 skeletal muscle はそれぞれ、数百〜数千の骨格筋細胞からなる独立した器官である。骨格筋細胞は細長いので**筋線維** muscle fiber と呼ばれる。筋線維や筋全体は結合組織によって包まれ、筋には血管や神経が入る(図 8.1)。

結合組織性要素

骨格筋は結合組織で包まれて保護されている。皮膚と筋の間にある**皮下組織** subcutaneous tissue (hypodermis)は疎性結合組織と脂肪層からなり、筋に出入りする神経、血管そしてリンパ管の通路となっている。皮下組織の脂肪層にはからだのトリグリセリドの大部分が貯蔵されており、熱喪失を抑える断熱層として働き、さらに外傷から筋を守っている。**筋膜** fascia(fascia＝包帯；複数形 fasciae)は不規則緻密結合組織(交織線維性緻密結合組織)の厚い層あるいは幅広い帯で、体壁や四肢を覆い、筋やその他の器官を支持し保護している。筋膜は筋と筋の間にあって、筋が自由に動けるようにし、神経、血管そしてリンパ管を通している。

8.2 骨格筋組織　187

> **図 8.1**　骨格筋とその結合組織性被膜。

骨格筋は筋線維（筋細胞）からなる。筋線維は，深筋膜由来の結合組織によって包まれて，さらに束ねられている。

筋組織の機能
1. 身体の運動を起す。
2. 体位の安定化。
3. 体内における物質の貯蔵と移動。
4. 熱産生。

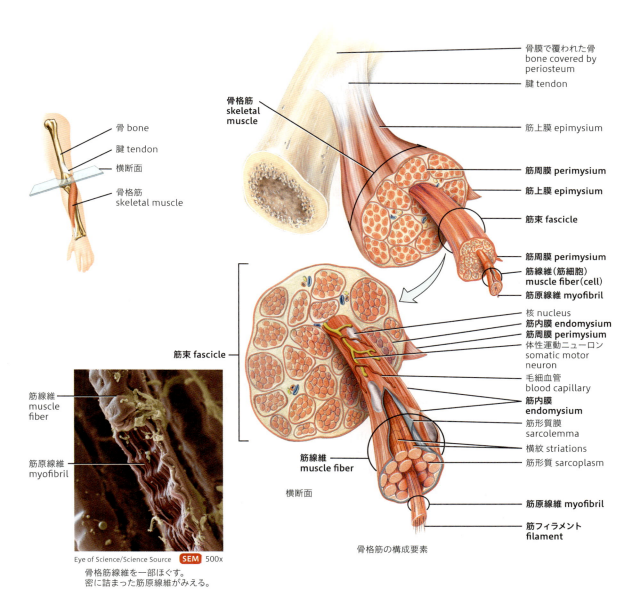

Q 筋線維（筋細胞）を包む結合組織層の名称を，内部から外部に向かって順に述べなさい。

筋膜からは3層の結合組織が伸びて骨格筋を保護し，強化している（図8.1）。筋全体は**筋上膜 epimysium**（epi-＝上の）で包まれる。**筋周膜 perimysium**（peri-＝周囲の）は10〜100以上の筋線維からなる**筋束 fascicle**（＝小さな束）を包む。最後に，**筋内膜 endomysium**（endo-＝内）が筋線維を1本ずつ包む。筋上膜，筋周膜そして筋内膜は筋から伸びて**腱 tendon** となる。腱は規則的緻密結合組織（平行線維性緻密結合組織）の索であって，平行に走る膠原線維束からなる。腱は筋を骨に付着させる働きをする。腓腹筋の踵骨腱（アキレス腱）がその一例である（図8.24a 参照）。

神経と血液供給

骨格筋には神経と血管が豊富に分布している（図8.1）。神経と血管は，筋の主要な特性である収縮に直接かかわっている。また，筋収縮には多量のATPが必要なので，ATPの合成に多量の栄養と酸素が必要となる。さらに，ATP産生の反応で生じた老廃物が除去されなければならない。したがって，筋が長時間活動できるのは，栄養と酸素を運搬し，老廃物を除去するための血液の供給が豊富なことによるものである。

通常，骨格筋内に入る神経には1本の動脈と1〜2本の静脈が伴走する。どの筋線維も1本以上の毛細血管と密着できるように筋内膜には毛細血管が分布している。また，骨格筋線維はそれぞれ，ニューロン（神経細胞）の軸索終末とも接触している。

組織構造

骨格筋は，数千個の互いに平行して走る細長い，円柱状の細胞からなる（図8.2a）。これらの細胞を**筋線維 muscle fiber** と呼ぶ。筋線維はそれぞれ**筋形質膜（筋細胞膜）sarcolemma**（sarco-＝肉；-lemma＝鞘）に包まれている。筋形質膜は**横細管 transverse tubule**（**T細管 T tubule**）となって，筋線維の表面から中心に向かってトンネル状に入り込んでいる。筋線維には多数の核が細胞の周辺，すなわち筋形質膜下に存在する。筋線維の細胞質，すなわち**筋形質 sarcoplasm** には，筋収縮に際して多量のATPを産生するミトコンドリアが多数存在する。筋形質全体にわたって**筋小胞体 sarcoplasmic reticulum** が張り巡らされている。これは，平滑筋の滑面小胞体と同じで，膜で閉じられた細管の網工である。中には細胞液が入っていて，筋収縮時に必要なカルシウムイオン（Ca^{2+}）が蓄えられている。また，筋形質には，血中のヘモグロビンと同じような赤味を帯びた色素である**ミオグロビン myoglobin** 分子が多数存在する。ミオグロビンは，ただ骨格筋に特徴的な色をつけているのではなく，ATP（アデノシン三リン酸 adenosine triphosphate）の産生にミトコンドリアで酸素が必要となるときまで酸素を貯蔵している。

筋線維内には，円柱形の**筋原線維（筋細線維）myofibril** が全長にわたって伸びている。筋原線維は，さらに，**細いフィラメント（細い筋細糸）thin filament** と**太いフィラメント（太い筋細糸）thick filament** の2種類のタンパク質のフィラメントで構成されている（図8.2b）。しかし，これらは，筋線維の全長にわたって伸びているのではない。筋フィラメントは，特有のパタンで重なって配列され，横紋筋線維の基本的機能単位である**筋節 sarcomere**（-mere＝部分）と呼ぶ区画を形成する（図8.2b, c）。隣接する筋節は**Z板（Z線）Z disc** と呼ぶ密なタンパク質からなるジグザグの帯によって互いに仕切られている。筋節には，太いフィラメントの全長に相当する暗い領域（暗帯）の**A帯 A band** がある。A帯の中央部には，太いフィラメントのみからなる狭い**H帯 H zone** がある。A帯の両端では太いフィラメントと細いフィラメントが重なっている。A帯に続いて細いフィラメントのみからなる明るい領域（明帯）の**I帯 I band** がある。I帯は二つの筋節にまたがっていて，Z板によって二分されている（図8.2c）。筋線維が横紋状を呈するのは，暗いA帯と明るいI帯が交互に出現するためである。

太いフィラメントはタンパク質の**ミオシン myosin** でできており，2本のゴルフクラブをあわせてねじった形をしている（図8.3a）。**ミオシン尾部 myosin tail** はゴルフクラブのヘッド以外の部分に相当し，互いに平行に並んでいて，太いフィラメントのシャフトになっている。ゴルフクラブのヘッドはシャフトの表面から外に突出している。この突出しているヘッドは**ミオシン頭部 myosin head** と呼ばれている。

細いフィラメントはZ板に付着している。その主要成分はタンパク質の**アクチン actin** である。アクチン分子は集まって1本のアクチンフィラメントとなり，アクチンフィラメントはらせん状になっている（図8.3b）。各アクチン分子には**ミオシン結合部位 myosin-binding site** があり，そこにミオシン頭部が結合する。細いフィラメントには**トロポミオシン tropomyosin** と**トロポニン troponin** の2種類のタンパク質分子がある。弛緩した筋では，トロポミオシンの紐が，アクチン上にあるミオシン結合部位を覆っているため，ミオシンがアクチンと結合することができない。このトロポミオシンの紐はトロポニン分子によって特定の部位に固定されている。Ca^{2+} がトロポニンに結合するとその形が変わる。その結果，アクチン上にあるミオシン結合部位からトロポミオシンが移動し，ミオシンがアクチンと結合して筋の収縮が始まる。

図 8.2　骨格筋の構成。肉眼的レベルから分子レベルまで。

骨格筋組織は，肉眼的レベルから微細構造レベルへと次の順で構成されている：骨格筋，筋束（前二者は，図 8.1 も参照），筋線維，筋原線維，そして細いフィラメントと太いフィラメント。

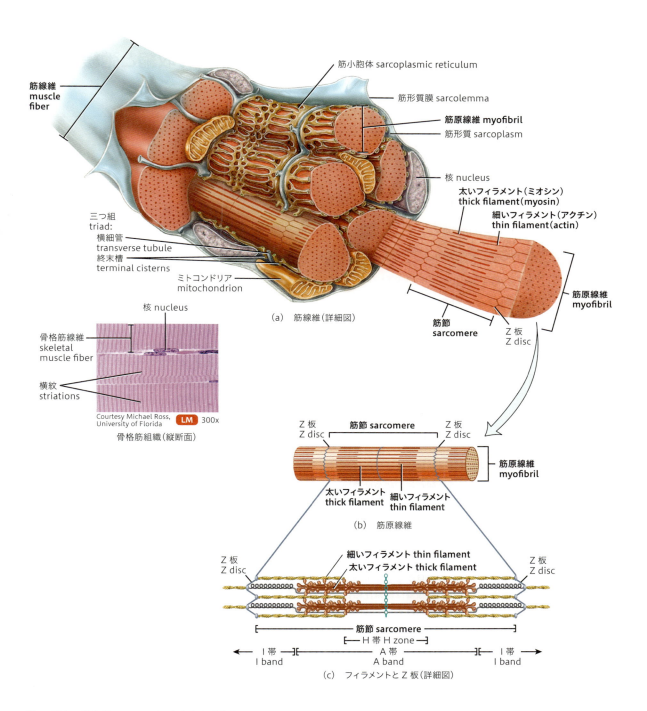

Q A 帯と I 帯はどのフィラメントからなるか？

図 8.3 **筋フィラメントの分子構造。**(a)太いフィラメントは約300のミオシン分子で構成されている。ミオシン尾部はすべて筋節の中央部のほうを向いている。(b)細いフィラメントはアクチン，トロポニンとトロポミオシンで構成されている。

> 筋原線維は太いフィラメントと細いフィラメントからなる。

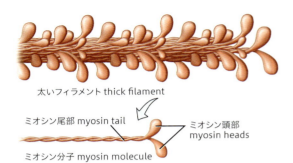

(a) 1本の太いフィラメントと1個のミオシン分子

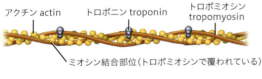

(b) 細いフィラメントの一部

Q A帯とI帯にはどのようなタンパク質が存在するか？

臨床関連事項

筋萎縮と筋肥大

筋萎縮 muscular atrophy（a- = 欠如している；-trophy = 栄養）。筋萎縮とは筋が衰えることである。筋原線維が次第に消失するため個々の筋線維が細くなる。筋は使わないでいると萎縮する。このようなときに起る筋萎縮は**非活動性萎縮（廃用性萎縮）disuse atrophy** と呼ばれる。寝たきりの人やギプス固定をした人では非活動性萎縮が起る。それは活動していない筋にくる神経インパルスの数が著しく減少しているからである。もし，筋の神経支配が遮断あるいは切断されると，筋は**除神経萎縮 denervation atrophy** に陥る。約6カ月から2年で筋は縮小して元の大きさの1/4になり，筋線維は線維性結合組織で置き換わる。結合組織に完全に移行すると元に戻すことはできない。

筋肥大 muscular hypertrophy（hyper- = 上の，過度の）。筋肥大とは，筋原線維，ミトコンドリア，筋小胞体やその他の筋形質内の構造物が数多くつくられて筋線維が太くなることである。筋力トレーニングのような非常に強力な筋活動を反復して行うと筋肥大が起る。肥大した筋には筋原線維が多いので，さらに強力な収縮が可能になる。

チェックポイント

3. 骨格筋を包む結合組織の被膜にはどのようなものがあるか？
4. 筋収縮に豊富な血液供給が必要なのはなぜか？
5. 筋節とは何か？　筋節には何があるか？

8.3 骨格筋の収縮と弛緩

目　標

・どのようにして骨格筋線維が収縮し，弛緩するかを説明する。

神経筋接合部

骨格筋線維は，**運動ニューロン motor neuron** によって与えられる電気的信号，すなわち**筋活動電位 muscle action potential** に刺激されて初めて収縮する。1個の運動ニューロンとそれが刺激する筋線維のすべてをあわせて**運動単位 motor unit** と呼ぶ。1個の運動ニューロンを刺激すると，その運動単位にあるすべての筋線維が同時に収縮する。眼球を動かす筋のような小さくて正確な運動を制御する筋では，各運動単位の筋線維の数は10〜20本である。上腕二頭筋や下腿の腓腹筋のような強大な運動を行う筋では，2,000〜3,000本の筋線維からなる運動単位もある。

運動ニューロンの**軸索 axon** は，骨格筋の中に入ると分岐して，**軸索終末 axon terminal** となり，筋線維の形質膜に接近する。しかし，接触はしない（図8.4 a, b）。軸索終末の末端は膨らんで**シナプス終末球 synaptic end bulb** を形成する。シナプス終末球の中には**シナプス小胞 synaptic vesicle** があって，小胞は化学的メッセンジャーである**神経伝達物質 neurotransmitter** で満たされている。シナプス終末球の近傍の筋形質膜の領域は**運動終板 motor end plate** と呼ばれている。シナプス終末球と筋形質膜との間の間隙を**シナプス間隙 synaptic cleft** と呼び，シナプス終末球と運動終板の間にできるシナプスを**神経筋接合部 neuromuscular junction（NMJ）** と呼ぶ。神経筋接合部はシナプス終末球の**神経性部 neural portion** と運動終板の**筋性部 muscular portion** からなる。神経筋接合部では，次の機序で運動ニューロンが骨格筋線維を興奮させる（図8.4 c）。

❶ **アセチルコリンの放出**：シナプス終末球に神経インパルスが到達すると，これが引き金となって神経伝達物質である**アセチルコリン acetylcholine**

図 8.4 神経筋接合部。

神経筋接合部は運動ニューロンの軸索終末（シナプス終末球）と筋線維の運動終板からなる。

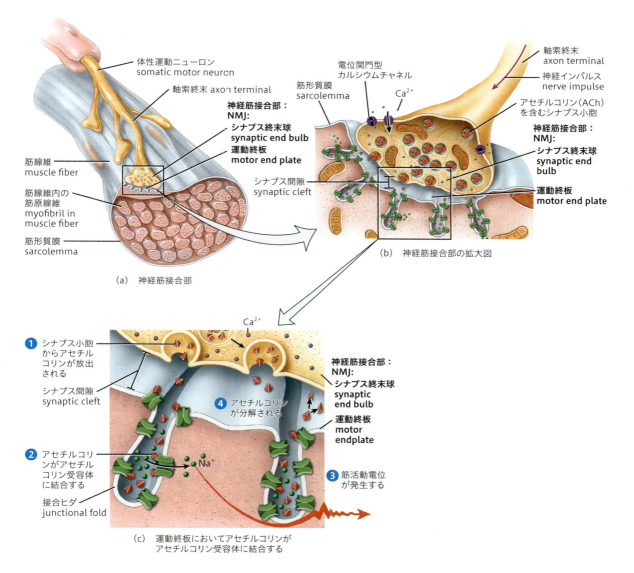

Q 運動終板とは何か？

臨床関連事項

神経筋接合部の機能

　神経筋接合部の働き functioning of the NMJ はいくつかの毒素や薬物を用いて変えることができる。**ボツリヌス菌** *Clostridium botulinum* が産生するボツリヌス毒素 Botulinum toxin はアセチルコリンの放出を阻害する。その結果，筋の収縮が起らなくなる。この細菌は滅菌が不完全な缶詰食品の中で増殖する。この毒素はもっとも致死的な物質の一つとして知られ，微量でも主要な呼吸筋である横隔膜が麻痺して致命的となる。しかし，ボツリヌス毒素は薬剤（ボトクス Botox®）として用いられた最初の細菌毒素でもある。斜視や（瞬（まばた）きが抑えられない）**眼瞼攣縮 blepharospasm** の患者の筋にボトクスを注射して治療することができる。また，美容のために，顔のしわの原因になっている筋を弛緩させたり，腰部の筋の攣縮による慢性腰痛の緩和に利用されている。

(ACh)が放出される。アセチルコリンは運動ニューロンと運動終板の間のシナプス間隙に拡散する。
❷ **アセチルコリン受容体の活性化**：アセチルコリンが運動終板にある受容体に結合すると、イオンチャネルが開いて、小さな陽イオンであるナトリウムイオン(Na^+)が形質膜を通過する。
❸ **筋活動電位の発生**：Na^+ が(濃度勾配に従って)流入すると、筋活動電位が発生する。筋活動電位は筋形質膜と横細管に沿って流れる。一つの神経インパルスは、通常、一つの筋活動電位を引き起こす。次の神経インパルスがさらにアセチルコリンを放出させると、ステップ❷と❸が繰り返される(神経インパルスの発生について詳細は 9.3 節参照)。
❹ **アセチルコリンの分解**：アセチルコリンの効果はごく短時間である。それは、アセチルコリンが、シナプス間隙において、**アセチルコリンエステラーゼ** acetylcholinesterase(AChE)という酵素によって急速に分解されるからである。

筋フィラメントの滑り機構

筋が収縮している間、太いフィラメントのミオシン頭部が、筋節の中央に向かって細いフィラメントを引っ張って滑らせる(図 8.5 a, b)。細いフィラメントが滑走すると、I 帯と H 帯の幅がさらに狭くなり(図 8.5 b)、最後には、筋が最大限に収縮すると、I 帯と H 帯がみえなくなる(図 8.5 c)。

ミオシン頭部はボートのオールのように動き、細いフィラメントのアクチン分子を引っ張るので、細いフィラメントは太いフィラメントの間を滑り抜けていく。細いフィラメントと太いフィラメントの重なりが大きくなるので筋節は短縮するが、これらのフィラメント自体の長さは変らない。このフィラメントの滑走と筋節の短縮が、筋線維の短縮を引き起す。この**フィラメント滑り機構** sliding-filament mechanism という筋の収縮過程は、カルシウムイオン(Ca^{2+})濃度が高くて、ATP が存在するときだけ起る(理由は後述する)。

筋収縮の生理機序

筋収縮には Ca^{2+} とエネルギーである ATP とが必要である。筋線維が弛緩している(収縮していない)ときには、筋形質内の Ca^{2+} 濃度は低い。それは、筋小胞体膜にある Ca^{2+} ポンプが、Ca^{2+} を筋形質から筋小胞体に絶えず送り込んでいるからである(図 8.7 ❼ 参照)。しかし、筋活動電位(インパルス)が筋形質膜と横細管系を流れると、Ca^{2+} 放出チャネルが開いて、Ca^{2+} は筋形質の中に流入する(図 8.7 ❹ 参照)。この Ca^{2+} は細いフィラメントに存在するトロポニン分子

図 8.5 筋収縮の滑り機構。

筋収縮の間、細いフィラメントは内方の H 帯に向かって移動する。

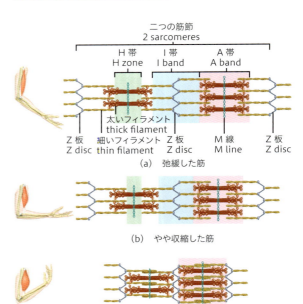

(a) 弛緩した筋

(b) やや収縮した筋

(c) 最大収縮した筋

Q 筋が収縮すると I 帯はどのようになるか？ 収縮中、太いフィラメントと細いフィラメントの長さは変るだろうか？

と結合して、トロポニンの形を変える。このように形が変化すると、トロポミオシンがアクチン上のミオシン結合部位から移動する(図 8.7 ❺ 参照)。

ミオシン結合部位が露出すると、以下のような筋の**収縮周期** contraction cycle(フィラメントの滑走を引き起す事象が反復すること)が始まる(図 8.6)。

❶ **ATP の分解**：ミオシン頭部には ATP を ADP(アデノシン二リン酸)と P(リン酸)に分解する ATP 分解酵素 ATPase がある。ADP と P はミオシン頭部についたままであるが、この分解反応によってミオシン頭部にエネルギーが与えられる。
❷ **架橋形成**：エネルギーを得たミオシン頭部は、アクチン上のミオシン結合部位に付着してリン酸を放出する。収縮している間、アクチンに結合しているミオシン頭部は**架橋** cross-bridge と呼ばれる。
❸ **パワーストローク**：架橋が形成されると、**パワーストローク** power stroke が起る。パワーストロークの間、架橋は、回転して ADP を放出する。数百の架橋が回転するときに発生する力は、細いフィラメントを、太いフィラメント(ミオシン)に

図 8.6　筋収縮の周期。 ミオシン頭部（架橋）はアクチンと結合して回転し，そして解離する。この周期を反復することで筋節が短縮する。

筋収縮のパワーストロークでは，架橋が回転して，太いフィラメントに沿って，細いフィラメントを筋節の中央部に向かって移動させる。

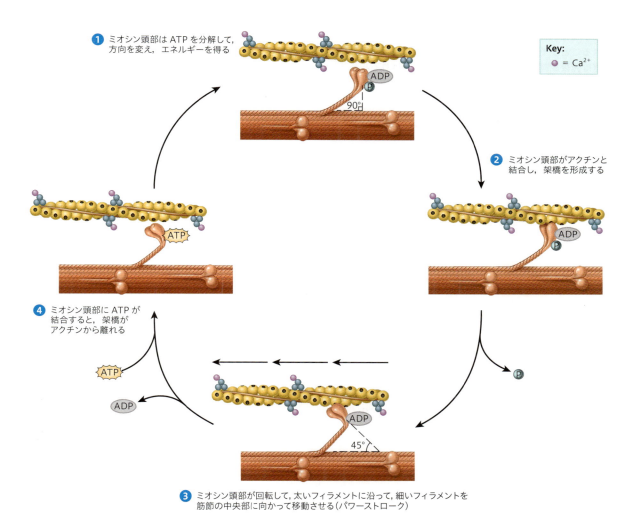

Q 架橋はどのようにしてアクチンから離れるのか？

沿って，筋節の中央部に向かって滑り込ませる（訳注：ミオシン頭部の構造が変化することがパワーストロークである）。

❹ **ATP の結合と解離**：パワーストロークが終わっても，架橋はまだアクチンにしっかりとついたままである。架橋にもう 1 分子の ATP が結合すると，ミオシン頭部はアクチンから離れる。

ミオシンの ATP 分解酵素が再び ATP を分解すると

ミオシン頭部は方向を変え，エネルギーを得て，細いフィラメント上の次のミオシン結合部位に結合する。筋形質中に ATP と Ca^{2+} が存在する限り，収縮周期が繰り返される。どのような瞬間においても，ミオシン頭部の中にはアクチンについて，架橋を形成して，力を発生しているものと，アクチンからは離れていて，再結合に備えているものとがある。最大収縮時には，筋節は静止時の半分の長さにまで短縮する。

臨床関連事項

死体硬直

人が死ぬと，細胞膜は漏れやすくなる。カルシウムイオンが筋小胞体からサイトゾル中に漏出して，ミオシン頭部をアクチンに結合させる。しかし，呼吸が停止するとすぐにATPの合成が停止し，架橋はアクチンから離れることができなくなる。このようにして起った筋の硬直は**死後硬直（死体硬直）**rigor mortisと呼ばれる。死体硬直は死後3～4時間で始まり，約24時間続く。その後，リソソーム由来のタンパク質分解酵素が架橋を消化するにつれて硬直は消失する。

弛緩

筋線維の収縮後，二つの変化によって筋線維が弛緩する。最初，神経伝達物質であるアセチルコリンがアセチルコリンエステラーゼによって急速に分解される。神経の活動電位が消えると，アセチルコリンの放出が止まり，アセチルコリンエステラーゼがシナプス間隙に存在していたアセチルコリンを急速に分解する。これによって，筋の活動電位の発生が止まり，筋小胞体の膜上にあるCa^{2+}放出チャネルが閉じる。

ついで，カルシウムイオンが筋形質から筋小胞体に急速に輸送される。筋形質中のCa^{2+}濃度が下がると，

図 8.7 骨格筋線維における収縮と弛緩の過程：まとめ。

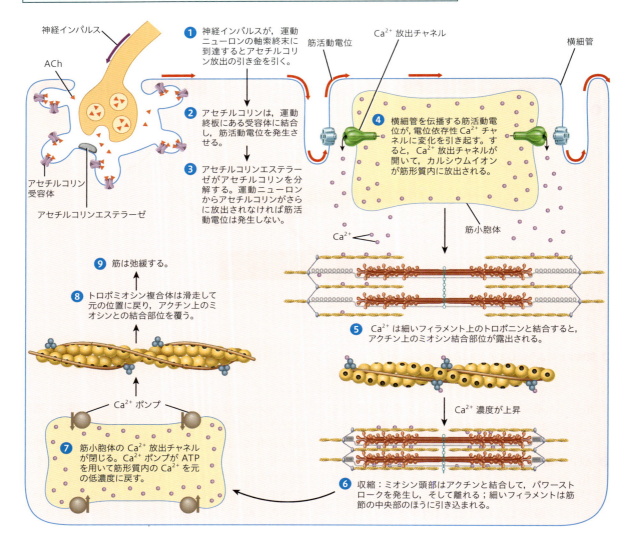

Q パワーストロークが発生するのは，図のどの段階か？

トロポミオシンはアクチン上のミオシン結合部位へ滑走して戻る。ミオシン結合部位が覆われると、細いフィラメントは弛緩時の位置に戻る。図8.7に筋線維における収縮と弛緩の過程をまとめて示す。

筋緊張

一つの筋全体が収縮していなくても、少数の運動単位は不随意に活動して、筋線維の持続的収縮を引き起す。この過程によって**筋緊張 muscle tone**（tonos＝緊張）が発生する。筋緊張を維持するために、少数の運動単位群は一定のパタンで活動と静止とを交互に繰り返している。筋緊張は骨格筋を緊張させ続けるが、運動を引き起すほどの強い収縮を起さない。例えば、頸部の筋の緊張は頭部が胸部に向かって、がくっと落ちないように直立させている。運動ニューロンの神経インパルスがアセチルコリンを放出させると、骨格筋は活動させられて、そこで初めて収縮する。したがって、筋緊張は、骨格筋運動ニューロンを興奮させている脳と脊髄のニューロンによってつくり出される。骨格筋を支配している運動ニューロンが傷害されたり、あるいはその軸索が切断されると、筋は**弛緩した**flaccid（＝たるんだ）状態、すなわち、筋緊張が消失し、たるんだ状態になる。

> **チェックポイント**
> 6. どのようにして骨格筋が収縮し、そしで弛緩するかを説明しなさい。
> 7. 神経筋接合部が重要なのはなぜか？

8.4 骨格筋組織の物質代謝

■目 標

- 筋収縮に必要なATPと酸素の供給源について述べる。
- 筋疲労の意味を明確にして、その原因を定義する。

収縮に必要なエネルギー

ほかの多くの体細胞と異なり、骨格筋線維は、しばしば、収縮してATPを急速に消費している高い活動状態と弛緩していてATPをわずかしか消費していないみかけ上の不活動状態とを交互に繰り返している。しかし、筋線維内に存在するATPが収縮を駆動できるのは数秒間だけである。もし激しい運動を持続させようとすると、さらにATPが合成されなければならない。筋線維では、(1)クレアチンリン酸、(2)嫌気性解糖、(3)好気性呼吸の三つの供給源からATPが産生される。

静止時では、筋線維は必要以上に多くのATPを産生している。この過剰のATPの一部は**クレアチンリン酸 creatine phosphate**をつくるのに用いられる。これは筋線維に特有の高エネルギー分子である（図8.8 a）。ATPの高エネルギーリン酸の一つがクレアチンに移り、クレアチンリン酸とADP（アデノシン二リン酸）がつくられる。**クレアチン creatine**は、アミノ酸様の小分子で、肝臓、腎臓、膵臓で合成され、また食物（牛乳、赤身の肉、魚）から摂取され、その後、筋線維に輸送される。筋が収縮しているときは、高エネルギーリン酸はクレアチンリン酸からADPに戻り、直ちに新しいATP分子がつくられる。このクレアチンリン酸とATPが供給するエネルギーによって、筋は約15秒間、最大限に収縮することができる。このエネルギーがあると100メートル競走のような激しい活動を一気に行うことができる。

筋が15秒の限界を超えて活動し続けると、クレアチンリン酸の供給が枯渇する。続くATPの供給源は**解糖 glycolysis**である。これは、グルコース1分子をピルビン酸に分解してATPを2分子産生する反応過

臨床関連事項

筋電図検査

筋電図検査 electromyography (EMG)（electro-＝電気；myo-＝筋；-graphy＝記すこと）　安静時や収縮時における筋の電気的活動（筋活動電位）を測定する検査法。通常、安静時では筋活動電位は生じない。活動電位は、弱い収縮では小さく、強い収縮では大きくなる。活動電位は、検査する筋の表面あるいは内部に置いた記録用針電極で検出し、オシロスコープ上に波形として描出するか、音に変換してスピーカーで聞く。筋電図検査では、筋麻痺の原因が、筋自体の機能異常によるものなのか、支配神経の機能異常によるものかが決定できる。筋電図検査は、また筋ジストロフィーのような筋疾患の診断や、複合運動の際にどの筋群が活動しているかを知るためにも用いられる。

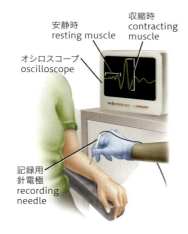

図 8.8　筋収縮のための ATP の産生。(a)筋が弛緩している間，ATP からリン酸を得てクレアチンリン酸がつくられる。筋の収縮時には，クレアチンリン酸から高エネルギーのリン酸が ADP に転移して ATP がつくられる。(b)筋のグリコーゲンが分解されてグルコースが産生され，解糖によってグルコースからピルビン酸が産生される。その結果，ATP と乳酸ができる。この反応は酸素を必要としない嫌気性解糖によって行われる。(c)ATP 産生のために，ミトコンドリア内で，ピルビン酸，脂肪酸，アミノ酸が利用される。この反応は酸素を必要とする反応系列である好気性呼吸によって行われる。

マラソン競走のような長時間の活動では，ATP の大部分は好気性呼吸によって産生される。

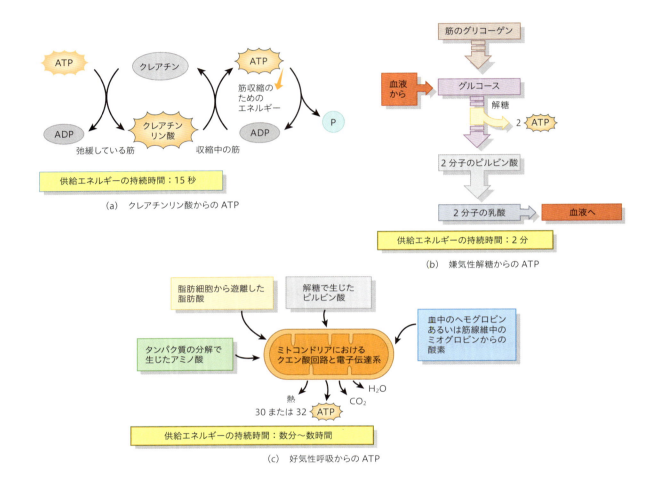

Q 図 8.8 の過程は，骨格筋線維内のどこで起っているのか？

程で，サイトゾルで行われる。グルコースは血液から収縮中の筋線維の中にすぐ入るし，また，筋線維内でグリコーゲンを分解してつくられる（図 8.8 b）。活発な筋活動の結果，酸素濃度が低下すると，ピルビン酸の大部分は乳酸に変換される。この過程は，酸素を消費せずに行われるので**嫌気性解糖 anaerobic glycolysis**と呼ばれる。嫌気性解糖は，約 2 分間の最大限の筋活動に必要な ATP を供給する。クレアチンリン酸の変換と解糖の両方が行われれば，400 メートル競走を走るのに十分な ATP が供給できる。

30 秒間以上続く筋活動には，**好気性呼吸 aerobic respiration** がますます必要になる。これは ATP の産生に酸素を必要とする反応系列で，ミトコンドリアで行われる。筋線維への酸素の供給源には，(1)血液から筋線維に拡散する酸素と，(2)筋形質中にあるミオグロビンから放出される酸素の二つがある。**ミオグロビン myoglobin** は筋線維にのみ存在する酸素結合タンパク質である。ミオグロビンは酸素が豊富であると酸素と結合し，酸素が少なくなると酸素を放出する。酸素が十分であると，ピルビン酸はミトコンドリアに

臨床関連事項

クレアチン補給

クレアチンは体内(肝臓,腎臓,膵臓)で合成され,また食物,例えば,ミルク,赤身の肉や魚からも得られる。成人では,クレアチンの分解産物であるクレアチニンが尿に排泄されるので,それを補うために毎日約2gのクレアチンを合成し,また摂取することが必要である。短距離競走のような激しい運動中のパフォーマンスがクレアチン補給で改善されたという研究がある。しかし,別の研究ではパフォーマンスの向上効果は認められていない。それどころか,過剰のクレアチン摂取は体内でのクレアチン合成を低下させるし,長期のクレアチン補給後に,体内での合成が回復するのかどうかもわかっていない。さらに,クレアチン補給は脱水を引き起こし,また腎機能不全を起すこともある。**クレアチン補給 creatine supplementation** の長期的にみた安全性と価値を明確にするにはさらに研究が必要である。

入り,そこで完全に酸化されてATP,二酸化炭素,水と熱を発生する(図8.8 c)。好気性呼吸では,嫌気性解糖よりもATPの産生量が多く,グルコース1分子から約30〜32分子のATPが産生される。数分〜1時間以上持続する活動では,必要なATPのほとんどすべてが好気性呼吸によって供給される。

筋疲労

筋疲労 muscle fatigue とは長時間の活動後に筋を強く収縮できないことをいう。筋疲労の重要な要因の一つに,筋小胞体からのCa^{2+}の放出低下がある。その結果,筋形質におけるCa^{2+}濃度が低下する。筋疲労の要因には,そのほか,クレアチンリン酸の枯渇,酸素不足,グリコーゲンその他の栄養素の欠乏,乳酸とADPの蓄積,運動ニューロンの神経インパルスがアセチルコリンを十分放出できないことなどがある。

運動後の酸素消費

長時間筋収縮を続けると,呼吸と血流が増加して筋組織への酸素供給が高まる。筋収縮が停止した後も,しばらくは激しい呼吸が続き,静止時のレベル以上の酸素消費が続く。運動後,静止時に消費される酸素以上に,体内に取り込まれる追加の酸素を**酸素負債 oxygen debt** という。この過剰の酸素は,"返済"のため,すなわち,静止時のレベルまで代謝状態を回復させるのに用いられる。これには,三つの過程がある。(1)肝臓において,乳酸を貯蔵グリコーゲンに変換する,(2)クレアチンリン酸とATPを再合成する,(3)酸素を失ったミオグロビンに酸素を補充する。

しかし,**運動中 during exercise** に起る代謝の変化には,**運動後 after exercise** に消費される過剰酸素のうちのごく一部しか使われない。乳酸から再合成されるグリコーゲンはごくわずかで,貯蔵グリコーゲンはもっと後で食物の炭水化物から補充される。運動後に残存している乳酸の大部分はピルビン酸に変換されて,好気性呼吸を介してATPの産生に利用される。運動後にも持続する代謝の変化は酸素消費を増加させる。第一に,激しい運動後の体温上昇は全身の化学反応の速度を速める。反応が速ければそれだけ急速にATPを使用し,ATPを産生するためにさらに酸素が必要となる。第二に,心臓と呼吸筋は静止時よりもさらに激しく働き続けており,そのため,さらに多くのATPを消費する。第三に,組織の修復過程が急速に起っている。したがって,運動後の酸素消費の増加に対する用語としては,酸素負債よりも**回復酸素摂取 recovery oxygen uptake** のほうが適切である。

チェックポイント

8. 筋線維に対するATPの供給源となるものは何か?
9. 筋疲労の要因となるものは何か?
10. 酸素負債よりも回復酸素摂取のほうが用語として正確なのはなぜか?

8.5 筋張力の調節

目 標

- 単収縮の三つの相を説明する。
- 刺激頻度と運動単位の動員がどのように筋緊張に影響するかを述べる。
- 3種類の骨格筋線維の違いを比較する。

単一の筋活動電位によって起る筋収縮は単収縮(攣縮)と呼ばれている。この単収縮の力は,筋線維が起す最大収縮力,または最大張力に比して著しく小さい。**単一筋線維 single muscle fiber** がつくり出す総張力は,主として神経インパルスが神経筋接合部に到着する率で決まる。1秒間のインパルスの数が**刺激頻度 frequency of stimulation** である。一つの**筋全体 whole muscle** が収縮している場合,その筋が発生する総張力は一度に収縮している筋線維の数で決まる。

単収縮

単収縮(攣縮)twitch contraction とは,一つの運動単位におけるすべての筋線維が,短時間収縮することである。これはその運動ニューロンによる単一活動

電位に応答することで起る。図8.9は筋収縮の記録を示す**筋電図** myogram である。刺激を加えたとき（グラフの時間 0）から収縮が開始するまでの短い遅れを**潜伏期（潜時）**latent period と呼ぶ。潜伏期の間，筋活動電位が形質膜上に広がり，Ca^{2+} が筋小胞体から放出される。第2相の**収縮期** contraction period（上向きのカーブ）では，パワーストロークが繰り返されていて，張力すなわち収縮力が発生している。第3相の**弛緩期** relaxation period（下向きのカーブ）では，筋形質中の Ca^{2+} 濃度が静止時のレベルまで低下するのでパワーストロークが停止する（Ca^{2+} は筋小胞体に能動的に輸送される（上述）。

刺激の頻度

筋線維が完全に弛緩する前に，次の刺激がくると，2番目の収縮は最初の収縮より強くなる。それは筋線維の張力が高いときに，2番目の収縮が開始するからである（図8.10 a，b）。このような，筋線維が完全に弛緩する前に刺激が次々と到着して，収縮がさらに大きくなる現象を**波の加重** wave summation と呼んでいる。骨格筋線維は毎秒 20 ～ 30 回の頻度で刺激されると，刺激と刺激の間，筋線維は部分的にしか弛緩できない。その結果，持続的であるが，変動性の収縮が起る。これを**不完全強縮** unfused (incomplete) tetanus (tetan- ＝固い，緊張した；図8.10 c）と呼ぶ。骨格筋線維が毎秒 80 ～ 100 回の高頻度で刺激されると，筋線維はまったく弛緩しない。その結果，個々の単収縮が判別できない持続的収縮，すなわち**完全強縮** fused

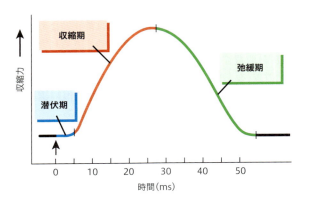

図8.9 単収縮の筋電図。矢印：刺激を加えた時点。

筋電図は筋収縮を記録したもの。

Q 筋節が短縮しているのはどの時期か？

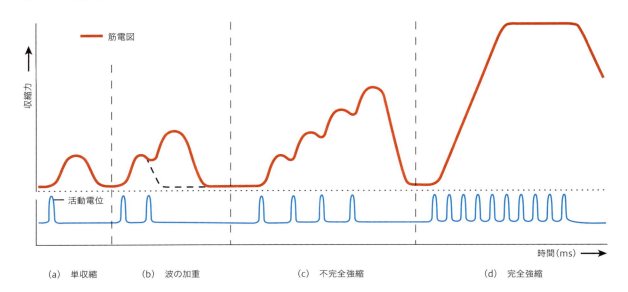

図8.10 筋電図。刺激頻度の違いによる影響を示す。(a) 単収縮，(b) 筋が弛緩する前に次の刺激が加わると波の加重が起る。最初の収縮よりも2番目の収縮のほうが大きい（単収縮だけであれば，収縮力は破線のようになる）。(c) 不完全強縮では，刺激の合間に筋が一部弛緩するので曲線には凹凸がみられる。(d) 完全強縮では，収縮力は不変で，持続する。

波の加重のため，持続的収縮で発生する張力は単収縮の場合よりも大きい。

Q 完全強縮を引き起すためにはどのくらいの刺激頻度が必要か？

(complete) tetanus が起る（図 8.10 d）。

運動単位の動員

収縮中の運動単位の数が増える過程を**運動単位の動員（漸増）**motor unit recruitment と呼ぶ。通常，一つの筋全体を支配するいろいろな運動ニューロンは**非同期的**（異なる時間に）asynchronously に発火する。ある運動単位が収縮している間，ほかの運動単位は弛緩している。この運動単位の活動パタンは，運動単位を交互に収縮させることで，互いを解放して筋の疲労を遅らせる。その結果，長時間にわたって収縮を持続させることができる。

動員は一連の断続的運動ではなくて，滑らかな運動を引き起す要因の一つである。精密な運動は筋収縮の微細な変化によって行われる。一般に，精密運動を引き起す筋は小さな運動単位からなる。したがって，ある運動単位が動員されたり，あるいは休止させられても筋の張力はごくわずかしか変化しない。これに対して，大きな張力が必要で，精密さがそれほど重要でない場合には，大きな運動単位が活動している。

骨格筋線維の種類

骨格筋は3種類の筋線維からなり，それらの割合は人体の中の筋によって異なる。その種類は，(1)遅筋-酸化型線維，(2)速筋-酸化・解糖型線維，(3)速筋-解糖型線維である。

遅筋-酸化型線維(SO線維) slow oxidative (SO) fiber，または**赤色筋線維** red fiber は細くて，多量のミオグロビンを含むので暗赤色にみえる。大きなミトコンドリアの数が多いので，SO線維は主に好気性呼吸によってATPを産生する。そのためこれらの線維は酸化型線維と呼ばれる。また，収縮周期は"速筋線維(速い筋線維)"よりもゆっくりと進行するので"遅筋線維(遅い筋線維)"と呼ばれる。SO線維は疲労しにくく，長時間の持続的収縮が可能である。

速筋-酸化・解糖型線維(FOG線維) fast oxidative-glycolytic (FOG) fiber の太さは，SO線維と速筋-解糖型(FG)線維(後述)との中間である。FOG線維は，SO線維と同様に，ミオグロビンが多く，暗赤色を呈する。この線維は好気性呼吸によって多量のATPを産生できるので，疲労にもかなり耐えられる。グリコーゲンの含有量も多いので嫌気性解糖によってATPを産生する。FOG線維は，SO線維よりも収縮と弛緩が速いので"速筋線維"である。

速筋-解糖型線維(FG線維) fast glycolytic (FG) fiber，あるいは**白色筋線維** white fiber はもっとも太く，筋原線維がもっとも多く，もっとも強力で，もっとも速い収縮を行う。ミオグロビン量は少なく，ミトコンドリアも少ない。FG線維は多量のグリコーゲンを含み，主に嫌気性解糖によってATPを産生する。FG線維は短時間で行う激しい運動に使われるが，すぐに疲労する。筋力トレーニングプログラムで短時間に大きな力を要する活動をさせると，FG線維を太く，強くして，グリコーゲンの含有量を増やすことができる。

多くの骨格筋では，これらの3種類の骨格筋線維がすべて含まれていて，その約半数がSO線維である。その比率は，筋の作用，訓練プログラム，遺伝的素因によってやや異なる。例えば，頸部，背部，下肢にあって連続的に活動する姿勢筋ではSO線維の占める割合が大きい。これに対して，肩と上肢の筋は常に活動するのではなく，物体を挙上あるいは投げるなどの大きな張力を発生させるために間欠的に，また瞬間的に使用される。これらの筋ではFG線維の占める割合が大きい。からだを支持するだけでなく，ウォーキングとランニングにも使われる下肢の筋にはSO線維とFOG線維の両方とも多い。

多くの骨格筋では，これらの3種類の筋線維が混在しているが，一つの運動単位に属する骨格筋線維はすべて同じ種類である。一つの筋において，異なる運動単位が必要に応じて特定の順序で動員される。例えば，もし，ある課題を遂行するのに弱い収縮で足りれば，SO線維の運動単位だけが活動する。さらに力が必要になるとFOG線維の運動単位も動員される。最後に，最大の力が必要になると，FG線維の運動単位が活動させられる。

> **チェックポイント**
> 11. 次の用語の定義を述べなさい：筋電図，単収縮(攣縮)，波の加重，不完全強縮と完全強縮。
> 12. 運動単位の動員が重要なのはなぜか？
> 13. 骨格筋を3種類に区別する特徴は何か？

8.6 運動と骨格筋組織

目標

・骨格筋組織に及ぼす運動の効果について述べる。

各筋における速筋-解糖型(FG)線維と遅筋-酸化型(SO)線維の比率は遺伝的に決まっており，身体能力の個人差のもとになっている。例えば，FG線維の比率が比較的高い人は，しばしば重量挙げあるいは短距離走など，ある時間激しい活動が要求される運動に優れている。遅筋-酸化型(SO)線維が多いほうの人は長

距離走のような持久力が必要な活動に長じている。

通常，骨格筋線維の総数は増えないが，それらの特性はある程度変えることができる。いろいろな種類の運動によって骨格筋線維を変化させることができる。ランニングあるいは水泳のような持久力（有酸素）運動を行うと，FG線維の中には，次第に速筋-酸化・解糖型（FOG）線維に変るものがある。転換した筋線維では，線維の太さ，ミトコンドリアの数，血液供給，そして強さがわずかに増加している。持久力運動を行うと，循環と呼吸の機能が変化して，骨格筋に対する酸素や栄養の供給がさらによくなるが，筋量は増えない。これに対して，短時間に大きな強さを要する運動をするとFG線維は太く，また強くなる。太さが増すのは細いフィラメントと太いフィラメントの合成が亢進するからである。ボディビルダーの隆々とした筋をみてわかるように，全体として，筋の肥大が起る。

臨床関連事項

タンパク質同化ステロイド

アスリート（運動選手）たちによる**タンパク質同化ステロイド anabolic steroids**（anabole＝築く）［俗語で"roids"］の使用が広く問題になっている。テストステロン様のステロイドホルモンを服用するのは，筋におけるタンパク質の合成を高めて筋を太くし，競技のときの筋力を増強するためである。しかし，効果が出るほどの多量を使用すると，肝臓癌，腎障害，心疾患の危険度が高まる，成長の停止，著しい気分変動，座瘡（にきび）の増悪，興奮性と攻撃性の亢進など，有害で，時には破滅的な副作用が起る。女性では，タンパク質同化ステロイドの使用によって，乳房と子宮の萎縮，月経不順，不妊症，顔面の発毛が起り，声が太くなる。男性ではテストステロンの分泌低下，精巣の萎縮，不妊症および脱毛症が起ることがある。

チェックポイント

14．どのようにして骨格筋線維の特性が，運動と関連して変化するのかを説明しなさい。

8.7 心筋組織

目標

・心筋組織の構造と機能について述べる。

心臓の大部分は**心筋組織 cardiac muscle tissue**からなる。骨格筋と同じように，心筋もまた**横紋筋 striated muscle**であるが，その作用は**不随意的 involuntary**である。収縮と弛緩が交代する周期は意識的に制御することはできない。心筋線維はしばしば分岐していて，骨格筋線維よりも太くて短く，核は中心にあって一つである（図15.2b参照）。心筋線維は，横方向の不規則な形質膜の肥厚である**介在板 intercalated disc**（inter-calated＝間に挿入されている）で相互に連結されている。介在板は心筋線維を結びつけていて，その中に**ギャップ結合 gap junction**がある。これによって筋の活動電位が心筋線維から心筋線維へとすばやく伝播する。

骨格筋と心筋の大きな違いは刺激の発生源である。骨格筋組織は，運動ニューロンの神経インパルスによって放出されるアセチルコリンで刺激されてはじめて収縮する。これに対して，心臓が拍動するのは心筋線維の一部が心収縮を開始するペースメーカーとして働くからである。内蔵された，すなわち内在性の心収縮リズムは**自己律動性 autorhythmicity**と呼ばれる。いくつかのホルモンと神経伝達物質は心臓のペースメーカーの速度を上げたり，あるいは遅くすることで心拍数を増加あるいは減少させる。

正常の安静状態では，心筋組織は毎分平均約75回の収縮と弛緩を行う。したがって，心筋組織には恒常的な酸素と栄養の供給が必要である。心筋線維のミトコンドリアは骨格筋のものよりも大きくて，数が多く，また必要とするATPの大部分を好気性呼吸によって産生している。さらに，心筋線維は，運動中に骨格筋線維から放出される乳酸を利用してATPを産生することができる。

チェックポイント

15．心筋組織と骨格筋組織の構造と機能の主な違いは何か？

8.8 平滑筋組織

目標

・平滑筋組織の構造と機能について述べる。

平滑筋組織 smooth muscle tissueは多くの内臓や血管にみられる。心筋線維と同じように，平滑筋は**不随意筋 involuntary muscle**である。平滑筋線維は骨格筋に比べて著しく短くて細く，両端に向かって次第に細くなっている。各筋線維の中心には，卵円形の核が1個存在する（図8.11）。平滑筋線維では，太いフィラメントと細いフィラメント以外に，**中間径フィラメント intermediate filament**が存在する。平滑筋では，いろいろなフィラメントが規則正しく重なっていない

図 8.11　平滑筋組織の構造。左：弛緩した状態；右：収縮した状態。

平滑筋には横紋がなく"平滑"にみえる。それは太いフィラメント，細いフィラメントと中間径フィラメントの配列が不規則なためである。

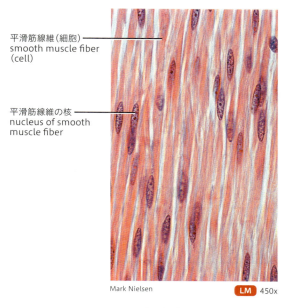

平滑筋線維（細胞） smooth muscle fiber (cell)
平滑筋線維の核 nucleus of smooth muscle fiber

平滑筋線維の縦断標本

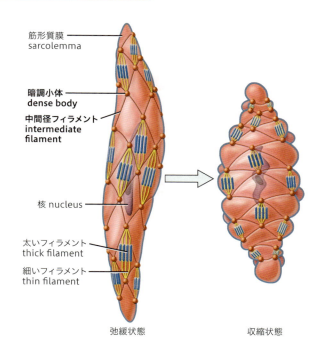

筋形質膜 sarcolemma
暗調小体 dense body
中間径フィラメント intermediate filament
核 nucleus
太いフィラメント thick filament
細いフィラメント thin filament

弛緩状態　　収縮状態

Q 中空器官の壁に存在するのはどのような種類の平滑筋か？

ので，交互に出現する暗帯と明帯がなく，したがって，**横紋がなく** nonstriated，平滑にみえる。

　平滑筋線維では，細いフィラメントは**暗調小体 dense body**という構造物についている。これは機能的には横紋筋のZ板に相当する。暗調小体には筋形質膜に付着しているものと，筋形質内に散在しているものとがある。中間径フィラメントの束もまた暗調小体に付着していて，暗調小体間をつないでいる。収縮中は，太いフィラメントと細いフィラメントの滑走機構によって張力が発生し，それが中間径フィラメントへ伝えられる。中間径フィラメントは，ついで，筋形質膜に付着している暗調小体を引っ張って，筋線維を長軸方向に短縮する。

　平滑筋組織には内臓型とマルチユニット型の2種類がある。**内臓型（シングルユニット型）平滑筋組織 visceral (single-unit) smooth muscle tissue** のほうが一般的である。小動・静脈や，胃，腸管，子宮，膀胱などの中空器官を層状に包んで，それらの壁の一部を形成する。この内臓の筋組織にある線維は連続した網工となって強固に結合している。心筋と同じように，内臓型平滑筋には自己律動性がある。筋線維はギャップ結合で互いに連結しているので，筋活動電位は筋線維の網工全体に広がる。神経伝達物質，ホルモンあるいは自己律動性の信号が1本の筋線維を刺激すると，筋活動電位は隣接の筋線維に伝わり，それらが一つの単位として一斉に収縮する。

　第二の型である**マルチユニット型平滑筋組織 multiunit smooth muscle tissue** では，構成する筋線維それぞれが，固有の運動神経終末で支配されている。シングルユニット型平滑筋線維では，1本の筋線維を刺激すると隣接する多くの筋線維が収縮するが，マルチユニット型平滑筋線維では，1本を刺激するとその筋線維だけが収縮する。マルチユニット型平滑筋組織は大血管の壁，肺にいたる太い気道部分，毛包につく立毛筋と内眼筋に存在する。

　骨格筋線維の収縮と比べて，平滑筋線維の収縮はゆっくり始まって，かなり長く続く。Ca^{2+} はゆっくりと平滑筋線維の中に入り，興奮が減衰するとゆっくりと筋線維から出ていく。そのため，弛緩が遅延する。サイトゾルに Ca^{2+} が長くとどまると持続的不完全収縮の状態，すなわち**平滑筋の緊張 smooth muscle tone** が生じる。このようにして，平滑筋組織は，長時間，

表 8.1　筋組織の主な特徴のまとめ

特徴	骨格筋	心筋	平滑筋
顕微鏡像と特徴	長い円柱状の線維。分岐しない；多核，核は辺縁にある；横紋がある	円柱状の線維。分岐する；通常，核は1個，中心に存在する；介在板で隣接の細胞と連結する；横紋がある	筋線維の中央部が太く，両端で細くなる；核は1個，中心に存在する；横紋はない
所在	腱を介して，主として骨に付着	心臓	中空内臓の壁，気道，血管，虹彩と毛様体，立毛筋
筋節	存在する	存在する	存在しない
横細管	A帯とI帯の境界に一致する	Z板に一致する	存在しない
収縮速度	速い	中等度	遅い
神経支配	随意性	不随意性	不随意性
再生能	限定されている	限定されている	ほかの筋組織と比べると著しく大きいが，上皮ほどではない

緊張を維持することができる。平滑筋の緊張は，血管壁や器官壁がそれらの中にある内容物を圧し続けるうえで重要である。さらに，平滑筋はほかの筋線維よりもはるかに収縮と伸展の能力が大きい。その伸展性によって，中空器官である子宮，胃，腸管，膀胱壁にある平滑筋は，収縮能力を保持したまま，内容物の増加にあわせて拡張することができる。

ほとんどの平滑筋線維は自律神経系の神経インパルスに応答して収縮あるいは弛緩する。さらに，多くの平滑筋線維は伸張，ホルモン，そしてpHの変動，酸素と二酸化炭素の濃度，温度，イオン濃度などの局所要因に応答して収縮あるいは弛緩する。例えば，副腎髄質から放出されるアドレナリンは気道や一部の血管壁の平滑筋を弛緩させる。

表8.1は3種類の筋組織の主な特徴をまとめたものである。

チェックポイント

16．内臓型平滑筋とマルチユニット型平滑筋の違いは何か？
17．平滑筋組織と骨格筋組織の構造と機能の大きな違いは何か？

8.9　加齢と筋組織

目標

・加齢が骨格筋に及ぼす影響について説明する。

骨格筋の筋量は，30歳から50歳の間にゆっくりと進行性に減少していく。筋は主に線維性結合組織と脂肪組織で置き換わる。この年代では，筋量の約10％が消失する。原因の一つに身体活動の低下がある。筋量が減少するにつれて，最大筋力の低下，筋反射の遅れ，そして柔軟性の低下が起る。加齢とともに，遅筋-酸化型線維（SO線維）の数が相対的に増えるようにみえる。これは，ほかの種類の筋線維の萎縮によるものなのか，あるいは，それらが遅筋-酸化型線維に変換したためなのかのどちらかだろう。さらに40％の筋が50歳から80歳の間に失われる。たいていの人は，60歳から65歳になるまでは筋力の低下に気づかない。その時点では，下肢の筋のほうが上肢の筋より先に弱くなるのがもっとも一般的である。こうして階段の上り下りや椅子からの立ち上がりが困難になると高齢者の自立生活に影響が出る。運動が禁止されている慢疾患がなければ，運動はどの年代でも筋力低下の防止に有効である。高齢者においても，有酸素運動や筋力トレーニングプログラムは効果があり，また加齢に

よる筋の活動能力の衰退を遅らせたり，あるいは，むしろ高めることさえもできる。

> **チェックポイント**
> 18．なぜ筋力は年齢とともに低下するのか？

8.10 骨格筋はどのようにして運動を起すか

目 標
・運動を起すために，骨格筋はどのように共同作用を行うのかについて述べる。

筋組織の構造と機能について基本的なことを理解したので，いろいろな身体運動を起すために骨格筋がどのように共同作用を行うかについて調べてみよう。

起始と停止

筋を組織構造からみると，**骨格筋 skeletal muscle** は数種の組織からなる一つの器官であると定義することができる。そのような組織として，骨格筋組織，血管組織（血管と血液），神経組織（運動ニューロン），そして数種類の結合組織がある。

骨格筋は，直接，骨に付着していない。骨格筋は，腱を牽引し，続いて腱が骨を牽引することで運動を引き起す。多くの筋は，少なくとも関節一つを越え，関節を形成する関節骨に付着している（図8.12）。筋が収縮すると，その筋は一方の骨をもう一方の骨に向かって牽引する。二つの骨が同じように動くのではな

> **臨床関連事項**
>
> **腱鞘炎**
>
> 　**腱鞘炎 tenosynovitis** は，腱，腱鞘，そして関節滑膜の炎症である。好発部位は，手根，肩，肘（**テニス肘 tennis elbow** が発症する），指関節（**ばね指 trigger finger** が発症する），足根そして足である。組織液が貯留するので，時々，炎症を起した腱鞘が目にみえるほど腫脹してくる。圧痛や自発痛はしばしばその部位を動かすことで起る。腱鞘炎はしばしば外傷，捻挫，あるいは過度の運動の後に起る。例えば，靴紐をきつく結びすぎると，足背の腱鞘炎が起ることもある。また，体操選手は，長期にわたって，手根を反復して，また最大限に過伸展するので，手根にこの状態が発生しやすい。そのほか，タイプ打ち，ヘアカット，大工仕事，組立てライン作業などにおける反復運動でも腱鞘炎が起る。

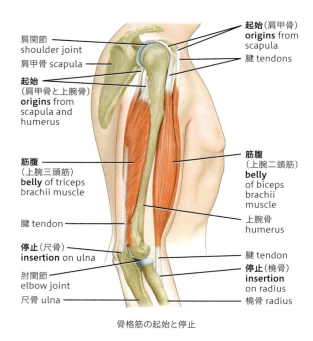

図8.12 **骨格筋と骨との関係**。骨格筋は，骨に付着した腱を牽引することで運動を引き起す。

四肢では筋の起始は近位にあり，停止は遠位にある。

骨格筋の起始と停止

Q 目的の作用を引き起すのはどの筋か？

い。一方の骨は，ほぼ元の位置に保持されている。（腱を介する）筋の付着部を**起始 origin** と呼ぶ。筋のもう一端は腱を介して動くほうの骨に付着している。この点を**停止 insertion** と呼ぶ。起始腱と停止腱の間の筋性部が**筋腹 belly** である。よく似ているものに，ドアのばねがある。ドアについているばね部分が停止で，ドア枠についている部分が起始で，ばねのコイルが筋腹である。

筋群の作用

運動が起るのはいくつかの骨格筋が単独ではなくて，一群となって作用するからである。多くの骨格筋は，関節において屈筋-伸筋，外転筋-内転筋など，対抗（拮抗）する筋が対になって配列されている。目的とする作用を引き起す筋は**主動筋 prime mover**（agonist（＝指導者））と呼ばれる。主動筋が収縮している間，**拮抗筋 antagonist**（anti＝反対の）と呼ばれるもう一方の筋は弛緩する。拮抗筋の効果は主動筋の効果とは反対である。すなわち，拮抗筋は伸張して，主動筋の運動のなすがままになる。肘関節を屈曲するとき，上腕二頭筋が主動筋である。上腕二頭筋が収縮

しているが，拮抗筋の上腕三頭筋は弛緩している（図8.20 参照）。しかし，上腕二頭筋が常に主動筋で，上腕三頭筋が常に拮抗筋であると考えてはならない。例えば，肘関節を伸展しているとき，上腕三頭筋は主動筋として働き，上腕二頭筋は拮抗筋として働いている。もし，主動筋と拮抗筋が，同じ力で，同時に収縮すると運動は生じないだろう。

多くの運動には**協力筋 synergist**（syn- ＝ ともに；erg- ＝ 働く）と呼ばれる筋も働く。協力筋は不必要な運動を少なくして主動筋がもっと効率よく機能するのを助ける。一つの筋群の中で，ある筋は**固定筋 fixator**として作用する。固定筋は，主動筋がもっと効率よく作用できるように主動筋の起始を安定させる。いろいろな条件下や運動によって，多くの筋は，場合に応じて主動筋，拮抗筋，協力筋としてあるいは固定筋として作用する。

チェックポイント

19．骨格筋の起始と停止の違いを述べなさい。
20．多くの身体運動は，いくつかの骨格筋が，個別ではなくて，筋群として作用したときに起る。その理由を説明しなさい。

8.11　主要な骨格筋

目　標

・骨格筋の命名法を挙げて，述べる。

約700個の骨格筋のうち，多くのものは，筋に固有の特徴に基づいて命名されている。これらの固有の特徴を示す用語がわかれば筋の名称を覚えるのが容易になるだろう（表8.2）。

本節では，人体の主要な骨格筋とそれらの起始，停止そして作用を列挙してある（人体のすべての筋ではない）。概観では，各筋群の全体的な見方，ついで，その筋群の機能あるいは固有の特徴に関する記述がある。骨格筋の名称が覚えやすいように，またその命名法が理解しやすいように，筋の命名のもとになっている語根も示してある（表8.2 も参照）。命名法を一度修得すれば，作用の意味がよくわかり，さらに覚えやすくなるだろう。

筋はからだにおける筋の作用部位に基づいて区分してある。図8.13 では筋系を前面と後面から示してある。各一覧の筋群を学ぶとき，その筋群とそれ以外のすべての筋群との関係を知るために，図8.13 を参照しなさい。

表 8.2　骨格筋の命名に用いられる特徴

名　称	意　味	例	図
方向：人体の正中線に対する筋線維の方向			
直 rectus	正中線に平行の	腹直筋	8.16 b
横（器軸的）transverse	正中線に直角の	腹横筋	8.16 b
斜 oblique	正中線に斜めの	外腹斜筋	8.16 a
大きさ：筋の相対的な大きさ			
最大 maximus	最大の	大殿筋	8.23 b
最小 minimus	最小の	小殿筋	8.23 d
長 longus	長い	長内転筋	8.23 a
広 latissimus	もっとも広い	広背筋	8.13 b
最長 longissimus	最長の	最長筋	8.22
大 magnus	大きい	大内転筋	8.23 b
大 major	より大きい	大胸筋	8.13 a
小 minor	より小さい	小胸筋	8.19 a
広 vastus	広い	外側広筋	8.23 a
形状：筋の形状			
三角 deltoid	三角形の	三角筋	8.13 b
菱形 trapezius	台形の	僧帽筋	8.13 b
鋸状 serratus	鋸歯状の	前鋸筋	8.18 a
菱形 rhomboideus	菱形の	大菱形筋	8.19 b
輪 orbicularis	円形の	眼輪筋	8.14
櫛，櫛状 pectinate	櫛形の	恥骨筋	8.23 a
梨状 piriformis	セイヨウナシ形の	梨状筋	8.23 d
広 platys	扁平な	広頸筋	8.13 a
方形 quadratus	方形の，四辺形の	腰方形筋	8.17 b
薄 gracilis	細長い	薄筋	8.23
作用：筋の主作用			
屈筋 flexor	関節角を小さくする	橈側手根屈筋	8.21 a
伸筋 extensor	関節角を大きくする	尺側手根伸筋	8.21 b
外転筋 abductor	骨を正中線から遠ざける	長母指外転筋	8.13 b
内転筋 adductor	骨を正中線に近づける	長内転筋	8.23 a
挙筋 levator	からだの部分を上げる，または挙上する	肩甲挙筋	8.18
下制筋 depressor	からだの部分を下げる，または押し下げる	下唇下制筋	8.14 a
回外筋 supinator	手掌を上方または前方に回旋する	回外筋	
回内筋 pronator	手掌を下方または後方に回旋する	円回内筋	8.21 a
括約筋 sphincter	開口部を小さくする	外肛門括約筋	19.14 b
張筋 tensor	からだの一部を引っ張る	大腿筋膜張筋	8.23 a
起始の数：起始腱の数			
二頭 biceps	起始が二つ	上腕二頭筋	8.20 a
三頭 triceps	起始が三つ	上腕三頭筋	8.20 b
四頭 quadriceps	起始が四つ	大腿四頭筋	8.23 a

所在：筋の周辺の構造。
　例：側頭筋。側頭骨の近くに存在する（図 8.14）。

起始と停止：筋が，起始，停止する部位。
　例：腕橈骨筋。上腕骨から起り，橈骨に停止する（図 8.21 a）。

図 8.13 主要な浅層骨格筋。

多くの運動では，いくつかの骨格筋が個別に活動するのではなくて，一群として活動することが必要である。

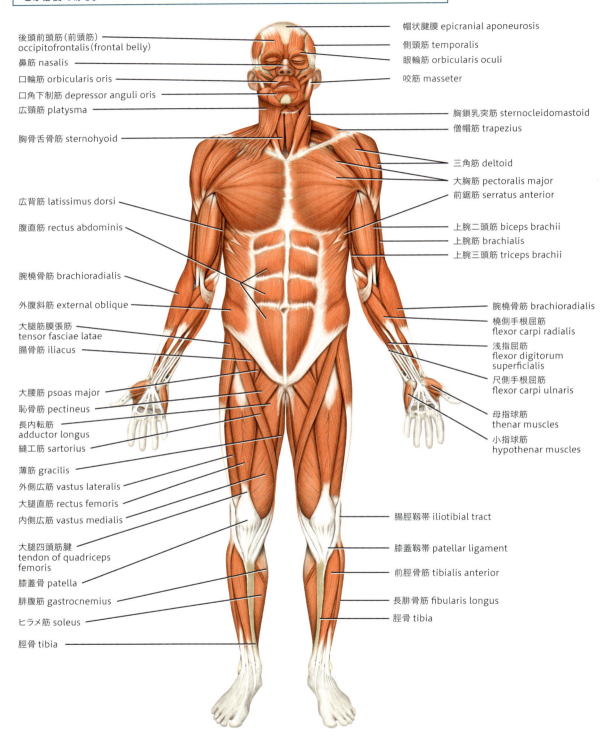

(a) 前面

8.11 主要な骨格筋　207

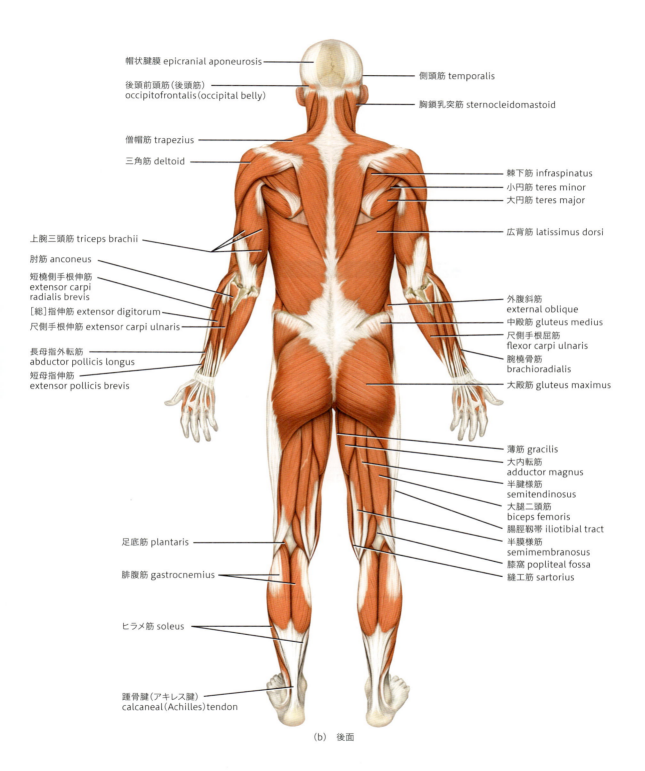

(b) 後面

Q 次の特徴によって命名されている筋の例を挙げなさい：線維の方向，形状，作用，大きさ，起始，停止，所在，および起始の数。

顔面の表情をつくる頭部の筋

概観：ヒトは不快感，驚き，恐れ，幸福感などのさまざまな感情を，顔面の表情筋によって表現することができる。筋自体は皮下組織の中にある。一般に，表情筋は筋膜あるいは頭蓋骨から起り，皮膚につく。このため，顔面の表情筋が収縮すると，関節ではなくて皮膚が動く。

筋と運動とを関連づける：本小節の筋を，次の2群にまとめてみなさい。(1)口に作用する筋，(2)眼に作用する筋。

> **臨床関連事項**
>
> **ベル麻痺**
>
> ベル麻痺 Bell's palsy または 顔面神経麻痺 facial paralysis は，顔面の表情筋の一側性の麻痺である。顔面神経(第VII脳神経)の損傷や疾患で起る。原因不明であるが，単純性疱疹ウイルス herpes simplex virus の感染と顔面神経の炎症との関係が示唆されている。重症例では，麻痺のため顔面の一側全体が下垂する。患側では，額にしわをよせたり，目を閉じたり，あるいは唇をすぼめることができない。また，流涎や嚥下困難が起る。患者の80%は数週から数カ月以内に完全に回復するが，それ以外の患者では，永久に麻痺が残ることがある。顔面神経麻痺の症状は脳卒中の症状とよく似ている。

表 8.3　顔面の表情をつくる頭部の筋

筋	起始	停止	作用
後頭前頭筋 occipitofrontalis　　前頭筋 frontal belly	帽状腱膜(前頭筋と後頭筋がつく扁平な腱)	眼窩より上方の皮膚	頭皮を前方に引く(例：顔をしかめるとき)，眉を上げる。前頭部の皮膚に横じわをつくる(例：驚いたときの表情)。
後頭筋 occipital belly (occipit＝後頭)	後頭骨と側頭骨	帽状腱膜	頭皮を後方に引く。
口輪筋 orbicularis oris (orb＝輪状；oris＝口の)	口周囲の筋線維	口角の皮膚	唇を閉じて突き出す(例：キスをするとき)，唇を歯に押しつける，構音の際に唇を形つくる。
大頬骨筋 zygomaticus major (zygomatic＝頬骨；major＝より大きい)	頬骨	口角の皮膚，口輪筋	口角を上外方に引き上げる(例：微笑する，あるいは笑うとき)。
頬筋 buccinator (bucca＝頬)	上顎骨と下顎骨	口輪筋	歯と唇に頬を押しつける(例：口笛を吹く，口を膨らます，吸飲)；口角を外方に引く；(歯と頬の間ではなく)歯と歯の間に食物を保持して，咀嚼を助ける。
広頸筋 platysma (platys＝扁平な)	三角筋の筋膜，大胸筋の筋膜	下顎骨，口角周辺の筋，顔面下部の皮膚	下唇の外側部を後下方に引く(例：口を尖らす)；下顎骨を引下げる。
眼輪筋 orbicularis oculi (oculi＝眼の)	眼窩の内側壁	眼窩を取り巻く	眼を閉じる。

図 8.14 顔の表情をつくる頭部の筋。図中の太字で記した筋は本文と表にある（以下，他の図でも同じ）。

顔面の表情筋は収縮すると，関節ではなくて皮膚を動かす。

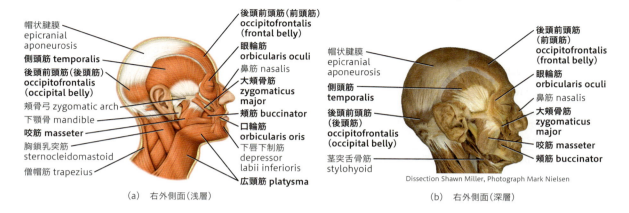

(a) 右外側面（浅層）　　　(b) 右外側面（深層）

Q 次の表情を起す筋はどれか：微笑，口を尖らす，眼を細める。

下顎骨を動かし，咀嚼と構音を助ける筋

概観：下顎骨を動かす筋は咀嚼に関係するので，咀嚼筋 muscle of mastication（＝咬むこと）とも呼ばれる。咀嚼筋は構音も補助する。

筋と運動とを関連づける：前掲および本小節の筋を，次の作用からまとめてみなさい。下顎骨の，(1)挙上，(2)下制，(3)後退。同じ筋が複数の作用をすることもある。

眼球と上眼瞼を動かす筋（外眼筋）

概観：眼球には外眼筋と内眼筋の2種類がある。**外眼筋** extrinsic eye muscle は眼球以外の部分から起り，眼球の外表面（強膜）に停止する。外眼筋は，眼球をいろいろな方向に動かす。**内眼筋** intrinsic eye muscle はすべて眼球内に起始と停止がある。内眼筋は虹彩や水晶体のような眼球内の構造物を動かす。

眼球運動は3対の外眼筋によって制御されている。すなわち，(1)上直筋と下直筋，(2)外側直筋と内側直筋，(3)上斜筋と下斜筋である。上直筋と下直筋，外側直筋と内側直筋は，それぞれの名称が示す方向に眼球を動かす。1対の斜筋，すなわち，上斜筋と下斜筋は眼球を回旋する。外眼筋は，人体において，収縮速度がもっとも速く，もっとも精密に制御されている骨格筋に属する。上眼瞼挙筋は上眼瞼を挙上する（眼を開ける）。

臨床関連事項

斜視

斜視 strabismus（strabismos ＝ 横目でみること）は，左右の眼球の視軸が平行でない状態である。斜視は遺伝，あるいは分娩外傷，筋肉の付着部の異常，脳の統御中枢の障害か局所的疾患が原因で起る。斜視には恒常性のものと間欠性のものとがある。斜視では，左右の眼がそれぞれ視覚映像を異なる脳領域に送っている。脳は通常一方の眼から送られてきた情報を無視するので，無視されたほうの眼は弱くなり，その結果"**弱視**（lazy eye）amblyopia"が生じる。動眼神経（第III脳神経）が障害されると，眼球が静止状態で外転した**外斜視** external strabismus となり，眼球を内下方に向けることができない。外転神経（第VI脳神経）が障害されると，眼球が静止状態で内方を向いた**内斜視** internal strabismus となり，眼球を外方に向けることができない。

表 8.4 下顎骨を動かし，咀嚼と構音を助ける筋

筋	起始	停止	作用
咬筋 masseter（masseter ＝ かみ砕く人）（図8.14参照）	上顎骨，頬骨弓	下顎骨	下顎骨を挙上する（例：閉口）。
側頭筋 temporalis（tempor ＝ こめかみ）（図8.14参照）	側頭骨	下顎骨	下顎骨を挙上し，後退させる。

表 8.5　眼球と上眼瞼を動かす筋（外眼筋）

筋	起始	停止	作用
上直筋 superior rectus（superior＝上方の；rect-＝まっすぐな。ここでは，眼球の長軸に平行な筋束）	総腱輪（視神経管の周囲で眼窩に付着する）	眼球の上部で，中心部	眼球を，上方（挙上），内方に動かし（内転），内旋する。
下直筋 inferior rectus（inferior＝下方の）	同上	眼球の下部で，中心部	眼球を，下方（下制），内方に動かし（内転），外旋する。
外側直筋 lateral rectus	同上	眼球の外側面	眼球を，外方に動かす（外転）。
内側直筋 medial rectus	同上	眼球の内側面	眼球を，内方に動かす（内転）。
上斜筋 superior oblique（oblique＝斜の。ここでは筋束は眼球の長軸と交叉する）	同上	眼球上で，上直筋と外側直筋の間。筋は線維軟骨性組織の輪（滑車）を通って動く。	眼球を，下方（下制），外方に動かし（外転），内旋する。
下斜筋 inferior oblique	上顎骨	眼球上で，下直筋と外側直筋の間	眼球を，上方（挙上），外方に動かし（外転），外旋する。
上眼瞼挙筋 levator palpebrae superioris（palpebra＝眼瞼）	眼窩上壁	上眼瞼の皮膚	眼瞼を挙上（開眼）する。

図 8.15　眼球と上眼瞼を動かす筋（外眼筋）。

外眼筋は人体において，収縮速度がもっとも速く，もっとも精密に制御されている骨格筋に属する。

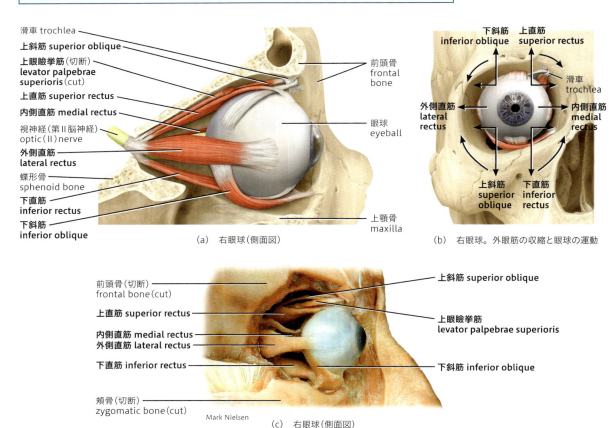

Q 滑車を通るのはどの筋か？

筋と運動とを関連づける：本小節の筋を，次の作用からまとめてみなさい。眼球の，(1)挙上，(2)下制，(3)外転，(4)内転，(5)内旋，(6)外旋。同じ筋が複数の作用をすることもある。

腹部内臓を保護し，脊柱を動かす腹部の筋

概観：前腹壁と側腹壁は，皮膚，筋膜，そして4対の筋，すなわち腹直筋，外腹斜筋，内腹斜筋，腹横筋で構成されている。

前腹壁にある腹直筋 rectus abdominis は，**腱画 tendinous intersection** と呼ばれる横走する3本の線維帯によって分断されている。筋肉質の人では，エクササイズによって，腹直筋が肥大して腱画がよくみえるようになる。ボディビルをする人たちは，腹部に"6箱 six-pack"を発達させようと一所懸命になっている。少数ではあるが，腱画に変異があって"8箱 eight pack"をつくることができる人もいる。

筋と運動とを関連づける：本小節の筋を，次の作用からまとめてみなさい。脊柱の，(1)屈曲，(2)側屈，(3)伸展，(4)回旋。同じ筋が複数の作用をすることもある。

> **臨床関連事項**
>
> **鼠径ヘルニアとスポーツヘルニア**
>
> ヘルニア hernia とは，通常，ある構造の中にある器官が突出することである。それによってできた膨らみは，皮膚表面から視診あるいは触診できる。鼠径部は腹壁における脆弱部位の一つである。しばしば，腹壁鼠径部の一部が断裂あるいは離開する**鼠径ヘルニア inguinal hernia** が発生する。その結果，小腸の一部が飛び出す。鼠径ヘルニアは女性よりも男性に多い。それは男性の鼠径管が精索と腸骨鼠径神経を容れるために比較的大きいからである。鼠径ヘルニアの治療でもっともよく行われるのは外科手術である。突出した器官を腹腔内に押し戻して，腹筋の欠損を修復する。さらに，脆弱部位を強化するためにメッシュを当てることが多い。
>
> **スポーツヘルニア sports hernia** とは下腹部あるいは鼠径部の軟部組織(筋，腱，靱帯)に生じた有痛性の裂傷である。鼠径ヘルニアとは異なり，腫隆はみられない。男性に頻発する。寛骨に付着する腹筋と大腿内転筋が同時に収縮し，しかも異なる方向に牽引することで起る。これは急激な加速運動と方向変換，キック，左右への横揺れを伴う活動中に起る。アイスホッケー，サッカー，フットボール，ラグビー，テニス，走り高跳びなどで起る。スポーツヘルニアの治療には，安静，冷却，抗炎症薬，理学療法と外科手術がある。

表 8.6　腹部内臓を保護し，脊柱を動かす腹部の筋

筋	起始	停止	作用
腹直筋 rectus abdominis (rect- = まっすぐな。正中線に平行な筋束；abdomin- = 腹)	恥骨，恥骨結合	第5〜第7肋軟骨，剣状突起	脊柱を屈曲，腹部を圧迫して，排便，排尿，強制呼息，分娩を助ける。
外腹斜筋 external oblique (external = 外部にある；oblique = 正中線に対して斜の筋束)	第5〜第12肋骨	腸骨稜，白線(剣状突起と恥骨結合との間を走る強靱な結合組織の帯)	両側の作用では，腹部を圧迫し，脊柱を屈曲；一側の作用では，脊柱を側屈して，回旋する。
内腹斜筋 internal oblique (internal = 内部にある)	腸骨，鼠径靱帯，胸腰筋膜	第9(10)〜第12肋骨，白線	両側の作用では，腹部を圧迫し，脊柱を屈曲；一側の作用では，脊柱を側屈して，回旋する。
腹横筋 transversus abdominis (transversus = 正中線に垂直の筋束)	腸骨，鼠径靱帯，胸腰筋膜，第7〜第12肋骨の肋軟骨	胸骨の剣状突起，白線，恥骨	腹部を圧迫する。

図 8.16 腹部内臓を保護し，脊柱を動かす腹部の筋。男性の筋を示す。

鼠径靱帯は体壁と大腿の境をなす。

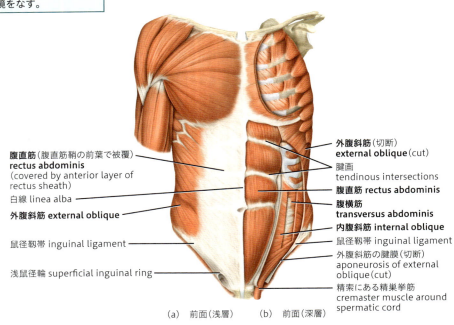

(a) 前面（浅層）　(b) 前面（深層）

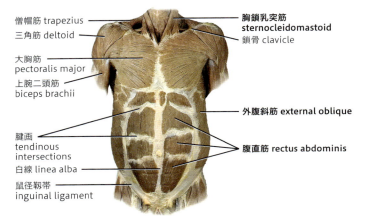

(c) 前面

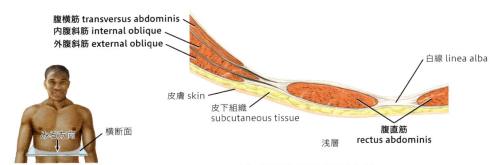

(d) 前腹壁の横断面（臍より上方）

Q 排尿を助ける腹筋はどれか？

呼吸を助ける胸郭の筋

概観：胸郭の筋は，呼吸が起るように胸腔の大きさを変える。吸息（息を吸うこと）は胸腔の大きさが増大すると起り，呼息（息を吐くこと）は，胸腔の大きさが減少すると起る。

ドーム型の**横隔膜** diaphragm は呼吸を駆動するもっとも重要な筋である。**外肋間筋** external intercostal muscle は浅層で肋骨の間にある。**内肋間筋** internal intercostal muscle は，肋骨の間で外肋間筋より深層にあり，外肋間筋と直交して走る。

筋と運動とを関連づける：本小節の筋を，次の作用からまとめてみなさい。胸郭の，（1）縦方向の大きさを増大，（2）横方向および前後方向の大きさを増大，（3）横方向および前後方向の大きさを減少させる。同じ筋が複数の作用をすることもある。

表 8.7　呼吸を助ける胸郭の筋

筋	起始	停止	作用
横隔膜 diaphragm （dia ＝切って；-phragm ＝壁）	胸骨の剣状突起，第7～第12肋軟骨，腰椎とそれらの椎間円板	腱中心（横隔膜のほぼ中心にある強い腱膜）	収縮すると，横隔膜が下降し，縦方向の胸腔容積が増大して吸息が起る；弛緩すると，横隔膜が挙上し，縦方向の胸腔容積が減少して呼息が起る。
外肋間筋 external intercostal muscle （external ＝外部にある；inter- ＝間；costa ＝肋骨）	一つ上の肋骨の下縁	一つ下の肋骨の上縁	収縮すると，肋骨が挙上し，前後および横方向の胸腔容積が増大して吸息が起る；弛緩すると，肋骨が下降し，前後および横方向の胸腔容積が減少して，呼息が起る。
内肋間筋 internal intercostal muscle （internal ＝内部にある）	一つ下の肋骨の上縁	一つ上の肋骨の下縁	収縮すると，強制呼息の際に，上下の肋骨を引きつけて，前後および横方向の胸腔容積を減少させる。

図 8.17　呼吸を助ける胸郭の筋。

呼吸のときに働く筋は胸腔の大きさを変える。

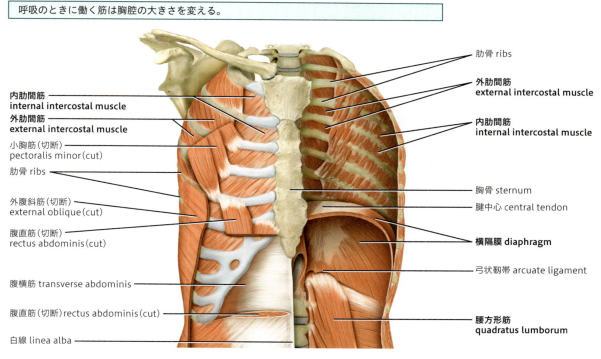

(a) 前面（浅層）　　(b) 前面（深層）

図 8.17 つづく

図 8.17 つづき

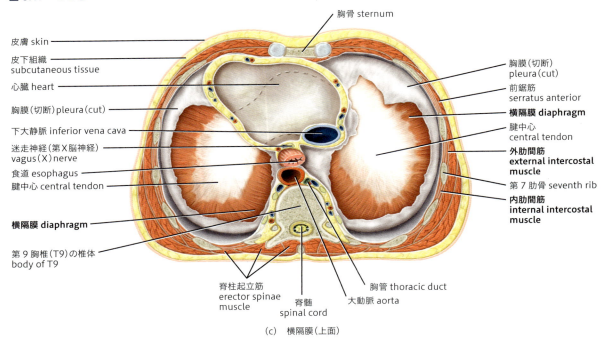

(c) 横隔膜（上面）

Q 正常の平静吸息の際，どの筋が収縮するか？

上肢帯を動かす胸郭の筋

概観：上肢帯（鎖骨と肩甲骨）を動かす筋は軸骨格から起り，鎖骨または肩甲骨に停止する。上腕骨を動かす筋の多くは肩甲骨から起る。上肢帯筋は肩甲骨を保持して，これらの筋の起始を固定する働きをしている。

筋と運動とを関連づける：本小節の筋を，次の作用からまとめてみなさい。肩甲骨の，(1)下制，(2)挙上，(3)前外方運動，(4)後内方運動。同じ筋が複数の作用をすることもある。

表 8.8	上肢帯を動かす胸郭の筋		
筋	起　始	停　止	作　用
小胸筋 pectoralis minor （pect- ＝乳房，胸，胸郭； minor ＝より小さい）	第2(3)～第5肋骨または第2～第4肋骨	肩甲骨	肩甲骨を外転して，下方に回旋（関節窩は上方を向く）；肩甲骨を固定して，強制吸息の際に，第3～第5肋骨を挙上する。
前鋸筋 serratus anterior （serratus ＝鋸歯状； anterior ＝前の）	第1～第8(9)肋骨	肩甲骨	肩甲骨を，外転して，上方に回旋（関節窩は上方を向く）；肩甲骨を固定して，肋骨を挙上する；ボクサー筋 boxer's muscle と呼ばれ，ボクシングのパンチや腕立て伏せのような上肢の水平運動に重要。
僧帽筋 trapezius （trapezi- ＝不等辺四角形） （図 8.13 b も参照）	後頭骨，第7頸椎と全胸椎（C7～T12）の棘突起	鎖骨，肩甲骨	上部の線維は肩甲骨を挙上；中部の線維は肩甲骨を内転；下方の線維は肩甲骨を引き下げて上方に回旋する；肩甲骨を安定させる。
肩甲挙筋 levator scapulae （levator ＝挙上する； scapulae ＝肩甲骨の）	第1～第4(5)頸椎の横突起	肩甲骨	肩甲骨を挙上して，下方に回旋する。
大菱形筋 rhomboid major （rhomboid ＝菱形） （図 8.19 c 参照）	第2～第5胸椎の棘突起	肩甲骨	肩甲骨を挙上して，内転して，下方に回旋する；肩甲骨を安定させる。

8.11 主要な骨格筋　215

図 8.18 上肢帯を動かす胸郭の筋。

上肢帯筋は軸骨格から起り，鎖骨または肩甲骨に停止する。

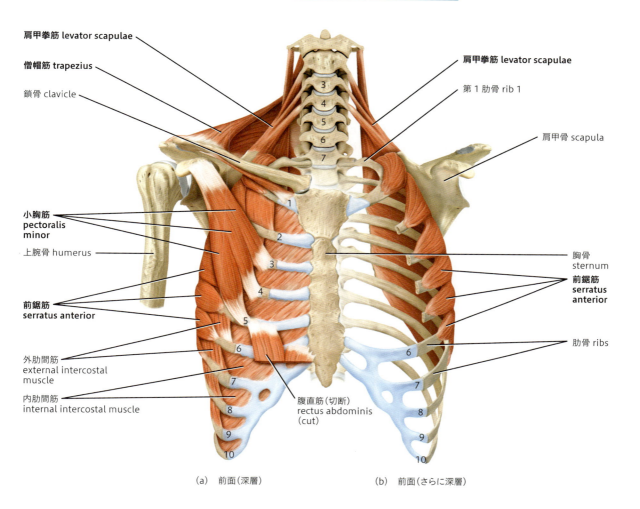

(a) 前面（深層）　　(b) 前面（さらに深層）

Q 肋骨から起る筋はどれか？　椎骨から起る筋はどれか？

上腕骨を動かす胸郭と肩の筋

概観：肩関節を越える九つの筋のうち，大胸筋と広背筋を除くすべてが，肩甲骨から起る（訳注：広背筋は肩甲骨下角からも起る）。

肩関節の強度と安定性は，肩の深層の四つの筋（肩甲下筋，棘上筋，棘下筋，小円筋）とそれらの腱によって与えられる。これらの四つの筋は肩甲骨と上腕骨とを結合している。腱はシャツの袖口のように，肩関節周囲をほぼ完全に取り囲む。このような配列は**回旋筋腱板 rotator cuff** と呼ばれている。

筋と運動とを関連づける：本小節の筋を，次の作用からまとめてみなさい。肩関節における上腕骨の，(1)屈曲，(2)伸展，(3)外転，(4)内転，(5)内旋，(6)外旋。同じ筋が複数の作用をすることもある。

臨床関連事項

回旋筋腱板とインピンジメント症候群

腱板損傷 rotator cuff injury は，回旋筋腱に生じた損傷または断裂である。原因は激しい円運動を伴う肩の運動によるもので，野球の投手，バレーボールやラケット競技の選手，水泳選手に多くみられる。そのほか，劣化と断裂，外傷，また画家や頭上の棚に物を置くような職業における反復運動でも起る。筋腹が傷害されることもあるが，通常は四つの腱のうち一つかそれ以上が，部分的にあるいは完全に断裂する。もっとも多いのが棘上筋の腱すなわち回旋筋腱板の断裂である。棘上筋の腱は上腕骨頭と肩峰との間にあるため，肩の運動中に圧迫されて，劣化や断裂が起きやすい。

アスリート（運動選手）にみられる肩の疼痛と機能異常で，もっとも多い原因の一つに**インピンジメント症候群** impingement syndrome がある。頭上での腕の反復運動を行うアスリートには，この危険性がある。この症候群は，直接の打撲や伸展障害で起ることがある。頭上運動によって棘上筋腱が持続的に衝突と圧迫を受けると，腱に炎症が起り，疼痛が生じる。痛みをがまんして運動を続けていると，腱は上腕骨における付着付近で変性し，ついには骨から剥離する（回旋筋腱板損傷）。治療としては，損傷を受けた腱を安静にする，運動で肩を強化する，マッサージ療法などがある。損傷がとくに激しければ，最終的には外科手術を行う。手術では，炎症を起している滑液包の摘出，骨のトリミング，烏口肩峰靱帯の剥離を行う。断裂した回旋筋腱板を修復し，縫合糸，アンカーあるいはタックで再固定する。そうすると，スペースが広がり，圧迫から解放され，腕を自由に動かせるようになる。

表 8.9　上腕骨を動かす胸郭と肩の筋

筋	起始	停止	作用
大胸筋 pectoralis major (pect- =胸；major =より大きい) （図 8.13 a も参照）	鎖骨，胸骨，第2(1)～第6(7)肋軟骨	上腕骨	肩関節で，上腕を内転，内旋する；上腕を屈曲；屈曲した上腕を伸展する。
広背筋 latissimus dorsi (latissimus =もっとも広い；dorsi =背の)（図 8.13 b も参照）	第7～第5腰椎の棘突起，仙骨，腸骨，第9～第12肋骨	上腕骨	肩関節で，上腕を伸展，内転，内旋する；上腕を後下方に引く。
三角筋 deltoid (deltoid =三角形の) （図 8.13 a, b も参照）	鎖骨，肩甲骨	上腕骨	肩関節で，上腕を外転，屈曲，伸展，回旋する。
肩甲下筋 subscapularis (sub- =下；scapularis =肩甲骨の)	肩甲骨	上腕骨	肩関節で，上腕を内旋する。
棘上筋 supraspinatus (supra- =上；spine =肩甲棘)	肩甲骨	上腕骨	肩関節で，上腕を外転して，三角筋の働きを助ける。
棘下筋 infraspinatus (infra- =下)（図 8.13 b も参照）	肩甲骨	上腕骨	肩関節で，上腕を外旋する。
大円筋 teres major (teres =円く長い)	肩甲骨	上腕骨	肩関節で，上腕を伸展し，内転と内旋を補助する。
小円筋 teres minor	肩甲骨	上腕骨	肩関節で，上腕を外旋，伸展する。
烏口腕筋 coracobrachialis (coraco =烏口突起；brachi- =上腕)	肩甲骨	上腕骨	肩関節で，上腕を屈曲，内転する。

図 8.19 上腕骨を動かす胸郭と肩の筋。

回旋筋腱板を形成する腱は，肩関節に強度と安定性を与えている。

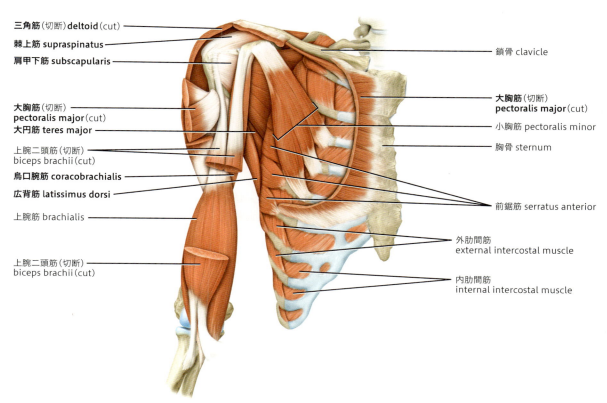

(a) 前面（深層；大胸筋全体は図 8.16 c 参照）

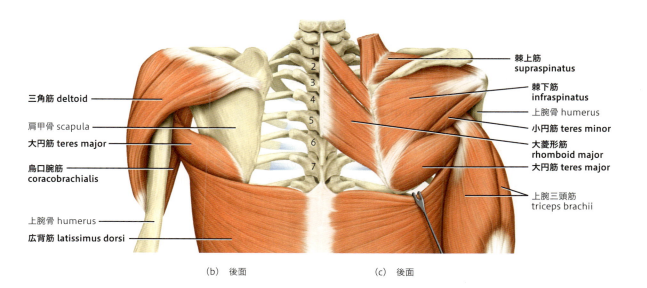

(b) 後面　　(c) 後面

図 8.19　つづく

図8.19 つづき

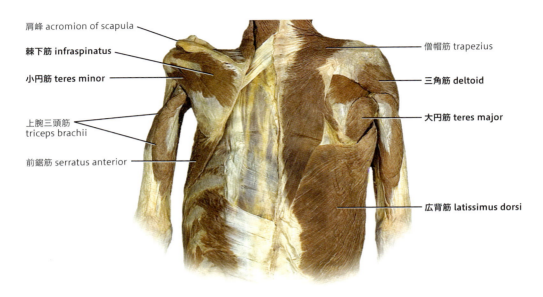

Dissection Shawn Miller, Photograph Mark Nielsen
(d) 後面

Q 肩関節を越える九つの筋のうち，肩甲骨から起らない二つの筋はどれか？

橈骨と尺骨を動かす上腕の筋

　概観：橈骨と尺骨を動かす前腕の筋の多くは，蝶番関節である肘の屈曲と伸展を引き起こす。上腕二頭筋，上腕筋，腕橈骨筋が屈筋で，上腕三頭筋が伸筋である。橈骨と尺骨を動かすほかの筋は回外と回内を行う。四肢では，機能的に関係のある骨格筋とそれらに分布する血管と神経は，深筋膜でできた**区画（コンパートメント）compartment**に入っている。上腕の**前区画（屈筋区画）anterior (flexor) compartment**は上腕二頭筋，上腕筋，烏口腕筋で構成され，**後区画（伸筋区画）posterior (extensor) compartment**は上腕三頭筋で構成される。

　筋と運動とを関連づける：本小節の筋を，次の作用からまとめてみなさい。(1) 肘関節の屈曲と伸展，(2) 前腕の回外と回内，(3) 肩関節の屈曲と伸展。同じ筋が複数の作用をすることもある。

§ 臨床関連事項

区画症候群

　区画（コンパートメント）症候群 compartment syndrome と呼ぶ障害では，外圧または内圧によって区画内の構造物が圧迫され，そのため血管が損傷して，区画内の構造物の血流の減少（虚血）が起る。症状は疼痛，灼熱感，圧迫，皮膚の蒼白，そして麻痺である。区画症候群の原因の多くは，挫滅，穿孔損傷，挫傷（皮膚の裂傷を伴わない皮下組織の損傷），筋挫傷（筋の過伸展），あるいは不適切なギプス包帯である。区画内圧が上昇すると出血，組織損傷，浮腫（組織液の貯留）などの重篤な結果を招く。区画を包む深筋膜は非常に強靭なため，貯留した血液や組織液は流出できず，そのため圧が上昇して，血流が止まり，隣接の筋と神経は酸素欠乏になる。治療の選択の一つに**筋膜切開 fasciotomy**がある。これは，圧を逃すために筋膜を切開する外科的処置である。外科的侵襲を行わないでおくと，神経も傷害され，筋は瘢痕組織となって恒久的な短縮，すなわち**拘縮 contracture**の状態になる。治療せずに放置すると，組織は壊死して肢はもはや機能しなくなる。症状がこの段階まで進んでしまうと患肢の切断以外に治療の方法はないだろう。

8.11 主要な骨格筋

表 8.10 橈骨と尺骨を動かす上腕の筋

筋	起始	停止	作用
上腕二頭筋 biceps brachii （biceps＝起始が二頭；brachi＝上腕）	肩甲骨	橈骨	肘関節で，前腕を屈曲，回外；肩関節で，上腕を屈曲する。
上腕筋 brachialis	上腕骨	尺骨	肘関節で，前腕を屈曲する。
腕橈骨筋 brachioradialis （radi-＝橈骨）（図 8.21 a 参照）	上腕骨	橈骨	肘関節で，前腕を屈曲する。
上腕三頭筋 triceps brachii （triceps＝起始が三頭）	肩甲骨，上腕骨	尺骨	肘関節で，前腕を伸展する；肩関節で，上腕を伸展する。
回外筋 supinator （supination＝手掌を前方に向ける） （図示せず）	上腕骨，尺骨	橈骨	前腕を回外する。
円回内筋 pronator teres （pronation＝手掌を後方に向ける） （図 8.21 a 参照）	上腕骨，尺骨	橈骨	前腕を回内する。

図 8.20 橈骨と尺骨を動かす上腕の筋。

上腕前面の筋は前腕を屈曲し，後面の筋は前腕を伸展する。

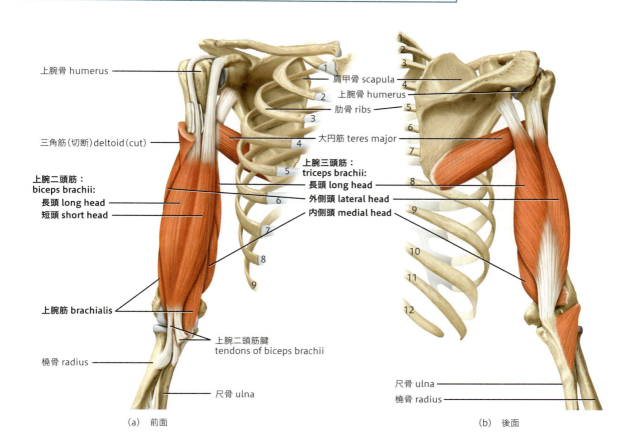

(a) 前面　　　　　　　　　　　　　(b) 後面

図 8.20 つづく

図 8.20 つづき

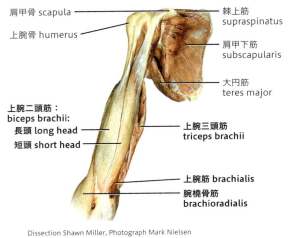

(c) 前面

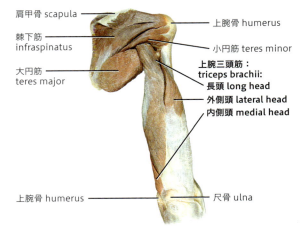

(d) 後面

Q 筋区画とは何か？

手根，手，指を動かす前腕の筋

概観：手根，手，指を動かす前腕の筋は，数多く，また種類も多い。これらの筋の名称は，ほとんどの場合，筋の起始，停止，あるいは作用を示している。前腕の筋は，それらの所在と機能に基づいて前区画と後区画の2群に分けられる。**前区画**（屈筋区画）の**筋 anterior(flexor) compartment muscle** は，上腕骨から起り，手根骨，中手骨，指節骨に停止する。前腕近位部の大部分がこれらの筋の筋腹で占められている。**後区画**（伸筋区画）の**筋 posterior(extensor) compartment muscle** は，上腕骨から起り中手骨と指節骨に停止する。

手根骨に停止し，あるいは手の中に入っていく前腕の筋の腱，および血管と神経は，筋膜によって骨に固定されている。腱はまた腱鞘で包まれる。手根では，深筋膜は肥厚して**支帯 retinaculum**（retinacul ＝ 止め具；複数形 retinacula）と呼ばれる線維性の帯になる。**屈筋支帯 flexor retinaculum** は手根骨の掌側面にあって，指の屈筋と手根屈筋の長い腱と正中神経が通る。**伸筋支帯 extensor retinaculum** は手根骨の背側面にあって，手根伸筋と指の伸筋の腱が通る。

筋と運動とを関連づける：本小節の筋を，次の作用からまとめてみなさい。(1)手根関節の屈曲，伸展，外転，および内転，(2)指節骨の屈曲と伸展。同じ筋が複数の作用をすることもある。

臨床関連事項

手根管症候群

手根管 carpal tunnel は，掌側の屈筋支帯と背側の手根骨の間に形成される狭い通路である。手根管には正中神経（最浅層の構造物）と長い指屈筋の腱が通る（図8.21 d）。手根管内の構造物，中でも正中神経は圧迫を受けやすく，正中神経が圧迫されて生じた障害を**手根管症候群 carpal tunnel syndrome** と呼ぶ。正中神経が圧迫されると，手掌の外側部，第I指から第III指，および第IV指の撓側半の感覚障害と母指球の筋の脱力が起る。その結果，その部位の指の痛み，しびれ感，刺痛が生じる。筋力低下のため物を掴んだり服のボタンをかけるなどの細かい運動が困難になる。このような状態は，指の腱鞘炎，組織液の貯留，運動過多，感染，外傷，また，キーボード入力，ヘアカット，ピアノ演奏などの手根の屈曲を繰り返す運動でも起る。治療には，非ステロイド系抗炎症薬（例：イブプロフェン，アスピリン）の服用，装具による手根関節の固定，皮質ステロイドの局所注射，屈筋支帯を切離して正中神経を圧迫から解放する手術療法などがある。

8.11 主要な骨格筋

表 8.11 手根，手，指を動かす前腕の筋

筋	起始	停止	作用
前区画（屈筋区画）anterior (flexor) compartment			
橈側手根屈筋 flexor carpi radialis (flexor＝関節角を小さくする；carpus＝手根；radi-＝橈骨)	上腕骨	第2，第3中手骨	手根関節で，手を掌屈，外転する。
尺側手根屈筋 flexor carpi ulnaris (ulnar-＝尺骨の)	上腕骨，尺骨	豆状骨，有鉤骨，第5中手骨	手根関節で，手を掌屈，内転する。
長掌筋 palmaris longus (palma＝手掌；longus＝長い)	上腕骨	手掌腱膜	手根関節で，手を軽度に掌屈する。
浅指屈筋 flexor digitorum superficialis (digit＝指または趾；superficialis＝浅在性の)	上腕骨，尺骨，橈骨	第2〜第5指の中節骨*	手根関節で，手を掌屈；第2〜第5指を屈曲する。
深指屈筋 flexor digitorum profundus (profundus＝深在性の)（図示せず）	尺骨	第2〜第5指の末節骨底	手根関節で，手を掌屈；第2〜第5指を屈曲する。
後区画（伸筋区画）posterior (extensor) compartment			
長橈側手根伸筋 extensor carpi radialis longus (extensor＝関節角を大きくする)	上腕骨	第2中手骨	手根関節で，手を背屈，外転する。
尺側手根伸筋 extensor carpi ulnaris	上腕骨，尺骨	第5中手骨	手根関節で，手を背屈，内転する。
[総]指伸筋 extensor digitorum	上腕骨	第2〜第5指の指節骨	手根関節で，手を背屈；第2〜第5指を伸展する。

*注意：母指が第1指であって，指節骨は基節骨と末節骨の二つしかない。ほかの第2〜第5指には，それぞれ基節骨，中節骨，末節骨の三つの指節骨がある。

図 8.21 手根，手，指を動かす前腕の筋。

前区画の筋は屈筋の作用をし，後区画の筋は伸筋の作用をする。

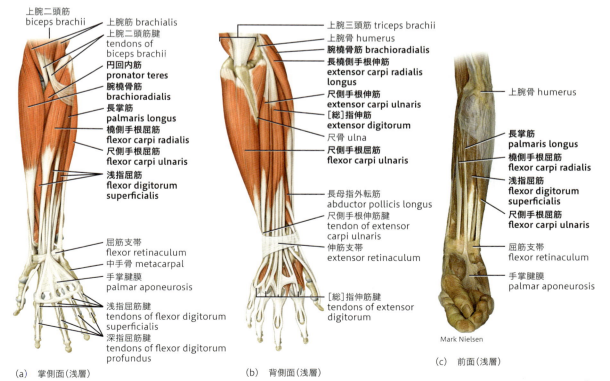

(a) 掌側面（浅層）　　(b) 背側面（浅層）　　(c) 前面（浅層）

図 8.21 つづく

図 8.21 つづき

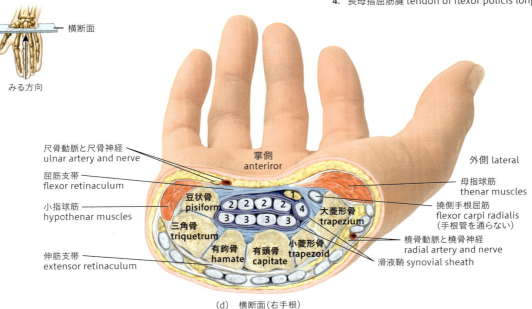

手根管を通る構造物 components of the carpal tunnel:
1. 正中神経 median nerve
2. 浅指屈筋腱 tendons of flexor digitorum superficialis
3. 深指屈筋腱 tendons of flexor digitorum profundus
4. 長母指屈筋腱 tendon of flexor policis longus

(d) 横断面（右手根）

Q 屈筋支帯と関係があるのはどの神経か？

脊柱を動かす頸部と背部の筋

概観：**脊柱起立筋 erector spinae** は，背部で最大の筋であり，脊柱の両側に顕著な隆起を形成する。脊柱起立筋は，**腸肋筋 iliocostalis**，**最長筋 longissimus**，**棘筋 spinalis** の3群からなる。脊柱を動かす筋にはこのほかに，胸鎖乳突筋 sternocleidomastoid，腹直筋 rectus abdominis（図 8.16 参照），腰方形筋 quadratus lumborum（図 8.17 参照），大腰筋 psoas major と腸骨筋 iliacus（図 8.23 参照）がある。

筋と運動とを関連づける：本小節の筋を，次の作用からまとめてみなさい。脊柱の，(1)屈曲，(2)伸展。

臨床関連事項

背部損傷と重量物の挙上

手で足趾に触れるときのように，腰部を完全に屈曲すると，脊柱起立筋の過伸展が起る。過伸展した筋は，効果的に収縮できない。そのような位置から，背を伸ばして立つ動作は，大腿後面のハムストリングと殿部の大殿筋が収縮することから始まる。脊柱の屈曲度が小さくなるにつれて，脊柱起立筋が加わってくる。しかし，**重い物のもち上げ方を間違う**と，脊柱起立筋を損傷することになる。その結果，有痛性の筋の攣縮，腰部の腱や靱帯の断裂，椎間板ヘルニアが起る。腰部の筋は，姿勢維持に適しているが，物をもち上げるのには適していない。重量物をもち上げるとき，膝を着いて，大腿と殿部の強力な伸筋を使うことが大切なのはそのためである。

8.11 主要な骨格筋

表 8.12 脊柱を動かす頸部と背部の筋

筋	起 始	停 止	作 用
脊柱起立筋 erector spinae （erector ＝立てる；spinae ＝脊柱の） （腸肋筋 iliocostalis, 最長筋 longissimus, 棘筋 spinalis）	すべての肋骨および頸椎，胸椎，腰椎	後頭骨，側頭骨，肋骨，椎骨	頭を伸展する；脊柱を伸展し，側屈する。
胸鎖乳突筋 sternocleidomastoid （sterno ＝胸骨；cleido ＝鎖骨；mastoid ＝側頭骨の乳様突起） （図 8.13 b 参照）	胸骨，鎖骨	側頭骨	両側の作用では，頸椎柱を屈曲，頭を伸展（後屈）する；一側の作用では，頭を対側に回旋する。
腰方形筋 quadratus lumborum （quadratus ＝四辺形の；lumbo ＝腰部の） （図 8.17 b 参照）	腸骨	第 12 肋骨，第 1～第 4 腰椎（L1～L4）	両側の作用では，腰椎柱を伸展する；一側の作用では，腰椎柱を側屈する。

図 8.22 脊柱を動かす頸部と背部の筋。

脊柱起立筋は脊柱を伸展する。

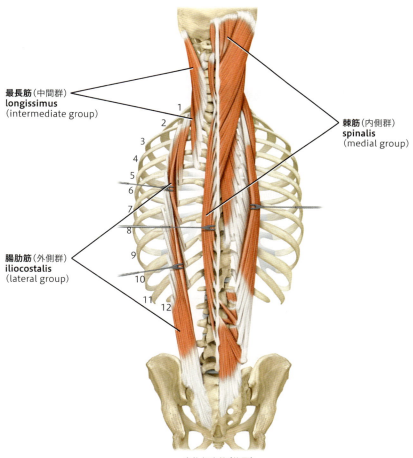

脊柱起立筋（後面）

Q 脊柱起立筋を構成するのはどの筋か？

大腿骨を動かす殿部の筋

概観：下肢の筋は安定性，歩行，姿勢維持の働きをするため，上肢の筋よりも強大である．さらに，下肢の筋は，しばしば二つの関節を越えて，両方の関節に同じように作用する．大腿骨を動かす筋の大部分は，下肢帯から起り，大腿骨に停止する．前部の筋は大腰筋と腸骨筋で，両者はあわせて**腸腰筋 iliopsoas** と呼ばれる．（恥骨筋，内転筋および大腿筋膜張筋以外の）その他の筋は大腿後部の筋である．恥骨筋と大腿の内転筋は，厳密には，大腿の内側区画の筋であるが，大腿骨に作用するので本小節に含めた．大腿筋膜張筋 tensor fasciae latae は大腿外側面に存在する．**大腿筋膜 fascia lata** は，大腿の全周を包む大腿の深筋膜である．外側部では発達がよく，そこでは大殿筋の腱と大腿筋膜張筋の腱とが一緒になって，**腸脛靱帯 iliotibial tract** と呼ぶ構造物を形成する．腸脛靱帯は脛骨の外側顆に停止する．

筋と運動とを関連づける：本小節の筋を，次の作用からまとめてみなさい．股関節における大腿の，(1)屈曲，(2)伸展，(3)外転，(4)内転，(5)内旋，(6)外旋．同じ筋が複数の作用をすることもある．

> **臨床関連事項**
>
> **鼠径部筋挫傷**
>
> 大腿内側部の主要な筋は下肢を内方に動かす働きをする．この筋群は，短距離競走（スプリント），障害物競走，乗馬のような活動を行うのに重要である．この筋群のうち一つ以上が裂傷を受けると，**鼠径部筋挫傷 groin pull** となる．鼠径部筋挫傷がもっとも頻繁に起るのは，短距離競走，ひねり，固定された硬い物体を蹴ったときである．症状は鼠径部の激痛，腫脹，打撲あるいは筋の収縮不能を伴い，突発性のこともあれば，受傷当日顕在化しないこともある．治療には，多くの筋挫傷の場合と同じように，PRICE 療法，すなわち保護 Protection，安静 Rest，冷却 Ice，圧迫 Compression，挙上 Elevation を行う．さらに傷害が進行しないように保護した後，受傷部位を直ちに冷却し，挙上して，安静にする．できれば，損傷組織を圧迫するために弾性包帯をあてるのがよい．

表 8.13　大腿骨を動かす殿部の筋

筋	起始	停止	作用
大腰筋 psoas major （psoa ＝腰の筋）	腰椎	大腿骨	股関節で，大腿を屈曲し，外旋する；脊柱を屈曲する．
腸骨筋 iliacus （iliac ＝腸骨）	腸骨	大腰筋とともに，大腿骨	股関節で，大腿を屈曲し，外旋する；脊柱を屈曲する．
大殿筋 gluteus maximus （glute- ＝殿部；maximus ＝最大の；図 8.13 b）	腸骨，仙骨，尾骨，仙棘筋の腱膜	腸脛靱帯と大腿骨	股関節で，大腿を伸展し，外旋する；膝を伸展位に固定するのを助ける．
中殿筋 gluteus medius （medi- ＝中間の；図 8.13 b）	腸骨	大腿骨	股関節で，大腿を外転し，内旋する．
大腿筋膜張筋 tensor fasciae latae （tensor ＝緊張させる；fasciae- ＝帯の；lat- ＝広い）	腸骨	腸脛靱帯を介して脛骨	股関節で，大腿を屈曲し，外転する．
長内転筋 adductor longus （adductor ＝正中線に近づける；longus ＝長い）	恥骨，恥骨結合	大腿骨	股関節で，大腿を内転，回旋，屈曲する．
大内転筋 adductor magnus （magnus ＝大）	恥骨，坐骨	大腿骨	股関節で，大腿を内転，回旋し，伸展する（前部は屈曲，後部は伸展する）．
梨状筋 piriformis （piri- ＝セイヨウナシ；form- ＝形）	仙骨	大腿骨	股関節で，大腿を外旋し，外転する．
恥骨筋 pectineus （pectin- ＝櫛状）	恥骨	大腿骨	股関節で，大腿を屈曲し，内転する．

8.11 主要な骨格筋 225

図8.23 大腿骨を動かす殿部の筋と大腿骨および脛骨と腓骨を動かす大腿部の筋。

大腿骨を動かす筋の多くは，下肢帯から起り，大腿骨に停止する。

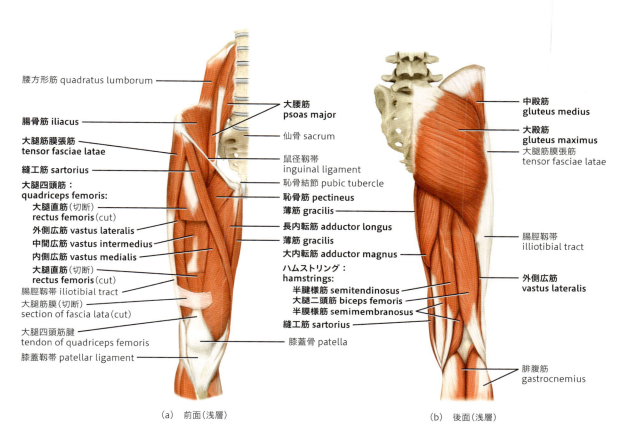

(a) 前面（浅層）　　(b) 後面（浅層）

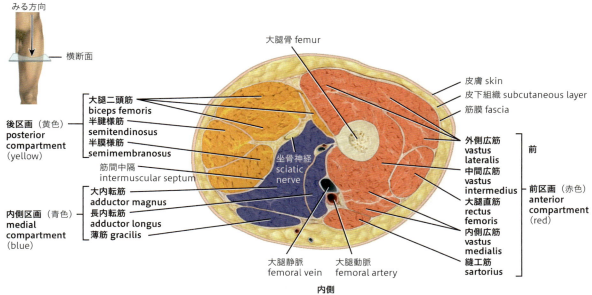

(c) 大腿の横断面（上面）

図8.23 つづく

図 8.23 つづき

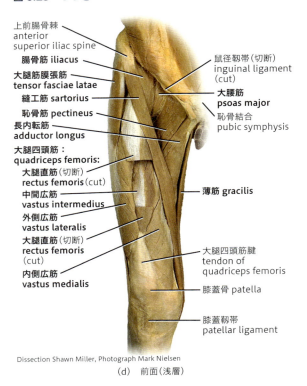

(d) 前面（浅層）

Q 大腿四頭筋に属する筋はどれか？ ハムストリングに属する筋はどれか？

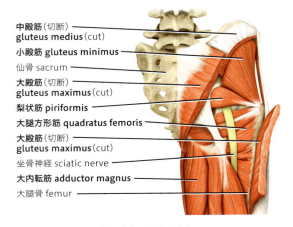

(e) 後面（浅層と深層）

大腿骨および脛骨と腓骨を動かす大腿部の筋

　概観：大腿骨および脛骨と腓骨を動かす筋は，寛骨と大腿骨から起り，深筋膜によって区画に分かれている．大腿の**内側区画**（内転筋区画）**medial（adductor）compartment**の筋は大腿を内転する．内側区画の大内転筋，長内転筋，および恥骨筋は大腿骨に作用するので前の小節（大腿骨を動かす殿部の筋）に含めた．内側区画のもう一つの筋である薄筋 gracilis は，大腿を内転するだけでなく，下腿を屈曲するので，本小節に含めた．
　前区画（伸筋区画）**anterior（extensor）compartment**の筋は，膝関節で下腿を伸展するが，股関節で大腿を屈曲するものもある．この前区画には大腿四頭筋と縫工筋がある．大腿四頭筋は，人体で最大の筋であって，通常，四つの筋に分けて記載される（大腿直筋，外側広筋，内側広筋，中間広筋）．これらの四つの筋の共通腱である**大腿四頭筋腱 tendon of quadriceps femoris（quadriceps tendon）**は膝蓋骨に停止する．腱は，膝蓋骨から下方に続き，**膝蓋靱帯 patellar ligament**となって，脛骨粗面に停止する．縫工筋は，腸骨から脛骨内側面にいたる人体で最長の筋である．縫工筋は大腿と下腿の両方を動かす．
　後区画（屈筋区画）**posterior（flexor）compartment**の筋は，下腿を屈曲するだけでなく，大腿を伸展する．後区画には，ハムストリング（大腿二頭筋，半腱様筋，半膜様筋）がある．その名称は，これらの筋の腱が膝窩において長いひも状であることに由来する．
　筋と運動とを関連づける：本小節の筋を，次の作用からまとめてみなさい．股関節における大腿の，(1)外転，(2)内転，(3)外旋，(4)屈曲，(5)伸展および下腿の，(1)屈曲，(2)伸展．同じ筋が複数の作用をすることもある．

臨床関連事項

ハムストリング筋緊張性挫傷と筋攣縮

　ハムストリングの近位部の損傷あるいは部分断裂は**ハムストリング筋緊張性挫傷 pulled hamstrings（hamstring strains）**と呼ばれる．非常に激しく走ったり，また急スタート（クイックスタート），急停止をしなければならない人，また，そのどちらかをする人によくみられるスポーツ傷害である．時々，離れ業を行うのに必要な激しい筋活動によって，ハムストリング，とくに大腿二頭筋の起始腱の一部が坐骨結節から離断する．この傷害は，通常，挫傷，筋線維の部分断裂，血管破裂を伴い，血腫 hematoma（血液の塊）や疼痛が発生する．この傷害を防ぐためには，大腿四頭筋とハムストリングの間でバランスをよくとった十分なトレーニングとランニングや競技前にストレッチ体操を行うことが大切である．
　チャーリー・ホース charley horseは，筋の断裂とその部位に生じた出血に起因する筋の攣縮あるいは筋硬直に対する慣用名で，スラングである．外傷あるいは過度の活動で起るよくあるスポーツ傷害である．とくにフットボール選手の大腿四頭筋によく起る．

8.11 主要な骨格筋

表 8.14　大腿骨および脛骨と腓骨を動かす大腿部の筋

筋	起始	停止	作用
内側区画（内転筋区画）medial (adductor) compartment			
大内転筋 adductor magnus			
長内転筋 adductor longus			
短内転筋 adductor brevis			
恥骨筋 pectineus			
薄筋 gracilis （gracilis＝細長い）	恥骨	脛骨	股関節で，大腿を内転，内旋； 膝関節で，下腿を屈曲する。
前区画（伸筋区画）anterior (extensor) compartment			
大腿四頭筋 quadriceps femoris （quadriceps＝起始が四頭； femoris＝大腿骨）			
大腿直筋 rectus femoris 　（rectus＝まっすぐな。ここでは 　正中線に平行な筋束）	腸骨	大腿四頭筋腱を介して膝蓋骨へ，ついで膝蓋靱帯を介して脛骨粗面へ	四頭は膝関節で，下腿を伸展する； 大腿直筋だけが股関節で，大腿を屈曲する。
外側広筋 vastus lateralis 　（vast＝大きい；lateralis＝外側の）	大腿骨		
内側広筋 vastus medialis 　（medialis＝内側の）	大腿骨		
中間広筋 vastus intermedius 　（intermedius＝中間の）	大腿骨		
縫工筋 sartorius （sartor-＝仕立屋；仕立屋が脚を 組んだ座位をさす）人体で最長の筋	腸骨	脛骨	膝関節で，下腿を軽度に屈曲； 股関節で，大腿を屈曲，外転，外旋して脚を組む。
後区画（屈筋区画）posterior (flexor) compartment ハムストリング hamstring			
大腿二頭筋 biceps femoris 　（biceps＝起始が二頭）	坐骨，大腿骨	腓骨，脛骨	膝関節で，下腿を屈曲； 股関節で，大腿を伸展する。
半腱様筋 semitendinosus 　（semi-＝半分；tendo-＝腱）	坐骨	脛骨	膝関節で，下腿を屈曲； 股関節で，大腿を伸展する。
半膜様筋 semimembranosus 　（membran-＝膜）	坐骨	脛骨	膝関節で，下腿を屈曲； 股関節で，大腿を伸展する。

足と足趾を動かす下腿筋

概観：足と足趾を動かす筋は下腿にある。大腿の筋と同様に，下腿の筋も深筋膜によって三つの区画に分かれている。**前区画** anterior compartment は足を背屈する筋からなる。前区画の筋の腱は，下腿深筋膜が肥厚してできた**上伸筋支帯** superior extensor retinaculum と**下伸筋支帯** inferior extensor retinaculum によって足根にしっかりと保持されている。**外側区画** lateral compartment は足を底屈して外反する筋からなる。**後区画** posterior compartment は浅層筋と深層筋からなる。浅層筋（腓腹筋とヒラメ筋）は人体最強の腱である踵骨腱（アキレス腱）calcaneal (Achilles) tendon となって停止する。

筋と運動とを関連づける：本小節の筋を次の作用からまとめてみなさい。足の，(1)背屈，(2)底屈，(3)内反，(4)外反および足趾の，(1)屈曲，(2)伸展。同じ筋が複数の作用をすることもある。

臨床関連事項

シンスプリント

シンスプリント shin splint syndrome (shin splints) は，脛骨の内側，遠位 2/3 に沿って起る痛みである。前脛骨筋あるいは趾屈筋の腱炎，脛骨の骨膜炎で起る。腱炎は通常，体調不良のランナーが粗末なシューズで固い路面や片側に傾斜した路面を走るとき，あるいはウォーキングやランニングで坂道を上り下りすると発症する。この状態は，あまり活動していない期間の後，下肢の激しい活動をすると発症することがある。前区画の筋（主に前脛骨筋）を強化して，強いほうの後区画の筋とバランスをとるようにするとよい。

図 8.24 足と足趾を動かす下腿筋。

後区画の浅層の筋は，共通の停止腱である踵骨腱（アキレス腱）を介して，踵骨に停止する。

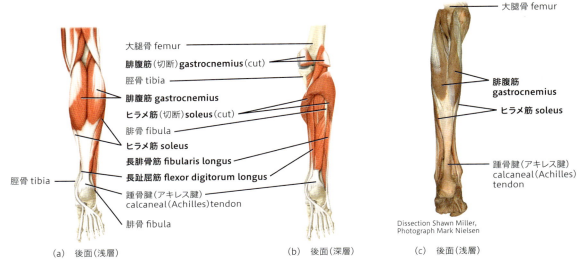

(a) 後面（浅層）　　(b) 後面（深層）　　(c) 後面（浅層）

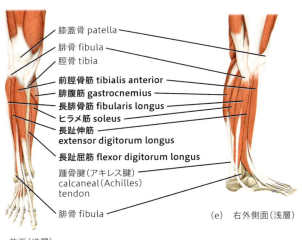

(d) 前面（浅層）　　(e) 右外側面（浅層）

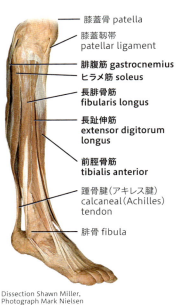

(f) 右外側面（浅層）

Q シンスプリントで障害されるのは主としてどの筋か？

表 8.15　足と足趾を動かす下腿筋

筋	起始	停止	作用
前区画 anterior compartment			
前脛骨筋 tibialis anterior (tibialis＝脛骨の；anterior＝前の)	脛骨	第1中足骨，内側楔状骨	足を背屈し，内反する。
長趾伸筋 extensor digitorum longus (extensor＝関節角を大きくする； digitorum＝指または趾； longus＝長い)	脛骨，腓骨	第2～第5趾の中節骨と末節骨	足を背屈し，外反する； 第2～第5趾を伸展する。
外側区画 lateral (fibular) compartment			
長腓骨筋 fibularis (peroneus) longus	腓骨，脛骨	第1中足骨，内側楔状骨	足を底屈し，外反する。
後区画 posterior compartment			
腓腹筋 gastrocnemius (gastro-＝腹；-cnem＝フクラハギ)	大腿骨	踵骨腱（アキレス腱）を介して踵骨	足を底屈する；膝関節で， 下腿を屈曲する。
ヒラメ筋 soleus (sole＝魚のヒラメ)	腓骨，脛骨	踵骨腱（アキレス腱）を介して踵骨	足を底屈する。
後脛骨筋 tibialis posterior (posterior＝後の)	腓骨，脛骨	第2～第4中足骨；舟状骨； 内側・中間・外側楔状骨；立方骨	足を底屈し，内反する。
長趾屈筋 flexor digitorum longus (flexor＝関節角を小さくする)	脛骨	第2～第5趾の末節骨	足を底屈する； 第2～第5趾を屈曲する。

...

筋系は，ほかの体系のホメオスタシスにも貢献している．その多様な働き方を理解するため，本章の終わりにある"ホメオスタシスの観点から"を参照しなさい．次の9章では，神経系がどのように構成されているのか，ニューロンがどのように神経インパルスを発生して，筋組織やほかのニューロンを活動させるのか，そしてシナプスがどのように機能するのかを学ぶ．

これまで筋系の構造と機能について議論してきたので，"ホメオスタシスの観点から"を調べれば筋系が，ほかの体系のホメオスタシスに貢献している多様な働き方を理解することができるだろう．

チェックポイント

21. 多くの筋群に共通して見られるいろいろな特徴を列挙しなさい．
22. 次の動作には，どのような筋が用いられるだろうか：驚きを表す，悲しみを表現する，歯をむき出す，唇をすぼめる，横目でみる，風船を膨らます．
23. 咬筋と側頭筋の張力がなくなると，どうなるだろうか？
24. 頭部を動かさずに，左方をみようとするとき，左右の眼球で，収縮し，また弛緩するのはどの筋か？
25. "お腹を引っ込めて"前腹壁を圧迫するとき，どの筋が収縮するか？
26. 強制呼吸が必要になるのは，どのような状況のときだろうか？
27. 上肢帯を動かすだけでなく，強制吸息も補助する筋はどれか？
28. 回旋筋腱板とは何か？
29. 上腕の前区画と後区画にはどのような筋が存在するか？
30. 字を書くとき，手根，手，そして指のどの筋が用いられ，またどの作用が利用されるか？
31. 脊柱起立筋はどのような筋群からなるか？
32. 腸脛靱帯を形成するものは何か？
33. 膝窩の内側縁と外側縁をつくるのはどの筋の腱か？
34. 上伸筋支帯および下伸筋支帯の働きは何か？

ホメオスタシスの観点から

外皮系
- 顔面の皮膚に停止する骨格筋を引っ張って、顔の表情をつくる。
- 筋の運動は、皮膚の血行をよくする。

骨格系
- 骨格筋は、骨における付着部を牽引して、からだの部分を動かす。
- 骨格筋は骨と関節を安定させる。

神経系
- 平滑筋、心筋、骨格筋は神経系の指令を遂行する。
- ふるえは、脳によって制御されている骨格筋の不随意収縮である。体温を上げるために熱を産生する。

内分泌系
- 骨格筋の規則的な活動（運動）は、インスリンのようなホルモンの作用を促進する。
- 筋は内分泌器官を保護する。

心臓血管系
- 心筋は、心臓のポンプ作用の動力源である。
- 血管壁中の平滑筋の収縮と弛緩によって、いろいろな組織中の血流量が調節される。
- 下肢の骨格筋の収縮は、心臓への血液の還流を助ける。
- 定期的な運動は心肥大を起こし、心臓のポンプ作用の効率を上げる。
- 骨格筋の活動によって産生される乳酸は、心臓のATP産生に使用されることがある。

筋系の役割

全身の器官系との関連
- 身体運動を引き起こす。
- 体位を安定させる。
- 体内で物質を移動させる。
- 正常の体温を維持するために熱を産生する。

リンパ系と免疫系
- 骨格筋は、リンパ節とリンパ管を保護し、リンパ管内のリンパ流を促進する。
- 運動は免疫反応を高めたり、あるいは低下させたりする。

呼吸器系
- 呼吸のときに働く骨格筋は、肺に空気を流入させ、また流出させる。
- 平滑筋線維は気道の太さを調節する。
- 喉頭筋の振動は、声帯のそばを通る空気流を調節して、発声を制御する。
- 骨格筋の収縮による咳とくしゃみは、気道の浄化に役立つ。
- 定期的な運動は呼吸効率を改善する。

消化器系
- 骨格筋は腹部内臓を保護し、支持する。
- 骨格筋の収縮と弛緩が交互に起こることで、咀嚼を促進し、嚥下を開始する。
- 平滑筋からなる括約筋は、胃腸管の臓器容積を調節する。
- 胃腸管壁の平滑筋は、胃腸管を通る内容物を混合して輸送する。

泌尿器系
- 骨格筋や平滑筋からなる括約筋、および膀胱壁の平滑筋は、膀胱内における尿の貯留あるいは排泄（排尿）を制御する。

生殖器系
- 骨格筋と平滑筋の収縮は、男性では射精を起こす。
- 平滑筋の収縮は、卵管内で卵母細胞を移送し、子宮からの月経血の流れを調節し、分娩時、子宮から胎児を娩出するのを助ける。
- 性交時、骨格筋の収縮は、男女におけるオルガスムと快感に関係している。

よくみられる病気

運動単位の構成要素である体性運動ニューロン，神経筋接合部，あるいは筋線維のうち，いずれかの疾患あるいは損傷によって，骨格筋の機能に異常が生じることがある。これらの3要素における障害は**神経筋疾患** neuromuscular diseaseと呼ばれる。これに対して，骨格筋組織自体の疾患あるいは障害はミオパシー（ミオパチー，筋原性疾患）myopathy（-pathy＝疾患）と呼ばれる。

重症筋無力症

重症筋無力症 myasthenia gravis（myまたはmyo＝筋；-asthenia＝無力）は神経筋接合部に慢性，進行性障害を引き起す自己免疫疾患である。重症筋無力症の患者の免疫系では，アセチルコリン受容体に結合して，その働きを阻害する抗体が産生される。その結果，運動終板におけるアセチルコリン受容体の数が減少してその機能が低下する（図8.4参照）。重症筋無力症患者の75％に胸腺過形成か胸腺腫瘍がみられるので，胸腺の異常がこの疾患の原因と考えられる。病気が進行すると，アセチルコリン受容体の数がさらに減少する。その結果，筋はいっそう虚弱になり，疲れやすく，最後は機能しなくなる。

重症筋無力症は約1万人に1人の割合で発症する。発症は男性より女性に多く，発症年代は女性では通常20〜40歳，男性では50〜60歳である。顔面や頸部の筋がもっとも侵されやすい。初期症状は眼筋の脱力による複視と嚥下困難である。後期には，咀嚼や会話が困難となる。最後には，四肢の筋が侵される。呼吸筋の麻痺によって死にいたることもあるが，多くの場合，病気がこの段階まで進行することはない。

筋ジストロフィー

筋ジストロフィー muscular dystrophy（dys-＝困難な；-trophy＝栄養）は，骨格筋線維が進行性に変性する筋崩壊性の遺伝性疾患群である。ジストロフィーのうちでもっとも多いのが**デュシェンヌ型筋ジストロフィー** Duchenne muscular dystrophy（DMD）である。この変異型の遺伝子は，男性には一つしかないX染色体上にあるので，その発症はほとんど男児に限られている（伴性遺伝については24章参照）。毎年，世界中で3,500人の男児のうち約1人，すなわち21,000人がこの疾患をもって生まれてくる。障害は通常2歳から5歳の間に出現する。この頃，子どもがよく転んだり，また走ったり，飛んだりはねたりが困難であることに両親が気づいてわかる。12歳までには，ほとんどの男の子は歩行ができなくなる。呼吸不全あるいは心不全のため，通常20歳から30歳の間で死にいたる。

デュシェンヌ型筋ジストロフィーでは，タンパク質のジストロフィン dystrophinをコードする遺伝子が変異しているか，ほとんど存在しないか，あるいはまったく存在しない（ジストロフィンは骨格筋線維の形質膜の構造を強化している）。ジストロフィンによる補強作用がないと，筋収縮の際に形質膜は断裂しやすくなる。形質膜が傷害されているので，筋線維は徐々に破裂して死滅する。

線維筋痛症

線維筋痛症 fibromyalgia（algia＝疼痛）は，通常25〜50歳代に出現する非関節リウマチ性の有痛性疾患である。米国では，線維筋痛症の患者数は約300万人で，女性患者の数は男性の15倍である。この疾患は筋，腱そして靱帯の線維性結合組織を侵す。顕著な徴候は，特定の"圧痛点"を軽く押すと起る痛みである。圧を加えなくても，筋，腱そして周辺の軟部組織に起る痛み，圧痛，そして硬直である。線維筋痛症の患者には，筋痛以外に，激しい疲労，睡眠障害，頭痛，うつ状態があり，日常活動ができない。治療には鎮痛薬や睡眠障害の改善に低用量の抗うつ薬を投与する。

骨格筋の異常収縮

スパズム（攣縮） spasmは筋の異常収縮の1つで，大きな筋群のうちのある筋に突然起る不随意収縮である。**痙攣 cramp**は有痛性の攣縮様の収縮である。**チック tic**は，いつもは随意に動かせる筋が不随意に攣縮様に収縮することである。例えば，眼瞼や顔面の筋にみられる攣縮がチックである。**振戦 tremor**は震えるような運動を引き起す不随意の律動的，無目的の筋収縮である。**線維束性収縮 fasciculation**は運動単位全体が不随意に短時間攣縮することで，皮膚の上からみえる。線維束性収縮は罹患筋の運動とは関係なく，不定期に起る。多発性硬化症（9章"よくみられる病気"参照）あるいは筋萎縮性側索硬化症（ルー・ゲーリック病）にみられることがある。**線維性攣縮 fibrillation**は単一筋線維の自発性収縮である。皮膚の上からはみえないが，筋電図で記録できる。線維性攣縮は運動ニューロンの障害の前兆であることがある。

ランニング関連障害

ジョギングやランニングをする人の多くは何らかの**ランニング関連障害** running related injuryを抱えている。傷害の多くは軽度であるが，かなり重症のものもある。軽症であっても，放置したり，治療が適切でなかったりすると慢性化する。ランナーの間でみられる損傷の頻発部位は，足根，膝，踵骨腱（アキレス腱），寛骨部（ヒップ），鼠径部，足と背部である。中でも，もっとも重傷例が多いのが膝である。

ランニング障害は，しばしば誤ったトレーニング法と関係がある。不適切な日常の準備運動または準備運動不足，過度のランニングや傷害後の早期開始である。硬く，また起伏した路面の長時間走行も関係がある。つくりの悪いランニングシューズあるいは，すりへったランニングシューズもまた障

害の原因となる。ランニングで悪化した生物力学的問題（例：足底弓の低下）も同じように原因となる。

ほとんどのスポーツ傷害は，最初，PRICE療法で治療すべきである。PRICEは，保護（P = protection），安静（R = rest），冷却（I = ice），圧迫（C = compression），挙上（E = elevation）を表す。さらに傷害が進行しないように保護した後，受傷部位を直ちに冷却し，挙上して，安静にする。次に，できれば，弾性包帯で損傷組織を圧迫する。2～3日間，PRICE療法を続ける。温熱は腫脹を悪化させるので暖めたくなっても我慢する。追跡治療として，受傷部位の血行増加のために温マッサージとアイスマッサージを交互に行う。時には，非ステロイド系抗炎症薬 nonsteroidal anti-inflammatory drug（NSAID）の服用，あるいは皮質ステロイドの局所注射も効果がある。回復期では，元の損傷を悪化させないような代替フィットネスプログラム（健康計画）に従って積極的に運動を行うことが大切である。この運動は医師と相談して決めるべきである。最後に，損傷部位自体の機能回復のために注意深い訓練が必要である。多くのスポーツ障害では，予防や治療にマッサージ治療を行ってもよい。

医学用語と症状

筋炎 myositis（-itis ＝ 炎症）　筋線維（筋細胞）の炎症。
筋緊張亢進症 hypertonia（hyper- ＝ 上の）　筋緊張が亢進した状態。筋が硬直して，時には正常反射に変化が起る。
筋緊張低下症 hypotonia（hypo- ＝ 下の）　筋緊張の低下または消失。
筋強直症 myotonia（-tonia ＝ 緊張）　筋の興奮性と収縮性が亢進した状態。弛緩力の低下を伴う；筋の緊張性スパズム。
筋挫傷 muscle strain　強力な衝撃を受けて起る筋の断裂で，出血と激痛を伴う。チャーリー・ホース charley horse とも呼ばれる。体接触競技でよく起り，通常，大腿前面にある大腿四頭筋で起る。
筋腫 myoma（-oma ＝ 腫瘍）　筋組織からなる腫瘍。
筋痛 myalgia（-algia ＝ 疼痛）　筋の痛みあるいは筋に関連する痛み。
筋軟化症 myomalacia（-malacia ＝ 柔らかい）　筋組織の病的軟化。

8章のまとめ

8.1　筋組織の概観

1. 筋組織には骨格筋，心筋，平滑筋の3種類がある。
2. 骨格筋組織 skeletal muscle tissue の多くは骨に付着する。横紋 striated があり，収縮は随意性 voluntary である。
3. 心筋組織 cardiac muscle tissue は心臓壁の大部分をつくる。横紋があり，収縮は不随意性 involuntary である。
4. 平滑筋組織 smooth muscle tissue は内臓に存在する。横紋がなく nonstriated，収縮は不随意性である。
5. 筋組織には四つの特性がある：(1) 電気的興奮性 electrical excitability。刺激に応答して活動電位を発生させる性質，(2) 収縮性 contractility。仕事のための張力を発生する能力，(3) 伸展性 extensibility。伸展（伸張）させることができる，(4) 弾性 elasticity。収縮後あるいは伸展後に元の長さと形に戻る能力。
6. 収縮と弛緩によって，筋組織は五つの重要な機能を行う。身体の運動を起す，体位の安定化，器官容積の調節，体内における物質の移動，熱産生である。

8.2　骨格筋組織

1. 骨格筋を包む結合組織性被膜には，筋全体を包む筋上膜 epimysium，筋束 fascicle を包む筋周膜 perimysium，そして個々の筋線維 muscle fiber を包む筋内膜 endomysium がある。腱 tendon は筋線維の先に続く結合組織で，筋を骨に付着させる。
2. 骨格筋には神経と血管が豊富である。血管は筋収縮に必要な栄養と酸素を供給する。
3. 骨格筋は筋線維（筋細胞）からなる。筋線維は筋形質膜 sarcolemma に包まれていて，筋形質膜からはトンネル状の横細管 transverse tubule が伸び出している。筋線維内には筋形質 sarcoplasm，多くの核とミトコンドリア，ミオグロビン myoglobin，筋小胞体 sarcoplasmic reticulum がある。
4. 筋線維内には筋原線維（筋細線維）myofibril がある。筋原線維は細いフィラメント（細い筋細糸）thin filament と太いフィラメント（太い筋細糸）thick filament からなる。フィラメントは筋節 sarcomere と呼ばれる機能単位の中で配列されている。
5. 太いフィラメントはミオシン myosin からなり，細いフィラメントはアクチン actin，トロポミオシン tropomyosin とトロポニン troponin からなる。

8.3　骨格筋の収縮と弛緩

1. ミオシン頭部が，筋節の両端にある細いフィラメントに付着し，細いフィラメントを筋節の中央部のほうに引き込みながら，それに沿って"歩く"と筋収縮が起る。細いフィラメントが内方に滑走するにつれて両端のZ板 Z disc が近づいて，筋節が短縮する。
2. 神経筋接合部 neuromuscular junction（NMJ）は運動ニューロン motor neuron と骨格筋線維との間のシナプスである。神経筋接合部は，運動ニューロンの軸索終末とシナプス終末球 synaptic end bulb，およびそれに近接する筋形質膜の運動終板 motor end plate からなる。
3. 1個の運動ニューロンと，それが刺激するすべての筋線維とをあわせて運動単位 motor unit と呼ぶ。単一運動単位

にはわずかに10本か，または2,000本もの筋線維が含まれることがある。

4. 神経インパルスが体性運動ニューロンのシナプス終末球に到達すると，それが引き金となってシナプス小胞から**アセチルコリン acetylcholine（ACh）**が放出される。アセチルコリンはシナプス間隙に拡散し，アセチルコリン受容体に結合して筋活動電位を発生させる。すると，**アセチルコリンエステラーゼ acetylcholinesterase** が急速にアセチルコリンを分解する。

5. 筋線維の短縮は，筋フィラメント（細いフィラメント）が滑走して筋節が短縮することで起る。これを筋収縮における**筋フィラメントの滑り機構 sliding-filament mechanism** という。

6. 筋活動電位によって筋形質内のCa^{2+}濃度が上昇すると収縮周期が開始する。Ca^{2+}濃度が低下すると収縮周期が停止する。

7. **収縮周期 contraction cycle** とはフィラメントの滑走を引き起す事象が反復することである。(1)ミオシンのATP分解酵素がATPを分解して，エネルギーを得る，(2)ミオシン頭部がアクチンについて**架橋 cross-bridge** をつくる，(3)架橋が筋節の中央部に向かって回転しながら力を発生する（**パワーストローク power stroke**），(4)ATPがミオシンに結合すると，ミオシンがアクチンから離れる。ミオシン頭部は再びATPを分解して，元の位置に戻る。ミオシン頭部はアクチンの新しい部位に結合して，収縮周期が続く。

8. Ca^{2+}ポンプは，絶えず筋形質からCa^{2+}を取り除いて筋小胞体に戻す。筋形質内のCa^{2+}濃度が低下すると，トロポミオシンがミオシン結合部位の上に滑走して戻り，それを覆う。そうすると筋線維が弛緩する。

9. 少数の運動単位が連続的に不随意に収縮すると**筋緊張 muscle tone** が発生する。筋緊張は姿勢維持に不可欠である。

8.4 骨格筋組織の物質代謝

1. 筋線維にはATP産生のための供給源として，クレアチンリン酸，嫌気性解糖，好気性呼吸の三つがある。

2. **クレアチンリン酸 creatine phosphate** から高エネルギーリン酸の一つがADPに移動すると新しいATP分子がつくられる。クレアチンリン酸とATPが供給するエネルギーによって，筋は約15秒間，最大限に収縮することができる。

3. 解糖反応においてグルコースはピルビン酸に変換される。これによって，無酸素状態で2分子のATPがつくられる。この**嫌気性解糖 anaerobic glycolysis** と呼ぶ反応が供給するATPによって，最大限の筋活動を約2分間行うことができる。

4. 30秒間以上続く筋活動は，**好気性呼吸 aerobic respiration**，すなわち，ミトコンドリアにおいて，酸素を用いてATPを産生する反応によって行われる。好気性呼吸では1分子のグルコースから30〜32分子のATPが産生される。

5. **筋疲労 muscle fatigue** とは長時間の活動後，筋を強く収縮できなくなることである。

6. 運動後に酸素消費が高まることを**回復酸素摂取 recovery oxygen uptake**（酸素負債 oxygen debt）と呼ぶ。

8.5 筋張力の調節

1. **単収縮（攣縮）twitch contraction** とは，一つの運動単位におけるすべての筋線維が，単一活動電位に応答して，短時間収縮することである。

2. 筋収縮を記録したものを**筋電図 myogram** と呼び，潜伏期（潜時），収縮期，弛緩期からなる。

3. 筋が完全に弛緩する前に，最初の刺激に続いて次の刺激が到達すると，筋の収縮力が亢進する。これを**波の加重 wave summation** と呼ぶ。

4. **不完全強縮 unfused (incomplete) tetanus** とは，反復刺激によって起り，刺激と刺激の間に部分的な弛緩を伴う持続的収縮である。さらに速い反復刺激では**完全強縮 fused (complete) tetanus** が起る。これは刺激と刺激の間で部分的弛緩が起らない持続的収縮である。

5. **運動単位の動員 motor unit recruitment** は活動している運動単位の数が増える過程である。

6. 構造と機能に基づいて，骨格筋線維は**遅筋-酸化型線維（SO線維）slow oxidative (SO) fiber，速筋-酸化・解糖型線維（FOG線維）fast oxidative-glycolytic (FOG) fiber** と**速筋-解糖型線維（FG線維）fast glycolytic (FG) fiber** とに分類される。

7. 多くの骨格筋では，上述の3種類の筋線維が混在している。その割合はその筋の代表的な活動によって異なる。

8. 筋の運動単位は，SO線維，FOG線維，そしてFG線維の順で動員される。

8.6 運動と骨格筋組織

1. いろいろな種類の運動によって骨格筋線維を変化させることができる。持久型（有酸素）運動を行うと速筋-解糖型線維（FG線維）を徐々に速筋-酸化・解糖型線維（FOG線維）に変化させることができる。

2. 短時間に強い力を必要とする運動を行うと，速筋-解糖型線維（FG線維）が太く，強くなる。筋が太くなるのは太いフィラメントと細いフィラメントの合成が高まるためである。

8.7 心筋組織

1. 横紋筋であって不随意収縮を行う心筋組織は心臓にのみ存在する。

2. 心筋線維では，通常，1個の核が細胞の中心にあり，線維は分岐している。

3. 心筋線維は**介在板 intercalated disc** で連結している。介在板によって心筋線維が互いに保持されているので，筋の活動電位が心筋線維から心筋線維へとすばやく伝播する。

4. 心筋線維は固有の自己律動性線維に刺激されて収縮する。この連続的，律動的活動（**自己律動性 autorhythmicity**）のために，心筋線維におけるATPの産生は好気性呼吸によるところが大きい。

8.8 平滑筋組織

1. 平滑筋組織は横紋がなく，収縮は不随意性である。

2. 平滑筋線維には，太いフィラメントと細いフィラメント

以外に，中間径フィラメント intermediate filament と暗調小体 dense body が存在する。
3. 内臓型（シングルユニット型）平滑筋組織 visceral (single-unit) smooth muscle tissue は中空器官と細血管壁に存在する。多数の内臓型線維は網工を形成していて，一斉に収縮する。
4. マルチユニット型平滑筋組織 multiunit smooth muscle tissue は大血管，肺にいたる太い気道，立毛筋や内眼筋に存在する。マルチユニット型平滑筋線維は，一斉ではなくて，個々に独立して収縮する。
5. 収縮と弛緩の持続時間は骨格筋より平滑筋のほうが長い。平滑筋の緊張 smooth muscle tone は平滑筋組織が部分的に連続収縮している状態である。
6. 平滑筋線維は著しく伸張されても，なお収縮する能力を保持している。
7. 平滑筋線維は神経インパルス，伸展，ホルモン，そして局所因子に応答して収縮する。
8. 3種類の筋組織の特徴は表8.1にまとめてある。

8.9 加齢と筋組織

1. ゆっくりとした進行性の骨格筋の減少がほぼ30代で始まり，骨格筋は線維性結合組織と脂肪で置き換わる。
2. 加齢によって，筋力低下，筋反射の遅れと柔軟性の低下が起る。

8.10 骨格筋はどのようにして運動を起すか

1. 骨格筋 skeletal muscle は骨に付着した腱を牽引して運動を引き起す。
2. 動かないほうの骨への付着部が起始 origin である。動くほうの骨への付着部が停止 insertion である。
3. 主動筋 prime mover (agonist) は目的の作用を起す。拮抗筋 antagonist は反対の作用を起す。協力筋 synergist は不必要な運動を少なくして，主動筋を補助する。固定筋 fixator は，主動筋がもっと効率よく作用できるように主動筋の起始を安定させる。

8.11 主要な骨格筋

1. 主要な骨格筋はからだの部位によって分類されている（8.11節）。
2. 筋群を学ぶとき，各筋群が，それ以外の筋群とどのような関係にあるかを図8.13で調べなさい。
3. 大多数の骨格筋の名称は筋に固有の特徴を示している。
4. 筋は，線維の方向，所在，大きさ，起始の数，形，起始，停止，そして作用によって分類される（表8.2参照）。
5. 顔面の表情筋は，収縮すると関節ではなくて，皮膚を動かしてさまざまな感情を表現することができる。
6. 表情筋のおかげで，多様な感情が表現できる。
7. 顎関節で下顎骨を動かす筋は咀嚼筋 mastication としてよく知られている。
8. 咀嚼筋は咀嚼だけでなく構音の働きもしている。
9. 眼球を動かす外眼筋は，人体において，収縮速度がもっとも速く，もっとも精密に制御されている骨格筋に属する；眼球を挙上，下制，外転，内転，内旋，そして外旋する。
10. 上眼瞼を動かす筋は眼を開ける。
11. 腹部の筋は，腹部内臓を保持して，保護し，また，脊柱を動かす。
12. これらの筋は，腹部を圧迫して排便，排尿，分娩に必要な力を発生させるのを助ける。
13. 呼吸のときに働く胸郭の筋は，吸息と呼息が起るように胸腔の大きさを変える。
14. 心臓への静脈還流を助ける。
15. 上肢帯を動かす胸郭の筋が肩甲骨を安定化させるので，肩甲骨は上腕骨を動かす多くの筋の安定した起始として機能することができる。
16. これらの筋はまた肩甲骨を動かして上腕骨の可動域を広げる。
17. 上腕骨を動かす胸郭の筋は，通常，肩甲骨から起る（上肢帯筋）。
18. それ以外の筋は，軸骨格から起る（軸骨筋）
19. 橈骨と尺骨を動かす上腕の筋は，肘関節で屈曲と伸展を行う。
20. これらの筋は屈筋区画と伸筋区画を構成する。
21. 手根，手，指を動かす前腕の筋は数多く，また種類も多い。
22. 筋群は，所在と機能によって，前コンパートメント（屈筋コンパートメント）の筋群と後コンパートメント（伸筋コンパートメント）の筋群とに区分される。
23. 頸部と背部には脊柱を動かす筋がいろいろある。
24. それらには，脊柱を屈曲させる筋群と脊柱を伸展させる筋群とがある。
25. 殿部には大腿骨を動かすいろいろな筋がある。
26. これらの筋によって，股関節の屈曲，伸展，外転，内転，内旋，外旋などのいろいろな運動ができる。
27. 大腿骨および脛骨と腓骨を動かす大腿の筋は，寛骨や大腿骨から起る。
28. これらの筋は，内側区画（内転筋区画），前区画（伸筋区画），および後区画（屈筋区画）に分かれている。
29. 足と足趾を動かす筋は下腿にある。
30. これらの筋によって，足関節の背屈，底屈，内反，外反，屈曲，伸展などのいろいろな運動ができる。

クリティカルシンキングの応用

1. 地元の病院のための資金集めに，持ち寄りの夕食会が開かれた．その後，ボツリヌス中毒が数例発症したという記事が新聞に載った．**ボツリヌス菌** *Clostridium botulinum* で"味付けした"三つ豆(三色豆)サラダが原因のようであった．ボツリヌス中毒になると筋の機能はどうなるだろうか？
2. アリの甥がキーキーと声をあげて笑っていた．アリが，すぼめた口に親指を突っ込んだり，眉を上げたり，腕の上げ下ろしをしたり，頬を膨らましたりへこましたりしてあやしていたのだった．アリが顔を動かすのに使っていた筋の名称を挙げなさい．
3. 6週間ほどたって，ケイトはようやくギプス包帯を外せることになった．これでまたバレーボールのチームに戻れると思ったが，大腿の太さが左では右の半分しかなかった．一体大腿はどうなったのだろうか．どうすればもう一度試合に戻れるようになれるのか．
4. テレビでオリンピックの陸上競技を観ていたら「どうしてマラソン選手より短距離選手のほうが脚の筋が大きいのか」と妹が聞いてきた．どう説明すればよいだろうか？

図の質問の答え

8.1　結合組織層は，内から外の順に，筋内膜，筋周膜，筋上膜である．
8.2　A帯の中央部は太いフィラメントからなり，両端は太いフィラメントと細いフィラメントが重なっている．I帯は細いフィラメントからなる．
8.3　A帯にはミオシン，アクチン，トロポニンとトロポミオシンが，I帯にはアクチン，トロポニンとトロポミオシンが存在する．
8.4　運動終板は軸索終末が近接する筋形質膜の領域である．
8.5　I帯は消失する．太いフィラメントと細いフィラメントの長さは変らない．
8.6　ATPがミオシン頭部に結合するとミオシン頭部がアクチンから離れる．
8.7　パワーストロークが発生するのは6番目の段階である．
8.8　解糖，クレアチンリン酸とADPの間でのリン酸の受け渡し，グリコーゲンの分解はサイトゾルで行われる．ピルビン酸，アミノ酸，脂肪酸の酸化(好気性呼吸)はミトコンドリアで行われる．
8.9　筋節が短縮しているのは収縮期である．
8.10　刺激頻度が毎秒約80～100回に達すると，完全強縮が起る．
8.11　中空器官の壁に存在するのは内臓型(シングルユニット型)平滑筋である．
8.12　目的とする運動を引き起すのは主動筋である．
8.13　(ほかにも正答はあるが)考えられる解答は次の通りである．線維の方向―外腹斜筋；形状―三角筋；作用―[総]指伸筋；大きさ―大殿筋；起始と停止―胸鎖乳突筋；所在―前脛骨筋；起始の数―上腕二頭筋．
8.14　微笑―大頬骨筋；唇を尖らす―広頸筋；眼を細める―眼輪筋．
8.15　上斜筋が滑車を通る．
8.16　排尿を助けるのは腹直筋である．
8.17　横隔膜と外肋間筋が正常の平静吸息の際に収縮する．
8.18　肋骨から起るのは小胸筋と前鋸筋；椎骨から起るのは僧帽筋，肩甲挙筋と大菱形筋である．
8.19　大胸筋と広背筋は肩関節を越えるが肩甲骨からは起らない(訳注：広背筋は肩甲骨下角からも起始する)．
8.20　区画は，四肢において機能的に関係のある骨格筋群とそれらに分布する血管と神経をさす．
8.21　屈筋支帯と関係があるのは正中神経である．
8.22　脊柱起立筋は腸肋筋，最長筋，そして棘筋からなる．
8.23　大腿四頭筋は大腿直筋，外側広筋，内側広筋および中間広筋からなり，ハムストリングは大腿二頭筋，半腱様筋そして半膜様筋からなる．
8.24　シンスプリントで障害を受けるのは前脛骨筋である．

CHAPTER 9

神経組織

神経系 nervous system はからだのすべての神経組織から形成されている。からだをつくる11の器官系の中で，神経系と内分泌系がもっともホメオスタシスの維持に重要な役割を果たしている。本章および次章からの3章で取り扱う神経系は，神経インパルスを用いることで，からだの諸機能を迅速に調節することができる。内分泌系は概して作用がより遅く，分泌したホルモンを血流が体中の細胞に運ぶことによってホメオスタシスに影響を与える。ホメオスタシスの維持を助けるかたわら，神経系は私たちの知覚，行動，記憶を担っている。また，すべての随意運動を開始させる。

> **先に進むための復習**
> - イオンチャネル（3.3節）
> - ナトリウム-カリウムポンプ（3.3節）
> - 神経組織（4.6節）
> - 皮膚の感覚神経終末と感覚受容器（5.1節）
> - 神経筋接合部におけるアセチルコリンの放出（8.3節）

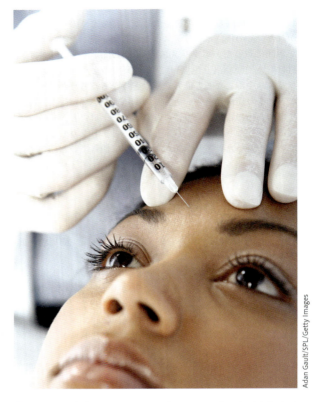

Q 局所麻酔がどうなっているのか疑問に思ったことはありませんか？ 答えは9.3節の「臨床関連事項：局所麻酔薬」でわかるでしょう。

9.1 神経系の概観

目 標
- 神経系の構成を述べる。
- 神経系の三つの基本機能を説明する。

神経系の構成

神経系は何十億という数のニューロン（神経細胞）とさらにそれを上回る数のグリア細胞（神経膠細胞）からなる複雑なネットワークである。この系は二つの主な下位の系，中枢神経系と末梢神経系に分けられる。神経系の正常時の働きや障害について取り扱う医学の分野を**神経学** neurology（neuro- ＝神経，神経系；-logy ＝学）という。**神経科医** neurologist は神経系の失調を診断，処置する医師である。

中枢神経系　中枢神経系 central nervous system (CNS) は脳と脊髄からなっている（図9.1a）。脳 brain は CNS の一部で，頭蓋骨の中に納まっており，約850億のニューロンを含んでいる。脊髄 spinal cord は後頭骨の大後頭孔を通して脳に直接つながっており，脊柱を形成する骨格により周囲を保護されている。脊髄には約1億のニューロンが含まれている。CNS は入ってくるさまざまな種類の感覚情報を処理する。CNS は思考，記憶，情緒の源でもある。筋を刺激して収縮させる，あるいは腺を刺激して分泌を促す信号のほとんどは CNS でつくり出される。

末梢神経系　末梢神経系 peripheral nervous system (PNS) は CNS の外部にあるすべての神経組織からなる（図9.1a）。PNS の構成要素には神経と感覚受容器がある。**神経** nerve は数百から数千の軸索の束とそれに付随する結合組織および血管からなり，脳と脊髄の外部に広がっている。12対の**脳神経** cranial nerve が脳から，31対の**脊髄神経** spinal nerve が脊髄から出ている。それぞれの神経は決められた経路を

9.1 神経系の概観 **237**

図9.1 **神経系の構成。**(a)神経系の下位分類。(b)神経系構成図。青枠は末梢神経系(PNS)の感覚要素，赤枠はPNSの運動要素，緑枠は効果器(筋および腺)を表す。

> 神経系は脳，脳神経，脊髄，脊髄神経，神経節，腸神経叢，感覚受容器からなる。

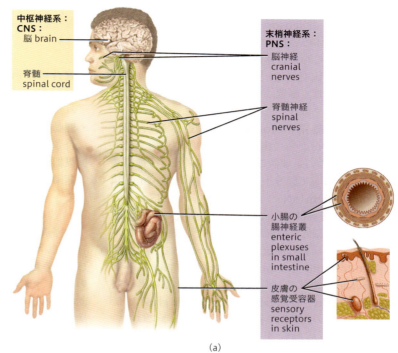

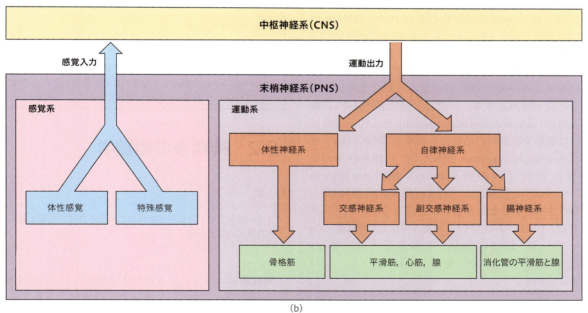

Q あなた自身のからだには何本の脳神経と脊髄神経があるか？

通り，からだの特定の領域に達する。**感覚受容器** sensory receptor とは神経系の構造のうち，内部もしくは外部環境の変化を監視するものをさす。例えば，皮膚の触覚受容器，眼の光受容器，鼻の嗅覚（におい）受容器がある。

PNS は感覚系および運動系に分けられる（図 9.1 b）。PNS の **感覚系** sensory division（**求心系** afferent division）は身体の感覚受容器から入力情報を CNS に運ぶ。つまりこの系は**体性感覚** somatic senses（触覚，温覚，痛覚，固有感覚）と**特殊感覚** special senses（嗅覚，味覚，視覚，聴覚，平衡感覚）の感覚情報を CNS に供給するのである。

PNS の **運動系** motor division（**遠心系** efferent division）は CNS からの出力情報を効果器（筋肉や分泌腺）に運ぶ。この系はさらに体性神経系と自律神経系に区分される（図 9.1 b）。**体性神経系** somatic nervous system（SNS；somat- ＝体）は，CNS からの出力を**骨格筋** skeletal muscle のみに伝える。この運動性応答は意識的に制御することができるので，PNS のこの部分の活動は**随意的** voluntary である。**自律神経系** autonomic nervous system（ANS；auto- ＝自ら；-nomic ＝律する）は，CNS からの出力を**平滑筋** smooth muscle，**心筋** cardiac muscle，**腺** gland に伝える。通常この運動性応答は意識的な制御下にはないので，ANS の活動は**不随意的** involuntary である。ANS は**交感神経系** sympathetic nervous system と**副交感神経系** parasympathetic nervous system の二つの系統で構成されている。いくつかの例外を除けば，効果器はそれら双方からの神経を受け入れており，通常それらは逆の作用をもたらす。例えば，交感神経系のニューロンは心拍を速め，副交感神経系のニューロンは減速する。一般に，副交感神経系は"休息と消化"反応 rest-and-digest activity を支え，交感神経系は運動や緊急時の活動，いわゆる"闘争・逃走"反応 fight-or-flight response を支える。自律神経系の三つ目の系統は**腸神経系** enteric nervous system（ENS；enteron ＝腸）で，消化管（GI tract）壁に限局して存在する，1 億を超えるニューロンのネットワークである。ENS は消化管の平滑筋や腺の活動制御に関わっている。ENS は独立して機能してはいるが，ANS のほかの系統と連絡をとっており，また，制御も受けている。

神経系の機能

神経系は一連の複雑な仕事をこなしている。それによって，いろいろなにおいを嗅ぎ分けたり，言葉を発したり，過去の出来事を思い出したりできる。さらには，からだの動きをコントロールする信号を出したり，内臓の働きを制御している。これらの広範囲にわたる活動は，感覚（入力），統合（処理），運動（出力）という三つの基本的な機能に分けることができる。

- **感覚機能** sensory function：感覚受容器は，血圧の上昇のような体内の刺激や，例えば腕に落ちる雨粒などの体外からの刺激を受け取る。この感覚情報は脳神経や脊髄神経を通り脳や脊髄に運ばれている。
- **統合機能** integrative function：感覚情報を分析し，適切な反応のための**意志決定（処理）**を行う。これが**統合** integration である。
- **運動機能** motor function：ひとたび感覚刺激が統合されれば，神経系は脳神経や脊髄神経を介して**効果器** effector（筋や腺）を活動させることで**適切な運動性応答を返す**ことができる。効果器が刺激されると，筋なら収縮，腺なら分泌を行う。

神経系のこの三つの基本機能は，例えば携帯電話の音を聞いてそれに出る際に発揮される。携帯電話の呼び出し音は耳の感覚受容器を刺激する（感覚機能）。その後，この聴覚情報は脳に伝えられ，処理されて，電話に出るという決定がなされる（統合機能）。そして脳は特定の筋肉に収縮を指令することで，電話をつかみ，しかるべきボタンを押して応答することができる（運動機能）。

> **チェックポイント**
> 1．感覚受容器の目的は何か？ 効果器の目的は何か？
> 2．SNS, ANS, ENS の構成要素と機能は何か？
> 3．PNS の下位分類のうち随意的な活動を司っているのはどれか？不随意的な活動を司っているのはどれか？

9.2 神経系の組織学

目標

- ニューロンとグリア細胞の組織学的特徴と機能を比較する。
- 灰白質と白質を区別する。

神経組織はニューロンとグリア細胞の 2 種類の細胞から成り立っている。ニューロンは感じる，考える，覚える，筋活動の制御，腺分泌の制御といった神経系に特徴的な機能のほとんどをもたらす。グリア細胞はニューロンを支え，栄養を与え，保護する役割があり，ニューロンを取り巻く間質液のホメオスタシスを維持している。

ニューロン(神経細胞)

筋肉と同様，ニューロン neuron (nerve cell) も**電気的興奮性** electrical excitability を有し，刺激に反応してそれを活動電位に変換する。**刺激** stimulus とは環境における何らかの変化であり，活動電位を引き起こすのに十分な強さをもつ。**活動電位** action potential (インパルス impulse) とはニューロンまたは筋線維の細胞膜の表面を伝播する(伝わる)電気信号のことである。

ニューロンの構成要素 ニューロンは通常三つの部分からなる。(1)細胞体，(2)樹状突起，(3)軸索である(図 9.2)。**細胞体** cell body (soma) は核とそのま

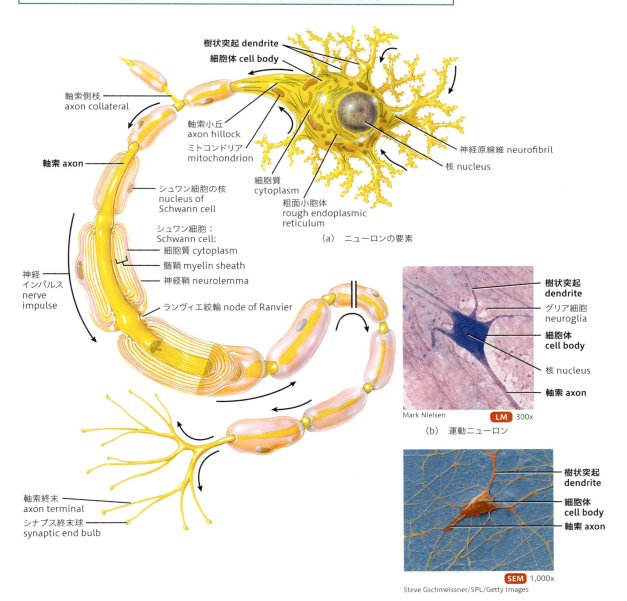

図 9.2 典型的な多極ニューロンの構造。複数の樹状突起と1本の軸索を有する多極ニューロン。矢印は情報の流れる向き：樹状突起→細胞体→軸索→軸索終末→シナプス終末球。

ニューロンの基本的な構成要素は樹状突起，細胞体，および1本の軸索である。

(a) ニューロンの要素

(b) 運動ニューロン

Q 軸索や軸索終末はニューロン間の情報伝達においてどのような働きをしているか？

わりの細胞質からなり，細胞質中には粗面小胞体，リソソーム，ミトコンドリア，ゴルジ体といった典型的な細胞小器官が存在する。ニューロン活動に必要な細胞内分子のほとんどは細胞体でつくられる。CNS の外部にある神経細胞体の集合体は**神経節 ganglion** と呼ばれる。

ニューロンの細胞体からは 2 種類の突起が出ている。多くの樹状突起と 1 本の軸索である。細胞体と**樹状突起 dendrite**（＝小さな樹々）はニューロンの受容（入力）部位である。通常，樹状突起は短く尖っていて，高度に分枝した枝状の突起の列を細胞体から突出させている。もう 1 種類の突起である**軸索 axon** は，神経インパルスをほかのニューロンや筋線維，あるいは腺細胞に伝える。軸索は長い円筒状の突起で，多くの場合，**軸索小丘 axon hillock**（＝小さな丘）と呼ばれる円錐形の隆起で細胞体とつながっている。インパルスは通常軸索小丘で生じ，軸索に沿って伝わっていく。軸索によっては**軸索側枝 axon collateral** と呼ばれる枝分れを伴うものもある。軸索および軸索側枝は**軸索終末 axon terminal** と呼ばれる無数の細かな突起に分かれて終わる。

二つのニューロンあるいはニューロンと効果器細胞が情報伝達を行うところを**シナプス synapse** という。ほとんどの軸索終末の先端は膨らんで**シナプス終末球 synaptic end bulb** を形成している。この球状構造の中には**シナプス小胞 synaptic vesicle** があり，その小さな袋の中には**神経伝達物質 neurotransmitter** と呼ばれる物質が蓄えられている。シナプス小胞から放出される神経伝達物質は，化学シナプスにおける通信の手段となる。

ニューロンの分類 からだ中のさまざまなニューロンを分類するには，構造的，機能的特徴が用いられる。

構造的分類 構造的にはニューロンは細胞体から延びる突起の数に基づいて分類される（図 9.3）。

- **多極ニューロン multipolar neuron** は通常いくつかの樹状突起と 1 本の軸索をもっている（図 9.3 a）。脳と脊髄のほとんどのニューロンはこのタイプである。
- **双極ニューロン bipolar neuron** は主たる樹状突起を 1 本と軸索を 1 本もっている（図 9.3 b）。これらは眼の網膜，内耳，脳の嗅覚野 olfactory area（olfact＝嗅ぐ）にみられる。

図 9.3　ニューロンの構造的分類。切れている部分は，本来の軸索は図示されているよりも長いことを示す。

多極ニューロンは細胞体から多数の，双極ニューロンは 2 本の，単極ニューロンは 1 本の突起が出ている。

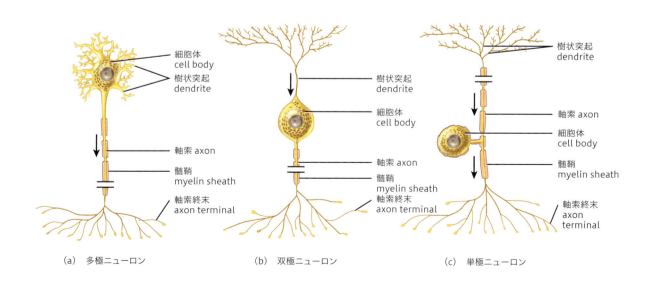

(a) 多極ニューロン　　(b) 双極ニューロン　　(c) 単極ニューロン

Q CNS のニューロンでもっとも豊富に存在するのは図中のどのタイプのニューロンか？

- **単極ニューロン** unipolar neuron はいくつかの樹状突起と1本の軸索をもち，これらは融合して単一の突起となって細胞体から突き出ている（図9.3 c）。これらのニューロンは，胎児の中では双極ニューロンとして開始する。発生に伴い軸索と樹状突起が融合して単一の突起となる。ほとんどの単極ニューロンの樹状突起は，触覚，圧覚，痛覚，温度感覚といった感覚刺激を検知する**感覚受容器** sensory receptor として機能する。単極ニューロンにおいては神経インパルスは樹状突起と軸索の境目で発生する。発生したインパルスはシナプス終末球へ向かって伝わる。ほとんどの単極ニューロンの細胞体は，脊髄神経および脳神経の神経節内にある。

機能的分類　機能的には，ニューロンは CNS との位置関係において神経インパルス（活動電位）が運ばれる方向をもとに分類される。

- **感覚ニューロン** sensory neuron（**求心性ニューロン** afferent neurons（af- ＝向かって；-ferrent ＝運ばれた））は末端（樹状突起）に感覚受容器を有しているか，あるいは独立した細胞としての感覚受容器のすぐ後ろに位置している。ひとたび適刺激が感覚受容器を活性化すると，感覚ニューロンは活動電位を軸索上に発生し，活動電位は脳神経または脊髄神経を通って CNS に運ばれる。ほとんどの感覚ニューロンは構造的には単極である。
- **運動ニューロン** motor neuron（**遠心性ニューロン** efferent neuron（ef- ＝遠くへ））は活動電位を CNS から脳神経または脊髄神経を通して末梢（PNS）の**効果器** effector（筋および腺）へ伝える。ほとんどの運動ニューロンは構造的には多極である。
- **介在ニューロン** interneuron（association neuron）は CNS 中の感覚および運動ニューロンの間に存在している。介在ニューロンは感覚ニューロンからの感覚情報を統合（処理）し，適切な運動ニューロンを活性化する形で運動性応答を出力する。ほとんどの介在ニューロンは構造的には多極である。

グリア細胞（神経膠細胞）

グリア細胞 neuroglia（-glia ＝糊）または単に**グリア** glia は CNS の体積の約半分を占める。この名称は，初期の組織学者が，これらの細胞を神経組織を接着する"膠"に相当すると考えたことに由来する。いまでは，グリア細胞は，神経組織の働きに関して単なる傍観者ではなく，むしろ積極的にかかわっていることが知られている。一般的に，グリア細胞はニューロンよりも小さいが，数的には5〜25倍存在する。ニューロンとは異なり，グリア細胞は活動電位を発生したり伝えたりはせず，成熟した神経系の中においても分裂し増殖することができる。外傷や病気の際には，グリア細胞が増殖して以前ニューロンが占めていた空間を埋め尽くしてしまう。グリア細胞に起因する脳腫瘍を**神経膠腫** glioma といい，非常に悪性度が高く，増殖が速い傾向がある。6種類のグリア細胞のうち4種類（星状膠細胞 astrocyte，希突起膠細胞 oligodendrocyte，小膠細胞 microglial cell，上衣細胞 ependymal cell）は CNS のみにみられる。ほかの2種類（シュワン細胞 Schwann cell，衛星細胞 satellite cell）は PNS に存在する。表9.1 にグリア細胞の型と機能を示す。

髄鞘化

私たちのニューロンの軸索のほとんどは，脂質とタンパク質からなる層状の被覆構造である**髄鞘** myelin sheath（ミエリン鞘）が取り巻いている（図9.2 参照）。髄鞘は電線の絶縁被覆のようにニューロンの軸索を絶縁し，神経インパルスの伝導速度を高めている。PNS ではシュワン細胞，CNS では希突起膠細胞が軸索および自らの周囲を巻き込むようにして髄鞘を形成することを思い出そう（表9.1 参照）。ついには軸索の周囲を100層も取り巻き，あたかもトイレットペーパーのボール紙の芯を取り巻く幾重もの紙の層のようになる。**ランヴィエ絞輪** node of Ranvier と呼ばれる間隙（ギャップ）が髄鞘中に軸索に沿って繰り返し現れる（図9.2 参照）。髄鞘をもつ軸索を**有髄** myelinated，もたないものを**無髄** unmyelinated という。

出生後成長に伴い髄鞘の総量は増加し，それにより神経インパルスの伝導速度は劇的に増大する。子どもが話し始める頃には，ほとんどの髄鞘が部分的にできあがっている状態で，髄鞘形成は10代に入るまで続く。幼児の刺激に対する応答が年長の子どもや大人に比べゆっくりでかつ統制を欠いているのは，一つには幼児期にはまだ髄鞘化が進行途上であることによる。多発性硬化症（章末"よくみられる病気"参照）やテイ-サックス病（3.4 節）などの病気は髄鞘を破壊する。

神経組織の集合

神経組織の構成要素はさまざまに集合体を形成する。神経細胞体はしばしば集合して細胞群をつくる。神経軸索は通常，集合して神経束を形成している。さらに，広範囲の神経組織は集合して灰白質や白質となる。

神経細胞体の集合体
神経節 ganglion（複数形 ganglia）が PNS に位置するニューロン細胞体の集合体であることを思い出そう。前述のように，神経節は

表 9.1 中枢神経系と末梢神経系のグリア細胞

グリア細胞の型	機能	グリア細胞の型	機能
中枢神経系 central nervous system			
星状膠細胞 astrocyte (astro- ＝星；-cyte ＝細胞)	ニューロンの支持；ニューロンの有害物質からの保護；神経インパルスの発生に適した環境の維持；脳発生時のニューロンの成長と移動の補助；学習と記憶への役割；血液脳関門形成の補助。	希突起膠細胞 oligodendrocyte (oligo- ＝少ない；dendro- ＝樹)	近傍にあるいくつかのCNSニューロンの髄鞘形成および維持。
小膠細胞 microglial cell (micro- ＝小さい)	侵入してきた微生物を飲み込むことによりCNS細胞を病気から守る；傷害された神経組織領域へ移動し，死滅した細胞の残渣を取り除く。	上衣細胞 ependymal cell (epen- ＝上の；dym- ＝まとう)	脳室（脳脊髄液で満たされた空洞）と脊髄の中心管に沿って並んでいる；脳脊髄液の産生とその循環の維持。
末梢神経系 peripheral nervous system			
シュワン細胞 Schwann cell (SCHVON)	PNSの単一ニューロン軸索の周囲の髄鞘の形成と維持；PNS軸索の再生に関与。	衛星細胞 satellite cell （外套細胞）	末梢神経節のニューロンを支持し，ニューロンと間質液の間の物質交換を制御。

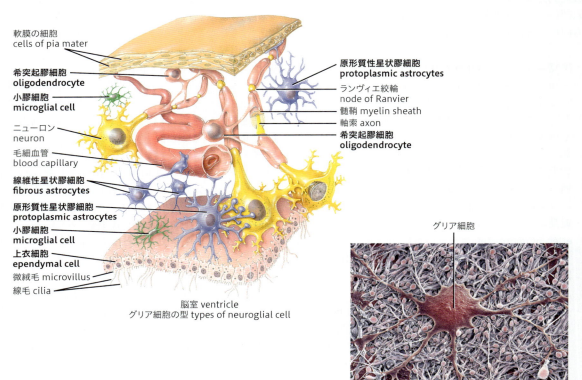

グリア細胞の型 types of neuroglial cell

Thomas Deerinck/Science Source Images SEM

脳神経および脊髄神経と密接な関連がある。対して，**核** nucleus は CNS 中に位置する神経細胞体の集合体である。

軸索束　神経 nerve は PNS の軸索の束（軸索束 axon bundle）である。脳神経は脳と末梢をつなぎ，脊髄神経は脊髄と末梢をつないでいる。**神経（伝導）路** nerve tract は CNS 内の軸索の束である。神経路は脊髄や脳内のニューロンを連結している。

灰白質と白質　新鮮な脳や脊髄の断面をみると，ある部分は白く輝いており，ほかの部分は灰色がかってみえる。神経組織の**白質** white matter は主として有髄軸索からなっている。白質という名称は髄鞘の白っぽい色に由来している。神経組織の**灰白質** gray matter はニューロンの細胞体，樹状突起，無髄軸索，軸索終末およびグリア細胞からなる。比較的灰色がかってみえるのは，細胞小器官が灰色を呈するのと，この領域には髄鞘がほとんどあるいはまったくないためである。白質，灰白質のいずれの領域にも血管は存在する。脊髄では，想像力次第だが，蝶のようなH形をした灰白質の芯を白質が取り巻いている（図10.1参照）。脳では，薄い灰白質の殻（皮質）が脳のもっとも大きな部分である大脳と小脳の表面を覆っている（図10.10，図10.11参照）。

> **臨床関連事項**
>
> **神経再生**
>
> ヒトのニューロンの**再生** regeneration 能力，すなわち自分自身を修理したりつくり直したりする能力は非常に限られたものである。PNS の場合は，細胞体が無事で，シュワン細胞がきちんと機能しさえすれば，軸索や樹状突起は修復できることもある。受傷した部分のいずれの側からもシュワン細胞が有糸分裂により相手側に向かって増殖してきて，傷口を横切って**再生管** regeneration tube がつくられる。管は近位の部位から傷口を越えて以前本来の軸索があった遠位の部位に向かう軸索の再成長を補助する。再成長はゆっくりと進行するが，一つには，必要とされる多くの物質が細胞体の産生部位から成長部位まで数センチから数十センチも運ばれなければならないためである。新しい軸索は，切断による間隙が瘢痕組織で満たされてしまうと伸張できない。CNS では，たとえ細胞体が無傷であっても，切れた軸索は通常元には戻らない。脳と脊髄における神経再生の抑制は次の二つの理由によると思われている。(1) グリア細胞，とくに希突起膠細胞による抑制効果。(2) 胎生期に存在していた成長刺激要因の欠落。

> **チェックポイント**
> 4. ニューロンの構造的，機能的分類の例をいくつか挙げなさい。
> 5. 髄鞘とは何か，またこれはなぜ重要か？

9.3 活 動 電 位

目　標

・神経インパルスがどのように発生し，伝えられるかを述べる。

　ニューロンは神経活動電位（神経インパルス）を利用して互いに情報を伝えあっている。筋活動電位に対する応答として筋線維（筋細胞）が収縮するという8章の内容を思い出そう。活動電位の発生は，筋細胞においてもニューロンにおいても，細胞膜の二つの基本的な特性によるもので，これは静止膜電位の存在と特異的なイオンチャネルを有することである。体細胞は**膜電位** membrane potential と呼ばれる，細胞膜内外での帯電状態の差を示す。膜電位は電池に蓄えられた電圧のようなものである。膜電位を有する細胞は**分極** polarized しているという。筋線維やニューロンが"静止"（活動電位を伝えていない）状態にあるとき，膜を横切る電位は**静止膜電位** resting membrane potential（あるいは単に静止電位 resting potential）と呼ばれる。

　電池の陽極と陰極を金属片を用いて接続すれば（ゲームコントローラーの電池入れをみてみよう），電子によって運ばれる**電流** electrical current が電池から流れ出し，好きなゲームをプレーすることができる。生体組織においては，電子ではなく，**イオン** ion の流れが電流を担っている。膜を横切ってイオンが流れるための主な通り道はさまざまなタイプのイオンチャネルを介したものとなる。

イオンチャネル

　イオンチャネルが開くと，特定のイオンが細胞膜を横切って濃度の高い側から低い側へ拡散できるようになる。同様に，正電荷を帯びたイオンは負に帯電した側に向かって，負電荷を帯びたイオンは正電荷を帯びた側に向かって移動する。イオンが細胞膜を横切って拡散し，電荷または濃度の違いをなくそうとすると，その結果，電流が生じ，膜電位が変化する。

　イオンチャネルの開閉は"ゲート gate"によって行われる。ゲートはチャネルタンパクの一部であり，チャネル細孔 channel pore を閉鎖したり，移動して細孔

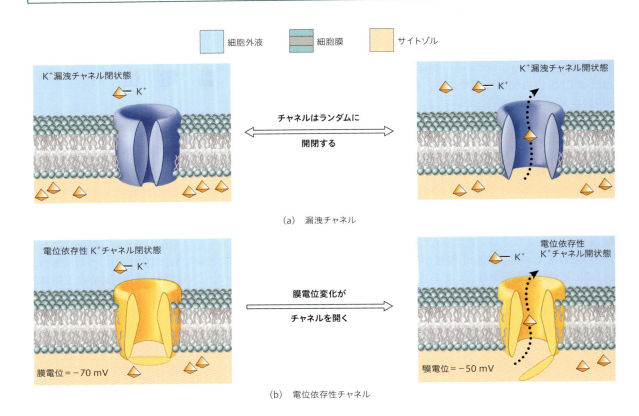

図9.4 細胞膜上のイオンチャネル。

ニューロンや筋線維の電気信号は，漏洩チャネルや電位依存性チャネルによって発生する。

(a) 漏洩チャネル

(b) 電位依存性チャネル

Q 何が電位依存性チャネルを開かせるのか？

を開放したりできる（図3.5参照）。ニューロンや筋線維にあるさまざまなイオンチャネルのうち，ここでは漏洩チャネルと開閉チャネルの二つのタイプを取り扱う。**漏洩チャネル leak channel** のゲートは開状態の位置と閉状態の位置との間を不規則に移動している（図9.4 a）。典型的には，細胞膜にはカリウムイオン(K^+)漏洩チャネルのほうがナトリウムイオン(Na^+)漏洩チャネルよりも多く存在するため，K^+ に対する透過性は Na^+ に対する透過性よりもはるかに高い。**電位依存性チャネル voltage-gated channel** は膜電位(電圧)の変化に応じて開く（図9.4 b）。電位依存性チャネルは活動電位を発生し伝導するのに用いられる。

静止膜電位

静止状態のニューロンでは，細胞膜の外側面は正に，内側面は負に帯電している。正負の電荷の隔たりはポテンシャルエネルギーの形をとり，ボルト(V)で表される。例えば，普通の携帯CDプレーヤーは1.5 Vの乾電池2個で動く。細胞のつくり出す電圧は概してそれよりもはるかに小さく，ミリボルト(1 mV = 1/1,000 V)で表される。ニューロンの静止膜電位はおよそ−70 mVである。負の符号は細胞内が外側よりも相対的にマイナスになっていることを示す。

静止膜電位はサイトゾルと細胞外液の電荷分布の不均衡から生じる（図9.5）。細胞外液にはナトリウムイオン(Na^+)と塩化物イオン(Cl^-)が多く含まれている。細胞内では，サイトゾル中の正に帯電したイオンの主なものはカリウムイオン(K^+)であり，2種類の主要な負に帯電したイオンは，（アデノシン三リン酸ATPの三つのリン酸のような）有機分子に結合したリン酸とタンパク質中のアミノ酸である。サイトゾルの K^+ の濃度が高く，細胞膜が多くの K^+ 漏洩チャネルをもっているため，K^+ は濃度勾配に従って，細胞から抜け出して細胞外液のほうへ拡散していく。正電荷の K^+ がどんどん細胞外に出ていくと，膜の内側は次第に陰性に，外側は次第に陽性になる。細胞内ではさらに別

図 9.5 静止膜電位をつくり出すイオン分布。

静止膜電位は，膜のすぐ内側のサイトゾルに存在する，主に有機リン酸（PO_4^{3-}）やタンパク質などのマイナスに帯電したイオンの多少の蓄積と，それと引き合うだけの膜のすぐ外側の細胞外液に存在するプラスに帯電したイオン，主にナトリウムイオン（Na^+）などの蓄積によっている。

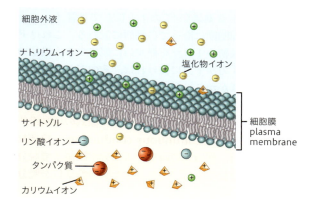

Q ニューロンの静止膜電位の典型的な値はいくらか？

の要因が陰性化にかかわっている。細胞内のもっとも陰性に帯電したイオンは自由に外には出られない。それらは巨大なタンパク質かほかの巨大分子に結合していて，K^+ とともに細胞外へ移動できない。膜の内側の負電荷が K^+ を細胞内に引き戻すので，ついには，内側が負であることによって細胞内に流れ込んでくる K^+ の量と同じ量だけが，濃度勾配によって流れ出すようになる。

Na^+ に対する膜透過性は，Na^+ 漏洩チャネルの数が少ししかないために大変小さい。しかし，Na^+ は濃度勾配に従ってゆっくりではあるが細胞内へ拡散していく。未確認ではあるが，そうした Na^+ の細胞内への流入は結果的に静止膜電位の破壊をもたらしうる。この Na^+ のわずかな流入と K^+ の流出はナトリウム-カリウムポンプ sodium-potassium pump によって打ち消される（図 3.9 参照）。これらのポンプは，Na^+ が流入してくるや否や細胞の外へ汲み出すことによって静止膜電位の維持に貢献している。同時に，ナトリウム-カリウムポンプは K^+ を細胞内に汲み入れる。

活動電位の発生

活動電位 action potential（AP）すなわちインパルス impulse は，膜内外の電位差の減少と逆転そして再び静止膜電位に回復するという，非常に短時間で起る一連の現象である。もし刺激によって膜が臨界レベル（閾値 threshold，正確には閾膜電位 threshold membrane potential または閾電位 threshold potential，典型的な値として約 $-55\,mV$）まで脱分極されると，活動電位が発生する（図 9.6）。活動電位には大きく分けて脱分極相と再分極相の二つの相がある。**脱分極相 depolarizing phase**（脱分極 depolarization）においては膜の分極が減少していき，0 に達し，ついには膜の内側が外側に比べて正になる。そして，**再分極相 repolarizing phase**（再分極 repolarization）では，膜の極性が再び静止状態である $-70\,mV$ に戻される。再分極相に続いて，膜電位が一時的に静止電位よりもより陰性になる **後過分極相 after-hyperpolarizing phase**（過分極 hyperpolarization）がみられることもある。ニューロンでは，活動電位の脱分極と再分極は，典型的には約 1 ミリ秒（1/1,000 秒）続く。

活動電位の過程では，閾値に達した脱分極が 2 種類の電位依存性イオンチャネルをごく短時間開かせる。ニューロンの場合，これらのチャネルは主に軸索と軸索終末の細胞膜に存在する。最初に，閾脱分極が電位依存性 Na^+ チャネルを開かせる。これらのチャネルが開くと，Na^+ が細胞内に勢いよく流れ込み，脱分極相を引き起こす。Na^+ の流入によって膜電位は $0\,mV$ を越え，最終的には $+30\,mV$ に達する（図 9.6）。次に，閾脱分極は電位依存性 K^+ チャネルも開かせる。電位依存性 K^+ チャネルはゆっくり開くので，これらが開く頃には電位依存性 Na^+ チャネルが自動的に閉じ始めている。K^+ チャネルが開くと，K^+ が細胞から流れ出し，再分極相をもたらす。

電位依存性 K^+ チャネルが開いている間の K^+ の流出が多いと，活動電位の後過分極相が出現することが

図 9.6 活動電位（AP）。刺激により膜が閾値まで脱分極すると，活動電位が発生する。

活動電位には脱分極相と再分極相がある。

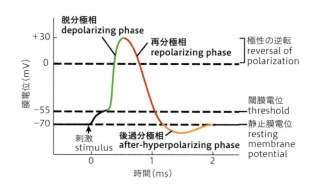

Q 脱分極，再分極においてはそれぞれどのチャネルが主に開いているのだろうか？

ある(図 9.6)。後過分極の間，膜電位は静止レベルよりもさらにマイナスになる。最後に，K⁺ チャネルが閉じて，膜電位は静止レベルの–70 mV に戻る。

活動電位は**全か無の法則** all-or-none principle に従って生じる。刺激の強さが閾値まで脱分極させるに足りさえすれば，電位依存性 Na⁺ および K⁺ チャネルが開き，活動電位が発生する。活動電位の大きさはいつも同じなので，より強い刺激であってもより大きな活動電位を発生させることはできない。刺激が弱く，閾脱分極を引き起せない場合は活動電位を発生させない。活動電位開始直後の短時間の間は，筋線維もニューロンも次の活動電位を発生させることはできない。この期間を**不応期** refractory period と呼ぶ。

神経インパルスの伝導

からだの一部からほかの部位へ情報を伝えるためには，神経インパルスが，それが発生した場所(通常は軸索小丘)から軸索を通り，軸索終末へと移動しなければならない(図 9.7)。この**伝播** propagation の様式は**伝導** conduction と呼ばれ，ポジティブフィードバックによって起る。軸索小丘で閾値に達した脱分極は電位依存性 Na⁺ チャネルを開く。それによる Na⁺ の流入は，隣接する膜を閾値まで脱分極し，さらに多くの電位依存性 Na⁺ チャネルを開く(ポジティブフィードバック効果)。このようにして神経インパルスは軸索の細胞膜に沿って自動的に伝わる。これはドミノ倒しの最初の 1 コマを押すのに似ている。最初のドミノを押す力が十分に強ければ，そのドミノは次のドミノに倒れかかり，列のドミノすべてが倒れることになる。

無髄軸索および筋線維におけるこの様式の活動電位の伝導は**逐次伝導** continuous conduction と呼ばれる。この場合，細胞膜の隣接する部分が閾値まで脱分極して活動電位を生じ，それがまた次の膜部位を脱分

図 9.7 軸索小丘で発生した神経インパルスの伝導。 点線はイオン電流を示す。(a)無髄軸索の逐次伝導では，イオン電流は隣接した部位の膜を横切って流れる。(b)有髄軸索の跳躍伝導では，最初の絞輪部の神経インパルスはサイトゾルと間質液にイオン電流を発生し，次の絞輪部の電位依存性 Na⁺ チャネルを開く。そしてこれが次々と後続の絞輪部で起る。

無髄軸索では逐次伝導，有髄軸索では跳躍伝導がみられる。

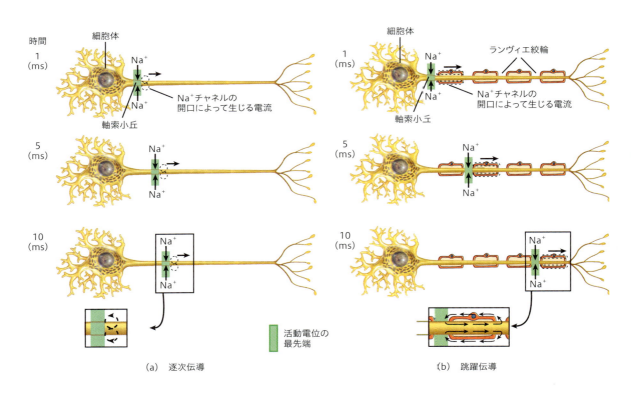

(a) 逐次伝導　　　(b) 跳躍伝導

Q 神経インパルスの伝導速度に影響を及ぼす要因は何か？

極させる（図9.7 a）。重要なのは，10ミリ秒後でもインパルスは比較的短い距離しか進んでいないことである。

有髄軸索では，伝導のようすはいくぶん違っている。電位依存性 Na^+ および K^+ チャネルは主として髄鞘の間隙であるランヴィエ絞輪に局在している。神経インパルスが有髄軸索を伝わる場合，Na^+ と K^+ によって運ばれる電荷は，髄鞘の周囲の間質液とサイトゾルを通って一つの絞輪部から次の絞輪部へと流れる（図9.7 b）。神経インパルスは最初の絞輪部でイオン電流を発生し，それが次の絞輪部で電位依存性 Na^+ チャネルを開くことにより，そこでの神経インパルスを誘発する。そして，2番目の絞輪部からの神経インパルスがイオン電流を生じ，3番目の絞輪部で電位依存性 Na^+ チャネルを開くという具合である。それぞれの絞輪部で脱分極し再分極する。図9.7 bで，同じ時間の間に有髄軸索でははるかに遠くまでインパルスが移動していることに注意してほしい。電流が絞輪部でのみ膜を横切って流れるので，それぞれの絞輪部が関脱分極を起すと，インパルスが絞輪部から絞輪部へ飛び移るようにみえる。この様式のインパルスの伝導を**跳躍伝導** saltatory conduction（saltat- ＝ 跳躍する）と呼ぶ。

軸索の直径と髄鞘の有無は神経インパルスの伝導速度を決めるもっとも重要な要因である。直径が太い軸索は直径が細い軸索よりも速くインパルスを伝導する。また，有髄軸索は無髄軸索よりもインパルスを速く伝導する。もっとも直径が太い軸索はすべて有髄であり，そのため跳躍伝導が可能である。もっとも直径が細い軸索は無髄で，伝導は逐次的である。軸索は温度が高いと速く，低いとゆっくりインパルスを伝える。小さな火傷などによる組織の障害に由来する痛みが，氷をあてがうことによって軽減するのは，痛覚感受性ニューロンを伝わる神経インパルスの伝導が冷却によって遅くなるためである。

チェックポイント

6. 静止膜電位，脱分極，再分極，神経インパルス，不応期とはそれぞれどういう意味か？
7. 跳躍伝導は逐次伝導とどう異なるのか？

9.4 シナプス伝達

目 標

・化学シナプスにおける伝達の際に起る現象と神経伝達物質のタイプを説明する。

どのようにして活動電位が発生し，個々のニューロンに沿って伝わるかがわかったところで，今度はニューロン同士がどのように連絡をとりあっているかをみてみよう。ニューロンはシナプスにおいてほかのニューロンまたは効果器と**シナプス伝達** synaptic transmission として知られる一連の現象を通して連絡をとっている。8章では体性運動ニューロンと骨格筋の筋線維の間のシナプス（神経筋接合部）で起る現象について調べた（図8.4参照）。ニューロン間のシナプスにおいても似た要領で行われる。信号を送る側のニューロンを**シナプス前ニューロン** presynaptic neuron（pre- ＝ 前の），信号を受け取る側のニューロンを**シナプス後ニューロン** postsynaptic neuron（post- ＝ 後の）と呼ぶ。シナプス前およびシナプス後ニューロンはきわめて接近してはいるが，それらの細胞膜同士は接触してはいない。それらは**シナプス間隙** synaptic cleft という間質液で満たされた狭い空間で隔てられている。

シナプスには電気シナプスと化学シナプスの2種類がある。**電気シナプス** electrical synapse では，神

臨床関連事項

局所麻酔薬

麻酔薬 anesthetic（an ＝ なし，aesthesis ＝ 感覚，感じ）は全身あるいは体の一部の感覚，とくに痛みの喪失をもたらす薬剤である。手術の種類や長さ，患者の健康状態，医師と患者のとる優先度により，麻酔は局所的に用いられて，身体の狭い範囲の痛みを抑えたり（歯科的処置など），広域的に用いられて，広範囲の痛覚を抑制したり（硬膜外麻酔など），全身的に用いられて，患者を痛覚やそれ以外のすべての感覚の記憶も残らない完全な無意識状態にしたりする（開胸心臓手術）。

局所麻酔薬 local anesthetic としてはプロカイン（ノボカイン®）とリドカインの二つが一般的である。これらは，電位依存性 Na^+ チャネルの開口を妨げることで，神経インパルスが中枢神経系の痛み中枢へ伝わらなくする。この効果によって，痛みを引き起すインパルスは麻酔された部位を越えて移動できなくなるため，痛み信号は中枢神経系には到達しない。覚醒状態や他の部位の感覚受容はそのままである。局所麻酔を用いるにいたる状況は数多くあるが，おなじみの歯科麻酔以外には次のようなものがある。(1)乳房，前立腺等の生検，(2)小規模の創傷の縫合，(3)皮膚充塡剤等の美容整形，(4)皮膚レーザー治療，(5)皮膚病変の切除，(6)白内障手術，(7)精管切除術，(8)皮膚移植，(9)ヘルペス，口内炎，咽頭痛，日焼け，虫刺され，ウルシかぶれ，切り傷，あざなどからくる痛み，刺激感，かゆみの一時的な除去。

経インパルスは隣接するニューロンの細胞膜の間をギャップ結合 gap junction を通して直接的に伝わる。このトンネル状の構造は隣り合う細胞を接合させ，内部を通すことでイオンを移動させる(したがって，神経インパルスを伝える)ことができる。ギャップ結合は内臓平滑筋，心筋および脳でみられる。電気シナプスには伝達の速さ，同調性という二つの利点がある。後者によって，神経や筋細胞は同期してインパルスを発生させることができる。これは統制された収縮を必要とする心筋や平滑筋で大変重要である。

ほとんどのシナプスは**化学シナプス chemical synapse** である。化学シナプスでは，シナプス前ニューロンの神経インパルスが神経伝達物質のシナプス間隙への放出を促す。すると今度は，その神経伝達物質がシナプス後ニューロンに神経インパルスを発生させる。ここからは化学シナプスで起る現象についてみていく。

化学シナプスのしくみ

神経インパルスはシナプス間隙を越えて伝わることはできないので，代わりに間接的な形の連絡がこの間隙を越えて行われる。代表的なシナプスは次のように振る舞う(図9.8)。

❶ 神経インパルスがシナプス前軸索のシナプス終末球に達する。

図 9.8 化学シナプスでの信号伝達。

化学シナプスでは，シナプス前ニューロンが電気信号(神経インパルス)を化学信号(神経伝達物質の放出)に変換する。そして，シナプス後ニューロンが化学信号を電気信号(神経インパルス)に逆変換する。

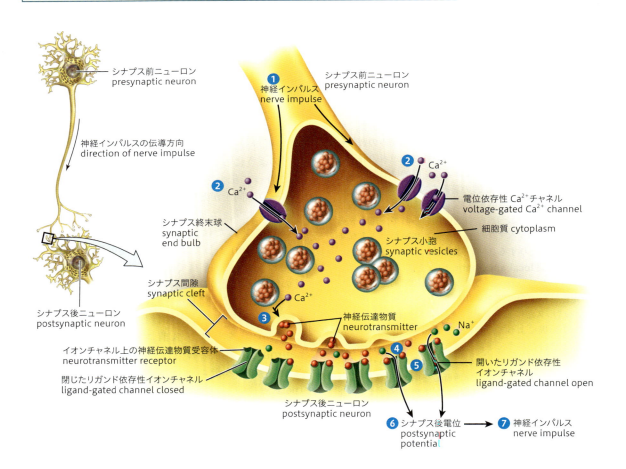

Q 電気シナプスは両方向性に作用しうるが，化学シナプスは信号を一方向にしか伝えられないのはなぜか？

❷ 神経インパルスの脱分極相が，シナプス終末球の膜上に存在する**電位依存性 Ca^{2+} チャネル** voltage-gated Ca^{2+} channel を開く。カルシウムイオン（Ca^{2+}）は間質液のほうに，より高濃度で存在するため，Ca^{2+} が開いたチャネルを通ってシナプス終末球に流入する。

❸ シナプス終末球内の Ca^{2+} 濃度の上昇がいくつかのシナプス小胞のエクソサイトーシスを引き起こし，シナプス間隙に数千もの神経伝達物質を放出する。

❹ 神経伝達物質はシナプス間隙を拡散し，シナプス後ニューロンの細胞膜上に存在する**神経伝達物質受容体** neurotransmitter receptor に結合する。

❺ 神経伝達物質が受容体に結合するとイオンチャネルが開き，特定のイオンが細胞膜を越えて流れる。

❻ イオンが開いたチャネルを通って流れると，膜内外の電位差が変化する。チャネルがどんなイオンを通すかによって，電位変化は脱分極にも過分極にもなりうる。

❼ シナプス後ニューロンに脱分極が起り，閾値に達すれば，一つ以上の神経インパルスを発生させる。

ほとんどのシナプスでは，シナプス前ニューロンからシナプス後ニューロンあるいは筋線維や腺細胞といった効果器への**一方向性情報伝達** one-way information transfer が起る。例えば，神経筋接合部（NMJ）でのシナプス伝達は体性運動ニューロンから骨格筋線維に向けて行われるが，逆方向には起らない。シナプス前ニューロンの終末のみが神経伝達物質を放出でき，シナプス後ニューロンの膜だけがその神経伝達物質を認識し結合する適正な受容体タンパク質をもっている。その結果，神経インパルスはこの経路を一方向にのみ移動するのである。

シナプス後ニューロンが脱分極すれば興奮性の効果を示す。閾値に達すれば一つ以上の神経インパルスが発生する。対照的に，過分極はシナプス後ニューロンに対して抑制性の効果を示す。膜電位が閾値からさらに遠ざかるため，神経インパルスは発生しにくくなる。典型的な CNS のニューロンは 1,000〜10,000 のシナプスから入力を受けている。あるものは興奮性であり，あるものは抑制性である。ある時点でのすべての興奮性および抑制性効果の総和で，シナプス後ニューロンに一つ以上のインパルスが発生するか否かが決定される。

神経伝達物質はそれが受容体と結合している間はシナプス後ニューロン，筋線維，または腺細胞に効果を及ぼし続ける。したがって，正常にシナプスが機能するためには神経伝達物質の除去は必須である。神経伝達物質は三つの方法でシナプス間隙から取り除かれる。(1) 放出された神経伝達物質のあるものは，濃度勾配に従ってシナプス間隙から拡散してしまう。一度神経伝達物質が受容体の手の届かないところに離れてしまえば，もはや影響力はもたない。(2) ある種の神経伝達物質は酵素によって分解される。(3) 多くの神経伝達物質は，それを放出したニューロンの中に能動輸送される（再取り込み）。あるものは隣接するグリア細胞に取り込まれる（吸収）。

臨床関連事項

セロトニン選択性再取り込み阻害薬（SSRI）

治療に用いられる何種類かの薬剤は，特定の神経伝達物質の再吸収を選択的に阻害する。例えば，フルオキセチン（プロザック®）という薬剤は**セロトニン選択性再取り込み阻害薬** selective serotonin reuptake inhibitor（SSRI）である。プロザックはセロトニンの再取り込みを阻害することにより，脳内のシナプスにおけるセロトニンの活性を延長している。SSRI はある種のうつ症状で悩んでいる人たちにとっては救いである。

神経伝達物質

すでに知られている，あるいは推測されている神経伝達物質はおよそ 100 にも及ぶ。ほとんどの神経伝達物質は，放出部位近くのシナプス終末球で合成され，シナプス小胞に格納される。もっとも研究が進んでいる神経伝達物質の一つは**アセチルコリン** acetylcholine（ACh）で，これは多くの PNS ニューロンとある種の CNS ニューロンから分泌される。ACh は神経筋接合部などある種のシナプスにとっては興奮性の神経伝達物質である。しかし別のシナプスでは抑制性の神経伝達物質としても知られている。一例を挙げれば，副交感神経は抑制性シナプスで ACh を放出し心拍を遅くする。

何種類かのアミノ酸は CNS の神経伝達物質である。**グルタミン酸** glutamate と**アスパラギン酸** aspartate は強力な興奮性作用を有する。ほかの 2 種類のアミノ酸，**γ-アミノ酪酸** gamma aminobutyric acid（GABA）と**グリシン** glycine は重要な抑制性神経伝達物質である。ジアゼパム（ヴァリウム Valium®）などの抗不安薬は GABA の作用を増強する。

ある種の神経伝達物質はアミノ酸が修飾を受けたものである。ノルアドレナリン，アドレナリン，ドーパミン，セロトニンなどがある。**ノルアドレナリン** noradrenaline（ノルエピネフリン norepinephrine

(NE))は深い睡眠からの覚醒や夢，気分の調節などの役割を果たしている．神経伝達物質**ドーパミン dopamine(DA)**を含む脳のニューロンは情動反応，没頭型の行動，および快楽経験の際に活動する．加えて，ドーパミン産生ニューロンは骨格筋の緊張度や骨格筋の収縮による，ある種の運動の制御を補助する．ある種の統合失調症 schizophrenia はドーパミンの過剰な蓄積による．**セロトニン serotonin** は感覚受容，体温調節，気分の調節，食欲，入眠に関与していると考えられている．

アミノ酸がペプチド結合してできた神経伝達物質を**神経ペプチド neuropeptide** と呼ぶ．神経ペプチドの一群である**エンドルフィン endorphin** は生体のもつ天然の鎮痛薬である．鍼はエンドルフィンの放出を増やすことにより痛覚脱失(痛覚の喪失)をもたらすのかもしれない．これらはまた学習や記憶力の増進，快楽や多幸感とも関連づけられてきている．

これまで神経伝達物質と認められてきたものの中で，もっとも新しくかつ重要なものは，単純な気体の一種である**一酸化窒素 nitric oxide(NO)**である．NOがこれまで知られてきた神経伝達物質と違うのは，前もって合成されシナプス小胞の中に保存されるということがない点である．むしろ，必要に応じて生成され，それをつくった細胞から近傍の細胞に拡散し，直接的に作用する．いくつかの研究はNOの学習や記憶における役割を示唆している．

NO 同様，**一酸化炭素 carbon monoxide(CO)**も，前もって合成されてシナプス小胞内に納まっているわけではない．この物質も必要に応じて合成され，その細胞から隣接する細胞に拡散分泌される．COは脳でつくられる興奮性の神経伝達物質で，ある種の神経-筋および神経-腺機能に対応して合成される．COは過剰な神経活動に対する保護のほか，血管の弛緩，記憶，嗅覚，視覚，体温調節，インスリン分泌，抗炎症作用にも関与している可能性がある．

臨床関連事項

神経伝達物質効果の修飾

生体内に天然に存在する物質も，薬剤や毒物もいくつかの方式で神経伝達物質の効果を修飾する．コカインはドーパミンの再吸収を阻害して多幸感(非常な快感)を与える．コカインの作用によって，ドーパミンがシナプス間隙に長く存在し，特定の脳部位に過剰な刺激を与えることができるのである．イソプロテレノール(イスプレル Isuprel®)が喘息発作時の気道拡張に用いられるのは，それがノルアドレナリンの受容体に結合し活性化するためである．統合失調症に処方される薬剤であるジプレキサ Zyprexa® が有効なのは，それがセロトニンやドーパミンの受容体に結合して阻害するためである．

チェックポイント

8. 電気シナプスと化学シナプスはどのように違うか？
9. 神経伝達物質はシナプス小胞から放出された後，どのようにして排除されるのか？

よくみられる病気

多発性硬化症

多発性硬化症 multiple sclerosis(MS)は CNS のニューロン軸索を覆う髄鞘が進行性に破壊される病気である．米国では 40 万人，世界では 250 万人の人がこの病気で苦しんでいる．通常 20 〜 40 歳で発症し，女性は男性の 2 倍の頻度で罹る．MSは白人にもっとも多く，黒人ではやや少ない．アジア人にはまれである．MSはからだ自体の免疫系が発病にもっとも関係している自己免疫疾患の一つである．この症状の名前は病理解剖学的記載からきている．すなわち，**多くの部位で髄鞘が変性して硬化**し，固い瘢痕(プラーク，斑)となる．磁気共鳴画像(MRI)による研究で無数のプラークが脳や脊髄の白質中に見出されている．髄鞘の破壊は神経インパルスの伝導を遅くし，その後短絡させてしまう．

この症状のもっとも多い形態は**再発寛解型 MS relapsing-remitting MS**で，通常，成人初期に現れる．最初にみられる徴候としては，からだが重いあるいは筋肉が弱った感じ，感覚の異常，複視がある．こうした症状が一過性に消失する寛

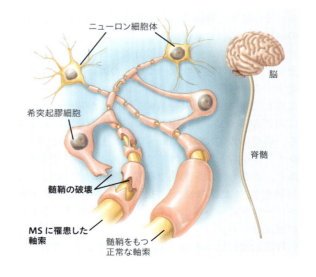

解期を挟んで再発し，何年かおき（通常1〜2年）に繰り返し発症する。その結果，症状の軽減する寛解期によって分散しつつも，進行性に機能が失われていく。

　MSの原因ははっきりしないが，遺伝的な易感染性要因と何らかの環境要因（ヘルペスウイルスかもしれない）との接触の両方が関係しているようである。多くの再発寛解型MS患者がベータインターフェロンの投与を受けてきた。いくつかの投与例では，これにより再発の間隔が延長し，再発時の苦痛が軽減され，新たな破壊部位の形成が遅延した。残念ながら，患者によってはベータインターフェロンに耐えることができず，疾患が進行するにつれて治療効果が低下する。

てんかん（癲癇）

　てんかん epilepsy は運動，感覚，あるいは精神的な異常を示す短い発作が頻発する疾患であるが，知能に影響を与えることはほとんど皆無である。全世界の人口の約1%の人がこのてんかん発作 epileptic seizure と呼ばれる発作で苦しんでいる。これは脳内の何百万というニューロンの異常な発火によって引き起される。その結果，目，耳，鼻などは刺激されていないにもかかわらず，光，音，においなどを感じてしまうことがある。加えて，発作を起している人の骨格筋が不随意的に収縮することもある。**部分発作** partial seizure は片方の脳のてんかん焦点（または単に焦点）focus と呼ばれる小さな部分から始まり，比較的穏やかな症状を呈するが，**全身性発作** generalized seizure は脳両側の広い範囲が関与し，意識を失う。

　てんかんには，出生時の脳障害（もっとも一般的な原因），血中のグルコース（ブドウ糖）や酸素の不足といった代謝障害，感染，毒物，虚血あるいは低血圧，頭部外傷，脳腫瘍など多くの原因がある。しかし，多くのてんかんは，はっきりした原因がわからない。

　てんかん発作はしばしばフェニトイン，カルバマゼピン，バルプロ酸ナトリウムなどの抗てんかん薬で消失あるいは軽快する。薬剤によっててんかんをうまく制御できなかった患者の中には，埋め込み型の装置で迷走神経（第Ⅹ脳神経）を刺激することにより発作が劇的に減少した例もある。

医学用語と症状

狂犬病 rabies（rabi- ＝狂気の，狂乱の）　高速軸索輸送を介してCNSに達したウイルスが引き起す致死性の病気。通常，感染したイヌやその他の肉食動物に噛まれることによってもたらされる。症状としては興奮，攻撃性，発狂がみられ，その後麻痺が起り死にいたる。

ギラン–バレー症候群 Guillain-Barré syndrome（GBS）　PNS軸索の髄鞘がマクロファージによって剥ぎ取られる脱髄性疾患。一般的な急性麻痺の原因であり，細菌の感染に対する免疫系の反応が原因となりうる。ほとんどの患者は完治または部分的に治癒するが，約15%の患者には麻痺が残る。

神経芽腫（神経芽細胞腫） neuroblastoma　未熟なニューロン（神経芽細胞 neuroblasts）由来の悪性腫瘍。腹部に生じるのがもっとも一般的で，とくに副腎に頻発する。まれな病気ではあるが，小児においてはもっとも発症率の高い癌の一つである。

脱髄 demyelination　CNSまたはPNSの軸索を取り巻く髄鞘の喪失または破壊。

ニューロパチー（末梢神経障害） neuropathy（neuro- ＝神経；-pathy ＝病気）　神経系にかかわるすべての病気をさすが，とくに脳神経と脊髄神経の障害をいう。顔面神経（第Ⅶ脳神経）facial（Ⅶ）nerve の疾患である**顔面神経障害** facial neuropathy（ベル麻痺 Bell's palsy）などがある。

9章のまとめ

9.1　神経系の概観

1. 中枢神経系 central nervous system（CNS）は脳 brain と脊髄 spinal cord からなる。
2. 末梢神経系 peripheral nervous system（PNS）は CNS の外部にあるすべての神経組織からなる。PNS の構成要素は神経と感覚受容器である。
3. PNS は感覚系（求心系）sensory（afferent）division と運動系（遠心系）motor（efferent）division に分けられる。
4. 感覚系は感覚受容器から CNS に感覚入力を運ぶ。
5. 運動系は運動出力を CNS から効果器（筋と腺）に運ぶ。
6. PNS の運動系はさらに**体性神経系** somatic nervous system（運動出力を CNS から骨格筋のみに運ぶ）と**自律神経系** autonomic nervous system（運動出力を CNS から平滑筋，心筋，腺に運ぶ）に分けられる。自律神経系はまた交感神経系，副交感神経系，腸神経系に分けられる。
7. 神経系は恒常性の維持に寄与し，全身の活動を統合している。変化を検知し（感覚機能），それらを統合して（統合機能），それに対して応答する（運動機能）のである。

9.2　神経系の組織学

1. 神経組織はニューロン（神経細胞）とグリア細胞という2種類の細胞からなる。ニューロンは神経インパルスを伝導するために特殊化された細胞で，感じる，考える，覚える，筋活動の制御，腺分泌の制御といった，神経系の特徴的な機能を担っている。グリア細胞はニューロンを支え，栄養を与え，保護する役割がある。また，ニューロンを取り巻く間質液のホメオスタシスを維持している。
2. ほとんどのニューロン neuron は三つの部分からなる。

樹状突起 dendrite は主たる受容部位すなわち入力部位である。統合は細胞体 cell body で行われる。典型的な出力部位は1本の軸索 axon で，神経インパルスをほかのニューロンや筋線維，あるいは腺細胞に伝える。
3. ニューロンはその構造から多極ニューロン multipolar neuron，双極ニューロン bipolar neuron，あるいは単極ニューロン unipolar neuron のいずれかに分類される。
4. ニューロンは機能的に感覚（求心性）ニューロン sensory (afferent) neuron，運動（遠心性）ニューロン motor (efferent) neuron および介在ニューロン interneuron に分けられる。感覚ニューロンは感覚情報を CNS へ伝える。運動ニューロンは情報を CNS から効果器 effector（筋や腺）へ伝える。介在ニューロンは CNS 中で感覚ニューロンと運動ニューロンの間に存在する。
5. グリア細胞（神経膠細胞）neuroglia はニューロンを支え，栄養を与え，保護する役割がある。また，ニューロンを取り巻く間質液を維持している。CNS のグリア細胞には星状膠細胞 astrocyte，希突起膠細胞 oligodendrocyte，小膠細胞 microglial cell，上衣細胞 ependymal cell がある。PNS のグリア細胞はシュワン細胞 Schwann cell と衛星細胞 satellite cell である。
6. 2種類のグリア細胞が髄鞘 myelin sheath を形成する。希突起膠細胞は CNS の軸索，シュワン細胞は PNS の軸索を髄鞘化する。
7. 白質 white matter は有髄軸索の集合体からなっていて，灰白質 gray matter はニューロンの細胞体，樹状突起，軸索終末，無髄軸索，およびグリア細胞からなる。
8. 脊髄では，灰白質は中心部で H 形をしており，周囲を白質に取り巻かれている。脳では，薄い表層の灰白質の殻が大脳と小脳を覆っている。

9.3 活動電位

1. ニューロンは神経活動電位（神経インパルスとも呼ばれる）を用いて互いに交信している。
2. 活動電位の発生は，膜電位 membrane potential の存在と，Na^+ と K^+ に対する電位依存性チャネル voltage-gated channel の存在に依存している。
3. 典型的な静止膜電位 resting membrane potential（細胞膜の両側の荷電状態の違い）の値は $-70\,mV$ である。膜電位を有する細胞は分極 polarized している。
4. 静止膜電位が生じるのは，細胞膜の両側における陽イオンと陰イオンの分布の違いと，Na^+ よりも K^+ に対して膜透過性が高いことによるものである。細胞内では K^+ レベルが，細胞外では Na^+ レベルが高く，これはナトリウム-カリウムポンプによって保たれている。
5. 活動電位 action potential に際しては，Na^+ と K^+ に対するチャネルが順次開く。電位依存性 Na^+ チャネルの開口が脱分極 depolarization（膜分極の喪失とその後の逆転）を引き起す（$-70\,mV$ から $+30\,mV$ へ）。そして電位依存性 K^+ チャネルの開口が再分極 repolarization，すなわち静止膜電位の回復を可能にする。
6. 刺激が活動電位の発生に足りる強さであれば，全か無の法則 all-or-none principle に従い，一定の大きさのインパルスが発生する。
7. 不応期の間は，新たなインパルスが発生することはない。
8. 神経インパルスが無髄軸索に沿って一歩一歩伝わることを逐次伝導 continuous conduction という。跳躍伝導 saltatory conduction では，有髄軸索に沿って一つのランヴィエ絞輪から次の絞輪部へ飛び移る。
9. 直径が太い軸索は，直径が細い軸索よりもインパルスを速く伝える。有髄軸索は無髄軸索よりもインパルスを速く伝える。

9.4 シナプス伝達

1. ニューロンはシナプスにおいてシナプス伝達 synaptic transmission として知られる一連の現象を通じてほかのニューロンや効果器に情報を伝える。
2. シナプスでは，シナプス前ニューロン presynaptic neuron から神経伝達物質がシナプス間隙に放出され，シナプス後ニューロン postsynaptic neuron の細胞膜上の受容体に結合する。
3. 興奮性神経伝達物質は，シナプス後ニューロンの膜を脱分極させ閾値に近づけることで，一つもしくは複数の活動電位が発生する機会を増やしている。抑制性神経伝達物質はシナプス後ニューロンの膜を過分極させ，活動電位の発生を抑えている。
4. 神経伝達物質はシナプス間隙から，拡散，酵素分解，ニューロンまたはグリア細胞による再取り込みの三つの方法で除去される。
5. 重要な神経伝達物質にはアセチルコリン acetylcholine，グルタミン酸 glutamate，アスパラギン酸 aspartate，γ-アミノ酪酸 gamma aminobutyric acid (GABA)，グリシン glycine，ノルアドレナリン noradrenaline，ドーパミン dopamine，セロトニン serotonin，神経ペプチド neuropeptide（エンドルフィン endorphin など），一酸化窒素 nitric oxide (NO) および一酸化炭素 carbon monoxide (CO) がある。

クリティカルシンキングの応用

1. 目覚まし時計の音でロドリゴは目を覚ました。彼は伸びをし，あくびをして，コーヒーの香りに唾液が出始めた。これらの活動一つ一つに関連した神経系の区分を列挙しなさい。
2. 手術に先立ちマーガはクラーレ様の薬剤を投与された。彼女の筋肉は一時的に"麻痺"し，気管挿管がしやすくなり，術中も動かずにいられた。関連する神経伝達物質は何か。また，この薬剤はどのようなしくみで筋収縮を妨げると考えられるか。
3. サラは週末にものすごい長距離を走り終えたときの，最高の気分を味わうのが本当に楽しみである。走り終えてみると，彼女は足のひりひりするような痛みすら感じなかった。サラは雑誌で，ある種の脳内天然物質が彼女の味わった"ランナーズハイ"に関係があるという話を読んだ。サラの脳にそんな物質はあるのだろうか？
4. 6カ月の男児を心配している両親に小児科医が教えている。「いえ，まだ歩かないからといって心配することはありません。赤ちゃんの神経系の髄鞘化がまだ完成していないのです。」小児科医が安心させようとしている内容を説明しなさい。

図の質問の答え

9.1 ヒトのからだの脳神経と脊髄神経の合計は$(12×2)+(31×2)=86$。

9.2 軸索は神経インパルスを伝導し，軸索終末から神経伝達物質を放出することで別のニューロンあるいは効果器細胞に情報を伝える。

9.3 CNSのほとんどのニューロンは多極ニューロンである。

9.4 膜電位の変化が電位依存性チャネルを開かせる。

9.5 ニューロンの典型的な静止膜電位は$-70\ mV$である。

9.6 電位依存性Na^+チャネルは活動電位における脱分極相，電位依存性K^+チャネルは再分極相に主に開いている。

9.7 軸索の直径(太い軸索ほどインパルスを速く伝導する)，髄鞘の有無(有髄軸索は無髄軸索よりも速く伝導する)，温度が神経インパルスの伝導速度に影響する。

9.8 電気シナプス(ギャップ結合)ではイオンはどちらの方向にも等しく流れることができるため，どちら側のニューロンもシナプス前ニューロンとなりうる。化学シナプスでは，シナプス前ニューロンが神経伝達物質を出し，シナプス後ニューロンがその物質と結合する受容体をもっている。したがって，信号は一方向にのみ伝わる。

CHAPTER 10

中枢神経系，脊髄神経と脳神経

神経系は細胞レベルでどのように機能しているかがわかったので，本章では，脳，脊髄，脊髄神経ならびに脳神経の構造と機能について学習する。

脊髄とここから出る脊髄神経の中には，環境の変化に対するもっとも迅速な反応を制御する神経経路がある。もし，何か熱いものを取り上げようとすれば，極度の熱さあるいは痛みに意識的に気づくより前に，これをつかむための筋は弛緩して，その熱いものを落してしまうだろう。これは脊髄反射，つまり脊髄神経と脊髄内にあるニューロン（神経細胞）だけが関与する，ある特定の種類の刺激に対するすばやい自動的な反応の一例である。脊髄の白質の中には1ダースほどの主要な感覚性および運動性の神経経路がある。これらの経路は，感覚性入力が脳に伝わり，運動性出力が脳から骨格筋やほかの効果器に伝わっていく"主要ルート"の役割を果たしている。脊髄は脳の続きであり，この両者がCNSを構成していることを思い起そう。

脳は，種々の感覚を記録し，これらを相互に関連づけ，これらを蓄積されている情報とも関連づけ，意思決定を行い，行動を起すための制御中枢である。脳はまた，知性，情動，行動，記憶の中枢でもある。しかし，脳はなおいっそう大きな役割を担っている。脳は他者に向けて自分の行動を起すこともある。興味をかきたてるアイディア，目も眩むような芸術的技巧，あるいは魅惑的な文体により，一人の人間の思想や活動が，ほかの多くの人々の人生に影響を与え，その人生を決定することがあるだろう。

> **先に進むための復習**
> - 頭蓋：概観（6.7 節）
> - 頭蓋だけにみられる構造（6.8 節）
> - 脊柱（6.9 節）
> - 神経系の構成（9.1 節）
> - ニューロンの構成要素（9.2 節）
> - 灰白質と白質（9.2 節）

Q 脳血管発作または脳血管障害（脳卒中）がどうして起り，どのように治療されるか疑問に思ったことはありませんか？ 答えは10.4節の「臨床関連事項：脳血管発作（障害）と一過性脳虚血発作」でわかるでしょう。

10.1 脊髄の構造

目標

- 脊髄はどのように保護されているかを説明する。
- 脊髄の構造について述べる。

保護と被膜：脊柱管と髄膜

脊髄は脊柱の脊柱管の中にある。脊柱管の壁は本質的にリング状の骨なので，脊髄は十分に保護されている。これとともに，椎骨間の靱帯，髄膜，脳脊髄液も脊髄を保護している。

髄膜 meninx（複数形 meninges）は脊髄と脳の周囲を覆っている3層の結合組織の被膜である。脊髄を保護する髄膜，**脊髄膜 spinal meninx**（図 10.1）は，脳を保護する髄膜，**脳髄膜 cranial meninx**（図 10.7）の続

きである。3層の髄膜のもっとも外側にあるものは**硬膜 dura mater**(＝硬い母体)と呼ばれる。この硬い線維の方向が不規則な緻密結合組織は，中枢神経系の繊細な構造を保護するのに役立っている。脊髄硬膜がつくる管状構造は第2仙椎まで伸びている。すなわち，脊髄はほぼ第2腰椎のレベルで終わっているので，この脊髄硬膜の管状構造は脊髄よりずっと下まで伸びているのである。また，脊髄は，硬膜と脊柱の間の空間である**硬膜上腔 epidural space** の中にある脂肪と結合組織のクッションでも保護されている。

髄膜の中間の層は，そのコラーゲンおよび弾性線維の配列がクモの巣に似ているので，**クモ膜 arachnoid mater**(arachn- ＝蜘蛛；-oid ＝同様)と呼ばれている。内側の層，**軟膜 pia mater**(pia ＝繊細な)は，脊髄および脳の表面に密着したコラーゲンと弾性線維の透明な層である。この膜にはたくさんの血管がある。クモ膜と軟膜の間に**クモ膜下腔 subarachnoid space** があり，ここを脳脊髄液が循環している。

脊髄の肉眼解剖学

成人の**脊髄 spinal cord** の長さは42〜45cmである。脊髄は，脳の最下部の延髄から脊柱の第2腰椎上縁まで伸びている(図10.2)。脊髄は脊柱より短いの

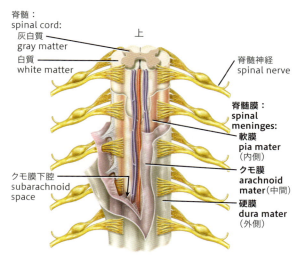

図10.1 脊髄膜。

髄膜は，脳と脊髄を取り巻く結合組織の被膜である。

脊髄の前面図と横断面

Q 脳脊髄液が循環する髄腔スペースを何というか？

🔥 臨床関連事項

腰椎穿刺

腰椎穿刺 lumbar puncture(**脊椎穿刺 spinal tap**)の際には，局所麻酔が施された後に長い中空の針がクモ膜下腔に挿入される。診断を目的とする脳脊髄液(CSF)採取，髄腔内への抗生物質投与・脊髄の放射線検査用造影剤や麻酔薬の注入・抗癌剤投与，脳脊髄液の圧測定，髄膜炎等の病気の治療効果判定などのために腰椎穿刺は実施される。この処置を実施している間，患者は脊柱を屈曲させた状態で側臥位の姿勢をとる。脊柱の屈曲により脊椎の棘突起間の距離が広がりクモ膜下腔へのアクセスが容易になる。脊髄の下端(脊髄円錐)は第2腰椎(L2)あたりまでしか達しないが，循環する脳脊髄液と馬尾を含む脊髄膜は第2仙椎(S2)までいたる。すなわちL2からS2の間では，脊髄膜はあるが脊髄は存在しないのである。し

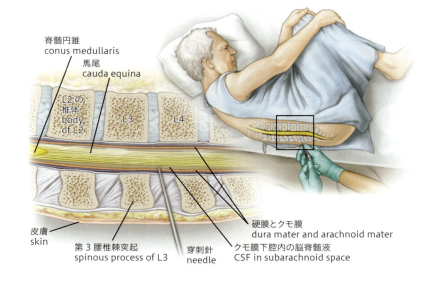

たがって腰椎穿刺は通常L3とL4の間またはL4とL5の間で実施される。なぜなら，これらの椎間では穿刺針が脊髄を損傷することなくクモ膜下腔に到達できるからである。

図 10.2 脊髄と脊髄神経。図の左側にいくつかの神経の名称が示してある。

脊髄は頭蓋底から第 2 腰椎の上縁まで伸びている。

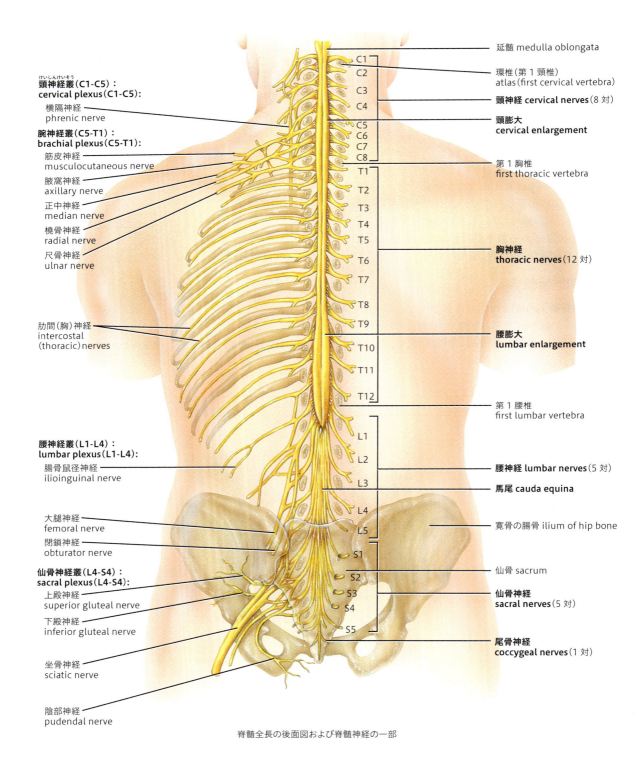

脊髄全長の後面図および脊髄神経の一部

Q 脊髄神経は，中枢神経系（CNS）と末梢神経系（PNS）のどちらに属するか？

10.1 脊髄の構造

図 10.3 脊髄の内部構造。白質からなる索が灰白質を取り巻いている。

脊髄は，さまざまな伝導路を介して神経インパルスを伝えている。また，脊髄反射の統合中枢としての働きがある。

脊髄の機能
1. 白質の伝導路は，受容器から脳へ感覚刺激を伝え，脳から効果器へ運動刺激を伝達する。
2. 灰白質は，入出力情報を受けて統合処理する。

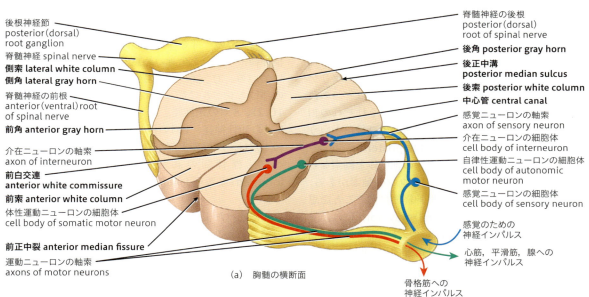

(a) 胸髄の横断面

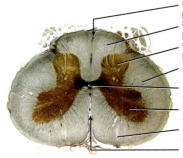

(b) 腰髄横断面

で，腰髄，仙髄，尾髄の領域に起始する神経は，脊髄から出るのと同じレベルで脊柱の外へ出ることはない。これらの脊髄神経の根は，束ねた髪がたなびくように脊柱管を下行する。いみじくも，これらの神経には，ウマの尻尾を意味する **馬尾 cauda equina** という名前がついている。脊髄には目立った膨大部が二つある。**頸膨大 cervical enlargement** には上肢を支配する神経があり，**腰膨大 lumbar enlargement** には下肢を支配する神経がある。

深い **前正 (腹側) 中裂 anterior (ventral) median fissure** と浅い **後正 (背側) 中溝 posterior (dorsal) median sulcus** の二つの溝が脊髄を右側半と左側半に分けている (図 10.3)。脊髄では，中央部にある H 形をした灰白質のまわりを白質が囲んでいる。灰白質

Q 脊髄の角と索の違いは何か？

の中心部には**中心管** central canal がある。これは脊髄の全長にわたって伸びている細い管で，その中には脳脊髄液が入っている。

脊髄神経 spinal nerve は，脊髄と特定の身体領域の間の連絡路である。脊髄からは 31 対の脊髄神経が一定の間隔で出ていくので，脊髄は分節化しているようにみえる（図 10.2）。**根** root と呼ばれる2種類の軸索の束が，各脊髄神経を脊髄節に結びつけている（図 10.3）。**後根** posterior（dorsal）root は，皮膚，筋，内臓器官にある感覚受容器から中枢神経系に神経インパルスを伝える感覚性軸索のみを含む。また，各後根には，膨らみ，すなわち**後根神経節** posterior（dorsal）root ganglion があり，この中には感覚ニューロンの細胞体がある。**前根** anterior（ventral）root には，CNS から効果器（筋と腺）に神経インパルスを伝える運動ニューロン motor neuron の軸索がある。

脊髄の内部構造

脊髄の灰白質の中には，ニューロン（神経細胞）の細胞体，樹状突起，無髄（神経）線維，軸索終末，グリア細胞などがある。脊髄の両側とも，灰白質は三つの**角** horn に細分される。これらの三つは，それぞれの相対的位置関係に従って，前角，側角および後角という名称になっている（図 10.3）。**後角** posterior（dorsal）gray horn には，介在ニューロンの細胞体と軸索ならびに脊髄に入ってくる感覚ニューロンの軸索がある。感覚ニューロンの細胞体は後根神経節にあることを思い出そう。**前角** anterior（ventral）gray horn には，骨格筋が収縮するための神経インパルスを出す体性運動ニューロンの細胞体がある。後角と前角の間には**側角** lateral gray horn があるが，これは胸髄と上部腰髄だけにある。側角には，心筋，平滑筋，腺の活動を調節する自律性運動ニューロンの細胞体がある。

脊髄の白質は主として有髄（神経）線維からなり，前索，側索および後索と呼ばれる三つの**索** white column に区分される。それぞれの索には1種あるいは数種の（神経）**伝導路** nerve tract が通っている。伝導路とは，共通の起始あるいは共通の投射先をもち，同じような情報を運ぶはっきり区別できる軸索の束である。**感覚路**（上行路）sensory（ascending）tract は，神経インパルスを脳へ伝える軸索からなる。神経インパルスを脊髄に運ぶ軸索からなる伝導路は**運動路**（下行路）motor（descending）tract と呼ばれる。脊髄の感覚路・運動路は，脳の感覚路・運動路の続きである。伝導路の名称は，白質内での位置，その起始と終止および神経インパルス伝導の方向を示している場合が多い。例えば，前皮質脊髄路は，**前索** anterior white column 内に位置し，起始は**大脳皮質** cerebral cortex

（脳の領域の一つ）で，終止は**脊髄** spinal cord である（図 10.15）。

> **チェックポイント**
> 1. 脊髄はどのように保護されているか？
> 2. 頸膨大と腰膨大から出る神経によって支配されている身体領域はどこか？
> 3. 脊髄の角と索を区別しなさい。

10.2 脊髄神経

目標
・脊髄神経の構成，被膜，分布について述べる。

脊髄神経およびこれから枝分れした神経は，末梢神経系（PNS）の一部をなしている。これらの神経は，中枢神経系（CNS）を全身の感覚受容器，筋，腺に結びつけている。31 対の脊髄神経は，各々が出ていく脊柱の部位とレベルに従って名称と番号がついている（図 10.2）。8 対の頸神経，12 対の胸神経，5 対の腰神経，5 対の仙骨神経，1 対の尾骨神経がある。第 1 頸神経の 1 対は，環椎の上部から出る。ほかの脊髄神経はすべて，椎骨間の孔である**椎間孔** intervertebral foramen（複数形 foramina）を通って脊柱から出ていく。

先に述べたように，典型的な脊髄神経には，脊髄との結合部が2カ所ある。後根と前根（図 10.3）。後根と前根は椎間孔で合体して，脊髄神経を形成する。後根には感覚性軸索があり，前根には運動性軸索があるので，脊髄神経は，**混合神経** mixed nerve に分類される。後根には，感覚ニューロンの細胞体が入っている後根神経節がある。

脊髄神経の被膜

各脊髄神経（および脳神経）は，結合組織の被膜層で防護されている（図 10.4）。個々の軸索は，有髄線維でも無髄線維でも，**神経内膜** endoneurium（endo-＝の中）で包まれている。神経内膜で包まれた軸索が集まって**神経束** fascicle という束を形成し，各神経束は**神経周膜** perineurium（peri-＝まわり）で包まれている。神経全体を覆う表面の被膜は**神経上膜** epineurium（epi-＝上方）である。脊髄膜の硬膜は，脊髄神経が椎間孔を通過するところで，神経上膜と癒合する。神経上膜や神経周膜の中には，神経を養う血管が多数存在していることに注目しよう。

10.3 脊髄の機能

図10.4 脊髄神経の構成と結合組織性被膜。

3層の結合組織性被膜が軸索を保護している。神経内膜は個々の軸索を包み、神経周膜は軸索の束を包み、神経上膜は神経全体を包んでいる。

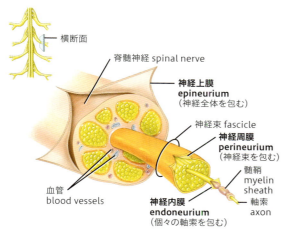

横断面で脊髄神経の被膜を示す

Q 脊髄神経がすべて混合神経に分類されるのはなぜか？

脊髄神経の分布

神経叢 椎間孔を少し出たところで、脊髄神経はいくつかの枝に分かれる。脊髄神経の枝の多くは、それが支配する身体部位に直接伸びることはない。その代わりに、からだの左右どちら側でも、これらの枝は隣接した神経と合流して網状の構造を形成する。このような網状構造は、**神経叢 plexus**（＝組み紐または網状組織）と呼ばれる。神経叢からは、いろいろな名称の神経が出ていく。これらの名称は、各神経が支配する大まかな領域、あるいはそれが辿る道筋を表している場合が多い。各神経は、さらに数本に分枝することもあるが、各枝にはそれが支配する特定の構造にちなんだ名称がつけられる。

主な神経叢は、頸神経叢、腕神経叢、腰神経叢、仙骨神経叢である（図10.2）。**頸神経叢 cervical plexus**は、後頭部、頸、肩の上部の皮膚と筋、および横隔膜を支配する。横隔膜を刺激してこれを収縮させる横隔神経は、頸神経叢に起始する。横隔神経の起始部より上部で脊髄が障害を受けると、呼吸不全が起こることがある。**腕神経叢 brachial plexus** は、上肢を支配する神経、頸と肩のいくつかの筋を支配する神経を出している。腕神経叢から起る神経には、筋皮神経、腋窩神経、正中神経、橈骨神経、尺骨神経などがある。**腰神経叢 lumbar plexus** は、腹壁、外性器、および下肢の一部に神経を伸ばす。この神経叢から起る神経には、腸骨鼠径神経、大腿神経、閉鎖神経がある。**仙骨神経叢 sacral plexus** は、殿部、会陰部、下肢に神経を伸ばす。この神経叢から起る神経には、殿神経、坐骨神経、陰部神経がある。坐骨神経は、からだの中でもっとも長い神経である。

肋間神経 脊髄神経のうち胸神経のT2からT11までは神経叢をつくらない。これらの神経は**肋間神経 intercostal nerve** といわれ、それぞれが支配する領域に直接軸索を伸ばしている。これらの領域には、肋間筋、腹筋、および胸部と背部の皮膚が含まれる（図10.2）。

> **チェックポイント**
> 4. 脊髄神経は脊髄とどのようにつながっているか？
> 5. 各神経叢によって支配されている身体領域、および肋間神経によって支配されている身体領域は、それぞれどこか？

10.3 脊髄の機能

目標
・脊髄の機能について述べる。
・反射弓の構成要素について概略を述べる。

脊髄の白質と灰白質にはホメオスタシスの維持にかかわる二つの主要な機能がある。(1)脊髄の白質は、神経インパルスが伝導する主要ルートの働きをしているいくつかの伝導路からなる。この主要ルートを通って、感覚インパルスが脳に向かって伝わり、運動インパルスが脳から骨格筋やほかの効果器組織に向かって伝わっていく。神経インパルスがからだの一部のニューロンから出て、からだのそれ以外の部位のほかのニューロンに伝わっていく道筋を**経路 pathway**という。脳のさまざまな領域の機能について述べた後で、脊髄と脳を結ぶ重要な経路のいくつかについて述べる（図10.14, 図10.15）。(2)脊髄の灰白質は、入ってくる情報と出ていく情報を受け取ってこれらを統合しており、いろいろな反射の統合の場となっている。**反射 reflex** は、特定の刺激に反応して生じる急速で不随意的な一連の活動である。熱い物体に触ったときにそれを熱いと感じる前に手をその物体から引っ込める反射（**逃避反射 withdrawal reflex**）のようないくつかの反射は、先天的なものである。それ以外の、

自動車の運転技術を学ぶときに身につけるような多くの反射は，生後に習得あるいは獲得したものである。反射の統合が脊髄の灰白質で起る場合には，その反射は**脊髄反射 spinal reflex** である。それに対して，反射の統合が脊髄ではなく脳幹で起る場合には，その反射は**脳神経反射 cranial reflex** となる。その一例は，いまあなたがこの文章を読んでいるときの，眼が文字を追う動きである。

反射を引き起す神経インパルスが通る経路は**反射弓 reflex arc** といわれる。**膝蓋腱反射 patellar reflex (knee jerk reflex)** を例に挙げれば，反射弓の基本的構成要素は次のようなものである（図10.5）。

❶ **感覚受容器**：感覚ニューロンの遠位端（あるいは，別個の受容器細胞のこともある）が**感覚受容器** sensory receptor の働きをしている。感覚受容器は，特定の種類の刺激に反応して，1発あるいは多数発の神経インパルスを発射する。膝蓋腱反射では，**筋紡錘 muscle spindle** という名称がついた感覚受容器が，膝蓋（膝のお皿）の靱帯が反射検査用のハンマーで軽く叩かれたときに生じる大腿四頭筋（大腿前面の筋）のわずかな伸張を検出する。

❷ **感覚ニューロン**：神経インパルスは，**感覚ニューロン sensory neuron** の軸索を通って感覚受容器からCNSの灰白質の中にある軸索終末に伝わる。感覚ニューロンの軸索の枝は神経インパルスを脳にも中継するので，反射が起ったことが意識される。

❸ **統合中枢**：CNSの灰白質の一つあるいは複数の領域が**統合中枢 integrating center** の働きをしてい

図10.5 膝蓋腱反射。反射弓の一般的構成要素を示す。矢印は神経インパルスが伝わる方向を示す。

反射は，特定の刺激に反応して起る急速で不随意的な一連の活動である。

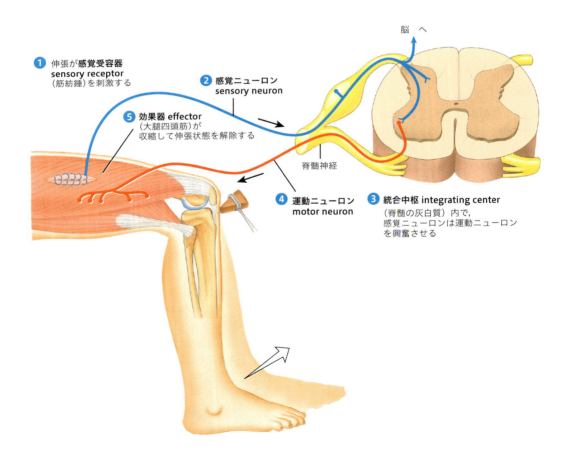

Q 感覚ニューロンの軸索は，脊髄神経のどの根を通るか？　運動ニューロンの軸索は，どの根を通るか？

る。膝蓋腱反射のようなもっとも単純なタイプの反射では，統合中枢は感覚ニューロンと運動ニューロンの間の単一のシナプスである。他種の反射では，統合中枢は，一つあるいは複数の介在ニューロンからなる。

❹ **運動ニューロン**：統合中枢の活動が引き金となって発射されるインパルスは，**運動ニューロン** motor neuron を通って脊髄（脳神経反射の場合には，脳幹）の外に出ていき，反応すべき身体部位に伝わる。膝蓋腱反射にかかわる運動ニューロンの軸索は，大腿四頭筋に伸びている。

❺ **効果器**：筋や腺のような運動神経のインパルスに反応する身体部位が**効果器** effector であり，その活動が反射である。効果器が骨格筋の場合の反射は，**体性反射** somatic reflex である。効果器が平滑筋，心筋，腺などの場合の反射は，**自律神経（内臓）反射** autonomic (visceral) reflex である。例えば，嚥下，排尿，排便といった行為にはすべて自律神経反射が関与している。膝蓋腱反射は，その効果器が大腿四頭筋なので，体性反射である。この筋が収縮することによって，反射の引き金となった筋の伸張状態は取り除かれる。要するに，膝蓋腱反射は，膝蓋靱帯が軽く叩かれたことに対して，大腿四頭筋の収縮をもって，膝関節を伸展させるものである。

> **臨床関連事項**
>
> ### 反射と診断
>
> 反射弓のどこかが障害されると，反射が起こらなくなったり異常になったりする。例えば，**膝蓋腱反射が起こらない**ときは，腰髄領域の感覚ニューロンや運動ニューロンの障害，あるいは脊髄損傷の可能性が考えられる。体性反射は，一般に，からだの表面を軽く叩いたりなでたりするだけで調べることができる。これに対して，ほとんどの自律神経反射は，内臓の受容器が体内深部にあって刺激しにくいことから，診断のための検査としては実用的でない。例外の一つは瞳孔の対光反射で，これは，一方の眼に光をあてると，両眼の瞳孔径が小さくなるという反射である。この反射弓には脳の下部にあるシナプスがかかわるので，**正常な瞳孔の対光反射が起こらない**ときは，脳の損傷や障害の可能性がある。

> **チェックポイント**
>
> 6. 脊髄の白質を通る伝導路の重要な点は何か？
> 7. 体性反射と自律神経反射の類似点と相違点は何か？

10.4 脳

目　標

- 脳はどのように保護され，血液を供給されているかを論じる。
- 脳の主要部位の名称を挙げ，各部位の機能を説明する。
- 3種類の体性感覚経路と体性運動経路について述べる。

次に，脳の主要部位について検討し，脳はどのように保護されているのか，脳は脊髄や脳神経とどのような関係にあるのかを検討しよう。

主要部位と保護被膜

脳 brain はからだの中でもっとも大きな器官の一つであって，約850億個のニューロンと10～50兆個のグリア細胞からなり，その重さは約1,300 gである。一つのニューロン（神経細胞）はほかのニューロンと平均1,000程度のシナプスを形成する。したがって，ヒトの脳におけるシナプスの総数は約100兆にも及び，銀河の星の数より多い。

主要な部位は，脳幹，間脳，大脳，小脳の四つである（図10.6）。**脳幹** brain stem は，脊髄につながる部分で，延髄，橋，中脳からなる。脳幹の上部には**間脳** diencephalon (di- = の間を；-encephalon = 脳)があり，大部分は視床，視床下部，および松果体からなる。間脳と脳幹の上にあって脳の大部分を形成しているのが**大脳** cerebrum (= 脳)である。大脳の表面は灰白質の薄い層である**大脳皮質** cerebral cortex (cortex = 外皮あるいは樹皮)でできていて，その下には大脳の白質がある。脳幹の後方に，**小脳** cerebellum (= 小さな脳)がある。

本章の初めのほうで学んだように，脳は，頭蓋骨と脳髄膜で保護されている。**脳髄膜** cranial meninx は，脊髄膜と同じ名称になっている。もっとも外側が**硬膜** dura mater，中間が**クモ膜** arachnoid mater，もっとも内側が**軟膜** pia mater である（図10.7）。

脳の血液供給と血液脳関門

脳は，全体重の約2％を占めるにすぎないが，からだの酸素供給の約20％を必要としている。たとえ短時間であっても，脳への血流が途絶えると，意識は消失する。酸素の供給が4分間以上完全に途絶すると，脳のニューロンは永久的な傷害を受ける。脳に栄養分を供給する血液は，脳細胞の主たるエネルギー源であるグルコースも含んでいる。グルコースは，脳にほとんど貯蔵されないので，絶えず供給され続けなければならない。もし脳に流入する血液のグルコース濃度が

図 10.6　脳。下垂体は 13 章で内分泌系と一緒に検討する。

脳の四つの主要部位は，脳幹，小脳，間脳，大脳である。

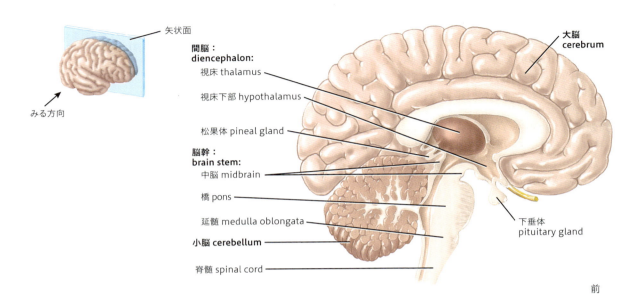

(a)　矢状断面

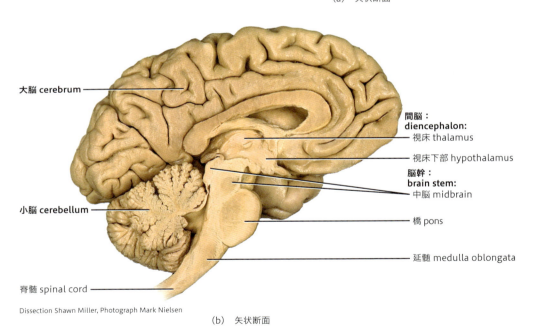

(b)　矢状断面

Q 脳のどの部分が脊髄とつながっているか？

図 10.7 髄膜と脳室。

脳脊髄液（CSF）は，脳と脊髄を保護し，栄養分を血液から脳と脊髄に運ぶ。また，CSFは老廃物を脳と脊髄から除去して血液に排出する。

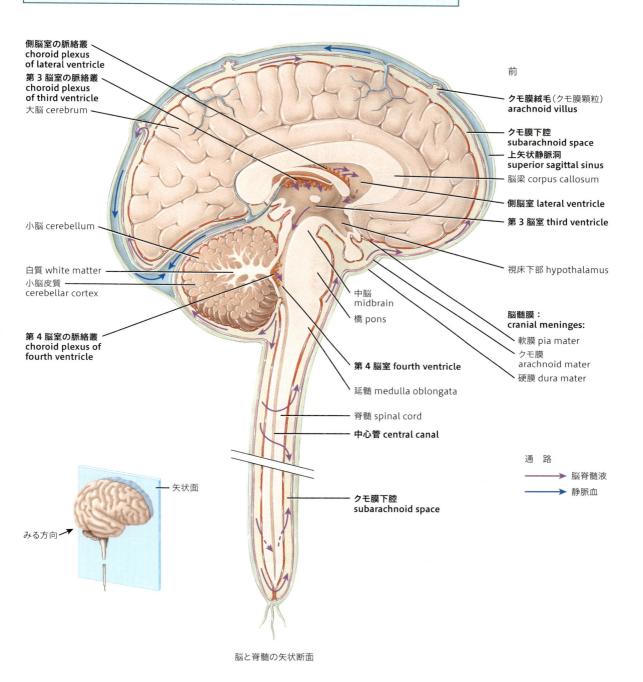

脳と脊髄の矢状断面

Q CSFはどこでつくられ，どこで吸収されるか？

低ければ，精神錯乱やめまい，痙攣，意識消失などが起るだろう。

血液脳関門 blood-brain barrier(BBB)が存在するために，多数の物質が血液から脳組織への通過を阻止されるので，脳細胞は有害物質や病原菌から保護されている。この関門は，基本的に，脳内の星状膠細胞(アストロサイト)に支えられた密閉された毛細血管(非常に微細な血管)でできている。しかし，酸素，二酸化炭素，アルコール，ほとんどの麻酔薬などの脂溶性物質は，血液脳関門を容易に通過する。外傷やある種の毒素，炎症は血液脳関門を破綻させることがある。

脳脊髄液

脊髄と脳は，さらに，**脳脊髄液** cerebrospinal fluid (CSF)によって化学的，物理的傷害から保護されている。CSFは，無色透明な液体で，酸素，グルコース，その他の必要な物質を血液からニューロンやグリア細胞に運び，脳と脊髄のニューロンが産生した老廃物や有害な物質を取り除く。CSFは，脳と脊髄を取り巻くクモ膜下腔(クモ膜と軟膜の間)と**脳室** ventricle(＝小さな腔)と呼ばれる脳内の腔を循環する。脳室は四つある。**側脳室** lateral ventricle が二つと**第3脳室** third ventricle と**第4脳室** fourth ventricle が一つずつである(図10.7)。これらの脳室は，開口部を介して互いにつながっていて，脊髄の中心管，クモ膜下腔ともつながっている。

CSF産生の場は，**脈絡叢** choroid plexus(choroid ＝膜状の)で，これは脳室壁にある特殊な毛細血管網である(図10.7)。脈絡叢の毛細血管を覆っているのは上衣細胞で，この細胞は，濾過と分泌によって血漿から脳脊髄液を産生する。CSFは，第4脳室から脊髄の中心管に流れ込み，さらに脳と脊髄の表面のまわりのクモ膜下腔に流れ込む。CSFは，クモ膜の指状の突起である**クモ膜絨毛** arachnoid villi から血液中に徐々に吸収されていく。CSFは，主として，**上矢状静脈洞** superior sagittal sinus と呼ばれる静脈に流れ出る(図10.7)。CSFは，通常，産生されるのと同じくらいの速さで吸収されるので，その量は，80～150 mLで一定になっている。

脳　幹

脳幹は，脊髄と間脳の間の部分である。脳幹は，三つの領域からなる：(1)延髄，(2)橋，(3)中脳。灰白質と白質が混在した領域である網様体が，脳幹全体に伸びている。

延　髄　延髄 medulla oblongata(単に medulla)は，脊髄の続きである(図10.6)。延髄は，脳幹の下部をなしている(図10.8)。延髄の白質には，脊髄とその他の脳の部位の間を結ぶ感覚性(上行性)および運動性(下行性)のすべての伝導路が通っている。

また，延髄には灰白質の塊である**核** nucleus がいくつかあり，ここでは，多数のニューロンが互いにシナプスを形成している。主要な核が二つある。**心臓血管中枢** cardiovascular center は，心拍動の頻度と収縮力および血管の太さを調節する(図15.9)。**延髄呼吸中枢** medullary respiratory center は，呼吸の基本リズムを調節する(図18.12)。延髄の後部には，

> #### 臨床関連事項
>
> #### 水頭症
>
> 脳の異常な状態(腫瘍，炎症，先天性奇形)は，脳室からクモ膜下腔へのCSFの排出を妨げることがある。CSFが脳室内に**過剰**にたまると，脳脊髄液圧が亢進する。脳脊髄液圧の亢進は，**水頭症** hydrocephalus(hydro- ＝水；cephal- ＝頭)と呼ばれる状態を引き起こす。泉門がまだ閉じていない乳児では，圧の亢進のために頭が膨らむ。もしこの状態が持続すると，蓄積した液が繊細な神経組織を圧迫し，傷害を与える。水頭症は，過剰にたまったCSFを排出すれば救済できる。脳神経外科手術では，シャントと呼ばれる排出路を側脳室に埋め込み，CSFの流れを変えてこれを上大静脈あるいは腹腔に導くことがある。ここでCSFは血液に吸収される。成人では，頭部の傷害，髄膜炎，クモ膜下出血の後に水頭症になることがある。この状態は急速に進行して生死にかかわるようになることがあり，迅速な対応が求められる。成人の頭蓋骨はすでに癒合しているので，神経組織が急速に傷害されるからである。

> #### 臨床関連事項
>
> #### 延髄の損傷
>
> 生命活動の多くが延髄によって制御されていることを考えれば，頭あるいは上頚部の後部への強烈な打撃による**延髄の損傷** injury to the medulla が致命的になっても，不思議ではない。またボクサーのアッパーカットのような打撃によって頭蓋骨が脊柱上で激しく揺さぶられ軸椎歯突起が延髄に突き当たった場合でも，延髄は傷害を受けることがあり，時にはそれが致命傷にもなり得る(図6.13 b)。延髄呼吸中枢の傷害は，とくに重篤な結果をもたらし，急速に死にいたることがある。延髄の損傷で致命的とはならないものの症状には，からだの反対側での麻痺や感覚脱失，呼吸・心拍のリズム不整などがある。アルコールの過剰摂取でも延髄の呼吸循環リズム制御領域が抑制されて死を招くことがある。

触覚，圧覚，振動感覚，意識的固有感覚（身体各部位の位置の認識）に関連した核がある．多くの上行性・感覚性軸索が，これらの核内でシナプスをつくっている（図 10.14 a）．そのほか，延髄内には，嚥下，嘔吐，咳嗽，しゃっくり，くしゃみなどの反射を制御する核がある．さらに，延髄には 5 対の脳神経に関係した核がある（図 10.8）：内耳神経（Ⅷ），舌咽神経（Ⅸ），迷走神経（Ⅹ），副神経（Ⅺ）（延髄根），舌下神経（Ⅻ）．

橋 橋 pons は，延髄の上部で小脳の前方にある（図 10.6 〜図 10.8）．橋は，延髄と同様に，さまざまな核と伝導路からなる．橋は，その名が示すように，脳のさまざまな部位を結びつけている架橋である．これらを結びつけているのは軸索の束である．橋を通る軸

図 10.8 脳の下面図で，脳幹と脳神経を示す．

脳幹は，延髄，橋，中脳からなる．

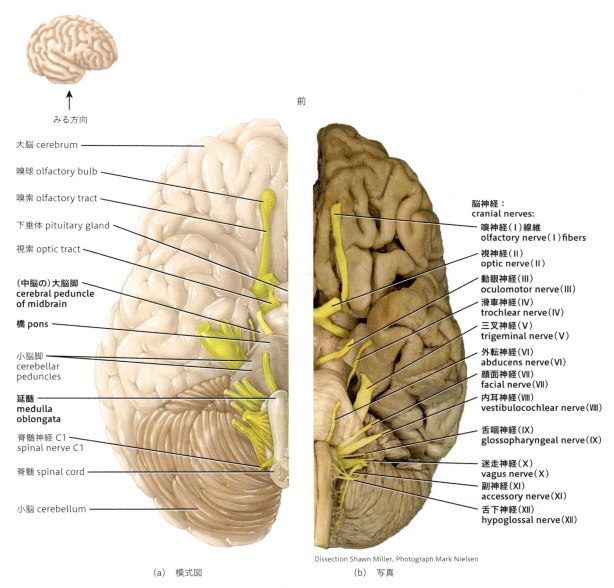

(a) 模式図   (b) 写真

脳の下面

Dissection Shawn Miller, Photograph Mark Nielsen

Q 大脳脚があるのは，脳幹のどの部位か？

索は，上行性の感覚路と下行性の運動路の一部である。橋にあるいくつかの核は，大脳皮質に起源をもつ随意運動を起すための信号が小脳に中継される場となっている。橋には，別に**橋呼吸ニューロン群 pontine respiratory group**（図18.12）があり，延髄呼吸中枢とともに呼吸調節にかかわる。さらに，橋には，次の4対の脳神経，三叉神経（V），外転神経（VI），顔面神経（VII），および内耳神経（VIII）に関係した核がある（図10.8）。

中 脳 中脳 midbrain は，橋を間脳に結びつけている（図10.6～図10.8）。中脳の前方部は**大脳脚 cerebral peduncle**（＝小さな足；図10.8，図10.9）と呼ばれる1対の太い伝導路からなる。この中を，大脳から脊髄，延髄，橋へ神経インパルスを伝える運動ニューロンの軸索が通っている。

中脳の核に**黒質 substantia nigra**（substantia ＝物質；nigra ＝黒い）があるが，これは黒色の大きな核である。パーキンソン病はこの核のニューロンの脱落と関連づけられている（章末"よくみられる病気"参照）。中脳には左右に**赤核 red nucleus** もあるが，この核は，豊富な血液供給とニューロンの細胞体にある鉄を含んだ色素のために赤味がかってみえる。小脳や大脳皮質からの軸索が赤核でシナプスをつくっていて，赤核は小脳とともにさまざまな筋の活動を協調させる機能がある。そのほか，中脳には，2対の脳神経に関係した核がある（図10.8）：動眼神経（III）と滑車神経（IV）。

また，中脳の後面には丸い隆起状の四つの核がある。上部の二つの隆起は**上丘 superior colliculus**（複数形 colliculi；＝小さな丘）である（図10.9 a）。追跡眼球運動，走査眼球運動，視覚刺激に対する眼球，頭部，頸部の動きを支配する反射など，いくつかの反射弓が上丘を通っている。下部の二つは**下丘 inferior colliculus**で，聴覚経路の一部をなし，耳の聴覚受容器からのインパルスを視床に中継する。また，下丘は，大きな音でびっくりしたときの頭部やからだの突発的な動きである驚愕反射の反射中枢でもある。

網様体 脳幹の大部分は，すでに述べたようなはっきり定義できるさまざまな核に加えて，有髄線維の小さな束（白質）に混在するニューロンの細胞体の小さな塊（灰白質）からなる。この領域は，白質と灰白質が網状に配列しているために，**網様体 reticular formation**（ret- ＝網）という名称になっている。網様体の中にあるニューロンには，上行性（感覚性）および下行性（運動性）の両方の機能がある。

網様体の上行性の部分は**網様体賦活系 reticular**

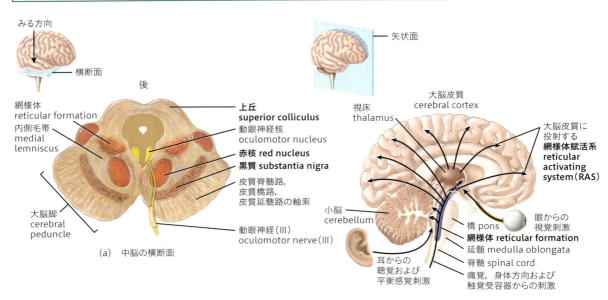

図10.9 中脳。

中脳は，橋を間脳に結びつけている。

(a) 中脳の横断面

(b) 網様体を示す脳脊髄矢状断面

Q 上丘の機能は何か？

activating system (RAS) と呼ばれ，大脳皮質に投射する感覚性軸索からなる（図10.9 b）。RAS が刺激されると，多数の神経インパルスが，上方に向かって伝わり，大脳皮質の広範な領域に達する。その結果，**意識 consciousness** と呼ばれる覚醒した状態になる。覚醒した状態でヒトは，目を見開き，十分な注意力を備え，時間・空間・方位・方向などに関する情報も過たず認識することができる。これには，大脳皮質から RAS にいたるフィードバックも部分的には関与していると思われる。RAS の不活性化は，**睡眠 sleep** を引き起す。睡眠とは不完全な無意識の状態で，各自はこの状態から目覚めることができる。網様体の主たる下行性機能は，正常な静止状態にある筋の微妙な収縮度，筋緊張度の調節である。

> **チェックポイント**
> 8. 血液脳関門が重要な点は何か？
> 9. どの構造が CSF 産生の場で，それはどこに位置するか？
> 10. 延髄，橋，中脳は，相対的にどのような位置関係にあるか？
> 11. 脳幹の核によってどのような機能が制御されているか？
> 12. 網様体の二つの重要な機能とは何か？

間 脳

間脳の主要な領域は，視床，視床下部および松果体である（図10.6）。

視 床 視床 thalamus（＝内室）は，対をなした卵形の灰白質の塊でできていて，さまざまな核で構成され，その間に白質の伝導路が散在している（図10.10）。視床は，脊髄，脳幹から大脳皮質へ伝わるほとんどの感覚インパルスの主要な中継所である。さらに，視床は運動機能にも関与し，小脳や大脳基底核からの情報を大脳皮質の運動野に伝える。また視床は，大脳の異なる領域の間で神経インパルスを中継し，意識を維持する働きもある。

視床下部 視床下部 hypothalamus（hypo- ＝下）は，視床の下方で下垂体の上方に位置する間脳の小さな部分である（図10.6，図10.10）。そのサイズは小さいが，視床下部は，多くの重要な身体活動を制御しており，これらの活動のほとんどが，ホメオスタシスに関係している。視床下部の主な機能は下記のようなものである。

1. **自律神経系の制御**：視床下部は，平滑筋や心筋の収縮および多数の腺の分泌を調節する自律神経系

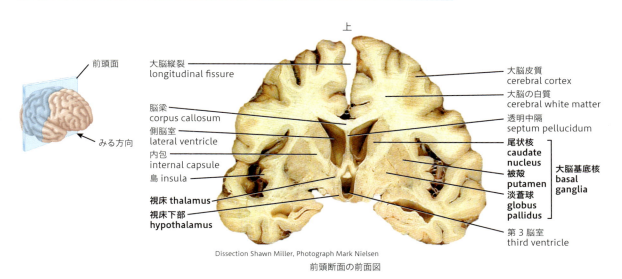

図10.10 間脳：視床と視床下部。大脳基底核—尾状核，被殻，淡蒼球—も示してある。

> 視床は，脊髄および脳のほかの部分から大脳皮質に伝わる感覚インパルスの主たる中継所である。

前頭断面の前面図

Q 大脳基底核は，脳の四つの主要部位のどこにあるか？ また，どのような種類の組織が大脳基底核を構成しているか？

の活動を制御し，統合する。視床下部は自律神経系を介して，心拍数や胃腸管内の食物の動き，膀胱の収縮といった活動の調節に関与している。

2. **下垂体の制御とホルモン産生**：視床下部は，いくつかのホルモンの下垂体からの分泌を制御する。こうして，神経系と内分泌系を結びつける重要な役割を果たしている。また，視床下部は下垂体に貯蔵されてから分泌される2種類のホルモン（抗利尿ホルモンとオキシトシン）を産生する。

3. **情動パターンと行動パターンの調節**：視床下部は，大脳辺縁系（後述）とともに，怒り，攻撃性，痛み，喜びの感情を調節し，性衝動に関係した行動のパターンを調節する。

4. **摂食と飲水の調節**：視床下部は，食物摂取を調節する。視床下部には**摂食中枢 feeding center** と**満腹中枢 satiety center** がある。前者は摂食を促進し，後者は満腹感をもたらし，摂食をやめさせる。視床下部には**渇き中枢 thirst center** もある。視床下部の特定の細胞が細胞外液の浸透圧の上昇によって刺激されると，渇きの感覚が生じる。飲水による水の摂取は，浸透圧を正常に戻し，刺激を取り除いて渇きを和らげる。

5. **体温調節**：視床下部を流れる血液の温度が正常より高ければ視床下部は自律神経系に指令を出して，放熱を促進する活動を引き起す。しかし，もし血液の温度が正常より低ければ，視床下部は，熱の産生と保持を促進するようなインパルスを発生させる。

6. **概日リズム（サーカディアンリズム）circadian rhythm と意識状態の調節**：視床下部は，ほぼ1日の（概日）周期で起る覚醒・睡眠のパターンを設定する。

松果体 松果体 pineal gland（pineal ＝松の実様）は，ほぼ小さなエンドウ豆大で，第3脳室の正中後部から突き出ている（図 10.6 a）。松果体は**メラトニン melatonin** というホルモンを分泌するので，内分泌系の一部である。メラトニンは，眠気を催し，からだの生物学的時計をあわせることにも関与する非常に強力な抗酸化物質である。

小 脳

小脳 cerebellum は二つの**小脳半球 cerebellar hemispheres** からなる。小脳は，延髄と橋の後方で大脳の下方にある（図 10.6）。小脳の表面は**小脳皮質 cerebellar cortex** と呼ばれ，灰白質からなる。皮質の下には，樹の枝状に広がった**白質 white matter**（小脳活樹 arbor vitae）がある（図 10.7）。白質の深部に

は，灰白質の集まりである**小脳核 cerebellar nucleus** がある。小脳は，**小脳脚 cerebellar peduncle** と呼ばれる軸索の束で脳幹とつながっている（図 10.8）。

小脳は，大脳皮質の運動野によってプログラムされた意図された運動と実際に起っていることを比較する。小脳は，筋，腱，関節，平衡受容器，視覚受容器から，絶えず感覚インパルスを受けている。小脳は，複雑な順序で起る骨格筋の収縮を円滑にし，協調させるのに役立っている。小脳は，姿勢とバランスを調節し，野球のボールを捕球することからダンスをすることまで，熟練を要するあらゆる運動に不可欠である。

> **臨床関連事項**
>
> **運動失調**
>
> 小脳の障害は筋肉の動きを調整もしくは統合する能力の欠失という結果をもたらすことがあり，そのような病態を**運動失調 ataxia**（a- ＝なしに；-taxia ＝秩序）と呼ぶ。運動失調がある人は，目隠しをされると，指で自分の鼻の頭を触ることができない。それは，運動を身体各部位の位置の感覚にあわせることができないからである。運動失調のもう一つの徴候は，話すことに関与する筋の協調性が失われたために生じる話し方のパターンの変化である。小脳の障害は，よろめきや異常な歩行運動を引き起すこともある。アルコールは小脳の活動を抑制するので，アルコールを摂りすぎる人は，運動失調の徴候を示す。そのような人は飲酒検査に合格するのが困難になる。運動失調は，変性疾患（多発性硬化症やパーキンソン病），外傷，脳腫瘍，遺伝的要因によっても起りうるが，双極性障害治療薬の副作用として生じることがある。

大 脳

大脳は，大脳皮質（灰白質の外縁），内部の白質，および白質の深部にある灰白質の神経核からなる（図 10.10）。大脳は，読み，書き，話す能力，計算をし，音楽を作曲する能力，過去を記憶し未来の計画を立てる能力，そして創造力をもたらす。胎生期の発生過程で，脳の大きさが急速に増大するとき，大脳皮質の灰白質は，その下にある白質よりもずっと速く大きくなる。その結果，大脳皮質は丸まって，頭蓋腔の中にちょうどうまく収まるように折り畳まれる。この折り畳みの部分は**大脳回 gyrus**（複数形 gyri；＝円）と呼ばれる（図 10.11）。折り畳み部分の間の深い溝は**大脳裂 fissure** で，浅い溝は**大脳溝 sulcus**（複数形 sulci；＝溝）である。**大脳縦裂 longitudinal fissure** は，大脳を，**大脳半球 cerebral hemisphere** と呼ばれる右半と左半に分けている。両半球は**脳梁 corpus callosum**（corpus ＝からだ；callosum ＝堅い）によっ

図 10.11 大脳。(a)の挿入図は，大脳回，大脳溝，大脳裂の違いを示す。島は外側からはみえないので，(b)では表面に投影してある。

> 大脳は，読み，書き，話す能力，計算し音楽を作曲する能力，過去を記憶し未来の計画を立てる能力，創造力をもたらす。

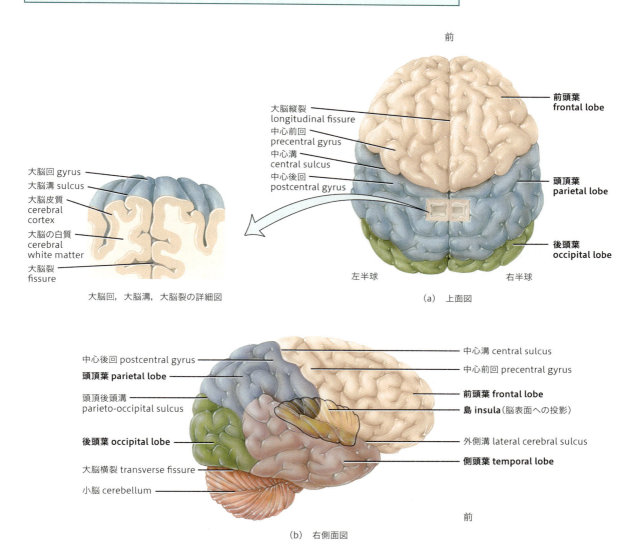

Q どのような構造が左右の大脳半球を分けているか？

て内部でつながっている。脳梁は両半球間に伸びている軸索からなる幅の広い白質の帯である（図 10.10）。

各大脳半球には，それを覆っている骨にちなんで命名された四つの大脳葉がある：**前頭葉** frontal lobe，**頭頂葉** parietal lobe，**側頭葉** temporal lobe および**後頭葉** occipital lobe（図 10.11）。**中心溝** central sulcus は，前頭葉と頭頂葉を分けている。主要な脳回である**中心前回** precentral gyrus は，中心溝のすぐ前方に位置する。中心前回には大脳皮質の一次運動野がある。**中心後回** postcentral gyrus は中心溝のすぐ後方に位置しているが，ここには大脳皮質の一次体性感覚野がある。体性感覚野については後で述べる。大脳の 5 番目の部位である**島** insula は，大脳外側溝の中で，頭頂葉，前頭葉および側頭葉の深いところにあるので，脳の表面でみることはできない（図 10.10）。

大脳の白質 cerebral white matter は有髄線維と無髄線維からなるが，これらの軸索には，インパルスを，

同じ大脳半球内のある大脳回から別の大脳回に伝えるもの，脳梁を介して一側の大脳半球の大脳回から反対側大脳半球の対応する大脳回に伝えるもの，さらに大脳から脳のほかの部位や脊髄に伝えるものがある。

各大脳半球の深部に，**大脳基底核 basal ganglia** と総称される三つの核(灰白質の塊)がある(図10.10；訳注：原文では，'basal nuclei 基底核' と記されているが，日本では 'basal ganglia 大脳基底核' が多く使われているため，本書では後者を採用する)。これらの核は，**淡蒼球** globus pallidus(globus ＝球；pallidus ＝青白い)，**被殻** putamen(＝殻)，および**尾状核** caudate nucleus(caud- ＝尾)である。大脳基底核の主たる機能は，運動の開始と終止への寄与である。また，大脳基底核は，特定の身体運動で必要とされる筋緊張の調節や歩行中の自動的な腕の振りのような，意識にのぼらない骨格筋の収縮の制御にも関与している。

大脳辺縁系　大脳の内側縁と間脳の底部に環状に並んだ一連の構造が脳幹の上部と脳梁を取り囲んでいるが，これが**大脳辺縁系 limbic system**(limbic ＝境)を構成している(図10.12)。大脳辺縁系は，痛み，喜び，従順性，愛情，怒りなどの一連の情動において主要な役割を果たすので，"情動脳" と呼ばれることもある。行動は神経系全体の働きの結果ではあるが，大脳辺縁系は，生存にかかわる行動の不随意的側面の大部分を制御する。動物実験により，大脳辺縁系は包括的

> **臨床関連事項**
>
> **慢性外傷性脳症(CTE)**
>
> 慢性外傷性脳症 chronic traumatic encephalopathy (CTE)と呼ばれる病態に対してこれまで多くの人が重大な関心と懸念を抱いてきた。それは，脳震盪やその他の反復性頭部外傷により引き起される進行性の脳変性障害であり，アメリカンフットボール，アイスホッケー，ボクシングなどのコンタクトスポーツに参加する運動選手のみならず退役軍人や反復性脳損傷の既応歴を有する人たちの間で主として発症する。ニューロン(神経細胞)の軸索内には微小管 microtubules があり，微小管は軸索を支える足場のような働きをするとともに軸索輸送のためのレールとして役立つ。軸索において微小管が構造機能単位として重合するためには，**タウ** tau(TOW)と呼ばれる脳組織のタンパク質が必要である。反復性脳損傷はタウタンパク質の集合を引き起こし，その結果タウタンパク質のもつれや集塊が生じることがある。この集塊が発生した脳細胞が最初に死滅し，やがて同様の現象が周辺細胞にも広がる。このような脳内の病的変化は，最後の脳損傷を受けてから何ヵ月，何年，何十年も経過した後に始まることがある。これが CTE である。CTE の患者に起りうる症状としては，記憶障害(物忘れ)，混迷，衝動行動または奇行，判断力低下，うつ，妄想性障害(パラノイア)，攻撃性，平衡運動機能障害などが含まれ，やがて患者は認知症にいたる。目下のところ，CTE に対する治療法はなく，確定診断は死後の病理解剖により脳組織が調べられた場合にのみ可能である。

図10.12　**大脳辺縁系。**大脳辺縁系の構成要素は，緑色に塗ってある。

大脳辺縁系は，行動の情動的側面を支配する。

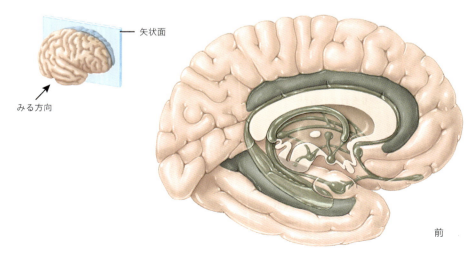

矢状断面

Q 大脳辺縁系は脳のどこに位置するか？

な行動パターンの制御で重要な役割を果たしていることが示された。大脳辺縁系は，大脳のいろいろな部位とともに，記憶にも関与している。大脳辺縁系の損傷は記憶障害を引き起す。

大脳皮質の機能的区分
特定の感覚性，運動性，統合性の信号は大脳皮質の特定の領域で処理される。一般的に，**感覚野** sensory area は，感覚情報を受け取り，**知覚** perception，感覚の意識的認識に関与する。**運動野** motor area は，運動を開始する。**連合野** association area は，記憶，情動，推論，意志，判断，個性，および知性などのより複雑な統合機能にかかわっている。

感覚野 sensory area　大脳皮質への感覚性入力は，主として，大脳半球の後半部，すなわち中心溝の後方の領域，に流入する。大脳皮質の中で，一次感覚野は末梢の感覚受容器から脳の下部をへて運ばれてきた感覚情報を受け取る。

　一次体性感覚野 primary somatosensory area は，各大脳半球の中心溝後方の頭頂葉の中心後回にある（図 10.13 a）。ここは，触覚，固有感覚（関節や筋の

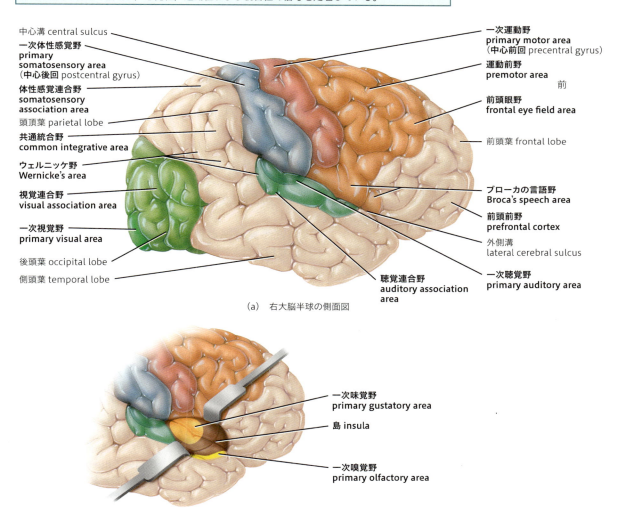

図 10.13　大脳皮質の機能的区分。ブローカの言語野とウェルニッケ野は，ほとんどの人で左半球にある。この図にはこれらの相対的位置関係が示してある。

大脳皮質の特定の領域が，感覚性，運動性および統合性の信号を処理している。

(a)　右大脳半球の側面図

(b)　島，一次味覚野，一次嗅覚野の右側面図

Q 体性感覚が生じるところを正確に特定するのは大脳のどの部位か？

位置),痛覚,かゆみ,むずがゆさ,温度の感覚にかかわる神経インパルスを受け取り,これらの感覚の知覚に関与する。一次体性感覚野のおかげで,感覚が生じた身体部位の局在を特定することができる。それで,からだのどこをぴしゃりと叩けばいま自分を刺している蚊をつぶせるかが正確にわかるのである。**一次視覚野** primary visual area は後頭葉にあって,視覚情報を受け取り,視覚認知に関与する。**一次聴覚野** primary auditory area は側頭葉にあって,音にかかわる情報を受け取り,聴覚認知に関与する。**一次味覚野** primary gustatory area は島にあり,味刺激を受容して味覚を司る(図10.13 b)。**一次嗅覚野** primary olfactory area は側頭葉の内側面にあって,においにかかわる情報を受け取り,嗅覚認知に関与する(図10.13 b)。

運動野 motor area　大脳皮質からの運動性出力は,主として,各半球の前方部から出る。非常に重要な運動野に,一次運動野とブローカの言語野がある(図10.13 a)。**一次運動野** primary motor area は,各半球で前頭葉の中心前回にある。一次運動野の各部位は,からだの反対側の特定の筋の随意的収縮を制御する。**ブローカの言語野** Broca's speech area は,大脳の外側溝に近接した前頭葉にある。言葉を話すことおよび理解することは,大脳皮質のいくつかの感覚野,連合野,運動野が関与する複雑な活動である。97%のヒトで,これらの言語にかかわる領域は**左半球** left hemisphere にある。ブローカの言語野,運動前野,一次運動野間の神経結合が,話すのに必要な筋と呼吸筋を活動させる。

連合野 association area　大脳の連合野は,後頭葉,頭頂葉,側頭葉および運動野より前方の前頭葉の広い領域からなる(図10.13 a)。諸伝導路が連合野を互いに結びつけている。**体性感覚連合野** somatosensory association area は,一次体性感覚野のすぐ後方にあって,対象物の正確な形や手ざわりのような体性の諸感覚を統合し,解釈する。体性感覚連合野のもう一つの役割は,過去の感覚体験の記憶を貯蔵することである。これによって,現在の感覚を以前の体験と比較することができるのである。例えば,体性感覚連合野のおかげで,ただ触るだけで鉛筆やペーパークリップのような物体を認識できるのである。**視覚連合野** visual association area は後頭葉にあって,現在と過去の視覚体験を関係づけ,みえているものを認識し,評価するのに不可欠である。**聴覚連合野** auditory association area は側頭葉皮質の一次聴覚野の下方に位置するが,これがあるために,特定の音を言葉,音楽,あるいは雑音と認識できるのである。

ウェルニッケ野 Wernicke's area は,**左側頭葉** left temporal lobe と頭頂葉にまたがる広い領域で,話された語句を認識することによって話しの意味を解釈する。ここは,語句を考えに翻訳するときに活動する。**右半球** right hemisphere の中で左半球のブローカ野とウェルニッケ野に対応する領域も,話された語句に怒りや喜びなどの情動的内容を付加しており,言葉によるコミュニケーションに寄与している。**共通統合野** common integrative area は,体性感覚連合野,視覚連合野,聴覚連合野および一次味覚野,一次嗅覚野,視床,さらに脳幹のいろいろな部位からの神経インパルスを受け,これを解釈する。**運動前野** premotor area は一次運動野のすぐ前方にあって,ここで発生した神経インパルスは,例えば語句を書くときのように,特定の筋群を特定の順序で収縮させる。前頭葉にある**前頭眼野** frontal eye field area は,この文章を読んでいるときに起るような,眼球の随意的な走査運動を制御している。前頭葉の前方部にある**前頭前野** prefrontal cortex は,人格構造,知性,複雑な学習能力,情報の想起,主導性,判断力,先見性,論理的思考,良心,直観力,気分,将来への計画性,抽象概念の展開などに関係する。両側の前頭前野に傷害を受けた人は,典型的な例では,粗野になり,配慮がなくなり,忠告を受け入れることができなくなり,気難しくなり,注意力がなくなり,創造性がなくなり,将来への計画が立てられなくなり,軽率あるいは無鉄砲な言動の結果を予測できなくなったりする。

体性感覚経路と体性運動経路　からだからの体性感覚情報は,二つの主要な体性感覚経路を通って上行

臨床関連事項

失語症

大脳皮質の言語野が傷害を受けると,言葉の使用あるいは理解が不能な**失語症** aphasia(a- = なし;-phasia = 話し)の状態になる。ブローカの言語野が障害されると,**非流暢失語** nonfluent aphasia になり,言葉を適切につくることができなくなる。非流暢失語になった人は,自分がいいたいことはわかっているが,適切に言葉を話すことができない。ウェルニッケ野,共通統合野あるいは聴覚連合野が障害されると,**流暢失語** fluent aphasia になり,その特徴は話し言葉あるいは書き言葉の誤った理解である。このタイプの失語になった人は,一連の意味のない言葉を連発することがある(言葉のサラダ)。例えば,流暢失語の人は,"I rang car porch dinner light river pencil"などということがある。

臨床関連事項

脳血管障害(発作)と一過性脳虚血発作

もっともよくみられる脳の病気が**脳血管障害(発作)** cerebrovascular accident(CVA)であり，**脳卒中** stroke あるいは**脳発作** brain accident とも呼ばれる。脳血管障害は，米国で毎年75万人程度発症し心臓発作と癌についで第3位の死因となっている。一般的には，脳血管障害は酸素不足による脳細胞死であるといえる。脳細胞はからだの酸素の約20％を使う。酸素不足は，脳細胞への血流を減少または遮断させる血栓が原因で起ることがある。そのような血栓は，脳にいたる動脈あるいは脳内の動脈において動脈硬化(アテローム形成)が起きた後に生じることがある。血栓は，脳から離れたからだの一部であらかじめ形成されたのちに，脳に血液を供給する動脈へ運ばれる。血栓による血流障害が原因で脳細胞死が起る病態/疾患を**虚血性脳卒中** ischemic stroke と呼び，それは全脳卒中の85％を占める。高血圧症，抗凝固剤の過剰投与，血管壁の脆弱化(動脈瘤)などが原因で，脳内の血管から血液が漏れたり脳血管が破裂した場合でも，脳卒中が起る。これが**出血性脳卒中** hemorrhagic stroke であり，全脳卒中の15％を占める。病因にかかわらず脳卒中は脳細胞を死にいたらしめ，その障害は非可逆的である。脳細胞は4～6分間酸素欠乏に陥っただけで1分間に190万個も死滅する。1秒たりともおろそかにできないのである。脳卒中の未治療時間が長くなればなるほど，脳の障害と機能不全がさらに進行する可能性が高くなる。ひとたび脳卒中の徴候と症状が認められれば，ただちに医学治療に向けた注意が必要になる。まさに時は脳を助けるのである。脳卒中患者は多彩な症状を呈するが，中でも一側のからだ(顔面，上肢，下肢)の脆弱性または麻痺，構音障害，理解力低下，視覚障害や頭痛などを認めることがある。

脳血管障害の危険因子として，高血圧症，高コレステロール血症，喫煙，心臓血管疾患，糖尿病，肥満，運動不足，アルコール過剰摂取，不法薬物の使用，脳卒中の家族歴，年齢(55歳以上)，人種(アフリカ系アメリカ人はリスクが高い)，性別(男性は女性よりリスクが高い)，一過性脳虚血発作(簡単に後述)などが含まれる。

脳卒中の治療法は，その型(虚血性か出血性)と脳障害領域に依存して異なる。例えば，虚血性脳卒中の治療は，血栓を溶解するもしくは新しい血栓の形成を阻止することを目標にして実施される。そのためアスピリン(またはその他の抗血小板薬)，ヘパリン(またはその他の抗凝固薬)もしくは**組織プラスミノゲン活性化因子** tissue plasminogen activator(t-PA)と呼ばれる血栓溶解薬が投与される。血栓溶解薬は静脈内投与されるが，その投与は虚血性脳卒中の徴候と症状の始まりから3時間以内(適応が認められた一部の患者では4.5時間以内)に実施されなければならない。その他の虚血性脳卒中に対する治療法として，頸動脈の動脈硬化性プラークの外科的除去とステント留置が含まれる。出血性脳卒中では，血栓溶解薬や血栓形成予防薬を使用せず，脳内の脆弱化した血管や破裂した血管を修復させるための処置を講じる。

一過性脳虚血発作 transient ischemic attack(TIA)または**軽度の脳卒中** ministroke，例えば虚血性脳卒中は，通常，動脈硬化に起因する血栓が脳の血液供給を遮断することにより発症する。TIAの場合は，血流の遮断(血管の閉塞)は一時的であるので永久的な障害は残らない。TIAの徴候や症状は，虚血性脳卒中と同様であるが，持続時間は数分から1時間，まれに長くとも24時間程度である。

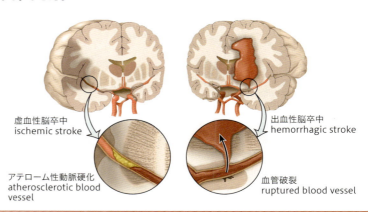

虚血性脳卒中 ischemic stroke
アテローム性動脈硬化 atherosclerotic blood vessel

出血性脳卒中 hemorrhagic stroke
血管破裂 ruptured blood vessel

し一次体性感覚野に達する：(1)後索-内側毛帯路と(2)前側索(脊髄視床)経路。これに対して，骨格筋の収縮を引き起す神経インパルスは，主として脳の一次運動野と脳幹に起始する多数の経路を通って下行する。

体性感覚経路 somatic sensory pathway は，体性感覚受容器から大脳皮質の一次体性感覚野に情報を運ぶ。体性感覚経路は何千もの3ニューロン連鎖からなる(図10.14)。触覚，圧覚，振動感覚および意識的固有感覚(身体各部位の位置の認識)のための神経インパルスは**後索-内側毛帯路** posterior column-medial lemniscus pathway を通って，大脳皮質へ上行する(図10.14a)。この経路の名称はインパルスを運ぶ二つの白質の伝導路の名称に由来する：脊髄の後索と脳幹の内側毛帯。**前側索経路** anterolateral pathway (**脊髄視床経路** spinothalamic pathway)の始まりは，**脊髄視床路** spinothalamic tract といわれる脊髄の白質の伝導路である(図10.14b)。この伝導路は，痛み，温度，かゆみ，くすぐったさの感覚などのインパルスを伝える。

脳と脊髄のニューロンは，すべての随意運動と不随

図 10.14 **体性感覚経路**。丸は細胞体と樹状突起を，線は軸索を，Y 字形の分岐は軸索終末を表す。矢印は神経インパルスが伝導する方向を示す。(a) 後索-内側毛帯路では，この経路の一次ニューロンの軸索は，後索（脊髄の後側にある白質）を通って上行し，延髄に達する。延髄では，一次ニューロンの軸索は二次ニューロンとシナプスをつくり，二次ニューロンの軸索は内側毛帯を通って反対側の視床に伸びる。三次ニューロンの軸索は視床から大脳皮質に伸びている。(b) 前側索経路では，一次ニューロンの軸索は脊髄の灰白質にある二次ニューロンとシナプスをつくる。二次ニューロンの軸索は反対側の視床に伸び，三次ニューロンの軸索は視床から大脳皮質に伸びている。

体性感覚のための神経インパルスは，大脳皮質の中心後回にある一次体性感覚野に伝わる。

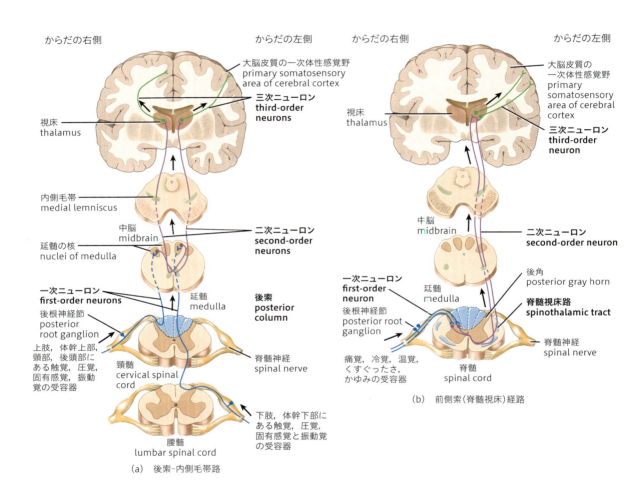

Q 脊髄視床路が障害されると体性感覚のどれが失われるか？

意運動を調節する。運動を制御するすべての**体性運動経路** somatic motor pathway は最終的に，**下位運動ニューロン** lower motor neuron といわれるニューロンに収束する。下位運動ニューロンの軸索は，脳幹から出るものは頭部の骨格筋を刺激し，脊髄から出るものは四肢や体幹の骨格筋を刺激する。

下位運動ニューロンは，**上位運動ニューロン** upper motor neuron から入力を受ける（図 10.15）。

上位運動ニューロンは，からだの随意運動の遂行に不可欠である。大脳皮質の上位運動ニューロンからの神経インパルスを伝える二つの主要な伝導路は，**外側皮質脊髄路** lateral corticospinal tract と **前皮質脊髄路** anterior corticospinal tract である。一側の大脳半球から出た上位運動ニューロンの軸索は反対側へ交叉して脊髄の反対側の下位運動ニューロンとシナプスをつくることに注目しよう（図 10.15）。

10.4 脳　275

図10.15 体性運動経路。
ここに示してあるのは，もっとも直接的な二つの経路である。一側の大脳半球の一次運動野から発せられた信号は，これらの経路を通って，反対側の骨格筋を支配する。丸は細胞体と樹状突起を，線は軸索を，Y字形の分岐は軸索終末を表す。

下位運動ニューロンは，骨格筋を刺激して，運動を引き起こす。

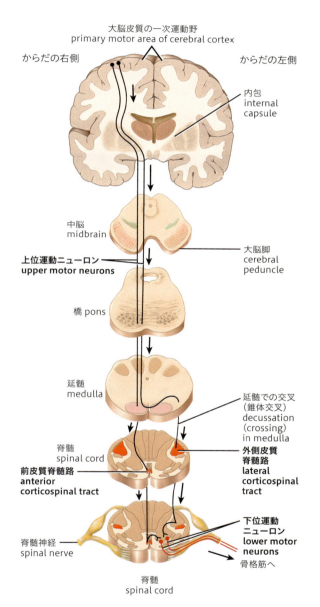

Q 脊髄を通る伝導路のうち，上位運動ニューロンの軸索でインパルスを伝えるのはどの二つか？

臨床関連事項

弛緩性麻痺と痙性麻痺

下位運動ニューロン lower motor neuron の損傷もしくは疾患は，からだの同側で筋の**弛緩性麻痺 flaccid paralysis** をもたらす。すなわち，筋の随意運動および伸張反射を欠き，筋緊張が低下もしくは失われ，筋が弛緩する（ぐったり状態）。大脳皮質での**上位運動ニューロン** upper motor neuron の損傷もしくは疾患では，下位運動ニューロンに対する抑制がなくなってしまうため，からだの反対側で**痙性麻痺 spastic paralysis** が起る。この状態で筋緊張は増し，伸張反射は亢進し，病的反射が現れる。

大脳半球の機能分化　脳はほとんど対称的になっているが，二つの半球間には微妙な解剖学的差異がある。また，左右の半球は，ある点では機能的にも異なっており，各半球は特定の機能に関して特殊化している。この機能的非対称は，**大脳半球の機能分化 hemispheric lateralization** といわれる。

すでにみてきたように，左半球は，からだの右側から感覚信号を受け取って，からだの右側を支配し，右半球は，からだの左側から感覚信号を受け取って，からだの左側を支配する。それに加えて，ほとんどの人で，左半球は，話し言葉と書き言葉，計算能力や科学的技量，手話を使ったり理解したりする能力，および推論に関してより重要である。例えば，左半球に損傷のある患者は，話すのが困難になることが多い。右半球は，音楽的・美的意識，空間認知とパターン認知，顔の認識や言葉の情動的内容の認識，および視覚，聴覚，触覚，味覚，嗅覚の心像の発現に関してより重要である。

記　憶　記憶がなければ，誤りを繰り返し，学習することができないだろう。同様に，繰り返し成功をおさめ業績をあげることは，偶然による以外には，あり得ないだろう。**記憶 memory** は，学習を通して獲得した情報が蓄積され，想起される過程である。経験が記憶の一部となるためには，脳内で構造的，機能的変化が起らなければならない。脳の中で記憶に関与することが知られている部位は，前頭葉，頭頂葉，後頭葉，側頭葉の連合野，大脳辺縁系の一部，および間脳などである。テニスのサーブをするような運動スキルの記憶は，大脳基底核や小脳，さらに大脳皮質にも貯蔵される。

脳電図　いかなる瞬間においても，脳のニューロンは，何百万発もの神経インパルスを発射している。こ

れらの電気的信号は，ひとまとめにして**脳波 brain wave** と呼ばれる。脳表面の近くにあるニューロン，主に大脳皮質のニューロン，によってつくられる脳波は，額や頭皮の上に置いた金属電極で検出できる。このような波を記録したものは**脳電図 electroencephalogram（EEG）**と呼ばれる。脳電図は，睡眠時に起る変化などの正常な脳機能を研究するのに有用である。また，神経科医は，これをてんかん，腫瘍，代謝異常，脳損傷，変性疾患などのさまざまな脳の障害を診断するのにも用いる。

表 10.1 は，脳の主要部位とその機能のまとめである。

> **チェックポイント**
>
> 13. 視床下部はなぜ，神経系と内分泌系の両方の一部と考えられるのか？
> 14. 小脳と大脳基底核の機能は何か？
> 15. 一次体性感覚野と一次運動野は脳のどこにあるか？これらの領野の機能は何か？
> 16. 正常な言語能力のためには，大脳皮質のどの領野が必要か？
> 17. 後索－内側毛帯路と脊髄視床経路を比較し，対比しなさい。

表 10.1　脳の主要部位の機能のまとめ

部位	機能	部位	機能
脳幹 延髄 medulla oblongata Dissection Shawn Miller; Photograph Mark Nielsen	**延髄**：感覚路（上行路）と運動路（下行路）が通る。網様体（橋，中脳，間脳にもある）には，意識と覚醒の過程にかかわる機能がある。延髄の心臓血管中枢は心拍数と血管径を調節し，延髄の呼吸中枢は橋の呼吸中枢グループとともに呼吸調節機能を有する。その他の中枢は，嚥下，嘔吐，咳嗽，くしゃみ，しゃっくりを調節する。第Ⅷ～Ⅻ脳神経の核がある。	**間脳** 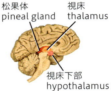 松果体 pineal gland　視床 thalamus 視床下部 hypothalamus Dissection Shawn Miller; Photograph Mark Nielsen	**視床**：ほとんどすべての感覚インパルスを大脳皮質に中継する。小脳や大脳基底核から大脳皮質の運動野に情報を伝達し，運動機能に寄与する。また，意識を維持する役割もある。 **視床下部**：自律神経系と下垂体の活動を制御・統合する。情動パターン，行動パターンおよび概日リズムを調節する。体温を調節し，摂食行動・飲水行動を制御する。覚醒状態の維持に関与し，睡眠パターンを設定する。 **松果体**：メラトニン（ホルモンの一種）を分泌する。
 橋 pons Dissection Shawn Miller; Photograph Mark Nielsen	**橋**：感覚路と運動路が通る。橋の呼吸中枢グループは，延髄の呼吸中枢とともに呼吸を調節する。第Ⅴ～Ⅷ脳神経の核がある。	**小脳** 小脳 cerebellum Dissection Shawn Miller; Photograph Mark Nielsen	**小脳**：骨格筋の収縮を円滑にし，協調させる。姿勢とバランスを制御する。認知と言語処理にかかわる機能をもつ可能性がある。
 中脳 midbrain Dissection Shawn Miller; Photograph Mark Nielsen	**中脳**：感覚路と運動路が通る。上丘は視覚刺激に反応した頭部，眼球，体幹の動きを協調させる。下丘は聴覚刺激に反応した頭部，眼球，体幹の動きを協調させる。黒質と赤核は，運動の制御に関与する。第Ⅲ，Ⅳ脳神経の起始核がある。	**大脳**  大脳 cerebrum Dissection Shawn Miller; Photograph Mark Nielsen	**大脳**：大脳皮質の感覚野は感覚情報の知覚に関与する；運動野は随意運動の遂行を制御する；連合野は記憶，個性，知性などのより複雑な統合機能にかかわっている。大脳基底核は，運動の開始と終止，不要な動きの抑制，筋緊張の調節に寄与する。大脳辺縁系は，喜び，痛み，従順性，愛情，恐れ，怒りなどの一連の情動に関与する。

10.5 脳神経

目標

- 12対の脳神経を，その名称と番号で確認し，それぞれの機能について同定する。

12対の**脳神経** cranial nerve は，脊髄神経と同様，末梢神経系の一部である。脳神経は，ローマ数字と名称で表示される（図10.8）。ローマ数字は，神経が脳から出る（前方から後方への）順番を示す。名称は，分布あるいは機能を示す。

脳神経は，鼻（第Ⅰ脳神経），眼（第Ⅱ脳神経），内耳（第Ⅷ脳神経），脳幹（第Ⅲ～Ⅻ脳神経），そして脊髄（第Ⅺ脳神経）から出る。三つの脳神経（第Ⅰ，Ⅱ，Ⅷ脳神経）は，感覚ニューロンの軸索のみが通るため，**感覚神経** sensory nerve といわれる。五つの脳神経（第Ⅲ，Ⅳ，Ⅵ，Ⅺ，Ⅻ脳神経）は，脳幹から出るところでは運動ニューロンの軸索のみが通るので，**運動神経** motor nerve といわれる。ほかの四つの脳神経（第Ⅴ，Ⅶ，Ⅸ，Ⅹ脳神経）は，感覚ニューロンと運動ニューロンの両方の軸索が通るので，**混合神経** mixed nerve である。感覚ニューロンの細胞体は脳外の神経節内にある。運動ニューロンの細胞体は脳内の核の中にある。第Ⅲ，Ⅶ，Ⅸ，Ⅹ脳神経には体性と自律神経性の両方の運動性軸索が含まれている。体性の軸索は骨格筋を支配し，自律神経性軸索は，副交感神経系の一部で，腺，平滑筋，心筋などを支配する。

表10.2は，各脳神経と，その構成要素（感覚性，運動性，混合性）および機能をまとめたものである。

> **チェックポイント**
> 18. 脳神経で，混合神経と感覚神経の違いは何か？

表 10.2 脳神経のまとめ（図10.8）

番号	名 称*	構成要素	機 能
Ⅰ	嗅神経 olfactory nerve （olfacto- ＝においを嗅ぐ）	感覚性：鼻の内面にある軸索。	嗅 覚
Ⅱ	視神経 optic nerve （opti- ＝眼，視覚）	感覚性：眼の網膜からの軸索。	視 覚
Ⅲ	動眼神経 oculomotor nerve （oculo- ＝眼； -motor ＝動かすもの）	運動性：上眼瞼の筋と眼球を動かす四つの筋（上直筋，内側直筋，下直筋，下斜筋）を刺激する体性運動ニューロンの軸索，および眼球の毛様体筋と虹彩の括約筋の2種類の平滑筋に伸びる副交感神経ニューロンの軸索。	上眼瞼と眼球の運動；近くをみるために水晶体の形を変え，瞳孔を縮小させる。
Ⅳ	滑車神経 trochlear nerve （troche- ＝滑車）	運動性：上斜筋を刺激する体性運動ニューロンの軸索。	眼球の運動
Ⅴ	三叉神経 trigeminal nerve （trigeminal ＝3部分からなる，3本の枝に由来する）	感覚性部分：3本の枝からなる。**眼神経** ophthalmic nerve は，頭皮や額の皮膚からの軸索を；**上顎神経** maxillary nerve は，下眼瞼，鼻，上顎の歯，上唇，咽頭からの軸索を；**下顎神経** mandibular nerve は，舌，下顎の歯および顔面の下部からの軸索を含む。 運動性部分：咀嚼で使われる筋を刺激する体性運動ニューロンの軸索。	触覚，痛覚，温度感覚，筋感覚（固有感覚） 咀 嚼
Ⅵ	外転神経 abducens nerve （ab- ＝わきへ； -ducens ＝導く）	運動性：外側直筋を刺激する体性運動ニューロンの軸索。	眼球の運動
Ⅶ	顔面神経 facial nerve （facial ＝顔）	感覚性部分：舌の味蕾からの軸索，および顔面と頭皮の筋の固有受容器からの軸索。 運動性部分：顔面，頭皮，頸の筋を刺激する体性運動ニューロンの軸索，および涙腺と唾液腺を刺激する副交感神経ニューロンの軸索。	味覚；筋感覚（固有感覚）；触覚，痛覚，温度感覚 顔面の表情，涙と唾液の分泌

表10.2 つづく

表 10.2 つづき

番号	名 称*	構成要素	機 能
VIII	内耳神経 vestibulocochlear nerve (vestibulo- ＝小腔； -cochlear ＝らせん形，蝸牛のような)	前庭神経・感覚性：三半規管，球形嚢，卵形嚢（平衡器官）からの軸索。	平衡感覚
		蝸牛神経・感覚性：ラセン器（聴覚器）からの軸索。	聴 覚
IX	舌咽神経 glossopharyngeal nerve (glosso- ＝舌； -pharyngeal ＝喉)	感覚性部分：舌の一部の味蕾や体性感覚受容器からの軸索，いくつかの嚥下筋の固有受容器からの軸索，および頸動脈洞の伸張受容器と頸動脈小体の化学受容器からの軸索。	舌の味覚と体性感覚（触覚，痛覚，温度感覚）；嚥下筋の筋感覚（固有感覚）；血圧のモニター；呼吸調節のための酸素と二酸化炭素の血中濃度のモニター
		運動性部分：喉の嚥下筋を刺激する体性運動ニューロンの軸索，および唾液腺を刺激する副交感神経ニューロンの軸索。	嚥下，発語，唾液の分泌
X	迷走神経 vagus nerve （vagus ＝放浪の，さまよう）	感覚性部分：喉頭と喉頭蓋の味蕾からの軸索；頸と喉の筋の固有受容器，頸動脈洞と頸動脈小体の伸張受容器と化学受容器，大動脈小体の化学受容器，および胸腔と腹腔の大部分の器官の内臓感覚受容器からの軸索（訳注：頸動脈洞の伸張受容器と頸動脈小体の化学受容器からの軸索は，舌咽神経を通る；'舌咽神経'参照）。さらに，大動脈弓の伸張受容器からの軸索が，迷走神経を通る。	喉頭と喉頭蓋からの味覚と体性感覚（触覚，痛覚，温度感覚）；血圧のモニター；呼吸調節のための酸素と二酸化炭素の血中濃度のモニター；胸部と腹部の臓器からの感覚
		運動性部分：喉と頸の骨格筋を刺激する体性運動ニューロンの軸索，および気道，食道，胃，小腸，大腸の大部分と胆嚢の平滑筋；心筋；胃腸管の腺を支配する副交感神経ニューロンの軸索。	嚥下，咳嗽，および発声；胃腸管にある器官の平滑筋の収縮と弛緩；心拍の緩徐化；消化液の分泌
XI	副神経 accessory nerve （accessory ＝助ける）	運動性：喉と頸の胸鎖乳突筋と僧帽筋を刺激する体性運動ニューロンの軸索。	頭部と肩の運動
XII	舌下神経 hypoglossal nerve (hypo- ＝下に； -glossal ＝舌)	運動性：舌筋を刺激する体性運動ニューロンの軸索。	話すとき，嚥下するときの舌の運動

* 脳神経の名称を覚えるのに使われている記憶法は，"Oh, oh, oh, to touch and feel very green vegetable-AH"というもので，各太字の文字が，脳神経の最初の文字に対応している。
［訳注］ 日本語では，"嗅いでみて，動く車の三つの外，顔聴く咽は迷う副舌（カイデミテ，ウゴククルマノミッツノソト，カオキクインハマヨウフクゼツ）"という覚え方もある。

10.6 加齢と神経系

目 標

・加齢が神経系に及ぼす影響について述べる。

　脳は，一生のうちの最初の数年間に急速に大きくなる。この増大は，主として，すでに存在しているニューロンの大きさの増加，グリア細胞の増殖と成長，樹状突起の枝とシナプス結合部の発達，軸索の髄鞘化の続行による。成人期の初期以降，脳の大きさは減少する。80歳に達するときまでに，脳重量は若い頃に比べて約7％減少する。存在するニューロンの数に大きな減少はないが，シナプスの数は減少する。脳の大きさの減少に関連して，脳へのあるいは脳からの神経インパルスの伝送能力が低下する。その結果，情報処理能力が減弱する。伝導速度は遅くなり，随意的な運動は緩徐になり，反射時間は長くなる。

チェックポイント

19．脳の大きさは，年齢とどのように関係するか？

よくみられる病気

脊髄損傷

脊髄損傷の大部分は，自動車事故，転倒，からだがぶつかり合うスポーツ，ダイビング，暴力行為などが原因で生じる外傷に起因する。損傷の影響は，脊髄への直接的外傷の程度，脊椎の骨折やずれ，または血塊による脊髄圧迫の程度に依存する。脊髄節のどれでも損傷を受ける可能性があるが，損傷がもっともよく起る部位は，頸髄，下部胸髄，上部腰髄である。脊髄損傷の位置と程度によっては，麻痺が起ることがある。**単麻痺 monoplegia**（mono- ＝ 一つ；-plegia ＝ 打撃）は，一肢のみの麻痺である。**両麻痺 diplegia**（di- ＝ 二つ）は，からだの両側の同じ部位の麻痺である。通常，上肢よりも下肢のほうが強く障害される。**対麻痺 paraplegia**（para- ＝ より以上の）は，両下肢の麻痺である。**片麻痺 hemiplegia**（hemi- ＝ 半分）は，からだの一側の上肢，体幹，下肢の麻痺である。そして，**四肢麻痺 quadriplegia**（quad- ＝ 四つ）は，四肢全部の麻痺である。

帯状疱疹（ヘルペス）

帯状疱疹 shingles は，水痘の原因にもなる水痘・帯状疱疹ウイルス（VZV）の再活性化によって引き起される末梢神経系の急性感染症である。水痘が治った後に，このウイルスは後根神経節に退く。このウイルスは，再び活性化されると，後根神経節を離れて，皮膚への感覚性軸索を伝って末梢に移動する。その結果，皮膚の痛みや変色，特徴的な線状の疱疹が生じる。疱疹の線は，感染した後根神経節に属する感覚神経の分布を示している。帯状疱疹ワクチン（製品名 ゾスタバックス®）の接種が既往歴の有無にかかわらず60歳以上の成人に推奨される。

パーキンソン病

パーキンソン病 Parkinson's disease（PD） は中枢神経系の進行性の疾患で，典型的な例では60歳頃に発症する。PDでは，黒質から被殻と尾状核に投射して，そこで神経伝達物質ドーパミンを放出するニューロンが変性する。PDの原因は不明であるが，農薬，除草剤，一酸化炭素などの有毒な環境物質が，これに関与する因子である疑いがもたれている。PD患者のうちでこの病気の家族歴があるのはほんの5％にすぎない。

PD患者では，骨格筋の不随意的収縮が随意的運動を妨害することがしばしばある。例えば，上肢筋の収縮と弛緩が交代性に起り，手の震えを引き起すことがある。この震えは**振戦 tremor** と呼ばれ，PDでもっとも一般的にみられる症状である。また，筋緊張は非常に亢進し，侵された身体部位の固縮を引き起すこともある。顔面筋の固縮は，顔の外観を仮面様にする。その表情の特徴は，目を大きく見開き，まばたきをしないで凝視し，わずかに口を開いてよだれ（涎）を止められないことである。

運動の動作も障害され，**運動緩慢 bradykinesia**（brady- ＝ ゆっくり）となる。病気が進行するにつれて，髭剃り，食べ物を切り分けること，シャツのボタンはめなどの動きで，時間がより長くかかり，だんだん困難になっていく。また，筋運動は，**寡動 hypokinesia**（hypo- ＝ より少ない）の状態になり，運動数や運動量も減少する。例えば，手書きの文字は小さくなり，変な形になり，結局は判読不能になる。歩行が障害されることもしばしばある。歩幅が狭く，すり足になり，腕の振りは小さくなる。話すことさえも障害されることがある。

アルツハイマー病

アルツハイマー病 Alzheimer's disease（AD） 患者では重篤な記憶障害が生じる。ADは，老年認知症の中でもっともよくみられる型である。老年認知症は，加齢に関連した知的能力の欠失であり，具体的には記憶・判断・抽象的思考の障害や個性・性格・人格の変容などを呈する。大半のAD症例の病因はいまだ不明だが，遺伝因子，環境因子または生活様式，加齢などが重なってADが発症することを示唆する証拠がある。AD患者は，初期には最近の出来事を思い出すのに苦労する。その後同患者は混乱した状態に陥り物忘れが目立つようになるが，しばしば同じ質問を繰り返し，時には行き慣れた場所への外出中でも道に迷う。失見当識の増悪，過去の記憶の喪失，妄想性障害（パラノイア）の症状発現，幻覚，激しい気分変化などが起りうる。知性が劣化もしくは退廃するにつれて，AD患者は読み書き・会話・摂食・歩行の能力を失い，遂には認知症にいたる。AD患者は，通常，寝たきりの患者が罹る肺炎などの合併症で死亡する。

脳腫瘍

脳腫瘍 brain tumors は，悪性であれ良性であれ脳において組織の異常な増殖が起きて発症する。ほかの身体部位における腫瘍とは異なり，脳腫瘍は周辺組織を圧迫し頭蓋内圧を上昇させるので，悪性良性を問わず重篤になりうる。もっともよくみられる悪性の腫瘍はからだのほかの部位で発症した癌が脳に転移して発症する二次性脳腫瘍である。転移性脳腫瘍の原発病巣としては，肺癌，乳癌，悪性黒色腫などの皮膚腫瘍，白血病，悪性リンパ腫が含まれる。大部分の原発性脳腫瘍（すなわち脳由来の腫瘍）は，神経膠細胞の異常な分裂増殖に起因するグリオーマである。脳腫瘍の症状は，その大きさ，存在部位，発育速度に依存して変化する。具体的な症状として，頭痛，平衡調節機能の障害，めまい，複視，構音障害（ろれつが回らないこと），嘔気，嘔吐，発熱，脈拍数と呼吸数の異常，性格・人格・個性の変容，四肢のしびれと脱力感，痙攣発作などが挙げられる。

医学用語と症状

坐骨神経痛 sciatica 坐骨神経の経路またはその枝に沿った激痛が特徴的な一種の神経炎。滑ってずれた椎間(円)板、骨盤の損傷、脊柱の変形性関節症、妊娠時の膨張した子宮による圧迫などによって起ることがある。

神経炎 neuritis(neur- = 神経；-itis = 炎症) 1本ないし数本の神経の炎症で、骨折、挫傷、または穿通性の創傷により刺激された結果起る。そのほかの原因として、感染、ビタミン(通常チアミン：ビタミンB_1)欠乏、および一酸化炭素、四塩化炭素、重金属、ある種の薬物などの毒物がある。

神経痛 neuralgia(neur- = 神経；-algia = 痛み) 末梢感覚神経の全長あるいは枝に沿った痛みの発作。

神経ブロック nerve block 局所麻酔薬の注入による感覚消失。その一例は、歯科の局所麻酔である。

髄膜炎 meningitis 髄膜の炎症。

認知症 dementia(de- = 離れて；-mentia = 精神) 記憶、判断、抽象思考の障害および人格の変化を含む、永続的で進行性の知的能力の喪失。

脳炎 encephalitis 脳の急性炎症で、いくつかのウイルスのどれかにより直接引き起される場合もあるし、通常は中枢神経系に無害な多種類のウイルスのどれかに対するアレルギー反応によって引き起される場合もある。ウイルスがさらに脊髄も冒す場合には、脳脊髄炎 encephalomyelitis と呼ばれる。

麻酔 anesthesia(-esthesia = 感覚) 感覚の喪失。

無痛法 analgesia(an- = なし；-algesia = 痛みのある状態) 痛みの除去。

ライ症候群 Reye's syndrome(RS) ウイルス感染、とくに水痘またはインフルエンザの後で起り、アスピリンを服用した小児や10代の子どもにもっとも多い。特徴的な症状は、嘔吐と脳機能障害(見当識障害、嗜眠、および人格変化)で、進行すると昏睡や死にいたることがある。

10章のまとめ

10.1 脊髄の構造

1. 脊髄は、脊柱、髄膜 meninx、脳脊髄液によって保護されている。髄膜は、脊髄と脳を覆う3層の結合組織の被膜である：硬膜 dura mater、クモ膜 arachnoid mater、軟膜 pia mater。
2. クモ膜下腔 subarachnoid space からの脳脊髄液の採取は、腰椎穿刺 lumbar puncture といわれる。この処置は、脳脊髄液を採取するためと、抗生物質や麻酔薬の投与、および化学療法のために用いられる。
3. 脊髄 spinal cord は、脳の最下部の延髄から脊柱の第2腰椎上縁まで伸びている。脊髄には、四肢を支配する神経の起点となる頸膨大 cervical enlargement と腰膨大 lumber enlargement がある。
4. 脊髄の腰髄、仙髄、尾髄領域から出る神経の根は馬尾 cauda equina と呼ばれる。脊髄神経 spinal nerve は、後根 posterior root と前根 anterior root によって脊髄につながっている。
5. 脊髄神経はすべて、感覚性線維と運動性線維を含む混合神経である。
6. 脊髄の灰白質は三つの角に、白質は三つの索に分けられる。脊髄の横断面でみえるのは、中心管、灰白質の前角 anterior gray horn、後角 posterior gray horn、側角 lateral gray horn、白質の前索 anterior white column、後索 posterior white column、側索 lateral white column、および感覚路(上行路)sensory(ascending)tract と運動路(下行路)motor(descending)tract である。

10.2 脊髄神経

1. 31対の脊髄神経には、出てくる脊髄の部位とレベルに従って名称と番号がつけられている。
2. 8対の頸神経、12対の胸神経、5対の腰神経、5対の仙骨神経、1対の尾骨神経がある。
3. 脊髄神経の分枝は、胸神経のT2からT11を除いて、神経叢 nerves plexus と呼ばれる神経の網状構造を形成する。胸神経のT2からT11までは神経叢をつくらず、肋間神経 intercostal nerve と呼ばれる。
4. 主要な神経叢は、頸神経叢 cervical plexus、腕神経叢 brachial plexus、腰神経叢 lumbar plexus、仙骨神経叢 sacral plexus である。

10.3 脊髄の機能

1. 脊髄の白質と灰白質にはホメオスタシスの維持にかかわる二つの主要な機能がある。白質は、神経インパルスが伝導する主要ルートの働きをしている。灰白質は、入出力情報を受けてそれらを統合しており、反射を統合する場である。
2. 反射 reflex は、特定の刺激に反応して生じる急速で不随意的な一連の活動である。反射弓 reflex arc の基本的な構成要素は、受容器 receptor、感覚ニューロン sensory neuron、統合中枢 integrating center、運動ニューロン motor neuron、および効果器 effector である。

10.4 脳

1. 脳 brain の主要部位は、脳幹 brain stem、間脳 diencephalon、小脳 cerebellum、および大脳 cerebrum である(表10.1)。脳は、酸素と栄養分を十分に供給されている。どのような状況であれ、脳への酸素供給の途絶は、脳細胞をもろくし、永久的な障害を与え、死滅させることがある。グルコースが欠乏すると、めまい、痙攣、意識消失などが起ることがある。
2. 血液脳関門 blood-brain barrier(BBB)は、特定の物質が血液から脳へ通過するのを制限する。脳は、また、頭蓋骨、髄膜、脳脊髄液で保護されている。**脳髄膜 cranial meninx**

は，脊髄膜の続きで，硬膜 dura mater，クモ膜 arachnoid mater，軟膜 pia mater という名称になっている。脳脊髄液 cerebrospinal fluid (CSF) は，脈絡叢 choroid plexus でつくられ，クモ膜下腔，脳室 ventricle，中心管を絶えず循環している。CSF は，ショックアブソーバーとして働いて脳を保護するとともに，栄養物を血液から運び，老廃物を取り除く。

3. 脳幹は，延髄 medulla oblongata，橋 pons，中脳 midbrain，さらに網様体 reticular formation と呼ばれるニューロンの細胞体の塊からなる。延髄は，脊髄上部の続きで，心拍数，血管の太さ，呼吸，嚥下，咳嗽，嘔吐，くしゃみ，しゃっくりを支配している領域がある。第Ⅷ〜Ⅻ脳神経は延髄から出る。橋は，脳のいろいろな部位を互いに結びつけていて，随意的な骨格筋運動にかかわるインパルスを大脳皮質から小脳に中継する。また，橋には呼吸を調節する領域もある。第Ⅴ〜Ⅶ脳神経と第Ⅷ脳神経の一部が橋から出る。中脳は，橋と間脳の間に位置し，運動インパルスを大脳から小脳や脊髄へ運び，感覚インパルスを脊髄から視床へ送り，聴覚性および視覚性の反射を中継する。中脳には第Ⅲ，Ⅳ脳神経に関連した核 nucleus もある。網様体は脳幹全体に広がった灰白質と白質からなる網状の構造である。網様体は，入ってくる感覚信号に対して大脳皮質を敏感に反応させ，筋緊張の調節に関与する。

4. 間脳は，視床 thalamus，視床下部 hypothalamus，松果体 pineal gland からなる。視床には，感覚インパルスを大脳皮質へ伝える中継所の役割を果たしているいろいろな核がある。また，視床は，小脳や大脳基底核から大脳皮質の運動野へ情報を伝達することにより，運動機能にもかかわっている。視床下部は，視床の下方に位置し，自律神経系の活動を制御し，ホルモンを分泌し，怒りと攻撃にかかわる機能があり，体温を調節し，摂食と飲水を調節し，概日リズムを設定する。松果体は，メラトニンを分泌する。メラトニンは，からだの生物学的時計をあわせることに関与している。

5. 小脳は，頭蓋腔の下方・後方部を占め，小脳脚 cerebellar peduncle で脳幹につながっている。小脳は，いろいろな運動を協調させ，正常な筋緊張，姿勢，平衡の維持に関与している。

6. 大脳は，脳の中でもっとも大きな部分である。大脳の皮質には，大脳回 gyrus (convolution)，大脳裂 fissure，大脳溝 sulcus がある。大脳葉は，前頭葉 frontal lobe，頭頂葉 parietal lobe，側頭葉 temporal lobe および後頭葉 occipital lobe の四つである。大脳の白質 cerebral white matter は大脳皮質より深いところにあり，CNS のほかの領域に伸びる有髄および無髄の軸索からなる。大脳基底核 basal ganglia は各半球内にあるいくつかの核群で，骨格筋の自動的な運動の制御と筋緊張の調節に関与する。

7. 大脳辺縁系 limbic system は脳幹の上部と脳梁 corpus callosum を取り囲んでいて，行動と記憶の情動的側面にかかわる機能がある。

8. 大脳皮質の感覚野 sensory area は，感覚情報を受け取り，これを知覚する。運動野 motor area は筋運動を制御する。連合野 association area は情動および知性の過程にかかわる。受容器から大脳皮質へいたる体性感覚経路 somatic sensory pathway は，3 ニューロン連鎖からなる。後索-内側毛帯路 posterior column-medial lemniscus pathway は，触覚，圧覚，振動感覚および意識的固有感覚のための神経インパルスを中継する。脊髄視床経路 spinothalamic pathway は，痛覚，温度感覚，かゆみ，くすぐったさの感覚のためのインパルスを中継する。運動を制御する体性運動経路 somatic motor pathway はすべて，下位運動ニューロン lower motor neuron に収束する。下位運動ニューロンへの入力は，局所介在ニューロン，上位運動ニューロン upper motor neuron，大脳基底核のニューロン，小脳のニューロンからくる。

9. 二つの半球間には微妙な解剖学的差異が存在し，各半球には特有な機能がある。この機能の非対称性は，大脳半球の機能分化 hemispheric lateralization と呼ばれる。記憶 memory は，考えを蓄積し思い出す能力であるが，脳内の持続的変化が関与する。大脳皮質がつくる脳波は，脳電図 electroencephalogram (EEG) として記録され，てんかん，感染症，腫瘍の診断のために用いられることがある。

10.5 脳神経

1. 脳から 12 対の脳神経 cranial nerve が出る。
2. 脳神経は，脊髄神経と同様，末梢神経系 (PNS) の一部である。各脳神経の名称，構成要素，機能については，表 10.2 をみよ。

10.6 加齢と神経系

1. 脳は一生のうちの最初の数年間に急速に大きくなる。
2. 加齢関連の効果に，脳の大きさの減少と神経インパルスの伝送能力の低下がある。

クリティカルシンキングの応用

1. ケイトは，新しい松葉杖を使い始めて数日後，腕と手にちくちくする痛みとしびれを感じた。理学療法士は，ケイトの松葉杖の使い方が適切でなかったから"松葉杖麻痺 crutch palsy"の症状が出たといった。ケイトは松葉杖を使って足を引きずりながら歩いているときには腋の下を杖にもたせかけていた。彼女の腕と手のしびれの原因は何か？
2. 小さな自動車事故にあって数日後，テリーは視覚に問題が生じ，頭の後部に圧迫感を感じている。診断のための一連の検査の後で医師は，テリーは直ちに"脳から水を抜く"必要があるといった。医師が何をしようとしているのか，また，なぜ彼女の"脳に水"が溜まっているらしいのかをテリーに説明しなさい。
3. 親類の老婦人が脳卒中を起し，いまは右手を動かすのが困難である。また，彼女は話すことにも問題があるので，治療士にかかっている。脳卒中によって脳のどの領域が障害されたのか？
4. リンは夫の叫び声を聞いて，部屋に駆け込んだ。カイルは，右足を手で抱えて，左足でピョンピョン跳ねていた。1本のピンが彼の足の裏に突き刺さっていた。ピンを踏んづけたことに対するカイルの反応を説明しなさい。

図の質問の答え

10.1 脳脊髄液（CSF）はクモ膜下腔を循環する。
10.2 脊髄神経は末梢神経系（PNS）の一部である。
10.3 角は脊髄内の灰白質の領域で，索は白質の領域である。
10.4 脊髄神経はすべて，感覚性軸索を含んだ後根と運動性軸索を含んだ前根が合してできているので，（感覚性線維と運動性線維が入った）混合神経である。
10.5 感覚ニューロンの軸索は後根に含まれ，運動ニューロンの軸索は前根に含まれる。
10.6 脳の延髄が，脊髄とつながっている。
10.7 CSFは脈絡叢でつくられ，クモ膜絨毛から上矢状静脈洞の血液中へ再吸収される。
10.8 大脳脚は中脳にある。
10.9 上丘は，動くイメージを追跡する眼球運動，静止像を走査する眼球運動を制御し，視覚刺激に対する眼球，頭部，頸部の動きを支配する諸反射に関与する。
10.10 大脳基底核は，大脳の中にあって，灰白質で構成されている。
10.11 大脳縦裂が左右の大脳半球を分けている。
10.12 大脳辺縁系は，大脳の内側縁で間脳の底部にある。
10.13 一次体性感覚野が，体性感覚が起る部位の局在を特定する。
10.14 脊髄視床路の障害で，痛覚，温度感覚，くすぐったさ，かゆみの感覚が失われることがある。
10.15 脊髄では，外側皮質脊髄路と前皮質脊髄路が，上位運動ニューロンの軸索を介してインパルスを伝える。

CHAPTER 11

自律神経系

学期末である。解剖生理学を真面目に勉強してきたあなたが期末試験を受けるときがきた。混雑した教室に入り席に着くと，ほかの学生たちがテストで重要と思う項目について土壇場の神経質なおしゃべりをしていて教室は緊張に包まれている。興奮であなたの心臓も高鳴っているのを感じる。それとも不安だろうか。口は渇き，冷や汗が流れる。呼吸も少し速く，深くなっているようだ。教授がテスト問題を配るのを待つ間，これらの症状はいっそう激しくなってきた。テストが手許に届く。問題の感触をつかむためにゆっくりテスト用紙をめくっていると，すべてに自信をもって答えられそうだとわかって安心した。知識を頭から引き出して紙に書いているうちに，先ほどの症状は霧散した。

これらの出来事は，平滑筋，心筋，分泌腺の機能を調節する神経である自律神経系 autonomic nervous system (ANS)の制御によって起る。体性神経系と自律神経系とはともに末梢神経系を構成することを思い出そう。自律神経系は大脳皮質による意識的コントロールを通常は受けていないが，中枢神経系の一部である視床下部や脳幹による制御は受けているので，厳密な意味で自律的ではない。本章では，体性神経系と自律神経系とを対比しながら，その構造と機能を学ぶ。次に自律神経系の遠心路の解剖を述べ，交感神経系と副交感神経系という二つの主要な出力路の，構成と作用を比較する。

> **先に進むための復習**
> ・神経系の構成（9.1節）
> ・神経系の機能（9.1節）

11.1 体性神経系と自律神経系との比較

目 標
・神経系を構成する体性神経系と自律神経系の主要な構造と機能を比較する。

10章で学んだように，体性神経系は感覚ニューロンと運動ニューロンからなる。感覚ニューロンは特殊感覚受容器からの情報（視覚，聴覚，味覚，嗅覚，平衡感覚，12章に記述）や体性感覚受容器からの情報（痛

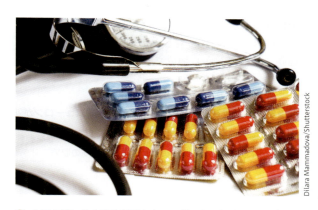

Q 血圧の薬には自律神経系を介して効果を発揮するものがあります。どのように効果を発揮するのか疑問に思ったことはありませんか？ 答えは11.3節の「臨床関連事項：β（ベータ）遮断薬と血圧」でわかるでしょう。

覚，温覚，触覚，固有感覚）を脳へ伝える。これらすべての感覚は通常は意識として知覚される。一方，体性運動ニューロンは，その効果器である骨格筋にシナプス結合し，意識的・自発的な運動を引き起こす。もし体性運動ニューロンから筋への刺激が起らないと，麻痺が生じる。さらに，普段は呼吸を意識することはないが，呼吸運動をつくり出す筋は体性運動ニューロンに支配された骨格筋である。呼吸運動ニューロンが活動を止めると，呼吸は停止する。

自律神経系 autonomic nervous system (ANS)への主要な入力は自律性感覚ニューロン autonomic sensory neuron に由来する。このニューロン（神経細胞）は，血中の二酸化炭素濃度および内臓や血管の壁の伸展といった体内環境の受容器からの情報を伝える。内臓が正常に機能しているときには，これらの感覚情報は意識にのぼることはない。

自律性運動ニューロン autonomic motor neuron は，その効果器，すなわち心筋・平滑筋・腺の働きを，活性化または抑制することによって調節する。骨格筋とは異なりこれらの効果器は，自律性運動ニューロンの働きが障害されてもある程度は機能し続けることが多い。例えば，心臓は移植のために摘出されても，つまり除神経されても拍動し続ける。自律神経によって調節される例は，瞳孔の直径，血管の収縮・弛緩，心拍数，心収縮力などである。ほとんどの自律神経反応は意識的に変化させたり抑制したりすることができないので，これらはウソ発見器の基礎となっている。しかし，ヨーガやその他の瞑想術に熟達した人，およびバイオフィードバックを使う人では，自律神経活動を

283

意識的に修飾することが可能である。例えば、心拍数や血圧を意識的に減少させることが可能な人もいる。

8章で学んだように、体性運動ニューロンの軸索は中枢神経系から出て骨格筋線維の運動単位に到達する（図11.1 a）。これに対し、自律神経出力路は二つの運動ニューロンから構成されている（図11.1 b）。最初のニューロンの細胞体は中枢神経系に存在し、軸索は脳神経または脊髄神経の一部として中枢神経系を出て**自律神経節 autonomic ganglion**に達する（**神経節 ganglion**とは、末梢神経系において神経細胞体が集合した構造のことである）。二つ目のニューロンの細胞体は自律神経節に存在し、その軸索が効果器（平滑筋、

図11.1 体性運動ニューロンと自律性運動ニューロンが効果器にいたる経路の比較。

自律性運動ニューロンの刺激は心筋、平滑筋、分泌腺を興奮させる場合も抑制させる場合もある。体性運動ニューロンの刺激は常に骨格筋の収縮を引き起す。

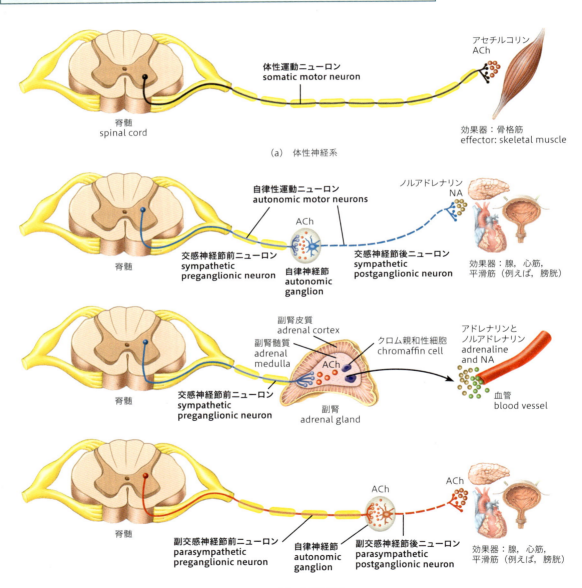

Q 「二重支配」の意味を説明しなさい。

表 11.1　体性神経系と自律神経系の比較

性　質	体性神経系	自律神経系
効果器 effectors	骨格筋	心筋，平滑筋，腺
調節の仕方 type of control	主として随意的	主として不随意的
神経経路 neural pathway	1本の運動ニューロンが中枢神経系から直接骨格筋にいたる	1本の運動ニューロンが中枢神経系から発し，神経節内でもう一つの運動ニューロンにシナプス結合する。二つ目の運動ニューロンは内臓効果器とシナプス結合する。
神経伝達物質 neurotransmitter	アセチルコリン	アセチルコリンまたはノルアドレナリン（ノルエピネフリン）
効果器における神経伝達物質の効果 action of neurotransmitter on effector	常に興奮（骨格筋の収縮）	興奮性（平滑筋の収縮，心拍数の増加，心収縮力の増大，分泌の増加）の場合も，抑制性（平滑筋の弛緩，心拍数の減少，分泌の減少）の場合もありうる。

心筋，または腺）に到達している。一部の自律神経出力路では，最初のニューロンの自律神経系の軸索が自律神経節ではなくて副腎髄質に到達している。自律性運動ニューロンと体性運動ニューロンのもう一つの違いは，すべての体性運動ニューロンがアセチルコリン（ACh）を神経伝達物質とするのに対し，自律性運動ニューロンでは，AChを神経伝達物質とするものと，ノルアドレナリン（NA；ノルエピネフリンともいう）を利用するものとが存在することである。

自律神経系の出力路（遠心路）は二つに大きく分類できる。**交感神経系 sympathetic division** と **副交感神経系 parasympathetic division** である。ほとんどの器官は **二重支配 dual innervation**，すなわち，交感神経系と副交感神経系の双方の支配を受ける。一般的に，一方の神経活動は効果器を活性化（興奮）させ，他方の活動は抑制的に働く（相反支配）。例えば，交感神経活動の増加は心拍数を増加させ，副交感神経活動の増加は心拍数を減少させる。表11.1には自律神経系と体性神経系の類似点と相違点をまとめた。

> **チェックポイント**
> 1. 自律神経系の名称の由来は？
> 2. 自律神経系の主要な入力と出力は？

11.2　自律神経系の構造

目　標
- 自律神経系の構造上の特徴を正確に同定する。
- 交感神経系と副交感神経系の神経伝導路の構成を比較する。

解剖学的構成

自律神経出力路の二つの運動ニューロンのうちの一つは **節前ニューロン preganglionic neuron** と呼ばれる（図11.1 b）。その細胞体は脳または脊髄に存在し，軸索は脳神経または脊髄神経の一部として中枢神経系を出る。節前ニューロンの軸索はたいてい自律神経節に到達し，そこで二つ目の運動ニューロンである **節後ニューロン postganglionic neuron** にシナプス結合する（図11.1 b）。二つ目のニューロンは，そのすべてが末梢神経系内に存在する。その細胞体と樹状突起は自律神経節にあり，一つまたは複数の節前ニューロン軸索とシナプス結合する。節後ニューロンの軸索は効果器（平滑筋，心筋，腺）に終わる。このようにして，節前ニューロンは中枢神経系から自律神経節へ情報を伝え，節後ニューロンは自律神経節から効果器に情報を中継する。

交感神経系組織

交感神経系は，脊髄の胸髄分節と腰髄分節から発するので **自律神経胸腰部 thoracolumbar division** とも呼ばれる（図11.2）。交感神経節前ニューロンの細胞体は，12の胸髄分節と腰髄の最初の2または3分節に

図 11.2 自律神経交感神経系の構造。
図の都合上、からだの一側の構造しか示していないが、実際は両側の組織・器官を支配している。

> 交感神経節前ニューロンの細胞体は脊髄の胸部12分節と腰部の最初の2または3分節の灰白質側角に存在する。

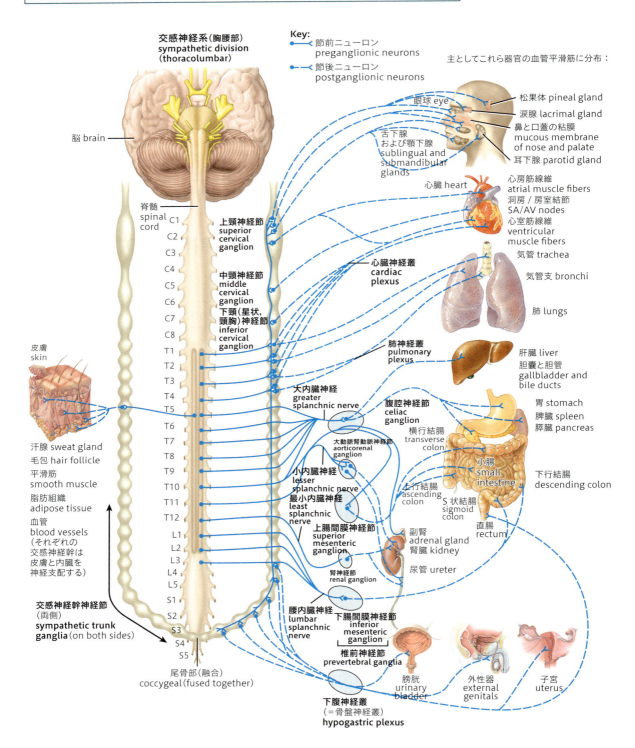

Q 交感神経幹神経節でシナプス結合を形成する神経はどのニューロンか？

存在する。交感神経節前ニューロンの軸索は，体性運動ニューロンの軸索と同様に脊髄前根から出る。脊髄を出てから交感神経節に到達する。

交感神経節において，交感神経節前ニューロンは節後ニューロンにシナプス結合する。交感神経幹神経節は脊髄の近傍に位置するので，ほとんどの交感神経節前ニューロンの軸索は短い。**交感神経幹神経節 sympathetic trunk ganglia** は脊柱の両側に位置し，上下方向に連なった構造である（図11.2）。交感神経幹神経節から発する節後ニューロンの軸索の多くは，横隔膜より上部の器官を支配する。別の交感神経節である**椎前神経節 prevertebral ganglia** は，脊柱の前方で腹部の太い動脈の近傍に位置する。**腹腔神経節 celiac ganglion，大動脈腎動脈神経節 aorticorenal ganglion，上腸間膜神経節 superior mesenteric ganglion，腎神経節 renal ganglion，下腸間膜神経節 inferior mesenteric ganglion** が含まれる。椎前神経節から発する節後ニューロンの多くは，横隔膜より下部の器官を支配する。胸郭，腹部，骨盤内において交感神経と副交感神経の軸索は**自律神経叢 autonomic plexuses** と呼ばれる絡みあったネットワークを形成しており，その多くは大血管に沿って存在している。

交感神経節前ニューロンの軸索は交感神経幹神経節に入った後，下記の四つのうちのいずれかの経路をたどる。

1. 最初に到達した交感神経幹神経節内の節後ニューロンにシナプス結合する。
2. 交感神経幹を上方または下方にたどってから，節後ニューロンにシナプス結合する。
3. 交感神経幹内ではシナプス結合せずに椎前神経節にいたり，そこで節後ニューロンにシナプス結合する。
4. 副腎にまで達し，副腎髄質細胞にシナプス結合する。

1本の交感神経節前ニューロンの軸索は多くの枝分れをもち，20以上の節後ニューロンにシナプス結合する。1本の節前ニューロンの活動は多くの異なった種類の節後ニューロンを興奮させることが可能であり，したがって複数の効果器を同時に調節できる。交感神経は全身器官の活動にほぼ同時に影響を与えることができるが，この解剖学的特徴がそれを可能にしている。

頸部交感神経幹を発する節後ニューロンの軸索のほとんどは頭部に終わる。汗腺，眼の平滑筋，顔面の血管，鼻粘膜，そして唾液腺に分布している。上頸神経節を発する節後ニューロンの一部と，中頸神経節，下頸神経節を発する節後ニューロンのほとんどは，心臓に分布している。胸部においては，交感神経幹神経節を発する節後ニューロンは，心臓，肺，気管支を支配する。胸部の一部の節後ニューロンは，汗腺，血管，皮膚の立毛筋を支配している。腹部では，椎前神経節を出た節後ニューロンは動脈に沿って走行し，腹部および骨盤内のさまざまな器官に到達する。

副腎の一部は交感神経系に含まれる（図11.2）。副腎の内部の**副腎髄質 adrenal medulla** と交感神経節後ニューロンは発生学的に同じ組織から分化し副腎髄質の細胞は交感神経節後ニューロンとよく似た性質をもっている（訳注：**相同器官**という）。副腎髄質細胞は，ほかの器官に軸索を伸ばすのではなく，血液中にホルモンを放出する。交感神経節前ニューロンの刺激によって，副腎髄質は2種類のホルモンの混合物（80％は**アドレナリン adrenaline**，20％はノルアドレナリン **noradrenaline**）を放出する。これらのホルモンは血流にのって全身を循環し，交感神経節後ニューロンの作用を増強する。

> **臨床関連事項**
>
> **ホルネル症候群**
>
> 遺伝性の変異，外傷，または上頸神経節経由の交感神経活動を低下させるような疾患によって，顔面の半分への交感神経支配が失われた状態が**ホルネル症候群 Horner's syndrome** である。症状は障害側の頭部に限局し，眼瞼下垂（瞼裂狭小），縮瞳，無汗を含む。

副交感神経系組織

副交感神経系（図11.3）は，脳神経核と脊髄の仙髄分節から発するので**自律神経頭仙部 craniosacral division** とも呼ばれる。副交感神経節前ニューロンの細胞体は，脳幹の四つの脳神経核（Ⅲ，Ⅶ，ⅨとⅩ）と脊髄の三つの仙髄分節（S2，S3，S4）に存在する（図11.3）。副交感神経節前ニューロンの軸索は，脳神経の一部として，または脊髄前根の一部として中枢神経系から出る。迷走神経（第Ⅹ脳神経）の節前ニューロンは副交感神経の節前ニューロンの約80％を占める。胸部では，迷走神経の節前ニューロンの軸索は，心臓および肺にある副交感神経節に達する。腹部では，肝臓，胃，膵臓，小腸，および大腸の一部の神経節に達する。仙髄に発する副交感神経節前ニューロンの軸索は，第2～第4仙骨神経前根を通って脊髄を出て，結腸，子宮，膀胱，および生殖器の壁内にある神経節に達する。

副交感神経節前ニューロンの軸索は，効果器の壁内またはごく近傍にある**終神経節 terminal ganglia** で

図 11.3 自律神経副交感神経系の構造。
図の都合上，からだの一側の構造しか示していないが，実際は両側の組織・器官を支配している。

> 副交感神経節前ニューロンの細胞体は脳幹の神経核と脊髄仙部第2～第4分節の灰白質側角に存在する。

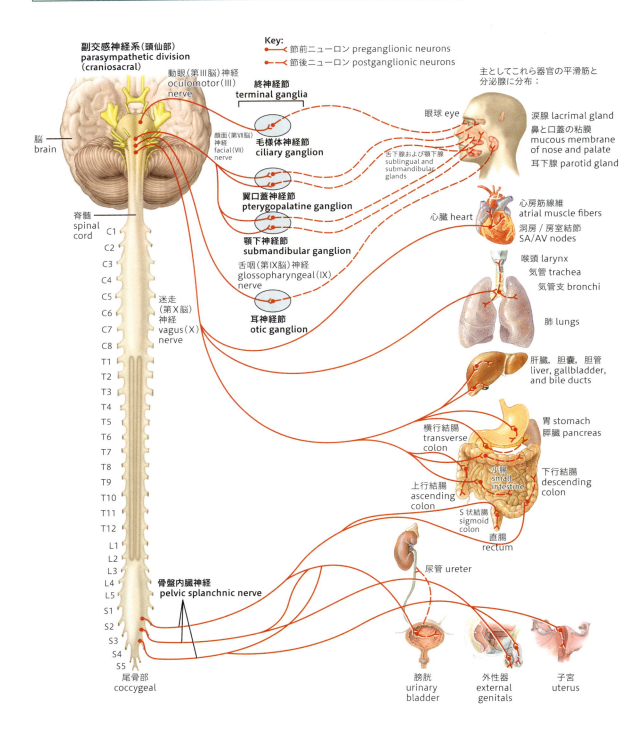

Q 交感神経と副交感神経の節前ニューロンの軸索はどちらが長いか？（ヒント：図 11.2 と図 11.3 を比較しなさい）

節後ニューロンにシナプス結合する。頭部の終神経節は，動眼神経(第Ⅲ脳神経)，顔面神経(第Ⅶ脳神経)，または舌咽神経(第Ⅸ脳神経)の節前ニューロンを受け，頭部の一部の構造を支配する(図11.3)。迷走神経(第Ⅹ脳神経)の軸索は胸部と腹部の広範な終神経節に分布する。副交感神経節前ニューロンの軸索は，脳幹および仙髄から発して支配する器官の終神経節にまで達しているので，多くの交感神経節前ニューロンの軸索よりも長い(図11.2と図11.3を比較しなさい)。

終神経節は支配する器官の壁内またはごく近傍に存在しているので，ほとんどの副交感神経節後ニューロンは節前ニューロンとは対照的に非常に短い。神経節では，節前ニューロンは通常四つか五つの節後ニューロンにシナプス結合しており，節後ニューロンはその効果器にだけ分布する。ゆえに副交感神経節前ニューロンの活動の影響は個々の効果器である。

> **臨床関連事項**
>
> **巨大結腸症**
>
> メガコロン megacolon (mega- ＝巨大)とは巨大結腸症のことである。先天性巨大結腸症では結腸の肛門側への副交感神経が正常に発生しない。肛門側の運動機能欠如の結果，正常な吻側結腸は過大に拡張する。便秘，腹部膨満，時に嘔吐を引き起こす。外科的に病変部を切除して治療する。

> **チェックポイント**
>
> 3. 交感神経幹神経節，椎前神経節，終神経節の位置を説明しなさい。各々の神経節でシナプス結合を形成するのは，どの自律神経系のニューロンか？
> 4. 副交感神経系の作用は特定の器官に限局されることが多いのに，交感神経系はどのようにして全身に同時に影響を及ぼすことができるのか？

11.3 自律神経系の機能

目標
- 交感神経系と副交感神経系の機能を述べる。

自律神経系の神経伝達物質

9章で学んだように，神経伝達物質とはシナプスにおいて神経から放出される物質である。自律神経は，ニューロン間のシナプス(節前ニューロンから節後ニューロンへ)ならびに自律性効果器(平滑筋，心筋，分泌腺)との間のシナプスで神経伝達物質を放出する。

自律神経系のニューロンの一部はアセチルコリンを，また別のものはノルアドレナリンを放出する。

アセチルコリン acetylcholine を放出する自律神経系のニューロンは以下のものを含む。(1)交感神経節前ニューロンと副交感神経節前ニューロンのすべて，(2)副交感神経節後ニューロンのすべて，(3)交感神経節後ニューロンのうちの少数。アセチルコリンはその分解酵素である**アセチルコリンエステラーゼ** acetylcholinesterase (AChE) によって速やかに分解されるので，副交感神経系の効果は持続が短時間で空間的にも限局されている。

ほとんどの交感神経節後ニューロンは**ノルアドレナリン** noradrenaline (NA) を神経伝達物質とする。ノルアドレナリンの分解はアセチルコリンに比べると遅く，また，副腎髄質からも血液中にアドレナリンとノルアドレナリンが放出されるので，交感神経系の活性化の効果は副交感神経系に比べて長時間持続し，また広範囲に及ぶ。例えば，混雑した交差点でのニアミスによる心拍数の増加は，交感神経系の持続効果によって数分間持続する。

自律神経系の活動

すでに述べたように，ほとんどの器官は交感神経系と副交感神経系の二重支配を受けており，典型的にはそれらの作用は相反的である。交感神経と副交感神経の活動度は"緊張"とも呼ばれるが，両者のバランスは視床下部によってコントロールされている。多くの場合，視床下部は交感神経緊張を高めると同時に副交感神経緊張を抑制する(訳注：**拮抗支配**という)。逆も同様である。例外的に交感神経だけの支配を受ける器官もある——汗腺，皮膚の立毛筋，腎臓，ほとんどの血管，および副腎である(図11.2)。これらの器官には副交感神経系の支配がない。それでも，交感神経活動の増加はある効果をもたらし，交感神経活動の減少は反対方向の効果をもたらす。

交感神経活動 身体的または情動ストレスに際しての交感神経活動の増加によって，激しい身体活動と急激なATPの産生を支援する。交感神経活動の増加は同時に，エネルギーの貯蔵に関連した身体機能を抑制する。身体活動以外にも，多くの情動，例えば，恐怖，不安，怒りなどは交感神経活動を増加させる。"E状況"(運動 exercise，緊急 emergency，興奮 excitement，困惑 embarrassment)のときの身体変化を思い浮かべて，交感神経反応を覚えるとよい。交感神経の活性化と副腎髄質からのホルモン分泌の増加は，以下に述べるような**闘争・逃走反応** fight-or-flight response (訳注：緊急反応または防衛反応ともいう)と呼ばれる一

連の反応を引き起す。

1. 瞳孔が散大する。
2. 心拍数，心収縮力，血圧が上昇する。
3. 気道の拡張により，肺への空気の出入りが速くなる。
4. 腎臓や消化器官のような闘争や逃走にあまり関与しない器官へ血液を供給する血管を収縮させ，それらの組織への血流を減少させる。
5. 身体運動や闘争に関与する重要な器官である骨格筋，心筋，肝臓，脂肪細胞へ血液を供給する血管を弛緩させ，それらへの血流を増加させる。
6. 肝細胞はグリコーゲンを分解してグルコース（ブドウ糖）を産生し，脂肪細胞はトリグリセリドを分解して脂肪酸とグリセロールを産生する。これらはATP産生に用いられる。
7. 肝臓によるグルコースの放出は，血糖値を上昇させる。
8. ストレス状態に遭遇したときに重要でない器官の働きは抑制される。

副交感神経活動 闘争・逃走反応を引き起す交感神経活動とは対照的に，副交感神経活動は**休息と消化 rest-and-digest** 反応で特徴づけられる。副交感神経活動の増加は，エネルギー消費を抑制し，エネルギー貯蔵を促進する。運動休止期間中の休息期には，消化液の分泌腺や胃腸の平滑筋への副交感神経活動は交感神経活動を上回り，食物の消化・吸収を促進する。副交感神経活動の増加は同時に，身体運動に関連した機能を抑制する。

副交感神経反応を覚えるには，唾液分泌 salivation (S)，涙の分泌 lacrimation (L)，排尿 urination (U)，消化 digestion (D)，排便 defecation (D) の頭文字をとった SLUDD（どろどろ）を記憶するとよい。これらの活動はすべて，主として副交感神経の活性化によって起る。副交感神経の活動が増進すると，SLUDD反応が増加する以外に，三つの重要な現象，すなわち，心拍数の減少，気道内径の減少，瞳孔径の縮小（縮瞳）などが起る。

表11.2には，交感神経系と副交感神経系の活動増加による，腺，心筋，平滑筋の反応をまとめた。

> **チェックポイント**
> 5. 交感神経系と副交感神経系の相反効果の例を挙げなさい。
> 6. 闘争・逃走反応とはどのような反応か？
> 7. 副交感神経系が休息と消化の神経と呼ばれる理由は？

・・・

神経系の構造と機能を勉強したので，「ホメオスタシスの観点から：神経系の役割」を学習することによって，神経系がほかの器官系のホメオスタシスにも役立っていることを十分に理解できるだろう。

臨床関連事項

β（ベータ）遮断薬と血圧

ここで学んだように，多くの交感神経節後ニューロンはノルアドレナリンを放出する。この神経伝達物質の心臓への効果は心拍数と心収縮力の増加であり，結果として血圧を上昇させる。ノルアドレナリンは**β受容体 beta receptor** と呼ばれる受容体（形質膜に組み込まれたタンパク質）を刺激することによってその効果を発揮する。この受容体は心臓，血管，唾液腺，腎臓，腹部内臓など多くの場所に存在している。ノルアドレナリンがβ受容体を刺激すると血圧が上昇する。**β遮断薬 beta blocker** はβ受容体に結合する（訳注：ただし，受容体を活性化することはない）ので，ノルアドレナリンが受容体に結合してその作用を発揮するのを妨害する。よってβ遮断薬を服用すると心拍数と心収縮力の増加が抑制され，血圧は下降する。β遮断薬は血管拡張促進作用ももつので血圧が下降する（図1.3に示したネガティブフィードバックによる血圧調節も参照のこと）。高血圧治療に用いられているβ遮断薬の例はプロプラノロール（インデラル®）とメトプロロール（ロプレソール®）である。血圧調節以外にも胸部痛，不安，ある種の不整脈，緑内障，偏頭痛の治療にも使用される。

表 11.2　自律神経系の機能

効果器	交感神経活動増加の効果	副交感神経活動増加の効果
腺		
汗腺	分泌増加	作用なし
涙腺	わずかに分泌増加	分泌増加
副腎髄質	アドレナリンとノルアドレナリンの血中への分泌促進	作用なし
膵臓	消化酵素とインスリン（血中糖濃度を下げるホルモン）の分泌抑制；グルカゴン（血中糖濃度を上げるホルモン）の分泌促進	消化酵素とインスリンの分泌促進
下垂体後葉	抗利尿ホルモン（ADH）の分泌	作用なし
肝臓*	グリコーゲン分解・グルコース産生，グルコースの新生，グルコースの血中への放出の促進；胆汁分泌の抑制	グリコーゲン産生の促進；胆汁分泌の増加
脂肪組織*	トリグリセリドの分解と脂肪酸の血中への放出促進	作用なし
心筋		
心臓	心拍数増加と心房および心室の収縮力増強	心拍数減少と心房の収縮力減少
平滑筋		
瞳孔散大筋	散瞳	作用なし
瞳孔括約筋	作用なし	縮瞳
眼球の毛様体筋	遠くをみるために弛緩	近くをみるために収縮
胆嚢と胆管	胆汁の胆嚢への貯蔵	小腸への胆汁の放出
胃と腸	運動性の低下；括約部の収縮	運動性の上昇；括約部の弛緩
肺（気管平滑筋）	気道の開大（気管支拡張）	気道の狭小（気管支収縮）
膀胱	筋壁の弛緩；内尿道口括約筋の収縮	筋壁の収縮；内尿道口括約筋の弛緩
脾臓	収縮と貯蔵血液の全身血流への放出	作用なし
立毛筋	収縮により立毛し，鳥肌になる	作用なし
子宮	非妊娠女性では収縮の抑制；妊娠女性では収縮の促進	ほとんど効果なし
生殖器	男性では精液の射出	血管弛緩による陰核（女性）と陰茎（男性）の勃起
唾液腺（細動脈）	唾液分泌抑制	唾液分泌促進
胃腸腺（細動脈）	分泌抑制	分泌促進
腎臓（細動脈）	尿産生の減少	作用なし
骨格筋（細動脈）	主として血管拡張による血流増加	作用なし
心臓（冠細動脈）	主として血管拡張による血流増加	わずかに血管を収縮させ，血流を減少させる

* 通常は腺とはいわないが，これらの臓器はホルモンなどの物質を血中に放出もするので，ここでは腺に分類した。

ホメオスタシスの観点から

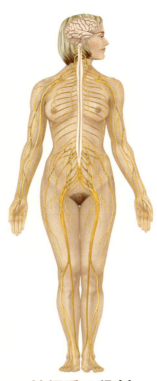

神経系の役割

全身の器官系との関連
- 内分泌のホルモンと協同して、ほとんどの組織間の連絡と調節を担う

外皮系
- 自律神経系（ANS）の交感神経系は毛包の立毛筋の収縮と汗腺からの汗の分泌を調節する

骨格系
- 骨組織の痛覚受容器は骨の外傷や障害を警告する

筋系
- 体性運動ニューロンは、大脳運動野からの命令を受けて骨格筋を収縮させ、運動を起こさせる
- 大脳基底核と網様体が筋緊張度を決定する
- 小脳は訓練の必要な運動の調和を計る

内分泌系
- 視床下部は下垂体前葉および後葉からのホルモン分泌を調節する
- 自律神経系は副腎髄質および膵臓からのホルモン分泌を調節する

心臓血管系
- 延髄の心臓血管中枢は心拍数と心収縮力を支配する自律神経活動を調節する
- 自律神経活動は血圧と血流も調節する

リンパ系と免疫系
- ある種の神経伝達物質は免疫反応の調節に関与する
- 神経活動は免疫反応を増強または減弱させる

呼吸器系
- 脳幹の呼吸中枢は呼吸の頻度と深度を調節する
- 自律神経系は気道の直径を調節する

消化器系
- 自律神経系の腸神経系は消化の調節に関与する
- 副交感神経系は多くの消化過程を促進する

泌尿器系
- 自律神経系は腎臓への血流量の調節に関与することによって尿の生産量を調節する
- 脳と脊髄の中枢は膀胱からの尿の排泄を支配する

生殖器系
- 視床下部と大脳辺縁系はさまざまな性行動を司る
- 自律神経系は男性の陰茎と女性の陰核の勃起、男性の精液の射出をもたらす
- 視床下部は生殖腺（卵巣と精巣）をコントロールする下垂体前葉ホルモンの分泌を調節する
- 乳児が乳を吸う触刺激による神経情報はオキシトシンの分泌と乳汁の射出を母親に引き起す

よくみられる病気

自律神経反射異常

自律神経反射異常 autonomic dysreflexia は第 6 胸髄より上位の脊髄損傷患者の約 85% に起る交感神経系の亢進反応である。上位中枢からの自律神経系のニューロンへのコントロールが中断されることによって生じる。ある種の感覚刺激、例えば、充満した膀胱壁の伸展受容器からの感覚刺激が障害のために脊髄を上行できないと、損傷部位よりも下位の交感神経の強力な活性化が起る。交感神経活性化の中でも血管収縮が顕著なため、血圧が上昇する。高血圧の結果、延髄の心臓血管中枢は、(1)迷走神経を介して副交感神経出力を増加させるので心拍数が減少し、(2)交感神経出力を減少させるので損傷部位より上位の血管拡張をもたらす。

自律神経反射異常の特徴は、ひどい頭痛、著しく高い血圧（高血圧）、損傷部位より上位の皮膚の紅潮・発熱と多量の発汗、損傷部位より下位では冷たく蒼白し乾いた皮膚、そして不安感である。直ちに処置が必要な緊急事態である。治療をしないと、痙攣、脳卒中、または心臓発作の危険がある。

レイノー現象

レイノー現象 Raynaud's phenomenon では、寒冷または情動ストレス曝露後に指やつま先が虚血に陥る。指やつま先の細動脈平滑筋を支配する交感神経活動の異常亢進の結果である。交感神経活性化によって細動脈が収縮すると血流が著しく減少する。症状は、赤、白、青とカラフルである。血流が途絶すると指やつま先は白くみえるし、毛細血管中の脱酸素化された血液によって青くみえることもある。寒冷曝露後に再加温すると細動脈が拡張し、指やつま先が赤くみえる。若い女性に多く、寒冷気候によって頻発する。

11 章のまとめ

11.1 体性神経系と自律神経系との比較

1. 平滑筋、心筋と一部の腺の活動を調節する神経が**自律神経系** autonomic nervous system (ANS) である。自律神経系は通常、大脳皮質からの意識的なコントロールなしで作動するが、ほかの脳部位、主として視床下部と脳幹によって制御されている。
2. 体性運動ニューロンの軸索は中枢神経系から出て効果器（骨格筋）に直接シナプス結合する。自律神経出力路は二つの運動ニューロンからなる。最初の運動ニューロンの軸索は中枢神経系から出て**自律神経節** autonomic ganglion で 2 番目の運動ニューロンとシナプスする。2 番目のニューロンは効果器（平滑筋、心筋、腺）とシナプス結合する。
3. 自律神経の出力（運動）部位は、**交感神経系** sympathetic division と**副交感神経系** parasympathetic division の二つに分類される。多くの身体器官は**二重支配** dual innervation を受けており、一方が興奮性の場合、他方は抑制性であることが多い。
4. 体性運動ニューロンはアセチルコリンを放出し、自律性運動ニューロンはアセチルコリンまたはノルアドレナリンを放出する。
5. 体性神経系の効果器は骨格筋である。自律神経系の効果器は、心筋、平滑筋、腺である。
6. 表 11.1 に体性神経系と自律神経系との比較をまとめてある。

11.2 自律神経系の構造

1. 交感神経系は、脊髄の胸髄分節および腰髄分節から発するので自律神経胸腰部とも呼ばれる。交感神経**節前ニューロン** preganglionic neuron の細胞体は、脊髄の 12 の胸髄分節と腰髄の最初の 2 分節に存在する。
2. 交感神経節は、**交感神経幹神経節** sympathetic trunk ganglia（脊柱の両側）と**椎前神経節** prevertebral ganglia（脊柱の前方）とに分類される。
3. 交感神経節前ニューロンの軸索は 20 以上の**節後ニューロン** postganglionic neuron にシナプス結合することがある。交感神経系による反応は、ほぼ同時に全身に及ぶ場合がある。
4. 副交感神経系は、脳神経核と脊髄の仙髄分節から発するので自律神経頭仙部とも呼ばれる。副交感神経節前ニューロンの細胞体は、脳幹の四つの神経核、すなわち動眼 (Ⅲ)、顔面 (Ⅶ)、舌咽 (Ⅸ)、迷走 (Ⅹ) 神経核と三つの脊髄の仙髄分節 (S2, S3, S4) に存在する。
5. 副交感神経節は**終神経節** terminal ganglia と呼ばれ、自律神経系の効果器の壁内または近傍に存在する。そのため、ほとんどの副交感神経節後ニューロンは非常に短い。神経節では、節前ニューロンは通常四つか五つの節後ニューロンにシナプス結合しており、節後ニューロンはその効果器にだけ分布する。ゆえに副交感神経系による反応は、個々の効果器に限局している。

11.3 自律神経系の機能

1. 自律神経系ニューロンの一部はアセチルコリンを、また別のものはノルアドレナリンを放出する。その効果は興奮性の場合も抑制性の場合もある。
2. アセチルコリンを放出する自律神経系ニューロンは以下のものを含む。(1)交感神経節前ニューロンと副交感神経節前ニューロンのすべて、(2)副交感神経節後ニューロンのすべて、(3)交感神経節後ニューロンのうちの少数。

3. ほとんどの交感神経節後ニューロンはノルアドレナリンを神経伝達物質とする。ノルアドレナリンの効果はアセチルコリンに比べて長時間持続し，また広範囲に及ぶ。
4. 交感神経系の活性化は，**闘争・逃走反応 fight-or-flight response** と呼ばれる広範囲にわたる反応を引き起す。副交感神経の活性化は，典型的には**休息と消化 rest-and-digest** に関連した反応で，より限局した反応を引き起こす。
5. **表 11.2** に交感神経系と副交感神経系の主要な作用をまとめた。

クリティカルシンキングの応用

1. 感謝祭でたっぷりの七面鳥と添え物の夕食をいま終えたところである。君はソファーに辿り着いてテレビで試合観戦しようとしている。君の食後の面倒をみてくれているのはどの神経系だろうか？ 器官の例を挙げ，その神経の働き方を説明しなさい。
2. 級友に君のレポートを発表する順番が回ってきた。汗をかき，心臓が高鳴り，ほとんどしゃべれないほど口が渇いた。席に戻ってもこれらの身体症状はまだ続いていた。どんな種類の反応が起っていたのか説明しなさい。
3. テイラーが深夜の恐怖映画をみていたとき，ドアがパタンと閉まる音とイヌのうなり声が聞こえた。彼女の腕の毛は逆立ち，鳥肌が立った。彼女の中枢神経系から腕にいたる神経伝達経路を説明しなさい。
4. 『銀河ヒッチハイク・ガイド』という小説に，二つの頭部をもつ，したがって二つの脳をもつゼイフォード・ビーブルブロックスなる人物が登場する。二重支配が意味するところはこれだろうか？ 説明しなさい。

図の質問の答え

11.1 二重支配とは，交感神経系と副交感神経系の両方の支配を受けることである。
11.2 交感神経幹神経節において，交感神経節前ニューロンの軸索は交感神経節後ニューロンの細胞体および樹状突起にシナプス結合する。
11.3 副交感神経節は内臓器官の壁内に存在するが，交感神経節の多くは脊髄近傍の交感神経幹に存在するので，ほとんどの副交感神経節前ニューロンの軸索はほとんどの交感神経節前ニューロンの軸索よりも長い。

CHAPTER 12

体性感覚と特殊感覚

キャンプでところどころに小さな砂浜を擁した素敵な磯に来ていると想像してみよう。砂の上に敷いた寝床での一夜の眠りから目を覚まし、ゆっくりと手足を伸ばし、寝袋からおもむろにはい出て、朝のさわやかな空気に挨拶をする。眠気は飛んでいき、前に広がる海には打ち寄せる波の波頭から霧の立ち上っているのがみえる。波打ち際へと歩を進めながら深呼吸すると磯の香りがし、裸足の足の裏には砂粒の感触がする。寝覚めのからだを冷たいさわやかな風が吹き抜けると突然寒気を感じ、驚いてむき出しの腕をこすっていた手を止める。頭上をみるとカモメがやかましく鳴きながら飛び、耳を澄ませるとその声に混じって遠くの汽船のならす汽笛の音が聞こえる。波打ち際に歩を進めると、岩に打ち寄せる波の奏でる音楽が聞こえる。引き潮でできた潮だまりに目を向けると、ヒトデ、ムラサキイガイ、イソギンチャク、動き回るカニなど、色とりどりの生き物が目に入る。膝を曲げてもっとよくみようとしたとき、打ち寄せる波のしぶきが顔にかかり、塩辛い味がした。目を閉じてこの数分間にあなたの受けた感覚についてしばし思いをめぐらせよう。あなたの心はあなたが受けたたくさんの視覚、触覚、嗅覚、聴覚、味覚情報で満たされることだろう。

> **先に進むための復習**
> ・皮膚の感覚神経終末と感覚受容器(5.1節)
> ・体性感覚経路(10.4節)

12.1 感覚の概観

目標
・感覚とは何かを定義し、感覚が生じるための必要条件を述べる。

私たちはほとんどの人が、嗅覚、味覚、視覚、聴覚、平衡感覚などの感覚器官から中枢神経に感覚情報が送り届けられていることを知っている。
いまここに挙げた五つの感覚は**特殊感覚 special sense**と呼ばれ、それ以外の感覚は**一般感覚 general sense**である。一般感覚は体性感覚と内臓感覚が区別

Q アスピリンやイブプロフェンのような薬物、あるいは鍼治療はどのようなメカニズムで痛みを和らげるのか、疑問に思ったことはありませんか？ 答えは12.2節の「臨床関連事項：鎮痛」でわかるでしょう。

される。**体性感覚 somatic sense**(somat- ＝からだの)とは触覚(触、圧、振動)、温度感覚(温と冷)、痛覚、固有感覚(関節や筋肉がどのような状態にあるかの位置感覚と、頭や手足の動きの検出)などである。**内臓感覚 visceral sense**は内臓がどのような状態にあるのかの情報を中枢に送る感覚である。特殊感覚(嗅覚、味覚、視覚、聴覚および平衡感覚)の受容器は眼や耳のような複雑な感覚器官の中に収められている。一般感覚と同様に、特殊感覚も周囲の環境変化を私たちに知らせてくれる。**眼科学 ophthalmology**(ophthalmo- ＝眼；-logy ＝の学問)は眼とその病気を扱う科学である。それ以外の特殊感覚は大部分を**耳鼻咽喉科学 otorhinolaryngology**(oto- ＝耳；rhino- ＝鼻；laryngo- ＝喉頭)がカバーしている。耳鼻咽喉科学は耳、鼻、のどとその病気を扱う科学である。

感覚の定義

感覚 sensationとは体外あるいは体内の状況を意識のうえであるいは無意識に認知することをいう。感覚が生じるためには以下に挙げる四つの条件が満たされなければならない。

1. 感覚ニューロンの活動を引き起こすに足る**刺激 stimulus**または環境の変化が必要である。感覚受容器を活性化する刺激としては、光、熱、圧力、機械エネルギー、化学エネルギーなどが挙げられる。

2. **感覚受容器 sensory receptor**で刺激が電気信号に

変換される必要がある．この電気信号はある一定の大きさ以上の場合には，最終的には1個以上の数の神経インパルスに変換される．
3. 神経インパルスは感覚受容器から脳へと神経伝導路を通って**伝導される** conducted．
4. 脳の特定部位がそれを受け入れ，**統合して** integrate，感覚を発生させる．

感覚の特徴

すでに10章で学んだように**知覚** perception とは感覚を意識し解釈することで，主として大脳皮質の働きによる．皆さんはみるのは目で，聞くのは耳で，痛みはからだの傷で感じていると思っている．しかしそれはからだの各部位からの感覚インパルスが大脳皮質の特定部位に到達し，そこでその感覚を刺激された感覚受容器からきたものと解釈するからである．1種類の感覚ニューロンは1種類の感覚情報のみを運ぶ．例えば，触覚のインパルスを運ぶニューロン（神経細胞）は痛みのインパルスを運ばない．感覚ニューロンが特定の感覚に特化することにより，目からのインパルスは視覚として，耳からのインパルスは音として感じとられることになる．

多くの感覚受容器の特徴として**順応** adaptation，つまり長時間の刺激を受けている間に感覚が減弱するという現象が知られている．順応は，一部は感覚受容器の感受性の低下により生じる．順応の結果，たとえ刺激が続いていても感覚としての受容は減弱もしくは消失することさえある．例えば，熱いシャワーを浴びたとき，最初はとても熱く感じるが，まもなくその感覚は弱くなり，刺激の強さ（高い水温）は変らなくても快適な暖かさと感じられる．順応の速さは受容器により異なる．**速順応型受容器** rapidly adapting receptor では順応が速く，刺激の**変化** changes の検出に特化している．圧覚，触覚，嗅覚などの受容器がこれにあたる．一方，**遅順応型受容器** slowly adapting receptor は順応がゆっくりで，感覚刺激が続く限り神経インパルスの発生を続ける．この遅順応型受容器としては，痛覚や体位および血液の化学成分に関する刺激をモニターしているものを挙げることができる．

感覚受容器の種類

感覚受容器は構造的特徴と機能的特徴をもとにいくつかの種類に分類される（表12.1）．

1. **自由神経終末** free nerve ending：この神経終末は感覚受容器の中では構造的にもっとも単純で，終末部は裸の樹状突起からなり，光学顕微鏡で観察できるような特殊な構造はない（図12.1）．痛

表 12.1 感覚受容器の分類

分類法	特　徴
構造的	
自由神経終末 free nerve ending	裸の樹状突起の終末．痛覚，温度感覚，くすぐったい感じ，かゆみ，ある種の触覚など．
被包神経終末 encapsulated nerve ending	結合組織のカプセルで包まれた神経終末をもつ．圧覚，振動覚，および一部の触覚小体など．
独立の感覚細胞 separate cell	独立した受容体細胞があり，一次神経終末とシナプスを形成している．網膜の光受容細胞，内耳の有毛細胞，舌の味蕾の味細胞など．
機能的	
機械受容器 mechanoreceptor	圧力を検出する．触覚，圧覚，振動覚，固有感覚，聴覚，平衡感覚など．血管や内臓の伸展のモニターも行っている．
温度受容器 thermoreceptor	温度変化を検出する．
侵害受容器 nociceptor	痛みの検出．通常，組織の物理的または化学的傷害の結果として生じる痛みを検出する．
光受容器 photoreceptor	網膜にあたった光を検出する．
化学受容器 chemoreceptor	口腔（味覚），鼻腔（嗅覚），体液などに含まれる物質を検出する．
浸透圧受容器 osmoreceptor	体液の浸透圧を検出する．

図 12.1　皮膚と皮下組織にみられる感覚受容器の構造と位置。

触，圧，振動，温，冷，痛などの体性感覚は皮膚，皮下組織，粘膜に存在する感覚受容器から発生する。

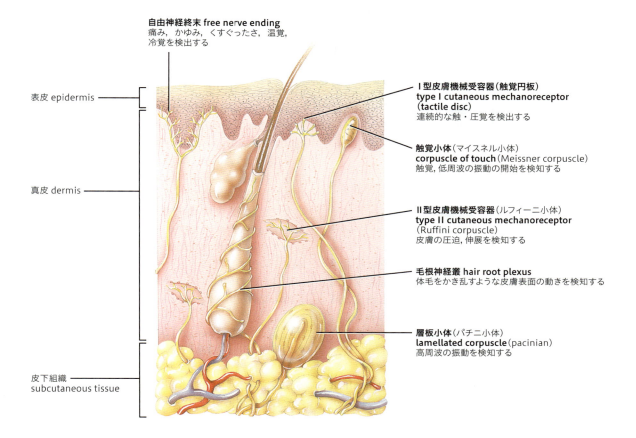

Q 指先，手掌，足底にとくに豊富な受容器は何か？

覚，温度感覚，くすぐったい感じ，かゆみ，触覚の一部はこの自由神経終末で受容している。

2. **被包神経終末 encapsulated nerve ending**：ある種の体性感覚，内臓感覚の受容器，例えば，触，圧，振動覚の受容器は**カプセルに包まれた神経終末**で検出される。この種の終末をもつ神経の樹状突起は，光学顕微鏡で明瞭に観察できる結合組織のカプセルに包まれている。

3. **独立の感覚細胞 separate cell**：第3のタイプの感覚受容器は特殊化した**独立の細胞**からなり，感覚ニューロンとシナプスをつくって，感覚刺激を神経に伝えている。例としては内耳の有毛細胞がある。

感覚受容器のもう一つの分類法は，機能的分類（検出する刺激の種類によるもの）である。ほとんどの刺激は以下に挙げる形態をとっている。音波や圧力のような機械エネルギー，光のような電磁エネルギー，グルコース分子の場合のような化学エネルギーである。

- **機械受容器** mechanoreceptor は変形，伸長，屈曲などの細胞に加わる機械的刺激に反応し，触覚，圧覚，振動覚，固有感覚，聴覚，平衡感覚などを生み出す。血管や内臓の伸長をモニターしているのも機械受容器である。
- **温度受容器** thermoreceptor は温度変化を検出する。
- **侵害受容器** nociceptor は物理的，化学的刺激により組織に損傷が起きた際に生じる痛み刺激に反応する。
- **光受容器** photoreceptor は目の網膜に入射した光を

検出する。
- **化学受容器** chemoreceptor は口腔（あじ），鼻腔（におい），および体液中の物質を検出する。
- **浸透圧受容器** osmoreceptor は体液の浸透圧を検出する。

> **チェックポイント**
> 1．"特殊感覚"とはどのような感覚をさすのか？
> 2．感覚は知覚とどう違うのか？

12.2 体性感覚

目標
- 触覚，温度感覚，痛覚の受容器の存在する場所と機能を述べる。
- 固有感覚の受容器を同定し，その機能について述べる。

体性感覚は皮膚，粘膜，筋，腱，関節などに存在する感覚受容器の刺激で生じる。体性感覚の感覚受容器は不均等に分布している。すなわち体表でも密度の高い部位と低い部位が存在する。感覚受容器の数がもっとも多い場所は舌の先端，口唇，そして指先である。

接触による感覚（広義の触覚）

接触による感覚（広義の触覚）tactile sensation（tact-＝触れる）には触，圧，振動の感覚，それにかゆみと，くすぐったい感じが含まれる。私たちはこれらの感覚を異なるものと捉えているが，同一種類の受容器の活性化により生じる。すなわち数種類ある被包機械受容器が触圧覚，振動覚を検知している。ただし，かゆみとくすぐったい感覚は自由神経終末で検知される。皮膚または皮下組織内の（広義の）触覚受容器として触覚小体，毛根神経叢，Ⅰ型/Ⅱ型皮膚機械受容器，層板小体，そして自由神経終末などがある（図12.1参照）。

触覚（狭義の触覚）

触覚（狭義の触覚）touch は一般的には皮膚または皮下組織に存在する触覚受容器の刺激で生じる。順応の速い触覚受容器には2種類のものがある。**触覚小体** corpuscle of touch（マイスネル小体 Meissner corpuscle）は無毛部皮膚の真皮乳頭に存在する。この小体は卵形に膨らんだ神経の樹状突起とそれを包む結合組織のカプセルからなる。ただし，この触覚小体受容器の順応は非常に速いので，神経インパルスの発生は主として接触開始時に限られる。触覚小体は手，眼瞼，舌の先端，口唇，乳頭，足底，陰核，陰茎の先端などに豊富にみられる。**毛根神経叢** hair root plexus は皮膚の有毛部にあり，毛包周囲を取り巻く自由神経終末からなる，順応の速い触覚受容器である。この毛根神経叢が毛をかき乱す皮膚表面の動きを検出する。例えば，毛の上に昆虫がとまり毛を動かすと，それがこの自由神経終末を刺激し虫の存在がわかる。

順応の遅い触覚受容器は2種類が区別される。**Ⅰ型皮膚機械受容器** type Ⅰ cutaneous mechanoreceptor（触覚円板 tactile disc あるいはメルケル円板 Merkel disc とも呼ばれる）は，受け皿状の扁平な自由神経終末が表皮基底層の**触覚上皮細胞** tactile epithelial cell（メルケル細胞 Merkel cell）と接触しており（図12.1参照），指先，手，口唇，外陰部に豊富にみられる。この種の機械受容器は連続した触覚，すなわち長時間手で物をつかんでいるといった状況で反応する。**Ⅱ型皮膚機械受容器** type Ⅱ cutaneous mechanoreceptor（ルフィーニ小体 Ruffini corpuscle）はカプセルで包まれた細長い受容器で，真皮，皮下組織，その他の体組織などに分布している。この種の受容器は皮膚の伸展，例えばマッサージの際にマッサージ師が皮膚を引き延ばすといった状況で強く反応する。

圧覚

圧覚 pressure は触覚に比べてからだのより広い範囲の，より深い皮膚・皮下組織で起きた変形を検知する持続性の感覚である。圧覚の検出に働いている受容器はⅠ型およびⅡ型皮膚機械受容器で，これらの受容器は順応が遅いため，持続する圧迫刺激に反応することができる。

振動覚

振動覚 vibration は触覚受容器から出た高頻度の感覚信号により生じる。振動覚の受容器は層板小体と触覚小体である。**パチニ小体** pacinian corpuscle とも呼ばれる**層板小体** lamellated corpuscle は1本の神経終末を，タマネギ状に多層の結合組織が取り囲んだ構造をしている。触覚小体に似て，層板小体も順応は速い。層板小体は真皮，皮下組織，およびその他の体組織中に分布している。この層板小体は電気ドリルなどの電動工具を使った際に感じるような高周波の振動に反応する。触覚小体も振動を検知するが，反応するのは低周波の振動に対してである。振動を実際に体験してみたいなら，編み籠や羽目板でできたドアのような周期的凸凹のある表面を手でなでてみればよい。

かゆみとくすぐったい感覚

かゆみ itch 感覚は自由神経終末が，ある種の物質，例えば，局所炎症反応の結果生じるブラジキニンによって刺激されたときに感じる。一方，くすぐったい tickle 感覚も自由神経

終末で発生すると考えられている。この不思議な感覚は，通常誰か他人に触れられたときに感じるのが一般的であり，自分で触ったのでは感じない。この謎の説明としては，小脳を出入りする神経インパルスが，他人がくすぐるときには発生せず，指を動かして自分に触るときにのみ生じることと関係があるとされている。

> **臨床関連事項**
>
> **幻肢感覚**
>
> 腕や脚を切断した患者が，なくした手足がまるでそこにあるかのように，かゆみ，圧迫，くすぐったさ，痛みなどを依然として感じることがある。この現象は**幻肢感覚 phantom limb sensation** と呼ばれている。この幻肢感覚がなぜ起きるかは，一つの説では腕や脚からの情報を以前伝えていた大脳皮質の神経回路が，より近位から入力したインパルスを，すでに存在しない肢（幻肢）からきたものと解釈するためとしている。別の説では，失った肢からのインパルスを受けていた脳のニューロンが依然として活動状態にあり，誤った感覚の知覚をするためという。

温度感覚

温度受容器 thermoreceptor は自由神経終末からなる。温，冷の2種類の異なる**温度感覚 thermal sensation** はそれぞれ異なる種類の受容体の働きによる。10〜35℃の温度では表皮にある**冷受容器 cold receptor** が活性化される。一方，**温受容器 warm receptor** は真皮にあり，30〜45℃の温度で興奮する。冷，温受容器は両者ともに刺激開始後の順応は速いが，刺激のある間は依然としてある程度のインパルスの発生は続く。10℃以下や45℃以上の温度では，温度受容器よりも主として侵害受容器が刺激され，痛みの感覚が生じる。

痛覚

痛みの受容器は**侵害受容器 nociceptor**（noci- ＝有害な）ともいい，自由神経終末である（図12.1参照）。侵害受容器は実際には脳以外のからだのすべての組織にあり，数種類の刺激に反応する。感覚受容器への過剰な刺激，組織の過剰な伸張，長時間にわたる筋収縮，内臓への血流障害，ある種の物質などはすべて痛みの原因となりうる。痛覚は痛み刺激が消失した後も持続することがある。それは痛覚を仲介する物質がすぐには消失せず，かつ侵害受容器がほとんど順応性を示さないためである。

痛みは速い痛みと遅い痛みの2種類に区別される。**速い痛み fast pain** は非常に速く，すなわち通常，刺激が加えられてから0.1秒以内に知覚される。この種の痛みは急性の，鋭い，あるいは刺すような痛みであり，皮膚を針で刺したり，ナイフで切ったときに感じる痛みがその例である。速い痛みはからだの深部の組織には生じない。**遅い痛み slow pain** は刺激が加えられてから1秒あるいはそれ以上たってから知覚され，その後，数秒ないし数分にわたって徐々に増強する。この種の痛みは耐え難いこともあり，慢性痛，焼かれるような痛み，うずく痛み，ずきずきする痛みとも表現される。この遅い痛みは皮膚にも深部の組織あるいは内臓にも生じうる。例としては歯の痛みがある。

速い痛みは刺激部位の局在が非常にはっきりしている。例えば，誰かがあなたをピンで刺したとすると，あなたはからだのどこが刺されたのかを正確にいうことができる。それに対し体性の遅い痛みの場合は，十分な局在はあるとはいっても速い痛みよりはびまん性の（すなわちより広い範囲が含まれる）ものとなる。いい換えればこの種の痛みは通常皮膚のより広い範囲から生じたものと感じられる。これに対し内臓に生じた痛みの場合は，刺激されている器官の上を覆う皮膚そのものあるいはその皮膚の直下の痛みとして感じられる場合と，その器官から遠く離れた皮膚に痛みが起きる場合がある。この後者の現象は**関連痛（放散痛）referred pain**（図12.2）と呼ばれる。この場合，通常刺激を受けている内臓と痛みが放散している場所は同じ脊髄分節の神経支配を受けている。例えば，心臓，心臓を覆う部位の皮膚および左上腕内側面の皮膚の感覚ニューロンはすべて第1〜第5胸髄（T1〜T5）に入る。それで心臓発作の痛みは典型的には心臓を覆っている部位の皮膚や左の上腕内側面に出現する。

固有感覚

固有感覚 proprioceptive sensation（proprio- ＝自分自身の）は，目でみていなくても自分の頭や手足がどこにあり，どんな速さで動いているかを教えてくれる。それで，目を閉じていても，歩行やタイピング，着衣などが可能となる。固有感覚のうち，身体運動に関する感覚は**運動感覚 kinesthesia**（kin- ＝運動；-esthesia ＝感覚）と呼ばれる。固有感覚は**固有受容器 proprioceptor** と呼ばれる受容器で発生する。固有受容器は骨格筋の中（筋紡錘）や腱の内部（腱器官），滑膜性関節とその周囲（関節の運動感覚受容器），および内耳（有毛細胞）にある。このうち，筋，腱，関節にある固有受容器は筋緊張の程度，腱にかかる張力，関節の位置などを検知している。内耳の有毛細胞は地面に対する頭の向き，運動時の頭部の位置などをモニターしている。物の重さの見当をつけ，どれくらいの力を出したらよいかを決めているのも固有感覚である。例えば，かばんをもち上げるとき，ポップコーンが入っているのか本が入っているのかももった途端にわかるの

で，必要な力だけを出すことになる。

意識にのぼる固有感覚の神経インパルスは脊髄および脳幹の感覚路を通り，大脳皮質頭頂葉の一次体性感覚野(中心後回)に伝えられる(図10.13参照)。固有受容器からのインパルスは一方では小脳へも入り，小脳の果たす熟練運動の協調にも一役買う。また固有受容器は順応が遅く，程度も弱いので，脳は継続的にからだの各部分からの位置情報のインパルスを受け，運動・姿勢保持の協調に必要な調節を行うことが可能となる。

臨床関連事項

鎮痛

ある種の痛みは損傷の程度とは不釣合いに大きく感じられたり，組織障害のために慢性化したり，あるいは特別な理由もなく出現することさえある。このような場合には**鎮痛 analgesia**(an- =なし；-algesia =痛み)や除痛操作が必要となる。アスピリンやイブプロフェン(例えば，Advil® やMotrin®)のような鎮痛薬は侵害受容器を刺激するプロスタグランジンの生成を阻止する。Novocaine® のような局所麻酔薬は一次痛覚ニューロンの軸索における神経インパルスの伝導を阻害して短時間の除痛効果をもたらす。モルヒネやその他のオピエイト製剤(アヘンまたはその派生物を含有する薬物)は脳での痛み受容の質を変え，痛みは存在するにしてもそれほど不快には感じなくする。また，多くのペインクリニック(疼痛外来)では慢性痛に悩む人々に対して抗痙攣剤や抗うつ剤の投与を行っている。

鍼治療 acupuncture は2,000年以上前に中国で始まった治療法である。気(チーと発音)と呼ばれる生気が**経絡 meridian** という経路を通って体内を流れるという考えに基づいている。鍼の施術者は一つあるいはそれ以上の経絡を通る気の流れが遮断されるか，あるいはバランスを欠いているときに病気が起きると信じている。鍼治療の実際は，気の流れを再開通させるか，バランスを取り戻すために，特定部位の皮膚に細い鍼を刺すことにより行う。鍼治療の主目的は除痛にある。鍼治療は，最終的にはエンドルフィン，エンケファリン，ダイノルフィンのような鎮痛物質として働く神経伝達物質(9.4節「シナプス伝達」参照)の放出を促す感覚ニューロンを活性化することで痛みを取り除くという説がある。これに対して，多くの西洋の臨床家の間では鍼の刺入点は単に神経，筋，結合組織を刺激する場所にすぎないという見方をとっている。これまでの研究によれば，鍼治療はきちんと訓練を受けた専門家がすべての刺入点に対して滅菌した鍼を使用して行う限り，安全な手法であるということが明らかになっている。結論としては多くの医療関係の人々が，鍼治療を伝統的な除痛法に代わる選択肢の一つであると考えている。

図 12.2 関連痛の分布領域。色を塗った部位は内臓痛の放散する皮膚領域である。

侵害受容器はからだのほとんどすべての組織に存在する。

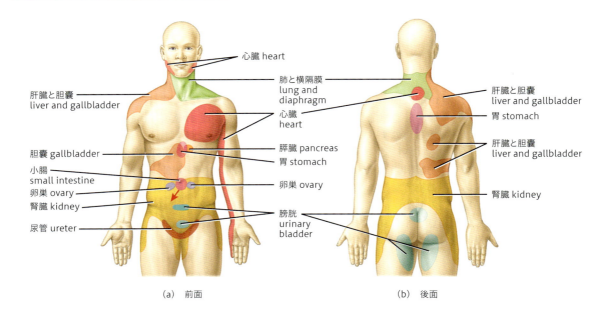

(a) 前面　　(b) 後面

Q どの内臓がもっとも広い領域に関連痛を起すのか？

> **チェックポイント**
> 3. 侵害受容器と固有受容器がほとんど順応性を示さないことは，あなたにとってなぜ利点となるのか？
> 4. 接触の感覚（狭義の触覚）を検出しているのはどのような体性感覚受容器か？
> 5. 関連痛とは何か？　内臓疾患の診断に関連痛はどのように役立つのか？

12.3 嗅覚：においの感覚

目標
・嗅覚の受容器と脳の嗅覚伝導路について述べる。

　鼻には1,000万〜1億個のにおいの感覚すなわち**嗅覚 olfaction**（olfact- ＝におい）の受容細胞が存在する。においや味で生じる神経インパルスの一部は辺縁系にも伝わるので，においや味の中には強い情動反応やさまざまな記憶を呼び起すものもある。

嗅上皮の構造

　嗅上皮 olfactory epithelium は鼻腔上部にあり（図12.3 a），嗅細胞，支持細胞，基底細胞の3種類の細胞からなる（図12.3 b）。**嗅細胞（嗅覚受容細胞）olfactory receptor cell** は，先端がドアのノブ状に膨らんだ裸の樹状突起と篩板を通り抜け嗅球へと伸びる軸索をもつ双極ニューロンである。嗅細胞樹状突起の先端からは**嗅線毛 olfactory cilium**（複数形 olfactory cilia）と呼ばれる数本の動かない線毛が伸び出している。におい物質に反応するのはこの嗅線毛である。嗅線毛の細胞膜には吸い込んだ物質を検出する**嗅覚受容体 olfactory receptor** が分布している。においをもつ物質，すなわち嗅線毛の嗅覚受容体に結合し，それを刺激するような物質は，**におい物質 odorant** と呼ばれる。嗅細胞はにおい分子の化学刺激に反応し，嗅反応を引き起す。

　支持細胞 supporting cell は鼻腔表面を覆う粘膜内の円柱上皮である。その役割は嗅細胞を機械的に支え，栄養を供給し，電気的に絶縁するとともに，嗅上皮に触れる物質を分解するのにも役立っている。**基底細胞 basal cell** は支持細胞基底部の間に位置する幹細胞で，絶えず細胞分裂を行って新しい嗅細胞を産生している。産生された嗅細胞の寿命はたった1カ月程度である。このことは驚くべきことである。その理由は嗅細胞はニューロンであり，すでに神経の章で述べたように一般に成熟したニューロンは新生されないからである。

　嗅上皮下の結合組織中には**嗅腺 olfactory gland** が存在する。嗅腺は粘液を分泌し，粘液は導管を通して嗅上皮表面に運ばれた後，上皮表面をうるおすとともに，吸い込んだにおい物質の溶媒として働く。

嗅覚受容器の刺激

　においの"基本感覚"を識別し，分類しようとする多くの試みがなされてきた。遺伝子を用いた研究によると，嗅細胞が個別に識別することのできるにおいの数は数百であるとされている。私たちの約1万にものぼるにおいを識別する能力は，多数の嗅覚受容器の異なる組合せにより活性化される脳内活動パターンの相違によると考えられている。嗅覚受容器はにおい分子に反応して電気信号を発生し，これが1個以上の数のインパルスを引き起す。においの順応（感受性の低下）は速い。嗅覚受容器は刺激後1秒程度で約50％順応し，その後は非常にゆっくりと感受性がさらに低下していく。

嗅覚伝導路

　嗅細胞の細く長い無髄線維からなる軸索の束は左右それぞれの鼻腔で，篩骨の篩板にあいた約20個の穴を通り抜ける（図12.3 b）。この合計約40本の軸索の束がそれぞれ左右の**嗅神経（第Ⅰ脳神経）olfactory (Ⅰ) nerve** である。嗅神経は大脳前頭葉の下に位置している**嗅球 olfactory bulb** と呼ばれる1対の灰白質の塊からなる脳に入って終わる。嗅球の中では嗅覚伝導路の一次ニューロンである嗅細胞の神経終末が二次ニューロンの樹状突起や細胞体とシナプスを形成している。

　嗅球から伸びるニューロンの軸索は**嗅索 olfactory tract** を形成する。嗅索から出た軸索の一部は大脳皮質の側頭葉**一次嗅覚野 primary olfactory area**（図10.13参照）に投射している。においは一次嗅覚野で初めて意識にのぼる。また嗅覚伝導路の軸索の一部は辺縁系と視床下部にも達している。この経路があるために，においによる情動反応や記憶の想起といった反応が出

> **臨床関連事項**
>
> **嗅覚鈍麻**
>
> 　**嗅覚鈍麻 hyposmia**（hypo- ＝下；-osmia ＝におい，臭気）すなわち嗅覚の能力が低下した状態には65歳以上の半数，80歳以上の75％が罹患している。年齢とともに嗅覚は減退するが，加齢以外の鈍麻の原因には，頭部外傷，アルツハイマー病やパーキンソン病のような神経疾患，抗ヒスタミン剤，鎮痛薬，ステロイドのような薬物，それに喫煙による組織損傷などがある。

図12.3 嗅上皮と嗅細胞（嗅覚受容細胞）。(a)鼻腔内の嗅上皮の位置。(b)嗅細胞の拡大図。軸索は篩板を貫通し，嗅球に達している。

> 嗅上皮は嗅細胞，支持細胞，基底細胞からなる。

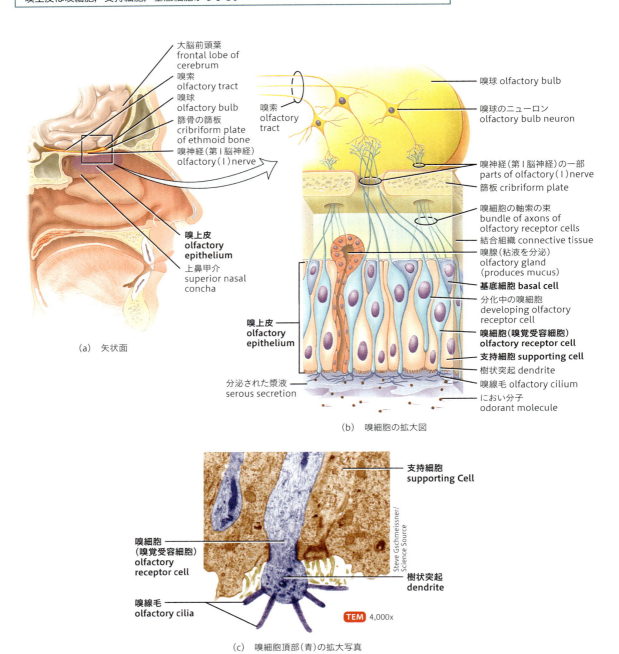

Q 基底細胞の果たす役割は何か？

てくるのである。例えば，ある種の香水により性的な興奮が起きたとか，前に一度ひどい目にあった食物のにおいで吐き気を催したとかいうのがその例である。

> **チェックポイント**
> 6．嗅上皮の3種類の細胞が果たしている役割はそれぞれ何か？
> 7．次の語を定義しなさい。嗅神経，嗅球，嗅索。

12.4 味覚：味の感覚

目標
・味覚の受容器とそこから大脳皮質までの味覚伝導路について述べる。

味覚 gustation（gust- ＝味）は，たった五つの基本味が識別されるにすぎないので，嗅覚に比べるとずっと単純である。すなわち**酸味** sour，**甘味** sweet，**苦味** bitter，**塩味** salty，**うま味** umami の五つの味である。うまみは"こくのある"とか"風味のある"とも表現される。それ以外の味，例えば，チョコレート，コショウ，コーヒーなどもこの五つの味覚の組合せとそれに付随した，におい，触覚の混合したものからなる。食物から出たにおいは口腔から鼻腔へとのぼり，嗅細胞を刺激することがある。嗅覚は味覚よりもずっと感度が高いので，食物によっては味覚系よりも嗅覚系を数千倍も強く刺激するものもある。風邪をひいたり，アレルギーの人が食物の味がわからないと訴えるときには，実は味覚についてではなく嗅覚の障害をいっているのである。

味蕾の構造

味覚の受容器は**味蕾** taste bud と呼ばれる構造の中に存在する（図12.4）。若年成人ではおおよそ1万個の味蕾の大部分が舌の表面に存在しているが，口蓋，咽頭（のど），喉頭蓋（声帯の上方にある軟骨性のふた）などにも分布している。味蕾の数は年齢とともに減少していく。味蕾は**乳頭** papilla と呼ばれる舌表面の突起に存在している。舌の上面には乳頭があるためにざらざらした外観を呈している（図12.4 a，b）。**有郭乳頭** vallate papilla（vallate ＝壁状の）は舌根部に逆V字形に並んでいる。**茸状乳頭** fungiform papilla（fungiform ＝キノコ状の）は舌の表面全体に散在するキノコ状の突起である。このほかに舌の表面全体には**糸状乳頭** filiform papilla（filiform ＝糸状の）もあるが，これには味蕾はなく，触覚の受容器が分布している。

それぞれの**味蕾** taste bud は卵円形で3種類の上皮細胞からなる。支持細胞，味細胞，基底細胞である（図12.4 c 参照）。**支持細胞** supporting cell は微絨毛をもち，1個の味蕾中では約50個の**味細胞**（味覚受容細胞）gustatory receptor cell を取り囲んでいる。**味微絨毛** gustatory microvilli（**味毛** gustatory hair）が，それぞれの味細胞から味蕾の開口部である**味孔** taste pore を通って外表面に伸びている。**基底細胞** basal cell は幹細胞で味蕾の結合組織寄りの辺縁部に位置し，いったん支持細胞となった後，約10日間の寿命をもつ味細胞に分化する。このしくみにより熱いコーヒーやココアで舌を火傷しても味細胞が回復するのにそれ程長期間を要しないですむ。味細胞は基底部で味覚伝導路の開始部位となっている一次感覚ニューロンの樹状突起とシナプスをつくる。この一次ニューロンは広範に分岐した樹状突起をもち，数個の味蕾中の多数の味細胞とシナプスをつくっている。

味覚受容器の刺激

味細胞（味覚受容細胞）を刺激するような物質は**味物質** tastant と呼ばれる。物質が唾液に溶け込むと味孔に入り，味毛の細胞膜と接触する。そうなると味細胞に電気信号が発生し，それが味細胞からの神経伝達物質の放出を刺激する。放出された神経伝達物質が一次感覚ニューロンの樹状突起上の受容体に結合すると神経インパルスが発生する。一次感覚ニューロンの樹状突起は多数の分枝をもち，数個の味蕾中の多数の味細胞にシナプス結合している。個々の味細胞は複数の5基本味に反応する。特定の味に対する順応（感受性の喪失）は刺激の持続下では通常1～5分以内に起る。

もしすべての味物質が多数の味細胞からの神経伝達物質の放出を引き起こすとすれば，なぜ食べものはそれぞれ違った味に感じられるのだろうか？　この問に対する答えは，複数の味細胞とシナプスしている一群の一次感覚ニューロンの神経インパルスの発火パターンの相違で説明できるとされている。すなわち異なる味は味覚ニューロンの異なったグループを活性化することから生じるわけである。それに個々の味細胞も5味の一つ以上に反応するが，強く反応する味物質は細胞ごとに違っていることも理由の一つである。

味覚伝導路

3種類の脳神経が味蕾にシナプスをつくる一次感覚ニューロンの樹状突起を含んでいる。顔面神経（第VII脳神経），舌咽神経（第IX脳神経）の二つが舌に，そして迷走神経（第X脳神経）が喉と喉頭蓋に分布している。味蕾からのインパルスはこれらの脳神経を経由して延髄に達する。延髄からは一部は辺縁系や視床下部

図12.4 味蕾の味細胞（味覚受容細胞）と舌乳頭の関係。

味細胞は味蕾の中にある。

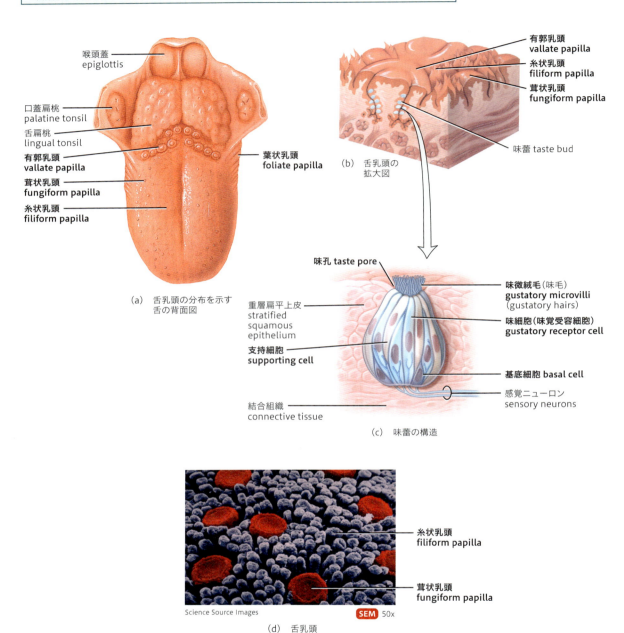

Q 舌から脳にいたる味覚伝導路を構成する構造を順番に述べなさい。

にいたり，ほかは視床に入る．視床から出た味覚信号は大脳皮質島葉の**一次味覚野** primary gustatory area に達して（図 10.13 参照）味覚が意識される．

> **臨床関連事項**
>
> ### 味覚嫌悪
>
> おそらく味覚が視床下部や辺縁系に投射するためと思われるが，味覚と快・不快の情動との間には強い関連がみられる．甘い食べ物には喜びの反応を起こし，苦いものには嫌悪の表情をする．これは新生児でもみられる反応である．この現象は，人や動物が腹の調子を悪くするような食物を避けることをすぐに学習するという**味覚嫌悪** taste aversion の生理学的基礎である．癌患者では放射線治療や抗癌剤の治療中にかなりの頻度で，どんなものを食べていても吐き気や消化器系の不調が起きる．その結果，ほとんどの食物に対して味覚嫌悪の機序が働き，食欲をなくしてしまうことがある．

> **チェックポイント**
>
> 8．嗅細胞と味細胞では構造と機能の点でどう異なるか？
> 9．嗅覚伝導路と味覚伝導路を比較しなさい．

12.5 視　　覚

目標

- 眼の付属器官，眼球壁の層構造，水晶体，眼球の内部，結像機構，両眼視について述べる．
- 視覚の受容器とそこから大脳皮質にいたる視覚伝導路について述べる．

　視覚 vision すなわち外部のものをみるという感覚は，ヒトの生存にとってきわめて重要である．数の上からは人体の感覚受容器の半数以上が眼にあり，その結果，大脳皮質のかなりの部分が視覚情報の処理に使われている．ここでは眼の付属器官および眼球自体の構造，視覚イメージの形成，視覚の生理学，眼球から脳に達する視覚伝導路について学習する．

眼の付属器官

　眼の**付属器官** accessory structure には，眉毛，睫毛，眼瞼，眼球を動かす外眼筋，それに涙器（涙の産生と排出に関係する器官）がある．**眉毛** eyebrow と**睫毛** eyelash は眼球を異物や汗，直射日光から守る（図 12.5）．上下の**眼瞼** eyelid は睡眠中には眼の遮光をし，過剰な光や異物から守り，まばたきで眼球に潤滑液を広げる．6 個の外眼筋（**上直筋** superior rectus，**下直筋** inferior rectus，**外側直筋** lateral rectus，**内側**

図 12.5 眼の付属器官．

眼の付属器官は眉毛，睫毛，眼瞼，外眼筋，涙器である．

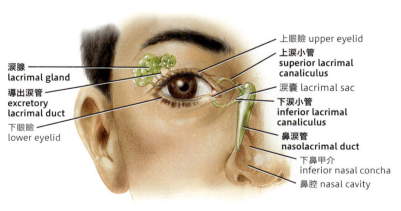

涙器を前方からみた図

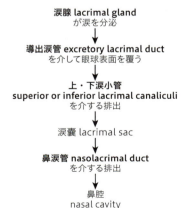

Q 涙液の役割は何か？

直筋 medial rectus，上斜筋 superior oblique，下斜筋 inferior oblique）は互いに協調して眼球を上下左右および斜め方向に動かす。また，脳幹と小脳のニューロンは左右の眼球運動を同調させる役割をもっている。

涙器 lacrimal apparatus（lacrima＝涙）とは涙 tear すなわち涙液 lacrimal fluid を分泌する涙腺，涙腺の導管，涙を排出する涙小管，涙嚢などからなる一群の器官をいう（図 12.5）。左右の涙腺 lacrimal gland はアーモンドに似た大きさと形をしている。涙液を分泌し，導出涙管 excretory lacrimal duct を介して眼球表面へと涙を送る。その後，涙液は眼球表面を鼻側へと流れ，2本の涙小管 lacrimal canaliculus と呼ばれる導管を介した後，涙嚢 lacrimal sac，鼻涙管 nasolacrimal duct を通って，鼻腔に流出する。鼻腔では涙液は鼻粘膜の粘液に混じる。

涙は塩類，少量の粘液，リゾチーム lysozyme という殺菌効果のある酵素などを含んだ水溶液である。涙は眼球の露出した部分を清め，潤滑，湿潤して乾燥から防ぐ。普通，涙は生成されるのと同じ速さで蒸発するか，鼻腔へ流れ去り，なくなってしまう。しかし，刺激物が眼に触れた場合は涙腺が刺激され，涙液が過剰に分泌されて眼球表面にあふれ出る。この防衛機序により刺激物は薄められ，流れ去る。幸福や悲哀といった情動で涙を流す crying のは人類のみにみられる特異な現象である。副交感神経系の刺激によって，涙腺は多量の涙を分泌し，眼瞼からあふれ出たり，鼻涙管を介して鼻腔を満たしたりする。泣いたときに鼻水が出るのはこの後者の理由による。

眼球壁の層構造

成人の眼球 eyeball は約2.5 cm の直径をもち，その壁は眼球線維膜，眼球血管膜，網膜の3層からなる（図 12.6）。

眼球線維膜 眼球線維膜 fibrous tunic は眼球を包む最表層の膜で，前部の角膜と後部の強膜からなる。角膜 cornea は眼球の有色部分である虹彩の前方に位置している。角膜は彎曲しているので，光を屈折し網膜上に結像するのに役立っている。強膜 sclera（＝硬い）は眼の白眼の部分を占める密線維性結合組織の被膜で，角膜以外の全眼球を包んでいる。強膜は眼球の形を維持し，強度を与えることで内部を保護している。結膜 conjunctiva と呼ばれる上皮層が角膜を除く眼球の前部表面と眼瞼の内表面を覆っている。

眼球血管膜 眼球血管膜 vascular tunic は眼球の中間層であり，脈絡膜，毛様体，虹彩からなる。脈絡膜 choroid は強膜の大部分の内側を裏打ちする薄い膜である。血管に富み網膜に栄養を与えている。脈絡膜もメラニンを産生する色素細胞を含んでおり，そのため

図 12.6 眼球の構造。

眼球壁は3層からなる：眼球線維膜，眼球血管膜，網膜である。

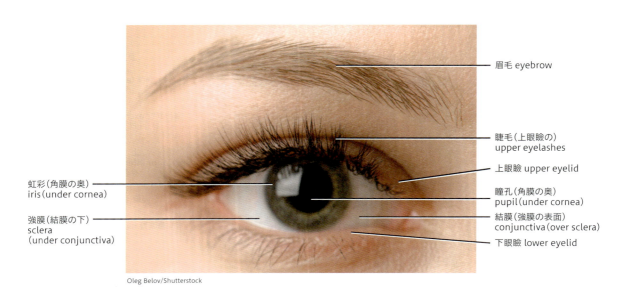

(a) 右眼球を前方からみる

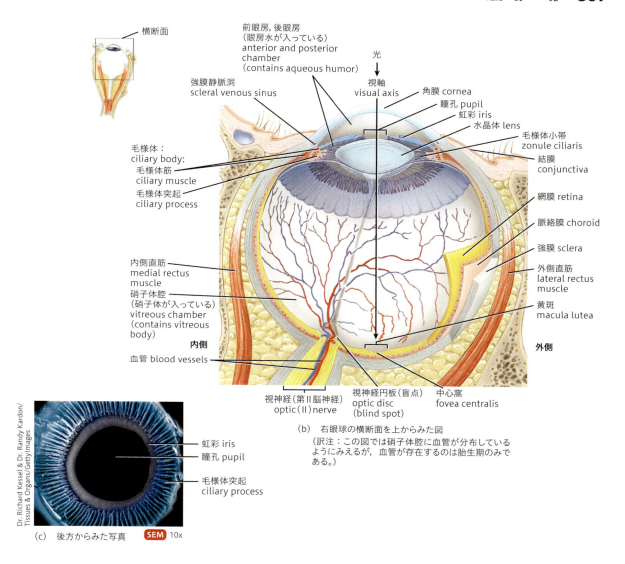

(b) 右眼球の横断面を上からみた図
（訳注：この図では硝子体腔に血管が分布しているようにみえるが，血管が存在するのは胎生期のみである。）

(c) 後方からみた写真　SEM 10x

Q 眼球線維膜および眼球血管膜を構成するものはそれぞれ何か？

に外見上暗褐色をしている。脈絡膜のメラニンは眼球への迷入光を吸収する働きをもっており，眼球内での反射や散乱を防いでいる。その結果，角膜と水晶体の屈折作用により網膜に結像した像は鮮明で明瞭なものとなる。

　前眼部では脈絡膜は**毛様体 ciliary body** となる。毛様体は毛様体突起と毛様体筋からなる。**毛様体突起 ciliary process** は毛様体内側面の隆起であり，この部位の毛細血管が眼房水を分泌する（訳注：眼房水を分泌するのは毛細血管ではなく，毛様体の上皮である）。**毛様体筋 ciliary muscle** は近くや遠くのものをみる際に，水晶体の彎曲を変化させる平滑筋である。**水晶体 lens** は入射光を網膜に結像させる透明な構造物で，多層の弾力性に富むタンパク性の線維からなっている。**毛様体小帯 zonule ciliaris** は水晶体と毛様体筋を結びつけ，水晶体の位置を保持している。

　虹彩 iris（＝色のついた環）はドーナツ形をした，眼球の有色部分である。内部には輪状と放射状の2種類の平滑筋が含まれている。光は**瞳孔 pupil** と呼ばれる虹彩の中央の孔を通って眼球に入る。虹彩の平滑筋は水晶体を通る光の量を調節する。眼が強い光で照らされると，自律神経のうち，副交感神経が虹彩の輪状筋（瞳孔括約筋）を収縮させ瞳孔の径は小さくなる（縮瞳 constriction）。薄暗がりに入ると，自律神経の交感神経が放射状の筋（瞳孔散大筋）を収縮させ瞳孔は拡大する（散瞳 dilation；図 12.7）。

図 12.7 種々の明るさの光に対する瞳孔の反応。

瞳孔（ひとみ）は輪状に走る筋（瞳孔括約筋）が収縮すると小さくすなわち縮小し，放射状に走る筋（瞳孔散大筋）が収縮すると大きくすなわち散大する。

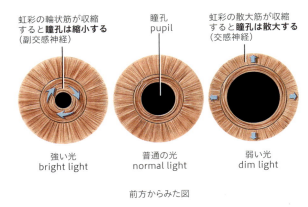

虹彩の輪状筋が収縮すると**瞳孔は縮小する**（副交感神経）

瞳孔 pupil

虹彩の散大筋が収縮すると**瞳孔は散大する**（交感神経）

強い光 bright light　普通の光 normal light　弱い光 dim light

前方からみた図

Q 自律神経系のどの神経が働くと瞳孔は縮小するのか？　また瞳孔が散大するのはどの神経によるのか？

臨床関連事項

眼底鏡（検眼鏡）

検眼鏡 ophthalmoscope（ophthalmos- ＝眼；-skopeo ＝調べる）を使うと瞳孔を通して網膜と網膜内を走る血管の像を拡大してみることができる。網膜はからだの中で血管を直接観察し，高血圧や糖尿病などの際に起きる血管の病的変化を検査できる唯一の場所である。

網　膜　眼球の第3層である内膜は**網膜 retina** で眼球の後部3/4の内面を裏打ちして視覚伝導路の起点となっている（図12.8）。網膜は神経層と色素上皮層の2層から成り立っている。網膜の**神経層 neural layer** は多層構造をとり，外へ伸び出した脳の一部といえる。網膜のニューロンからなる3層（**光受容細胞層 photoreceptor cell layer**，**双極細胞層 bipolar cell layer**，**神経節細胞層 ganglion cell layer**）は外および内網状層という二つのシナプス結合部からなる層により互いに隔てられている。光は光受容細胞層に到達する前に神経節細胞層，内網状層，双極細胞層，外網状層を通過する。

網膜の**色素上皮層 pigmented layer** はメラニンを

図 12.8 網膜の微細構造。
右の下向きの矢印は網膜の神経層を伝わる信号の方向を示す。伝達された信号は最終的には神経節細胞で神経インパルスに変換され，軸索を伝わっていく。神経節細胞の軸索は集まって視神経（第Ⅱ脳神経）を形成する。

網膜では視覚信号は，光受容細胞から双極細胞，神経節細胞の順に伝わっていく。

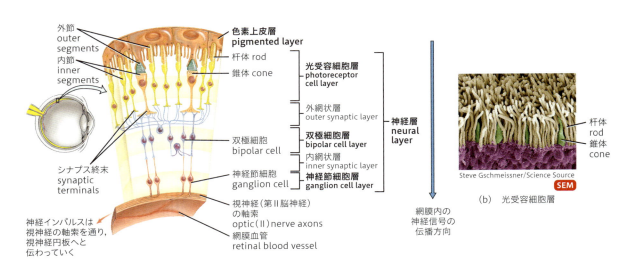

(a) 網膜の顕微鏡レベルの構造　　(b) 光受容細胞層

Q 2種類の光受容細胞とは何か。その機能はどう違っているのか？

含んだ単層の上皮細胞からなり，脈絡膜と網膜神経層の間に位置している。色素上皮のメラニンも脈絡膜のメラニンと同様に散乱光を吸収するのに役立っている。

光受容細胞 photoreceptor cell は光を最終的には神経インパルスに変換する一連の過程の最初に位置する高度に分化した細胞である。光受容細胞は2種類ある。杆体と錐体である。**杆体** rod は月明かりのような薄明かりのもとで，灰色の影をみるときに働く。明るい光は**錐体** cone を刺激し，鮮明かつ色のついた視覚を生じる。網膜には3種類の錐体が存在している。(1) **青錐体** blue cone。青色光に感受性をもつ。(2) **緑錐体** green cone。緑色光に感受性をもつ。(3) **赤錐体** red cone。赤色光に感受性をもつ。色覚はこの3種類の錐体がさまざまな組合せで刺激される結果として生じる。画家がパレットで3種類の絵の具を混ぜることにより，ほとんどすべての色をつくれるように，錐体も3種類でさまざまな色刺激に対して対応可能となっている。網膜には約600万個の錐体と1億2,000万個の杆体が存在している。錐体は網膜の中心にある**黄斑** macula lutea（yellow spot）の，その中心にある小さなくぼみの**中心窩** fovea centralis に高密度に存在している。中心窩は錐体が密集しているためにもっとも**視力** visual acuity のよい，すなわち**分解能** resolution の高い（鮮明な視力の得られる）場所である。何かを注視するとき，例えば文字を読むときなどに頭や眼を動かす主な理由は，対象となる像を中心窩にあわせるためである。杆体は中心窩や黄斑にはなく，網膜の周辺部に多い。

光情報は光受容細胞から外網状層を介して双極細胞に送られ，次に内網状層をへて神経節細胞層の神経節細胞に達する。杆体の場合は6～600個が外網状層で1個の双極細胞とシナプスする。一方，1個の錐体は通常1個の双極細胞とシナプスをつくる。多数の杆体が1個の双極細胞に収斂することは杆体視の光感受性を高めることになるが，その反面，知覚される像の輪郭はややぼける。逆に錐体視は感度は落ちるが，錐体と双極細胞間のシナプスが1：1対応なので，より鮮明な像が得られる。神経節細胞の軸索は後方に向かい，網膜上の小部分を占める**視神経円板** optic disk（**盲点** blind spot）にいたって，すべての軸索が視神経（第Ⅱ脳神経）として眼球を出る（図 12.6 参照）。視神経円板には杆体も錐体もないのでここに像が投影されても知覚することができない。普通あなた方は盲点というものがあることに気がついていないはずだが，次の方法で簡単にその存在がわかる。このパラグラフの最後に記した十字を右眼の真正面に置いたまま，この教科書を顔から約50 cm 離しなさい。左眼を閉じても十字と黒の四角はまだみえたままのはずである。次に左眼は閉じ，右眼は十字を凝視したまま，このページあるいはスクリーンをゆっくりと顔に近づけていきなさい。するとある距離で四角は視野から消えてみえなくなるはずである。そこがちょうど四角が盲点に像を結んでいる場所だからである。

＋　　　　　　■

眼球の内部

眼球の内部は水晶体によって前眼腔と硝子体腔の二つの部分に分けられる。**前眼腔** anterior cavity（訳注：原著者は "anterior cavity" という用語を用いており，一応 "前眼腔" という訳語をあてているが，この語はほとんど用いられることはない。むしろ一般的には "前眼腔" を二つに分けた虹彩と角膜の間をさす**前眼房** anterior chamber（前房），虹彩と水晶体，硝子体，毛様体に囲まれた**後眼房** posterior chamber（後房）の用語のほうが広く用いられている）は水晶体の前にあり脳脊髄液と似た組成の**眼房水** aqueous humor（aqua＝水）で満たされている。眼房水は毛様体突起の毛細血管から後眼房に分泌されている（訳注：眼房水分泌の主体は毛細血管ではなく，毛様体の上皮である）。眼房水は強膜と角膜の境界に存在する**強膜静脈洞** scleral venous sinus（シュレム管 canal of Schlemm）に入って（図 12.6 参照），再び血中に戻る。眼房水は眼球の形を保つのに役立ち，血管が分布していない水晶体や角膜に栄養を供給している。正常では眼房水は90分ごとに全体が完全に入れ替わっている。

水晶体の後ろには眼球内の第2のそしてより広い内腔をもつ**硝子体腔** vitreous chamber がある。硝子体腔は**硝子体** vitreous body という透明なゼリー状の物質で満たされている。硝子体は胎生期に形成され，その後更新されることはない。この硝子体の存在により眼球はつぶれないですみ，網膜神経層は色素上皮層に密着することができる。

眼球内の圧力は**眼圧** intraocular pressure と呼ばれるが，主として眼房水によって生じ，これに硝子体がわずかに関与している。眼圧は眼球の形を保ち，網膜神経層を色素上皮層に滑らかに圧着させることで，網膜への栄養の供給と明瞭な像の形成を可能としている。正常の眼圧（約 16 mmHg）は眼房水の産生と排出のバランスにより保たれている。

表 12.2 に眼球構造のまとめを示す。

結像と両眼視

眼はカメラに似ている。適正量の光を確保することで露出が適切に行われるとともに，物体の像は感光

表 12.2　眼球の構造と機能の概要

構造	機能
線維膜 fibrous tunic 	角　膜：光を通し，屈折させる。 強　膜：眼球の形を保ち，内部を保護する。
血管膜 vascular tunic 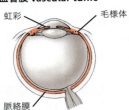	虹　彩：眼球に入る光の量を調節する。 毛様体：眼房水を分泌するとともに，水晶体の厚さを変え遠近調節を行う。 脈絡膜：血流供給にあずかるとともに，散乱光を吸収する。
網膜 retina 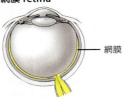	光刺激を受容し，それを受容器電位，神経インパルスに変換する。脳への出力は視神経（第Ⅱ脳神経）を構成する神経節細胞の軸索を経由する。
水晶体 lens 	光を屈折させる。
前眼房，後眼房 anterior and posterior chamber 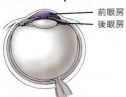	眼球の形を保つ眼房水を含み水晶体や角膜に酸素や栄養を与える。
硝子体腔 vitreous chamber 	眼球の形を保ち，網膜神経層を色素上皮層に密着させている硝子体を含む。

フィルム，つまり網膜に焦点を結ぶ。どのようにして眼が，物体の像を明瞭に網膜に結ぶのかを理解するためには三つの機構を知る必要がある。(1)水晶体と角膜による光の屈折，(2)水晶体の形の変化，(3)縮瞳すなわち瞳孔の縮小である。

光の屈折　光が透明な物質(例えば，空気)を通って異なる密度をもつ別の透明な物質(例えば，水)に入射する場合には，両者の境界面で光は曲がる。これを**屈折 refraction** と呼ぶ(図 12.9 a)。眼球においては光の総屈折の約 75% が角膜の前後表面で起る。その後，水晶体が光をさらに屈曲させることで，網膜に正しく焦点を結ぶことが可能となる。

網膜上に焦点を結んだ像は上下が逆の倒立像であり(図 12.9 b, c)左右も逆である。つまり物体の右側からきた光は網膜の左側に到達し，左からきた光は右に入る。外界が逆さにみえないのは，視覚上の像が物体の方向とあうように脳が生後間もなくから学習するためである。脳は最初に私たちが物体を手に取り触れて得た像を蓄積し，視覚による逆転した像が空間的に正しい方向に位置するように翻訳しているのである。

物体が 6 m 以上離れていると物体からの光はほぼ平行光線となり，角膜と水晶体の彎曲により物体からの光は正しく網膜に結像する(図 12.9 b)。しかし，6 m よりも近い物体では，その光線は平行ではなく，発散しつつ眼に到達する(図 12.9 c)。その場合，網膜上に結像するためには，光はより強い屈折を必要とし，この追加の屈折は水晶体の形の変化によりもたらされる。

調節　ボールのように外側に膨らんだ表面は**凸面 convex** と呼ばれる。水晶体の凸面は入射した光を中心軸の方向に向かって屈折させるので，光は最終的には交差する。眼の水晶体は前面，後面ともに凸面で，その彎曲度が増すと光の屈折も増す。近い物体に焦点を結ぶとき，水晶体の彎曲は一層強くなり光を強く曲げる。近いものをみるときの水晶体の彎曲の増加を**調節 accommodation** という(図 12.9 c)。

遠くのものをみるときは毛様体筋が弛緩し，毛様体小帯が緊張するので，水晶体は周囲から引っ張られ，平たくなる。近くのものをみるときには，毛様体筋が収縮して毛様体突起や脈絡膜を前方つまり，水晶体の方向に引っ張る。この動きで水晶体の緊張が減って丸みが増え(より凸になり)，その結果，屈折力が強くなって，光は一段と強く収束する。

正常の眼(正視眼) emmetropic eye では 6 m 離れた物体からの光を十分に屈折できるので網膜上に鮮明な像が結ばれる(図 12.10 a)。しかし，屈折異常のためにこの能力を欠く人は多い。中でも多いのは**近視 myopia**(nearsightedness)で，角膜や水晶体の屈折力に比べて眼球の前後径が長すぎる場合に起きる。近視の人は近くのものははっきりとみることができるが，遠くのものがぼける。**遠視 hyperopia**(hypermetropia, farsightedness)は，眼球の長さが角膜と水晶体の屈折力に比べて短い場合に起きる。遠視の人は遠くのものははっきりとみることができるが，近くのものがぼける。図 12.10 b〜e には近視や遠視の状態とその矯正法が示してある。ほかの屈折異常としては**乱視 astigmatism** があり，これは角膜か水晶体の彎曲が不規則な場合である。

図 12.9　光の屈折と調節。

屈折とは光線を曲げることである。

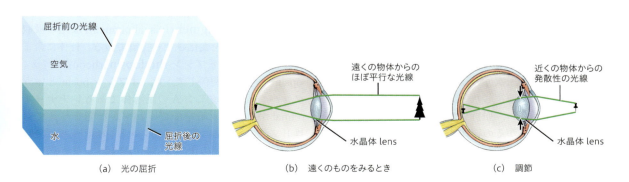

(a) 光の屈折　　(b) 遠くのものをみるとき　　(c) 調節

Q 調節の際は何がどのように変化しているのか？

図12.10 眼球の正常な屈折と異常な屈折。(a)正常の眼（正視眼）では物体からの光線は角膜と水晶体で適正に曲げられて中心窩に焦点を結び，鮮明な像が形成される。(b)近視眼では像は網膜の前に結ばれる。(c)凹レンズを用いると，入射光は外に広がり眼球内の光路が長くなって，矯正することができる。(d)遠視眼では網膜の後に結像する。(e)遠視の矯正には凸レンズを使い，入射光が前で収束するようにする。

> 矯正しない近視眼では遠くのものがはっきりみえない。矯正しない遠視眼では近くのものがはっきりみえない。

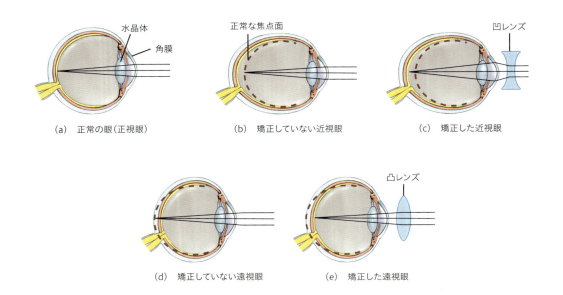

Q 老視（老眼）とは何か？

瞳孔の縮小（縮瞳）

縮瞳 constriction of the pupil とは，虹彩の輪状筋（瞳孔括約筋）の収縮により，光が眼に入る穴（瞳孔）の径が小さくなることである。この自律神経による反射は，近くをみるための調節と同時に起り，光が水晶体の周辺部から射入するのを防いでいる。光が水晶体の周辺部から入ると，網膜に焦点を結ばず像がぼけてしまうからである。また瞳孔は，前にも述べたように強い光があたると縮瞳し，網膜に入る光の量を制限する。

輻輳

ヒトでは両眼に同一の物体の像が結像する。これが**両眼視 binocular vision** である。これによって奥行きの知覚や三次元の認知が可能となる。遠くのものをまっすぐに凝視したとき，入射光は両眼の瞳孔と正しく照準が合い，屈折して両側網膜の相当する部位に達する。ヒトがその物体に近づくとそれにつれて両眼は鼻の方向に回転し，両側の網膜の対応する位置に物体からの光があたり続ける。このように二つの眼球が中央（鼻の方向）に向かって自動的に動くことを**輻輳 convergence** といい，外眼筋の共同作業により起きる。両眼視を維持するためには，物体が近いほど強い輻輳が必要となる。

光受容細胞の刺激

屈折や調節，縮瞳，輻輳などによって網膜への結像が起きると，光情報は次に神経信号に変換される。この過程の第1段階は網膜の杆体や錐体による光の吸収である。どのようにして吸収が起きるのかを知るには，視物質（視色素）の役割の理解が必要である。

視物質 photopigment（visual pigment）は光の吸収によりその構造を変化させる物質である。杆体に含まれる視物質は**ロドプシン rhodopsin**（rhodo- ＝バラ；-opsin ＝視覚に関係した）で，**オプシン opsin** というタンパク質とビタミンAの誘導体である**レチナール retinal** からなる。暗室でごくわずかな光を与えてもロドプシン分子の一部はオプシンとレチナールに分解し，杆体内で一連の化学反応を引き起こす。光が弱ければ，オプシンとレチナールはロドプシンに再合成され，産生と分解のバランスが保たれる。しかし昼の光条件下ではロドプシンは再合成されるより，分解速度が上

臨床関連事項

失明を来す主要疾患

白内障

失明原因として多いのが水晶体の透明性が失われる**白内障 cataract** である（図A）。水晶体は水晶体タンパク質の変性により濁る。白内障は加齢で起きることが多いが，外傷や過剰な紫外線への曝露，ある種の薬物（例えば，副腎皮質ホルモンの長期の使用），ほかの病気の合併症（例えば，糖尿病）でも発生する。喫煙者も白内障発生の危険率が高い。幸い，外科的手術により古い水晶体を除去し，人工レンズを挿入することで視力を回復できる。

緑内障

緑内障 glaucoma は，米国での失明原因としてはもっとも頻度の高い疾患であり，罹患率は 40 歳以上の人口の約 2％である。多くの場合，緑内障は眼房水が前・後眼房に過剰に蓄積した結果，眼圧が異常に高圧となって起きる。高眼圧の眼房水は水晶体を硝子体方向に押し込み，網膜のニューロンに高い圧がかかる。持続的な高眼圧は軽度の視野欠損から始まり，網膜神経細胞の不可逆的破壊，視神経の損傷と進み，失明にいたる（図B）。緑内障は痛みもなく，他眼がその機能の大部分を代償してしまうので，網膜にかなりの損傷が及び，視野欠損が進んでようやく診断がつくことが多い。緑内障は加齢とともに発症頻度が上がる疾患なので，高齢になればなるほど眼圧の定期的な測定はより重要な検査項目となる。危険因子としては人種（黒人は罹患率が高い），加齢，家族歴，過去の眼の外傷と疾患などを挙げることができる。

人によっては**正常眼圧（低眼圧）緑内障 normal-tension (low-tension) glaucoma** と呼ばれる種類の緑内障に罹患する人もいる。この種の緑内障では，眼圧は正常であるにもかかわらず，視神経が損傷され，損傷に応じた視力低下がみられる。原因は不明だが，視神経の易損傷性，視神経周囲の血管の攣縮とそれによる血管狭窄あるいは閉塞により，視神経が虚血を起こすことが関係しているであろうと考えられている。正常眼圧緑内障の発生頻度は日本人，韓国人および女性に高い。

加齢黄斑病

加齢黄斑病 age-related macular disease（AMD）は**黄斑変性 macular degeneration** とも呼ばれ（訳注：**加齢黄斑変性 age-related macular degeneration** と呼ばれることのほうが多い），50 歳以上の人に発症する網膜と色素上皮の変性疾患である。AMD では通常視力のもっとも高い黄斑部に異常が発生する。進行した AMD の罹患者は周辺視野の視力は保たれるが，まっすぐ前のものを見分ける能力が失われ，例えば，正面にいる人の顔の特徴を把握できなくなる（図C）。AMD は米国では 75 歳以上の高齢者での失明原因としては第 1 位であり，1,300 万人の罹患者がいる。加えて 1 日に 1 箱のタバコを吸う喫煙者の罹患率は非喫煙者に比べて 2.5 倍高い。最初は視野の中心部がぼやけ，変形してみえる。「乾性（萎縮型）」の AMD では色素上皮層が変性・萎縮するため，中心視野は徐々に縮小する。有効な治療法はみつかっていない。乾性の AMD の約 10％は「湿性（滲出型）」の AMD に移行する。湿性の AMD では脈絡膜で血管の新生が起き，網膜下に血漿や血液の漏出が起きる。このタイプではレーザー手術により漏出血管を破壊することで視力の低下を遅らせることができる。

Cordelia Molloy/Science Source
（A） 白内障の人のもののみえ方の一例

Cordelia Molloy/Science Source
（B） 緑内障の人のもののみえ方の一例

Cordelia Molloy/Science Source
（C） 加齢黄斑変性の人のもののみえ方の一例

回るので杆体は通常働かない。明るい太陽光の下から暗室に入った場合，杆体が最大限に働くまでには約40分が必要である。

錐体は明所で働き，色覚をもたらす。杆体と同じく光を吸収して視物質が分解する。錐体の視物質もレチナールをもつが，オプシンにあたるタンパク質には3種類があり，青，赤，緑の3種類の錐体にそれぞれ対応している。錐体視物質は杆体視物質より再生速度がずっと速い。

臨床関連事項

夜盲と色盲

錐体視の完全な欠損では法律上の盲の状態になる。それに対して杆体視を失った人では主として薄明時にみえにくくなるので，例えば，夜間運転はすべきではない。長期にわたりビタミンAが欠乏すると，ロドプシンの量が低下し，**夜盲（とり目）night blindness** が起きて，薄暗いところでものがみえにくくなる。網膜の3種類の錐体のうち，ある種のものが欠けている人は，色の中にほかの色と区別できないものが生じる。これが**色盲 color blindness** である。もっとも多いのは**赤緑色盲 redgreen color blindness** で，赤錐体か緑錐体のどちらかが欠損している。このような人では赤と緑の区別がつかない。色盲の遺伝については図24.13に説明がある。

視覚伝導路

光刺激を受けると杆体と錐体は双極細胞に電気信号を発生させる。双極細胞は興奮性と抑制性の両方の信号を神経節細胞に伝える。神経節細胞は脱分極して神経インパルスを発生する。神経節細胞の軸索は眼球を出て，第Ⅱ脳神経である**視神経 optic nerve** となり（図12.11, 1），後方へ走り，**視[神経]交叉 optic chiasm**（chiasm＝X字状の交差；図12.11, 2）に達する。視交叉ではそれぞれの眼球からの約半数の軸索が交叉して反対側の脳へと向かう。視交叉をすぎた後の軸索はまとめて**視索 optic tract**（図12.11, 3）と呼ばれ，視床（外側膝状体）に入る。ここで視索の軸索は視床のニューロンとシナプスをつくり，そのニューロンから出た軸索は大脳皮質後頭葉の一次視覚野に入る（図12.11, 4；図10.13も参照）。視交叉での交叉の結果，脳の右側は左側半分の視野からの視覚情報を判断する信号を両眼から受け，左の脳は右半分の視野の視覚情報を両眼から受ける。

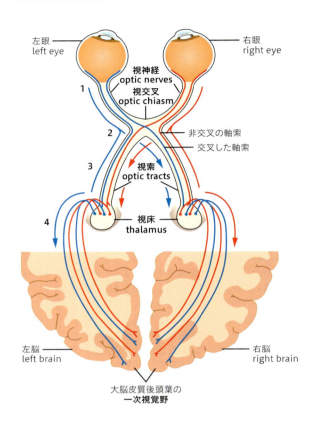

図12.11 視覚伝導路。

視交叉では，それぞれの眼からきた神経節細胞の軸索の半分が交叉して反対側の脳に入る。

Q 視覚の神経インパルスの網膜から後頭葉への伝導に関係する構造について，正しい順序で述べなさい。

チェックポイント

10. 眼の付属器官を列挙し，解説しなさい。
11. 眼球壁の層構造とその各層の機能について記載しなさい。
12. 物体の像はどのような機構で網膜上に結像するのか。
13. 遠近調節の際にみられる水晶体の形態変化はどのような機構で起るのか？
14. 視物質はどのような機構で光に反応するのか？
15. 左眼の左半分の視野に存在する物体が網膜に引き起した神経インパルスはどのような経路で大脳皮質一次視覚野に到達するのか？

12.6 聴覚と平衡感覚

目標
- 外耳，中耳，内耳の諸構造について区別しつつ解説する。
- 聴覚と平衡感覚の受容器について述べ，また受容器から始まる各感覚の脳内・外における伝導路について概要を述べる。

耳は驚くほど高感度の感覚器である。その感覚受容器が音の振動を電気信号に変換する速さは，光受容細胞が光に反応する場合よりも1,000倍も速い。さらには耳にはこの音波に対する受容器だけではなく，平衡感覚の受容器も存在している。

耳の構造

耳は三つの主要部分からなる。(1)音波を集め内部へ伝える外耳，(2)音波の振動を卵円窓（前庭窓）へ伝える中耳，(3)聴覚や平衡感覚の受容器の存在する内耳である。

外耳 外耳 external (outer) ear は音波を集めて内部へ送る部位で，耳介，外耳道，鼓膜の3部分からなる（図12.12）。**耳介** auricle は耳の外部からみえる部分である。外耳道に音波を集めるため，トランペットの開口部にヒダをつけたような形をしており，皮膚に覆われた軟骨からなる。耳介は音波を集め，**外耳道** external auditory canal (audit- ＝聞くこと)へと導くのに少し役立っている。外耳道は耳介に始まるやや屈曲した管で音波を鼓膜へと導く。わずかな毛と**耳垢** cerumen を分泌する**耳道腺** ceruminous gland (cer- ＝ろう)がある。毛や耳垢には異物が耳に入らないようにする役割がある。**鼓膜** eardrum (tympanic membrane (tympanic ＝太鼓))は半透明の薄い膜で外耳と中耳を境している。鼓膜に達した音波は鼓膜を振動させる。外傷や感染のために鼓膜が裂けることがあり，この状態を**鼓膜穿孔** perforation of eardrum と呼ぶ。

図12.12 耳の構造。

耳は三つの主要部位からなる：外耳，中耳，内耳である（左下の図参照）。

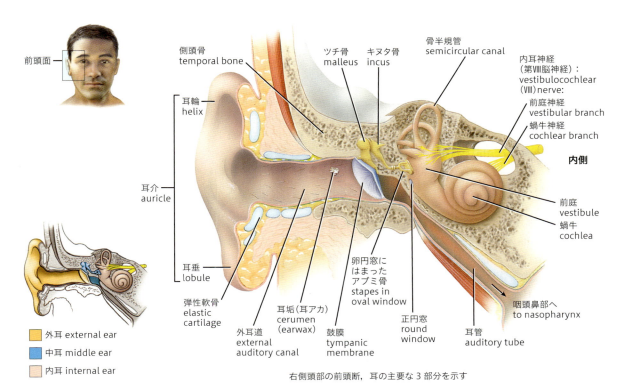

右側頭部の前頭断，耳の主要な3部分を示す

Q 聴覚と平衡感覚の受容器はどこにあるのか？

中　耳　中耳 middle ear は鼓膜と内耳の間に位置する空気の入った小さな腔所である。（図12.12）。中耳の前壁にあいた穴は直接**耳管** auditory tube (eustachian tube；**エウスタキオ管**)につながり，喉の上部の鼻咽頭に開口している。耳管が開くと鼓膜の内外の気圧が等しくなる。この機序により内あるいは外の片方の気圧が急激に変化した場合にも鼓膜が破れることはない。耳管が開くのは嚥下やあくびの際で，内外の圧が等しくなる。飛行機の飛行中にあくびをすると耳のツーンとした感じが治るのはこの理由による。

中耳に位置し，その壁に靱帯で固定されているのが三つの小さな骨，**耳小骨** auditory ossicles であり，形からそれぞれ，**ツチ骨** malleus，**キヌタ骨** incus，**アブミ骨** stapes と呼ばれている（図12.12）。同様に壁から出た小さな骨格筋が耳小骨の動きを調節しており，過度の大きな音による障害を防いでいる。アブミ骨は中耳と内耳の境界部の骨に開いた小孔の**卵円窓（前庭窓）** oval window に密着しており，これより内側が内耳である。

内　耳　内耳 internal (inner) ear は周囲を取り囲む骨迷路と内部に位置する膜迷路からなる（図12.13）。**骨迷路** bony labyrinth は側頭骨内にできたひと続きの腔所で，蝸牛，前庭，半規管からなる。蝸牛は聴覚の，前庭と半規管は平衡感覚の感覚器である。骨迷路は**外リンパ** perilymph と呼ばれる液体で満たされ，その中に**膜迷路** membranous labyrinth を入れている。膜迷路は骨迷路と似た形の嚢状，あるいは管状のひとつづきの構造物である。膜迷路の内部は**内リンパ** endolymph と呼ばれる液体で満たされている。

前庭 vestibule は骨迷路の中央部〜後部に位置している。前庭中央部の膜迷路には**卵形嚢** utricle (utricle＝小袋) と**球形嚢** saccule (saccule＝小嚢) という二つの袋がある。前庭後部には3個の**骨半規管** semicircular canal がある。前および後半規管はともに垂直方向に，外側半規管は水平方向に向いている。それぞれの骨半規管の一端は膨れていて**(骨)膨大部** ampulla (ampulla＝小さな壺) と呼ばれる。骨半規管の内部には膜迷路の一部の**半規管** semicircular duct が入っており，半規管は卵形嚢につながっている。

蝸牛 cochlea (cochlea＝かたつむりの殻) は骨性のらせん状の管で，かたつむりの殻に似た形をし，横断面をみると三つの管が通っている。蝸牛管と前庭階，鼓室階である。**蝸牛管** cochlear duct は膜迷路が蝸牛内へ延びたもので，内部には内リンパが入っている。蝸牛管の上方が**前庭階** scala vestibuli で卵円窓（前庭窓）から始まっている。蝸牛管の下方には**正円窓（蝸牛窓）** round window（この膜で塞がれた中耳への開口部は卵円窓の直下に位置している）に終わる**鼓室階** scala tympani がある。前庭階と鼓室階はともに蝸牛の骨迷路の一部で，外リンパが入っている。両者は蝸牛の頂端の開口部で連続しているが，それ以外は完全に分離している。蝸牛管と前庭階の間には**前庭膜** vestibular membrane が，蝸牛管と鼓室階の間は**基底板** basilar membrane が境している。

基底板の上には聴覚器である**ラセン器** spiral organ (**コルチ器** organ of Corti) がのっている（図12.13 b）。ラセン器には**支持細胞** supporting cell と**有毛細胞** hair cell がある。有毛細胞は聴覚の受容細胞で，その表面には蝸牛管の内リンパ内に伸びる細長い突起（感覚毛）がある。また有毛細胞は内耳神経（第Ⅷ脳神経）の枝である蝸牛神経の感覚および運動ニューロンとシナプスをつくっている。有毛細胞の突起表面には**蓋膜** tectorial membrane という柔軟なゼラチン状の膜が被さっている。

聴覚の生理学

音波が有毛細胞を刺激するまでの一連の事象は以下の通りである（図12.14）。

❶ 耳介が音波を外耳道に導く。

❷ 音波は鼓膜に衝突し，これを振動させる。振動の大きさと速さは音波の強さと周波数による。強い音ほど大きな振動を発生させる。また鼓膜は低周波の音（低音）に対してはゆっくり，高周波の音（高音）には速く振動する。

❸ 鼓膜の中心部にはツチ骨が付着しており，ツチ骨も振動する。振動はキヌタ骨へ，そして，アブミ骨へと伝わる。

❹ アブミ骨は上下に動くので卵円窓を内外方向に振動させる。

❺ 卵円窓の振動は蝸牛の外リンパ中を進行する液圧の疎密波を引き起こす。すなわち卵円窓が内側へ向かって押されると，前庭階の外リンパは圧縮される。

❻ 外リンパの圧波は前庭階から鼓室階へ，そして最終的に正円窓に伝わり，ここを塞いでいる膜を中耳へ向かって膨隆させる。（図の❾参照）

❼ 圧波は前庭階と鼓室階の壁を変形させるので，前庭膜も前後に圧迫され，蝸牛管の内リンパにも圧波を引き起こす。

❽ 内リンパの圧波は基底板を振動させ，ラセン器の有毛細胞を蓋膜に対して近づけたり遠ざけたりする。感覚毛が曲がると有毛細胞は，内耳神経（第Ⅷ脳神経）の分枝の蝸牛神経の感覚ニューロンとの間に形成しているシナプスで，神経伝達物質を

図 12.13 内耳(右側)の構造。 (a)鼓室階，蝸牛管，前庭階の関係を示す。矢印は音波の伝導方向。(b)ラセン器(コルチ器)の拡大図。

> 蝸牛内に位置する三つの管は前庭階，鼓室階，蝸牛管である。

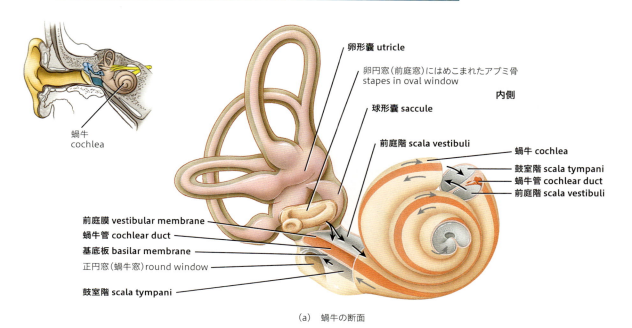

Q 外耳と中耳を隔てる構造は何か？　中耳と内耳を隔てる構造は何か？

放出する（図12.13b参照）。その結果，感覚ニューロンは神経インパルスを発生し，インパルスは内耳神経を伝播していく。

ある周波数の音波は基底板の特定領域を，ほかの部位よりも激しく振動させる。いい換えると基底板の各部分は特定の高さの音に同調している。蝸牛の基底部（すなわち卵円窓の近く）では基底板は幅が狭く，硬さも硬いので高周波(高音)の音にもっともよく同調する。蝸牛の先端のほうでは基底板は幅が広く，弾力性に富んでいる。ここでは低周波(低音)の音がもっともよく振動を引き起す。感覚上の音の大きさは音波の強度に左右される。高強度の音波は基底板を大きく振動させ，高頻度の神経インパルスを発生させて脳へと伝える。加えて，大きな音は多数の有毛細胞を刺激することも関係すると考えられている。

318　CHAPTER 12　体性感覚と特殊感覚

図 12.14 聴覚の生理学(右耳)。番号は本文中の番号に対応している。この図では蝸牛の回転数を減らして，音の伝わり方や引き続いて起る蝸牛管の前庭膜と基底板の振動をみやすくしている。

音波は振動する物体から発生する。

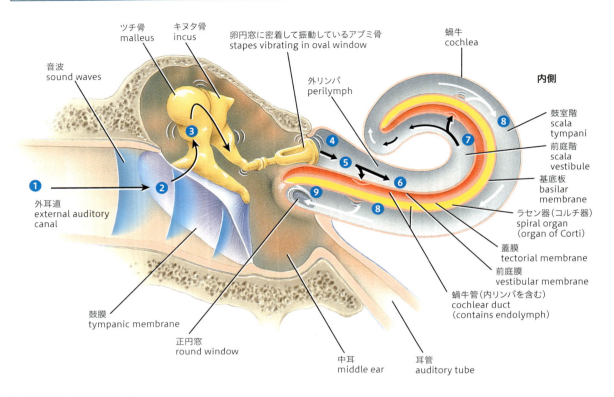

Q 有毛細胞の機能は何か？

臨床関連事項

大きな音と難聴

大音量の音楽やジェット機のエンジンの轟音，ふかしたオートバイのエンジン音，芝刈り機や電気掃除機の音に曝露されると，蝸牛の有毛細胞が損傷を受ける。長時間騒音に曝露されると聴覚障害が起るので，米国においては職場での騒音レベルが 90 dB を超える場合には，雇用者に対して作業者への耳の防御装置着用を義務づけている。ロックコンサートや安物のヘッドホンでは容易に110 dB を超えてしまう。大きな音への慢性的な曝露は**難聴 deafness** の原因となり，重大なあるいは完全な聴覚喪失を来すことにもなる。音が大きくなるほど，障害は早く生じる。難聴の初期には通常高音が聞こえにくくなる。イヤホンで音楽を聞いているときに近くの人にもその音が聞こえるようなら，その音の強さはすでに有害なレベルである。多くの場合，最初は障害に気づかず，聴覚障害が進んで会話の理解が困難になって初めて気づくことが多い。騒音環境下では，30 dB 音を下げられるような耳栓を着用することで，自らの耳の感受性を防御できる。

聴覚伝導路

内耳神経(第Ⅷ脳神経)の枝である蝸牛神経の感覚ニューロンは同側の延髄に終わる。延髄から出た軸索は中脳へ，さらに視床へ，そして最後に側頭葉の一次聴覚野に入る(図 10.13 参照)。聴神経(蝸牛神経)はかなりの数の軸索が反対側へも投射するので，左右の一次聴覚野は両耳からの神経インパルスを受けることになる。

平衡感覚の生理学

耳は音のみならず，**平衡 equilibrium**(バランス)の変化も検知している。平衡感覚の受容器を刺激するようなからだの動きには，直線方向の加減速および回転方向の加減速(角加速度)の2種類がある。前者の例としては車が突然発進あるいは停止する場合，ちょうどイエスという動作をするときのように頭部を前後に傾ける場合などがあり，後者の例としてはローラーコースターが急カーブを曲がるときなどがあてはま

る。平衡感覚の受容器はまとめて**前庭器 vestibular apparatus** といい，前庭に位置する球形嚢，卵形嚢と骨半規管内に位置する膜半規管からなる。

耳石器：卵形嚢と球形嚢
耳石器 otolithic organ は卵形嚢と球形嚢の二つからなる。卵形嚢と球形嚢の壁面には**平衡斑 macula**（図 12.15）と呼ばれる小さな肥厚部位がある。この2カ所の平衡斑には直線方向の加減速，頭部の位置（頭部の傾斜）を検出する受容器が存在する。平衡斑は2種類の細胞からなる：感覚受容器である**有毛細胞 hair cell** と**支持細胞 supporting cell** である。有毛細胞は頂部表面に階段状に高さを増す不動毛（本態は微絨毛である）と1本の**動毛 kinocilium**（構造は通常の線毛と同じで，もっとも背の高い不動毛より長い）をもっている。不動毛と動毛はまとめて**感覚毛束（毛束）hair bundle** という名称で呼ばれる。有毛細胞の間には円柱状の支持細胞が散在しており，有毛細胞の上にのっている**耳石膜 otolithic membrane** と呼ばれる糖タンパク質からなる厚いゼリー状の膜を分泌すると考えられている。耳石膜の上には**耳石 otoliths**（oto- ＝耳，-liths ＝石）と呼ばれる比重の重い炭酸カルシウムの結晶が全面にわたりのっている。

卵形嚢と球形嚢の平衡斑は互いに直交する配置をとっている。頭部が直立位をとっているときには卵形嚢の平衡斑は水平面に，球形嚢の平衡斑は垂直面に位置している。この異なる配置のため，卵形嚢と球形嚢は異なる役割をもっている。すなわち卵形嚢は水平方向の直線的加減速——加速中あるいは減速中の車にのっている人の体にかかるような動き——に反応する。加えて卵形嚢は頭を前あるいは後ろに傾ける際に

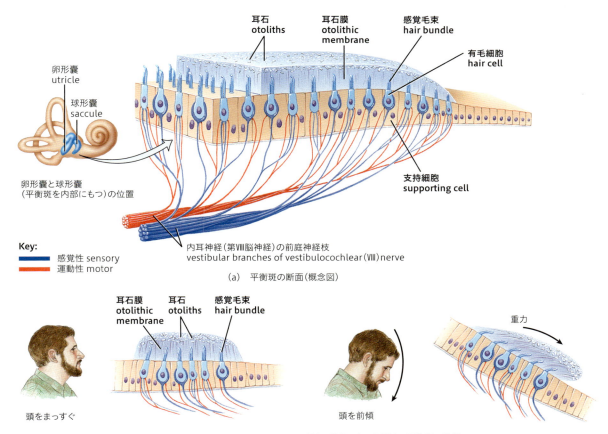

図 12.15 平衡斑における受容細胞の位置と構造（右耳）。感覚ニューロン（青）と運動ニューロン（赤）の両方が有毛細胞とシナプスをつくっている。

耳石膜の動きが有毛細胞を刺激する。

(a) 平衡斑の断面（概念図）

(b) 頭をまっすぐにしているとき（左）と前傾したとき（右）の平衡斑の状態

Q 卵形嚢，球形嚢の機能は何か？

も反応する。これに対し、球形嚢は垂直方向の直線的加減速——エレベーターに乗った人が上あるいは下へと運ばれる際の動き——に反応する。

耳石膜は平衡斑の感覚毛束の上にのっているので、頭を前に傾けるとこの膜は（耳石とともに）重力に引かれて有毛細胞の上を傾斜している方向に移動する。これが有毛細胞を刺激し、内耳神経（第Ⅷ脳神経）内の**前庭神経 vestibular nerve**を伝わる神経インパルスを発生させる（図 12.15 b 参照）。

膜半規管　三つの膜半規管は互いに直交する三つの平面上に位置している。この配置により回転方向の加速、減速が検出できるのである。それぞれの管の広がった部分である**膨大部 ampulla**の中には**膨大部稜 crista**（crista＝頂上）と呼ばれる小さな隆起がある（図 12.16）。各膨大部稜には**有毛細胞 hair cell**と支持細

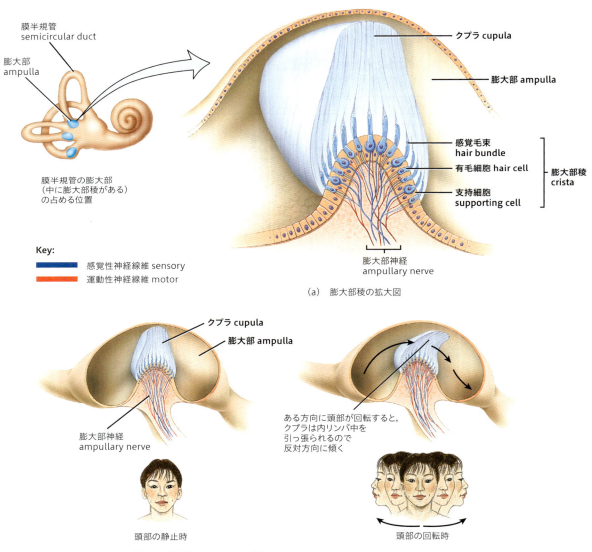

図 12.16　膜半規管の位置と構造（右耳）。一次感覚ニューロン（青）と運動ニューロン（赤）はともに有毛細胞とシナプスをつくる。膨大部神経は内耳神経（第Ⅷ脳神経）の一部である前庭神経の枝である。

三つの膜半規管のとる空間配置は回転運動の検出に適したものとなっている。

(a) 膨大部稜の拡大図

(b) 頭部が静止しているとき（左）と頭部を回転したとき（右）のクプラのようす

Q 膜半規管はどのような役割を果たしているのか？

胞 supporting cell があり，これらは**クプラ（膨大部頂）cupula** と呼ばれる大量のゼラチン状の物質で覆われている．頭が動くとその一部である半規管と有毛細胞は一緒に動く．しかし，半規管内部の内リンパは直接には周囲に付着していないので慣性により，その場に止まろうとする．すなわち，動いている有毛細胞が静止している内リンパの中を引っ張られるので表面の感覚毛が曲がる．感覚毛が曲がると有毛細胞に電気信号が発生する．その結果，内耳神経（第VIII脳神経）の前庭神経枝の感覚ニューロンに神経インパルスが生じる．

平衡感覚の伝導路

内耳神経（第VIII脳神経）内の前庭神経のほとんどの神経軸索は脳幹に入り，延髄か小脳に伸びて，以下に述べる平衡感覚伝導路のニューロンにシナプスをつくる．延髄のニューロンから出る軸索の一部は眼球運動や頭頸部の運動を制御する脳神経核にインパルスを送る．また，延髄のニューロンから出て脊髄路を下る軸索は，頭の動きに応じたからだの筋緊張の調節に必要なインパルスを送る．小脳は延髄，小脳，大脳間を走るさまざまな伝導路を介し，平衡の維持に重要な役割

表 12.3 聴覚と平衡感覚に関係する耳の構造のまとめ

耳の各部位と主な構造	機能
外耳 external ear 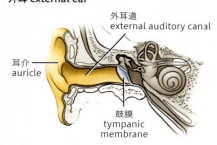 外耳道 external auditory canal／耳介 auricle／鼓膜 tympanic membrane	耳　介：音波を集める． 外耳道：音波を鼓膜に導く． 鼓　膜：音波は鼓膜を振動させ，鼓膜に付着しているツチ骨に振動を伝える．
中耳 middle ear 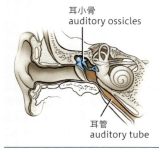 耳小骨 auditory ossicles／耳管 auditory tube	耳小骨：鼓膜の振動を増幅して卵円窓に伝える． 耳　管：鼓膜を挟む中耳と外耳道間の気圧を等しくする．
内耳 internal ear 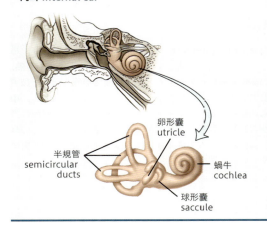 卵形嚢 utricle／半規管 semicircular ducts／球形嚢 saccule／蝸牛 cochlea	蝸　牛：一連の液体，導管，膜を含み，これらが振動を聴覚器であるラセン器（コルチ器）へ伝える．ラセン器の有毛細胞は，内耳神経（第VIII脳神経）のうち，蝸牛神経に神経インパルスを発生させる． 前　庭：半規管，卵形嚢，球形嚢が含まれる．これらの構造で発生した神経インパルスは内耳神経（第VIII脳神経）のうち，前庭神経を通って伝わっていく． 半規管：回転方向の加速・減速を検出する． 卵形嚢：水平面内の直線的加速・減速とともに，頭部の傾きをも検出している． 球形嚢：垂直方向の直線的加速・減速を検出している．

臨床関連事項

動揺病（乗り物酔い）

動揺病 motion sickness は，動きに関係する感覚の間に解離が生じた際に発生する。例えば回転方向や垂直方向の動きを検出している平衡器と空間におけるからだの位置を検知している視覚および筋肉・関節等の固有感覚受容器の間にずれが生じる場合である。航行中の船の船室にいる場合を考えると，前庭器は波による動きがあることを脳に伝えるが，眼には何の動きもみえない。その結果，感覚間に解離が生じ，動揺病が発生する。動揺病は車，飛行機，列車，遊園地の乗り物など，さまざまな動きが関係する状況でも発生することがある。

動揺病の症状としては顔面蒼白，不穏，唾液分泌過多，悪心，めまい，冷汗，頭痛，倦怠感などがあり，さらに進むと嘔吐が起きることもある。動きが止まると症状は治まる。動きを止めることが不可能な場合には，車では前部座席に，列車では先頭車両に，船では上部甲板に，飛行機では翼付近の席に座ると軽快することがある。地平線，水平線に目をやり，読書をやめることも役に立つ。動揺病の予防薬には徐放性の貼付薬あるいは錠剤のスコポラミンのほか，ジメンヒドリナート（ドラマミン Dramamine®），メクリジン（Bonine®）などがあり，通常出発前に貼付あるいは服用する。

を果たしている。すなわち，小脳は卵形嚢と球形嚢から絶えず感覚情報を受け，それに反応して運動野から特定の骨格筋へ送られる信号を調節することで，平衡維持に役立っている。

表 12.3 に聴覚と平衡感覚に関係する耳の構造をまとめた。

チェックポイント

16. 外耳，中耳，内耳の各構成要素を列挙しなさい。
17. 有毛細胞の刺激にかかわる一連の事象について説明しなさい。
18. 蝸牛から大脳皮質にいたるまでの聴覚インパルスの伝導路はどうなっているか？
19. 卵形嚢，球形嚢および膜半規管の果たす役割を比較しなさい。

・・・

次の 13 章では内分泌系から分泌されるホルモンが多くの生命現象のホメオスタシスの維持にどのように役立っているかについて学ぶ。

よくみられる病気

難聴

難聴 deafness は聴覚のかなりの部分またはすべてが失われた状態である。**感音性難聴** sensorineural deafness は，蝸牛の有毛細胞の障害か，内耳神経の枝である蝸牛神経の障害の結果起きる。動脈硬化で耳への血流が低下した場合，大きな音刺激の反復でコルチ器の有毛細胞が破壊された場合，またはアスピリンやストレプトマイシンのような薬物による場合などがある。**伝音性難聴** conduction deafness は外耳や中耳の障害で音が蝸牛に伝わらない場合に起きる。耳硬化症によって卵円窓周囲の骨増殖がある場合，耳垢による外耳道閉塞，鼓膜の損傷，または加齢が原因となる。加齢では鼓膜の肥厚や，耳小骨間の関節の硬化がしばしばみられる。

メニエール病

メニエール病 Ménière's disease は内リンパの量が増加して膜迷路を拡張させるために起る。症状としては変動する難聴（蝸牛基底板の変形による）と，しつこい耳鳴（耳鳴り）がある。めまい（回転性の感覚）はメニエール病に特徴的である。数年で聴覚が完全に失われることもある。

中耳炎

中耳炎 otitis media は中耳の急性の細菌感染であり，鼻やのどの感染に伴って起きる。症状は耳痛，不快感，発熱，鼓膜の発赤と外側への膨隆などで，早期に治療しないと鼓膜が破れることがある（治療法の一つとして鼓膜を切開し，中耳からの排膿を行うこともある）。中耳炎の最大の原因は鼻咽頭から耳管を経由して細菌が入ることである。子どもの耳管は，ほぼ水平なので排液されにくく成人に比べて中耳炎になりやすい。

医学用語と症状

暗点 scotoma（scotoma＝暗闇）　視野が縮小または喪失した領域（視神経乳頭による正常な盲点は除く）。

蝸牛インプラント cochlear implant　音を脳が認識できるような電気信号に変換する人工的な装置。蝸牛の有毛細胞の損傷で聴覚障害になった人にとくに有効である。

角膜移植 corneal transplant　病的角膜を除去し，提供者の同一直径の角膜を縫い込む治療法をいう。移植手術の中ではもっとも広く普及し，成功率も高い。角膜は血管を欠くので，拒絶反応を起す血中のリンパ球は移植片には侵入せず，拒絶反応はめったに起きない。提供角膜の不足はプラスチック製の人工角膜の開発により，部分的には緩和されている。

眼瞼炎 blepharitis（blepharo-＝眼瞼；-itis＝～の炎症）　眼瞼の炎症。

眼振 nystagmus（nystagm-＝うなずき）　眼球の急速な不随意運動。中枢神経疾患の可能性がある。めまいを来す疾患の際にしばしば随伴する。

気圧障害 barotraumas（baros-＝加重）　気圧の変化により，主として中耳に生じる損傷または痛み。気圧障害は鼓膜の外側の圧力が，内側の圧力より高くなる場合，例えば，飛行機でのフライトやダイビングの際に発生する。気圧障害が発生しそうになったときには，唾液を飲み込むか，鼻をつまみ，口を閉じて息を吐く動作をすると，耳管が開いて空気が中耳に流れ込み，鼓膜の内外の圧差がなくなって症状が消える。

結膜炎（赤目）conjunctivitis（pinkeye）　結膜の炎症で，肺炎球菌，ブドウ球菌，インフルエンザ菌 *Hemophilus ifluenzae* などによるものは非常に伝染しやすく，小児に多い。結膜炎は，刺激性物質，例えば，埃，煙，空気中の汚染物質などによっても起きるが，その場合は伝染しない。

耳痛 otalgia（ot-＝耳；-algia＝痛み）　耳の痛み。

耳鳴 tinnitus　耳の中でカンカン，ゴーゴー，あるいはカチカチ音がしているような状態。

斜視 strabismus　外眼筋のバランス喪失のため，一側の眼の眼軸調節の不備が起き，視線が他側のものと協調せず，両側の眼が同時に同一物をみることができない状態をいう。やぶにらみ。

糖尿病網膜症 diabetic retinopathy（retino-網膜；-pathos 苦難，病気）　糖尿病が原因で起きる網膜の変性疾患。網膜血管が損傷を受け，形成された新生血管が視力を傷害する。

トラコーマ trachoma　結膜炎の重篤な型で，世界中の失明の単一の原因としてはもっとも多い。トラコーマ・クラミジア *Chlamydia trachomatis* という菌が原因である。結膜下組織が過剰に増殖し，角膜に血管が進入して角膜全体が混濁，失明にいたる。

無嗅覚 anosmia（a-＝無；-osmi＝嗅覚，におい）　嗅覚の完全に消失した状態。

めまい vertigo（＝dizziness）　周囲の世界が回転するか，あるいは空間の中で自分が回転するかのように感じる回転あるいは浮遊の感覚（訳注：ここでは dizziness と同義としてあるが，厳密には vertigo は回転性のめまいを，dizziness は浮動性のめまいをさす）。

網膜剥離 detached retina　外傷，疾病，加齢による変性のため，色素上皮から神経性網膜が剥離した状態。出現する症状は視野の変形，視力の欠損などである。

網膜芽細胞腫 retinoblastoma（-oma＝腫瘍）　未分化の網膜細胞から発生した腫瘍。小児癌の2％を占める。

12章のまとめ

12.1　感 覚 の 概 観

1.　感覚 sensation とは身体内外の環境を意識のうえあるいは無意識に認知することである。

2.　感覚は通常2種類に分けられる。(1)**一般感覚** general sense（体性感覚 somatic sense および内臓感覚 visceral sense からなる）と，(2)**特殊感覚** special sense である。後者には嗅覚，味覚，視覚，聴覚，平衡感覚が含まれる。

3.　感覚が生じる要件は，感覚受容器による刺激の受容，刺激の神経インパルスへの変換，脳へのインパルスの伝導，脳の特定部位でのインパルスの統合である。

4.　身体各部位からの感覚インパルスはそれぞれ大脳皮質の特定部位に到達する。

5.　順応 adaptation とは長時間の刺激の間に感覚が減弱することである。受容器によって順応の速いものと遅いものがある。

6.　受容器は顕微鏡的特徴をもとに構造的に，自由神経終末，被包神経終末，独立した感覚細胞からなるものの三つに分類される。また機能的には受容器は検知する刺激の種類によって，機械受容器，温度受容器，侵害受容器，光受容器，化学受容器，浸透圧受容器に分類される。

7.　特殊感覚は嗅覚，視覚，味覚，聴覚および平衡感覚からなる。

8.　一般感覚と同様に特殊感覚も周囲の環境変化を私たちに知らせてくれる。

12.2　体 性 感 覚

1.　体性感覚には触覚 tactile sensation（触 touch，圧 pressure，振動 vibration，かゆみ itch，くすぐったい感じ tickle），温度感覚 thermal sensation（温と冷），痛覚 pain sensation，固有感覚 proprioceptive sensation（関節，筋の位置感覚および四肢の動きの感覚）が含まれる。これらの感覚の受容器は皮膚，粘膜，筋，腱，関節に存在する。

2.　触覚の受容器には触覚小体 corpuscle of touch，毛根神経叢 hair root plexus，Ⅰ型およびⅡ型皮膚機械受容器 type Ⅰ and type Ⅱ cutaneous mechanoreceptor などがある。圧と振動の受容器は層板小体 lamellated corpuscle である。かゆみとくすぐったい感覚は自由神経終末の刺激により生じる。

3. 温度受容器 thermoreceptor は表皮および真皮にある自由神経終末であり，持続的な刺激に順応を示す。
4. 侵害受容器 nociceptor は身体のほとんどすべての組織に存在する自由神経終末であり，痛みの感覚を起す。
5. 固有受容器 proprioceptor は筋収縮のレベル，腱の緊張度，関節の位置，頭部の方向などを検出する。

12.3 嗅覚：においの感覚

1. 鼻腔上部にある嗅上皮は嗅細胞（嗅覚受容細胞）olfactory receptor cell，支持細胞 supporting cell，基底細胞 basal cell からなる。
2. 個々の嗅細胞は何百ものにおい物質の分子に反応して，電気信号を発生し，1個以上の数の神経インパルスを引き起す。においの順応（感度の低下）は速い。
3. 嗅細胞の軸索は嗅神経（第Ⅰ脳神経）olfactory（Ⅰ）nerve となり，インパルスを嗅球 olfactory bulb へと運ぶ。嗅球からは嗅覚信号は嗅索 olfactory tract をへて，辺縁系，視床下部，大脳皮質（側頭葉）などに伝えられる。

12.4 味覚：味の感覚

1. 味覚 gustation の味細胞（味受容細胞）gustatory receptor cell は味蕾 taste bud の中にある。
2. 味覚が生じるためには物質が唾液に溶ける必要がある。
3. 五つの基本味は，塩味，甘味，酸味，苦味，うま味である。
4. 味細胞は顔面神経（第Ⅶ脳神経），舌咽神経（第Ⅸ脳神経），迷走神経（第Ⅹ脳神経）にインパルスを発生させる。味覚のインパルスは延髄，辺縁系，視床下部，視床，そして大脳皮質頭頂葉の一次味覚野へ伝えられる。

12.5 視　　覚

1. 眼の付属器官 accessory structure は眉毛 eyebrow，眼瞼 eyelid，睫毛 eyelash，涙器 lacrimal apparatus（涙の産生および排出の器官からなる），外眼筋（眼の動きを司る）である。
2. 眼球壁は3層からなる。(a)眼球線維膜 fibrous tunic（強膜 sclera と角膜 cornea），(b)眼球血管膜 vascular tunic（脈絡膜 choroid，毛様体 ciliary body，虹彩 iris），そして(c)網膜 retina である。
3. 網膜は神経層（光受容細胞層 photoreceptor cell layer，双極細胞層 bipolar cell layer，神経節細胞層 ganglion cell layer など）および色素上皮層（メラニンを含んだ単層の上皮細胞層）からなる。
4. 前眼腔 anterior cavity（前眼房・後眼房 anterior and posterior chamber）は眼房水 aqueous humor を含み，硝子体腔 vitreous chamber には硝子体 vitreous body が入っている。

5. 網膜での結像には角膜と水晶体による光の屈折 refraction が関与し，網膜の中心窩に倒立像が結ばれる。
6. 近くのものをみるときは，水晶体は彎曲を増し（遠近調節 accommodation），瞳孔は水晶体の周辺から光が入らないように縮小する。
7. 屈折異常には近視 myopia（nearsightedness），遠視 hyperopia（farsightedness），乱視 astigmatism（角膜や水晶体表面の不規則な彎曲による）がある。
8. 近くのものをみるときの眼球の鼻側への動きは輻輳 convergence と呼ばれる。
9. 視覚は光受容細胞である杆体 rod と錐体 cone の視物質 photopigment による光の吸収に始まる。杆体と錐体の刺激は双極細胞を興奮させ，続いて神経節細胞を活性化する。
10. 神経インパルスは神経節細胞で発生し，視神経（第Ⅱ脳神経）optic（Ⅱ）nerve を通って視（神経）交叉 optic chiasm にいたり，視索 optic tract を経て視床（外側膝状体）に達する。視床からはインパルスが大脳皮質後頭葉にある一次視覚野に入る。

12.6 聴覚と平衡感覚

1. 外耳 external ear は耳介 auricle，外耳道 external auditory canal，鼓膜 eardrum からなる。
2. 中耳 middle ear は耳管 auditory（eustachian）tube（エウスタキオ管），耳小骨 auditory ossicles，卵円窓 oval window からなる。
3. 内耳 internal ear は骨迷路 bony labyrinth と膜迷路 membranous labyrinth からなる。内耳には聴覚器であるラセン器（コルチ器）spiral organ（organ of Corti）が含まれている。
4. 音波は外耳道に入り，鼓膜を刺激し，耳小骨を通り，卵円窓を振動させ，外リンパに圧波を発生させる。外リンパの圧波は前庭膜と鼓室階を刺激し，内リンパに圧波を生じさせて，基底板を振動させる。基底板の振動はラセン器の有毛細胞を刺激する。
5. 有毛細胞は，神経伝達物質を放出し，感覚ニューロンにインパルスを発生させる。
6. 内耳神経（第Ⅷ脳神経）の枝である蝸牛神経の感覚ニューロンは延髄に終わる。聴覚信号はさらに，中脳，視床，そして側頭葉へと送られる。
7. 卵形嚢，球形嚢の平衡斑 macula は直線方向の加減速および頭部の傾斜を検知している。
8. 膜半規管の膨大部稜 crista は回転方向の加減速を検出している。
9. 内耳神経の枝である前庭神経 vestibular nerve の軸索の大部分は脳幹に入った後，延髄と橋に終わる。軸索の一部は小脳にも達する。

クリティカルシンキングの応用

1. エベリンは6カ月になる自分の赤ん坊を寝かしつける準備をしている。温かい風呂に入れ，タオルでふいて，パジャマを着せたあと，笑わせようとくすぐってみた。その後，赤ん坊をベビーベッドに寝かせ，唇に軽くキスをし，寝入るまで赤ん坊の腕をやさしくなでた。母親の行った一連の動作は赤ん坊の感覚受容器のうち，どのようなものを刺激したのか。
2. クリフは夜勤をしているので授業中にときどき居眠りをしてしまう。椅子に座っていて頭が後方に倒れたときは，彼の内耳に何が起きるだろうか。
3. 視力をよくする目的で行う治療法で，角膜の薄い層を削り取る方法がある。視力が改善する理由は何か？
4. ラターシャが眼の検査してもらっているときに，検眼士が点眼をした。検眼終了後，ラターシャが鏡をみたら，彼女の瞳孔は非常に拡大しており，またまぶしいことに気がついた。この点眼薬はラターシャの眼にどのような作用を及ぼしたのか？

図の質問の答え

12.1 触覚小体（マイスネル小体）が指先，手掌，足底に多い。
12.2 臓器の中では腎臓が関連痛の出る領域がもっとも広い。
12.3 嗅上皮の基底細胞は細胞分裂により，新たな嗅細胞を産生する。
12.4 味覚伝導路は味覚受容器→脳神経Ⅶ，Ⅸ，Ⅹ→延髄→視床→大脳皮質頭頂葉の一次味覚野である。
12.5 涙液は眼球を清め，滑らかにし，湿らせる。
12.6 眼球線維膜は角膜と強膜からなり，眼球血管膜は脈絡膜，毛様体，虹彩からなる。
12.7 自律神経のうち副交感神経は瞳孔を縮小（縮瞳）させ，交感神経は散大（散瞳）させる。
12.8 2種類の光受容細胞は杆体と錐体と呼ばれる。杆体は薄暗がりでの明暗の視覚を，錐体は明るい光の中での鋭敏な視力をそれぞれ分担している。
12.9 調節の際には毛様体筋が収縮し，毛様体小帯がゆるんで，水晶体が丸く（より凸が強く）なり，光を一段と強く屈折するようになる。
12.10 老視（老眼）は加齢によって水晶体の柔軟性が失われた状態である。
12.11 網膜から後頭葉まで視覚の神経インパルスが運ばれる順序は，神経節細胞の軸索→視神経（第Ⅱ脳神経）→視交叉→視索→視床→大脳皮質後頭葉の一次視覚野
12.12 聴覚と平衡感覚の受容器は内耳にある。蝸牛（聴覚）と前庭および半規管（平衡感覚）である。
12.13 鼓膜は外耳と中耳を分ける。卵円窓と正円窓は中耳と内耳を隔てる。
12.14 有毛細胞は機械エネルギー（刺激）を電気信号（有毛細胞の膜の脱分極と過分極）に変換する。
12.15 卵形嚢は水平方向の直線的加速・減速を検知するとともに，頭部の傾きの検出も行っている。
12.16 膜半規管は回転方向の加減速を検知している。

CHAPTER 13

内分泌系

　少年少女が成熟するにつれ，肉体的外見や行動において顕著な違いが現れる。少女ではエストロゲン（女性ホルモン）は胸と殿部に脂肪組織が蓄えられるよう働き，女性の体形をつくり出す。一方，少年ではテストステロン（男性ホルモン）が声帯を肥大させ，声を低くし，筋組織を発達させるように働き始める。これらの変化は，内分泌系のホルモン hormone の強力な作用の例である。あまり目立たないがしかし，これと同じくらい重要なのは，ホルモンは日常のホメオスタシスの維持を助けるためにも働いていることである。ホルモンは平滑筋や心筋，ある種の分泌腺の活動を調節し，代謝を変え，成長や発達を促し，生殖過程に影響を及ぼし，視床下部が制御している概日（サーカディアン）リズムにかかわる働きをする。

> **先に進むための復習**
> ・ステロイド（2.2節）
> ・細胞膜（3.2節）
> ・ニューロン（9.2節）
> ・ネガティブおよびポジティブフィードバックシステム（1.3節）

Q 糖尿病はなぜとても一般的な病気なのか，なぜからだ中に幅広く影響するのか疑問に思ったことはありませんか？ 答えは13.6節の「臨床関連事項：糖尿病」でわかるでしょう。

13.1 序論

目標
・内分泌系の構成要素を列挙する。

　内分泌系 endocrine system は，ホルモンを分泌するいくつかの内分泌腺と，ホルモン分泌以外の機能をもつ器官の中に存在する多くのホルモン分泌細胞から構成されている（図13.1）。**ホルモン** hormone（hormon＝興奮させる，動かす）は，体内のほかの細胞の生理活性を変える分子である。神経系は神経伝達物質の放出によって身体の活動を制御しているが，これと対照的に内分泌系の分泌腺は，ホルモンを間質液（細胞を取り囲む液体）を介して血流中に放出する。血液の循環によりホルモンはからだ中のほとんどすべての細胞に運ばれるが，特定のホルモンに応答するのはこのホルモンを認識する細胞のみである。神経系と内分泌系はしばしば協調して働く。例えば，神経系の特定の部位は，内分泌系からのホルモン放出を刺激または抑制する。一般的に内分泌系は，1秒の何分の1かで効果を現す神経系に比べ，ゆっくりと作用する。さらに，ホルモンの効果は，血中からそれが取り除かれるまで長く続く。いくつかのホルモンは肝臓で不活性化され，ほかのホルモンは腎臓から尿中に排泄される。

　表13.1は神経系と内分泌系の特徴を比較している。

　4章で学んだようにからだには2種類の腺がある。それらは外分泌腺と内分泌腺である。**外分泌腺** exocrine gland はその生産物を**導管** duct の中に分泌し，分泌物は導管により，体腔，器官内腔，または身体表面に運ばれる。汗腺は外分泌腺の一つの例である。**内分泌腺** endocrine gland の細胞はこれとは対照的に，その産物（ホルモン）を，組織細胞を取り巻く**間質液** interstitial fluid の中に分泌する。その後，ホルモ

図 13.1 内分泌腺と内分泌細胞を含む器官の存在部位。近傍の構造物も部位を把握するために示す（気管，肺，陰囊，子宮）。

> 内分泌腺はホルモンを分泌し，ホルモンは血液循環によって標的器官に到達する。

ホルモンの機能

1. 以下の調節を助ける
   - 内部環境（間質液）の化学的組成と量
   - 代謝とエネルギーバランス
   - 平滑筋線維と心筋線維の収縮
   - 腺からの分泌
   - ある種の免疫系の活動
2. 成長と発育の調節
3. 生殖系の働きの調節
4. 概日リズムの設定を助ける

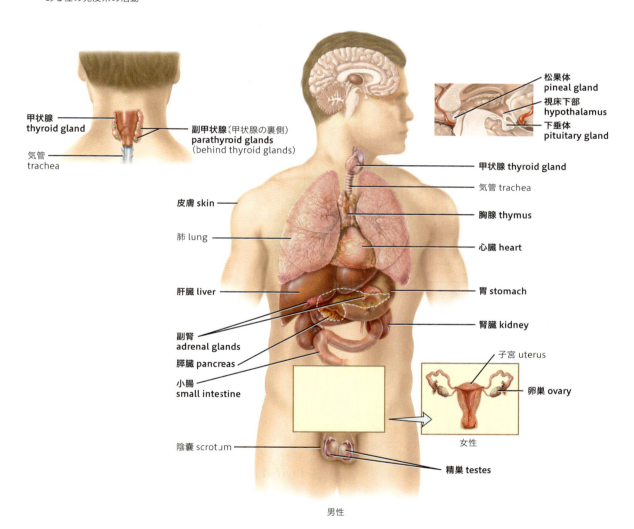

Q 内分泌腺と外分泌腺の基本的な違いは何か？

表 13.1　神経系と内分泌系による制御の比較

特徴	神経系	内分泌系
作用する分子	神経インパルスに応じて局所的に放出される神経伝達物質	血液により全身に運ばれるホルモン
分子が作用する部位	放出部位近傍，シナプス；シナプス後膜の受容体に結合	(通常)放出部位より遠方；標的細胞の表面または内部の受容体に結合
標的細胞のタイプ	筋細胞(平滑筋，心筋，骨格筋)，腺細胞，ほかのニューロン	全身の細胞
作用開始までの時間	典型的にはミリ秒のオーダー(1,000 ミリ秒 = 1 秒)	数秒〜数時間〜数日のオーダー
作用の持続時間	一般的には短い(ミリ秒)	一般的には長い(数秒から数日)

ンは毛細血管の中へ拡散し，血液により全身に運ばれる。

　内分泌腺には，下垂体，甲状腺，副甲状腺(上皮小体)，副腎，松果体(図 13.1)が含まれる。さらにいくつかの器官は厳密には内分泌腺には分類されていないが，ホルモンを分泌する細胞を含んでいる。これらは視床下部，胸腺，膵臓，卵巣，精巣，腎臓，胃，肝臓，小腸，皮膚，心臓，脂肪組織，胎盤である。**内分泌学 endocrinology**(endo- ＝内部の；-crino ＝分泌；-logy ＝〜学)とは，ホルモンの分泌と，内分泌系の疾患の診断と治療に関する科学と医学の分野である。

> **チェックポイント**
> 1. なぜ，腎臓，胃，心臓，皮膚などが内分泌腺の一部と考えられているのだろうか？

13.2　ホルモン作用

目標

- 標的細胞を定義し，ホルモン受容体の役割を述べる。
- ホルモンの作用の一般的な二つのメカニズムについて述べる。

標的細胞とホルモン受容体

　ホルモンは血流にのって全身を循環するが，作用を及ぼすのは特定の**標的細胞 target cell**だけである。ホルモンは，神経伝達物質と同じく，標的細胞においては特定のタンパク質である**受容体 receptor**と化学的に結合することで作用を及ぼす。あるホルモンに対する標的細胞だけが，そのホルモンと結合し認識する受容体をもつ。例えば，甲状腺刺激ホルモン thyroid-stimulating hormone(TSH)は甲状腺の細胞の受容体に結合するが，卵巣の細胞とは結合しない。これは卵巣の細胞が TSH 受容体をもたないからである。一般に，一つの標的細胞は特定のホルモンに対して 2,000 〜 100,000 個の受容体をもっている。

> **§ 臨床関連事項**
>
> **ホルモン受容体をブロックする**
>
> 　RU486(ミフェプリストン mifepristone)という薬は流産誘発剤として使われる。これはプロゲステロン(女性ホルモン)の受容体に結合し，プロゲステロンの正常な働きを妨げる。RU486 を妊婦に投与すると，子宮を胎児の成長に必要な状態に維持できず，胎児の生育は止まり，胎児は子宮内膜とともに剝離してしまう。この例は内分泌の重要な原則を示している。すなわちホルモンはその受容体に作用できないと，正常な機能を発揮できないのである。

ホルモンの化学

　ホルモンは化学的性質から，脂溶性ホルモン(脂質に溶ける)と，水溶性ホルモン(水に溶ける)に分けられる。**脂溶性ホルモン lipid-soluble hormone** はステロイドホルモン，甲状腺ホルモンと一酸化窒素である。**ステロイドホルモン steroid hormone** はコレステロールからつくられる。2 種類の**甲状腺ホルモン thyroid hormone**(T_3 と T_4)はアミノ酸のチロシンにヨウ素原子を結合することで合成される。気体の**一酸化窒素 nitric oxide**(NO)はホルモンと神経伝達物質の両方の働きをする。

　大部分の**水溶性ホルモン water-soluble hormone** はアミノ酸からつくられる。例えば，アドレナリンとノルアドレナリン(これらは神経伝達物質でもあるが)はアミノ酸のチロシンを修飾することでつくられる。ほかの水溶性ホルモンは，抗利尿ホルモン(ADH)やオキシトシンのように短鎖のアミノ酸(ペプチドホルモン)からなるか，または，インスリンや成長ホルモンのような長鎖のアミノ酸(タンパク性ホルモン；タン

パク質ホルモンとも呼ばれる)からなる。

ホルモン作用のメカニズム

　ホルモンに対する標的細胞の応答は，ホルモンと標的細胞の両方に依存する。さまざまな標的細胞は同じホルモンに対して異なった反応をする。例えば，インスリンは，肝臓ではグリコーゲンの合成を促進するが，脂肪細胞ではトリグリセリドの合成を促進する。ホルモンが効果を及ぼすために，まずその受容体に結合して，自分が"到着したことを知らせ"なければならない。脂溶性ホルモンの受容体は標的細胞の中にあるが，水溶性ホルモンの受容体は標的細胞の細胞膜の一部である。

脂溶性ホルモンの作用　脂溶性ホルモンは**輸送タンパク質** transport protein に結合して血液中を運ばれる。これらのタンパク質は血中の脂溶性ホルモンを一時的に水溶性にし，血液中での溶解度を上げている。脂溶性ホルモンは細胞膜の脂質二重層を通り抜けて拡散し，標的細胞内の受容体に結合する。そして次のように働く(図 13.2)。

図 13.2　脂溶性ホルモンの作用のメカニズム。

脂溶性ホルモンは標的細胞内にある受容体に結合する。

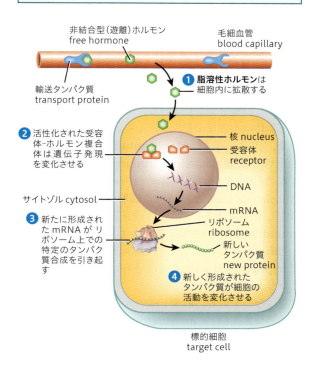

Q 脂溶性ホルモンが受容体に結合した後，どのような分子が合成されるか？

❶ 脂溶性ホルモンは，血液中で輸送タンパク質から解離する。その後，非結合型(遊離)ホルモンは血液から間質液に拡散し，細胞膜を通って，細胞内に入る。

❷ ホルモンは細胞内受容体に結合しそれを活性化する。活性化された受容体-ホルモン複合体は遺伝子発現を変え，特定の遺伝子のスイッチを入れたり切ったりする。

❸ DNA が転写されると，新しいメッセンジャー RNA(mRNA)がつくられ，核から出て，サイトゾルに入る。そこで，mRNA はリボソーム上での，新しいタンパク質(多くは酵素である)の合成を指令する。

❹ 新しいタンパク質は細胞の活動を変化させ，この特定のホルモンによる生理学的応答を起す。

水溶性ホルモンの作用　アミノ酸からなる大部分のホルモンは脂溶性ではないので，細胞膜の脂質二重層を通って拡散できない。その代わり，水溶性ホルモンは細胞膜の表面に突出する受容体に結合する。細胞膜の外表面で水溶性ホルモンが受容体に結合すると，ホルモンは**ファーストメッセンジャー** first messenger として作用する。ファーストメッセンジャー(ホルモン)は，細胞内で**セカンドメッセンジャー** second messenger を産生させ，これにより特定のホルモンに対する応答が起る。共通のセカンドメッセンジャーの一つは**サイクリック(環状)AMP** cyclic AMP (cAMP)であり，これは ATP から合成される。

　水溶性ホルモンは，その効果を以下のように及ぼす(図 13.3)。

❶ 水溶性ホルモン(ファーストメッセンジャー)は血中より拡散し，標的細胞の細胞膜の受容体に結合する。

❷ 結合の結果，細胞内で ATP を cAMP に変換する反応が始まる。

❸ cAMP(セカンドメッセンジャー)はいくつかのタンパク質(酵素など)を活性化する。

❹ 活性化されたタンパク質は生理学的応答を生ずる一連の反応を引き起こしていく。

❺ 短時間の後に cAMP は不活化される。このようにして，細胞膜の受容体に新しいホルモンが結合し続けない限り，細胞の反応はスイッチが切られる。

ホルモン分泌の制御

　大部分のホルモンの分泌は短いバースト(活性の突発的な増加)として起り，バーストとバーストの間に

図 13.3 水溶性ホルモンの作用のメカニズム。

水溶性ホルモンは標的細胞の細胞膜に埋め込まれた受容体に結合する。

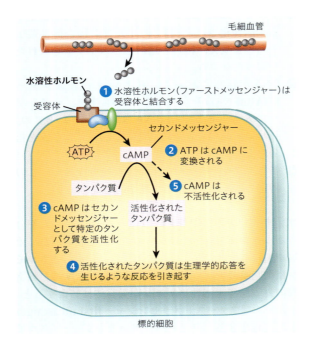

Q なぜ，cAMPは"セカンドメッセンジャー"と呼ばれるのか？

はほとんどまたはまったく分泌されない。内分泌腺は刺激されるとホルモンを高頻度のバースト状に放出し，血中のホルモン濃度を上げていく。刺激がないときは，ホルモンは不活性化されるか，排泄されるので血中のホルモン濃度は低下する。通常，どのホルモンにおいても，分泌の調節により，産生の過剰や不足などが防止され，ホメオスタシスが維持されている。

ホルモン分泌は，(1)神経系からの信号，(2)血液の化学的変化，(3)ほかのホルモン，によって調節されている。例えば，副腎髄質への神経インパルスはアドレナリンやノルアドレナリンの放出を調節する。血中のCa^{2+}濃度は副甲状腺ホルモン（上皮小体ホルモン）の分泌を調節する。下垂体前葉からのホルモン（副腎皮質刺激ホルモン adrenocorticotropic hormone (ACTH))は副腎皮質からのコルチゾールの放出を刺激する。ACTHは刺激ホルモンの例である。**刺激ホルモン tropic hormone**（トロピン tropin）とは，別のホルモン分泌を調節するためにほかの内分泌腺や内分泌組織に作用するホルモンのことである。

ホルモン分泌を調節するシステムは大部分が，ネガティブフィードバック（負のフィードバック）によって働いているが，ポジティブフィードバック（正のフィードバック）によって働くものもある。例えば，分娩の際，ホルモンのオキシトシンは子宮の収縮を刺激し，子宮の収縮はオキシトシンの放出をさらに刺激する。これはポジティブフィードバックである（図1.4参照）。

チェックポイント

2．なぜ標的細胞の受容体が重要なのか？
3．化学的にはホルモンはどのような型の分子か？
4．血中のホルモン濃度は一般的にどのように調節されるのか？

13.3 視床下部と下垂体

目標

・視床下部と下垂体の位置と相互関係について述べる。
・下垂体から分泌される個々のホルモンの機能について述べる。

長年にわたって**下垂体 pituitary gland**（hypophysis）は，ほかの内分泌腺を制御するいくつかのホルモンを分泌するので，内分泌腺の"主人"と考えられてきた。しかし，現在では下垂体そのものにも主人，**視床下部 hypothalamus**があることが知られている。脳のこの小さな領域が神経系と内分泌系の主要なリンクとなる部位である。視床下部の細胞は少なくとも9種のホルモンを合成し，下垂体は7種のホルモンを合成する。これらのホルモンは一緒になって，成長，発育，代謝，ホメオスタシスのほとんどすべての調節において重要な役割を果たしている。

下垂体は小さなぶどうの粒くらいのサイズで，二つの葉，大きな**前葉 anterior pituitary**（anterior lobe）と小さな**後葉 posterior pituitary**（posterior lobe）からなる（図13.4）。下垂体の両方の葉は，**下垂体窩 hypophyseal fossa**と呼ばれる蝶形骨の中のカップの形をした凹みの上にのっている（図6.9参照）。**漏斗 infundibulum**と呼ばれる茎のような構造が下垂体と視床下部をつないでいる。漏斗の中には，**下垂体門脈 hypophyseal portal vein**と呼ばれる静脈が走り，これが，視床下部の毛細血管と，下垂体前葉の毛細血管をつないでいる。視床下部のニューロン（神経細胞）は**神経分泌細胞 neurosecretory cell**と呼ばれ，その軸索は視床下部の毛細血管（図13.4）の近くに終わり，そこから血中に数種のホルモンを分泌する。

13.3 視床下部と下垂体　**331**

図13.4 **下垂体とそこへの血液供給**。挿絵の右に示すように，視床下部の神経分泌細胞で合成された放出ホルモンと抑制ホルモンは視床下部の毛細血管に拡散して，下垂体門脈より下垂体前葉に運ばれる。

視床下部の放出および抑制ホルモンは，神経系と内分泌系をつなぐ重要なリンクである。

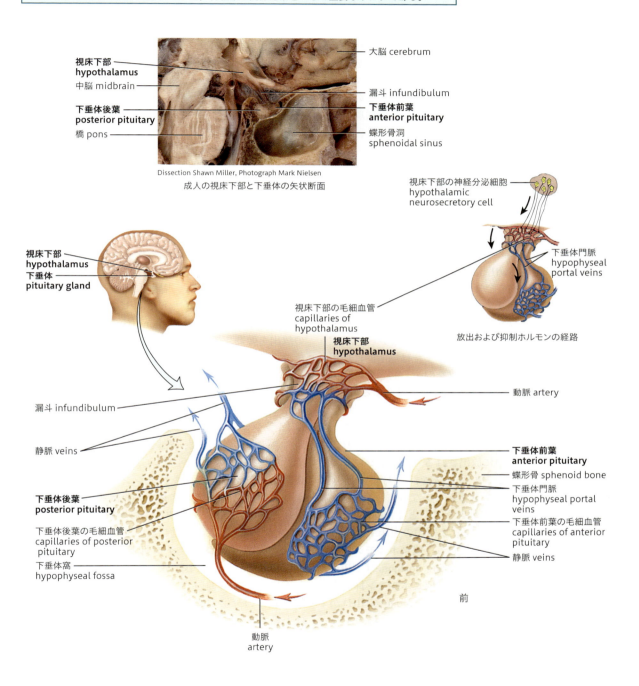

Q 放出するホルモンを合成していないのは，下垂体前葉，後葉のどちらか？　またそのホルモンはどこで合成されるか？

下垂体前葉ホルモン

下垂体前葉は，成長から生殖までの広い範囲の生体の活動を調節するホルモンを合成し，分泌する。下垂体前葉ホルモンの分泌は**放出ホルモン** releasing hormone によって促進され，**抑制ホルモン** inhibiting hormone によって抑えられるが，両者は視床下部の神経分泌細胞によって産生される。放出ホルモンと抑制ホルモンは，下垂体門脈系を介して視床下部から下垂体前葉に送られる（図 13.4）。この直接の経路により，これらのホルモンが全身の循環系に入って薄められたり破壊されたりすることなく，下垂体前葉の細胞に速やかに作用することができる。

成長ホルモンとインスリン様成長因子　成長ホルモン growth hormone（GH），あるいはヒト**成長ホルモン** human growth hormone は，下垂体前葉の中で一番豊富なホルモンである。GH の主な機能は，小さなタンパク性ホルモンである**インスリン様成長因子** insulin-like growth factor（IGF；ソマトメジン somatomedin）の合成と分泌を促進することである。IGF という名称は，そのいくつかの作用がインスリンの作用と似ているからである。GH に応答して，肝臓，骨格筋，軟骨，骨，およびその他の組織から IGF が分泌され，IGF は血流に入るか，または局所的に作用する。IGF はタンパク質の合成を促し，筋と骨の量を維持するのを助け，傷や組織の修復を促進する。IGF は脂肪組織での，脂肪分解（トリグリセリドの分解）を促進することで，脂肪酸を血中に放出する。さらに IGF が肝臓でのグリコーゲンの分解も促進し，これによりグルコースも血中に放出される。このようにして放出された脂肪酸とグルコースを，全身の細胞がATP 産生のために利用できることになる。

下垂体前葉は，2，3 時間おきに，とくに睡眠時に，GH をバースト状に放出する。2 種類の視床下部ホルモンが GH の分泌を調節している。**成長ホルモン放出ホルモン** growth hormone-releasing hormone（GHRH）が成長ホルモンの分泌を促進し，**成長ホルモン抑制ホルモン** growth hormone-inhibiting hormone（GHIH）がその分泌を抑制する。GHRH と GHIH の分泌の主な調節因子は血中のグルコース濃度である。低いグルコース濃度（低血糖）は，視床下部を刺激し GHRH を分泌させる。ネガティブフィードバックにより，正常レベル以上に血中グルコース濃度が上昇すると（高血糖），GHRH の放出は抑制される。反対に，高血糖は視床下部からの GHIH の分泌を促進し，低血糖は GHIH の放出を抑制する。

甲状腺刺激ホルモン　**甲状腺刺激ホルモン** thyroid-stimulating hormone（TSH）は甲状腺を刺激して，甲状腺ホルモンの合成と分泌を促進する。TSH の分泌は，**甲状腺刺激ホルモン放出ホルモン** thyrotropin-releasing hormone（TRH）と呼ばれる視床下部の放出ホルモンにより調節される。この TRH の放出は甲状腺ホルモンの血中濃度に依存し，TRH の分泌はネガティブフィードバックによって抑制される。甲状腺刺激ホルモン抑制ホルモンは存在しない。

卵胞刺激ホルモンと黄体形成ホルモン　女性では**卵胞刺激ホルモン** follicle-stimulating hormone（FSH）と**黄体形成ホルモン** luteinizing hormone（LH）の標的器官は卵巣である。卵巣では毎月 FSH が数個の卵胞の成長を開始させ，LH が排卵の引き金を引く（23.3 節に記載）。排卵の後，LH は卵巣の黄体形成と，黄体からのプロゲステロン（もう一つの女性ホルモン）の分泌を促進する。FSH と LH は卵胞細胞からのエストロゲン分泌も刺激する。男性では FSH は精巣での精子形成を促し，LH は精巣からのテストステロン分泌を促進する。視床下部からの**性腺刺激ホルモン放出ホルモン（ゴナドトロピン放出ホルモン）** gonadotropin-releasing hormone（GnRH）は FSH と LH の放出を促進する。女性ではエストロゲン，男性ではテストステロンが GnRH，FSH と LH の分泌をネガティブフィードバックシステムにより抑制する。性腺刺激ホルモン抑制ホルモンは存在しない。

プロラクチン　プロラクチン prolactin（PRL）はほかのホルモンとともに，乳腺での乳汁の産生を開始させ，それを維持する。乳腺からの乳汁の放出は下垂体後葉から分泌されるオキシトシンというホルモンによって行われる。プロラクチンの機能は男性ではわかっていないが，プロラクチンの過剰分泌は勃起不能（インポテンス，陰茎の勃起ができない状態）を引き起こす。女性では**プロラクチン抑制ホルモン** prolactin-inhibiting hormone（PIH）が，ほとんど常時，プロラクチンの放出を抑制している。毎月，月経が始まる直前に PIH の分泌が低下し，プロラクチンの血中濃度は上昇するが，乳汁産生には不十分な程度である。月経周期が新しく始まると PIH は再び分泌され，血中のプロラクチン濃度は低下する。妊娠中は，エストロゲンの濃度が非常に高くなるため，**プロラクチン放出ホルモン** prolactin-releasing hormone（PRH）の分泌が亢進する。この PRH がプロラクチンの放出を促進する。

副腎皮質刺激ホルモン　**副腎皮質刺激ホルモン** adrenocorticotropic hormone（ACTH；コルチコト

ロピン corticotropin）は，副腎皮質（表層の部分）から分泌されるグルココルチコイド（糖質コルチコイド）と呼ばれるホルモンの産生と分泌を調節する。視床下部から分泌される**副腎皮質刺激ホルモン放出ホルモン（コルチコトロピン放出ホルモン）**corticotropin-releasing hormone（CRH）は，ACTH の分泌を促進する。低血糖や外傷のようなストレスに関連する刺激と，マクロファージにより産生される物質であるインターロイキン 1 も同様に ACTH の放出を促進する。グルココルチコイドは CRH と ACTH の両方の分泌をネガティブフィードバックにより抑制する。

メラニン細胞刺激ホルモン　ヒトでは，循環している**メラニン細胞刺激ホルモン** melanocyte-stimulating hormone（MSH）はごくわずかである。MSH が過剰に存在すると皮膚の色が黒ずむが，正常レベルの MSH の機能は不明である。脳内に MSH 受容体が存在することは，それが脳活動に影響することを示唆している。過剰の副腎皮質刺激ホルモン放出ホルモン（CRH）は MSH 放出を促進するが，ドーパミンは MSH 放出を抑制する。

下垂体後葉ホルモン

下垂体後葉 posterior pituitary には，視床下部に細胞体をもつ 10,000 個以上の神経分泌細胞の軸索とその神経終末がある（図 13.5）。下垂体後葉はホルモンを合成はしないが，2 種類のホルモンを貯蔵し放出する。視床下部において，**オキシトシン** oxytocin（oxytoc- ＝速やかな出産）と**抗利尿ホルモン** anti-diuretic hormone（ADH）は，それぞれ異なった神経分泌細胞の細胞体の中で合成され，分泌小胞の中に詰め込まれる。小胞は軸索の中を下行し，下垂体後葉にある軸索終末へと移動する。軸索終末に到達する神経インパルスがこれらのホルモンを，下垂体後葉の毛細血管内へ放出する。

オキシトシン　出産の最中と後に**オキシトシン** oxytocin は二つの標的組織，母体の子宮と乳房に作

図 13.5　**視床下部にある神経分泌細胞はオキシトシンと抗利尿ホルモンを合成する。**この細胞の軸索は視床下部から下垂体後葉に伸びる。神経インパルスが下垂体後葉の軸索終末の小胞からのホルモン放出を引き起こす引き金となる。

> オキシトシン，抗利尿ホルモンは視床下部で合成され，下垂体後葉の毛細血管の中へ放出される。

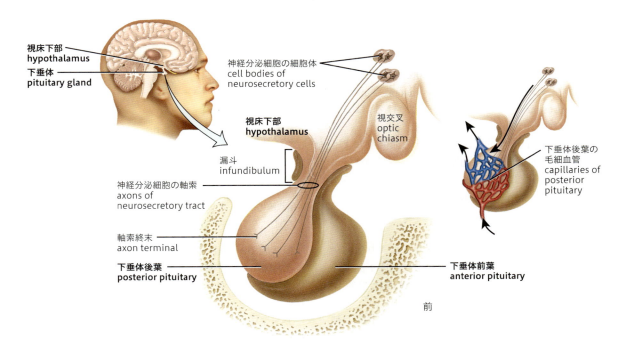

Q オキシトシンの標的細胞はどこにあるか？

用する。分娩中にオキシトシンは子宮壁の平滑筋の収縮を増強させ，出産後は，乳児の吸引による乳頭への機械的刺激に応じて，乳腺からの乳汁の放出を促進する。乳汁の産生と放出の両方を含めて**乳汁分泌**lactationと呼ぶ。男性や妊娠していない女性でのオキシトシンの機能は不明である。動物実験では，オキシトシンは，脳内で作用し，生まれた子どもの面倒をみるという母性行動を育む働きがあるのではないかと示唆されている。オキシトシンはまた性交の間とか後の性的快感にも一部寄与しているかもしれない。

> **臨床関連事項**
>
> **合成オキシトシン**
>
> オキシトシンが発見される何年も前に，助産師は双子のうち先に生まれた子に母親の乳を吸わせて，2番目の子の出産を早めた。いま，私たちはなぜこのやり方が有効だったのか知っている。それはオキシトシン放出を刺激するのである。1人の子の出産の場合でも，授乳は胎盤の娩出(後産)を促進し，子宮が収縮して小さくなるのを助ける。**合成オキシトシン**synthetic oxytocin (Pitocin®)は陣痛誘発薬として，または出産直後，子宮の緊張を高め，出血を抑えるために与えられる。

抗利尿ホルモン

抗利尿物質antidiuretic substance(anti- ＝に反して；diuretic ＝尿生成因子)とは尿の産生を減少させる物質である。**抗利尿ホルモン**antidiuretic hormone(ADH)は，腎臓でより多くの水分を血液に戻すことで，尿量を減少させる。ADHがないと尿排出量は10倍以上になる。すなわち正常の1日1〜2Lから，約20Lになる。またADHは発汗による水分の喪失を減らし，細動脈の収縮も引き起こす。このホルモンの別名**バソプレシン**vasopressin(vaso- ＝血管，pressin- ＝圧をかける，しめつける)はこのホルモンの血圧上昇作用を表している。

分泌されるADHの量は血漿浸透圧と血液量によって変動する。血漿浸透圧は血漿における溶質の濃度に比例する。からだに取り込まれる水分より失われる水分が多い場合，**脱水**dehydrationという状態になる。脱水では血液量が減少し，血漿浸透圧が上昇する。

1. 脱水，出血，下痢，過剰な発汗などにより血液量が減少すると血漿浸透圧が上昇し，視床下部で血漿浸透圧をモニターしている**浸透圧受容器**osmoreceptorを刺激する(図13.6a)。
2. 浸透圧受容器は，ADHを合成する視床下部の神経分泌細胞を活性化する。
3. 神経分泌細胞が浸透圧受容器からの興奮性入力を受けると，神経分泌細胞は神経インパルスを発して，下垂体後葉におけるADHの放出を促す。ADHは次に下垂体後葉の毛細血管内に拡散する。
4. 血液はADHを腎臓，汗腺，血管内壁の平滑筋の三つの標的組織へ運ぶ。腎臓はより多く水分を取り込み，その結果尿量が減る。汗腺からの汗の分泌は低下し，皮膚からの発汗による水分喪失の速度を低下させる。細動脈壁の平滑筋は高濃度のADHに応答して収縮し，血管内腔を狭め，血圧を上昇させる。
5. 過度の水分摂取による血漿浸透圧の低下または血液量の増加は，浸透圧受容器を抑制する(図13.6b)。
6. 浸透圧受容器が抑制されると，ADHの分泌は低下するか，停止する。これにより腎臓は大量の尿を生成して，水分の貯留を減らし，汗腺からの汗の分泌量は増加し，細動脈は拡張する(広がる)。その結果，血液量と体液の浸透圧は正常に戻る。

ADHの分泌はほかの要因でも変化する。痛み，ストレス，トラウマ，不安，アセチルコリン，ニコチン，モルヒネ，精神安定剤や麻酔薬がADHの分泌を促進する。アルコールはADHの分泌を抑制し，尿量を増やす。その結果脱水が起り，渇きとか頭痛のような典型的な二日酔いの症状が現れる。

表13.2は下垂体ホルモンを列挙し，その主な作用をまとめたものである。

> **チェックポイント**
>
> 5. どういう意味で，下垂体は実際には二つの内分泌腺なのか？
> 6. 視床下部の放出ホルモンと抑制ホルモンは，どのように下垂体前葉ホルモンの分泌に影響を与えるか？

13.4 甲状腺

目標

- 甲状腺の位置，ホルモン，機能について述べる。

甲状腺thyroid glandは蝶のような形状で喉頭(発声器)の直下に位置する。甲状腺は右葉と左葉からなり，それぞれが気管の右と左に位置している(図13.7a)。

小さな球形の袋状の**甲状腺濾胞**thyroid follicle(図13.7b)が甲状腺を形づくる。一つ一つの濾胞の壁は主として**濾胞細胞**follicular cellと呼ばれる細胞からなり，2種類のホルモンを産生する。一つは**サイロキ**

図 13.6 抗利尿ホルモン（ADH）の分泌と作用の調節。

ADH は体水分を保持し，血圧を上昇させるように働く。

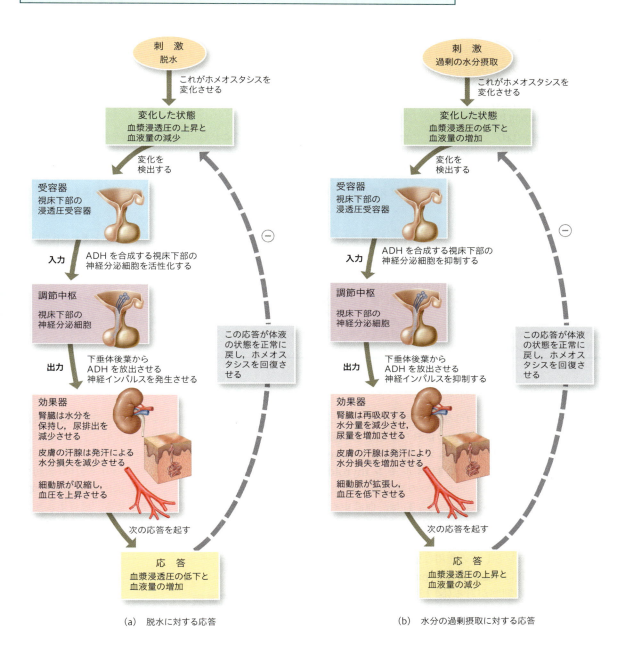

(a) 脱水に対する応答　　　　　　(b) 水分の過剰摂取に対する応答

Q 大きなグラスで水を飲むと，あなたの血漿浸透圧はどのような影響を受けるか？　血中の ADH 濃度はどのように変化するか？

表 13.2　下垂体ホルモンとその作用のまとめ

ホルモン	作用
下垂体前葉ホルモン anterior pituitary hormones	
成長ホルモン（GH）growth hormone	肝臓，筋，軟骨，骨，ほかの組織を刺激し，インスリン様成長因子（IGF）を合成，分泌させる。IGF は体細胞の成長を促進し，タンパク質合成，組織修復，トリグリセリド分解，血中グルコース濃度の上昇を起す。
甲状腺刺激ホルモン（TSH）thyroid-stimulating hormone	甲状腺から甲状腺ホルモンの合成と分泌を促進する。
卵胞刺激ホルモン（FSH）follicle-stimulating hormone	女性では卵子の成長を開始させ，卵巣からのエストロゲン分泌を促進する。男性では精巣の精子形成を刺激する。
黄体形成ホルモン（LH）luteinizing hormone	女性ではエストロゲンとプロゲステロンの分泌，排卵，黄体形成を促進する。男性では精巣のテストステロン産生を刺激する。
プロラクチン（PRL）prolactin	女性で乳腺からの乳汁の産生を刺激する。
副腎皮質刺激ホルモン（ACTH）adrenocorticotropic hormone（コルチコトロピン corticotropin）	副腎皮質からのグルココルチコイド（主としてコルチゾール）の分泌を刺激する。
メラニン細胞刺激ホルモン（MSH）melanocyte-stimulating hormone	ヒトでの正確な役目はわかっていない。しかし，脳活動に影響があると考えられている。過剰に存在すると皮膚が黒ずんでくる。
下垂体後葉ホルモン posterior pituitary hormones	
オキシトシン oxytocin	出産に際して子宮平滑筋が収縮するよう刺激する。乳腺からの乳汁放出を刺激する。
抗利尿ホルモン（ADH）antidiuretic hormone（バソプレシン vasopressin）	尿産生を抑えることで，体内の水分を保存する。発汗による水分喪失を減少させる。細動脈を収縮（狭く）させることで血圧を上昇させる。

シン thyroxine または，ヨウ素原子を 4 個もつことから T_4 とも呼ばれる。もう一つはヨウ素原子を 3 個もっている**トリヨードサイロニン triiodothyronine**（T_3）である。T_4 と T_3 は**甲状腺ホルモン thyroid hormone** とも呼ばれる。一つ一つの濾胞の内腔に，甲状腺ホルモンが蓄えられている。T_4 は，血液中を循環し，からだのすべての細胞に取り込まれると，大部分はヨードを一つ失って T_3 に変換される。T_3 のほうが甲状腺ホルモンとしての作用は強い。

濾胞と濾胞の間には**濾胞傍細胞 parafollicular cell** と呼ばれる少数の細胞がある（図 13.7 b）が，これらはカルシトニンというホルモンを産生する。

甲状腺ホルモンの作用

からだのほとんどすべての細胞は甲状腺ホルモンの受容体をもっているので，T_3 と T_4 の作用は全身に及ぶ。

甲状腺ホルモンは，**基礎代謝率（量）basal metabolic rate（BMR）**すなわち標準的または基礎的状態（覚醒，休息，絶食状態）での酸素消費速度を上昇させる。BMR の上昇は ATP の合成と消費の増加によって起る。ATP を産生するために細胞はより多くの酸素を消費するので，より多くの熱が産生され，体温は上昇

する。このように甲状腺ホルモンは正常な体温維持に重要な役割を果たす。また甲状腺ホルモンはタンパク質合成も促進し，ATP 産生のためにグルコースと脂肪酸の消費を増加させ，トリグリセリド分解（脂肪分解）を促進し，コレステロールの排出を増加させて，血中コレステロール濃度を低下させる。成長ホルモンやインスリンとともに，甲状腺ホルモンは身体の成長，とくに神経系と骨格系の成長を促進する。

> **臨床関連事項**
>
> **甲状腺機能亢進症**
>
> 　甲状腺ホルモンの過剰分泌は**甲状腺機能亢進症 hyperthyroidism** として知られている。甲状腺機能亢進症の症状は心拍数増加，心拍出力亢進，血圧上昇，神経過敏などである。

甲状腺ホルモンの分泌調節

視床下部から分泌される甲状腺刺激ホルモン放出ホルモン thyrotropin-releasing hormone（TRH）と，下垂体前葉から分泌される甲状腺刺激ホルモン thyroid-stimulating hormone（TSH）は図 13.8 に示されるよう

図13.7 甲状腺の位置と組織学。

甲状腺ホルモンは，(1)酸素消費と基礎代謝率，(2)細胞代謝，(3)成長と発育を調節する。

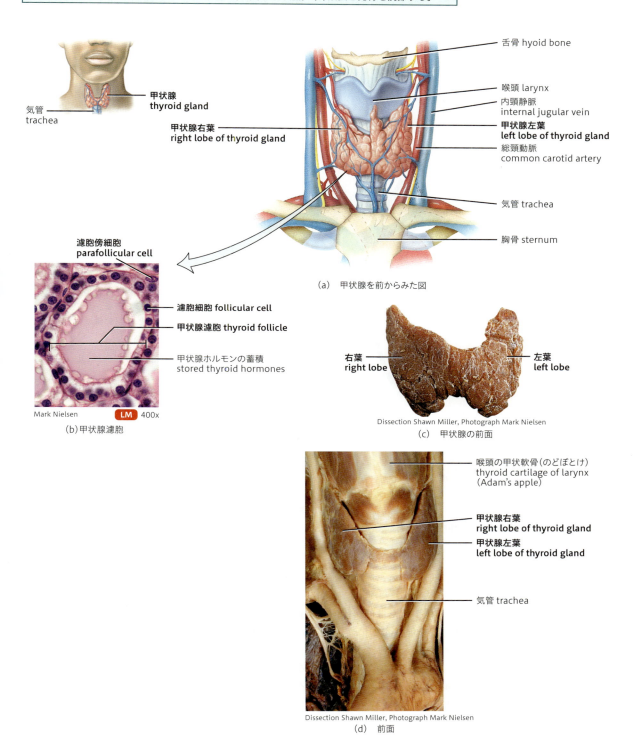

Q どの細胞が T_3 と T_4 を分泌するか？ どの細胞がカルシトニンを分泌するか？

図13.8 甲状腺ホルモンの分泌調節。

TSHが甲状腺ホルモンの放出を促進する。

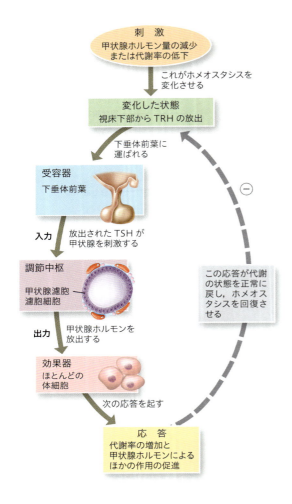

Q 代謝に対する甲状腺ホルモンの作用とは何か？

1. 甲状腺ホルモンの血中濃度の低下または低い代謝率は視床下部からのTRH分泌を促進する。
2. TRHは下垂体前葉に運ばれ，甲状腺刺激ホルモン(TSH)の分泌を促進する。
3. TSHは甲状腺濾胞細胞の活動を，甲状腺ホルモンの合成と分泌も含めて高め，濾胞細胞の成長も刺激する。
4. 甲状腺の濾胞細胞は代謝率が正常に戻るまで甲状腺ホルモンを血中に放出する。
5. 甲状腺ホルモンの濃度の上昇がTRHとTSHの放出を抑制する(ネガティブフィードバック)。

ATP必要量が増加する状況(寒冷な環境，低血糖，高地，妊娠)などもまた，甲状腺ホルモンの分泌を上昇させる。

カルシトニン

甲状腺の濾胞傍細胞で産生されたホルモンの**カルシトニン** calcitonin(CT)は，骨基質を破壊する破骨細胞の活動を抑制することにより，血中カルシウム濃度を低下させる。CTの分泌はネガティブフィードバックシステムにより調節されている(図13.10参照)。カルシトニンの正常な生理状態における役割は不明である。なぜなら，過剰にあっても，存在しなくても，臨床症状がまったくないからである。

臨床関連事項

ミアカルシン

サケからのカルシトニン抽出物である**ミアカルシン Miacalcin®**は，骨破壊の速度が骨再生の速度を上回るために起る骨粗鬆症の治療に効果的である。ミアカルシンは骨破壊を抑制し，カルシウムとリンの骨への取り込みを促進する。

チェックポイント

7. T_3とT_4の分泌はどのように制御されているか？
8. 甲状腺ホルモンとカルシトニンの作用は何か？

13.5 副甲状腺

目標

・副甲状腺の位置，ホルモン，機能を述べる。

副甲状腺(上皮小体) parathyroid gland(para- ＝近くの)は，甲状腺の背面に部分的に埋め込まれた，腺組織の小さな丸い塊である(図13.9)。通常1個の上副甲状腺と1個の下副甲状腺が，それぞれの葉についている。副甲状腺の中には，**副甲状腺ホルモン(上皮小体ホルモン)** parathyroid hormone(PTH；訳注：パラトルモン)を分泌する**主細胞** chief cellがある。

PTHはカルシウムイオン(Ca^{2+})，マグネシウムイオン(Mg^{2+})，リン酸イオン(HPO_4^{2-})の血中濃度を調節する主役である。PTHは破骨細胞の数と活性を高め，この細胞は骨基質を分解してCa^{2+}とHPO_4^{2-}の血中濃度を上昇させる。PTHは腎臓にも3種類の変化をもたらす。第一に，Ca^{2+}とMg^{2+}が血液から尿に失

図 13.9 副甲状腺の位置。

四つの副甲状腺（上皮小体）は，甲状腺の後表面に埋まっている。

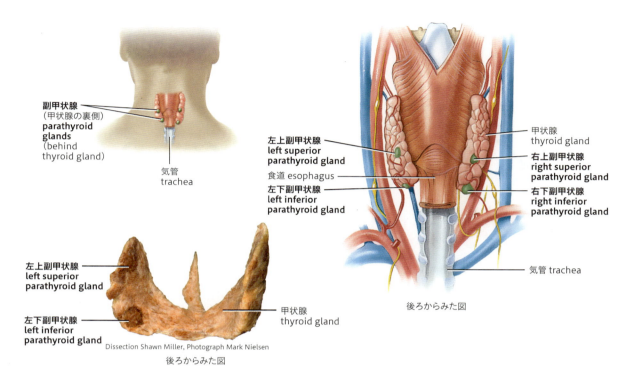

Q 破骨細胞に対する副甲状腺ホルモンの効果は何か？

われる速度を遅くする。第二に，PTH は血液から尿中に失われる HPO_4^{2-} を増加させる。PTH により，HPO_4^{2-} は骨から血中に出てくる以上に尿中に失われるために，血中の HPO_4^{2-} 濃度は低下し，Ca^{2+} と Mg^{2+} 濃度は上昇する。第三に，PTH は腎臓でビタミン D の活性型であるホルモン，**カルシトリオール calcitriol** の形成を促進する。カルシトリオールは消化管に作用し，食物に含まれる Ca^{2+}，Mg^{2+}，HPO_4^{2-} の血液への吸収を促進する。

血中の Ca^{2+} 濃度は，ネガティブフィードバックにより，直接カルシトニンと副甲状腺ホルモンの分泌を調節し，この二つのホルモンは血中の Ca^{2+} 濃度に対して反対の効果を及ぼす（図 13.10）。

1. 正常より高い血中 Ca^{2+} 濃度は甲状腺の濾胞傍細胞を刺激し，カルシトニンの放出量を増加させる。
2. カルシトニン（CT）は破骨細胞の活動を抑制することにより，血中の Ca^{2+} 濃度を低下させる。
3. 正常より低い血中の Ca^{2+} 濃度は副甲状腺の主細胞を刺激し，さらに PTH を放出させる。
4. PTH は破骨細胞の数と活動性を高め，破骨細胞は骨を壊し，Ca^{2+} を血中に放出する。PTH は Ca^{2+} が尿中に失われるのも遅らせる。この PTH の二つの作用により，血中の Ca^{2+} 濃度が上昇する。
5. PTH はまた，腎臓を刺激しビタミン D の活性型であるカルシトリオールを放出させる。
6. カルシトリオールは食物からの Ca^{2+} の消化管内への吸収増加を刺激することにより，血中の Ca^{2+} 濃度を上昇させる。

チェックポイント

9. PTH の分泌はどのように調節されているか？
10. PTH とカルシトリオールの作用はどのような点で類似し，また異なるのだろうか？

図 13.10 カルシトニン（a）と副甲状腺ホルモン（b）の血中カルシウム濃度のホメオスタシスにおける役割。

PTHとカルシトニンは血中のカルシウムイオン（Ca^{2+}）に対して反対の作用をもつ。

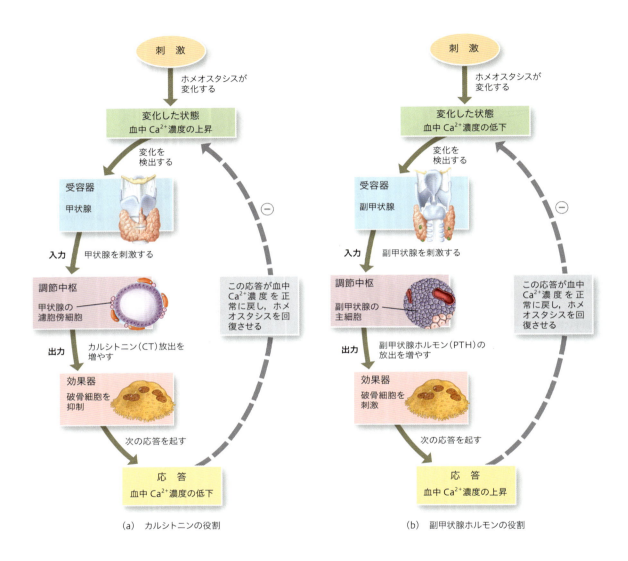

(a) カルシトニンの役割   (b) 副甲状腺ホルモンの役割

Q PTH, カルシトニン, カルシトリオールの主要標的組織は何か？

13.6 膵島

目標

・膵島（ランゲルハンス島）の位置，ホルモン，内分泌機能を述べる。

膵臓 pancreas（pan- ＝すべて；-creas ＝肉）は小腸の最初の部分である十二指腸が曲がっている部分に位置する平らな器官である（図 13.11 a, b）。これは本章で述べる内分泌の機能と，19.6 節で述べる外分泌の機能の両方をもつ。膵臓の内分泌部分は**膵島** pancreatic islet（ランゲルハンス島 islet of Langerhans）と呼ばれる細胞の集まりからなる。膵島の島細胞のうち，**アルファ（α）細胞** alpha cell はホルモンの**グルカゴン** glucagon を分泌し，別の島細胞の**ベータ（β）細胞** beta cell は，**インスリン** insulin を分泌する。膵島は毛細血管に富み，膵臓の外分泌部分を構成する細胞に囲まれている（図 13.11 c, d）。

グルカゴンとインスリンの作用

グルカゴンの主な作用はグルコース濃度（血糖値）が正常値よりも下がったときに，グルコース濃度を上昇させることである。この作用により，ニューロンに ATP 産生に必要なグルコースを供給することになる。反対にインスリンは，血中グルコース濃度が高いときに，血液から細胞，とくに筋線維へのグルコースの移動を助けることで，その濃度を低下させる。このように，血中グルコース濃度がグルカゴン，インスリン両者の分泌をネガティブフィードバックにより調節している。図 13.12 は，膵島からのホルモンの分泌を促進する条件と，グルカゴンとインスリンが血中グルコース濃度にどのように影響を与えるか，ネガティブフィードバックがどのようにホルモン分泌を調節するかを示している。

1. 血中グルコース濃度の低下（低血糖）により膵臓のアルファ細胞からグルカゴンの分泌が刺激される（図 13.12 a）。
2. グルカゴンは肝細胞に働き，グリコーゲンのグルコースへの分解と，乳酸およびある種のアミノ酸からのグルコース合成を促進する。
3. その結果，肝細胞はグルコースを血液中に，より速やかに放出することになり，血中グルコース濃度が上昇する。
4. もし，血中グルコース濃度が上昇し続けると，高い血中グルコース濃度（高血糖）がアルファ細胞からのグルカゴン分泌を抑制する（ネガティブフィードバック）。
5. 高い血中グルコース濃度により膵臓のベータ細胞からのインスリン分泌が促進される（図 13.12 b）。
6. インスリンはからだのさまざまな細胞に作用し，グルコースの細胞内（とくに骨格筋線維内）への拡散を促進する。また，グルコースからのグリコーゲン合成を速め，細胞によるアミノ酸の取り込みとタンパク質合成を高める。
7. その結果，血中グルコース濃度が低下する。
8. もし，血中グルコース濃度が正常より低下すると（低血糖）ベータ細胞からのインスリン分泌は抑制される（ネガティブフィードバック）。

グルコース代謝への影響に加えて，インスリンはアミノ酸の体細胞への取り込みを促進し，細胞内でのタンパク質と脂肪酸の合成を高める。それゆえ，インスリンは組織が発達成長していく際，また修復される際に重要なホルモンとなる。

インスリンとグルカゴンの放出は自律神経系 autonomic nervous system（ANS）によっても調節されている。ANS の副交感神経系は，例えば食事の消化，吸収のときにインスリンの分泌を刺激する。これに対し，運動時には ANS の交感神経系が，グルカゴンの分泌を刺激する。

> **チェックポイント**
>
> 11. インスリンの機能とは何か？
> 12. 血中のインスリンとグルカゴン濃度はどのように調節されているか？

13.7 副腎

目標

・副腎の位置，副腎ホルモンおよび副腎の機能を述べる。

副腎 adrenal gland は二つあり，それぞれ左右の腎臓の上に位置する（図 13.13）。副腎は異なるホルモンを分泌する 2 領域からなる。すなわち副腎の 85％を占める表層の**副腎皮質** adrenal cortex と，中心部の**副腎髄質** adrenal medulla である。

副腎皮質ホルモン

副腎皮質は三つの層からなり，それぞれが異なったステロイドホルモンを合成，分泌する。外層（球状帯）

図 13.11 膵臓の位置と組織学。

膵臓の膵島（ランゲルハンス島）から分泌されるホルモンは，血中グルコース濃度を調節する。

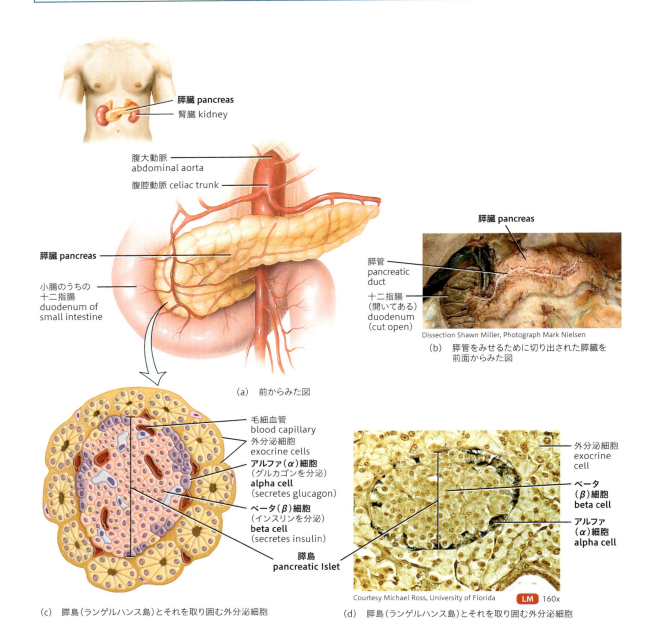

(a) 前からみた図
(b) 膵管をみせるために切り出された膵臓を前面からみた図
(c) 膵島（ランゲルハンス島）とそれを取り囲む外分泌細胞
(d) 膵島（ランゲルハンス島）とそれを取り囲む外分泌細胞

Q 膵臓は外分泌腺か内分泌腺か？

図 13.12 グルカゴンとインスリンが関係するネガティブフィードバックシステムによる血中グルコースの調節。

血中グルコース濃度の低下はグルカゴンの分泌を刺激し，血中グルコース濃度の上昇はインスリンの分泌を刺激する。

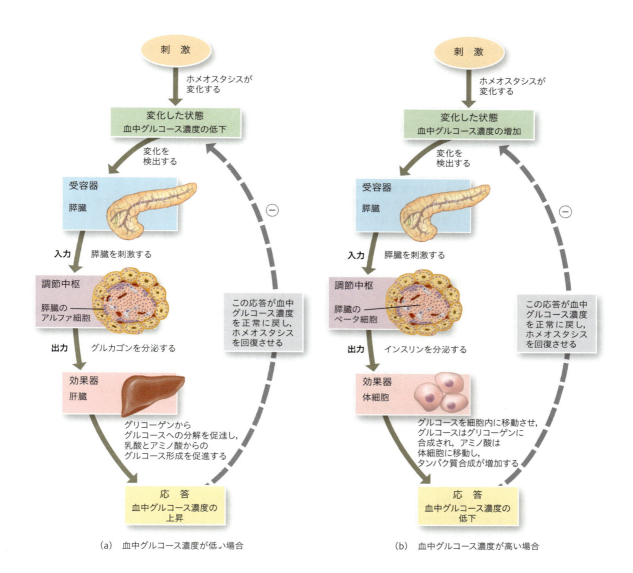

(a) 血中グルコース濃度が低い場合　　　(b) 血中グルコース濃度が高い場合

Q グルカゴンがしばしば"抗インスリン"ホルモンと呼ばれるのはなぜか？

> **臨床関連事項**

糖尿病

糖尿病 diabetes mellitus（melli＝蜜のように甘い），または単に diabetes は，インスリンを膵臓で十分に産生できない，あるいはインスリンを体細胞が適切に利用できない慢性的な疾患である。米国では，2,900万人以上が糖尿病を発症し，心臓血管系の血管損傷を起こすことで，死因第4位の疾患となっている。インスリンの主要作用の一つは，エネルギー産生のためにグルコースを代謝できるよう，細胞，とくに筋線維へのグルコースの移動を助けることである。必要量のインスリンを欠く場合，または体細胞がグルコースを取り込めない場合，血中グルコース濃度は高いままとなる。つまり，糖尿病の顕著な特徴の一つが高血糖（高い血中グルコース濃度）であり，この高い血中グルコース濃度は心臓，腎臓，眼または神経系の血管に損傷を与えうる。

糖尿病には二つの型がある。(1) **1型糖尿病** type 1 diabetes は，患者の免疫系がインスリンを産生する膵臓のベータ細胞を破壊してインスリン濃度が低下する自己免疫疾患である。徴候や症状が現れる頃には，80～90％のベータ細胞がすでに破壊されている。この型の糖尿病は**インスリン依存型糖尿病** insulin-dependent diabetes とも呼ばれる。また一般に20歳以下の人が発症するので，以前は**若年性糖尿病** juvenile-onset diabetes と呼ばれていた。これは遺伝的因子と環境的因子の組合せで起ると考えられている。治療には，注射器，ペン型注入器，ポンプや点滴によるインスリンの投与が挙げられる。インスリンは血流に入る前に胃の消化酵素によって壊されてしまうので，経口摂取することはできない。(2) **2型糖尿病** type 2 diabetes は**インスリン非依存型糖尿病** noninsulin-dependent diabetes，あるいは**成人発症型糖尿病** adult-onset diabetes とも呼ばれる1型よりもずっと多い型の糖尿病であり，一般に40歳以上の体重過多の人が発症する。これらの人では，体細胞がインスリンに対する抵抗性を示すようになる。その結果，膵臓はもっと多くのインスリンを産生するためにより頑張らなければならないが，これがベータ細胞を損傷し，インスリン産生は減少する。2型糖尿病は，この病気の家族歴，環境的因子，体重過多，運動不足や40歳以上の年齢と関連している。治療の選択として，生活習慣の改善（食事の調整と運動），グルコースに対する細胞の感受性を改善する薬，膵臓のインスリン産生を刺激する薬やインスリンの投与が挙げられる。

糖尿病の徴候と症状は，口渇，多尿，多食，疲労，原因不明の体重減少，かすみ目，いらいら，難治性皮膚潰瘍，易感染性，尿中ケトン体がある。体細胞はエネルギー産生にグルコースを利用できないので，脂肪を脂肪酸とグリセロールに分解する。脂肪酸のさらなる代謝がケトン体を生じる。ケトン体の蓄積につれて血液 pH は低下し（より酸性となり），ケトアシドーシス ketoacidosis の状態になる。これはすぐに治療しないと死につながる。

糖尿病の長期合併症は徐々に進行し，以下が含まれる。

心臓血管疾患 cardiovascular disease：心臓発作，脳卒中や虚血性心疾患のリスクが高まる。

腎障害 kidney damage：腎臓の血管損傷（腎症）の結果，腎臓の血液濾過機能が障害され，血液透析や腎移植が必要になる腎不全につながるかもしれない。

眼障害 eye damage：眼の血管損傷（網膜症）は網膜を冒し，失明を招く可能性がある。緑内障と白内障のリスクも高まる。

神経障害 nerve damage：神経に供給される血管の損傷はニューロパチーと呼ばれる，しびれ，ひりひり（刺痛），灼熱感や痛みを起す。これは手足の指から始まり，上方に広がっていき，四肢の感覚の消失につながる。

その他：その他のさまざまな合併症として皮膚症状，消化器症状，性的不能や歯と歯茎の症状がある。

はミネラルコルチコイドと呼ばれるホルモンを分泌し，無機塩類のホメオスタシスに影響を与える。中間層（束状帯）はグルココルチコイド（糖質コルチコイド）と呼ばれるホルモンを分泌し，グルコースのホメオスタシスに影響を与える。内層（網状帯）は**アンドロゲン** androgen（男性化作用を及ぼすステロイドホルモン）を分泌する。

ミネラルコルチコイド アルドステロン aldosterone は，主なミネラルコルチコイド mineralocorticoid である。これは二つの無機イオン，すなわち，ナトリウムイオン（Na^+），カリウムイオン（K^+）のホメオスタシスの調節をしている。アルドステロンは尿となる液体から血液への Na^+ の再吸収を増加させ，尿となる液体への K^+ の排泄を促進する。アルドステロンは血圧と血液量の調節も助け，H^+ の尿中への排出を促進する。このような体内からの酸の除去はアシドーシス（血液 pH が7.35以下の状態）になるのを防ぐ助けとなる。

アルドステロン分泌は，**レニン-アンギオテンシン-アルドステロン経路** renin-angiotensin-aldosterone pathway の一部として起る（図13.14）。この経路を賦活するのは，脱水，Na^+ 不足，出血など血液量と血圧を低下させる状態である。血圧低下は，腎臓に作用し，**レニン** renin と呼ばれる酵素を分泌させる。レニンは血液中で非活性型の**アンギオテンシンⅠ** angiotensin Ⅰ をつくる反応を促進する。血液が肺を通るとき，もう一つの酵素，**アンギオテンシン変換酵素** angiotensin converting enzyme（ACE）が非活性型のアンギオテンシンⅠを活性型ホルモンの**アンギ**

図 13.13 副腎の位置と組織学。

副腎皮質はステロイドホルモンを分泌し，副腎髄質はアドレナリンとノルアドレナリンを分泌する。

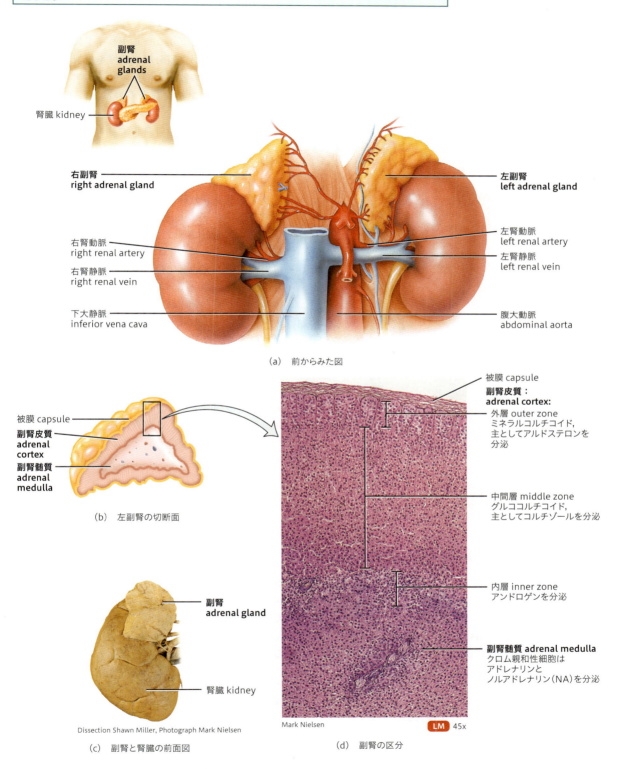

Q 副腎皮質の三つの層から分泌されるホルモンは何か？

図 13.14 レニン-アンギオテンシン-アルドステロン経路。

アルドステロンは血液量，血圧，血中 Na⁺ 濃度の調節に関与する。

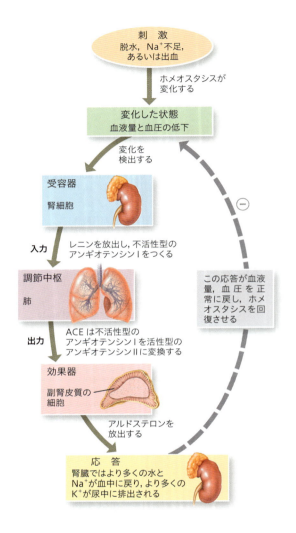

Q アンギオテンシン変換酵素（ACE）の作用をブロックする薬は血圧を上昇，あるいは低下させるのに使えるだろうか？それはなぜか？

オテンシン II angiotensin II に変換する。アンギオテンシン II は副腎皮質に働き，アルドステロン分泌を促す。アルドステロンは次に腎臓に作用し，Na⁺ と水分を血液中に再吸収させるように働く。血液に再吸収される水分が増加し，尿として失われる水分が減少すると，血液量が増加する。血液量が増加すると，血圧は正常に戻る。

グルココルチコイド

グルココルチコイド glucocorticoid の中でもっとも量が多いのは**コルチゾール** cortisol（gluco- ＝糖；cortic-＝ 外皮，殻）である。コルチゾールとほかのグルココルチコイドは次のような作用をもつ。

- **タンパク質分解**：グルココルチコイドは，主として筋線維でのタンパク質分解の速度を上昇させ，アミノ酸の血流中への放出を増加させる。アミノ酸は体細胞で新しいタンパク質あるいは ATP の産生のために使われる。
- **グルコース産生**：グルココルチコイドの刺激によって肝細胞はある種のアミノ酸や乳酸をグルコースに変換することがあり，これをニューロンやほかの細胞が ATP の産生に用いる。
- **トリグリセリド分解**：グルココルチコイドは脂肪組織でのトリグリセリド分解を促進する。このようにして血中に放出された脂肪酸は，多くの体細胞で ATP 産生のために使われる。
- **抗炎症作用**：炎症と免疫反応は重要な防御機構であるが，これらの反応がストレス下で過剰になると生体は多くの痛みを体験することになる。グルココルチコイドは炎症反応に関与する白血球を抑制する。グルココルチコイドは関節リウマチのような慢性的な炎症性疾患の治療に用いられる。しかしながら，グルココルチコイドは組織の修復も遅らせ，創傷治癒を遅くする。
- **免疫反応の抑制**：グルココルチコイドの大量投与は免疫反応を抑制する。この理由により，グルココルチコイドは臓器移植のレシピエント（受ける側）のために，免疫系による組織の拒絶反応の危険を減らすために処方される。

コルチゾール（とほかのグルココルチコイド）の分泌の制御はネガティブフィードバックにより調節されている。血中のコルチゾール濃度の低下は視床下部の神経分泌細胞を刺激し，**副腎皮質刺激ホルモン放出ホルモン（コルチコトロピン放出ホルモン）** corticotropin-releasing hormone（CRH）を分泌させる。下垂体門脈が CRH を下垂体前葉に運び，**副腎皮質刺激ホルモン** adrenocorticotropic hormone（ACTH）の放出を開始させる。ACTH は次に副腎皮質の細胞を刺激し，グルココルチコイドを分泌させる。コルチゾールの濃度が上昇すると，ネガティブフィードバック機構が，下垂体前葉と視床下部の両方に作用し，それぞれ ACTH の放出と CRH の放出を減少させる。

アンドロゲン

男性，女性ともに，副腎皮質は弱い作用のアンドロゲン androgen を少量分泌する。男

性では思春期をすぎると，もっと大量のアンドロゲンが精巣から分泌される。男性の副腎から分泌されるアンドロゲンの量は通常ごくわずかであり，このためその効果は無視できる。しかしながら女性においては，副腎のアンドロゲンは大きな役割を果たす。それは性欲(性衝動)を起こさせ，またほかの体組織によりエストロゲン(女性化させる性ステロイド)に変換される。更年期以降，卵巣からのエストロゲン分泌が止むと，女性のすべてのエストロゲンは副腎のアンドロゲンが変換されたものに由来するようになる。副腎のアンドロゲンは少年や少女の腋窩毛や恥毛の成長を刺激し，思春期前の急速な成長に貢献している。副腎のアンドロゲン分泌の調節は十分理解されてはいないが，その分泌を促す主なホルモンはACTHであることはわかっている。

臨床関連事項

先天性副腎過形成

先天性副腎過形成 congenital adrenal hyperplasia (CAH)とは，コルチゾールの産生に必要な1種類または複数の酵素が欠損している遺伝的疾患である。コルチゾール濃度が低いため，ネガティブフィードバック抑制がかからず，下垂体前葉からのACTH分泌が上昇する。ACTHは，次に，副腎皮質の成長と分泌活動を刺激する。その結果，両側の副腎が肥大する。しかし，コルチゾールの合成を行うのに必要なステップが障害されているので，前駆物質が蓄積する。これらのうちの一部はテストステロンに変換される弱いアンドロゲンである。その結果，**男性化 virilism**(masculinization)が起きる。女性では男性化の特徴として，ひげが生える，声が低くなる，体毛が男性型の分布になる，陰核が大きくなり陰茎に似てくる，乳房の萎縮，筋肉が増えて男性の体形になるなどがある。思春期前の少年でも，女性と同じような特徴を示すが，それに加えて男性性器の急速な発達と男性の性欲の出現がみられる。成人男性では，CAHによる男性化作用は，精巣から分泌されるテストステロンによる正常な男性化作用によって，通常は完全に隠されてしまう。それゆえ，成人男性のCAHの診断は多くの場合難しい。

副腎髄質ホルモン

両側の副腎のもっとも中心部にある副腎髄質は，ホルモン分泌のために特異的に分化した自律神経系(ANS)の交感神経節後細胞からなっている。副腎髄質で合成される主なホルモンは，**アドレナリン adrenaline** と **ノルアドレナリン noradrenaline**(NA)の2種類である。これらは，それぞれエピネフリン epinephrine と ノルエピネフリン norepinephrine (NE)とも呼ばれる。

身体がストレスに曝されたり，運動をしているとき，視床下部からの神経インパルスは交感神経節前ニューロンに伝えられ，これは次に副腎髄質の細胞を刺激しアドレナリンとノルアドレナリンの分泌を起す。これら二つのホルモンが闘争・逃走反応(13.11節)を強めている。アドレナリンとノルアドレナリンは心拍数と心収縮力を増加することにより，心拍出量を増加させ，それが血圧を上昇させる。これらの反応により，心臓，肝臓，骨格筋，脂肪組織への血液流入も増加させ，肺に続く気道を拡張し，グルコースと脂肪酸の血中濃度を上昇させる。副腎皮質のグルココルチコイドと同様，アドレナリンとノルアドレナリンは，急性のストレスに対するからだの抵抗力を増加させる(闘争・逃走)。

チェックポイント

13. 副腎皮質と副腎髄質の位置と組織学に関して，それぞれどのように違うか比較しなさい。
14. 副腎皮質ホルモンの分泌はどのように制御されているか？

13.8　卵 巣 と 精 巣

目　標

・卵巣と精巣の位置，ホルモン，機能について述べる。

性腺 gonad は配偶子(男性では精子，女性では卵子)を産生する器官である。女性の性腺である**卵巣 ovary** は骨盤腔に位置する1対の卵形の臓器である。卵巣は女性ホルモンである**エストロゲン estrogen** と**プロゲステロン progesterone** を産生する。女性ホルモンは下垂体前葉から分泌されるFSHやLHとともに，月経周期を調節し，妊娠を維持し，乳腺からの乳汁分泌の準備をする。これらは女性的なからだつきをつくり出し維持することにも関与している。

卵巣は**インヒビン inhibin** というタンパク性ホルモンも分泌し，これは卵胞刺激ホルモン(FSH)の分泌を抑制する。妊娠期間中，卵巣と胎盤は**リラキシン relaxin** と呼ばれるペプチドホルモンを産生し，これは妊娠中，恥骨結合の柔軟性を増し，陣痛と出産のときには子宮頸を弛緩させる。こういった作用が産道を拡張させ，胎児を通過しやすくする。

男性の性腺である**精巣 testis** は陰囊内に存在する卵形の腺である。精巣は主要な男性ホルモン(アンドロゲン)である**テストステロン testosterone** を産生する。テストステロンは精子の産生を調節し，ひげや低い声などの男性の性徴の発達と維持を促す。精巣も

またFSHの分泌を抑制するインヒビンを産生する。卵巣と精巣の詳細な構造と性ホルモンの特別な働きに関しては23章で述べる。

> **チェックポイント**
> 15．卵巣と精巣はなぜ内分泌器官に含まれるのか？

13.9 松果体

目標
・松果体の位置，ホルモン，機能について述べる。

松果体 pineal gland（＝松笠の形）は脳の第3脳室の屋根の正中線上についている小さな内分泌腺である（図13.1，図10.6参照）。松果体から分泌されるホルモンの一つは**メラトニン melatonin**である。メラトニンは生体の生物時計をセットするのに役立っている。暗闇や睡眠中，メラトニンの放出量は増加し，強い太陽光のもとではメラトニンの産出は減少する。繁殖期のある動物ではメラトニンは生殖機能を抑制している。しかし，ヒトでメラトニンが生殖機能に影響を与えるかどうかはまだわかっていない。メラトニン濃度は子どもで高く，大人になるにつれ，年齢とともに低下する。しかし，メラトニン分泌が思春期や性的成熟の開始と関係するという証拠はない。

> **臨床関連事項**
>
> **季節性情動障害と時差ぼけ**
>
> **季節性情動障害 seasonal affective disorder（SAD）**は，日照時間が短くなる冬の期間，ある人々をひどく苦しめる一種のうつ状態である。その原因の一つはメラトニンの過剰産生と考えられている。全波長高照度光療法 full-spectrum bright-light therapy（太陽光と同じ明るさの人工照明に数時間繰り返し曝す治療）により症状は軽減することがある。時差のある地域と地域を短時間で移動する旅行者が悩まされる**時差ぼけ jet lag**も明るい光に3〜6時間曝されることで回復が早まるようである。

> **チェックポイント**
> 16．メラトニン分泌と睡眠の関連は何か？

13.10 その他のホルモン

目標
・内分泌腺以外の組織や器官から分泌されるホルモンを列挙し，その機能を述べる。

その他の内分泌組織および器官から分泌されるホルモン

通常内分泌腺に分類されない器官の細胞でも内分泌機能をもち，ホルモンを分泌する場合がある。表13.3にこれらの器官と組織，そこからのホルモンとその作用をまとめる。

プロスタグランジンとロイコトリエン

脂肪酸からつくられる二つのファミリーの分子，**プロスタグランジン prostaglandin（PG）**と，**ロイコトリエン leukotriene（LT）**は生体の大部分の組織で局所ホルモンとして作用する。赤血球以外のほとんどすべての体細胞は，化学的刺激や機械的刺激に対してこれらの局所ホルモンを放出する。PGとLTは放出された場所の近傍で作用するため血中ではほんの微量しかみられない。

ロイコトリエンは白血球の遊走を刺激することによって炎症反応を司る。プロスタグランジンは平滑筋の収縮，腺分泌，血流，生殖過程，血小板機能，呼吸，神経インパルスの伝導，脂肪代謝および免疫反応に関与し，炎症，発熱，痛みの増強などの作用も有する。

> **臨床関連事項**
>
> **非ステロイド系抗炎症薬**
>
> アスピリンとか，これに関連する，イブプロフェン（Advil®，Motrin®）などの**非ステロイド系抗炎症薬 nonsteroidal anti-inflammatory drug（NSAID）**は，プロスタグランジン合成の際，鍵となる酵素を，ロイコトリエン合成には影響を与えずに抑制する。これらは関節リウマチからテニス肘にいたるまで，広く炎症性疾患の治療に用いられる。

> **チェックポイント**
> 17．消化管，胎盤，腎臓，皮膚，脂肪組織，心臓から分泌されるホルモンは何か？
> 18．プロスタグランジンとロイコトリエンの作用とは何か？

表 13.3　内分泌細胞を含むその他の器官・組織で産生されるホルモンのまとめ

産生場所およびホルモン	作用
胸腺 thymus	
サイモシン thymosin	T細胞（白血球の一種で微生物や異物を破壊する）の成熟を促す。老化過程を遅くするという説もある（17章に記載）
消化管 gastrointestinal tract	
ガストリン gastrin	胃液分泌を促進し，胃の運動を増大する（19章に記載）
グルコース依存性インスリン分泌刺激ペプチド（GIP）glucose-dependent insulinotropic peptide	膵臓のベータ（β）細胞によるインスリンの分泌を刺激する（19章に記載）
セクレチン secretin	膵液と胆汁の分泌を刺激する（19章に記載）
コレシストキニン（CCK）cholecystokinin	膵液の分泌を刺激し，胆嚢からの胆汁放出を調節し，食後の満腹感を引き起す（19章に記載）
腎臓 kidney	
エリスロポエチン（EPO）erythropoietin	赤血球産生の速度を上昇させる（14章に記載）
心臓 heart	
心房性ナトリウム利尿ペプチド（ANP）atrial natriuretic peptide	血圧を低下させる（16章に記載）
脂肪組織 adipose tissue	
レプチン leptin	食欲を抑制し，FSHやLHの活性を高める（20章に記載）
胎盤 placenta	
ヒト絨毛性性腺刺激ホルモン（hCG）human chorionic gonadotropin	妊娠中に，エストロゲンとプロゲステロンの産生を続けるよう卵巣を刺激する（24章に記載）

13.11　ストレス反応

目標

・生体がどのようにストレスに反応するかを述べる。

　私たちの日常からすべてのストレスを取り除くことは不可能である。ストレス反応を引き起す刺激はすべて**ストレッサー stressor**と呼ばれる。ほとんどどんな障害もストレッサーとなりうる。暑さ，寒さ，環境からの毒物，細菌の出す毒素，傷や手術での大量出血，強い情動反応などすべてそうである。ストレッサーには快と不快なものがあり，その受け止め方は人により異なり，また同じ人でも状況によって異なる。ホメオスタシスのメカニズムがストレスに対抗するように働いている間は，内部環境は生理的限界の範囲内に保たれる。しかし，もしストレスが極端だったり，普通起らないものだったり，長期間続けば，**ストレス反応 stress response**と呼ばれる一連の身体の変化が起り，それは，(1)最初の闘争・逃走反応，(2)よりゆっくりした経過の"抵抗反応"，そして最後の(3)"疲労消耗（疲憊）"，の三つの段階をたどる。

　闘争・逃走反応 fight-or-flight responseは，視床下部から自律神経系（ANS）のうち副腎髄質を含む交感神経系への神経インパルスにより始まり，身体活動のためにすぐに使える生体の資源を，速やかに動員することである。つまり危険を避けるために一番活動している器官に，大量のグルコースと酸素を運ぶことである。その器官とは，はっきり覚醒しなければならない脳，攻撃してくるものと闘うかまたはそこから逃げるための骨格筋，そして，脳と筋に十分な血液を供給するために懸命に働かねばならない心臓である。腎臓への血流の減少はレニンの放出を促進し，レニン-アンギオテンシン-アルドステロン系を動かす（図13.14）。アルドステロンは腎臓でNa^+を血液中に保持し，それにより水の保持，血圧の上昇が生じる。水の保持は大量出血の場合，体液の保存を助ける。

　ストレス反応の第2段階は，**抵抗反応 resistance reaction**である。視床下部からの神経インパルスで始まり，短い期間で終わる闘争・逃走反応とは異なり，抵抗反応は大部分が，視床下部の放出ホルモンによって始まり，より長く続く反応である。関係するホルモンは3種類の視床下部の放出ホルモン，すなわち副腎皮質刺激ホルモン放出ホルモン（CRH），成長ホルモン放出ホルモン（GHRH）および甲状腺刺激ホルモン放出ホルモン（TRH）である。

　CRHは，下垂体前葉を刺激しACTHを分泌させ

る。ACTHは次に副腎皮質を刺激してコルチゾールの分泌を促進する。コルチゾールは肝細胞からのグルコース放出，トリグリセリドから脂肪酸への分解（脂肪分解），タンパク質からアミノ酸への異化を促進する。身体の組織はその結果できたグルコース，脂肪酸，アミノ酸を用いてATPを産生し，傷害を受けた細胞を修復する。コルチゾールは炎症も抑える。GHRHは下垂体前葉から成長ホルモン（GH）を分泌させる。GHはインスリン様成長因子（IGF）を介して作用し，トリグリセリドとグリコーゲンの分解を促進する。TRHは下垂体前葉から甲状腺刺激ホルモン（TSH）を分泌させる。TSHは甲状腺ホルモンの分泌を促進し，甲状腺ホルモンはATP産生のためにグルコース消費を増加させる。GHとTSHの協調作用によって，代謝の盛んな細胞に追加のATPが供給される。

抵抗反応は闘争・逃走反応が消退したあとも長期にわたって，生体のストレッサーとの闘いを助けていく（抵抗期）。通常は，私たちはストレス状態をきり抜けて，からだは正常に戻る。しかしながら時折，抵抗期にストレッサーとの闘いに負けることがある。生体の栄養素が最後には極度に枯渇し，抵抗期を支えきれず，結果として**疲労消耗 exhaustion** を起す。抵抗反応にかかわる高濃度のコルチゾールあるいはその他のホルモンに長期間曝されていると，筋の消耗，免疫系の抑制，消化管の潰瘍，膵臓のベータ（β）細胞の機能喪失などを引き起す。さらに，ストレッサーが取り除かれた後でも抵抗反応が持続して，病理的な変化が起ることもある。

ヒトの病気におけるストレスの正確な役割はわからないが，ストレスが免疫系のいくつかの要素を一時的に抑制することははっきりしている。ストレスと関係した疾患には胃炎，潰瘍性大腸炎，過敏性腸症候群，高血圧，喘息，関節リウマチ，片頭痛，不安，抑うつがある。ストレス下にある人々は慢性疾患を発症したり，若死にしたりする危険性が高くなる。

チェックポイント
19．ストレスの際の視床下部の役割は何か？
20．ストレスと免疫系はどのようにかかわっているか？

13.12 加齢と内分泌系

目標

・加齢の内分泌系に対する影響を述べる。

内分泌腺の中には年をとるにつれ退縮するものもあるが，その機能は低下する場合もしない場合もある。下垂体前葉からの成長ホルモンの産生は減少し，これは年をとると筋が萎縮する原因の一つとなる。甲状腺では甲状腺ホルモンの産生が年をとると減少することが多い。その結果代謝率を低下させ，体脂肪を増加させ，老人によくみられる甲状腺機能低下症を起す。甲状腺ホルモンは低濃度になり，ネガティブフィードバックが低下するので，甲状腺刺激ホルモンの濃度は年をとると上昇する。

高齢になると，おそらく食事からのカルシウム摂取不足によりPTHの血中濃度が高くなる。一方，1日に2,400 mgのカルシウムをサプルメントで補給している高齢女性の血中PTH濃度は若い女性と同じく低いという研究もある。また，カルシトリオールとカルシトニンの両者の濃度は高齢者で低くなる。PTHの上昇とカルシトニンの低下が両方起ると，加齢による骨量の減少が増大し，その結果，骨粗鬆症を引き起し，骨折の危険性を高める。

副腎では年齢が進むにつれて，線維組織が多くなり，コルチゾールやアルドステロンの分泌も抑制される。しかしアドレナリンやノルアドレナリンの産生は正常のままにとどまる。膵臓では加齢により，インスリン分泌速度がゆっくりとなり，グルコースに対する受容体の感受性が低くなる。その結果，老人の血糖値は，若い人に比べて速く上昇し，ゆっくりと正常に戻る。

胸腺は幼児期にもっとも大きい。思春期以後はその大きさは減少し始め，胸腺組織は脂肪組織と疎性結合組織で置き換えられる。高齢者では，胸腺は顕著に萎縮しているが，それでも免疫反応のために新しいT細胞を産生している。

卵巣は年齢とともに大きさが減少し，性腺刺激ホルモンに反応しなくなる。その結果としてエストロゲンの産生が減り，骨粗鬆症，高コレステロール血症，動

臨床関連事項

心的外傷後ストレス障害

心的外傷（トラウマ）後ストレス障害 post-traumatic stress disorder（PTSD）は身体的，または精神的に苦しい事件を体験したか，みたか，または知った個人に起りうる。PTSDの直接の原因はその事件に伴う特定のストレッサーのようである。ストレッサーとなるのはテロ，人質拘束，刑務所への投獄，ひどい事故，拷問，性的・肉体的虐待，暴力犯罪，自然災害などである。米国ではPTSDは女性の10％，男性の5％に影響を与えている。PTSDの症状としては，その事件を悪夢やフラッシュバックとして追体験するとか，興味や気力の喪失，集中力の欠如，いらいら，不眠などがある。

脈硬化症が生じる。エストロゲンによるFSHとLHに対するネガティブフィードバック抑制が低下するため，その濃度は上昇する。精巣からのテストステロンの産生は加齢によって減少するが，通常その効果は非常に高齢になるまで明らかにはならない。多くの高齢男性は正常数の活発な精子を産生することができるが，形態異常の精子が増加し，精子運動能は低下する。

チェックポイント
21．加齢とともに起きる筋の萎縮に関係するホルモンはどれか？

・・・

ほかの生体システムへのホメオスタシスの維持に内分泌系がどのように貢献しているかを理解するために，次ページの"ホメオスタシスの観点から：内分泌系"を参照しなさい。次の14章では循環器系について探求する。まず初めに，血液の成分と機能について説明をする。

ホメオスタシスの観点から

外皮系

- アンドロゲンは腋窩毛や恥毛の発育を刺激し，皮脂腺を活性化する。
- 過剰のメラニン細胞刺激ホルモン（MSH）は肌を黒くする。

骨格系

- 成長ホルモン（GH）とインスリン様成長因子（IGF）は骨の成長を刺激する。
- エストロゲンは思春期の終わりに骨端板を閉じ，大人では骨量の維持を助ける。
- 副甲状腺ホルモン（PTH）とカルシトニンは，カルシウムやほかの無機質（ミネラル）の骨基質と血中の濃度を調節する。
- 甲状腺ホルモンは骨格の正常な発達と発育のために必要である。

筋系

- アドレナリンとノルアドレナリン（NA）は運動している筋への血液流入を増加させる。
- PTHは筋収縮に必要なCa^{2+}濃度を維持する。
- グルカゴン，インスリン，ほかのホルモンは筋線維の代謝を調節する。
- GH，IGF，甲状腺ホルモンは筋の量の維持を助ける。

神経系

- いくつかのホルモン，とくに甲状腺ホルモン，インスリン，GHは神経系の成長と発達に影響を及ぼす。
- PTHは神経インパルスの発生と伝導に必要なCa^{2+}の適正濃度を維持する。

心臓血管系

- エリスロポエチン（EPO）は赤血球の形成を促進する。
- アルドステロンと抗利尿ホルモン（ADH）は血液量を増加する。
- アドレナリンとNAは心拍数と心収縮力を増加させる。
- いくつかのホルモンは運動時やストレス時，血圧を上昇させる。

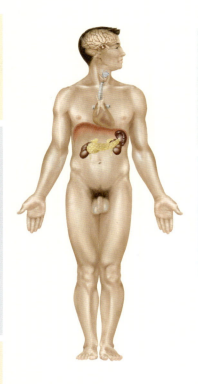

内分泌系の役割

全身の器官系との関連
- 神経系とともに，内分泌系の循環型と局所型のホルモンは，全身の標的細胞の活動と成長を調節する。
- いくつかのホルモンは代謝，グルコース取り込み，体細胞によるATP産生に使われる分子の調節を行う。

リンパ系と免疫系

- コルチゾールのようなグルココルチコイドは炎症と免疫反応を抑制する。
- 胸腺ホルモンはT細胞（免疫反応に関係する白血球の一型）の成熟を促進する。

呼吸器系

- アドレナリンとNAは運動時やほかのストレスの間，気道を拡張する。
- エリスロポエチンは，赤血球の数を調節することで血液中を運ばれる酸素量を調節する。

消化器系

- アドレナリンとNAは消化器系の活動を抑制する。
- ガストリン，コレシストキニン（CCK），セクレチン，グルコース依存性インスリン分泌刺激ペプチド（GIP）は消化の調節を助ける。
- カルシトリオールは食事の中のカルシウムの吸収を促進する。
- レプチンは食欲を抑える。

泌尿器系

- ADH，アルドステロン，心房性ナトリウム利尿ペプチド（ANP）は，水分とイオンが尿中に失われる速度を調節することで，血液量と血液のイオン濃度を調節する。

生殖器系
- 視床下部の放出ホルモンおよび抑制ホルモン，卵胞刺激ホルモン（FSH），黄体形成ホルモン（LH）は性腺（卵巣と精巣）の発達，成長，分泌を調節する。
- エストロゲンとテストステロンは卵子と精子の成長にかかわり，二次性徴の発達を刺激する。
- プロラクチンは乳腺での乳汁産生を促進する。
- オキシトシンは子宮の収縮と乳腺からの乳汁の放出を起す。

よくみられる病気

内分泌系の疾患にはしばしば，ホルモン放出量が不十分である**機能低下症 hyposecretion**（hypo- = あまりに少ない，またはそれ以下）と，ホルモン放出の過剰である**機能亢進症 hypersecretion**（hyper- = 過剰な，またはそれ以上）が含まれる。しかし，ホルモン受容体の異常またはその数が不十分であることによる場合もある。

下垂体疾患

下垂体前葉の疾患のいくつかは成長ホルモン（GH）が関係し，巨人症 giantism（gigantism）と低身長症（小人症）dwarfism が含まれる。これらについては，6.4 節の「臨床関連事項：身長に影響するホルモン異常」で論じる。成人になってからの GH の過剰分泌は先端巨大症 acromegaly と呼ばれる。長骨の骨端板はすでに閉じているので，GH は長骨をそれ以上長くすることはできないが，手，足，頬，顎などの骨は厚くなり，ほかの組織は大きくなる（図 13.15 b）。

下垂体後葉の機能異常によるもっとも一般的な異常は**尿崩症 diabetes insipidus**（diabetes ＝ オーバーフロー；insipidus ＝ 味のない）である。この疾患は抗利尿ホルモン（ADH）受容体の欠陥，または ADH を分泌できないことから起る。普通，この疾患は脳腫瘍，頭部傷害，脳手術によって，下垂体後葉または視床下部が損傷を受けたときに起きる。よくある症状は大量の尿の生成とそれに伴う脱水と渇きである。かなり大量の水が尿中に失われるので，尿崩症の患者は，たった 1 日水が飲めないだけで死ぬことがある。

甲状腺疾患

甲状腺の疾患はすべての主な生体システムに影響を与え，もっとも一般的な内分泌疾患の一つである。**先天性甲状腺機能低下症 congenital hypothyroidism** は，誕生時の甲状腺ホルモンの分泌低下であるが，すぐに治療しなければ重篤な結果をもたらすことになる。以前は**クレチン病 cretinism** と呼ばれていたが，この状態は重度の知的障害をもたらす。生誕時に赤ちゃんは正常であるが，これは甲状腺ホルモンが脂溶性であるので，妊娠中は母親の甲状腺ホルモンが胎盤を通り抜け，胎児の正常発育を助けているからである。米国の大部分の州では，すべての新生児で甲状腺機能が十分かどうか確認するために検査を義務づけている（訳注：日本でも新生児のマススクリーニングが行われている）。先天性甲状腺機能低下症であったならば，生後すぐに経口甲状腺ホルモン治療を始め，一生続けなければならない。

成人してからの甲状腺機能低下症は**粘液水腫 myxedema** を起す。これは女性のほうが男性の 5 倍頻度が高い。この疾患のもっとも顕著な特徴は浮腫（間質液の蓄積）であり，顔の組織が腫れて膨らんでみえる。粘液水腫の患者では心拍数が減少し，体温が低下し，寒さを感じやすく，髪や肌が乾燥し，

図 13.15 さまざまな内分泌疾患の人々の写真。

内分泌系の疾患は，さまざまなホルモンの分泌不足または分泌過剰によることが多い。

(a) 22 歳の下垂体性巨人症の男性が一卵性双生児の兄弟と立っている

(b) 先端巨大症（成人後の GH 過剰）

(c) 甲状腺腫（甲状腺の肥大）

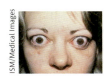

(d) 眼球突出（バセドウ病のような甲状腺ホルモンの過剰）

(e) クッシング症候群（グルココルチコイドの過剰）

Q TSH の作用を模倣する抗体による疾患はどれか？

筋力低下，全体の衰弱とともに，体重が増加しやすくなる。
　もっとも一般的な甲状腺機能亢進症は**バセドウ病** Basedow disease（または**グレーヴス病** Graves disease）であり，これも，男性より女性に7〜10倍頻度が高く，通常40歳前に起る。バセドウ病は自己免疫疾患であり，患者では甲状腺刺激ホルモン（TSH）と似た作用をする抗体が産生されている。抗体は，甲状腺を肥大させ，ホルモン分泌を刺激し続ける。甲状腺は，正常の2〜3倍の大きさにまでなることもあり，この状態は**甲状腺腫** goiter（guttur＝咽喉）と呼ばれる（図13.15 c）。甲状腺腫はほかの甲状腺の疾患でも，また食事からのヨウ素摂取が不十分な場合にも起きる。バセドウ病の患者では眼球の後ろに特異な浮腫が起き，眼球が突出（**眼球突出** exophthalmos）する（図13.15 d）。

副甲状腺疾患

　副甲状腺機能低下症 hypoparathyroidism（副甲状腺ホルモンの低下）は Ca^{2+} の欠乏につながり，ニューロンや筋線維を脱分極させることになり，自然発生的に活動電位が出てしまう。そのため，骨格筋のひきつり，痙攣，**テタニー** tetany（持続的収縮）の症状を起す。副甲状腺機能低下症の主な原因は，甲状腺切除手術中の副甲状腺そのものへの偶発的な損傷とか，そこへの血液供給の障害である。

副腎疾患

　副腎皮質からのコルチゾールの分泌過剰は**クッシング症候群** Cushing's syndrome を起す。この状態は筋タンパク質の分解と体脂肪の再分布により特徴づけられ，ひょろ長い腕や脚と丸いムーンフェイス（図13.15 e）を来し，背中は"水牛こぶ"のようになり，腹部は垂れ下がる。コルチゾール濃度が上昇するので，高血糖，骨粗鬆症，疲労感，高血圧，易感染性，ストレスへの抵抗の減弱，気分の変動などが生じてくる。
　グルココルチコイドとアルドステロンの分泌低下は**アジソン病** Addison's disease の原因となる。症状は精神的衰弱感，食欲不振，吐き気，嘔吐，体重減少，低血糖，筋の脆弱などを含む。アルドステロンの喪失は血中のカリウムの上昇とナトリウムの低下，低血圧，脱水，心拍出量の減少，不整脈，さらに心停止さえ起す。皮膚はブロンズ色を呈し，しばしば日焼けと間違われる。J. F. ケネディ大統領の場合がそうで，生前はほんのわずかな人しかこのことを知らなかった。
　通常は良性である副腎髄質の**褐色細胞腫** pheochromocytomas（pheo-＝暗褐色の；chromo-＝色；cyto-＝細胞）はアドレナリンとノルアドレナリンの分泌過剰を起す。その結果は闘争・逃走反応が長引いた状態となり，心拍数亢進，頭痛，高血圧，血中と尿中のグルコース濃度の上昇，基礎代謝率（BMR）の上昇，顔面紅潮，いらいら感，発汗，消化器系の運動の減少などが起る。

医学用語と症状

甲状腺クリーゼ thyroid crisis（storm）　甲状腺機能亢進症の重篤な状態で，生命の危険がある。特徴的なのは，高体温・速い心拍・高血圧・消化管症状（腹痛・嘔吐・下痢）・興奮状態・振戦・混乱・痙攣，時には昏睡状態などである。
女性化乳房 gynecomastia（gyneco-＝婦人；mast-＝乳房）　男性の乳腺の過剰な発育。時として，副腎の腫瘍がこのような状態を生じさせるのに十分な量のエストロゲンを分泌することがある。
多毛症 hirsutism（hirsut-＝毛深い）　とくに女性において，男性のような体毛や髭などが過剰に生えた状態。これは腫瘍または薬剤によりアンドロゲンが過剰に産生されたことによる。
男性化腺腫 virilizing adenoma（aden-＝腺；-oma＝腫瘍）　副腎の腫瘍であり，過剰なアンドロゲンを放出する。その結果，女性において男性化を起す。時として，副腎腫瘍細胞がエストロゲンを分泌し，男性の患者が女性化乳房を発症することもある。このような腫瘍は女性化腺腫 feminizing adenoma と呼ばれる。

13章のまとめ

13.1 序論

1. 神経系は神経伝達物質の放出によりホメオスタシスを制御する。内分泌系はホルモンを用いる。神経系は筋を収縮させ，腺に分泌を起させる。内分泌系はほとんどすべての体組織に影響を与える。表13.1は神経系と内分泌系の特徴を比較したものである。
2. 外分泌腺（汗腺，脂腺，粘液腺，消化腺）は導管を通してその分泌物を体腔または体表に分泌する。
3. **内分泌系** endocrine system は内分泌腺と内分泌組織を含む器官からなる。

13.2 ホルモン作用

1. 内分泌腺はホルモンを間質液中に分泌する。それから，ホルモンは血流中に拡散する。
2. ホルモンはそのホルモンが結合する**受容体** receptor をもつ特定の**標的細胞** target cell にのみ作用する。
3. 化学的にはホルモンは脂溶性（ステロイド steroid，甲状腺ホルモン thyroid hormone，一酸化窒素 nitric oxide）または水溶性（修飾されたアミノ酸，ペプチド，タンパク質）である。
4. 脂溶性ホルモンは遺伝子発現を変えることで細胞機能に影響を与える。

5. 水溶性ホルモンは細胞膜の受容体を活性化することにより，細胞機能を変える．受容体は細胞内のさまざまな酵素を活性化するセカンドメッセンジャー second messenger の産生を引き起こす．
6. ホルモンの分泌は神経系からの信号，血液の化学的変化，ほかのホルモンなどにより調節されている．

13.3 視床下部と下垂体

1. 下垂体 pituitary gland は視床下部 hypothalamus についていて，二つの葉から構成される．すなわち下垂体前葉 anterior pituitary と下垂体後葉 posterior pituitary である．下垂体のホルモンは視床下部から分泌される抑制および放出ホルモンにより調節される．下垂体門脈 hypophyseal portal vein 系は視床下部の放出ホルモン releasing hormone および抑制ホルモン inhibiting hormone を下垂体前葉にまで運ぶ．
2. 下垂体前葉は，成長ホルモン growth hormone(GH)，プロラクチン prolactin(PRL)，甲状腺刺激ホルモン thyroid-stimulating hormone(TSH)，卵胞刺激ホルモン follicle-stimulating hormone(FSH)，黄体形成ホルモン luteinizing hormone(LH)，副腎皮質刺激ホルモン adrenocorticotropic hormone(ACTH)，メラニン細胞刺激ホルモン melanocyte-stimulating hormone(MSH)を分泌する細胞から構成される．
3. GH はインスリン様成長因子 insulinlike growth factor (IGF)を介してからだの成長を促進し，成長ホルモン放出ホルモン(GHRH)および成長ホルモン抑制ホルモン(GHIH)により調節されている．
4. TSH は甲状腺の活動を調節し，視床下部の甲状腺刺激ホルモン放出ホルモン(TRH)により調節されている．
5. FSH と LH は生殖腺(卵巣と精巣)の活動を調節し，視床下部の性腺刺激ホルモン(ゴナドトロピン)放出ホルモン(GnRH)により調節されている．
6. PRL は乳汁産生を刺激する．プロラクチン抑制ホルモン(PIH)がプロラクチン放出を抑制する．プロラクチン放出ホルモン(PRH)が妊娠中プロラクチン濃度を上昇させる．
7. ACTH は副腎皮質の活動を調節し，副腎皮質刺激ホルモン放出ホルモン(コルチコトロピン放出ホルモン；CRH)により調節されている．
8. 下垂体後葉には細胞体を視床下部にもつ神経分泌細胞の軸索終末がある．視床下部でつくられ下垂体後葉から放出されるホルモンは，オキシトシン oxytocin(子宮の収縮と乳房からの乳汁放出を刺激)と抗利尿ホルモン antidiuretic hormone(ADH；腎臓からの水分の再吸収と細動脈の収縮を刺激)である．
9. オキシトシン分泌は子宮の伸展，または乳児の授乳により刺激される．ADH の分泌は血液の浸透圧と血液量により調節される．
10. 表13.2 には，下垂体前葉と後葉のホルモンをまとめてある．

13.4 甲状腺

1. 甲状腺 thyroid gland は喉頭の下に位置する．それは濾胞細胞 follicular cell からなる甲状腺濾胞 thyroid follicle と，濾胞傍細胞 parafollicular cell により構成されている．濾胞細胞は甲状腺ホルモンのサイロキシン thyroxine(T_4)とトリヨードサイロニン triiodothyronine(T_3)を分泌し，濾胞傍細胞はカルシトニン calcitonin(CT)を分泌する．
2. 甲状腺ホルモンは酸素消費，基礎代謝率，細胞代謝，成長と発育を調節する．甲状腺ホルモンの分泌は視床下部の TRH と下垂体前葉からの TSH により調節されている．
3. CT は血中のカルシウム濃度を低下させることができる．CT の分泌は血中のカルシウム濃度により調節されている．

13.5 副甲状腺

1. 副甲状腺(上皮小体) parathyroid gland は甲状腺の背側表面に埋まっている．
2. 副甲状腺ホルモン parathyroid hormone(PTH)は，血中のカルシウムとマグネシウム濃度を上昇させ，血中リン濃度を低下させることで，カルシウム，マグネシウム，リンのホメオスタシスを調節する．PTH の分泌は血中のカルシウム濃度により調節される．

13.6 膵島

1. 膵臓 pancreas は十二指腸が曲がった部分に位置する．膵臓は内分泌と外分泌両方の機能をもつ．
2. 膵臓の内分泌の部分はアルファ(α)細胞とベータ(β)細胞で構成される膵島 pancreatic islet(ランゲルハンス島 islet of Langerhans)からなる．
3. アルファ(α)細胞 alpha cell はグルカゴン glucagon を分泌し，ベータ(β)細胞 beta cell はインスリン insulin を分泌する．
4. グルカゴンは血中のグルコース濃度(血糖値)を上昇させ，インスリンはこれを低下させる．両方のホルモンの分泌は血中のグルコース濃度により調節される．

13.7 副腎

1. 副腎 adrenal gland は腎臓の上に位置し，表層の副腎皮質 adrenal cortex と中心部の副腎髄質 adrenal medulla から構成される．
2. 副腎皮質は三つの層に分けられる．外層(球状帯)はミネラルコルチコイドを分泌し，中間層(束状帯)はグルココルチコイドを分泌し，内層(網状帯)はアンドロゲンを分泌する．
3. ミネラルコルチコイド mineralocorticoid(主としてアルドステロン aldosterone)はナトリウムと水の再吸収を増加させ，カリウムの再吸収を減少させる．分泌はレニン-アンギオテンシン-アルドステロン経路 renin-angiotensin-aldosterone pathway により調節される．
4. グルココルチコイド glucocorticoid(主としてコルチゾール cortisol)は正常の代謝を促し，ストレスに抵抗するのを助け，炎症を抑える．その分泌は ACTH により調節される．
5. 副腎皮質から分泌されるアンドロゲン androgen は腋窩毛や恥毛の成長を促し，思春期前の急速な成長を助け，性欲に関係する．
6. 副腎髄質はアドレナリン adrenaline(エピネフリン

epinephrine) とノルアドレナリン noradrenaline (NA；ノルエピネフリン norepinephrine (NE)) を分泌する。これらはストレスが加わると放出される。

13.8 卵巣と精巣

1. 卵巣 ovary は骨盤腔の中に位置し，エストロゲン estrogen，プロゲステロン progesterone，インヒビン inhibin を産生する。これらの性ホルモンは，月経周期を調節し，妊娠を維持し，乳腺からの乳汁分泌の準備をする。これらは女性的なからだをつくり出し維持することにも関与している。
2. 精巣 testis は陰嚢の内部にあり，テストステロン testosterone とインヒビンを産生する。テストステロンは精子の産生を調節し，髭とか低い声などの男性の性徴の発達と維持を促す。

13.9 松果体

1. 松果体 pineal gland は脳の第3脳室の屋根についていて，メラトニン melatonin を分泌し，生物時計をセットするのに役立つ。

13.10 その他のホルモン

1. 通常内分泌腺と分類される以外の体組織にも，内分泌組織が存在しホルモンを分泌するものがある。これらの組織には消化管，胎盤，腎臓，脂肪組織，心臓が含まれる（表13.3）。
2. プロスタグランジン prostaglandin とロイコトリエン leukotriene は，大部分の体組織で局所的に働く。

13.11 ストレス反応

1. ストレッサー stressor としては，外科手術，毒物，感染，熱，強い情動反応などが挙げられる。
2. もしストレスが非常に強い場合は，ストレス反応 stress response を誘発する。ストレス反応は，闘争・逃走反応，抵抗反応，疲労消耗の3段階からなる。
3. 闘争・逃走反応 fight-or-flight response は，視床下部からの自律神経系の交感神経と副腎髄質への神経インパルスで始まる。この反応は急速に循環量を増やし，ATP産生を促進する。
4. 抵抗反応 resistance reaction は視床下部からの放出ホルモンにより開始される。抵抗反応はより長く持続し，ストレスに対抗するためにATPを供給する分解反応を促進する。
5. 疲労消耗 exhaustion は抵抗反応の期間に生体の利用可能な資源が枯渇することにより起る。
6. ストレスにより免疫系が抑制されることで，特定の病気を誘発する場合もある。

13.12 加齢と内分泌系

1. いくつかの内分泌腺は加齢に伴い退縮するが，その機能は低下する場合としない場合がある。
2. 成長ホルモン，甲状腺ホルモン，カルシトリオール，カルシトニン，コルチゾール，アルドステロンの産生は加齢とともに減少する。
3. 加齢とともに血中のTSH，LH，FSH，PTH濃度は上昇する。
4. 膵臓からのインスリン分泌速度は年齢とともに遅くなり，グルコースへの受容体の感受性は低下する。
5. 思春期以後，胸腺の大きさは減少し始め，胸腺組織は脂肪組織と疎性結合組織で置き換えられる。
6. 加齢とともに卵巣は小さくなり，エストロゲン分泌は減少する。精巣のテストステロン産生の加齢変化は顕著ではない。

クリティカルシンキングの応用

1. パトリックは8歳のときに糖尿病と診断された。彼の65歳の伯母もまた，同じく糖尿病と診断された。パトリックは，なぜ自分は注射をしなければならないのに，伯母は食事と経口投薬だけで血糖を調節できるのか理解できない。なぜ，彼の伯母の治療はパトリックと違うのか？
2. 65歳のジョーはかなり運動をしているが，若い頃と比べて筋肉が落ちているのに気づいた。彼は筋肉をつけるための"特別なホルモン剤"があるという話を聞いた。筋肉が落ちていく原因の一つは何か？　またどのホルモンがその薬に入っているか？
3. メラトニンは時差ぼけとか夜勤による睡眠障害を助ける薬と考えられている。これは季節性情動障害(SAD)にも関係するかもしれない。なぜメラトニンが睡眠に影響するかを説明しなさい。
4. ブライアンは暑い夏の日に80kmの自転車マラソンに参加した。彼は一群の後方にいて，砂塵を吸い込み，大量の汗をかいたうえに，水のボトルをなくしてしまった。ブライアンの状況は良くない。水分摂取の減少とこの状況のストレスに対して彼のホルモンはどのような反応をするだろうか？

図の質問の答え

13.1 内分泌腺からの分泌物質は細胞間質液に広がり,それから血中に入る。一方,外分泌腺からの分泌物質は導管に流れ込み,体腔または体表に導かれる。

13.2 遺伝子が発現するとき(転写されるとき)mRNAが合成され,mRNAがタンパク質分子の合成をコードしている。

13.3 それがファーストメッセンジャーである水溶性ホルモンのメッセージを細胞の中に運ぶからである。

13.4 下垂体後葉である。下垂体後葉から放出されるホルモンは視床下部で合成される。

13.5 オキシトシンの標的細胞は子宮と乳腺にある。

13.6 小腸での大量の水の摂取は血液の血漿浸透圧(溶質の濃度)を低下させ,ADHの分泌を止め,血液のADH濃度を低下させる。

13.7 濾胞細胞が甲状腺ホルモンとも呼ばれるT_3,T_4を分泌し,濾胞傍細胞がカルシトニンを分泌する。

13.8 甲状腺ホルモンは代謝率を上昇させる。

13.9 副甲状腺ホルモン(PTH)は破骨細胞の数と活性を上昇させる。

13.10 PTHの標的組織は骨と腎臓の両方である。カルシトニンの標的組織は骨である。カルシトリオールの標的組織は消化管である。

13.11 膵臓は内分泌腺であり,かつ外分泌腺である。

13.12 グルカゴンは"抗インスリン"ホルモンとみなされる。なぜなら,インスリンと反対のいくつかの作用をもつからである。

13.13 副腎皮質の外層はミネラルコルチコイドを分泌する。中間層はグルココルチコイドを,内層は副腎アンドロゲンを分泌する。

13.14 ACEを阻害する薬は血圧を低下させるので,高血圧の治療に用いられる。

13.15 バセドウ病ではTSHの作用を模倣する抗体が産生される。

CHAPTER 14

心臓血管系：血液

本章では血液に焦点をあて，次の二つの章では，それぞれ，心臓と血管について学習する。血液はいろいろな物質を運搬し，さまざまな生体反応過程の制御を助け，病気に対する防御体制も提供している。血液は発生や成分，機能は似ているにもかかわらず，皮膚や骨，毛髪と同じように個人において特異的なものである。いろいろな病気の原因を決定するために，医療従事者はさまざまな血液検査を通して，その違いを日常的に検査・解析している。

> **先に進むための復習**
> - 血液組織（4.3 節）
> - ポジティブフィードバックシステム（1.3 節）
> - 貪食（3.3 節）

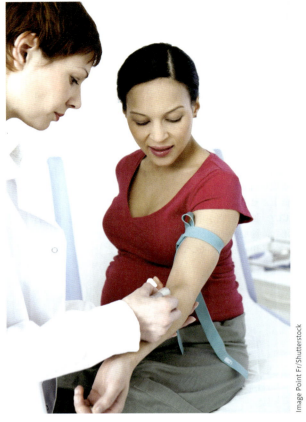

Q どうやって，また，なぜ採血するのか疑問に思ったことはありませんか？　答えは14.2節の「臨床関連事項：採血の方法と採血の理由」でわかるでしょう。

14.1 血液の機能

目標

・血液の機能を列挙して，述べる。

　心臓血管系 cardiovascular system（cardio- ＝ 心臓，vascular ＝血液もしくは血管）は三つの互いに関連した構成要素，すなわち血液，心臓，血管からなっている。

　血液，造血組織やこれらの異常について研究する科学の1分野を**血液学 hematology**（hemo-，hemato- ＝血液；-logy ＝学）という。

　血液 blood は液状の結合組織であり，細胞外基質に囲まれた細胞からなっている。血液は輸送，調節，防御という三つの主な機能をもっている。

1. **輸送 transportation**：血液は肺からからだ中の細胞に酸素を運搬し，細胞呼吸によって生じた代謝産物である二酸化炭素を細胞から肺に運ぶ（20.1 節）。同様に，消化管から吸収された栄養素を細胞に運び，また，熱や代謝産物を細胞から運び去る。内分泌器官から産生されたホルモンもほかの細胞に運ぶ。

2. **調節 regulation**：血液は体液の pH の調節を支えている。また，血液は血漿中の水による熱吸収作用や冷却作用（2.2節）と皮膚を流れる血流速度の変化により放熱を制御することで体温の調節を行っている。さらに血液の浸透圧により細胞の水分量に影響を与える。

3. **防御 protection**：怪我により出血すると血液は凝固し（ゲル状になる），これにより心臓血管系からの過剰な出血を防いでいる。さらに，白血球はその食（貪食）作用や抗体産生により病気から人体を守っている。さらに血液はインターフェロンや補体といわれる，病気から人体を守るその他の血漿タンパク質も含んでいる。

> **チェックポイント**
> 1. 血液によって運搬される物質を挙げなさい。
> 2. 血液の防御機構とはどのようなものか？

14.2 血液の成分

目標
・血液の産生，成分と機能について論じる。

　血液は水よりも濃厚で粘性が高い。血液の温度はおよそ38℃であり，そのpHはややアルカリ性であり7.35〜7.45の範囲にある。全血液量は体重のおよそ8％を占める。総血液量は平均的成人男性で5〜6L，平均的成人女性で4〜5Lである。これらの総血液量の違いはからだの大きさの違いによるものである。
　血液は二つの成分から構成されている。(1)**血漿**blood plasmaといわれる液体で，いろいろなものを溶解している。それと(2)**血球成分**formed elementといわれ細胞成分と細胞の断片からなる。血液を細い試験管に入れて遠心(高速回転)するとより濃厚である血球成分は底に沈み，より軽くて薄い血漿は上澄みを形成する(図14.1 a)。血液はおよそ45％の血球成分と55％の血漿からなる。正常では赤血球がもっとも比重が重いので血球成分の99％以上が赤血球(RBC)である。血液の全体積の中で赤血球が占める割合を**ヘマトクリット**hematocritという。無色透明な白血球(WBC)と血小板の占める体積は1％以下であり，遠心した際の沈殿した赤血球と上澄みの血漿の間に薄い**軟膜層**buffy coatを形成する。図14.1 bには血漿の成分とさまざまな血球成分の数を示してある。

血　漿

　血液から血球成分を除くと**血漿**blood plasma(単にplasma)と呼ばれる黄色い液体が残る。血漿はおよそ91.5％が水で，7％がタンパク質，1.5％がタンパク質以外の溶質である。血液に含まれるタンパク質は**血漿タンパク質**plasma proteinといわれ，主に肝臓で合成される。もっとも量が多い血漿タンパク質は**アルブミン**albuminであり，全血漿タンパク質の54％を占める。いろいろな血漿タンパク質の機能の中で，アルブミンは血液浸透圧を維持するのに大切であり，この浸透圧は毛細血管壁を介した液体の交換において一つの重要な因子となる。**グロブリン**globulinは血漿タンパク質の38％を占め，免疫反応が起こると産生される防御的タンパク質である**抗体**antibodyを含む。

フィブリノゲンfibrinogenは血漿タンパク質の7％を占め，血液凝固塊を形成するうえで重要なタンパク質である。その他の血漿中の溶質は電解質，栄養素，ガス類，酵素やホルモンやビタミンのような調節物質と代謝産物である。

血球成分

　血球成分 formed element は以下に述べるようなものである(図14.2参照)。

Ⅰ．赤血球
Ⅱ．白血球
　A．顆粒球(染色後，光学顕微鏡で観察可能な明白な顆粒を含む)
　　1．好中球
　　2．好酸球
　　3．好塩基球
　B．無顆粒球(染色後，光学顕微鏡で顆粒が観察できない)
　　1．Tリンパ球，Bリンパ球，ナチュラルキラー細胞
　　2．単球
Ⅲ．血小板

血球成分の産生　血球成分の産生の過程を**造血** hemopoiesis(-poiesis＝つくる) または hematopoiesis という。出生前の造血はまず，胚の卵黄嚢で開始され，その後は，胎児の肝臓，脾臓，胸腺，リンパ節でも始まる。誕生3カ月前になると赤色骨髄が造血の主たる部位となり，出生後も一生にわたって血球成分の主な供給源となる。
　赤色骨髄 red bone marrow はスポンジ状の骨小柱の間の顕微鏡的に小さなスペースに存在する多数の血管に富んだ結合組織である。それは軸骨格，胸郭や骨盤，上腕骨や大腿骨の近位骨端などに存在する。赤色骨髄中の細胞のおよそ0.05〜0.1％が**多能性幹細胞** pluripotent stem cell(pluri-＝多くの) と呼ばれる細胞である。多能性幹細胞はいくつかの異なるタイプの細胞に分化できる能力をもっている(図14.2 a)。
　多能性幹細胞は特異的なホルモンの刺激に反応して，より少ない種類の細胞に分化する能力しかもたない2種類のほかの幹細胞に分化する。すなわち，**骨髄系幹細胞** myeloid stem cell と**リンパ系幹細胞** lymphoid stem cell である(図14.2 a)。骨髄系幹細胞は赤色骨髄において分化し始め，赤血球，血小板，好酸球，好塩基球，好中球，単球(マクロファージ)を産生する。リンパ系幹細胞は赤色骨髄で分化し始めるが，最終的にリンパ組織においてリンパ球を産生する。リンパ系

図 14.1 健常成人における血液の成分。

血液は血漿(液体)と血球成分(赤血球, 白血球, 血小板)を含んだ結合組織である。

血液の機能
1. 酸素, 二酸化炭素, 栄養素, ホルモン, 熱, 代謝産物の輸送。
2. pH, 体温, 細胞の水分量の調節。
3. 血液の凝固による失血の防止と白血球による貪食, 抗体, インターフェロン, 補体などのタンパク質による疾病の予防。

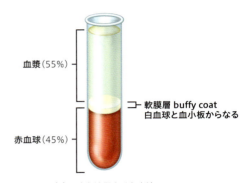

(a) 遠心沈殿させた血液

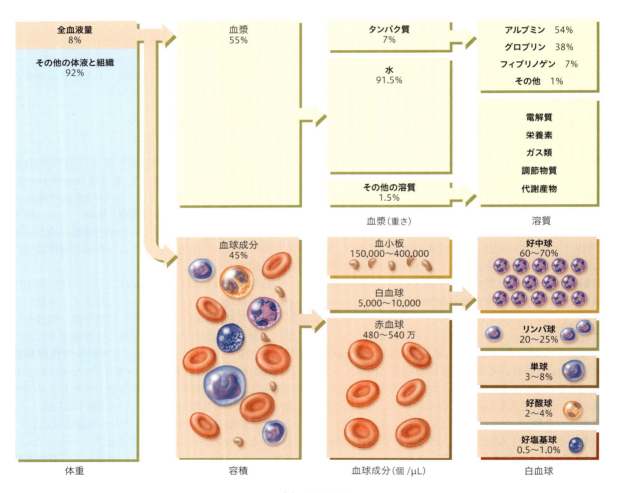

(b) 血液の成分

Q 血液の血球成分の中でもっとも数が多いのは何か？

幹細胞からはTリンパ球，Bリンパ球，ナチュラルキラー細胞が分化する。

赤血球

赤血球 red blood cell（RBC；erythrocyte；erythro- ＝赤，-cyte ＝細胞）は酸素を運搬するタンパク質である**ヘモグロビン** hemoglobin を含んでおり，ヘモグロビンは血液に赤い色を与えている色素でもある。また，ヘモグロビンは血中の二酸化炭素の約23％を運搬している。健康な成人男性の赤血球は540万/μL，健康な成人女性では480万/μLである（1滴の血液はおよそ50μL）。この違いは同様にからだの大きさの違いによるものである。正常の赤血球数を維持するために少なくとも1秒当り200万個という驚くべき数の新しい成熟赤血球が血流に入ってくる。これにより赤血球の破壊される速度とバランスをとっている。赤血球の形は両面が内側に陥凹した直径が約8μm*の円盤状である。成熟赤血球は核やその他の小器官をもたないので分裂せず，活発な代謝は営まない。しかし，赤血球内部のスペースは酸素と二酸化炭素の運搬を行うことができる。基本的に赤血球は選択的透過性をもつ細胞膜，サイトゾルとヘモグロビンからなる。

両面が内側に陥凹した円盤状の形は球形や四角形に比べ体積に対する表面積が大きくなっているので，この形は赤血球を出入りするガスの拡散に広い表面積をもたらすことになる。

血液の全容積の中で赤血球が占める割合を**ヘマトクリット** hematocrit という。すなわちヘマトクリット40であるということは血液の容積の40％が赤血球で占められるということである。成人女性のヘマトクリットの正常範囲は38〜46％（平均＝42），成人男性は40〜54％（平均＝47）である。有意なヘマトクリッ

---

* 1μm ＝ 1cm の 1/10,000，1mm の 1/1,000。

図14.2 血球の発生，分化とその構造。いくつかの細胞系の産生は省いてある。

血球の産生は造血といわれ，生後は赤色骨髄だけで行われる。

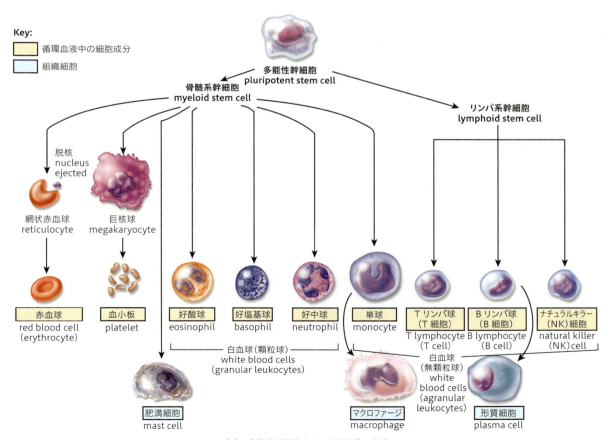

(a) 多能性幹細胞からの血液細胞の発生

図14.2 つづく

図14.2 つづき

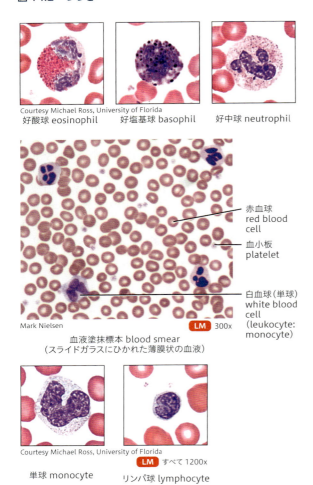

(b) 光学顕微鏡写真

Q 血液は体重の何％か？

❶ 破れたり古くなった赤血球は脾臓, 肝臓, 赤色骨髄におけるマクロファージによって貪食され, ヘモグロビンはグロビンとヘムの部分に分解される。

❷ グロビンタンパク質はアミノ酸に分解され, 体細胞でその他のタンパク質合成の材料となる。

❸ ヘムタンパク質から除かれた鉄は, 血漿タンパク質で, キャリアとして働く**トランスフェリン transferrin**（trans- ＝横切る, ferr- ＝鉄）と結合する。

❹ 骨髄に運ばれた鉄-トランスフェリン複合体は, 赤芽球のヘモグロビン合成に使われる。鉄はヘモグロビン分子のヘムの部分に, アミノ酸はグロビン部分に必要である。また, ビタミン B_{12} もヘモグロビンの合成に必要である（食物中のビタミン B_{12} の吸収のために**内因子 intrinsic factor** といわれるタンパク質が胃腺でつくられなければならない）。

❺ 赤色骨髄における赤血球生成の結果, 赤血球が循環血液中に入ってくる。

❻ ヘムから鉄が除かれると鉄以外の部分は緑色の**ビリベルジン biliverdin** に変換され, さらに黄色い**ビリルビン bilirubin** となる。ビリルビンは血液に入り肝臓へ運ばれる。ビリルビンは肝臓から胆汁に分泌され, 小腸を通過し大腸に送られていく。

❼ ビリルビンは, 大腸において細菌により**ウロビリノゲン urobilinogen** に変換される。一部のウロビリノゲンは血中に再吸収され, 黄色い**ウロビリン urobilin** となり尿中に排泄され, 尿を黄色にしている。ほとんどのウロビリノゲンは褐色の**ステルコビリン stercobilin** となり大便から排泄され, 便を特有の色にしている。

遊離鉄イオンは細胞や血液のいろいろな分子と結合し障害を及ぼすので, トランスフェリンが鉄イオンの輸送時の防御的"エスコートタンパク質"として働いている。その結果, 血漿には遊離した鉄イオンは事実上存在しない。

赤血球生成 一般的に血球全体の生成を**造血（血液生成）hemopoiesis** ともいうように, 赤血球のみの生成を**赤血球生成 erythropoiesis** という。赤血球生成の最終段階で, 赤芽球は核を細胞外に排除し**網状赤血球 reticulocyte**（図14.2 a 参照）となる。核を失うことにより細胞の中心がへこみ, 両面が陥凹した特徴的な円盤状の形となる。網状赤血球にはおよそ34％のヘモグロビンしかなく, まだミトコンドリア, リボソーム, 小胞体を細胞内に保持したまま, 赤色骨髄から循環血液の中に出ていく。骨髄から出て1〜2日内に網状赤血球は成熟した赤血球になる。

通常, 赤血球の生成と破壊は同じペースで進行する。

トの低下は貧血を示唆し, 赤血球数も正常より少なくなる。**赤血球増加症 polycythemia** においては赤血球の占める割合が高くなり, ヘマトクリットは65％以上となる。この場合, 血液の粘性を上げ, 血液が流れる際の抵抗を高めるため, 心臓が血液を送り出すのが困難となる。血液粘性の上昇は, また血圧上昇も来し脳卒中のリスクも高まる。この原因として, 赤血球生成の異常亢進, 組織の低酸素状態, 脱水, アスリートにおける血液ドーピング（後で説明）などがある。

赤血球の寿命 赤血球は毛細血管の中を変形しながら循環するため細胞膜は消耗し, その寿命はほぼ120日である。古くなった赤血球は以下のような過程で血液循環系から取り除かれる（図14.3）。

図14.3 赤血球の生成と破壊およびヘモグロビンの再利用。

赤色骨髄における赤血球の生成速度は正常ではマクロファージによる赤血球の破壊速度と等しい。

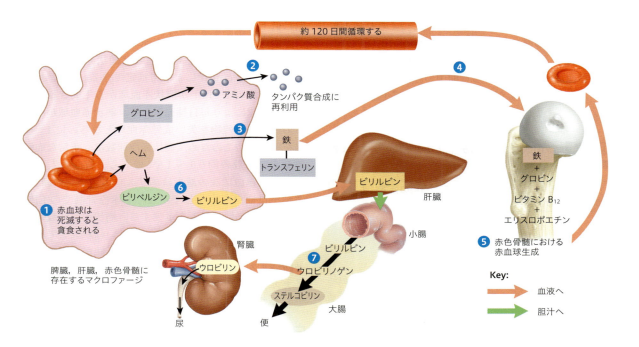

Q 便の褐色の色はどんな物質によるのか？

臨床関連事項

血液ドーピング

　筋に供給される酸素量が重量挙げからマラソンにおいて筋の能力を上げるための制限因子となっている。したがって，とくに耐久力のいる競技においては血液の酸素運搬能の向上がその成績を向上させる。赤血球が酸素を運搬するので，アスリートたちはその競争力を上げるために**血液ドーピング blood doping** もしくは**人為的な多血症** artificially induced polycythemia（異常に高い赤血球数）として知られているようないろいろな手段を用いて彼らの赤血球数を増加させようとしてきた。アスリートたちは赤色骨髄における赤血球生成を増強させるために貧血の治療薬であるエポエチンアルファ epoetin alfa（Procrit® あるいは Epogen®）を注射してきた。しかし，むやみに赤血球数を増やすのは危険である。なぜなら，赤血球数の増加は血液の粘性を上げ，これは血液が循環する際の抵抗を高めることになり，心臓のポンプ機能に負担をかけることになるからである。血液粘性の上昇はまた血圧の上昇を来し，脳卒中のリスクも高める。1980年代には少なくとも15人の自転車競技選手がエポエチンアルファの使用と関係していると疑われる心臓発作や脳卒中で死亡している。国際オリンピック委員会はエポエチンアルファの使用を禁止しているが，この薬剤は生体内で産生されるエリスロポエチン（EPO）と区別できないためにあまり強制力がない。

　いわゆる**自然の血液ドーピング natural blood doping** はケニア出身のマラソン選手の成功の秘訣のようである。ケニア高地の平均高度は海抜1,800 mであり，その他のケニア地方はもっと高度が高い。高地トレーニングは適応性，持久性，競技能力を向上させる。このような高地では赤血球生成が増強し，運動によって著明に血液が酸素化される。このような選手が，例えば，ほぼ海抜0レベルのボストンで競技すると，この選手のからだはボストンで訓練した競走相手のからだより，より沢山の赤血球をもっている。沢山のトレーニングキャンプがケニアにできており，持久走選手が世界中から集まっている。

もし，赤血球生成が破壊に追いつかず酸素運搬能が低下すると赤血球の生成が増大する(図14.4)。この特別なネガティブフィードバックループを制御する要因は，腎臓(したがって，からだ中の組織にも)に供給される酸素量である。酸素欠乏状態を**低酸素症 hypoxia**といい，低酸素は腎臓を刺激し，腎臓でつくられるホルモンである**エリスロポエチン erythropoietin(EPO)**の放出を促す。EPOは血中を循環して赤色骨髄に到達し，赤血球生成を刺激する。血中の赤血球数が多いほど，より多くの酸素が体組織に運搬される(図14.4)。

慢性低酸素症の人は，爪や粘膜の色が青紫色を呈する**チアノーゼ cyanosis** といわれる非常に危険な状態となる。**貧血 anemia**(正常の赤血球数より少ないか，ヘモグロビン量が少ない)があったり，組織への血液循環を低下させるような循環上の問題があると酸素供給は低下する。

赤血球生成の速度は網状赤血球数のカウントによって測られる。赤血球生成の速度は**網状赤血球数算定 reticulocyte count** によって推定できる。正常では，古い赤血球の1%以下が網状赤血球から生成される新しい赤血球により毎日補充される。網状赤血球が小胞体の最後の遺残物を失い成熟赤血球となるのに1〜2日を要する。このため，網状赤血球数は，正常な血液の全赤血球数の約0.5〜1.5%である。貧血の人における網状赤血球数の減少はエリスロポエチンの減少，栄養不良や白血病などでみられる赤色骨髄でのEPOに対する反応性の低下を示唆する。網状赤血球数の増加は，その前に起った血液減少あるいは鉄欠乏であった患者の鉄剤による治療に対する反応性が良好な赤色骨髄であることを意味する。

アスリートによるエポエチンアルファの使用は違法であることを指摘しておく。

白血球

白血球の構造と種類 赤血球と違い**白血球 white blood cell**(WBC；leukocyte；leuko- = 白)は核をもっているが，ヘモグロビンは含まれない。白血球は染色して光学顕微鏡でみえるようになる物質を含む細胞質顆粒(小嚢)をもつか否かによって，顆粒球か無顆粒球かのいずれかに分類される(図14.2b参照)。**顆粒球 granular leukocyte** には**好中球 neutrophil**，**好酸球 eosinophil**，**好塩基球 basophil** があり，**無顆粒球 agranular leukocyte** には**リンパ球 lymphocyte** と**単球 monocyte** が含まれる(表14.1に白血球の大きさと顕微鏡的特徴を示してある)。

白血球の機能 からだの皮膚や粘膜は絶え間なく細菌のような病原体(微生物)に曝露されており，時には深部の組織に侵入して病気を起すこともある。いったん，病原体が体内に侵入すると一部の白血球は**食(貪食)作用 phagocytosis** によって戦い，その他の白血球は抗体を産生する。好中球が最初に細菌の侵入に反応し，貪食を始め，リゾチームという酵素を分泌し，ある種の細菌を破壊する。単球は好中球に比べ感染現場にやってくるのに時間はかかるが数は多い。感染現場に遊走してきた単球は**遊走マクロファージ wandering macrophage**(macro- = 大きい，-phages = 食べる)といわれ，好中球より大量の病原体を貪食

図 14.4 赤血球生成のネガティブフィードバックによる調節。

主に低酸素，すなわち赤血球の酸素運搬能の低下によって赤血球生成が刺激される。

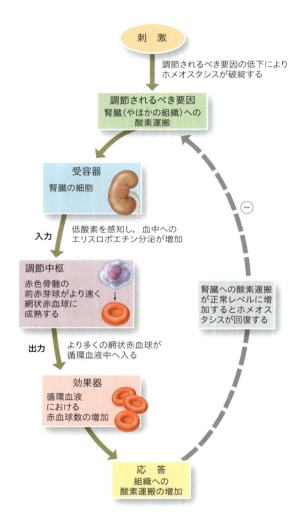

Q 細胞の酸素不足の状態を医学用語でなんというか？

表 14.1 血球成分のまとめ

名称と形	数	特徴*	機能
赤血球(RBC)	480万個/μL(女性) 540万個/μL(男性)	直径7〜8 μm，両面陥凹の円盤状で核がない。約120日の寿命。	赤血球に含まれるヘモグロビンが血液中の酸素の大部分と二酸化炭素の一部を運搬する。
白血球(WBC)	5,000〜10,000個/μL	ほとんどが数時間〜数日の寿命†。	からだに侵入する病原体や異物を攻撃する。
顆粒球 好中球	白血球の60〜70%	直径10〜12 μm，核は2〜5葉に分かれ，それらは染色質(クロマチン)の細い糸でつながっている。分葉した核をもつ。細胞質には非常に細かな薄紫色の顆粒をもつ。	食(貪食)作用。細菌をリゾチームやデフェンシン，強力な酸化剤(スーパーオキシドアニオン，過酸化水素，次亜塩素酸塩イオン)で破壊する。
好酸球	白血球の2〜4%	直径10〜12 μm，核は通常，太い染色質糸で結合した2葉をもつ。大きな赤-橙色の顆粒が細胞質を満たす。	アレルギー反応の際に出るヒスタミンの作用を軽減し，抗原抗体複合物を貪食し，ある種の寄生虫を殺す。
好塩基球	白血球の0.5〜1%	直径8〜10 μm，2葉に分葉した核をもつ。細胞質の大きな顆粒は青紫色。	ヘパリン，ヒスタミン，セロトニンを放出し，アレルギー反応を起す。これは炎症反応全体を促進する。
無顆粒球 リンパ球 (T細胞，B細胞，ナチュラルキラー細胞)	白血球の20〜25%	小さなリンパ球は直径6〜9 μm，大きなリンパ球は直径10〜14 μm。核は丸くわずかな陥凹がある。まっ青な細胞質が核を取り囲んでいるが大きなリンパ球ほど細胞質がみえやすい。	抗原・抗体反応を含む免疫反応を引き起す。B細胞は形質細胞となり抗体を分泌する。T細胞はウイルス，癌細胞，移植組織細胞を攻撃する。ナチュラルキラー細胞は広い範囲の感染性病原体や，自然に発生する腫瘍細胞を攻撃する。
単球	白血球の3〜8%	直径12〜20 μm，核は腎臓のような形もしくは馬蹄形で細胞質は青灰色で泡沫状にみえる。	ある組織にとどまったり遊走したりするマクロファージとなって貪食する。
血小板	150,000〜400,000個/μL	直径2〜4 μmの細胞の断片で5〜9日の寿命。多数の顆粒を含んでいるが無核である。	止血の際，血栓を形成し，血管収縮や凝固を促進する物質を放出する。

* 図にみられる色はライト染色による。
† T，B記憶(メモリー)細胞と呼ばれる一部のリンパ球はいったんできると何年も生きることができる。

でき，感染の結果障害された細胞の残骸も処理する。

好酸球は毛細血管から出て間質液に入り，酵素を分泌し，アレルギー反応によって引き起された炎症を抑制する。また，好酸球は抗原抗体複合体を貪食し，ある種の寄生虫に対しても有効である。好酸球の増加は寄生虫感染やアレルギー性疾患を示唆する。

好塩基球も炎症やアレルギー反応に関係している。毛細血管から出て組織に入り，ヘパリン，ヒスタミン，セロトニンを分泌する。これらの物質は炎症反応を強め，アレルギー反応に関与している。

リンパ球には三つのタイプ，つまりB細胞，T細胞，ナチュラルキラー(NK)細胞があり，免疫反応において主要な戦士である(17章で詳細に解説)。B細胞は**形質細胞 plasma cell**となり抗体を産生し，細菌を破

壊し，その毒素を不活化する。T細胞はウイルス，真菌，移植細胞，癌細胞やある種の細菌を攻撃する。ナチュラルキラー細胞は多種多様の病原体や自然に発生したある種の腫瘍細胞を攻撃する。

白血球をはじめとして有核の体細胞は細胞膜上に細胞外液に露出している**主要組織適合抗原 major histocompatibility(MHC)antigen** といわれるタンパク質をもっている。この細胞認識マーカーは，一卵性双生児を除いて個人に特有のものである。赤血球（核をもたない）は血液型抗原を有するが，主要組織適合抗原を欠いている。不適合な組織の移植はレシピエント（提供される者）とドナー（提供する者）の間の主要組織適合抗原の違いによりレシピエントから拒絶される。主要組織適合抗原はドナーとレシピエントが適合しているか否かを判定するため組織をタイピング（タイプを調べる）するのに使われ，組織の拒絶反応の機会を低くする。

白血球の寿命　白血球は赤血球のおよそ1/700の数である。白血球は正常では1 μLの血液中に5,000〜10,000個程度存在する。細菌は絶えず口腔，鼻腔，皮膚の小さな穴を介してからだに侵入し続けている。さらに多くの細胞，とくに上皮組織は老化し日々死んでいくので，その残骸は取り除かれなければならない。しかし，白血球は貪食によって自分の代謝が阻害されるので，ある程度の量しか貪食できない。したがって，白血球の寿命は数日であるが，感染が起るとその寿命は数時間に短縮される。しかし，B細胞とT細胞の一部は数年生き続けるものがある。

白血球増加症 leukocytosis は白血球の数が増加することであるが，病原体の侵入，激しい運動，麻酔，外科手術などの生体へのストレスに対して増加するのは生体の正常な反応である。白血球増加症は通常，炎症や感染を示唆する。それぞれの白血球は異なった役割があるので，それぞれの白血球がどのような割合で増加しているかによって病態を診断できる。この検査は**白血球分画 differential white blood cell count (diff)** といわれ，100個の白血球に占めるそれぞれの種類の白血球がいくつあるか算出するものである。異常に白血球数が少ないのを**白血球減少症 leukopenia** といい，通常5,000個/μL以下であるが，よい状態ではなく，放射線障害，ショック，化学療法などによって起る（訳注：通常3,000〜4,000(未満)個/μL）。

白血球の生成　白血球は赤色骨髄でつくられる。図14.2 a に示すように単球と顆粒球は骨髄系幹細胞から分化し，T細胞，B細胞とナチュラルキラー細胞は，リンパ系幹細胞から分化する。

血小板　多能性幹細胞 pluripotent stem cell は血小板を産生する細胞にも分化する（図14.2 a 参照）。ある骨髄系幹細胞は**巨核芽球** megakaryoblast に分化し，次に**巨核球** megakaryocyte になる。これは大きな細胞で赤色骨髄において2,000〜3,000の細胞小片に分離し血流に入ってくる。それぞれの小片は巨核球の細胞膜で囲まれており，**血小板 platelet** といわれる。血小板は赤色骨髄で巨核球から分離し，血液に流れ込む。血液1 μL当り15万〜40万個存在する。血小板は直径2〜4 μmの平たい形で多くの顆粒を含んでいるが，無核である。血管が断裂すると血小板血栓が形成され出血を防いでいる。血小板の顆粒は血液凝固系を促進する物質を含んでいる（この二つの過程についてはすぐ後で説明する）。血小板は5〜9日間の寿命しかなく，脾臓や肝臓のマクロファージによって除去される。

表14.1に血球成分をまとめている。

臨床関連事項

骨髄移植

骨髄移植 bone marrow transplant とは正常な血球数を確立するために腫瘍性の，あるいは異常な赤色骨髄を健常な赤色骨髄と置き換えることである。障害のある赤色骨髄は高容量の化学療法によって破壊され，移植直前に全身に放射線が照射される。これらの治療は癌細胞を破壊し，移植拒絶反応の可能性を低下させるために免疫系を破壊する。骨髄提供者からの赤色骨髄は通常全身麻酔下に寛骨から注射器で吸引され，そして移植者の静脈に輸血に似た方法で注入される。注入された骨髄は移植者の赤色骨髄腔に移入し，そしてそこで幹細胞が増殖する。すべてがうまくいけば，移植者の赤色骨髄は完全に健康な，非癌性の細胞に置換される。

骨髄移植は再生不良性貧血，溶血性貧血，ある種の白血病，重症複合免疫不全症(SCID)，ホジキン病，非ホジキンリンパ腫，多発性骨髄腫，サラセミア，鎌状赤血球症，乳癌，卵巣癌，精巣癌や溶血性貧血などで行われてきた。しかし，いくつか不利な点がある。移植患者の白血球は化学療法と放射線療法によって完全に破壊されてしまうので，患者は感染を起しやすい（移植された骨髄が感染を防御するのに十分な白血球を産生するまでに2〜3週間はかかる）。それに加えて，移植された赤色骨髄は移植患者の組織を攻撃するTリンパ球を産生するかもしれない。もう一つの不利な点は移植患者は生涯免疫抑制剤を服用しなければならないことである。これらの薬剤は免疫防御系の活動力を抑制するので，患者の感染リスクが高くなる。

臨床関連事項

採血の方法と採血の理由

血液検査のための**血液試料 blood sample**はいくつかの方法で採血される。もっとも一般的な方法は**静脈採血 venipuncture**である。注射針といろいろな添加物が入った採血管を使って静脈から採血する。駆血帯を採血部位より上位の腕に巻き静脈の血流を止めて静脈に鬱血を起させる。これによって血液量が増え，静脈が浮き上がる。拳を握ったり開いたりするとより一層静脈に血液が貯留し静脈が浮き立ってくるので採血がうまくいく。もっともよく用いられる静脈は肘の前面を走る肘正中皮静脈である（図 16.14 a 参照）。血液検査においては動脈採血より静脈採血のほうが用いられる。その理由は，静脈のほうがより皮膚に近く到達しやすいこと，壁もより薄く血圧も低いので採血部位から出血が続くことも少ないこと，また，もし採血部位周辺に小さな血栓ができても動脈であると末梢動脈に流れるが，静脈であれば，大きな静脈のほうに流れるので血管を閉塞する危険性が少ない。もう一つの採血の方法は指先や踵からの**皮下採血 finger or heel stick**である。糖尿病患者は毎日の血糖のモニターのために指先からの採血を行っている。また，新生児や小児においても皮下採血を行うことが多い。**動脈採血 arterial stick**では動脈から採血し，動脈血における酸素レベルをみるために用いられる。

血液検査 blood testは血液に含まれる成分の解析を行う。検査の目的としては，心臓，腎臓，甲状腺，肝臓が機能しているかを調べることや，HIV/AIDS，貧血，糖尿病や心臓病の診断，心臓病のリスク因子の決定，薬物治療の有効性の判定，いろいろな病気の回復過程の経過観察，出血や血液凝固異常の診断，薬物テスト，血液型判定やクロスマッチなどが挙げられる。

血液検査の理由としてはいろいろなものがあるが，血液検査はいくつかのカテゴリーに分けられる。

全血球計算 complete blood count（CBC）：この検査はもっとも一般的な検査の一つで通常のチェックアップとしてしばしば検査される。赤血球数とそのサイズ，ヘモグロビン量，ヘマトクリット，白血球の 100 個中のそれぞれのタイプの数と分類と割合，血小板数を算出する。

代謝系生化学検査セット basic metabolic panel：これは血液中のいくつかの化学物質を検出するもので血糖，カルシウム，さまざまな電解質，尿素窒素，クレアチニンが含まれる。

血液酵素検査 blood enzyme tests：この検査は臓器障害の目安として，ある種の酵素レベルやその活性をみるもので，例として，クレアチンキナーゼやトロポニンの上昇は心臓や骨格筋の障害を示唆している。一方，ALT や AST の高値は肝臓障害を意味する。

リポプロテイン検査セット lipoprotein panel：心疾患のリスクを評価するための検査である。血液成分の中で総コレステロール，HDL，LDL と中性脂肪を計測する。

チェックポイント

3. 血球生成の過程を簡単に述べなさい。
4. 赤血球生成とは何か？ 赤血球生成はヘマトクリットにどのように影響するか？ どのような因子が赤血球生成の速度を速めたり遅くしたりするか？
5. 好中球，好酸球，好塩基球，単球，B 細胞，T 細胞とナチュラルキラー細胞にはどのような機能があるか？
6. 白血球増加症と白血球減少症はどのように異なるか？ 白血球分画検査とは何か？

14.3 止　血

目　標

・失血を防ぐいろいろなメカニズムに関して述べる。

止血 hemostasis（-stasis ＝止まる）は，血管が傷害を受けたときに起る出血を止めるための一連の反応である（**ホメオスタシス homeostasis** という言葉と混同しないよう注意）。止血反応は迅速に起り，傷害の起った局所に限局し，かつ精密に調節されなければならない。以下の三つの機序が血管からの失血を防いでいる。(1) 血管の攣縮，(2) 血小板血栓の形成，(3) 血液凝固である。これらが有効に働くと，止血反応は血管からの大量の血液の喪失である**出血 hemorrhage**（-rhage ＝噴出）を防ぐことができる。止血機序によって比較的小さな血管からの出血を止めることはできるが，大血管からの出血には何らかの医学的な処置が必要となる。

血管の攣縮（れんしゅく）

血管が傷害を受けるとその血管壁を輪状に走る平滑筋がすぐに収縮する。このような反応を**血管攣縮 vascular spasm**と呼ぶ。血管攣縮は数分から数時間続くため，その他の止血機構が働き始めるまでの間の出血を防いでいる。血管攣縮は平滑筋に対する傷害や痛覚受容器によって引き起される反射などが原因と考えられている。血小板が傷害部位に集まってくると，血管収縮（血管を狭くすること）を引き起す血管収縮物質を分泌し，これが血管の攣縮を維持する。

血小板血栓の形成

血小板が傷害された血管の一部に接着するとその性質が劇的に変化し，それはすぐに凝集して**血小板血栓 platelet plug**と呼ばれる塊を形成する。これは傷害を受けた血管の亀裂を塞ぐのに有用である。血小板血栓は以下のような過程で形成される。

最初に，血小板は傷害を受けた血管壁の内皮細胞の下にある膠原線維などに接着する。そして，それらは互いに作用し物質を放出する。放出された物質は近くにある血小板を活性化し血管の攣縮を持続させ，これによって傷害を受けた血管の血流が減少する。血小板から放出された物質は周辺の血小板を粘着化させ，新たに粘着化した血小板は最初に活性化した血小板に粘着する。この結果，多数の血小板が血小板血栓を形成する。これにより血管に生じた穴が十分小さければ完全に失血を防ぐことができる。

血液凝固

正常では血液が血管内にある限り固まることはない。もし体外に出ると血液は粘っこいゲル状となり，時間がたつと，それから液体が分離する。この黄色の液体が**血清 serum** といわれる。血清は血漿から血液凝固タンパク質が除かれたものであり，ゲル状のものは**血餅 blood clot**(もしくは clot)といわれ，**フィブリン fibrin** といわれる不溶性の線維によって血球成分が絡めとられたものである(図 14.5 参照)。

血液の凝固過程は**血液凝固 blood clotting**(blood coagulation)といわれ，フィブリン線維をつくるための一連の化学反応である。もし，あまりにも容易に凝固してしまうと**血栓症 thrombosis** を引き起こしてしまうし，固まりにくいと出血を起こしてしまう。

血液凝固は複雑な酵素反応であり，**血液凝固因子 blood clotting factor** として知られているいろいろな物質が互いを活性化している。血液凝固因子はカルシウムイオン(Ca^{2+})，いくつかの肝臓で産生され血液中に放出された酵素，そして，血小板に関連した，あるいは損傷した組織から放出された種々の分子を含んでいる。多くの凝固因子はローマ数字で区別する。血液凝固は3段階に分けられる(図 14.5)。

❶ **プロトロンビナーゼ prothrombinase** が形成される。
❷ プロトロンビナーゼが**プロトロンビン prothrombin**（肝臓でビタミンKの助けで合成される血漿タンパク質の一つ）を**トロンビン thrombin** に変換する。
❸ トロンビンが可溶性の**フィブリノゲン fibrinogen**（これも肝臓で合成される別の血漿タンパク質）を不溶性のフィブリンに変換する。フィブリンは凝血塊を構築する線維網となる(タバコの煙はフィブリン形成を促進する物質を含む)。

プロトロンビナーゼは二つの経路でつくられる。血液凝固の外因性経路か内因性経路のどちらかである(図 14.5)。**外因性経路 extrinsic pathway** は，数秒

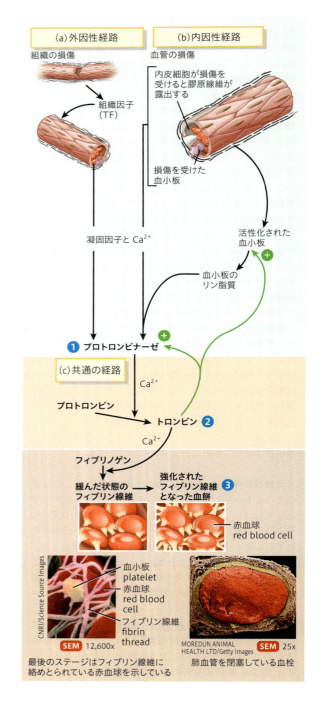

図 14.5 血液凝固。

血液凝固の過程において，凝固因子が互いを活性化し，ポジティブフィードバック機構をもつカスケード反応を引き起こす(緑の矢印)。

Q 血液凝固過程のステージ1では何ができるか？

以内という迅速なスピードで起る。傷害を受けた組織の細胞が**組織因子 tissue factor(TF)**を血管の外から血管内に放出するので**外因性**と名づけられている(図14.5 a)。カルシウムイオン(Ca^{2+})といくつかの凝固因子を要する反応に引き続いて組織因子はプロトロンビナーゼに変換される。これで外因性経路が完成する。

血液凝固の**内因性経路 intrinsic pathway**(図14.5 b)は外因性経路より複雑で，もっとゆっくりした反応であり，通常，数分を要する。内因性経路はその活性化因子が血液との直接の接触もしくは血液の中に含まれているので内因性と呼ばれている。もし血管内腔を覆っている血管内皮細胞が損傷を受け亀裂が入ると血液は内皮細胞に隣接している結合組織の膠原線維に接触することになる。このような接触が凝固因子を活性化する。さらに，内皮細胞の損傷により血小板が活性化され，リン脂質が放出され，これが凝固因子を活性化する。Ca^{2+}と数種類の凝固因子を必要とするいくつかの反応の後，プロトロンビナーゼができる。いったんトロンビンができると血小板がさらに活性化され，血小板からさらにリン脂質が放出される。ポジティブフィードバックの例である。血管も血管のまわりの結合組織も通常は同時に損傷を受けるので，外因性および内因性経路が同時に活性化されうる。

血栓形成は局所的に起り，決して損傷部位を超えて全身の循環系に及ぶことはない。この一つの理由はフィブリンがプロトロンビンからつくられるトロンビンの90％近くを吸着して，不活性化する能力をもつからである。これによりトロンビンが血中で広く活性化されるのを阻止し，損傷部位以外に血液凝固過程が広がるのを防いでいる。

血餅の退縮および血管修復 いったん，血餅形成が起ると血管の破れた部位を塞ぎ出血を止める。その**血餅の退縮 clot retraction**はフィブリン血餅が固まり密になることによって起る。すなわち，血小板から放出される因子によってフィブリン線維が強固となり，血管の損傷した部分に付着したフィブリン線維が収縮する。血餅が退縮するにつれ，損傷部位同士が引き寄せられ，さらなる損傷の危険性が低くなる。恒久的な血管の修復はその後から始まり，線維芽細胞が破損した部分に結合組織を形成し，新しい内皮細胞が血管の内面を覆う。

止血の調節機構

血管内の小さな損傷部位において，1日の間に多数の小さな血栓が形成されている。通常はこのような小さな不必要な血栓は**線維素溶解 fibrinolysis**によって速やかに溶かされる。血栓が形成されると**プラスミノゲン plasminogen**といわれる不活性な血漿中の酵素が血餅に結合する。組織にも血液にもプラスミノゲンを**プラスミン plasmin**という活性のある酵素に転換する物質を含んでいる。いったん，プラスミンとなるとフィブリン線維を分解して血栓を溶解する。また，プラスミンは血管壁の損傷が修復されると損傷部位の血栓も溶解する。プラスミノゲンを活性化しうる物質に含まれるものとしては，トロンビンと組織プラスミノゲン活性化因子(t-PA)である。t-PAは通常多くの体組織にみられ，血管損傷によって血液の中に放出される。

> **臨床関連事項**
>
> **抗凝固薬**
>
> 血栓形成のリスクがある患者は血液凝固を防ぐために，血栓形成を遅らせたり，抑制あるいは予防したりする物質である**抗凝固薬 anticoagulant drug**を服用することがある。ヘパリンやワーファリンが代表的である。**ヘパリン heparin**は抗凝固物質の一つであり，肥満細胞や好塩基球から分泌され，プロトロンビンがトロンビンになるのを抑制し，血液の凝固を予防している。動物の組織から抽出されたヘパリンが開心術中や手術の後の血液凝固を予防するためによく投与される。Coumadin®(**ワーファリンナトリウム warfarin sodium**)はビタミンKに拮抗し，四つの凝固因子の合成を抑制する。献血の血液が固まらないようにするためには血液銀行や検査室ではしばしばCPD液(citrate phosphate dextrose クエン酸リン酸デキストロース液)のようなCa^{2+}をキレートする(結合解除)物質を用いる。

血管内血液凝固

線維素溶解や抗凝固物質の働きにもかかわらず血栓が血管系で形成されることがある。**アテローム性動脈硬化 atherosclerosis**(脂肪性物質が血管壁に蓄積すること)，損傷，感染などによって血管内皮が粗造(キメが粗くザラザラとした状態)になる。このような状態は粗造な面に血小板をより接着しやすくする。血流が遅くなりすぎることも，その部位の血液凝固因子の濃度が上昇し血栓が形成されやすくなる。

損傷を受けていない血管内での血液凝固は**血栓症 thrombosis**(thromb- ＝凝固，-osis ＝〜の状態)といわれる。血塊そのものは**血栓 thrombus**といわれ，通常血栓は溶解されるが解けずに残ってしまうと，それがその部位からはずれて血中に流れていく。このようなはずれた血栓や血管内に入った空気，骨折部位からの脂肪組織，細胞破片などが血流に流れ出したものを**塞栓 embolus**(em- ＝中，-bolus ＝固まり，複数形 emboli)という。塞栓は血流の遅い静脈系にしばしば

形成されるので，それが流れていく臓器としては肺がもっとも一般的である．その状態を**肺塞栓症 pulmonary embolism** と呼ぶ．大きな肺塞栓は右心不全を引き起こしたり，数分から数時間で死にいたることがある．動脈壁にできた血栓がはずれて流れると，その下流の末梢動脈に塞栓を起す．これが脳，腎臓，心臓で起るとそれぞれ，脳卒中，腎不全，心臓発作を引き起す．

> **臨床関連事項**
>
> **アスピリンと血栓溶解薬**
>
> 心臓血管系の病気をもった患者では，血管の外傷がなくても血液が凝固することがある．少量の**アスピリン aspirin** は血管攣縮や血小板凝集を防ぐ．また，アスピリンはまた血栓形成も抑制し，一過性脳虚血発作（TIA）や脳卒中，心筋梗塞，末梢血管閉塞の危険性を低下させる．
>
> **血栓溶解薬 thrombolytic agent** はできた血栓を血中に投与して溶かし，血液循環を回復する薬剤である．これらは直接もしくは間接的にプラスミノゲンを活性化する．1982年に最初の血栓溶解薬が心臓の冠状動脈の血栓を溶かすのに使われ，その有用性が証明されたのは連鎖球菌から産生される**ストレプトキナーゼ streptokinase** であった．現在は遺伝子工学的につくられたヒトの**組織プラスミノゲン活性化因子 tissue plasminogen activator (t-PA)** がよく用いられており，血栓が原因で起る心臓発作や脳卒中の治療に有用である．

> **チェックポイント**
>
> 7. 止血とは何か？
> 8. 血管攣縮や血小板血栓はどのように発生するか？
> 9. 線維素溶解とは何か？なぜ，血管内でめったに凝血は起きないのか？

14.4 血液型分類と血液型

目標

- ABO式，Rh式血液型を述べる．

赤血球の細胞膜の表面には遺伝的に規定された糖脂質と糖タンパク質の組合せの**抗原 antigen** をもっている．これらの抗原は**凝集原 agglutinogen** と呼ばれ特徴的な組合せで出現する．いろいろなタイプの同種抗原の有無によって血液にはいくつかの**血液型分類 blood group** がある．現在使用されている血液型分類においては二つ以上の**血液型 blood type** がある．少なくとも24種類の血液型分類が知られており，赤血球膜表面には100個以上の異なる同種抗原がみつかっている．ここでは主要な二つの血液型分類であるABO式とRh式について述べる．

ABO式血液型

ABO式血液型 ABO blood group はA抗原とB抗原といわれる二つの抗原によって決められている（図14.6）．赤血球膜表面にA抗原のみもっている人はA型であり，B抗原のみもっている人はB型である．A抗原とB抗原の両方をもっている人はAB型であり，どちらももたない人はO型である．人口の80%は可溶性のABO式抗原が唾液やその他の体液に含まれているので，このような人においては唾液から血液型が判定できる．ABO式血液型のそれぞれの出現頻度は人種によって異なる（表14.2）．

赤血球膜表面の同種抗原とともに血漿は**抗体 antibody**, もしくは**凝集素 agglutinin** を含んでおり，血漿と血球が混じると抗体はA抗原やB抗原と反応する．これらは**抗A抗体 anti-A antibody** といわれA抗原と反応し，**抗B抗体 anti-B antibody** はB抗原と反応する．四つのABO式血液型それぞれに含まれている抗体を図14.6に示す．自己の赤血球の抗原に反応するような抗体はもたないが，自分の赤血球がもたない抗原に対する抗体はもっている．例えば，あなたの血液型がA型であれば，それはA抗原を赤血球膜表面にもっているが，血漿には抗B抗体を含んでいることを意味する．もしあなたが抗A抗体をもっているとしたら，自分の赤血球を凝集させることになる．

Rh式血液型

Rh式血液型 Rh blood group はRh因子 Rh factor とも呼ばれるRh抗原がアカゲ（ベンガル）サル rhesus monkey で最初に発見されたので，そう名づけられた．赤血球がRh抗原をもっているとき Rh^+ といい，Rh抗原がないとき Rh^- という．それぞれの集団における Rh^+ と Rh^- の出現頻度を表14.2に示している．正常では血漿は抗Rh抗体を含んでいない．しかし Rh^- の人が Rh^+ の血液を輸血されると初めて免疫系が抗Rh抗体をつくり始め，それが血液の中に残る．

輸血

赤血球の抗原の違いにもかかわらず，血液は人体の組織の中では一番共有しやすいものであり，輸血によって多くの人命が救われている．**輸血 transfusion** は全血を輸血する場合と成分輸血といって赤血球のみや血漿のみの輸血をする場合がある．輸血は貧血を軽減するためや重度の出血の後の循環血液量の減少時などにしばしば行われる．

図 14.6 ABO式血液型を規定している抗原と抗体。

あなたの血漿の抗体は自分自身の赤血球の抗原とは反応しない。

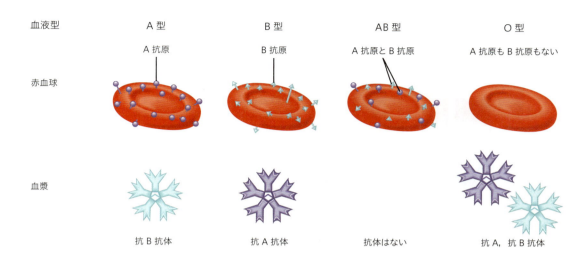

Q O型の血液にはどんな抗体がみられるか？

表 14.2 米国における集団別の血液型の頻度

人口集団	血液型(%)				
	O	A	B	AB	Rh⁺
ヨーロッパ系アメリカ人	45	40	11	4	85
アフリカ系アメリカ人	49	27	20	4	95
韓国系アメリカ人	32	28	30	10	100
日系アメリカ人	31	38	21	10	100
中国系アメリカ人	42	27	25	6	100
アメリカ先住民	79	16	4	1	100

　不適合輸血が行われると受血者の血漿に存在する抗体が輸血された赤血球表面の抗原に結合する。これらの抗原抗体複合体がつくられると，この赤血球は溶血し，血漿中にヘモグロビンを放出する。A型の人がB型の血液を輸血されたとしたら，どんなことが起るか考えてみよう。このような場合，二つのことが起る。まず，受血者の血漿にある抗B抗体が輸血された赤血球のB抗原に結合し，その血球を溶血する。次に輸血した血漿の中にある抗A抗体が受血者の赤血球のA抗原に結合する。2番目の反応は通常あまり重度ではない。なぜなら，輸血中の抗A抗体は受血者の血漿の中で薄められるので，受血者の赤血球の溶血はひどくないからである。

　AB型の人は抗A抗体も抗B抗体ももたないので，彼らは理論的にはどんな血液でも輸血されることができるので，**万能受血者** universal recipient といわれる。一方，O型の人は赤血球にA抗原もB抗原ももたないのでO型の血液は誰にでも輸血でき，**万能供血者** universal donor といわれる。ただし，O型の人は抗A抗体，抗B抗体をもっているので，O型の血液だけからしか輸血されない。実際は万能受血者や万能供血者という表現は誤解を与え，危険なので使われない。血液はABO式以外の抗原や抗体を含んでいるので，それらが輸血に際して問題となることもある。したがって，輸血に際しては受血者と供血者が適合するか否か慎重に検討しなければならない。

血液型	A	B	AB	O
適合する供血型（溶血しない）	A, O	B, O	A, B, AB, O	O
不適合な供血型（溶血する）	B, AB	A, AB	—	A, B, AB

輸血のための血液の血液型判定と交差試験

　血液型のミスマッチを避けるために，検査技師は患者の血液型を調べ，将来輸血される血液に対して交差試験を行うか，抗体が存在しないか患者の血液をスクリーニングする。ABO式血液型を決める手順において，1滴の血液が異なる**抗血清** antisera，つまり抗体を含んだ溶液に混合される（図14.7）。1滴の血液を

図14.7 ABO式血液型判定。四角でかこまれたものは赤血球の凝集を呈している。

> ABO式血液型判定の手順においては，血液が抗A血清と抗B血清に混合される。

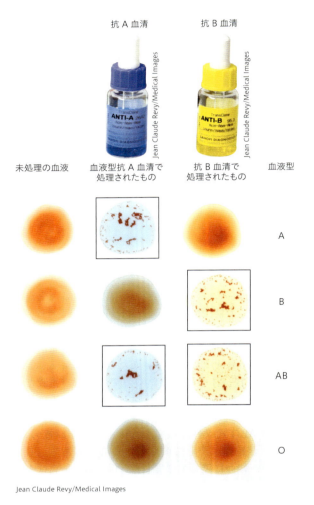

Jean Claude Revy/Medical Images

Q どの血液型が万能供血者と称されるか？

抗A抗体を含んでいる抗A血清と混合すると，その血液がA抗原をもっていると，血液は凝集する。抗B抗体を含んでいる抗B血清にもう1滴落とし，その血液がB抗原をもっていると，その血液は凝集する。赤血球が抗A血清のみで凝集すると，その血液型はA型となる。もし赤血球が抗B血清のみで凝集するなら血液型はB型である。どちらとも凝集するとAB型であり，どちらも凝集しないなら血液型はO型となる。

> **チェックポイント**
> 10．いろいろな血液型を区別する基礎は何か？
> 11．輸血の前にはどのような注意が必要か？

次章では心臓血管系の2番目に重要な要素である心臓について詳しく学ぶ。

よくみられる病気

貧血

貧血 anemia は酸素運搬能が減少した状態である。いろいろなタイプの貧血があるが，どんな貧血でも赤血球数が減少するかヘモグロビン量が少なくなる。疲れやすかったり，寒さに弱かったりという症状はATPや熱を産生するのに必要な酸素が不足しているために生じる。皮膚も青白くなるが，これは皮膚を流れている血液のヘモグロビン含量が少ないためである。

鎌状赤血球症

鎌状赤血球症 sickle-cell disease (SCD) の患者の赤血球はヘモグロビンS (Hb-S) といわれる異常なヘモグロビンを含

んでいる。Hb-Sは間質液に酸素を遊離した後，長い棒状構造となり，これによって赤血球が折れ曲がった鎌のような形になる。鎌状赤血球は容易に溶血する。赤血球の減少が造血を促進するが，生成が追いつかないので溶血性貧血となる。鎌状赤血球症の人々は，いつもある程度の貧血と黄疸があり，関節や骨の痛み，息切れ，頻脈，腹痛，発熱，疲れを経験することが多い。これは酸素摂取の回復（酸素負債）が遅れることによる組織障害の結果である。

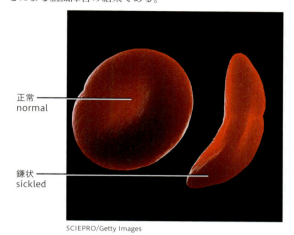

正常 normal
鎌状 sickled

SCIEPRO/Getty Images

新生児の溶血性疾患

新生児の溶血性疾患 hemolytic disease of the newborn (HDN) は母子間の Rh 式血液型の不適合によって起る。通常，女性が妊娠したとき，母体と胎児の血液は直接混じることはない。しかし，少量の Rh^+ の血液が胎児から胎盤を介して Rh^- の母親の血流に入ると母体は抗 Rh 抗体を産生し始める。しかしほとんどは胎児の血液が出産時に母体に流入することが多いので，通常，第1子は影響を受けないが，母親が第2子を妊娠したとき，すでに産生されている母体の血漿中の抗 Rh 抗体が胎盤から胎児の血流に移行する。もし，胎児が Rh^- なら Rh 抗原をもたないので問題はないが，胎児が Rh^+ であると致死的な**溶血** hemolysis が胎児の血中で起る。対照的に，母子間の ABO 式血液型の不適合は抗 A，抗 B 抗体が胎盤を通過しないのでめったに問題とはならない。

HDN は，Rh^- の母親に出産直後や中絶，流産のたびごとに速やかに抗 Rh ガンマグロブリン（RhoGAM®）といわれる抗 Rh 抗体を注射することによって予防できる。この抗体は Rh 抗原を速やかに不活性化して母体が自身の抗 Rh 抗体を産生しないようにする。Rh^+ の母親の場合は抗 Rh 抗体を産生できないので何の弊害もない。

白血病

白血病 leukemia（leuko- ＝白い）は異常な白血球の抑制がきかない状況で増殖する一連の赤色骨髄の癌である。異常な腫瘍性の白血球が赤色骨髄を占有するため赤血球，白血球，血小板の産生が障害される。その結果，血液の酸素運搬能は障害され，患者は感染症に罹りやすくなり血液凝固も異常を来す。ほとんどの白血病では癌性白血球がリンパ節，肝臓，脾臓に浸潤し，それらを肥大させる。すべての白血病では貧血の症状（易疲労，耐寒性の低下，蒼白な皮膚）がみられる。さらに体重減少，発熱，夜間の発汗，出血傾向，感染の反復などもまたよくみられる。

医学用語と症状

黄疸 jaundice（jaund- ＝黄色）　古い赤血球のヘム色素が破壊されてできる血中ビリルビンが過剰となったために，眼球強膜，皮膚，粘膜などが黄色になる。

急性定容量性血液希釈 acute normovolemic hemodilution　外科手術の直前に患者から脱血した後，十分な血液量を維持するために細胞を含まない代替液を点滴し，患者の循環を適切に保つ。そして，手術の終わりに最初に脱血していた血液を患者のからだに戻すこと。

血液銀行 blood bank　献血者から血液を集めて貯蔵し，将来の輸血に際して血液を供給する機関である。最近は免疫血液学的な研究，医学教育，骨や組織の貯蔵，医学相談なども行い輸血医療センター centers of transfusion medicine といってもよい。

血小板減少症 thrombocytopenia（-penia ＝欠乏）　血小板が減少し，毛細血管からの出血が起りやすくなる。

血友病 hemophilia（-philia ＝〜を愛する）　遺伝性の血液凝固欠損で，出血が自然に起きたり，軽い傷で起ったりする。

採血専門技師 phlebotomist（phlebo- ＝静脈，-tom ＝切る）　採血を専門としている技師のこと（訳注：日本の医療機関にはこのような職種は確立されておらず，臨床検査技師，看護師や医師が採血している）。

自家血輸血 autologous preoperative transfusion（auto- ＝自己；predonation）　待機的手術に際して術前6週間前から自家血を貯蔵しておき，自分の血液を手術に際して用いる方法。

出血 hemorrhage　大量の血液の喪失で，内出血（血管から組織中への出血）と外出血（血管から直接体表面への出血）がある。

赤血球増加症 polycythemia　ヘマトクリットが正常上限である55％を超える異常な赤血球数の増加。多血症ともいう。

全血 whole blood　すべての血球成分，血漿，血漿溶解物を自然の濃度で含んでいる血液。

チアノーゼ cyanosis（cyano- ＝青）　やや青〜暗紫色の皮膚の色調で爪や粘膜にもっともよくみられるが，還元ヘモグロビン（酸素と結合していないヘモグロビン）の量が体循環血液中に増えることによって起る。

敗血症 septicemia（septic- ＝崩壊，-emia ＝血液の状態；blood poisoning）　毒素や病原となる細菌が血中に存在すること。

ヘモクロマトーシス hemochromatosis（chroma ＝色）　過剰な鉄吸収といろいろな組織（とくに皮膚，肝臓，心臓，脳下垂体，精巣，膵臓など）に鉄が蓄積する鉄代謝異常による疾患である。この結果，皮膚はブロンズ色となり肝硬変や糖尿病，骨や関節障害などが起る。

14章のまとめ

14.1 血液の機能

1. 血液 blood は酸素，二酸化炭素，栄養素，代謝産物，ホルモンなどを運搬する。
2. 血液は pH，体温，細胞の水分含量を調節する。
3. 血液凝固によって出血を防ぎ，白血球の貪食や血漿中の特別な血漿タンパク質を介して病原体や毒素と戦う。

14.2 血液の成分

1. 血液の物理的性質は水より粘性が高く，温度は 38℃で，pH は 7.35 ～ 7.45 の範囲にある。成人では血液は体重のおよそ 8％を占め，55％の血漿と 45％の血球成分からなる。
2. 血液の血球成分 formed element（有形成分）は赤血球，白血球，血小板からなる。ヘマトクリット hematocrit とは血液全体に占める赤血球の割合である。
3. 血漿 blood plasma は 91.5％が水で，7％がタンパク質，1.5％がタンパク質以外の溶質である。主な溶質はアルブミン albumin，グロブリン globulin，フィブリノゲン fibrinogen などのタンパク質，栄養素，ホルモン，酸素や二酸化炭素，電解質や代謝産物である。
4. 造血 hemopoiesis とは赤色骨髄 red bone marrow で多能性幹細胞 pluripotent stem cell から血球が産生される過程である。
5. 赤血球 red blood cell（RBC）は両面が陥凹した円盤状でヘモグロビンを含んだ無核の細胞である。赤血球中のヘモグロビンの機能は酸素と二酸化炭素を運搬することである。赤血球の寿命は約 120 日である。赤血球の数は健康な男性は 1 μL 当り 540 万個，健康な成人女性は 480 万個である。老化した赤血球はマクロファージによって貪食され，ヘモグロビンは再利用される。
6. 赤血球の生成は赤血球生成 erythropoiesis といわれ，大人では赤色骨髄で行われる。造血は低酸素 hypoxia によって刺激されて腎臓からのエリスロポエチン erythropoietin の放出が亢進する。網状赤血球数は赤血球生成の速度を反映する。
7. 白血球 white blood cell（WBC）は有核細胞で 2 種類に大別される。好中球 neutrophil，好酸球 eosinophil，好塩基球 basophil などの顆粒球とリンパ球 lymphocyte や単球 monocyte などの無顆粒球である。白血球の一般的な役割は炎症や感染の場で戦うことである。好中球や単球から分化したマクロファージ macrophage は貪食 phagocytosis によって病原体と戦う。
8. 好酸球はアレルギー反応における炎症反応を抑制し，抗原抗体複合体を貪食し，寄生虫も攻撃する。好塩基球はアレルギー反応においてヘパリン，ヒスタミン，セロトニンを分泌し，炎症反応を促進させる。
9. B 細胞（リンパ球）は細菌や毒素に対して，T 細胞（リンパ球）はウイルス，真菌や癌細胞に対して有効的に反応する。ナチュラルキラー細胞は病原体と腫瘍細胞を攻撃する。
10. 白血球の寿命は数時間から数日である。正常の血液には 1 μL 当り 5,000 ～ 10,000 個の白血球がある。
11. 血小板 platelet は平たい形をした無核の細胞の小片である。血小板は巨核球から生成され，血小板血栓をつくることにより止血にかかわる。正常血液には 1 μL 当り 15 万～ 40 万個の血小板がある。

14.3 止血

1. 止血 hemostasis は出血を止めるための機構であり，血管の攣縮，血小板血栓の形成，血液凝固からなる。血管攣縮 vascular spasm では血管壁の平滑筋が収縮する。血小板血栓 platelet plug は出血を止めるための血小板の凝集である。血餅 blood clot は血球成分が不溶性のタンパク質線維であるフィブリン fibrin によって固められたものである。血液凝固に関係している物質は血液凝固因子といわれる。
2. 血液凝固 clotting は 3 段階に分けられる一連の反応である。まず，外因性経路 extrinsic pathway もしくは内因性経路 intrinsic pathway によるプロトロンビナーゼ prothrombinase の合成，次にプロトロンビン prothrombin からトロンビン thrombin への変換，最後に可溶性のフィブリノゲン fibrinogen が不溶性のフィブリンに変る。
3. 正常の血液凝固には血餅の退縮 clot retraction（血餅が硬くなる）と線維素溶解 fibrinolysis（血餅が溶解する）が起る。
4. ヘパリンのような抗凝固薬は血液凝固を防ぐ。
5. 損傷を受けていない血管内での血液凝固を血栓症 thrombosis という。血栓 thrombus ができたところからはずれていって，つまったものを塞栓 embolus という。

14.4 血液型分類と血液型

1. ABO 式血液型において赤血球膜上の抗原 antigen である A 抗原と B 抗原が血液型を決めている。血漿は抗 A 抗体 anti-A antibody，抗 B 抗体 anti-B antibody といわれる抗体を含んでいる。
2. Rh 式血液型においては Rh 抗原（Rh 因子 Rh factor）を赤血球膜にもっていれば Rh^+，もっていなければ Rh^- という。

クリティカルシンキングの応用

1. 胆管閉鎖症は肝臓から胆汁を運ぶ胆管が閉鎖し，うまく胆汁を分泌できない病態である。この病気の新生児は白目の部分が黄色くなる。この黄色になることを何といい，この原因は何か？
2. 検査室でインターンとして働いているときに，3人のABO式血液型を決定するよう依頼された。その血液に抗血清を混合し，以下の結果を得た。
   対象1：血液は抗A血清で凝集したが，抗B血清では凝集しなかった。
   対象2：血液は抗A血清と抗B血清で凝集した。
   対象3：血液は抗A血清，抗B血清とも凝集はしなかった。
それぞれの対象はどんな血液型か。
3. 養護教員が，ため息交じりにいった。「私は子どもたちがつけている青いマニュキアに慣れることができないの，何か医学的な問題があるんじゃないかと考えてしまうものですから。」青い爪の色はどういう問題で起るのだろうか？ どのようにして起るのだろうか？
4. 末梢血の中にも多能性幹細胞が少数ではあるが流れている。もし，これだけを取り出してきて十分な数に増殖させることができるとすると医学的にどんな重要なものを産生できるか？

図の質問の答え

14.1 血液の中で赤血球数がもっとも多い。
14.2 血液は体重の8%を占める。
14.3 ステルコビリンが便の褐色の色となる。
14.4 細胞の酸素不足は低酸素症という。
14.5 プロトロンビナーゼが血液凝固過程のステージ1でつくられる。
14.6 O型の血液には抗A，抗B抗体がみられる。
14.7 O型の人は万能供血者といわれる。

CHAPTER 15

心臓血管系：心臓

前の章では血液の組成と機能について学んだが，この血液がからだを構成する細胞に到達し，これらの細胞と物質を交換するためには，血液は絶えず心臓から押し出されて，からだ中の血管の中を巡っていなければならない。心臓は毎日およそ100,000回も拍動し，1年間の拍動数は3,500万回にも達する。心臓の左側は100,000 kmにも及ぶと推定される血管に血液を送り出す。心臓の右側は血液を肺に送り出し，血液が酸素を取り込んで二酸化炭素を排出することができるようにしている。あなたが眠っている間にも，心臓は1分間に心臓自身の重さの30倍もの血液を駆出しており，肺へ約5 L，肺以外の全身にもこれとまったく同じ量を駆出する。この駆出量をもとに考えると，心臓は1日に14,000 L以上，1年にすると500万Lもの血液を駆出していることになる。しかし，あなたは1日中眠ったまま過ごしているわけではないし，活動しているときには，あなたの心臓は眠っているときよりも，もっと激しく拍出を行う。したがって，心臓が1日の間に拍出する実際の血液量はさらに多いことになる。

本章では，心臓の構造と，一生にわたって片時も休むことのないポンプ活動を可能にしている特性を探ってみる。

> **先に進むための復習**
> ・血液の機能 (14.1節)
> ・膜 (4.4節)
> ・筋組織 (4.5節)
> ・心筋組織 (8.7節)
> ・活動電位 (9.3節)
> ・フリーラジカル (2.1節)
> ・自律神経系の神経伝達物質 (11.3節)

15.1 心臓の構造と構成

目 標

・心臓の位置，および心膜(心囊)の構造を同定し，機能を説明する。
・心臓の壁の層と心臓の部屋について述べる。
・心臓に出入りする主な血管をそれぞれ同定する。
・心臓の弁の構造と機能について説明する。

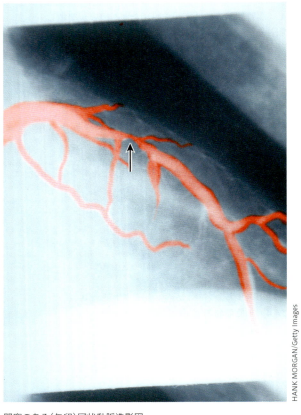

閉塞のある(矢印)冠状動脈造影図

Q 冠状動脈疾患がどのようにして発症にいたり，どのように治療されるのかを考えたことはありませんか？ 答えは15.1節の「臨床関連事項：冠状動脈疾患」でわかるでしょう。

心臓の位置と心臓を包む膜

正常な心臓とこれに関連する疾患を研究するのが**心臓病学 cardiology**(cardio- ＝心臓；-logy ＝～学)である。**心臓 heart** は，胸腔の中，つまり左右の肺の間(縦隔といわれる)にあり，全体の約2/3はからだの正中線より左側に位置している(図15.1)。心臓の大きさは，ほぼその人の握り拳程度である。尖った端の**心尖 apex** は心臓の下部の部屋である左心室の尖端で，横隔膜の上にのっている。心底(あるいは心基部)は心尖とは正反対の位置にあり，心房(心臓の上部の部屋)からなっている。その大部分をなすのは4本の肺静脈が開口する左心房であり，残りの部分は上大静脈と下大静脈からの血液を受け入れる右心房である(図15.3 b 参照)。

心臓を包み込んでこれを保護し，あるべき位置に保

15.1 心臓の構造と構成

図 15.1 心臓と心臓に接続する血管の胸腔内の位置。これ以降の図では，酸素化された血液を運ぶ血管は赤で，脱酸素化された血液を運ぶ血管は青で示す。

心臓は左右の肺の間（縦隔）に位置しており，その約 2/3 は正中線の左側にある。

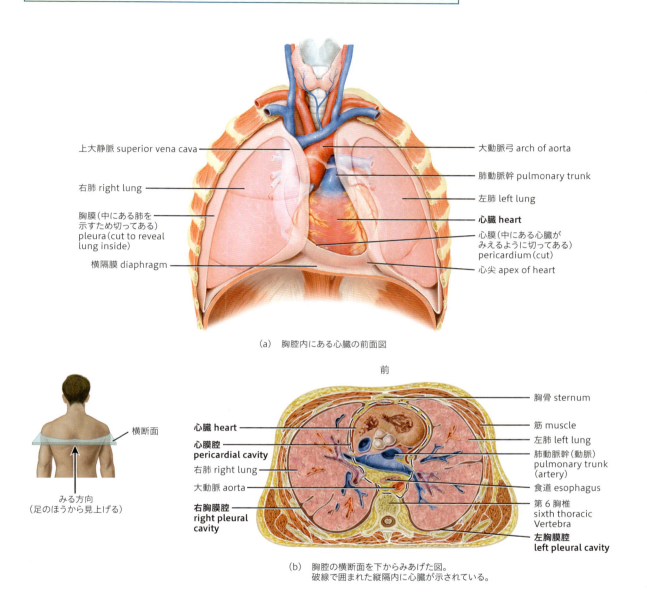

(a) 胸腔内にある心臓の前面図

(b) 胸腔の横断面を下からみあげた図。破線で囲まれた縦隔内に心臓が示されている。

Q 心底（心基部）を形成しているのは何か？

持している膜が**心膜（心嚢）pericardium** である（peri-＝まわり）。心膜は線維性心膜と漿膜性心膜という二つの部分からなる（図 15.2 参照）。外層の**線維性心膜 fibrous pericardium** は，強靭で弾性に乏しく，不規則緻密結合組織である。この膜は心臓の過度の伸展を防ぎ，心臓を保護し，そして心臓を保定している。

内層の**漿膜性心膜 serous pericardium** は，線維性心膜より薄く，より繊細な膜で，心臓の周囲を二重に取り巻いている。二重になっている漿膜性心膜の外側の**壁側板 parietal layer** は，線維性心膜と融合している。また，漿膜性心膜の内側の**臓側板 visceral layer** は，心臓の表面に固く付着しており，**心外膜 epicardium**（epi-＝の上に）とも呼ばれる。漿膜性心膜の壁側板と臓側板との間は，液体からなる薄い膜の

臨床関連事項

心肺蘇生

心肺蘇生 cardiopulmonary resuscitation(CPR)とは正常の心拍動と呼吸とを回復させようとする救急法である。標準的なCPRは心臓の圧迫とマウス・ツー・マウスによる肺の人工換気の組合せであり，長い間これがCPRの唯一の方法だった。しかし，最近では手で行う心臓圧迫のみのCPR(ハンズオンリーCPR hands-only CPR)が推奨されるようになってきた。

なぜなら心臓は胸骨と脊柱という二つの硬い構造物に挟まれているので，胸部に外側から圧力をかけて圧迫すれば，心臓から血液を強制的に追い出してこれを循環させることができるからである。119番通報したあとにハンズオンリーCPRを開始する。実施する際には，成人では1分間に100回の頻度で胸部が5cm沈み込むまで強く圧迫する。これは医療チームが到着するか，自動体外式除細動器が利用できるようになるまで続ける。ただし，先に述べた標準的なCPRはいまでも乳幼児や小児に推奨されているし，溺れた人や薬物の過量摂取者，さらには一酸化炭素中毒患者などの酸素欠乏状態に陥った人々にも推奨されている。

ハンズオンリーCPRは標準的なCPRに比べ，およそ20%も多くの命を救うと考えられている。さらにそれまでの古典的な救命法や何も施されなかった場合では18%だった生存率を，ハンズオンリーCPRは34%にまでに上昇させる。心停止を起した人に遭遇し，うろたえている(医療関係者でもない)人々に対して，緊急指令所の係員はハンズオンリーCPRに限定した指示を出せばよいのである。HIV，肝炎そして結核などの接触性感染症に対する一般の人々の不安は高まり続けているので，その場に居合わせた人は標準的な方法による蘇生術よりもハンズオンリーCPRのほうが実施してくれる可能性は高いだろう。

図 15.2　心膜(心嚢)と心臓壁。

心膜は心臓を包み込み，保護する袋である。

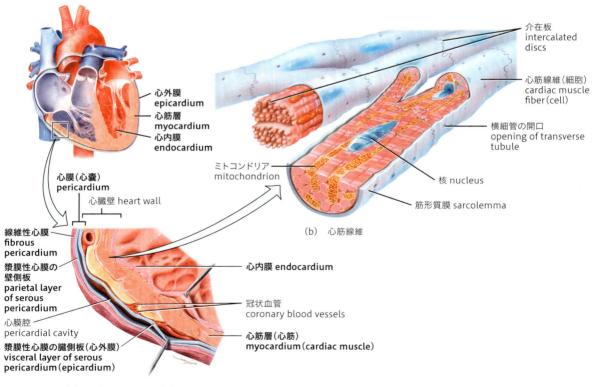

(a) 心嚢の一部と右心室壁。心嚢の各部分と心臓壁の層を示している。

(b) 心筋線維

Q 心膜の一部であるとともに心臓壁の一部である層はどの層か？

ようになっている。**心膜液 pericardial fluid** として知られているこの液は，心臓の動きによって生じる膜同士の摩擦を軽減している。この心膜液が入っている部分は**心膜腔 pericardial cavity** と呼ばれる。この心膜が炎症を起した状態が**心膜炎 pericarditis** である。

心臓の壁

心臓壁は，心外膜（外層），心筋層（中間層）および心内膜（内層）の三つの層からなっている（図 15.2 a）。**心外膜 epicardium** は心臓壁の外側の薄く透明な層で，漿膜性心膜の臓側板としても知られている。この膜は中皮と結合組織によって形成されている。

心筋層 myocardium（myo- ＝筋）は心筋組織からなり，心臓の大部分を構成している。この組織は心臓だけにみられるもので，構造も機能も特殊化している。この心筋層は心臓のポンプ機能の担い手となっている。心筋線維（細胞）は不随意筋で，横紋をもち，枝分れしており，絡み合った線維の束が心筋組織を形成している（図 15.2 b）。

心筋線維は二つに分かれた網状構造を形成している。一つは心房，もう一つは心室にある。網状構造の中では，個々の心筋線維は**介在板 intercalated disc** と呼ばれる筋形質膜の肥厚部位を介して互いに結合している。この介在板の中には，**ギャップ結合 gap junction** があって，これが隣り合った心筋線維への活動電位の伝導を可能にしている。介在板は，心筋線維同士が分断されないように，それぞれを結びつける役割も果たしている。それぞれの網状構造は一つの機能的単位として収縮する。つまり，二つの心房は一つの収縮単位として，二つの心室は一つの収縮単位として，それぞれの収縮が別個に起る。一つの活動電位に反応して心筋線維は持続的な収縮を起す。その持続時間は骨格筋線維で観察される収縮時間の 10 〜 15 倍である。心筋線維の不応期は収縮自体よりも持続が長い。したがって，十分に弛緩が達成された後に，ようやく次の収縮が起る。このために，心筋組織では強縮（持続性の収縮）が起らない。

心内膜 endocardium（endo- ＝内）は，単層扁平上皮層で，心筋の内側を裏打ちし，心臓の弁および弁に付着している腱をも覆っている。そして，大血管を裏打ちしている内皮とつながっている。

心臓の部屋（区画）

心臓には四つの部屋（区画）がある（図 15.3）。上の二つの部屋が**心房 atrium**（＝エントランスホールあるいは部屋）であり，下の二つの部屋が**心室 ventricle**（＝小さな膨らみ belly）である。右心房と左心房との間には，**心房中隔 interatrial septum**（inter- ＝間；septum ＝仕切り壁または隔壁）と呼ばれる薄い隔壁がある。この中隔の際立った特徴は**卵円窩 fossa ovalis** と呼ばれる円形の陥凹があることである。これは胎児期に，機能していない肺を避けて右心房から左心房へと血液を迂回させるために心房中隔に開いていた**卵円孔 foramen ovale** の名残りで，普通は誕生後間もなく閉じてしまう。**心室中隔 interventricular septum** は右心室と左心室とを分けている（図 15.3 c）。それぞれの心房の前表面にはしわのある袋のような構造があり，イヌの耳に似ていることから**心耳 auricle**（auri- ＝耳）という名前がついている。それぞれの心耳はわずかながら心房の体積を増やすことになるので，心房はより大量の血液を保持することができる。

四つの部屋の心筋の厚さはそれぞれの部屋の仕事量によって異なっている。心房は心室に血液を送り込むのに必要な量の心筋があればいいので，心房の壁は心室の壁よりも薄い（図 15.3 c）。右心室は血液を肺（肺循環）に駆出するだけであるが，左心室はからだのほかのすべての部分に血液を送らなければならない（体循環）。同じ血流量を維持するためには，左心室は右心室よりも過酷な仕事を強いられる。したがって，右心室よりも大きな圧力に打ち勝つことができるように，左心室の筋の壁は右心室の壁に比べてはるかに厚くなっている。

心臓の大血管

右心房は，三つの**静脈 vein**（心臓に血液を還す血管）を通して，**脱酸素化された血液（脱酸素化血）deoxygenated blood**（酸素の一部を細胞に与えた後の，酸素に乏しい血液）を受け入れる。**上大静脈 superior vena cava**（vena ＝静脈；cava ＝中空の，あるいは洞窟）は，主として心臓より上にあるからだの部分からの血液を還流する。**下大静脈 inferior vena cava** は主として心臓よりも下のからだの部分からの血液を還流する。そして**冠状静脈洞 coronary sinus** は，心臓壁に血液を供給する血管の大部分からの血液を導出する（図 15.3 b, c）。次に右心房が脱酸素化された血液を右心室に送り込み，右心室はこの血液を**肺動脈幹 pulmonary trunk** に駆出する。肺動脈幹は**左右の肺動脈 right and left pulmonary artery** に分かれ，それぞれの側の肺に血液を運ぶ。**動脈 artery** とは，心臓から血液を運び出す血管である。脱酸素化された血液は，肺で二酸化炭素を放出して酸素を取り込む。この**酸素化された血液（酸素化血）oxygenated blood**（肺を通過する間に酸素を取り込んで酸素に富む血液）は，4 本の**肺静脈 pulmonary vein** を介して左心房に入る。そして血液は左心室に入り，左心室はこの血液を**上行大動脈 ascending aorta** に駆出する。酸素化

図 15.3 心臓の構造。

心臓には四つの部屋がある。上方の二つの心房と下方の二つの心室である。

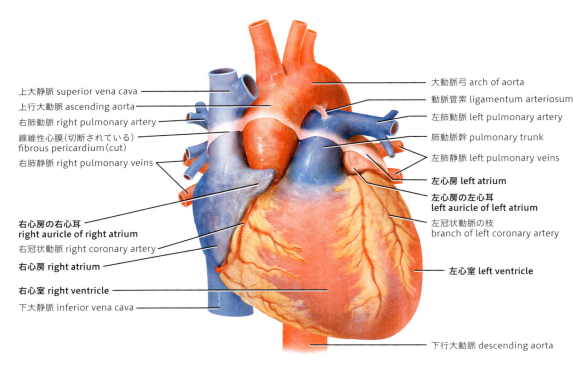

(a) 前方からみた外観

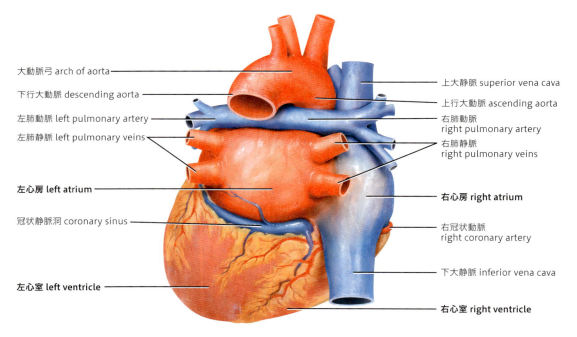

(b) 後方からみた外観

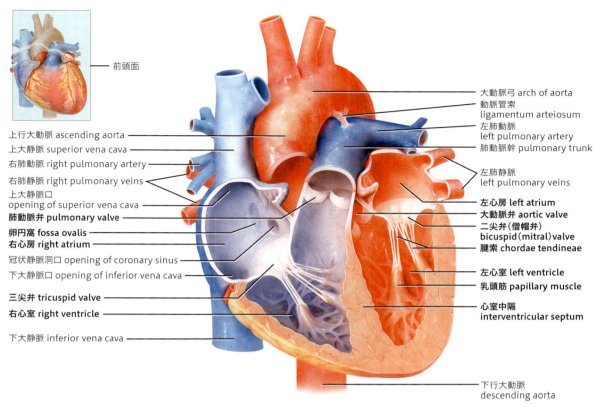

(c) 内部の構造を示す前頭断面図

Q 血液はどのタイプの血管を通って心臓から流出するのか？

された血液は，ここから肺以外のからだのすべての部分に運ばれる。

　肺動脈幹と大動脈弓との間には**動脈管索 ligamentum arteriosum** と呼ばれる構造がある。これは，胎児循環の血管（**動脈管 ductus arteriosus**）の名残りで，この血管のおかげで，血液は胎児の機能していない肺を迂回することができる（16.3 節参照）。

心臓の弁

　心臓のそれぞれの部屋が収縮すると，一定量の血液が心室へあるいは心臓外の動脈へと押し出される。この血液が逆流するのを防ぐために，心臓は四つの**弁 valve** を備えている。弁は密線維性結合組織でできており，これを心内膜が覆っている。これらの弁は，心臓の収縮や弛緩に伴って生じる圧変化を受けて開閉する。

　名前からもわかるように，**房室弁 atrioventricular (AV) valve** は，心房と心室の間にある（図 15.3 c）。右心房と右心室の間にある房室弁は，3 枚の弁尖（ヒラヒラするヒダ状あるいは葉のようなもの）からできているので，**三尖弁 tricuspid valve** と呼ばれる。弁尖のとがった端は心室内に突き出ている。この先端は，**腱索 chordae tendineae**（chord- ＝紐；tend- ＝腱の）と呼ばれる腱様の索状物によって，**乳頭筋 papillary muscle**（papill- ＝乳頭の）と呼ばれる心室の内面から突き出した筋の突起物に繋がれている。腱索は，心室が収縮したときに，弁尖が心房内へ押し上げられるのを防いでおり，この腱索のおかげで弁尖同士がしっかりとあわさって，弁がきちんと閉じる。

　左心房と左心室の間にある房室弁は，**二尖弁 bicuspid valve**（**僧帽弁 mitral valve**）と呼ばれ，三尖弁と同じように働く二つの弁尖をもつ。血液が心房を通って心室に行くためには，房室弁は開いている必要がある。

　弁の開閉は，弁の前後の圧差に依存する。血液が心房から心室へと流れ込むときには，弁は押し開けられ，乳頭筋は弛緩し，腱索は緩んだ状態となる（図 15.4 a）。心室が収縮すると，心室内の血液の圧力によって弁尖が持ち上げられ，弁尖の縁同士が会合して開口部が閉じてしまう（図 15.4 b）。同時に，乳頭筋

が収縮して腱索を引き締めるので，弁尖が心房内へひらひらと舞い上がることはない。

肺動脈幹と大動脈の起始部の近くには**肺動脈弁 pulmonary valve** および**大動脈弁 aortic valve** と呼ばれる**半月弁 semilunar valve** があり，血液が心臓内に逆流するのを防いでいる（図 15.3 c 参照）。肺動脈弁は肺動脈幹が右心室から出る開口部にあり，大動脈弁は左心室と上行大動脈の間の開口部に位置している。それぞれの弁は三つの半月状の弁尖によって構成され，弁の基部は動脈壁に付着している。房室弁と同様に，半月弁も一方向だけ（半月弁の場合は心室から動脈の方向）に血液が流れるようになっている。

心室が収縮すると，心室内の圧力が高まる。心室内の圧力が動脈内の圧力を超えると，半月弁が開いて心室から肺動脈幹および上行大動脈へと血液が拍出される（図 15.4 d 参照）。心室が弛緩すると，血液は心臓に向かって逆流を始める。すると，逆流してきた血液が弁尖を満たすので，半月弁はしっかりと閉じてしまう（図 15.4 c 参照）。

臨床関連事項

冠状動脈疾患

冠状動脈疾患 coronary artery disease（CAD） は 1 年間におよそ 700 万人を襲う深刻な疾病である。米国では年間 100 万人当りの死亡原因のおよそ 3/4 がこの疾患であり，男女ともに主な死因となっている。冠状動脈の中の動脈硬化性プラーク（後述）の集積により，心筋への血流が減少して冠状動脈疾患が発症する。徴候や症状を全く示さない人もいれば，狭心症（胸部痛）に見舞われる人や心臓発作に襲われる人もいる。

何らかの複数の危険因子を合わせもっている人は，そうでない人よりも冠状動脈疾患を発症しやすい。**危険因子 risk factor** とは，発症はしていないものの，発病の可能性が統計的に高いと考えられる人に認められる特徴，症状，あるいは徴候である。これらには，喫煙，高血圧，糖尿病，高い血中コレステロールレベル，肥満，"A タイプ"の性格（訳注：A は aggressive），デスクワーク中心の生活形態，そして冠状動脈疾患の家族歴などがある。これらのほとんどは，食習慣やその他の習慣を変えることによって改善することができるし，薬を服用することによってコントロールすることも可能である。しかし，その他の危険因子は改善することができない（つまり私たちにはコントロール不能である）。これらには遺伝的素因（若年での冠状動脈疾患発症の家族歴），年齢，および性が含まれる。例えば，成人男性は成人女性よりも冠状動脈疾患を発症しやすい。ただし，70 歳を超えると男女の危険度はほぼ等しくなる。冠状動脈疾患に関連するすべての疾患において，喫煙は疑いもなく第 1 位の危険因子であり，罹患率と死亡率のリスクをおよそ 2 倍に増加させる。

以後の考察は冠状動脈についてのものであるが，その病変は心臓以外の動脈にも起りうる。**アテローム性動脈硬化症 atherosclerosis** は，大きなあるいは中程度の径の動脈の壁の中に，**動脈硬化性プラーク atherosclerotic plaque** と呼ばれる病変が形成されることを特徴とする進行性の疾患である。コレステロールは肝臓と小腸でつくられる**リポタンパク質 lipoprotens** と呼ばれる粒子として血中を移動する。主な二つのリポタンパク質は**低密度リポタンパク質 low-density lipoprotein（LDL）** と**高密度リポタンパク質**

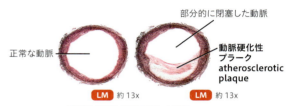

正常な動脈と閉塞を起した動脈
Biophoto Associates/Science Source Images

high-density lipoprotein（HDL） である。低密度リポタンパク質（LDL）はコレステロールを肝臓から体細胞へと運搬する。しかしながら，低密度リポタンパク質（LDL）の量が過剰になるとアテローム性動脈硬化を促進する。このために，LDL 微粒子の中のコレステロールは"悪玉コレステロール"として知られている。一方，高密度リポタンパク質（HDL）は，余計なコレステロールを体細胞から取り去って，肝臓へ運んで排泄させる。このようにして高密度リポタンパク質（HDL）は，血中コレステロールレベルを低下させるので，"善玉コレステロール"と呼ばれている。基本的に低密度リポタンパク質（LDL）は少なく，高密度リポタンパク質（HDL）は多くなっているのが望ましい。

組織障害に対するからだの防御反応である炎症が，動脈硬化性プラークの進展に重要な役割を演じている。これらのプラークは LDL コレステロール，マクロファージ，動脈壁平滑筋，そしてカルシウムで構成されている。高いレベルの LDL，低いレベルの HDL，家族歴，喫煙，高血圧，糖尿病，そして高濃度の血糖などによって動脈の内張りに障害が引き起されると，一連の変化が始まり，最終的に動脈硬化性プラークが形成される。このプラーク上で凝血塊が形成され，これが動脈を閉塞するほどに大きくなると，心臓発作が起ることになる。

多くの危険因子（我々自身が調節できるもの）があり，それぞれのレベルが上昇している場合には冠状動脈疾患の重要な予測因子となることがわかってきた。**C 反応性タンパク質 C-reactive proteins（CRP）** は肝臓でつくられるタンパク質で，血液中に不活性型として存在しており，炎症によって活性型に変換される。この CRP はマクロファージ

による低密度リポタンパク質の取り込みを促進することによって動脈硬化の進展に直接的な役割を演じている可能性がある。**リポタンパク質(a)lipoprotein(a)**はLDL様の粒子(訳注：LDLの構成成分にアポタンパク質(a)が結合したもの)で，内皮細胞，マクロファージ，そして血小板に結合し，平滑筋線維の増殖を促進したり，凝血塊の分解を抑制したりする可能性がある。**フィブリノゲン fibrinogen**は血液凝固に関与する糖タンパク質の一つで，細胞の増殖，血管収縮，血小板凝集の調節に関与している可能性がある。**ホモシステイン homocystein**はアミノ酸であり，血小板凝集を促進したり，平滑筋線維の増殖を促進することによって血管障害を引き起す可能性がある。冠状動脈疾患に対する治療手段としては，**薬物 drug**(抗高血圧薬，ニトログリセリン，β(ベータ)遮断薬，コレステロール降下薬，および血栓溶解薬)，および，血液供給を増加させるように考えられたさまざまな外科的および非外科的な方法がある。**冠状動脈バイパス術 coronary artery bypass grafting (CABG)**は外科的な手法で，からだのほかの部位から切り出してきた血管を冠状血管に接続し(移植し)て，これで閉塞領域をバイパス(迂回)するものである。移植される血管は，冠状血管の閉塞していない部分と大動脈との間をつなぐように縫合される。

冠状動脈疾患の治療に用いられる非外科的な手法の一つは，**経皮的冠状動脈形成術 percutaneous transluminal coronary angioplasty(PTCA)**と呼ばれる(percutaneous ＝皮膚を貫く；trans- ＝横切る；lumen ＝管の開口部あるいは中の通路；angio- ＝血管；-plasty ＝かたちづくる)。この手法の一つは以下のように行われる。バルーンカテーテルが腕あるいは足の動脈に刺入され，慎重に冠状動脈へと導かれる。そこで，プラークの位置を探し出すために造影剤を流して血管造影(血管のX線撮影)が行われる。次にカテーテルを閉塞のある位置にまで進め，風船に似た器具を空気で膨らませて，プラークを血管壁に向かって押しやって血管を拡げる。PTCAによって開通した動脈のうちの30〜50％が，その後6カ月以内に再狭窄(再び狭くなること)を起して役に立たなくなるので，カテーテルを通してステントが挿入されることもある。**ステント stent**とは金属製の細いワイヤーの管で，動脈を開存させた(開いた)ままにして血液が循環できるようにすることを目的に，永久的に動脈内に留置される。

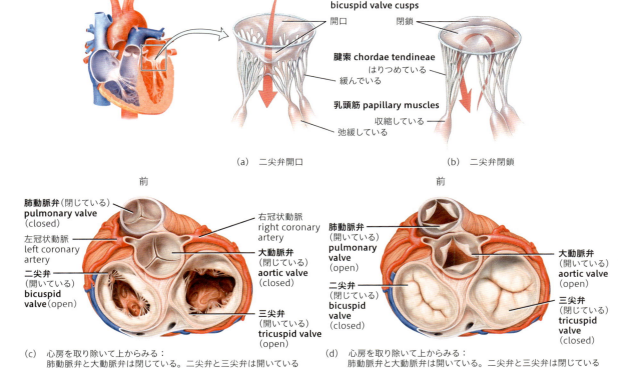

図15.4 心臓の弁。二尖弁と三尖弁は房室(AV)弁であり，同じように働く。肺動脈弁と大動脈弁は半月弁である。

心臓の弁は心臓が収縮および弛緩する際の圧変化に応じて開閉する。

(a) 二尖弁開口 (b) 二尖弁閉鎖

(c) 心房を取り除いて上からみる：肺動脈弁と大動脈弁は閉じている。二尖弁と三尖弁は開いている

(d) 心房を取り除いて上からみる：肺動脈弁と大動脈弁は開いている。二尖弁と三尖弁は閉じている

Q 心臓の弁の機能は何か？

> **臨床関連事項**
>
> **心弁膜症**
>
> 　心臓の弁が正常に作動していれば，弁は適切なタイミングでいっぱいに開いたり完全に閉じたりする。心臓の弁が完全に開かずに開口部が狭くなってしまうと血流が制限される。この状態は**狭窄 stenosis**（＝狭くなること）として知られている。また，弁が完全に閉じることができない状態は**閉鎖不全 insufficiency**（incompetence）として知られている。**僧帽弁狭窄 mitral stenosis** では瘢痕形成や先天性の異常により僧帽弁が狭小化している。左心室の血液が左心房に逆流してしまう**僧帽弁閉鎖不全 mitral insufficiency** の原因の一つに**僧帽弁逸脱 mitral valve prolapse（MVP）**がある。僧帽弁逸脱は弁疾患の中でももっともよくみられるもので，その数は弁膜症患者全体の30％ほどにもなる。男性よりも女性に多くみられ，たいていの場合，深刻な脅威をもたらすことはない。**大動脈弁狭窄 aortic stenosis** では大動脈弁の狭小化が起り，**大動脈弁閉鎖不全 aortic insufficiency** では大動脈から左心室への血液の逆流が生じる。
>
> 　心臓の弁を外科的に修復することができない場合には，弁を置換する必要がある。生体（生物学的）弁は主にヒトあるいはブタから供給されるが，時にはプラスチックや金属でできた機械（人工）弁が用いられる。大動脈弁が置換の対象となることがもっとも多い。

> **チェックポイント**
>
> 1. 心臓の位置はどこか？
> 2. 心臓壁と心膜はどのような層によって構成されているか述べなさい。
> 3. 心房と心室では，構造と機能がどのように異なっているのか？
> 4. 心臓に出入りする血管のうち，どの血管が酸素化された血液を運び，どの血管が脱酸素化された血液を運ぶのか？
> 5. 右心房を流れ出た血液が大動脈に到達するまでに，血液はどんな順番でどの心臓の部屋，弁，そして血管を通過するのか？　正確な順序を述べなさい。

15.2　心臓内の血液の流れと心臓への血液供給

目　標

- 血液が心臓内をどのように流れていくかを説明する。
- 心臓への血液供給についての臨床的な重要性を述べる。

心臓内の血流

　血液は圧力の高い領域から低い領域へと心臓内を流れていく。心房の壁が収縮すると，心房内の血液の圧力が高まる。この血圧の上昇によって房室弁が押し開けられ，心房内の血液は房室弁を通って心室へと流れ込む。

　心房が収縮を終えた後に心室の壁が収縮し，心室内の血液の圧力が高まって，血液は半月弁を通って肺動脈幹あるいは上行大動脈に押し出される。これと同時に，血液をいっぱいに受けた房室の弁尖が押し戻されて弁が閉鎖するので，心室内の血液は心房へ逆流しないようになっている。図 15.5 には，心臓内を通っていく血液の流れをまとめてある。

心臓への血液供給

　ほかのすべての組織と同じように，心臓壁もそれ自身の血管をもっている。心筋内の膨大な数の血管を通る血液の流れは，**冠（心）循環 coronary（cardiac） circulation** と呼ばれる。主な冠状血管は，上行大動脈の枝として始まる**左右の冠状動脈 left and right coronary artery** である（図 15.3 a 参照）。それぞれの動脈は次々と枝分れを繰り返して心筋全体に酸素と栄養素とを送り届ける。二酸化炭素と老廃物を運んでくる脱酸素化された血液の大部分は，**冠状静脈洞 coronary sinus**（図 15.3 b 参照）に集められる。冠状静脈洞は，心臓の後面にある大きな静脈で，ここに集まった血液は右心房に注ぎ込む。

　からだのほとんどの部分は二つ以上の動脈の複数の枝から血液を受け取っている。つまり，そこでは二つあるいはそれ以上の動脈が同じ領域に血液を供給しており，しかも，これらの動脈は，たいていはつながっ

> **臨床関連事項**
>
> **再灌流とフリーラジカル**
>
> 　冠状動脈の閉塞が起きて心筋から酸素が奪われてしまった後に，血流を再開させる**再灌流 reperfusion** を行うと，心筋組織にさらに障害を与えることがある。この驚くべき作用は，酸素不足だった部位に，再び現れた酸素が酸素**フリーラジカル free radical** を生じるために起る。フリーラジカルとは不対電子をもつ分子のことである。このような分子は不安定で反応性が高いために，細胞に障害を与えたり死滅させたりする連鎖反応を引き起す。酸素フリーラジカルのこの作用に対処するため，体細胞はフリーラジカルをより反応性の低い物質に変換するための酵素を産生する。さらに，ビタミン E，ビタミン C，β-カロテン，亜鉛そしてセレンなどのある種の栄養素は，酸素フリーラジカルを消去する抗酸化作用をもっている。現在，心臓発作や脳卒中後の再灌流障害を軽減する薬物が開発されつつある。

図 15.5 心臓内の血流。

左右の冠状動脈が心臓に血液を供給する。冠状静脈が心臓からの血液を冠状静脈洞に導出する。

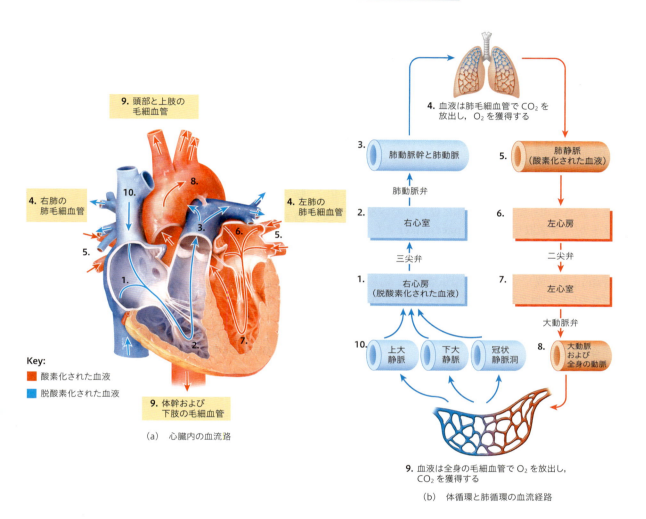

(a) 心臓内の血流路

(b) 体循環と肺循環の血流経路

Q 脱酸素化された血液を右心房に運ぶのはどの静脈か？

ている。このような接続は**吻合 anastomose** と呼ばれており，特定の器官や組織に血液を到達するための迂回路となっている。心筋には多くの吻合があり，一つの冠状動脈の枝同士が接続するものや，異なった冠状動脈からの枝と枝の間に渡るものもある。仮に主な経路が閉塞しても，吻合している枝が動脈血の迂回路を提供する。もし，冠状動脈の1本が部分的に閉塞しても，心筋は十分な酸素を受け取ることができるという重要なしくみである。

チェックポイント

6. 心臓内を通過する血液の流れをつくり出す主な力は何か？
7. 心臓の部屋を通過する血液は，心筋に十分な量の酸素を供給しないし，二酸化炭素をきれいに運び去ることもできない。それはなぜか？

15.3 心臓の刺激伝導系

目標

- 心臓の1回ごとの拍動が，どのように始まり，どのように維持されているのかを説明する。

心筋線維（細胞）のおよそ1%はほかの心筋線維とは違い，活動電位を繰り返し発生させて律動的なパターンをつくり出すことができる。これらの心筋線維は，ほかの人に移植されるために心臓がからだから取り出された後でさえも，心臓を刺激して拍動させようとする。心拍数を調節するのは神経系だが，心臓固有の拍動数は心臓自身が決定する。これらの細胞は二つの重要な機能を司っている。生体に備わっている**ペースメーカー（歩調取り）natural pacemaker** として働き，心臓全体のリズムを設定するとともに，活動電位を心筋全体に伝える経路としての**刺激伝導系 conduction system** を形成している。刺激伝導系は，心臓のそれぞれの部屋が順序通りに刺激されて収縮し，心臓が効率のよいポンプとして働くように調節している。心臓の活動電位は，刺激伝導系を以下のような順序で伝播する（図15.6）。

❶ 正常な心臓では，心筋の興奮は右心房の上大静脈開口部のすぐ下にある**洞房結節 sinoatrial (SA) node** で始まる。洞房結節では活動電位が自発的に起り，これが心房線維の介在板にあるギャップ結合を介して伝わって，両側の心房全体に伝播する（図15.2b 参照）。この活動電位を受けて，両方の心房は同時に収縮する。

❷ 活動電位は心房筋線維に沿って伝わり，心房中隔の冠状静脈洞開口部のすぐ前方にある**房室結節 atrioventricular (AV) node** に到達する。房室結節では活動電位の伝導速度が著しく低下するので，この間に心房の血液が心室に流れ込む。

❸ 房室結節に入った活動電位は，次に心室中隔にある**房室束 atrioventricular (AV) bundle（ヒス束 bundle of His** としても知られている）に入る。房室束は，活動電位を心房から心室へと伝導することのできる唯一の部位である。

❹ 活動電位は，房室束に沿って伝わった後に**右脚**および**左脚 right and left bundle branch** に入って心室中隔の中を駆け抜け，心尖部へと向かう。

❺ 最後に，径の大きな**プルキンエ線維 Purkinje fiber** が，まず心室の尖端方向へ，ついで上方の心室筋の残りの部分へと活動電位を速やかに伝える。こ

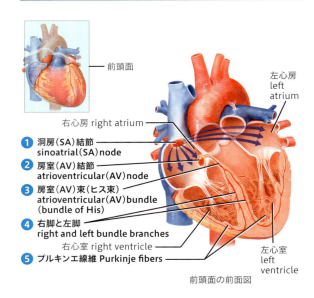

図15.6 心臓の刺激伝導系。右心房壁に存在する洞房結節が心臓のペースメーカーであり，活動電位を発生させて心臓の各部屋の収縮を起す。矢印は心房内の活動電位の流れを示す。

> 刺激伝導系が，各部屋の心筋の秩序正しい収縮を確かなものにしている。

- 前頭面
- 左心房 left atrium
- 右心房 right atrium
- ❶ 洞房(SA)結節 sinoatrial (SA) node
- ❷ 房室(AV)結節 atrioventricular (AV) node
- ❸ 房室(AV)束(ヒス束) atrioventricular (AV) bundle (bundle of His)
- ❹ 右脚と左脚 right and left bundle branches
- 右心室 right ventricle
- ❺ プルキンエ線維 Purkinje fibers
- 左心室 left ventricle

前頭面の前面図

Q 心房と心室との間で，活動電位の唯一の通路となる刺激伝導系の構成要素は何か？

のようにして，心房が収縮したほんの一瞬の後に，心室が収縮する。

洞房結節は1分間におよそ100回の活動電位を発生させる。これは刺激伝導系のほかのどの領域の電気活動よりも高い頻度である。したがって，洞房結節が心臓の収縮のリズムを決める**ペースメーカー（歩調取り）pacemaker** となる。さまざまなホルモンや神経伝達物質は，洞房結節線維が司る心臓のペースを速めたり遅らせたりする。例えば，安静時の人では，自律神経系の副交感神経から遊離されたアセチルコリンが洞房結節のペースを低下させ，1分間に発生する活動電位を約75まで落とすので，心拍数は75拍/min となる。洞房結節が調子を崩したり障害を受けたりすると，自発活動の頻度がより低い房室結節線維が歩調取りの仕事を引き受ける。しかし，房室結節によるペースでは心拍数は少なく，せいぜい40〜60拍/min にしかならない。たとえ，上記の二つの結節の活動が抑制されたとしても，房室束，脚，あるいはプルキンエ線維によって心拍動は維持される。これらの線維が発生する活動電位の頻度は非常に低くて，およそ20〜35拍/min ほどしかなく，これでは脳への血流は不十分となる。

臨床関連事項

人工ペースメーカー

心拍数が異常に低下した場合には，わずかな刺激電流を流して心臓を収縮させる**人工ペースメーカー artificial pacemaker**を外科的に埋め込み，正常な心臓調律を回復して維持することができる。ペースメーカーは電池と刺激発生器からできており，普通は鎖骨直下の皮下に埋め込まれる。この機械は1本あるいは2本の柔らかなリード線（ワイヤー）に接続されており，これらのワイヤーは上大静脈を通って右心房や右心室に達している。**体動調整型ペースメーカー** activity-adjusted pacemaker（訳注：心拍応答型の一つで体動感知型と同じ）と呼ばれる新しいペースメーカーの多くは，運動時に心拍数を自動的に増加させる。

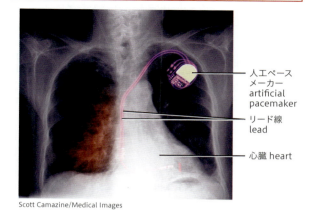

Scott Camazine/Medical Images

チェックポイント

8. 活動電位が通る刺激伝導系の順路を述べなさい。

15.4 心電図

目標

・心電図の意味と診断学的な価値を述べる。

活動電位が心臓内を伝播すると電流が生じ，この電流は皮膚の上に置かれた電極で検知することができる。心拍動に伴う電気的変化の記録は**心電図 electrocardiogram**と呼ばれ，ECG あるいは EKG（訳注：ドイツ語表記）と略される。

それぞれの心拍動ごとに，はっきりと見分けのつく三つの波が認められる。**P波 P wave**と呼ばれる最初の波は，心電図上の小さな上向きの振れである（図15.7）。これは心房の脱分極を示すもので，心筋活動電位の脱分極相が洞房結節から広がって，両側の心房全体に行き渡ったことを表している。脱分極は収縮を起す。つまり，P波の開始に少し遅れて心房が収縮する。**QRS複合体 QRS complex**と呼ばれる2番目の波は，下向きの振れ（Q）として始まり，大きな上向きの三角形の波（R）になり，下向きの波（S）で終わる。QRS複合体は，心臓の活動電位が両方の心室へ行き渡る際の心室の脱分極の始まりを表している。QRS複合体が始まって間もなく心室は収縮を始める。3番目の波は，**T波 T wave**と呼ばれるドーム状の上向きの振れである。これは心室の再分極を示すもので，心

図15.7 1心拍の正常心電図（ECG）。P波=心房の脱分極；QRS複合体=心室脱分極の開始；T波=心室の再分極。

> 心電図は心臓の拍動を起すもととなる電気的活動の記録である。

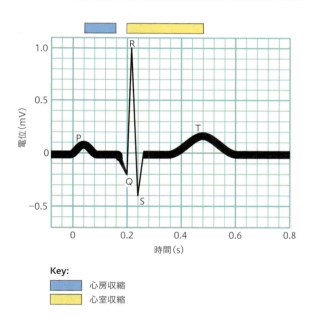

Key:
■ 心房収縮
■ 心室収縮

Q 心房の脱分極によって何が起るのか？

室が弛緩を始める直前に現れる。心房の再分極は通常は心電図上では認められない。というのも，同じ時期に発生する大きなQRS複合体によって覆い隠されてしまうからである。

心電図の波の大きさや持続時間の変化は，心（臓）調

律（リズム）の異常や伝導パターンの異常を診断したり，心臓発作からの回復経過を追跡観察するために有用である．心電図は，胎児の生存を明らかにすることにも役立つ．

> **チェックポイント**
>
> 9．P波，QRS複合体，そしてT波は何を意味するのか？

15.5 心 周 期

目 標

・心周期の各相について述べる．

一つの**心周期 cardiac cycle** には1回の心拍動に関連したすべての事象が含まれている．正常な心周期においては，二つの心室が弛緩している間に二つの心房が収縮し，その後，二つの心室が収縮している間に，二つの心房が弛緩する．**収縮期 systole**（＝収縮）という用語は収縮の相を意味し，**拡張期 diastole**（＝拡張または拡大）は弛緩の相を意味する．一つの心周期は，両心房の収縮期と拡張期，および両心室の収縮期と拡張期とからなる．

話をわかりやすくするために，ここでは**心周期 cardiac cycle** を三つの相に分けることにする（図15.8）．

❶ **弛緩期 relaxation period**：弛緩期は心周期の終わりに始まる．このとき，心室は弛緩を始め，四つの部屋のすべてが拡張期にある．心室筋線維の再分極（心電図ではT波）によって弛緩が始まる．心室が弛緩するにつれて心室内圧が低下する．心室内圧が心房内圧以下に低下すると，房室弁が開いて心室充満が始まる．この後，心房収縮の直前までには，心室充満のおよそ75%が完了している．

❷ **心房収縮期 atrial systole**（収縮 contraction）：洞房結節からの活動電位が心房の脱分極を起こし，これは心電図でP波として認められる．P波は弛緩期の終わりを示し，心房の収縮がこれに続く．心房が収縮すると，心室充満のための血液の残り25%が強制的に心室に送り込まれる．心房収縮期の終わりには，各々の心室はおよそ130 mLの血液で満たされている．房室弁は開いたままで，半月弁はまだ閉じている．

❸ **心室収縮期 ventricular systole**（収縮 contraction）：心電図のQRS複合体は，心室の脱分極を示しており，心室の脱分極は心室の収縮につながる．心室

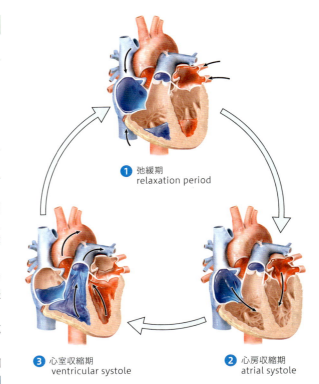

図15.8 心周期．

> 心周期は1回の心拍動に関連したすべての事象から構成されている．

❶ 弛緩期 relaxation period

❷ 心房収縮期 atrial systole

❸ 心室収縮期 ventricular systole

Q 心周期の収縮相および弛緩相に対して用いられる用語はそれぞれ何か？

が収縮すると，血液は房室弁に向かって押されるので，房室弁は閉ざされてしまう．心室の収縮が持続するのに伴って，心室内の圧力は急速に高まる．左心室内圧が上行大動脈圧を超え，右心室内圧が肺動脈幹内の圧を超えると，両方の半月弁が開いて心臓からの血液の駆出が始まる．この駆出は，心室が弛緩を始めるまで持続する．心室収縮期に各々の心室から駆出される血液の量は，安静時にはおよそ70 mLである．心室が弛緩を始めると心室内圧は低下し，半月弁が閉鎖して，次の弛緩期が始まる．

安静時の各々の心周期の持続は約0.8秒である．一つの全周期中，最初の0.4秒は弛緩期であり，四つの部屋のすべてが拡張期にある．続いて，心房は0.1秒間の収縮期に入り，引き続く0.7秒間は拡張期となる（訳注：次の心周期の最初の0.4秒の弛緩期も含む）．心室は心房収縮の後に，0.3秒間の収縮期と0.5秒間

の拡張期がある。心臓の拍動が速くなると(例えば,運動をしているときなどでは),弛緩期が短くなる。

心音

心拍動に伴う音は,主として弁の閉鎖によって生じる血流の乱れから発生するものであり,心筋の収縮から発生するものではない。第1心音(Ⅰ音)である**ラブ lubb**音は長いブーンと響く低い音で,心室収縮期が始まった後の房室弁の閉鎖によって生じる。短く鋭い第2心音(Ⅱ音)の**ドゥップ dupp**音は,心室収縮期の終わりに半月弁が閉じることによるものである。弛緩期の最中には音の聴こえない無音期がある。したがって,心周期は,ラブ,ドゥップ,無音;ラブ,ドゥップ,無音;ラブ,ドゥップ,無音,というように聴こえる。

> **臨床関連事項**
>
> **心雑音**
>
> 心音は心臓の機械的な作動について有用な情報を提供してくれる。**心雑音 heart murmur**は,カチッという音,ザーザーあるいはゴボゴボという雑音からなる異常な音で,正常な心音の前後や間に聴かれるが,時には正常の心音を覆い隠してしまうこともある。小児に心雑音が聴かれるのはきわめて一般的なことであり,普通は雑音がそのまま心臓の異常を反映しているとは考えられない。これらの心雑音はたいていは成長とともに治まるか消失してしまう。成人では,心疾患とは関係のない心雑音もあるものの,ほとんどの場合,雑音は弁に何らかの障害があることを示唆している。

> **チェックポイント**
>
> 10. 心周期の三つの相で,それぞれどんなことが起るかを説明しなさい。
> 11. 心音は何によって生じるのか?

15.6 心 拍 出 量

目 標

・心拍出量を定義し,その算出法を説明し,心拍出量の調節がどのように行われているかを定義する。

1分間に左心室から大動脈へ駆出される血液の量は**心拍出量 cardiac output(CO)**と呼ばれる(まったく同じ量の血液が,右心室から肺動脈へ駆出されることも忘れないように)。心拍出量は,(1)**一回拍出量 stroke volume(SV;1回の拍動あるいは収縮によっ**て,左心室から駆出される血液量),および(2)**心拍数 heart rate(HR;1分間当りの心臓拍動数)**によって決まる。安静状態の成人では,一回拍出量は平均で70 mLであり,心拍数は1分当りおよそ75拍である。したがって,安静状態の成人の平均心拍出量は,

$$心拍出量 = 一回拍出量 \times 心拍数$$
$$= 70\,\text{mL}/1\,拍 \times 75\,拍/\text{min}$$
$$= 5{,}250\,\text{mL/min}\ あるいは\ 5.25\,\text{L/min}$$

である。

一回拍出量あるいは心拍数を増加させる要因(例えば,運動)によって心拍出量は増加する。

一回拍出量の調節

心室収縮の終わりには,心室内にはある程度の血液が必ず残っているが,健康な心臓であれば,直前の拡張期に部屋の中に入ってきた血液はすべて駆出する。拡張期の間に心臓に還ってくる血液の量が多ければ多いほど,次の収縮期にはより多くの血液を拍出する。以下の三つの因子が一回拍出量を調節し,右と左の心室が等しい量の血液を駆出できるようにしている。

1. **収縮する以前に心臓にかかっている張力の大きさ**:ある範囲内では,拡張期の間に心臓に充満する血液が多ければ多いほど,収縮期の収縮力は大きくなっていく。この関係は**フランク-スターリングの心臓法則 Frank-Starling law of the heart**として知られている。この関係はゴムバンドを引っ張ったときのようなものだと考えればいい。心臓を伸展させればさせるほど,心臓はより力強く収縮する。いい換えるなら,生理学的な範囲内であれば,心臓は受け入れた血液すべてを拍出するということである。もし,心臓の左側が右側よりも少し多くの血液を拍出した場合,右心室に還ってくる血液量が増加する。すると,右心室は次の拍動ではもっと力強く収縮するので,再び両側の釣り合いが保たれる。

2. **個々の心室筋線維の収縮の力強さ**:かかっている張力がたとえ一定だとしても,何らかの物質の存在によって心臓の収縮は強くも弱くもなる。自律神経系の交感神経系の刺激,アドレナリンやノルアドレナリンなどのホルモン,間質液内のCa^{2+}濃度の上昇,および薬物であるジギタリスなどのすべてが心筋線維の収縮力を増加させる。逆に,自律神経の交感神経系の抑制,無酸素状態,アシドーシス,ある種の麻酔薬,および細胞外液中のK^+濃度の上昇は収縮力を減少させる。

3. **心室から血液を駆出するのに必要な圧力**:右心室内の圧力が肺動脈幹の圧力を超え,左心室内の圧

力が上行大動脈内の圧力を超えると，半月弁が開いて心臓から血液の駆出が始まる。このために必要な圧力が正常よりも高い場合には，弁の開口が正常なときよりも遅れるので，一回拍出量が減少し，収縮期の終わりには心室内により多くの血液が残ることになる。

> ### 臨床関連事項
>
> #### うっ血性心不全
>
> うっ血性心不全 congestive heart failure（CHF）という状態の心臓は，壊れかけているポンプのようなものである。血液を汲み出す効率は次第に低下し，それぞれのサイクルの終わりには，心室内に残る血液の量が次第に多くなっていく。その結果，ポジティブ（正の）フィードバックループに陥ることになる。ポンプ効率の低下のためにポンプ機能はさらに悪化する。しばしば心臓のどちらかの側が先に不全に陥る。例えば，左心室が先に不全に陥った場合，受け入れた血液のすべてを駆出することはできなくなるので，血液は肺に停滞する。その結果，肺に液体がたまる**肺水（浮）腫** pulmonary edema という状態となり，窒息を引き起こすこともある。もし，右心室が先に不全に陥ると，血液は体循環の静脈に停滞する。この場合に生じる**末梢浮腫** peripheral edema は，よく下肢や足首のむくみとして観察されるものである。うっ血性心不全を引き起こす原因の代表的なものには，冠状動脈疾患，長期にわたる高血圧，心筋梗塞，そして弁膜症などがある。

心拍数の調節

心拍数の調節は，心拍出量や血圧の短期調節に重要なものである。もし，心臓をなすがままにしておけば，洞房結節はおよそ100拍/min程度の一定の心拍数を保つ。しかし，組織は状態の変化によってさまざまな程度の血流量を要求する。例えば，運動の最中には，働いている組織により多くの酸素と栄養素を供給するために心拍出量が増加する。心拍数の制御でもっとも大切な因子は，自律神経系と，副腎によって放出されるホルモンであるアドレナリンおよびノルアドレナリンである。

自律神経系による心拍数の調節 神経系による心拍数の調節は延髄の**心臓血管中枢** cardiovascular（CV）center が司る。脳幹のこの部位は，さまざまな感覚受容器，そして大脳辺縁系や大脳皮質などの高位の脳中枢からの入力を受け取っている。これをもとに，心臓血管中枢は自律神経系の交感・副交感両神経へ送り出すインパルスの頻度を増減して，適切な出力を与える（図15.9）。

心臓血管中枢から出ている交感神経ニューロンは，**心臓促進神経** cardiac accelerator nerve を介して心臓へ到達する。これらの神経は，刺激伝導系，心房，そして心室に分布する。心臓促進神経から放出されるノルアドレナリンは心拍数を増加させる。

心臓血管中枢からは副交感神経ニューロンも出ており，**迷走神経（第X脳神経）**vagus（X）nerve を介して心臓に到達する。これらの副交感神経ニューロンは刺激伝導系と心房にまで伸びている。これらのニューロン（神経細胞）が放出する神経伝達物質のアセチルコリン（ACh）は，洞房結節の歩調取り活動を低下させることによって心拍数を減少させる。

数種類の感覚受容器が心臓血管中枢への（情報）入力を提供している。例えば，**圧受容器** baroreceptor（baro-＝圧）は，血圧の変化を感知する伸展受容器であり，圧の変化が重要な意味をもつ部位である大動脈弓と頸動脈（脳に血液を供給する頸部の動脈）に存在する。血圧が上昇すると，圧受容器は舌咽神経（第IX脳神経）と迷走神経（第X脳神経）の一部である知覚ニューロンに沿って心臓血管中枢にインパルスを送る（図15.9）。これに対応して，心臓血管中枢はより多くの神経インパルスを副交感神経（運動性）ニューロンに送り出す（この経路もまた迷走神経の一部である）とともに，心臓促進神経への出力を減少させる。このようにして生じる心拍数の減少によって心拍出量が減少し，これが血圧の低下をもたらす。血圧が低下すると，圧受容器は心臓血管中枢の刺激をやめてしまう。その結果，心拍数は増加して心拍出量が増え，血圧は正常のレベルにまで上昇する。血液中の化学的な変化を感知するセンサーである**化学受容器** chemoreceptor は O_2，CO_2，H^+ などの物質の血中レベルの変化を検出する。これらの物質と心臓血管中枢との関係は，この後，16.2節において血圧の問題とともに考えることにする。

心拍数の化学的調節 ある種の物質は，心筋の基本的な生理機能および収縮速度の双方に影響を与える。心臓に大きな影響を与える物質は二つのカテゴリーに分けることができる。

1. **ホルモン**：副腎髄質から分泌されるアドレナリンとノルアドレナリンは，心拍数と心収縮力の両方を亢進させて心臓のポンプ効率を高める。運動，ストレス，興奮などは副腎髄質からのホルモンの遊離を促進する。甲状腺ホルモンも心拍数を増加させる。過剰な甲状腺ホルモンによって起る甲状腺機能亢進症の症状の一つは，頻拍（安静時でも高いままの心拍数）である。

2. **イオン**：血中の K^+ あるいは Na^+ レベルの上昇は心拍数と収縮力の低下を引き起こす。また，細胞内

図 15.9 自律神経系による心拍数の調節。

延髄の心臓血管中枢が，心臓を支配する交感神経と副交感神経の両方を調節する。

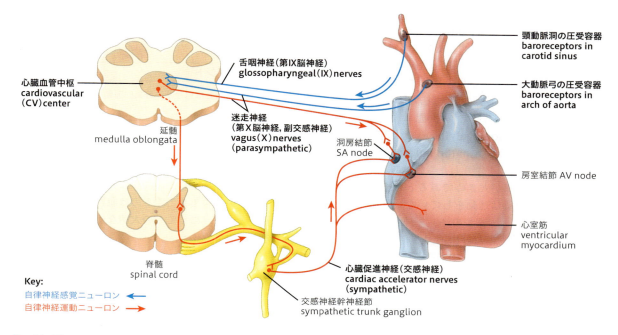

Q 副交感神経によって放出されるアセチルコリンは心拍数に対してどんな作用を及ぼすか？

外の Ca^{2+} レベルのある程度の上昇は，心拍数と収縮力を増加させる。

心拍数調節に関与するその他の因子 年齢，性，運動，そして体温もまた安静時心拍数に影響を与える。新生児は安静時心拍数が 120 拍/min を超えることがよくある。この心拍数はその後，小児期の間に減少し，成人レベルである 75 拍/min になる。規則的な運動は，男女ともに安静時心拍数を減少させる傾向にあるものの，成人女性の安静時心拍数は一般的に成人男性よりもやや高い。成人は加齢に伴って心拍数が増加することもある。

発熱や激しい運動の際に起る体温の上昇は，洞房結節で発生するインパルスの頻度を高め，これが心拍数を増加させる。体温が低下すると心拍数も収縮力も減少する。ある種の心臓奇形の外科的修復の際には，意図的にからだを冷やして心拍数を減少させることが役に立つことになる。

チェックポイント

12. 一回拍出量はどのように調節されているのか述べなさい。
13. 自律神経系はどのように心拍数の調節に関与しているのか？

15.7 運動と心臓

目標

・運動と心臓との関係を説明する。

ヒトの心臓血管系の健康状態は，年齢に関係なく規則的な運動によって向上させることができる。さまざまなタイプの運動の中でも，ほかの運動よりもより効果的に心臓血管系の健康を向上させるものがある。からだの大きな筋を少なくとも 20 分は持続して動かす**エアロビクス aerobic exercise**（訳注：好気的運動あるいは有酸素運動）は心拍出量を増加させ，代謝速度を速める。心臓血管系の健康を促進するためには，1週間に 3～5 回はこのような運動を行うことが一般的に勧められる。速い歩行，ランニング，サイクリング，クロスカントリー・スキー，そして水泳などが好気的運動の例である。

持続的な運動は筋の酸素需要を増加させる。この需要が満たされるか否かは，主として心拍出量が十分かどうか，呼吸器系の機能が適切に働いているかどうか，にかかっている。健康な人では数週間のトレーニ

ングの後に最大心拍出量(左右の心室がそれぞれ大動脈と肺動脈に1分間に拍出する血液量)が増加し，それに伴って組織への酸素供給の最大速度が上がる。長期間のトレーニングに反応して骨格筋の毛細血管網がさらに発達するので，酸素供給も増加する。

激しい運動中には，熟練したアスリート(訳注：運動選手や運動愛好家)なら，座ったままの仕事の多い人の2倍もの心拍出量を生み出すことができる。トレーニングによって心臓の肥大(拡大)が起ることがその原因の一つである。この状態は**生理的心拡大 physiological cardiomegaly**(mega＝大きい)と呼ばれる。一方，**病的な心拡大 pathological cardiomegaly**とは，実際に心疾患と関連したものである。熟練したアスリートの心臓が大きめであるとしても，**安静時 resting**の心拍出量は運動をしていない健康な人とほぼ同じである。というのも，**一回拍出量 stroke volume**(心室の拍動のたびに拍出される血液の量)は増加するのに，心拍数は減少するからである。熟練したアスリートの安静時心拍数は，時には40〜60拍/minしかない(**安静時徐脈 resting bradycardia**)。定期的な運動は，血圧を低下させ，不安や抑うつ気分を減少させることにも役立つし，体重をコントロールし，さらには血栓を溶解する能力を増強するのにも役立つ。

> **チェックポイント**
>
> 14. 好気的運動とは何か？　好気的運動はなぜからだによいのか？

・・・

心臓は心臓血管系における血液のポンプである。しかし，その血液をからだの隅々にまで巡らせたり，逆にそこから血液を集めてくるのは血管である。次章では血管がどのようにしてこの大切な仕事を成し遂げているのかをみてみよう。

よくみられる病気

心筋虚血と心筋梗塞

冠状動脈における血流の部分的な閉塞は，心筋への血流が減少した状態，つまり**心筋虚血 myocardial ischemia**(ische-＝閉塞すること；-emia＝血液の中)を引き起こす。虚血は大抵は**低酸素 hypoxia**(酸素供給の減少)を招き，これが死にいたらしめるほどではないにしろ，細胞を衰弱させる。文字通りに解釈すると"締めつけられた胸"を意味する**狭心症 angina pectoris**とは，一般に心筋虚血に伴う激しい痛みを起こす疾患である。典型的な例では，患者はあたかも胸部が万力に挟まれているかのような圧迫感や絞られるような感覚であると表現する。狭心症に関連する痛みは，頻繁に頸，顎，あるいは左腕から下がって肘までの部分に放散する。ある人々は虚血発作が起っても痛みを感じない。この状態は**無症候性心筋虚血 silent myocardial ischemia**として知られ，心臓発作の危険に曝されているにもかかわらず，その警告(痛み)を受けることができないので，とくに危険である。

冠状動脈の完全な閉塞は，一般に**心臓発作 heart attack**と呼ばれる**心筋梗塞 myocardial infarction**(MI)を引き起こす。**梗塞 infarction**とは，血液供給が遮断されたために組織のある領域が死滅したことを意味する。閉塞部位より末梢の心臓組織は死滅し，非収縮性の瘢痕組織に置き換わるので，心筋はその力の一部を失うことになる。梗塞(死んでしまった)領域の大きさや部位によっては，梗塞が心臓の刺激伝導系を撹乱させ，心室細動を惹起して突然死を引き起こすこともある。心筋梗塞の治療には，ストレプトキナーゼやt-PAなどの血栓溶解(凝血塊を溶かす)物質の注入，これにヘパリン(抗凝固物質)を追加したり，冠状血管形成術や冠状動脈バイパス術を施行したりといったものがある。幸いなことに，安静時の人は，通常の血液供給の10〜15%もあれば心筋は生き続けることができる。

先天性疾患

出生時(そして，たいていはそれ以前に)に存在する異常が**先天性疾患 congenital defect**である。心臓に影響を及ぼす先天性疾患には以下のようなものがある。

- **動脈管開存症 patent ductus arteriosus**(PDA)では，普通なら生後間もなく閉じるはずの大動脈と肺動脈幹との間の動脈管(一時的な血管)が，閉鎖せずに開いたままになっている(図16.17参照)。閉じた動脈管の痕跡は動脈管索と呼ばれる(図15.3a参照)。
- **心房中隔欠損 atrial septal defect**(ASD)は，心房中隔の不完全な閉鎖によって生じる。もっとも一般的なタイプは，普通なら生後間もなく閉じるはずである卵円孔(図16.17参照)が閉鎖しないものである。
- **心室中隔欠損 ventricular septal defect**(VSD)は，心室中隔の不完全な閉鎖によって生じたものである。
- **弁狭窄 valvular stenosis**とは，心臓を通る血流に関与する弁の一つが狭くなることである。
- **ファロー四徴 tetralogy of Fallot**とは四つの異常が組み合わさったものである。心室中隔欠損，左心室だけから出ているはずなのに，両方の心室から出てくる大動脈(訳注：大動脈騎乗)，肺動脈弁狭窄，そして右心室肥大である。

児の出生時および出生後の合併症を未然に防ぐために，先天性心疾患のいくつかは出生以前に外科的に修復されることがある．

不整脈

洞房結節がつくり出す通常の調律は**正常洞調律** normal sinus rhythm と呼ばれる．**不整脈** arrhythmia（a- ＝ない）あるいは dysrhythmia とは，心臓の伝導系の障害によって生じる異常なリズム（調律）を意味する．心臓は不規則に拍動したり，時には非常に速く，時には非常にゆっくりと拍動することもある．症状として現れてくるものには，胸痛，息切れ，立ちくらみ，めまい，失神などがある．心臓を刺激するさまざまな要因，例えば，ストレス，カフェイン，アルコール，ニコチン，コカイン，そしてカフェインやその他の刺激物質を含む薬物などによっても不整脈が起りうるし，先天性心疾患，冠状動脈疾患，心筋梗塞，高血圧症，心臓弁膜症，リウマチ性心疾患，甲状腺機能亢進症，カリウム欠乏症も不整脈の原因となりうる．

- **上室性頻拍** supraventricular tachycardia（SVT）は，速いものの，規則正しい心拍（160～200 拍/min）で心房から起る．頻拍は突然始まって突然終わり，数分で終わることもあれば，何時間も続くこともある．
- **心ブロック** heart block とは，心房と心室の間の電気的な通路が阻害され，神経インパルスの伝播が減速するために起る不整脈である．もっともよくみられる阻害部位は房室結節で，この状態は**房室（AV）ブロック** atrioventricular block と呼ばれる．
- **心房性期外収縮** atrial premature contraction（APC）とは，予期されるよりも早い時期に心拍が起るもので，短い間ではあるが，正常な心臓調律が中断する．時として心拍が抜けたような感覚が生じ，その次にはより力強い心拍を感じる．心房性期外収縮は心房の心筋から生じるもので，健常人でも普通にみられるものである．
- **心房粗動** atrial flutter は急速で規則的な心房収縮（240～360 拍/min）で，洞房結節からの活動電位のいくつかが房室結節を通過できない房室ブロックを伴っている．
- **心房細動** atrial fibrillation（AF）はよくみられる不整脈で，年配者に多く認められる．細動では心房筋の収縮が同期しない（一斉には動かない）ので，心房のポンプ機能がすっかり失われてしまう．心房の収縮は 300～600 拍/min にも達することがある．心室も速度を上げ，（160 拍/min までの）速拍となることもある．
- **心室性期外収縮** ventricular premature contraction。異所性興奮源 ectopic focus から発生する不整脈である．異所性興奮源は心臓の伝導系以外の部位であり，そこでは興奮性が通常よりも高まって，異常な活動電位が出現する．脱分極の波は異所性興奮源から外側に向かって広がって，**心室性期外収縮（拍動）** ventricular premature contraction（beat）を引き起す．この収縮は拡張期の早い時期に起るが，この時期は洞房結節が本来予定している次の活動電位が発生するよりも早い時期にあたる．心室性期外収縮は比較的良性で，精神的ストレス，カフェイン，アルコール，ニコチンなどの刺激物の過剰な摂取，睡眠不足などで起ることがある．それ以外の場合には，期外収縮は潜在的な病変を反映している可能性がある．
- **心室頻拍** ventricular tachycardia（VT あるいは V-tach）は心室から発生し，四つ以上の心室性期外収縮が続くという特徴がみられる．これは驚くべき速さで（少なくとも 120 拍/min 以上）心室を拍動させる．心室頻拍はたいていの場合，心疾患や発症したばかりの心筋梗塞と関連していることが多く，心室細動（後述）と呼ばれる非常に深刻な不整脈に進展するおそれがある．心室頻拍が持続するのは危険な状態である．心室は十分な量の血液で満たされないと，十分な血液を拍出することができなくなるからである．その結果，血圧は低下し，心不全を招くこともある．
- **心室細動** ventricular fibrillation（Vf あるいは V-fib）はもっとも致死的な不整脈である．心室細動では心室筋線維の収縮がまったく同期していないので，心室は整然と収縮するのではなく，どちらかといえば痙攣しているような状態である．その結果，心室のポンプ機能は停止して血液の駆出も止まり，直ちに医療処置を施さない限り，循環不全に陥って死にいたる．心室細動が起ると数秒で意識を失い，もし治療が施されなければ，5 分後には痙攣と不可逆的な脳障害が起り，やがて死にいたる．治療のために心肺蘇生（CPR）と除細動を行う．**電気的除細動** cardioversion とも呼ばれる**除細動** defibrillation では，強力で短い電流を心臓に通電する．これによって，多くの場合，心室細動を停止させることができる．この電気ショックは**除細動器** defibrillator と呼ばれる機械で発生させ，胸部の皮膚に押しつけられた 1 対の櫂の形をした大きな電極を介して適用される．

医学用語と症状

心筋炎 myocarditis 心筋の炎症で、たいていはウイルス感染症、リウマチ熱、放射線への曝露、あるいはある種の物質や薬物服用の合併症として発症する。

心静止 asystole(a- ＝ない) 心筋が収縮しないこと。

心臓カテーテル法 cardiac catheterization 心臓の冠状動脈、部屋、弁および大血管を可視化する方法。心臓内の圧や血管内の圧を測定したり、心拍出量を評価したり、さらには心臓や血管を通過する血流量や血液の酸素含量を測定したり、心臓の弁の状態や刺激伝導系の状態を評価したりすることにも利用される。基本的な手技は、カテーテルを末梢静脈(右心カテーテル検査時)あるいは末梢動脈(左心カテーテル検査時)に刺入し、透視下(X線観察下)に誘導するというものである。

心臓血管造影 angiocardiography(angio- ＝ 血管；cardio- ＝心臓) 放射線不透過造影剤を血流に注入して行う心臓と大血管のX線検査。

心臓突然死 sudden cardiac death 虚血、心筋梗塞、あるいは心調律の障害などの心疾患による、予期しない循環と呼吸の停止。

心臓リハビリテーション cardiac rehabilitation 心筋梗塞後の患者が正常な生活に復帰できるように、少しずつ運動を増やしたり、心理的な支援や教育、そしてトレーニングを行う管理指導プログラム。

心停止 cardiac arrest 有効な心拍動の消失を意味する臨床用語。心臓は完全に停止しているか、さもなければ心室細動に陥っている。

心内膜炎 endocarditis 心内膜の炎症で、典型例では心臓の弁にも炎症が及ぶ。ほとんどの場合、細菌によって引き起される(細菌性心内膜炎)。

心肥大 cardiomegaly(mega- ＝大きい) 心臓の肥大。

動悸 palpitation 心臓がドキドキとする感じ、あるいは心臓の異常な拍動数やリズム(調律)。

肺性心 cor pulmonale(CP；cor- ＝心臓；pulmon- ＝肺)肺循環の高血圧(高い血圧)によって引き起された右心室肥大。

発作性頻拍 paroxysmal tachycardia 突然始まって、突然終わる速い心臓拍動。

リウマチ熱 rheumatic fever 急性の全身性の炎症で、たいていは咽喉の連鎖球菌の感染後に起る。この細菌が引き金となって免疫反応を引き起し、細菌を壊滅するために産生された抗体が、関節、心臓の弁、そしてその他の臓器の結合組織を攻撃して炎症を起す。リウマチ熱は心臓壁の全体を弱体化させる可能性があるが、ほとんどの場合は二尖(僧帽)弁と大動脈弁に損傷を与える。

15章のまとめ

15.1 心臓の構造と構成

1. 心臓 heart は二つの肺の間に位置しており、全体の約2/3は、からだの正中線の左側にある。

2. 心膜 pericardium は外層の線維性心膜 fibrous pericardium と内層の漿膜性心膜 serous pericardium からなる。漿膜性心膜は壁側板 parietal layer と臓側板 visceral layer からなる。漿膜性心膜の壁側板と臓側板の間には心膜腔 pericardial cavity があり、その空間は二つの膜の摩擦を軽減させる心膜液 pericardial fluid で満たされている。

3. 心臓壁には三つの層がある：心外膜 epicardium、心筋層 myocardium、心内膜 endocardium である。

4. 心臓の部屋は、上にある二つの心房 atrium と、下にある二つの心室 ventricle からなる。

5. 上大静脈 superior vena cava、下大静脈 inferior vena cava、冠状静脈洞 coronary sinus からの血液は右心房に流れ込み、三尖弁を通って右心室に入り、肺動脈幹 pulmonary trunk を通って肺へと流れる。

6. 肺からの血液は肺静脈 pulmonary vein を通って左心房へ流れ込み、二尖弁を通って左心室に入り、大動脈へと流れ出る。

7. 心臓の中では四つの弁が血液の逆流を阻止している。心房と心室との間にある房室弁 atrioventricular(AV)valve は右側にあるものが三尖弁 tricuspid valve で、左側にあるものが二尖(僧帽)弁 bicuspid(mitral)valve である。房室弁、腱索 chordae tendineae、乳頭筋 papillary muscle は、血液が心房へ逆流するのを防いでいる。心臓から出る二つの動脈は、それぞれ半月弁 semilunar valve をもっている。

15.2 心臓内の血液の流れと心臓への血液供給

1. 血液は心臓内で圧力の高いところから圧力の低いところへと流れる。圧力の大きさはそれぞれの部屋の大きさと体積に関係している。

2. 心臓内の血液の移動は、弁の開閉と心筋の収縮および弛緩によって調節されている。

3. 冠(心)循環 coronary(cardiac)circulation は酸素化された血液を心筋へ運び、心筋から二酸化炭素を運び去る。

4. 脱酸素化された血液は冠状静脈洞 coronary sinus を経由して右心房へ還る。

15.3 心臓の刺激伝導系

1. 刺激伝導系 conduction system は、活動電位を発生し、これを伝播する特殊化した心筋組織からなる。

2. この系は、洞房結節 sinoatrial(SA)node(ペースメーカー pacemaker)、房室結節 atrioventricular(AV)node、房室束 atrioventricular(AV)bundle(ヒス束 bundle of His)、脚枝 bundle branch、プルキンエ線維 Purkinje

fiber から構成されている。

15.4 心電図
1. 心周期ごとの電気的な変化の記録が**心電図** electrocardiogram（ECG）である。
2. 正常の心電図は，**P波** P wave（心房の脱分極），**QRS複合体** QRS complex（心室の脱分極の開始），**T波** T wave（心室の再分極）からなる。
3. 心電図は，異常な心調律（リズム）や伝導パターンを診断するために用いられる。

15.5 心周期
1. **心周期** cardiac cycle は，心臓の各部屋の**収縮期** systole（収縮）および**拡張期** diastole（弛緩）からなる。
2. 心周期の相には，(a) 弛緩期 relaxation period，(b) 心房収縮期 atrial systole，(c) 心室収縮期 ventricular systole がある。
3. 平均心拍数が 75 拍/min のときには，一つの心周期の時間は 0.8 秒である。
4. 第1心音（Ⅰ音；ラブ lubb）は房室弁の閉鎖を表し，第2心音（Ⅱ音；ドゥップ dupp）は半月弁の閉鎖を表す。

15.6 心拍出量
1. **心拍出量** cardiac output（CO）とは左心室から大動脈へ駆出される毎分の血液量で，CO＝一回拍出量×1 分間の心拍数である。
2. **一回拍出量** stroke volume（SV）とは 1 回の心室収縮期の間に駆出される血液量である。これは収縮前に心臓にかかっている張力，収縮の力強さ，そして心室から血液が駆出するのに必要な圧力に影響を受ける。
3. 心臓血管系の神経系による調節は，延髄の**心臓血管中枢** cardiovascular（CV）center が司る。交感神経系のインパルスは心拍数と収縮力を増加させる。副交感神経系のインパルスは心拍数を減少させる。
4. 心拍数はホルモン（アドレナリン，ノルアドレナリン，甲状腺ホルモン），イオン（Na^+, K^+, Ca^{2+}），年齢，性，運動，体温の影響を受ける。

15.7 運動と心臓
1. 持続的な運動は筋の酸素需要を増加させる。
2. エアロビクス（好気的運動）aerobic exercise のメリットには，最大心拍出量の増加，血圧の低下，体重のコントロール，そして血栓を溶解する能力の亢進などがある。

クリティカルシンキングの応用

1. あなたの伯父さんは以前に心臓の具合を悪くして以来，人工ペースメーカーを装着している。ペースメーカーの機能は何か？ ペースメーカーは心臓のどの部分の機能を代行するのか？
2. ニコスが曲がり角をぶらぶら歩いて渡っていると，突然どこからともなく 1 台の車が現れた。彼は大急ぎで道路を走り渡ると，心臓が非常に速く拍動しているのを感じた。彼の脳から心臓までのシグナルの経路を順に述べなさい。
3. 大学のテニスチームのメンバーであるジャン・クロードは，運動生理学のクラスが行っている心臓血管系の検査にボランティアとして参加した。彼の安静時の心拍数は 1 分間に 40 拍である。彼の心拍出量（CO）は平均的なものと仮定して，ジャン・クロードの一回拍出量（SV）を計算しなさい。次に，ジャン・クロードは心拍数が 1 分間に 60 拍に上昇するまでエアロバイクで運動した。一回拍出量が一定のままだと仮定して，この中程度の運動時のジャン・クロードの心拍出量（CO）を計算しなさい。
4. ジャネットがひどく心配なようすであなたに電話をかけてきた。ご主人の話によると，HDL レベルが高く，LDL レベルが低いとのことである。彼女はこれらの検査の値が"心臓の健康状態"やコレステロールレベルと何らかの関係があることは知っている。ジャネットは御主人の HDL と LDL レベルに関して心配する必要があるのだろうか？

図の質問の答え

15.1 心底は主として左の心房からなる。
15.2 漿膜性心膜の臓側板は心臓壁（心外膜）の一部でもある。
15.3 血液は動脈を通って心臓から流れ出る。
15.4 心臓の弁は血液の逆流を防ぐ。
15.5 上大静脈，下大静脈および冠状静脈洞が，脱酸素化された血液を右心房に運ぶ。
15.6 心房と心室との間の活動電位の唯一の通路は房室（AV）束である。
15.7 心房の脱分極によって心房の収縮が起る。
15.8 収縮相は収縮期 systole，弛緩相は拡張期 diastole と呼ばれる。
15.9 アセチルコリンは心拍数を減少させる。

CHAPTER 16

心臓血管系：血管と循環

　心臓血管系は血液を輸送し，全身に行き渡らせて，酸素，栄養素，ホルモンなどの物質を供給し老廃物を運び去ることで，からだのほかの器官系のホメオスタシスに寄与している。この血液の輸送は血管によって行われるが，血管は，血液を心臓からからだの臓器へ送り，また戻すという，閉じた循環路をつくっている。14章，15章で，血液の組成と機能および心臓の構造と機能について学んだ。本章では，血液を心臓から送り出すものと，心臓に還すものという，種類の違う血管の構造と機能について学び，さらに血流や血圧の制御にかかわる因子について検討する。

> **先に進むための復習**
> ・拡散（3.3 節）
> ・延髄（10.4 節）
> ・抗利尿ホルモン（13.3 節）
> ・ミネラルコルチコイド（13.7 節）
> ・心臓の大血管（15.1 節）

16.1 血管の構造と機能

目 標
・異なる種類の血管の構造と機能を比較する。
・毛細血管の血液への物質の出入りのしくみについて述べる。
・静脈血の心臓への還流のしくみについて説明する。

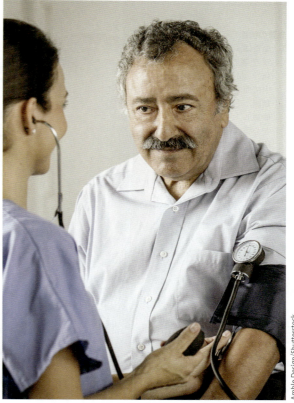

Q 高血圧の治療をしないと，なぜそれほどまでの有害な影響があるのか考えたことはありませんか？　答えは 16.5 節でわかるでしょう。

　血管には，動脈，細動脈，毛細血管，細静脈，静脈の5種類の血管がある（図 16.1 と図 16.8）。**動脈** artery は心臓から血液をからだの組織に運ぶ。2本の太い動脈，大動脈と肺動脈が**心臓から**出て，中程度の太さの動脈に枝分れし，からだのさまざまな場所に分布する。これらの中程度の太さの動脈はさらに細い動脈に分枝し，また次にこの細い動脈がより細く分枝して**細動脈** arteriole と呼ばれている血管になる。細動脈は，組織や臓器中で**毛細血管** blood capillary（単にcapillary）と呼ばれる，顕微鏡レベルの太さの血管に分枝していく。組織中の一群の毛細血管は再吻合し**細静脈** venule をつくる。さらに細静脈は吻合し，次第により太く，静脈と呼ばれる血管になっていく。**静脈** vein は血液を組織から**心臓に還す**血管である。

　どのようなときでも，体循環の静脈と細静脈中には全身の総血液量の約64％が存在し，体循環の動脈と細動脈中には約13％，体循環の毛細血管中には約7％，肺循環の血管中には約9％，そして心臓の腔内に約7％が存在している。静脈は大量の血液を保持しているので，特定の静脈は**血液貯蔵部** blood reservoir として働く。主要な血液貯蔵部は腹部臓器（とくに肝臓と脾臓）と皮膚の静脈である。血液をその貯蔵部から，例えば，筋の活動を保証するための骨格筋への移動など，速やかにからだのほかの部位へ移動させることが可能である。

動脈と細動脈

　動脈の壁には3層の組織があり，中空の**血管腔**

図 16.1 **血管の構造の比較。**(c)の毛細血管は強調のため相対的に大きくしてある。静脈の中の弁に注意。

動脈は血液を心臓から組織へ運ぶ。静脈は血液を組織から心臓へ運ぶ。

血管の機能

1. 血管は，心臓から血液を運び出し（動脈），からだの組織中に血液を流し（細動脈，毛細血管，細静脈），さらに血液を心臓に還す管（静脈）でできた閉じた系を形成している。
2. 血液と体組織の細胞との物質交換は血液が毛細血管中を流れる間に起る。
3. 栄養素と酸素は間質液を通して血液から組織の細胞に拡散する。二酸化炭素を含めた老廃物は間質液を通して組織の細胞から血液へ拡散する。

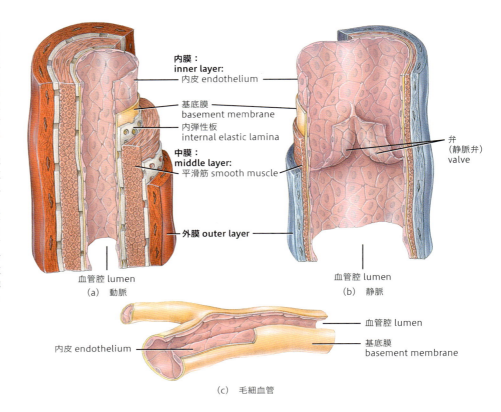

Q 大腿動脈と大腿静脈—どちらの血管壁が厚いか？　どちらの血管径が大きいか？

lumen を取り囲み，血液はこの血管腔を流れる（図16.1 a）。内層（内膜）は単層扁平上皮の一種である**内皮 endothelium**，基底膜，そして内弾性板と呼ばれている弾性組織とからなる。中層（中膜）は平滑筋と弾性組織から構成されている。外層（外膜）は主に弾性線維と膠原線維からなる。

自律神経系の交感神経線維が血管平滑筋に分布している。交感神経刺激の増大は主に平滑筋を収縮させ，血管壁の圧縮と血管腔の狭小化を引き起こす。このような血管の内腔の直径の減少を**血管収縮 vasoconstriction**という。対照的に，交感神経刺激が減少するか，特定の物質（一酸化窒素や乳酸など）が存在すると平滑筋は弛緩する。その結果生じる血管腔の直径の増加を**血管拡張 vasodilation**という。さらに，動脈や細動脈が傷害されるとその平滑筋は収縮し，血管の攣縮を引き起す。このような血管攣縮は，血管が細い場合には，傷害された血管の血流を制限し血液喪失の減少に役立つ。

最大径の動脈は中膜に大量の弾性線維があるので，血管の直径の大きさの割には比較的薄い血管壁をもつ。このような動脈は**弾性動脈 elastic artery** と呼ばれている。弾性動脈は心室が弛緩しているときにも血液を前に進めるのに働く。血液が心臓から弾性動脈内へ押し出されると，非常に弾力性のある血管壁は血液の変動に応じて拡張する。次に，心室が弛緩している間は，動脈壁内の弾性線維は縮み，血液をより細い動脈のほうへ推し進める。弾性動脈の例としては，大動脈，腕頭動脈，総頸動脈，鎖骨下動脈，椎骨動脈，肺動脈，総腸骨動脈が挙げられる。一方，中程度の太さの動脈は弾性動脈よりも平滑筋が多く弾性線維が少ない。このような動脈は**筋性動脈 muscular artery** と呼ばれており，より大きく血管収縮と血管拡張を行い，血流の速度を調節することが可能である。筋性動脈の例としては，上腕動脈（上腕）や橈骨動脈（前腕）が挙げられる。

細動脈 arteriole（細い動脈）は血液を毛細血管に運ぶ，非常に細く，ほとんど顕微鏡レベルの動脈である。もっとも細い細動脈では1層の内皮とそれを取り巻く少量の平滑筋のみで構成される（図 16.2 a 参照）。細動脈は動脈から毛細血管への血流の調節において重要な役割を果たしている。血管収縮の間は細動脈から毛細血管への血流は制限される。血管拡張の間に血流は顕著に増加する。また，細動脈の直径の変化は血圧を明らかに変化させる。血管拡張は血圧を低下させ，血管収縮は血圧を上げる。

毛細血管

　毛細血管 capillary（capillar- ＝毛のような）は顕微鏡レベルの太さの血管であり，細動脈を細静脈に連絡している（図 16.2 a）。毛細血管はからだのほぼすべての細胞の近傍に存在し，からだの細胞と血液との間での栄養素と老廃物の交換を可能にしているので，**交換血管** exchange vessel として知られている。毛細血管の数は養う組織の代謝活性により異なる。筋，肝臓，腎臓，神経系などの代謝要求性の高い体組織には発達した毛細血管網がある。腱や靱帯など代謝要求性の低い組織では毛細血管の数も少ない。少数の組織（からだを覆ったり裏打ちしたりしているすべての上皮，眼の角膜と水晶体，軟骨）では毛細血管がまったく存在しない。

毛細血管の構造　毛細血管は1層の内皮細胞とその周囲の基底膜で構成されている（図 16.1 c 参照）。毛細血管壁は非常に薄いので，多くの物質が容易に血管壁を通過し，血液から組織に到達し，また間質液中から血中へ入る。毛細血管以外のすべての血管の血管壁は厚すぎて血液と間質液間での物質交換ができない。毛細血管の内皮細胞同士の結合状態に応じ，また毛細血管の種類の違いによって毛細血管の透過性は異なっている。

　毛細血管が細動脈を細静脈に直接連絡している場合もあるが，それ以外では毛細血管はよく分枝した血管網を形成している（図 16.2 a）。代謝の必要度が低いときには，血液は毛細血管網の小部分のみを流れている。しかし，組織が活性化すると，毛細血管網全体が血液により満たされる。毛細血管内の血流は細動脈壁

図 16.2 毛細血管。赤血球の大きさと毛細血管の径はほぼ同じなので，毛細血管中を赤血球は一列となりくぐり抜ける。

細動脈は毛細血管への血流を調節し，毛細血管では栄養素，酸素，二酸化炭素，老廃物が血液と間質液との間で交換される。

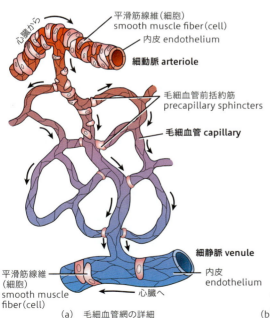

(a) 毛細血管網の詳細

(b) 毛細血管の中を圧搾されながら通過する赤血球を示す顕微鏡写真

(c) 損傷した毛細血管から漏れ出る赤血球

Q 代謝活性の高い組織には発達した毛細血管網があるのはなぜか？

の平滑筋と毛細血管前括約筋により調節されている。**毛細血管前括約筋 precapillary sphincter** は毛細血管が細動脈から分枝する部位に輪状に存在する平滑筋である(図 16.2 a)。毛細血管前括約筋が弛緩すると，そこから続く毛細血管内への血流が増加し，毛細血管前括約筋が収縮すると毛細血管内の血流は減少する。

毛細血管での物質交換　毛細血管は径が小さいので，血液はほかの血管内を流れる場合よりもかなりゆっくりと流れる。遅い血流は，毛細血管内の血流を維持し，毛細血管での**物質交換 capillary exchange**(毛細血管内外への物質の移動)を行うという，心臓血管系の第一の使命を果たすのに役立っている。

毛細血管圧 capillary blood pressure は，毛細血管壁に対する血圧であり，毛細血管から液体を間質液中に押し出す。反対の作用の圧力は，**血液膠質浸透圧 blood colloid osmotic pressure** と名づけられているもので，毛細血管内に間質液を引き込む(浸透圧は溶質の濃度に応じて生じる液体の圧であることを想起しなさい；3 章)。大部分の溶質は血液中と間質液中でほぼ同じ濃度で存在している。しかし，タンパク質は血漿中には存在するが間質液中にはほとんど存在していないことが血液の浸透圧を高くしている。血液膠質浸透圧は主に血漿タンパク質に起因する浸透圧である。

毛細血管の始まりから半分あたりまでは，毛細血管圧は血液膠質浸透圧よりも高い。したがって，水や溶質は周囲の間質液中に流れ出ていくが，この移動が**濾過 filtration** である(図 16.3)。毛細血管圧は毛細血管を血液が流れるにつれて次第に低下していくので，毛細血管路の中間点あたりで，血圧は血液膠質浸透圧よりも低くなる。そうなると，水や溶質は間質液から毛細血管の血液中へ移動するが，この過程を**再吸収 reabsorption** という。正常では濾過液の約 85% が再吸収される。再吸収されない過剰の濾過液とわずかな

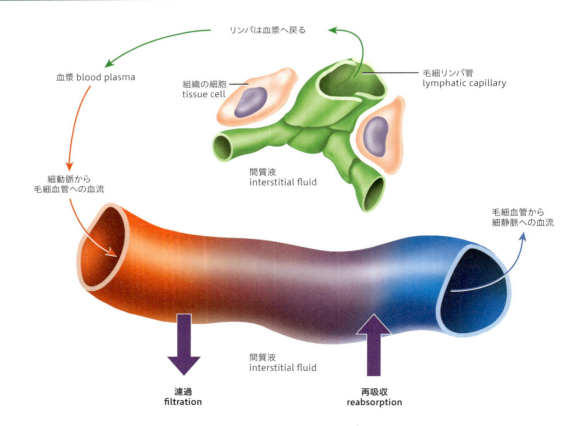

図 16.3　毛細血管における物質交換。

毛細血管圧が毛細血管から液を押し出す(濾過)，血液膠質浸透圧が毛細血管内へ間質液を引き込む(再吸収)。

Q 過剰に濾し出されて，再吸収されない間質液やタンパク質はどうなるか？

がら漏出する血漿タンパク質は毛細リンパ管に入り，リンパ管系により，最後には心臓血管系に戻される（17章に詳述）。

毛細血管の局所的な変化の各々が血管拡張と血管収縮の制御を行うことができる。組織の細胞から血管拡張因子が放出されると，近傍の細動脈の拡張と毛細血管前括約筋の弛緩を引き起す。すると，毛細血管網への血流が増大し，組織への酸素供給が増加する。血管収縮因子にはその反対の作用がある。組織が自動的にその代謝要求性に応じて血流を調節する能力のことを**自己調節 autoregulation** という。

細静脈と静脈

数本の毛細血管が集まり細静脈となる。細静脈は毛細血管からの血液を集め静脈に注ぎ，静脈は心臓に血液を戻す。

細静脈と静脈の構造

細静脈 venule（細い静脈）は，細動脈と同様の構造をもち，毛細血管の近くではその血管壁は薄いが，心臓に近づくにつれてより厚くなる。**静脈 vein** は動脈と同様の構成をしているが，中膜と内膜は薄い（図16.1b参照）。静脈では外膜がもっとも厚い層である。静脈の血管腔は対応する動脈の血管腔と比較すると広い。

静脈には，内膜が内方に折れ曲がり，血液の逆流を防ぐ**弁（静脈弁）valve** が形成されていることがある。弁の形成が弱い人では，重力により血流が弁の部位でも逆流してしまう。このため静脈圧は上がり，静脈壁を外方に押す。血液が毛細血管から離れ静脈内へ移動するまでには血圧はほとんどなくなってしまう。これは血管の断端からの血液の流れ方でわかる。静脈の断端からは血液はゆっくりと滑らかに流れ出る。一方，動脈の断端からは血液がドクドクと噴出する。静脈では血圧が低く，多くが皮膚表面近くにあるので，血液検体が必要な場合には通常は静脈から採取する。

チェックポイント

1. 動脈，毛細血管，静脈には機能的にどのような違いがあるか？
2. 濾過と再吸収の違いを述べなさい。

臨床関連事項

静脈瘤

漏出性の静脈弁は静脈を拡張し蛇行した外観を呈する血管にしてしまうことがあり，この状態を**静脈瘤 varices** あるいは**拡張蛇行（怒張性）静脈 varicose veins**，（varic- = 拡張した静脈）（単数形 varix）と呼んでいる。静脈瘤はからだのほとんどすべての部位の静脈で起りうるが，食道と肛門管の静脈や下肢の浅（皮）静脈で好発する。下肢の静脈瘤は美容上の問題から重大な医学的問題にまで及ぶことがある。弁の不全は先天的な原因，（妊娠や長時間の起立などによる）機械的なストレス，あるいは加齢により生じる。漏れがある静脈弁は，深静脈から効率がやや低い浅静脈への血液の逆流を起こし，血液は浅静脈に貯留をする。この血液の貯留は静脈の拡張圧を生じ，周囲の組織への液の漏出を起す。結果として，冒された静脈とその周囲の組織は炎症を起こし，痛みを伴い過敏になる。下腿の浅静脈，とくに伏在静脈（図14.14参照）は静脈瘤にきわめてなりやすく，一方，深静脈は周囲の骨格筋が静脈壁の過度の伸展を防止するので冒され難い。肛門管の静脈瘤は**痔 hemorrhoids** と呼ばれる。食道静脈瘤は食道下部や時には胃の上部の壁の拡張した静脈から起る。食道静脈瘤からの出血は生命の危険を伴うものであり，通常は慢性的な肝臓疾患の結果である。

下肢の静脈瘤にはいくつかの治療法が知られる。**弾性靴下 elastic stockings** は症状が軽い人やほかの治療を推奨できない人も使用できる。**硬化療法 sclerotherapy** は，内膜を傷害する溶液を静脈瘤に注入し，無害の表層性血栓性静脈炎（凝血塊をもつ炎症）を起す治療法である。傷害部位が治癒すると，瘢痕形成により静脈が閉塞される。**高周波静脈閉鎖術 radiofrequency endovenous occlusion** は，静脈瘤を加熱し閉鎖するために高周波エネルギーを利用する。**レーザー閉鎖術 laser occulusion** は，静脈の閉鎖へのレーザー治療の応用である。**剥離法 stripping** と呼ばれる外科的方法は，静脈を除去する。この侵襲的な処置ではたわみやすいワイヤを静脈内に通し，引き抜くことにより静脈瘤をはぎとる。

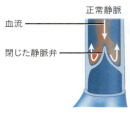

正常静脈
血流
閉じた静脈弁

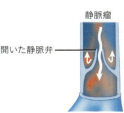

静脈瘤
開いた静脈弁

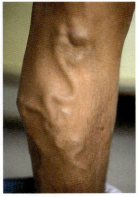

Scott Camazine/Phototake
下肢の静脈瘤の怒張し蛇行した外観

16.2 血管内の血流

目標

- 血圧を定義し，体循環全体でどのように変化するか述べる。
- 血圧と血管抵抗に作用する要因を正確に同定する。
- 血圧と血流はどのように制御されているか述べる。

15章では心臓の拍出量は1回の拍出量と心拍数によって決まることを学んだ。心臓の拍出量と個別の循環路を流れる血液の配分に影響する別の要因は，血圧と血管抵抗の二つである。

血圧

学んだばかりであるが，血液は高圧部から低圧部に流れ，圧力差が大きくなればなるほど，血流速度も大きくなる。心室の収縮によって，血液が血管の壁に及ぼす圧力である**血圧 blood pressure（BP）**が発生する。血圧は大動脈と体循環の太い動脈でもっとも高い。若年成人では安静時において，収縮期で約110 mmHgまで上がり，拡張期に約70 mmHgまで低下する。血圧は左心室からの距離が増加するにつれて次第に下がり（図 16.4），体循環の毛細血管通過時には約 35 mmHg となる。毛細血管の静脈端では血圧は約 16 mmHg まで下がる。血液が細静脈そして静脈と入っていくにつれ血圧は下がり続け，右心房に戻ってくるときには 0 mmHg となる。

心臓血管系の中の全血液量も血圧にある程度関係している。成人では正常全血液量は約5Lである。出血などで，全血液量が少しでも減少すると，動脈中の循環血液量が減少する。多少の減少は血圧の維持に機能する恒常性維持機構によって代償することができるが，血液の減少量が全血液量の10%以上になると，血圧が低下し，生命にかかわるおそれのある事態となる。逆に，体内での水の保持などのように血液量を増加させることは血圧を上昇させることが多い。

血管抵抗

血管抵抗 vascular resistance は血液と血管壁との間の摩擦による血流に対する抵抗である。血管抵抗の増大は血圧を高め，血管抵抗の減少は逆の作用をもたらす。血管抵抗は次の三つの要因で決まる。

1. **血管腔の太さ size of the lumen**：血管腔が細くなればなるほど，血流に対する抵抗は大きくなる。血管収縮は血管腔を狭め，血管拡張は血管腔を広げる。通常，特定の組織内の血流の時々刻々の変動はその組織中の細動脈の血管収縮と拡張による。細動脈が拡張すると抵抗は小さくなり，血圧は低下する。逆に細動脈が収縮すると，抵抗が増大し，血圧が上昇する。

2. **血液の粘性 blood viscosity**：血液の粘性は血漿量に対する赤血球の割合によってほとんど決まるが，血漿中のタンパク質の濃度も影響する。血液の粘性が高くなるとそれに応じて血管抵抗も大きくなる。そのため脱水や**赤血球増加症 polycythemia** などの血液の粘性を高めるような状態はどのようなものでも血圧を上昇させる。貧血や出血の結果もたらされるような血漿タンパク質や赤血球の減少は同様に血圧を低下させる。

3. **全血管長 total blood vessel length**：からだの中の全血管の長さが増すと血流に対する抵抗は増大する。血管が長くなればなるほど，血管壁と血液との接触が増加し，摩擦が大きくなる。脂肪が1 kg 増加すると約 1,400 km の新たな血管がつくられると推算されており，肥満の人が高血圧である理由の一つである。

静脈還流

静脈還流 venous return は，毛細血管から細静脈，静脈を通って心臓の右心房に戻る血液の動きである。

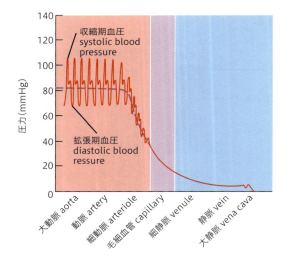

図 16.4 血圧は血液が体循環路を流れ進むにつれて変動する。紫色の点線は大動脈，動脈および細動脈の平均血圧を示す。

血液が体循環の動脈から毛細血管を通って右心房まで流れるにつれて，血圧は次第に低下する。血圧の最大低下は細動脈中で起る。

Q 血圧と血流にはどのような関係があるか？

血圧は心室の収縮によりつくられ，動脈，細動脈と血管が心臓から離れるだけ血圧は低下していく．毛細血管の細動脈端で，血圧は約 35 mmHg であるが，血液が一度毛細血管を通り細静脈に入ると，血圧は約 16 mmHg に下がる．血圧は低下し続け，腹腔の太い静脈内では約 5.5 mmHg になる．血液が右心房に流入するとき，上大静脈と下大静脈内の血圧はほぼ 0 mmHg である．三尖弁と僧帽弁は心室の収縮時に下方へ動き心房を大きくするが，それによりつくられるわずかな吸引力は弱い．全体として，静脈血の低い血圧と心房のわずかな吸引力は心臓に効果的に血液を還流させるには十分ではない．これに重力が加わる．起立したときには，下肢の静脈内の血液を押し上げる圧力は押し戻そうとする重力にかろうじて打ち勝つことができる程度である．効果的な静脈還流は二つのポンプ，呼吸ポンプと骨格筋のポンプ，によってなされている．二つのポンプとも静脈内の一方向弁が重要である．

呼吸ポンプ respiratory pump は胸腔内の静脈還流の重要な要因であり，静脈の交互の圧縮と減圧に基づいている．吸息時には横隔膜は下方に移動し，このため胸腔内圧は低下し，腹腔内圧は上昇する．その結果，腹腔内の静脈は圧縮され，大量の血液が腹部の静脈から，減圧された胸部の静脈に入り，次に右心房に入る．呼息時で，圧力が逆転すると，下肢の静脈弁が胸部の静脈から腹部の静脈への血流の逆流を防ぐ．

骨格筋ポンプ skeletal muscle pump は静脈還流を促進する，とくに体肢で，重要な要因であり，次のように働いている（図 16.5）．

❶ 起立し静止しているときは，下肢に存在する静脈弁は心臓に近いものも遠くのものもどちらも開いており，血液は心臓に向かって上方に流れる．

❷ つま先立ちしたり，一歩踏み出したりするようなときには下腿の筋の収縮が静脈を圧迫する．この圧迫により血液は押され心臓に近い弁を通過する．この作用のことを**ミルキング** milking という．同時に，静脈の圧迫されていない部分で心臓から遠い位置にある静脈弁は，血液が押し返すので閉じる．外傷や病気で動けない人ではこのような下腿の筋の収縮がない．その結果，静脈還流は遅くなり，深［部］静脈血栓症（"医学用語と症状"を参照）などの循環障害が起こることがある．

❸ 筋の弛緩直後には，静脈の収縮していた部位の血圧は低下し，心臓に近い側に存在する静脈弁を閉じる．足の血圧は下腿の血圧よりも高いので，遠い側にある静脈弁は開き，静脈は足からの血液によって満たされる．

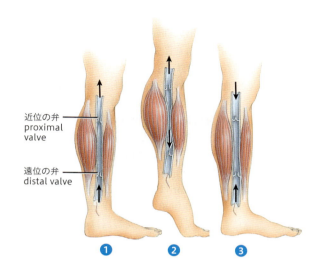

図 16.5 心臓への血液の還流での骨格筋ポンプの作用．

ミルキングとは，静脈血を心臓方向へ動かす骨格筋の収縮のことをいう．

近位の弁 proximal valve
遠位の弁 distal valve

Q 心臓の収縮以外では，静脈還流を促進するポンプとして働く機構にはどのようなものがあるか？

静脈還流には血管収縮も寄与している．正常な血圧からの血圧低下に反応して，交感神経系からノルアドレナリンが放出され，これが静脈壁内の平滑筋の収縮を引き起こす．静脈の径が減少するにつれて，静脈内の圧は増大し，右心房内へより多くの血液を押し込むことになる．

血圧と血流の調節

互いに関連している数種のネガティブフィードバックシステムが，心臓の拍動数，拍出量，血管抵抗，循環血液量を調節することで血圧と血流を調節している．その中には，起立したときに脳内に起る血圧低下などのような急激な変化に対応する迅速な調節が可能なものがある．その他は長期の調節を行うものである．からだは血流の分配の調節も必要としている．例えば，運動時にはより大量の血流が骨格筋に向けられる．

心臓血管中枢の役割 15 章で延髄にある**心臓血管中枢** cardiovascular (CV) center が心臓の拍動数と拍出量の調節にどのように関与しているかを述べた．血圧と特定の臓器への血流を調節する神経性およびホルモン性のネガティブフィードバックシステムも心臓血管中枢が支配している．

入力 心臓血管中枢は，大脳皮質，辺縁系，視床下部などの高位の脳領域からの入力を受けている（図16.6）。例えば，競技の始まる前であっても，辺縁系から心臓血管中枢へ運ばれる神経インパルスのために，心拍数が増加する。競技中に体温が上がると，視床下部は心臓血管中枢に神経インパルスを送る。その結果起る皮膚血管の血管拡張が皮膚表面からの熱のより急速な放散を可能にする。

また，心臓血管中枢は固有受容器，圧受容器，化学受容器の主要な三つの感覚受容器からの入力を受ける。**固有受容器（深部受容器）**proprioceptor は関節や筋の運動をとらえ，テニスをしているときなどの運動中に心臓血管中枢に入力し，運動の開始時での迅速な心拍数の増加を引き起す。

圧受容器 baroreceptor は，大動脈，内頸動脈（頸部に存在し，脳へ血液を供給する動脈）や頸や胸のほかの太い動脈に存在している。圧受容器は心臓血管中枢に持続的にインパルスを送り，血圧の調節に寄与している。血圧が下がると，圧受容器の伸びが小さくなり，心臓血管中枢へ送るインパルスの頻度が少なくなる（図16.7）。これに応じて，心臓血管中枢は心臓の副交感神経性刺激を減少させ交感神経性刺激を増大させる。心臓はより速く強力に拍動し，血管抵抗は増大するので，血圧は通常の高さに戻る。

対照的に，血圧の上昇が感知されると，圧受容器はより速い頻度でインパルスを送る。心臓血管中枢はこれに反応して副交感神経性刺激を増大させ交感神経性刺激を減少させる。その結果起る心臓の拍動と収縮力の減少は心臓の拍出量を減少させ，血管拡張は血管抵抗を減少する。心臓の拍出量の減少と血管抵抗の減少はどちらも血圧を下げる。

> **臨床関連事項**
>
> **圧受容器反射**
>
> （横になった状態から）立位への体位変化は頭部と上半身の血圧と血流を減少させる。しかし，血圧の低下は**圧受容器反射** baroreceptor reflex によって速やかに補正される。この反射はしばしば通常よりも遅く働くことがあり，とくに高齢者では遅いことが多い。その結果，あまり急に立ち上がると脳血流の減少のために失神することがある。

化学受容器反射 O_2, CO_2, H^+ の血中濃度をモニターする**化学受容器** chemoreceptor は，内頸動脈と外頸動脈の分岐部にある左右の**頸動脈小体** carotid body と大動脈弓壁にある**大動脈小体** aortic body に存在し

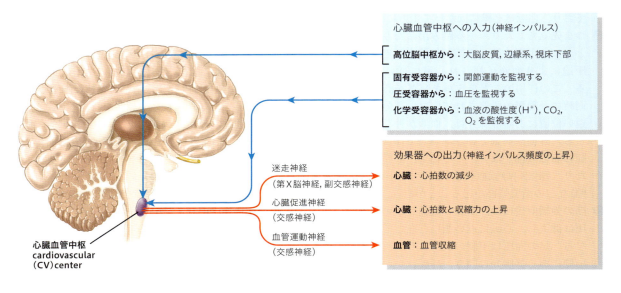

図16.6 心臓血管中枢。心臓血管中枢は延髄に存在し，高位脳中枢，固有受容器，圧受容器，化学受容器からの入力を受ける。心臓血管中枢からは自律神経系の交感神経系と副交感神経系の両方に出力している。

心臓血管中枢は心臓の拍動数，収縮力，および血管の拡張と収縮を調節する神経系の主要な領域である。

Q 血管収縮は血管抵抗と血流にどのような影響を及ぼすか？

16.2 血管内の血流　**405**

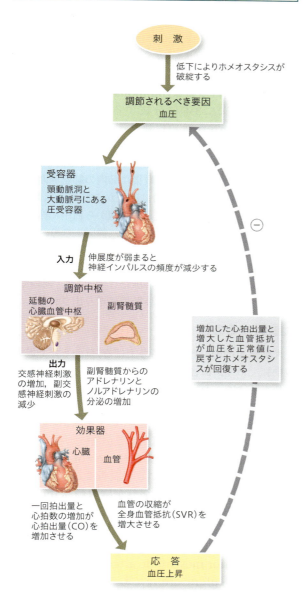

図 16.7 圧受容器反射による血圧のネガティブフィードバック調節。

圧受容器反射は血圧をすばやく調節をする神経性の機構である。

Q このネガティブフィードバック回路は，横になるときと起立するときのどちらに起るか？

ている。**低酸素症** hypoxia，**アシドーシス** acidosis（H^+ 濃度の上昇），**高炭酸ガス血症** hypercapnia（二酸化炭素過剰）は化学受容器を刺激し，心臓血管中枢にインパルスを送る。これに反応して，心臓血管中枢は動脈と静脈に対する交感神経性刺激を増加させ，血管収縮を引き起こし，血圧を上昇させる。

出 力　心臓血管中枢からの出力は自律神経系（ANS）の交感線維と副交感線維によってなされる（図 16.6 参照）。交感神経性刺激の増加は心拍数と収縮力を増大させ，一方，交感神経性刺激の減少は心拍数と収縮力を減少させる。心臓血管中枢の血管運動領域も全身の細動脈にインパルスを送る。その結果，**血管運動緊張 vasomotor tone** と呼ばれている中程度の血管収縮状態がもたらされ，安静時の血管抵抗の強度が設定される。大部分の静脈に対する交感神経性刺激は静脈血貯蔵部から血液を送り出すことになり，血圧を上げる。

ホルモンによる血圧と血流の調節　心臓の拍出量を変化させ，血管抵抗を変え，循環血液量を補正することによって，血圧と血流を調節するホルモンが存在する。

1. **レニン-アンギオテンシン-アルドステロン系 renin-angiotensin-aldosterone（RAA）system**：血液量が減少して，腎臓への血流が減少すると，腎臓の特定の細胞（訳注：糸球体傍細胞）が血流中に酵素である**レニン** renin を分泌する（図 13.14）。レニンとアンギオテンシン変換酵素（ACE）は協同して活性型ホルモンである**アンギオテンシン II** angiotensin II を産生する。アンギオテンシン II は，血管収縮を起し血圧を上げる。また，アルドステロンの分泌を促進する。**アルドステロン** aldosterone は腎臓によるナトリウムイオン（Na^+）と水の再吸収を増加させる。水の再吸収は循環血液量を増加させるので血圧が上昇する。

2. **アドレナリン（エピネフリン）とノルアドレナリン（ノルエピネフリン）adrenaline（epinephrine）and noradrenaline（norepinephrine）**：交感神経性刺激に反応して，副腎髄質はアドレナリンとノルアドレナリンを放出する。これらのホルモンは心拍数と心臓の収縮力を増大させることにより心臓の拍出量を増やし，また，皮膚と腹部器官の細動脈と静脈の血管収縮を引き起す。

3. **抗利尿ホルモン antidiuretic hormone（ADH）**：抗利尿ホルモンは脱水や血液量の減少に反応して視床下部で産生され，下垂体後葉から放出される。ほかの作用として，抗利尿ホルモンには血管

収縮を引き起こし，血圧を上げる作用があり，このため抗利尿ホルモンはバソプレシン vasopressin とも呼ばれている。
4. **心房性ナトリウム利尿ペプチド** atrial natriuretic peptide(ANP)：心房性ナトリウム利尿ペプチドは心臓の心房の細胞から放出されると，血管を拡張し，また尿中への塩類と水の移行を促進し血液量を減少させることによって血圧を下げる。

> **チェックポイント**
> 3. 心拍出量を左右する二つの要因は何か？
> 4. 左心室から離れるに従い，血圧はどのように低下していくかを述べなさい。
> 5. 血管抵抗を決定する要因は何か？
> 6. 血液の心臓への還流に働いている要因は何か？
> 7. 血圧の調節における，心臓血管中枢の機能，反射およびホルモンについて説明しなさい。

16.3 循環路

目標
・体循環と肺循環を定義する。

血管は全身へ血液を運ぶ**循環路** circulatory route を構成している(図 16.8)。循環路には体循環と肺循環の主要な二つの循環路がある。

体循環

体循環 systemic circulation には，酸素と栄養素を含む血液を左心室から全身の毛細血管へ運ぶ動脈と細動脈，および二酸化炭素と老廃物を含む血液を右心房まで運ぶ細静脈と静脈が含まれる。大動脈から離れ，体循環の動脈を流れる血液は鮮紅色である。毛細血管中を移動するにつれて，血液からは酸素が失われ二酸化炭素が取り込まれるので，体循環の静脈中の血液は暗赤色になる。

体循環のすべての動脈は大動脈から分枝している。**大動脈** aorta は心臓の左心室から起る(図 16.9)。脱酸素化された血液は体循環の静脈をへて心臓に還る。体循環のすべての静脈は**上大静脈** superior vena cava，**下大静脈** inferior vena cava，および**冠状静脈洞** coronary sinus へ流入し，次に右心房へ流れ込む。体循環の主要な動脈と静脈について，本節と表 16.1 ~ 16.7 と図 16.8 ~ 16.15 で説明と図解をする。

肺循環

脱酸素化した血液が体循環から心臓に還流すると，その血液は右心室から肺の中へ拍出される。肺の中で，血液から二酸化炭素が失われ，酸素が取り込まれる。再び鮮紅色となった血液は左心房に戻り，再び体循環に拍出される。右心室から肺の肺胞への脱酸素化した血流と肺胞から左心房への酸素化した血液の還流を**肺循環** pulmonary circulation という(図 16.8 参照)。**肺動脈幹(肺動脈)** pulmonary trunk は右心室から出て，次に2本に分枝する。**右肺動脈** right pulmonary artery は右肺へ，**左肺動脈** left pulmonary artery は左肺へいく。出生後は脱酸素化した血液を運ぶ動脈は肺動脈だけである。肺に入ると肺動脈は分枝を繰り返し，最後に肺内の肺胞周囲の毛細血管となる。二酸化炭素は血液から肺胞へ拡散し，排出される。吸入された酸素は肺胞から血中に拡散する。肺の毛細血管は合流し細静脈，静脈となり，最後には左右の各肺から2本ずつの**肺静脈** pulmonary vein が酸素化した血液を左心房に運ぶ(出生後は酸素化した血液を運ぶ静脈は肺静脈だけである)。続いて，左心室の収縮により血液は体循環に送り出される。

大動脈とその枝

大動脈 aorta(aortae ＝持ち上げる)はからだで最大の動脈であり，直径が2~3cmある。大動脈の四つの基本区分は，上行大動脈，大動脈弓，胸大動脈，腹大動脈である。**上行大動脈** ascending aorta は肺動脈幹の背側で左心室から出る。上行大動脈から心臓の心筋に血液を送る2本の冠状動脈が分枝する。次に，大動脈は左に曲がり，**大動脈弓** arch of aorta となる。大動脈弓の枝は図 16.10 で説明する。大動脈弓と横隔膜の間の大動脈の部分が**胸大動脈** thoracic aorta で，長さは約 20cm である。横隔膜と総腸骨動脈との間の部分が**腹大動脈** abdominal aorta である。腹大動脈の主要な枝は**腹腔動脈** celiac trunk，**上腸間膜動脈** superior mesenteric artery と**下腸間膜動脈** inferior mesenteric artery である。腹大動脈は横隔膜の大動脈裂孔から始まり，第4腰椎の高さ付近で，骨盤部と下肢に血液を供給する左右の**総腸骨動脈** common iliac artery に分枝する。

大動脈弓

大動脈弓 arch of aorta は上行大動脈の続きで，長さは4~5cmである。大動脈弓には3本の枝がある。その3本の動脈は，大動脈弓から分枝する順に，腕頭動脈，左総頸動脈，左鎖骨下動脈である。

16.3 循環路　407

図 16.8 循環路の模型図。長い黒矢印は体循環（この節で詳述）を示す，短い青矢印は肺循環を示し，赤矢印は肝門脈循環を示す。肺循環の詳細をここで示す。肝門脈循環の詳細は図 16.16 に示す。心臓の冠循環の詳細については図 15.5 を，胎児循環の詳細については図 16.17 を参照。

血管はからだの組織へ血液を供給するさまざまな経路として組織化されている。

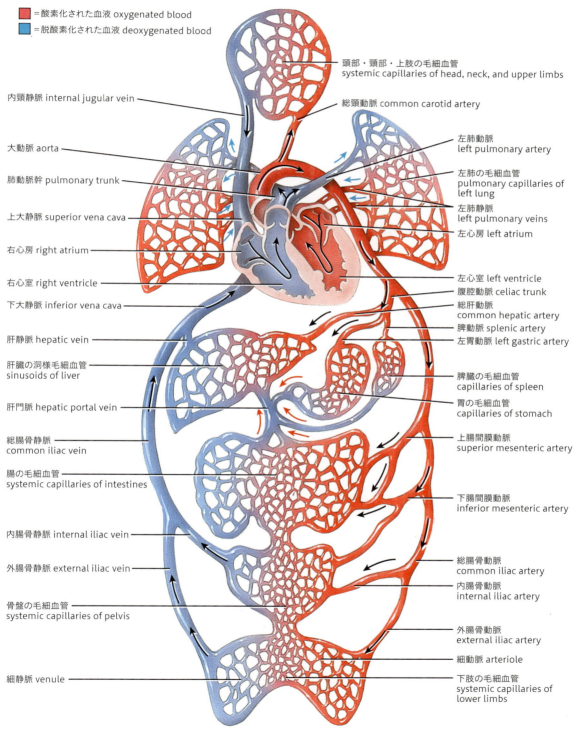

Q 二大血液循環路は何か？

表 16.1　大動脈とその枝

区分と動脈枝	分布領域
上行大動脈 ascending aorta	
右，左冠状動脈 right and left coronary arteries	心臓
大動脈弓 arch of aorta（図 16.10 参照）	
腕頭動脈 brachiocephalic trunk	
右総頸動脈 right common carotid artery	頭頸部の右側
右鎖骨下動脈 right subclavian artery	右上肢
左総頸動脈 left common carotid artery	頭頸部の左側
左鎖骨下動脈 left subclavian artery	左上肢
胸大動脈 thoracic aorta（thorac- ＝胸）	
気管支動脈 bronchial artery	肺の気管支
食道動脈 esophageal artery	食道
肋間動脈 posterior intercostal artery	肋間筋と胸部の筋
上横隔動脈 superior phrenic artery	横隔膜の上面と後面
腹大動脈 abdominal aorta	
下横隔動脈 inferior phrenic artery	横隔膜の下面
腹腔動脈 celiac trunk	
総肝動脈 common hepatic artery	肝臓，胆嚢，胃，十二指腸，膵臓
左胃動脈 left gastric artery	胃と食道
脾動脈 splenic artery	脾臓，膵臓，胃
上腸間膜動脈 superior mesenteric artery	小腸，盲腸，上行結腸，横行結腸，膵臓
副腎動脈 suprarenal artery	副腎
腎動脈 renal artery	腎臓
生殖腺動脈 gonadal artery	
精巣動脈 testicular artery	精巣（男性）
卵巣動脈 ovarian artery	卵巣（女性）
下腸間膜動脈 inferior mesenteric artery	横行結腸，下行結腸，S 状結腸，直腸
総腸骨動脈 common iliac artery	
外腸骨動脈 external iliac artery	下肢
内腸骨動脈 internal iliac artery	子宮（女性），前立腺（男性），殿筋，膀胱

図 16.9 大動脈と主な動脈。

体循環のすべての動脈は大動脈から分枝する。

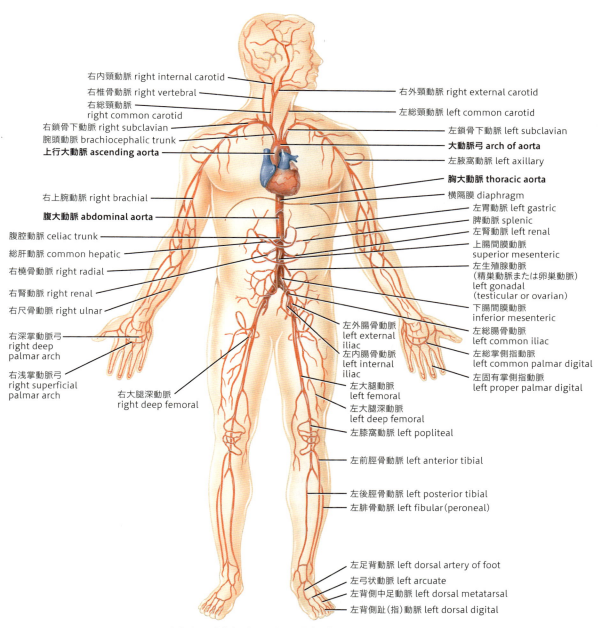

大動脈から分枝する主要な動脈：全身を前からみる

Q 心臓から血液が拍出された後，血液が通過する大動脈の四つの区分の名称は何か？

表 16.2 大動脈弓とその枝

動脈名	説明と分布域
腕頭動脈 brachiocephalic trunk (brachio- = 腕；-cephalic = 頭)	**腕頭動脈**は二分し右鎖骨下動脈と右総頸動脈となる（図 16.10 a）。
右鎖骨下動脈 right subclavian artery	**右鎖骨下動脈**は腕頭動脈から始まり次に腋窩に入る。一般的な分布域は脳，脊髄，頸部，肩，胸部である。
腋窩動脈 axillary artery	右鎖骨下動脈の腋窩への続きは**腋窩動脈**と呼ばれる。一般的な分布域は肩，胸部と肩甲部の筋，上腕骨である。
上腕動脈 brachial artery	**上腕動脈**は腋窩動脈の上腕への続きであり，上腕の主要な血液供給を行う。血圧測定に通常使われる動脈である。肘の屈曲部のすぐ遠位で，上腕動脈は橈骨動脈と尺骨動脈に分枝する。
橈骨動脈 radial artery	**橈骨動脈**は上腕動脈から直接続く2本の枝の一枝である。橈骨動脈は前腕の外側（橈側）に沿って走り，続いて手首と手の中を走行する。手首の位置で橈骨動脈の脈拍を測定する。
尺骨動脈 ulnar artery	**尺骨動脈**は前腕の内側（尺側）を走行した後，手首と手に入る。
浅掌動脈弓 superficial palmar arch (palma = 手掌)	**浅掌動脈弓**は主に尺骨動脈により形成され，手掌を横切っている。浅掌動脈弓から手掌と指に血液を送る血管が出る。
深掌動脈弓 deep palmar arch	**深掌動脈弓**は主に橈骨動脈により形成される。深掌動脈弓は手掌を横切り，手掌に分布する枝を分枝する。
椎骨動脈 vertebral artery	右鎖骨下動脈は腋窩に入る前に，**右椎骨動脈**と呼ばれる脳へ主要な枝を分枝する（図 16.10 b）。右椎骨動脈は頸椎の横突起の横突孔を貫通し大後頭孔を通って頭蓋腔に入り，脳の下面に到達する。ここで左椎骨動脈と吻合し**脳底動脈 basilar artery** となる。椎骨動脈は脳の後部に血液を供給している。脳底動脈は小脳，橋，内耳を養う。
右総頸動脈 right common carotid artery	**右総頸動脈**は，腕頭動脈の分岐部から始まり，頸部を上行し，頭部に分布する（図 16.10 b）。右総頸動脈は喉頭の近傍で右外頸動脈と右内頸動脈に分岐する。
外頸動脈 external carotid artery	**外頸動脈**は頭蓋の外の構造に血液を送る。
内頸動脈 internal carotid artery	**内頸動脈**は眼球，耳，大脳の大部分，下垂体などの頭蓋内の構造に血液を供給する。頭蓋内において，内頸動脈は脳底動脈とともに，下垂体窩の近くの脳底に**大脳動脈輪 cerebral arterial circle**（**ウィリス動脈輪** circle of Willis）と呼ばれている血管路を形成している。脳に血液を送る大部分の枝が大脳動脈輪（図 16.10 c）から出ている。大脳動脈輪は**前大脳動脈 anterior cerebral artery**（内頸動脈の枝）と**後大脳動脈 posterior cerebral artery**（脳底動脈の枝）との結合により形成されている。後大脳動脈は**後交通動脈 posterior communicating artery** により内頸動脈と連絡している。**前交通動脈 anterior communicating artery** は左右の前大脳動脈を結合している。また**内頸動脈**も大脳動脈輪の一部であるといえる。大脳動脈輪の機能は，脳への血液の血圧を均等にするとともに，脳への動脈に損傷が起きたときにその代わりとなる血流路を提供することである。
左総頸動脈 left common carotid artery	右総頸動脈と基本的に同じ名称の同じ枝に分枝する。
左鎖骨下動脈 left subclavian artery	右鎖骨下動脈と基本的に同じ名称の同じ枝に分枝する。

16.3 循環路　411

図 16.10　大動脈弓とその枝。

大動脈弓は上行大動脈の続きである。

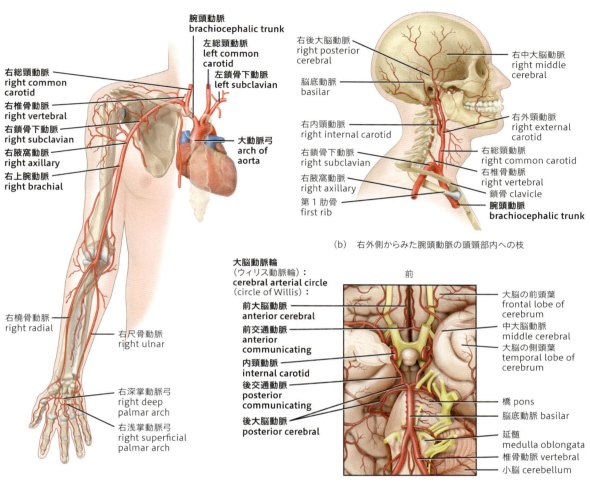

(a) 前からみた腕頭動脈から上肢内の枝

(b) 右外側からみた腕頭動脈の頭頸部内への枝

(c) 下からみた脳底で，大脳動脈輪（ウィリス動脈輪）を示す

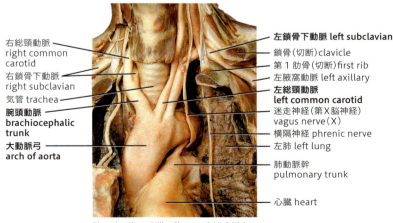

Dissection Shawn Miller, Photograph Mark Nielsen

(d) 前からみた大動脈弓の枝

図 16.10　つづく

図 16.10 つづき

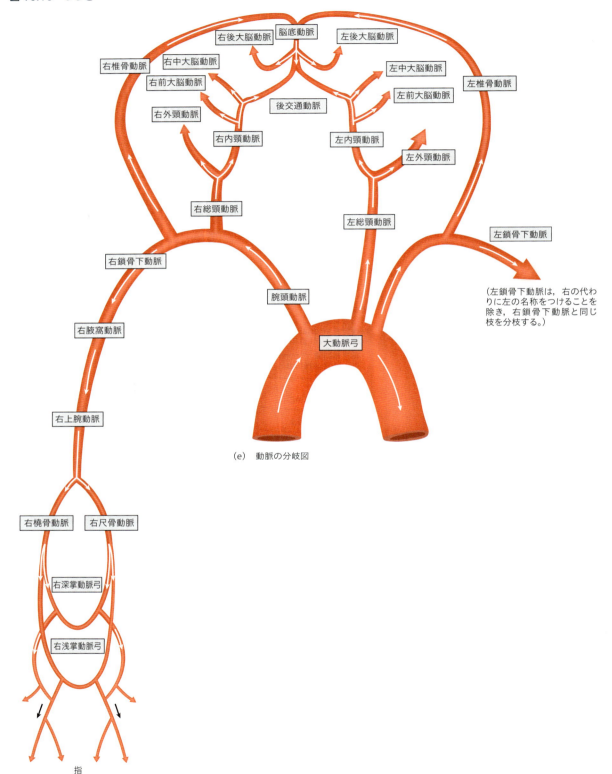

(e) 動脈の分岐図

Q 大動脈弓の 3 本の枝は何か，その起始の順に挙げなさい。

骨盤と下肢の動脈

腹大動脈は左右の**総腸骨動脈** common iliac artery に分かれて終わる。総腸骨動脈は，次に，**内腸骨動脈** internal iliac artery と**外腸骨動脈** external iliac artery に分枝する。外腸骨動脈は，順に，大腿では**大腿動脈** femoral artery，膝の後ろでは**膝窩動脈** popliteal artery となり，下腿では**前脛骨動脈** anterior tibial artery と**後脛骨動脈** posterior tibial artery になる。

表 16.3　骨盤と下肢の動脈

動脈名	説明と分布域
総腸骨動脈 common iliac artery (iliac ＝腸骨の)	腹大動脈はおおよそ第4腰椎の高さで左右の**総腸骨動脈**に分かれる。総腸骨動脈は内腸骨動脈と外腸骨動脈の2枝に分かれる。総腸骨動脈は骨盤，外生殖器，下肢に分布する。
内腸骨動脈 internal iliac artery	**内腸骨動脈**は骨盤の主要な動脈である。内腸骨動脈は骨盤，殿部，外生殖器，大腿部に血液を送る。
外腸骨動脈 external iliac artery	**外腸骨動脈**は下肢に分布する。
大腿動脈 femoral artery (femoral- ＝大腿の)	**大腿動脈**は外腸骨動脈の続きで，下腹壁，陰部，外生殖器，大腿部に血液を送る。
膝窩動脈 popliteal artery (popliteal ＝膝の後面)	**膝窩動脈**は大腿動脈の続きで，下腿後面の筋（ふくらはぎの筋）と皮膚，膝関節，大腿骨，膝蓋骨，腓骨に血液を送る。
前脛骨動脈 anterior tibial artery (tibial ＝脛骨に関連)	**前脛骨動脈**は膝窩動脈の枝で，膝関節，下腿前面の筋群と皮膚，足関節に分布する。足首で，前脛骨動脈は**足背動脈** dorsal artery of the foot となり，足背動脈は足背の筋，皮膚，関節に分布する。足背動脈は足と指（趾）に分布する枝を分枝する。
後脛骨動脈 posterior tibial artery	**後脛骨動脈**は膝窩動脈から直接続き，下腿と足の筋，骨，関節に分布する。後脛骨動脈の主要な枝は**腓骨動脈** fibular(peroneal)artery であり，腓骨動脈は下腿と足に分布する。後脛骨動脈は内側足底動脈と外側足底動脈に分かれて終わる。**内側足底動脈** medial plantar artery(plantar- ＝足の裏)は足と指（趾）の筋と皮膚に血液を送る。**外側足底動脈** lateral plantar artery は足と指（趾）に血液を送る。

図 16.11 骨盤と右下肢の動脈。

内腸骨動脈は，骨盤，殿部，外生殖器，大腿へ大部分の血液を供給する。

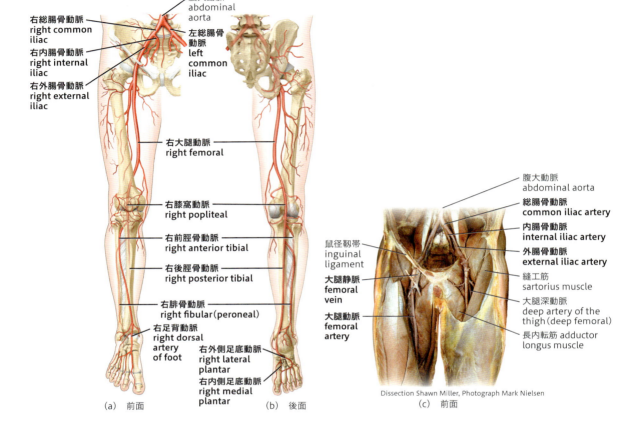

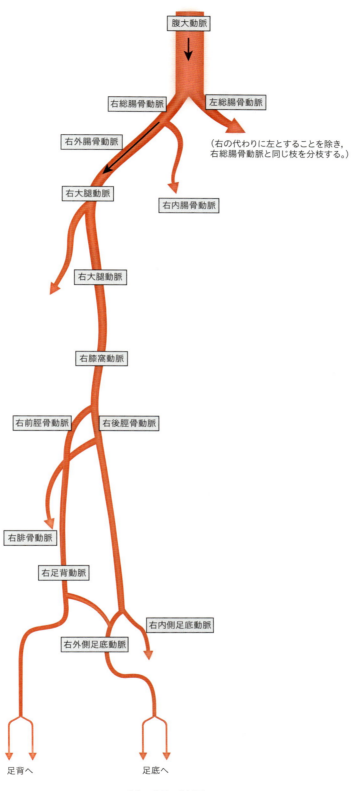

(d) 動脈の分岐図

Q 腹大動脈はどの部位で総腸骨動脈に分枝するか？

体循環の静脈

動脈は血液をからだの各部位に分配し，静脈は各部位から血液を戻してくる。動脈は多くの部位で深部に位置している。静脈は浅層（皮膚のすぐ下に）あるいは深部に存在する。浅層の静脈を**浅静脈（皮静脈 superficial vein）**と呼び，採血や静脈注射の部位として臨床上重要である。浅層には太い動脈はないので，浅静脈の名前は動脈と対応しない。**深静脈 deep vein** は一般的には動脈に沿って走行し，通常動脈と同名である。動脈は通常決まった経路を通る。静脈は多くのより細い静脈が吻合し太い静脈を形成している不規則な血管網に合流するので，静脈の経路は動脈に比べ変異が多い。酸素化した血液は1本の体循環の動脈，大動脈のみを経由して心臓（左心室）から出ているが，3本の体循環の静脈，**冠状静脈洞 coronary sinus**，**上大静脈 superior vena cava**，**下大静脈 inferior vena cava**，が脱酸素化した血液を心臓（右心房）に戻す。冠状静脈洞は心臓の静脈からの静脈血を受け，上大静脈は，肺の肺胞を除き，横隔膜よりも上の静脈からの静脈血を集め，下大静脈は横隔膜よりも下の静脈からの血液を受ける。

表 16.4　体循環の静脈

静脈名	説明と還流域
冠状静脈洞 coronary sinus （corona- ＝冠）	**冠状静脈洞**は心臓の主要な静脈である。冠状静脈洞は心筋のほぼすべての静脈血を還流している。冠状静脈洞は右心房にある下大静脈の開口部と三尖弁の間に開いている。
上大静脈 superior vena cava（SVC） （vena ＝静脈；cava ＝洞のような）	**上大静脈**は右心房の上部に静脈血を注いでいる。上大静脈は左右の腕頭静脈の合流により始まり，右心房に入る。上大静脈は頭頸部，胸部，上肢の静脈血を還流する。
下大静脈 inferior vena cava（IVC）	**下大静脈**は人体で最大の静脈である。下大静脈は左右の総腸骨静脈の合流により始まり，横隔膜を通過し，右心房の下部に入る。下大静脈は腹部，骨盤部，下肢の静脈血を還流する。妊娠後期では子宮が大きくなるために下大静脈が圧迫されることがよくあり，足首や足に浮腫ができたり，一時的に静脈瘤ができることがある。

図 16.12 主な静脈。

脱酸素化された血液（静脈血）は下大静脈，上大静脈，冠状静脈洞を通って心臓に還る。

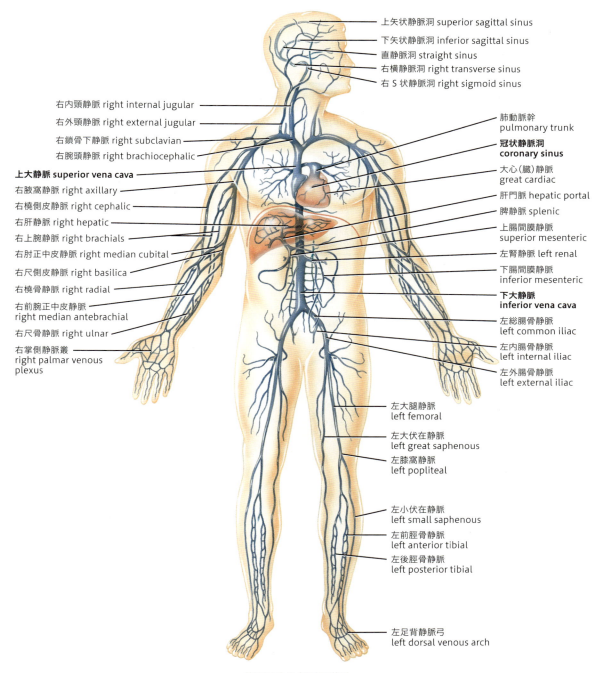

前からみた全身の主な静脈

Q 上大静脈と下大静脈はそれぞれからだのどの領域の静脈血を集めているか？

頭頸部の静脈

頭部からのほとんどの静脈血は次の3対の静脈，**内頸静脈** internal jugular vein，**外頸静脈** external jugular vein，**椎骨静脈** vertebral vein に流入する。

脳ではすべての静脈は硬膜静脈洞に注ぎ，続いて内頸静脈に流入している。**硬膜静脈洞** dural venous sinus は，頭蓋の硬膜の2葉の間にあって，内皮が内腔面を覆っている静脈性の通路である。

表 16.5 頭頸部の静脈

静脈名	説明と還流域
内頸静脈 internal jugular veins （jugular- ＝喉）	硬膜静脈洞（図 16.13 中の淡青色の血管）は頭蓋，髄膜および脳からの静脈血を還流する。左右の**内頸静脈**は内頸動脈および総頸動脈の外側に沿って頸部の両側を下行する。続いて内頸静脈は鎖骨下静脈と合流して**腕頭静脈** brachiocephalic vein （brachio- ＝腕の，cephalic- ＝頭の）となる。腕頭静脈を経た血液は上大静脈に入る。内頸静脈が還流する一般的な構造は，脳（硬膜静脈洞を経由），顔面，および頸部である。
外頸静脈 external jugular veins	左右の**外頸静脈**は鎖骨下静脈に注ぐ。外頸静脈が導出している一般的な構造は頭蓋の外部の頭皮および顔面の表層部と深層部である。
椎骨静脈 vertebral veins （vertebra ＝椎骨）	左右の**椎骨静脈**は頸の基部で腕頭静脈に注ぐ。椎骨静脈は，頸椎，頸髄，頸部の筋の一部など頸の深部の構造からの静脈血を還流している。

図 16.13 頭頸部の主な静脈。

頭部からの静脈血は内頸静脈，外頸静脈，椎骨静脈に入る。

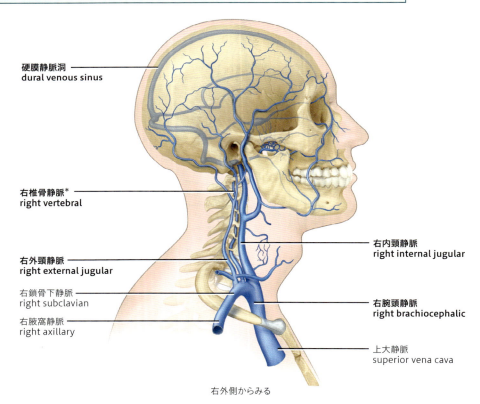

右外側からみる

*（訳注） 図では右椎骨静脈が右鎖骨下静脈に合流しているが，一般的には本文のように右腕頭静脈に合流する。

Q 脳のすべての静脈血は，頸部のどの静脈に流れ込むか？

上肢の静脈

上肢の静脈血は**浅静脈（皮静脈）**superficial vein と**深静脈** deep vein の両方で心臓に還流している。静脈弁は浅静脈と深静脈の両方にあるが，深静脈のほうが多い。

浅静脈は深静脈よりも太く，上肢からのほとんどの静脈血を還流している。

表 16.6 上肢の静脈

静脈名	説明と還流域
浅静脈（皮静脈）superficial veins	
橈側皮静脈 cephalic vein （cephalic- ＝頭に関係する）	上肢の静脈血を還流する主要な浅静脈は橈側皮静脈と尺側皮静脈である。両者は手から始まり細い皮静脈が合流し腋窩静脈に注ぐ。**橈側皮静脈**は，背側中手静脈 dorsal metacarpal vein により手背に形成されている静脈網である**手背静脈網** dorsal venous network of the hand の外側から始まる（図 16.14 c）。橈側皮静脈は上肢の外側の静脈血を還流する。
尺側皮静脈 basilic vein （basilic- ＝王家の，最高に重要な）	尺側皮静脈は手背静脈網の内側から始まり，上肢の内側部の静脈血を還流する（図 16.14 a）。前腕の静脈血を集める**肘正中皮静脈** median cubital vein（cubitus- ＝肘）によって，尺側皮静脈は肘の前で橈側皮静脈と連絡している。静脈への注射や輸液，あるいは静脈採血が必要なときには肘正中皮静脈がよく使われる。尺側皮静脈は上行して上腕静脈に合流する。腋窩で尺側皮静脈と上腕静脈が合流し，腋窩静脈となる。
前腕正中皮静脈 median antebrachial vein （ante- ＝前，brachi- ＝腕）	前腕正中皮静脈は手掌の静脈網である**掌側静脈叢** palmar venous plexus に始まる。掌側静脈叢には掌側指静脈が注ぐ。前腕正中皮静脈は前腕を上行し，尺側皮静脈か肘正中皮静脈に合流し，時には両者に合流する。前腕正中皮静脈は手掌と前腕の静脈血を集める。
深静脈 deep veins	
橈骨静脈 radial veins （radial- ＝橈骨に関係する）	1 対の**橈骨静脈**は**深掌静脈弓** deep palmar venous arch に始まる（図 16.14 b）。深掌静脈弓は手掌の静脈血を集める。橈骨静脈は前腕の外側の静脈血を受け橈骨動脈に伴行する。肘関節のすぐ下で橈骨静脈と尺骨静脈は吻合し上腕静脈となる。
尺骨静脈 ulnar veins （ulnar- ＝尺骨に関係する）	1 対の**尺骨静脈**は**浅掌静脈弓** superficial palmar venous arch で始まる。浅掌静脈弓は手掌と指の静脈血を集める。尺骨静脈は前腕の内側の静脈血を受けながら，尺骨動脈と伴行し，橈骨静脈と合流し上腕静脈となる。
上腕静脈 brachial vein	1 対の**上腕静脈**は上腕動脈に伴行する。上腕静脈は前腕，肘，上腕の静脈血を集める。上腕静脈は尺側皮静脈と合流して腋窩静脈となる。
腋窩静脈 axillary vein （axilla- ＝腋の下）	**腋窩静脈**は上行し鎖骨下静脈となる。腋窩静脈は上肢，腋窩，胸壁の上部の静脈血を集める。
鎖骨下静脈 subclavian vein （sub- ＝下，clavian- ＝鎖骨に関係する）	**鎖骨下静脈**は腋窩静脈の続きであり，内頸静脈と合流し腕頭静脈となる。左右の腕頭静脈は合流して上大静脈となる。鎖骨下静脈は上肢，頸部，胸壁の静脈血を集める。

図 16.14 右上肢の主な静脈。

深静脈は，通常，同名の動脈に伴行する。

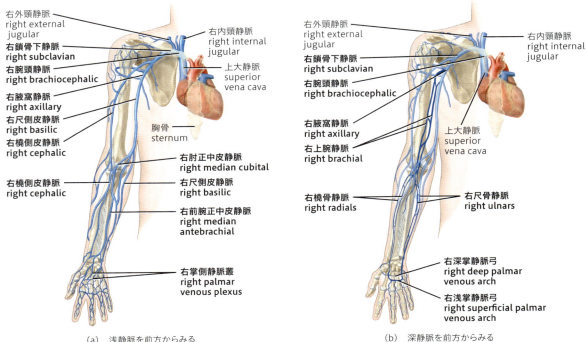

(a) 浅静脈を前方からみる

(b) 深静脈を前方からみる

(c) 手の浅静脈を背側からみる

(d) 上大静脈とその主要な枝を前方からみる

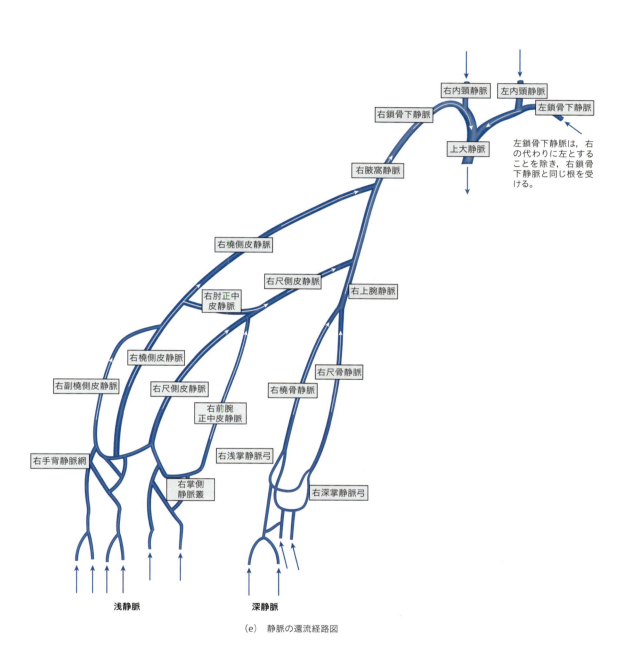

(e) 静脈の還流経路図

Q 試料血液は上肢のどの静脈から採血することが多いか？

下肢の静脈

上肢と同様に，下肢の静脈血は**浅静脈(皮静脈)** superficial vein と**深静脈** deep vein の両方により導出される。浅静脈はその経過中でしばしば，互いにあるいは深静脈と吻合している。下肢のすべての静脈には弁があり，弁の数は上肢の静脈よりも多い。

> **チェックポイント**
> 8. 体循環の主要な機能は何か？
> 9. 肺循環が重要なのはなぜか説明しなさい。
> 10. 大動脈の四つの主な分枝はそれぞれ一般的にどの領域に血液供給をしているか？
> 11. 大動脈から分岐する動脈はそれぞれどの領域に血液供給をしているか？
> 12. 内腸骨動脈と外腸骨動脈は主にどの領域に血液を供給しているか？
> 13. 体循環の動脈と静脈の基本的な違いは何か？
> 14. 内頸静脈，外頸静脈，椎骨静脈は一般的にはどの領域の静脈血を還流しているか？
> 15. 橈側皮静脈，尺側皮静脈，前腕正中皮静脈，橈骨静脈，尺骨静脈はどこから始まっているか？
> 16. 大伏在静脈が臨床上重要なのはなぜか？

表 16.7 下肢の静脈

静脈名	説明と還流域
浅静脈(皮静脈) superficial veins	
大伏在静脈 great saphenous vein （saphen- ＝隠れた）	**大伏在静脈**はからだの中で最長の静脈で，足背静脈弓の内側端から始まる。**足背静脈弓 dorsal venous arch** は，指(趾)からの静脈血を集める足背上の静脈網である。大伏在静脈は大腿静脈に注ぎ，主に下腿と大腿，鼠径部，外性器，腹壁の静脈血を集める。大伏在静脈にはその経過中に10～20個の静脈弁があり，その静脈弁の数は大腿よりも下腿のほうが多い。大伏在静脈は長期の静脈内輸液のためによく使用される。これは，非常に幼い子どもや，どの年齢の患者でもショック状態で静脈が虚脱状態になっているような場合とくに重要である。また大伏在静脈は血管移植にとくに冠状動脈バイパス(移植)術で，グラフト(移植片)としてよく使われる。移植の際には，大伏在静脈を取り出し，弁により血流が妨げられないように，移植する静脈の向きを反転させる。
小伏在静脈 small saphenous vein	**小伏在静脈**は足の足背静脈弓の外側部から起る。小伏在静脈は膝の後ろで膝窩静脈に注ぎ込む。小伏在静脈にはその経過中に9～12個の静脈弁がある。小伏在静脈は足と下腿の静脈血を集める。
深静脈 deep veins	
後脛骨静脈 posterior tibial veins	足底の**深足底静脈弓 deep plantar venous arch** は指(趾)の静脈血を集め，最後に1対の**後脛骨静脈**となる。後脛骨静脈は下腿の中で後脛骨動脈に伴行し，足と下腿の後部の筋からの静脈血を集める。下腿の 2/3 あたりまで上行したところで後脛骨静脈は腓骨静脈からの静脈血を受ける。**腓骨静脈 fibular vein** は下腿の外側部と後部の筋の静脈血を集める。
前脛骨静脈 anterior tibial veins	1対の**前脛骨静脈**は足背静脈弓で始まり前脛骨動脈に伴行する。前脛骨静脈は後脛骨静脈と合流して膝窩静脈となる。前脛骨静脈は足関節，膝関節，脛腓関節，下腿の前部の静脈血を集める。
膝窩静脈 popliteal vein （popliteal ＝膝の後ろの窪み）	前脛骨静脈と後脛骨静脈は合流して**膝窩静脈**となる。膝窩静脈は膝関節部の皮膚，筋，および骨からの静脈血を還流する。
大腿静脈 femoral vein	**大腿静脈**は大腿動脈に伴行しており，膝窩静脈の延長部である。大腿静脈は大腿の筋，大腿骨，外性器，浅層のリンパ節からの静脈血を還流する。大腿静脈は骨盤腔に入ると**外腸骨静脈 external iliac vein** となる。**外腸骨静脈**と**内腸骨静脈 internal iliac vein** は合流し**総腸骨静脈 common iliac vein** となる。左右の総腸骨静脈は合流して下大静脈となる。

図 16.15　骨盤と下肢の主な静脈。

下肢のすべての静脈には弁がある。

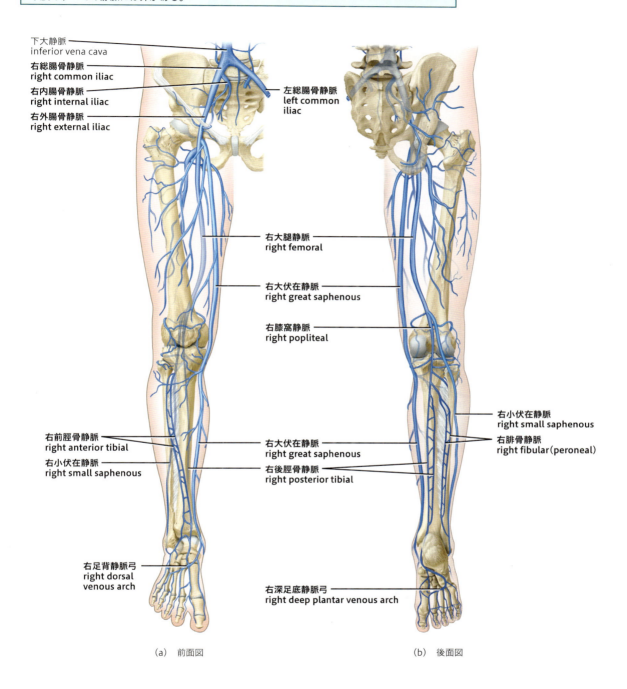

(a) 前面図　　　(b) 後面図

図 16.15　つづく

図 16.15 つづき

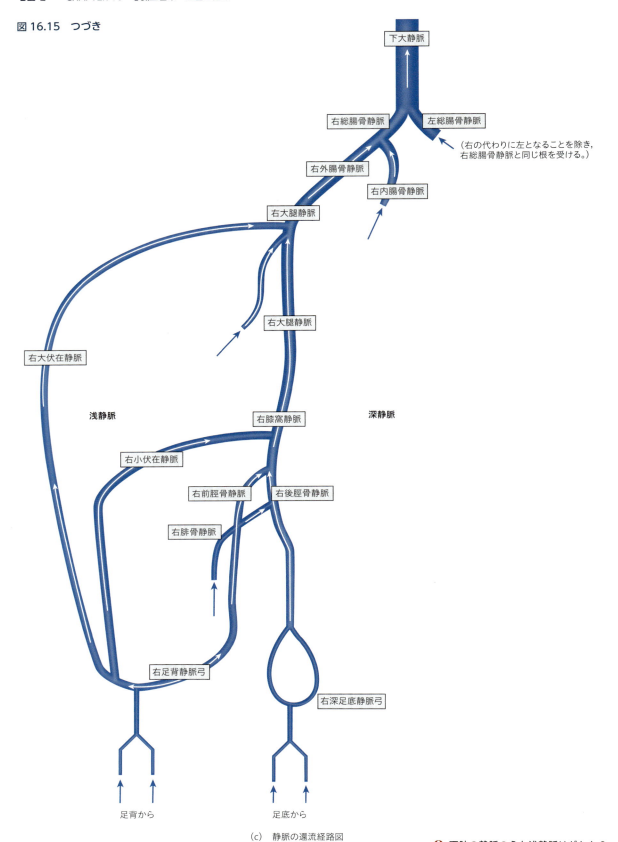

(c) 静脈の還流経路図

Q 下肢の静脈のうち浅静脈はどれか？

16.4 肝門脈循環と胎児循環

目標
- 肝門脈循環を定義する。
- 胎児循環について述べる。

肝門脈循環

一つの毛細血管網から別の毛細血管網へ血液を運ぶ静脈を**門脈** portal vein と呼ぶ。肝門脈は上腸間膜静脈と脾静脈の合流により形成され（図 16.16），消化器の毛細血管からの血液を受け，肝臓内の洞様毛細血管（類洞）と呼ばれている毛細血管様の血管へ血液を運ぶ。**肝門脈循環** hepatic portal circulation（hepat- = 肝臓）では，胃と腸および脾臓からの静脈血は，胃と腸管から吸収された物質に富み，肝門脈をへて肝臓に運ばれる。肝臓は，これらの物質が肝臓を通り抜け全身の循環に入る前に，処理をする。同時に，肝臓は肝動脈を介して体循環から酸素化した血液を受けている。酸素化した血液は脱酸素化した血液と洞様毛細血管で混合する。最終的に，すべての血液は肝臓の洞様毛細血管から肝静脈をへて肝臓を出る。肝静脈は下大静脈に合流する。

胎児循環

胎児循環 fetal circulation と呼ばれる胎児の循環系は胎児にのみ存在しており，それには発育中の胎児が母体と物質の交換を行えるようにする特別の構造がある（図 16.17）。出生までは肺は機能し始めないので，胎児循環は出生後の血液循環とは異なっている。

図 16.16 肝門脈循環。

肝門脈循環は腹腔内の消化器と脾臓からの静脈血を肝臓に運ぶ。

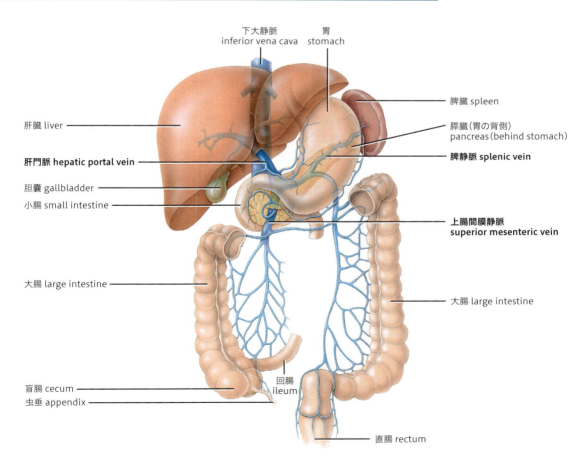

(a) 肝門脈に流入する静脈。前面図

図 16.16 つづく

図 16.16 つづき

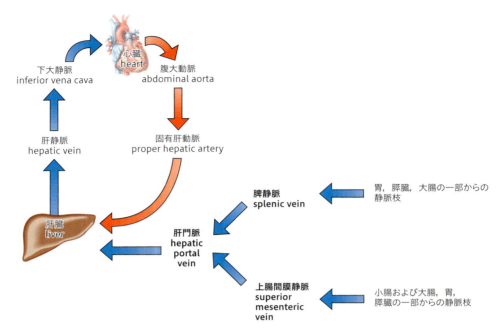

(b) 肝門脈循環の主な血管と肝臓に分布する動脈と静脈の概略図

Q 肝臓から血液を運び出している静脈は何か？

胎児は母体の血液から酸素と栄養素を獲得し，二酸化炭素とほかの老廃物を母体の血液中に排出している。

胎児と母体の血液循環の間での物質の交換は**胎盤 placenta** を介して行われる。胎盤は母親の子宮の内部に形成され，**臍帯 umbilical cord** により胎児の**臍 umbilicus** に付着している。胎児から胎盤への血液は 2 本の **臍動脈 umbilical arteries** を通る（図 16.17 a）。臍動脈は内腸骨動脈の枝で，臍帯の中を走行する。胎盤で胎児の血液に酸素と栄養素が取り込まれ，二酸化炭素と老廃物が除かれる。酸素化された血液は胎盤から 1 本の **臍静脈 umbilical vein** をへて胎児へ戻る。臍静脈は胎児の肝臓まで上行し，そこで 2 枝に分かれる。一部の血液は肝門脈に合流する枝を通り肝臓に入るが，大部分の血液はもう一方の枝である**静脈管 ductus venosus** に入り，静脈管は下大静脈に注ぐ。

胎児の下半身から還流してきた脱酸素化された血液は下大静脈で静脈管からの酸素化した血液と混ざり合う。次にこの混合した血液は右心房に入る。胎児の上半身から還流してきた脱酸素化された血液は上大静脈に入り右心房の中へ入る。

胎児では右心房と左心房の間の心房中隔には**卵円孔 foramen ovale** と呼ばれる開口部が存在しているた

め，出生後の循環のように大部分の右心房の血液が右心室から肺に向かうことはない。右心房に入る血液の約 3 分の 1 は卵円孔を通り左心房に入り体循環に加わる。右心室に入った血液は肺動脈中に拍出されるが，機能していない胎児の肺にはこの血液の一部しか流れず，大部分の血液は，胎児の肺を迂回して，肺動脈と大動脈を連絡している血管である**動脈管 ductus arteriosus** を通っている。大動脈内の血液は体循環によりすべての胎児組織に運ばれる。総腸骨動脈が外腸骨動脈と内腸骨動脈に分枝するとき，一部の血液が内腸骨動脈に入り，さらに臍動脈に入り，新たな物質交換のために胎盤へ戻る。

出生後，肺，腎臓，消化器が機能し始めると以下のような血管系の変化が起きる（図 16.17 b）。

1. 臍帯が結紮されると，臍動脈の遠位部は血流がなくなり，結合組織に満たされ，**臍動脈索 cord of umbilical artery** と呼ばれる線維性の索状構造になる。
2. 臍静脈は虚脱して，その遺残物は臍と肝臓をつなぐ**肝円索 ligamentum teres (round ligament)** となる。
3. 静脈管は虚脱して，その遺残物は肝臓の下面の線

> **図 16.17** 胎児循環と出生時の変化。(a)と(b)の間の黄色の枠内には生後の循環が確立した後の胎児期の構造の変化を示す。

肺は出生まで機能を開始しない。

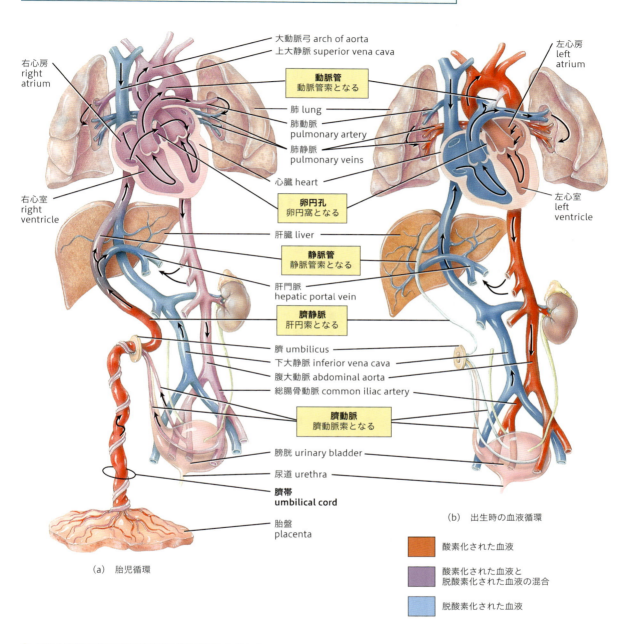

(a) 胎児循環
(b) 出生時の血液循環

- 酸素化された血液
- 酸素化された血液と脱酸素化された血液の混合
- 脱酸素化された血液

Q 母体と胎児の間での物質交換はどこで行われるか？

維性の索状構造である**静脈管索 ligamentum venosum** となる。
4. 胎盤は"**後産 afterbirth**"として排出される。
5. 卵円孔は通常は出生後すぐに閉鎖し，心房中隔内の窪みである**卵円窩 fossa ovalis** となる。新生児

が最初の息を吸い込むと，肺が拡張し肺への血流量が増加する。肺から心臓へ還流する血液は左心房の血圧を上昇させる。この圧の上昇により卵円孔を覆う弁が心房中隔に押しつけられ，卵円孔が閉鎖される。ほぼ1年以内に恒久的な閉鎖が起る。

6. 動脈管はほぼ出生直後に血管収縮により閉鎖し，**動脈管索** ligamentum arteriosum となる。

> **チェックポイント**
>
> 17. 肝門脈循環と胎児循環の主要な機能を簡潔に述べなさい。

16.5 循環検査

目標

・脈拍と血圧をどのようにして測定するか説明する。

脈拍

　左心室の各収縮と弛緩の後に動脈に起る交互の拡張と弾性反跳を**脈拍** pulse という。脈拍は心臓にもっとも近い動脈で最大となる。細動脈へと進むにつれて脈拍は弱くなり，毛細血管では完全に消失する。通常脈拍を触知するには手首の橈骨動脈をもっともよく使う。ほかの脈拍を触れる部位には，上腕二頭筋の内側に沿う上腕動脈；喉頭の横の総頸動脈，心肺蘇生時には通常ここで脈拍の有無を調べる；膝の後ろの膝窩動脈；足の甲の上部の足背動脈などがある。

　脈拍数は正常では心拍数と同じで，安静時には1分間に約75拍である。**頻脈** tachycardia (tachy- = 速い) は安静時心拍あるいは脈拍が速いことで，毎分100拍以上の場合である。**徐脈** bradycardia (brady- = 遅い) は安静時心拍が遅く，脈拍が毎分50拍以下の場合をいう。

血圧測定

　臨床では，**血圧** blood pressure は，通常収縮期の左心室で発生した動脈内の圧と，左心室が拡張期のときに動脈内に残存する圧のことをさす。通常血圧は左腕の上腕動脈で測定する（図16.10a参照）。血圧測定に用いる装置が**血圧計** sphygmomanometer (sphygmo- = 脈拍, manometer = 圧力測定に用いられる計器) である。カフ（圧迫帯，マンシェット）を膨らませたとき，カフの圧が収縮期の血圧よりも高くなると，動脈は圧迫され血流が停止する。聴診器をカフよりも遠い位置で上腕動脈の上にあて，ゆっくりとカフを減圧し，しぼませていく。カフが十分に減圧され動脈が開くと，血液が噴出し，これが聴診器を介して聞こえる最初の音となる。この音が聞こえたときの圧が**収縮期血圧** systolic blood pressure (SBP)，つまり心室収縮時に血液が動脈壁を押す圧力に対応する。

さらにカフを減圧していくと，急に音が弱くなる。このときの圧が**拡張期血圧** diastolic blood pressure (DBP) と呼ばれ，心室拡張時に動脈内にある血液によって負荷される圧力である。

　正常な若年成人男性の場合，収縮期血圧 120 mmHg 以下，拡張期血圧 80 mmHg 以下であるが，これを 120/80 と表記する。若年成人女性では血圧は8〜10 mmHg 低い。運動習慣があり健康な人では血圧がさらに低いことが多い。

> **チェックポイント**
>
> 18. 脈拍はどのようにしてできるか？
> 19. 収縮期血圧と拡張期血圧の違いを述べなさい。

16.6 加齢と心臓血管系

目標

・心臓血管系に及ぼす加齢の影響を述べる。

　加齢に伴う心臓血管系の一般的な変化には大動脈の硬化，心筋線維の大きさの減少，心筋の筋力の進行性低下，心臓の拍出量の減少，最大心拍数の減少，収縮期血圧の上昇などがある。冠状動脈疾患 coronary artery disease (CAD) が米国の高齢者の心疾患と死亡の主な原因である。心臓のポンプ機能の低下に伴う一群の症状であるうっ血性心不全 congestive heart failure (CHF) も高齢者に多くみられる。脳組織に血液を供給している血管の加齢変化（アテローム性（粥状）動脈硬化症など）は脳への栄養を減少させ脳細胞の機能低下や細胞死をもたらす。血管の加齢の影響により，80歳までに脳の血流は同じ人の30歳のときよりも20％減少し，腎臓の血流は50％減少する。

> **チェックポイント**
>
> 20. 加齢に伴う心臓血管系の徴候は何か？

• • •

　からだのほかの器官系のホメオスタシスへの心臓血管系のさまざまな寄与についてより深く理解するために，次ページの"ホメオスタシスの観点から"を参照して理解してほしい。続く17章では，リンパ系の構造と機能を調べ，毛細血管から濾過された過剰な間質液はどのようにして心臓血管系に戻るのかをみる。また，白血球は，免疫反応を起すことにより，どのようにしてからだの防衛要員として機能しているかをより詳しくみる。

> **臨床関連事項**

高血圧

約 5,000 万人の米国人が**高血圧 hypertension** であり，持続的に血圧が高い。高血圧は心臓と血管を侵すもっとも多い障害であり，心不全，腎臓病および脳卒中の主要な原因となる。臨床研究から，以前はかなり低い血圧であるとされた血圧値でも心臓血管の病気の危険性が高いことが示されたので，高血圧の予防，発見，診断，治療に関する米国合同委員会は 2003 年の 5 月に新しい高血圧に関するガイドラインを公表した。新しいガイドラインは以下のようなものである。

分 類	収縮期血圧 (mmHg)	拡張期血圧 (mmHg)
正常血圧	120 以下　かつ	80 以下
高血圧前期	120 〜 139　あるいは	80 〜 89
ステージ 1 高血圧	140 〜 159　あるいは	90 〜 99
ステージ 2 高血圧	160 以上　あるいは	100 以上

新しいガイドラインで正常血圧と分類されるのは，旧ガイドラインでは至適血圧とされており，以前は正常血圧あるいは正常高値血圧とされた多くの人が，現在は高血圧前期に含まれる。ステージ 1 高血圧は旧ガイドラインと同じである。以前のステージ 2 とステージ 3 高血圧の治療の選択肢は同じであり，新しいステージ 2 高血圧は，以前のステージ 2 とステージ 3 の分類を統合したものである。

高血圧のすべての症例の 90 〜 95 ％は**本態性高血圧 primary hypertension** であり，持続的に血圧が上昇しているがその原因を特定できないものである。残りの 5 〜 10 ％の症例が**二次性高血圧 secondary hypertension** であり，基礎となる特定可能な原因がある。二次性高血圧を来す病気には，糖尿病の合併症，腎臓病，下垂体腫瘍と副腎腫瘍，甲状腺の機能異常などがある。

高血圧は痛みやほかの自覚症状を起す前に血管，心臓，脳，腎臓などに相当の障害を引き起すので"沈黙の殺人者"といわれている。高血圧は米国の第 1 位の死因（心臓病）と第 3 位の死因（脳卒中）の主要な危険因子である。血管については，高血圧は中膜の肥厚を引き起し，アテローム性動脈硬化症や冠状動脈疾患の進展を促進し，全身血管抵抗を増加させる。心臓については，高血圧は後負荷を増し，血液を駆出するために心室をより激しく働かせる。

高くなった血圧を下げることができる数種類の薬剤があるが，以下の生活習慣の改善も高血圧の対策として有効である。

- **減量**　薬物の使用を除いては，高血圧についての最良の治療法は減量である。肥満の高血圧の人では 2 〜 3 kg の減量で血圧を下げるのに効果がある。
- **飲酒制限**　主に 45 歳以上の男性と 55 歳以上の女性では，適量の飲酒は冠状動脈疾患の危険性を低下させる。適量とは，女性では 1 日にビール 350 mL 缶 1 本，男性では 350 mL 缶 2 本以上飲まないことである。
- **運動**　30 〜 45 分間の適度な運動（速歩など）を 1 週間に数回行い健康的な体型にすることで，拡張期血圧を約 10 mmHg 下げることができる。
- **減塩**　高血圧の人の約半数には"食塩感受性"がある。この人たちでは塩分の多い食事は高血圧を亢進し，塩分の少ない食事は血圧を下げると思われる。
- **適切な食事によるカリウム，カルシウム，マグネシウムの摂取の維持**　飲食物中の高濃度のカリウム，カルシウム，マグネシウムは，高血圧の危険性の低下と関連している。
- **非喫煙か禁煙**　喫煙は心臓に破滅的な影響を及ぼし，血管収縮を亢進させることで高血圧の障害作用を憎悪させてしまう。
- **ストレスの制御**　いろいろな瞑想やバイオフィードバック法を高血圧の緩和に役立てている人がいる。このような方法は副腎髄質からのアドレナリンとノルアドレナリンの日々の放出量を減少させることで効果を上げている。

高血圧の薬物療法　作用機序の異なる数種の薬剤が血圧を下げるのに有効である。尿中への水と塩の排出を増加させることで血液量を減少させ血圧を下げる薬剤である**利尿薬 diuretic** によって，多くの人で高血圧の制御に成功している。**ACE（アンギオテンシン変換酵素 angiotensin converting enzyme）阻害薬**は，アンギオテンシン II の生成を阻害し，血管拡張を促進し，アルドステロンの放出を減少させる。**β（ベータ）遮断薬 beta blockers** は，レニン分泌を阻害し，心拍数と収縮性を減少させることにより血圧を下げる。**血管拡張薬 vasodilator** は動脈壁の平滑筋を弛緩させ，血管を拡張し，全身血管抵抗を低下させることにより，血圧を下げる。血管拡張薬の重要な種類の一つが**カルシウムチャネル遮断薬 calcium channel blocker（カルシウム拮抗薬）**で，血管の平滑筋細胞内への Ca^{2+} の流入を遅くする。カルシウムチャネル遮断薬は刺激伝導系細胞と普通の心筋細胞への Ca^{2+} の流入を遅くすることで心臓の仕事量を減少させ，それによって心拍数と心筋の収縮力を減少させる。

ホメオスタシスの観点から

外皮系
- 皮膚が損傷したとき，血液は止血に働く血液凝固因子と白血球を運び，損傷した皮膚の修復に働く。
- 皮膚の血流の変動は，皮膚からの放熱量を調節することで体温調節に働く。
- 皮膚を血液が流れることで皮膚に赤みがさす。

骨格系
- 血液は骨基質の形成に必要なカルシウムイオンやリン酸イオンを運ぶ。
- 血液は骨基質の形成と吸収を支配するホルモンや，赤色骨髄での赤血球の形成を刺激するエリスロポエチンを運ぶ。

筋系
- 運動中の筋内を流れる血液は熱と乳酸を除去する。

神経系
- 脳室の脈絡叢の内面の内皮細胞は脳脊髄液（CSF）の産生を助け，血液脳関門に寄与する。

内分泌系
- 循環する血液は大多数のホルモンを標的組織に運ぶ。
- 心臓の心房細胞は心房性ナトリウム利尿ペプチドを分泌する。

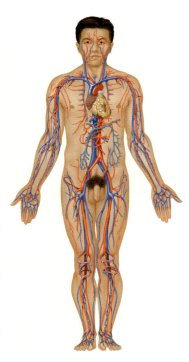

心臓血管系の役割

全身の器官系との関連
- 心臓はからだの組織に血管を介して血液を送り出し，毛細血管での物質交換によって，酸素と栄養素を渡し，老廃物を取り除く。
- 循環する血液は体組織を適温に保つ。

リンパ系と免疫系
- 循環する血液は免疫機能を実行するリンパ球，抗体，マクロファージを運ぶ。
- リンパは過剰の間質液から生じ，間質液は，心臓が発生させる血圧により血漿から濾し出される。

呼吸器系
- 循環する血液は酸素を肺からからだの組織に運び，二酸化炭素を肺に運び排出する。

消化器系
- 血液は新たに吸収された栄養素と水を肝臓に運ぶ。
- 血液は消化を助けるホルモンを運ぶ。

泌尿器系
- 心臓と血管は，安静時心拍出量の20％を腎臓に運ぶ。腎臓で血液は濾過され，必要な物質は再吸収され，不要な物質は排泄され，尿の一部として除去される。

生殖器系
- 陰茎と陰核の細動脈の血管拡張は性交時の勃起を引き起す。
- 血液は生殖機能を調節するホルモンを運ぶ。

よくみられる病気

ショック

　ショック shock は，細胞の代謝に必要な十分な酸素や栄養素を届けることができない心臓血管系の不全状態である。ショックの原因は多様であるが，すべて身体組織への不十分な血流により特徴づけられる。ショックの主な原因としては，出血，脱水，火傷，過度の嘔吐，下痢や発汗などにより起る体液の喪失がある。ショックが持続すると細胞や臓器が傷害され，適切な処置が速やかに始められないと細胞は壊死を起す。

　ショックの症状は重症度により異なるが，通常以下のような症状がみられる。90 mmHg 以下の収縮期血圧，交感神経刺激と血中アドレナリンとノルアドレナリン量の増加による安静時の頻拍，心臓の拍出量の減少と頻拍による微弱な頻脈，皮膚の血管収縮による冷たく青白い皮膚，交感神経刺激による発汗，アルドステロンと抗利尿ホルモン(ADH)の増加による尿の生成と排出の減少，脳への酸素の供給の減少のために起る精神状態の変化，細胞外液の喪失による渇き，消化器系への血液循環不全に起因する悪心。

動脈瘤

　動脈瘤 aneurysm は，外方に膨れ，風船状の拡張部を形成している動脈壁の薄く脆弱な部位のことである。動脈瘤の主な原因はアテローム性動脈硬化，梅毒，先天性血管障害，外傷である。放置すると動脈瘤は拡大し，血管壁はさらに薄くなり破裂する。結果はショック，激しい疼痛，脳卒中，あるいは死にいたる大出血である。

医学用語と症状

間欠性跛行 claudication　下肢の血管内の血液循環障害のために起る疼痛，歩行不能，跛行。

起立性低血圧 orthostatic hypotension(ortho- = 直；static- = 立たせる)　起立したり，中腰になったりしたときにからだの血圧が過剰に低下することで，通常，病気の徴候の一つである。過剰な体液の喪失，ある種の薬剤，心臓血管性要因や神経性要因により起る。体位性低血圧 postural hypotension とも呼ばれる。

血管新生 angiogenesis　新しい血管の形成。

血栓性静脈炎 thrombophlebitis　血栓形成を伴う静脈の炎症。表在性の血栓性静脈炎は皮下の静脈，とくにふくらはぎの浅静脈で起る。

失神 syncope　一時的に意識を喪失すること，気絶。失神の一因は脳への血流の減少である。

循環時間 circulation time　血液が右心房から，肺循環をへて左心房に戻り，体循環により足まで下行し再び右心房に戻るまでの時間で，安静にしている健常成人で約1分である。

静脈炎 phlebitis(phleb- = 静脈)　静脈の炎症で，下腿によく起る。炎症を起している静脈の表層の皮膚に痛みと発赤をよく伴う。静脈炎は外傷や細菌感染によりしばしば起る。

深[部]静脈血栓症 deep vein thrombosis(DVT)　下肢の深静脈に血栓が存在すること。

大動脈造影 aortography　血管造影剤を注入後に行う大動脈とその主要な枝の X 線検査。

超音波ドップラー法 Doppler ultrasound scanning　血流を調べるために一般的に使われる画像描出法。皮膚の上に探触子を置くと，閉塞部の位置と状態を示す画像がモニター画面に表示される。

低血圧 hypotension　血圧が低いことで，低血圧という用語は，過剰な血液喪失時などで起る，急激な血圧の低下をいうときによく使われる。

白衣(診察室)高血圧 white coat(office)hypertension　ストレスにより引き起される症候群で，医療関係者により検査を受けたときに血圧が上昇するが，普通のときは正常血圧である患者でみられる。

閉塞 occlusion　血管などの管状構造の管腔が閉鎖あるいは通過障害があること。例としては動脈内のアテローム性動脈硬化性粥腫などがある。

16章のまとめ

16.1 血管の構造と機能

1. 動脈 artery は血液を心臓から運び出す。動脈壁は3層からなる。中膜の構造により動脈の弾力性と収縮性という主要な二つの性質が与えられている。
2. 細動脈 arteriole は血液を毛細血管に運ぶ細い動脈である。収縮と弛緩することで，細動脈は動脈から毛細血管への血流の調節において重要な役割を果たしている。
3. 毛細血管 capillary は顕微鏡レベルの太さの血管であり，毛細血管を介して血液と間質液の間で物質交換がなされている。毛細血管前括約筋 precapillary sphincter が毛細血管内を流れる血流を調節している。
4. 毛細血管圧 capillary blood pressure が毛細血管から液を間質液中に押し出す（濾過 filtration）。血液膠質浸透圧 blood colloid osmotic pressure が間質液を毛細血管内へ引き込む（再吸収 reabsorption）。
5. 自己調節 autoregulation は組織の物理的，化学的変化に応じて局所的に血流を調節することをいう。
6. 細静脈 venule は毛細血管を集め，合流して静脈になる小血管である。細静脈は毛細血管から血液を静脈に還流する。
7. 静脈 vein は動脈と同じ3層からなるが，弾性組織と平滑筋は少ない。静脈には血液の逆流を防ぐ弁 valve がある。静脈の弁が弱いと静脈瘤 varicose vein になることがある。

16.2 血管内の血流

1. 血流は血圧と血管抵抗により決定される。
2. 血液は高圧部から低圧部に流れる。血圧 blood pressure は大動脈と体循環の太い動脈でもっとも高く，左心室から距離が離れるにつれて次第に下がる。右心房の血圧は 0 mmHg に近い。
3. 血液量の増加は血圧を上昇させ，減少は血圧を低下させる。
4. 血管抵抗 vascular resistance は主に血液と血管壁との間の摩擦により生じる血流に対する抵抗である。血管抵抗は血管腔の太さ，血液の粘性，血管の全長によって決まる。
5. 血圧と血流は神経性およびホルモン性のネガティブフィードバックシステムと自己調節により調節されている。
6. 延髄にある心臓血管中枢 cardiovascular (CV) center が，心臓の拍動数と拍出量と血管腔の太さを調節する。
7. 血管運動神経（交感神経）は，血管収縮と血管拡張を調節する。
8. 圧受容器（圧感受性受容器）は心臓血管中枢にインパルスを送り，血圧を調節している。
9. 化学受容器（酸素，二酸化炭素，水素イオンの濃度に感受性をもつ受容器）もまた，心臓血管中枢にインパルスを送り，血圧を調節している。
10. アンギオテンシンⅡ，アルドステロン，アドレナリン，ノルアドレナリン，および抗利尿ホルモンは血圧を上昇させ，心房性ナトリウム利尿ペプチドは血圧を低下させる。
11. 静脈還流 venous return は，血液が体循環の静脈で心臓に戻ることで，大部分は呼吸（呼吸ポンプ respiratory pump）と骨格筋の収縮（骨格筋ポンプ skeletal muscle pump）によって起る。

16.3 循環路

1. 二つの主要な血液循環路 circulatory route は，体循環と肺循環である。
2. 体循環 systemic circulation は酸素化された血液を左心室から大動脈 aorta を通して，からだのすべての部位に運び，脱酸素化された血液（静脈血）を右心房に戻す。
3. 肺循環 pulmonary circulation は脱酸素化された血液を右心室から肺の肺胞に運び，肺胞から酸素化された血液を左心房に戻す。
4. 大動脈 aorta は上行大動脈 ascending aorta，大動脈弓 arch of aorta，胸大動脈 thoracic aorta，腹大動脈 abdominal aorta に区分される。
5. 各部から動脈が出て，各動脈は分枝して全身に分布する。
6. 大動脈弓 arch of aorta は上行大動脈の続きである。
7. 大動脈弓から分枝する3本の動脈は腕頭動脈 brachiocephalic trunk，左総頸動脈 left common carotid artery，左鎖骨下動脈 left subclavian artery である。
8. 腹大動脈 abdominal aorta は左右の総腸骨動脈 common iliac artery に分かれて終わる。総腸骨動脈はより細い動脈に分枝する。
9. 血液は体循環の静脈で心臓に還る。
10. 体循環のすべての静脈 veins は上大静脈 superior vena cava，下大静脈 inferior vena cava，冠状静脈洞 coronary sinus のいずれかに注ぎ，これらは右心房に流入する。
11. 頭部からの静脈血を還流する主要な3対の静脈は，内頸静脈 internal jugular vein，外頸静脈 external jugular vein と椎骨静脈 vertebral vein である。
12. 頭蓋腔内ではすべての静脈は硬膜静脈洞 dural venous sinuses に注ぎ，続いて内頸静脈に流入している。
13. 浅静脈と深静脈の両者が上肢の静脈血を心臓に還流する。
14. 浅静脈は深静脈よりも太く，上肢からのほとんどの静脈血を還流している。
15. 下肢の静脈血は浅静脈と深静脈の両者により導出される。
16. 浅静脈はその経過中でしばしば，互いにあるいは深静脈と吻合している。

16.4 肝門脈循環と胎児循環

1. 肝門脈循環 hepatic portal circulation は腹腔の消化器と脾臓の静脈からの脱酸素化された血液を，心臓に還流する前に，肝臓の肝門脈に送る。

2. 肝門脈循環によって，肝臓での血中の栄養素の利用と有害物の解毒が可能になっている。
3. 胎児循環 fetal circulation は胎児期にのみ存在し，胎児と母体の間での物質の交換が胎盤 placenta を介して行われる。
4. 胎児は母体の血液から酸素と栄養素を獲得し，二酸化炭素とほかの老廃物を母体の血液に排出する。出生時に肺，消化器，肝臓が機能し始めると，胎児循環の特別な構造は不要となる。

16.5 循環検査

1. 脈拍 pulse は心臓の各拍動による動脈の交互の拡張と弾性反跳である。脈拍は体表に近い動脈や硬組織の上にある動脈で触知される。
2. 正常な脈拍数は1分間に約75拍である。
3. 血圧 blood pressure は，左心室が収縮期をへて拡張期になるときに，動脈壁が血液により押される圧力である。血圧は血圧計 sphygmomanometer で測定される。
4. 収縮期血圧 systolic blood pressure(SBP)は心室収縮時に記録される血液の圧力である。拡張期血圧 diastolic blood pressure(DBP)は心室拡張時に記録される血液の圧力である。若年成人男性の正常血圧は 120/80 mmHg 以下である。

16.6 加齢と心臓血管系

1. 加齢に伴う一般的な変化として，血管の弾力性の低下，心筋量の減少，心拍出量の減少，収縮期血圧の上昇などがある。
2. 冠状動脈疾患(CAD)，うっ血性心不全(CHF)，アテローム性動脈硬化症の発生数が加齢とともに増加する。

クリティカルシンキングの応用

1. 歯科医が注射する局所麻酔液には，少量のアドレナリンが含まれることが多い。アドレナリンは歯科領域の血管にどのように作用するのか？ この効果が必要とされるのはなぜか？
2. 本章では静脈瘤についてとり上げた。なぜ静脈瘤についての説明はなかったのか？
3. チャンティルは初めての子どもを妊娠しており，その妊娠期間中いつもアイスクリームが食べたくてたまらなかった。お気に入りのアイスクリーム売り場に行き，3段重ねのチョコレートチップアイスクリームを注文した。店員が背の高いコーンを手渡してくれたとき，チャンティルは自分の大きなお腹をさすり，「二人分食べて，息もしているのよ」といった。彼女のまだ生まれていない子どもは，正確にはどのようにして「食べたり，息をしている」のか？
4. ピーターはローストビーフを切る前に，10分間もかけてお気に入りのナイフを研いだ。運の悪いことに，彼は肉と一緒に自分の指も削いでしまった。彼の妻は血が吹き出ている傷口にタオルをすばやくあてがい，彼を救急病院へ車で連れて行った。どの種類の血管をピーターは切ったのか，それは何からわかるか？

図の質問の答え

16.1 血管壁は大腿動脈が厚く，血管径は大腿静脈が大きい。
16.2 代謝活性の高い組織は低い組織よりも急速に酸素と栄養素を消費し，老廃物を産生するので，発達した毛細血管網をもつ。
16.3 血漿から由来する過剰に濾し出された間質液やタンパク質は毛細リンパ管に排導され，リンパ系によって心臓血管系に戻される。
16.4 血圧が上昇すると，血流も増加する。
16.5 呼吸ポンプと骨格筋ポンプが静脈還流の促進を補助する。
16.6 血管収縮は血管抵抗を増加させ，血管抵抗の増加は収縮した血管中の血流を減少させる。
16.7 起立時には重力により下腿の静脈内に血液の貯留が起き，上半身での血圧を低下させる。
16.8 体循環と肺循環が二大血液循環路である。
16.9 大動脈の四つの区分は，上行大動脈，大動脈弓，胸大動脈，腹大動脈である。
16.10 大動脈弓の枝は，その分枝する順に腕頭動脈，左総頸動脈，左鎖骨下動脈である。
16.11 腹大動脈は第4腰椎の高さ付近で左右の総腸骨動脈に分枝する。
16.12 上大静脈は横隔膜より上の上半身(心臓の静脈と肺胞を除く)の静脈血を導出し，下大静脈は横隔膜よりも下の下半身の静脈血を導出している。
16.13 脳のすべての静脈血は内頸静脈に注ぐ。
16.14 上肢の肘正中皮静脈がよく採血に使われる。
16.15 下肢の浅静脈は足背静脈弓，大伏在静脈，小伏在静脈などである。
16.16 肝静脈が肝臓から血液を運び出している。
16.17 母体と胎児の間での物質交換は胎盤を通して行われる。

CHAPTER 17

リンパ系と免疫

　私たちが生きる環境には感染すると病気を引き起こす微生物がそこらじゅうに存在する。もし，それらに抵抗できなければ絶えず病気になり続けるし，時には死んでしまうだろう。幸運にも私たちのからだは微生物の侵入を妨げたり，侵入してしまった際にはそれらを駆逐するための防御システムをいくつか備えている。リンパ系は病原性微生物に対抗するための主要なシステムである。本章ではリンパ系の機構や成分と，それらが私たちのからだを健康に保ち続けるうえでどのように働くのかを学ぶ。

先に進むための復習
・循環器系 (16.3 節)
・癌 (3 章"よくみられる病気")
・皮膚の表皮 (5.1 節)
・粘膜 (4.4 節)
・貪食 (3.3 節)

Q 癌が体のある部分から別の部分にどのように拡がるのか疑問に思ったことはありませんか？　答えは 17.1 節の「臨床関連事項：乳癌とその転移」でわかるでしょう。

　体内のホメオスタシス(恒常性)を維持するためには，私たちのからだの中と外を取り巻く環境中の有害物質と絶えず戦える状態が必要である。細菌やウイルスといった病気をもたらす微生物，つまりさまざまな**病原体** pathogen に常に曝されているにもかかわらず，ほとんどの人が健康である。体表面もまた，傷や打撲，紫外線，有害物質への曝露，軽い熱傷などに曝されているが，一連の生体防御策で対抗している。

　免疫(力) immunity あるいは**抵抗力** resistance とは，傷害や病気を自分の防御能によって撃退する能力のことである。免疫には一般的に，(1)自然免疫と，(2)獲得免疫の二つのタイプがある。**自然免疫** innate immunity(**非特異的免疫** nonspecific immunity)は生まれながらにして備えている防御機構である。自然免疫はある一つの微生物を特異的に認識するわけではなく，すべての微生物に対して同じように作用する。自然免疫の中には一次防衛線(皮膚や粘膜による物理的，化学的なバリア)と二次防衛線(抗菌物質，ナチュラルキラー細胞，食細胞，炎症，発熱)がある。自然免疫反応は免疫の初期警戒システムを担っており，微生物の体内への侵入を防ぎ，それでも侵入してくるものを除去するのを助けるようにしくまれている。

　獲得免疫 adaptive immunity(**特異的免疫** specific immunity)とは，自然免疫による防衛線を突破した微生物に対して特異的に認識するような防御機構のことである。獲得免疫は特定の微生物に対する特異的な反応を基盤としている。それは特定の微生物を処理するために適応したり，調節したりしている。獲得免疫にはTリンパ球(T細胞)とBリンパ球(B細胞)といったリンパ球(白血球の一種)が関与している。

　獲得免疫(および自然免疫の一部)にかかわっている生体系がリンパ系である。リンパ系は心臓血管系と密接に結びついており，また消化器系と共同して食物から脂質を吸収する際にも機能する。本章では，侵入者に対する防御機構や傷害を受けたからだの組織の修復を促進する機構について探求する。

17.1 リンパ系

目標
- リンパ系の構成要素と主な機能について述べる。
- リンパ管の構築とリンパの循環について述べる。
- 一次および二次リンパ器官・組織の構造と機能を比較する。

リンパ系 lymphatic(lymphoid) system は，リンパという名の体液，リンパを送液するリンパ管，リンパ組織（濾過組織の間にリンパ球が存在）を含む多くの構造や器官，さらには赤色骨髄によって構成される（図17.1）。

あとで説明するが，ほとんどの血漿成分は毛細血管壁から濾出し，**間質液** interstitial fluid（訳注：組織間液または組織液ともいう）を形成する。間質液がリンパ管に入った後は**リンパ** lymph（＝透明な液）と呼ばれる。間質液は細胞間に認められ，リンパはリンパ管やリンパ系組織に局在する。大部分の血漿タンパク質は分子量が大きくて毛細血管壁を通り抜けられないため，間質液とリンパは血漿よりもタンパク質の含有量が少ない。1日約20Lの体液が血管から組織間隙に漏出している。正常な血流量を維持するためには，この液は心臓血管系に戻る必要がある。つまり，毛細血管の動脈端から1日約20L漏出し，毛細血管の静脈端から1日約17Lが直接再吸収されて血液に戻る。残りの1日3L分は最初にリンパ管を通って，その後血液中に戻っていく。

リンパ組織 lymphatic tissue は多数のリンパ球を保持する特殊化した細網組織である（表4.3 C参照）。14章で，リンパ球が顆粒をもたない白血球であったことを思い出そう。2タイプのリンパ球であるB細胞とT細胞が獲得免疫応答を担う（後述する）。

リンパ系には三つの主な機能がある。

1. **過剰な間質液を排導する**：リンパ管は組織間隙から過剰な間質液や漏出したタンパク質を排導し，それを血液に戻す。この機能は生体内の体液バランスを維持し，生命に必要な血漿タンパク質の喪失を防ぐことに役立っている。
2. **食物由来の脂質を運搬する**：リンパ管は胃腸管から吸収された脂質や脂溶性ビタミン（A，D，E，およびK）を血中に運搬する。
3. **免疫反応を遂行する**：リンパ組織は特定の微生物や異常細胞に向けられた非常に特異的な免疫反応を引き起す。

リンパ管とリンパ循環

リンパ管は**毛細リンパ管** lymphatic capillary として始まる。これらの細い管は端が盲端になっており，細胞間の隙間に存在する（図17.2）。毛細リンパ管は毛細血管よりやや大きく，間質液の流入はあるが流出はない（訳注：実際にはリンパは管外にも漏出する。その証拠に血管と異なり，リンパ管は末梢側と中枢側でそれほど管径に差がない）という独特の構造をしている。毛細リンパ管の壁をつくる内皮細胞は端同士が互いにつながることなく，むしろ末端部分は重なっている（図17.2 b）。間質液の圧がリンパの圧よりも高くなると，内皮細胞同士は一方向のスイングドアのようにやや解離して，間質液が毛細リンパ管の中に流入する。毛細リンパ管内の圧のほうが高いと，細胞同士はより密着し，リンパは間質液側に戻ることはできない。

循環路の一部を形成する，より大きな二つの血管（つまり動脈と静脈）をつなぐ毛細血管とは異なり，毛細リンパ管は組織内に始まり，そこでつくられるリンパをより大きなリンパ管へと運ぶ。毛細血管が集合して細静脈から静脈へ向かうように，毛細リンパ管も集まって，より大きな（集合）**リンパ管**(collecting) lymphatic vessel（訳注：弁や明瞭な基底膜をもつリンパ管を**集合リンパ管**と呼ぶ）を形成していく（図17.1 a）。集合リンパ管は構造的には静脈と似ているが，静脈よりも壁が薄く，弁が多数存在する。リンパ管に沿って存在するのが**リンパ節** lymph nodes であり，被膜で囲まれた中にB細胞やT細胞が集まったものである。リンパはリンパ節を通過しながら流れていく。

集合リンパ管からのリンパは，（さらに集合して，要所要所でリンパ本幹となり）最終的には二つの主要な流路である胸管または右リンパ本幹のいずれか一つに流入する。主要なリンパ収集管である**胸管** thoracic duct は，左頭頸部，左胸部，左上肢，ならびに肋骨より下の全身からのリンパを受け取る。**右リンパ本幹** right lymphatic duct は右上半身からのリンパを排導する（図17.1 b, c）。

最終的に，胸管はそのリンパすべてを左内頸静脈と左鎖骨下静脈との合流点（訳注：左静脈角と呼ぶ）に，また右リンパ本幹はそのリンパすべてを右内頸静脈と右鎖骨下静脈との合流点（訳注：右静脈角と呼ぶ）に流れ込む。このようにしてリンパは血液中に還流して戻っていく（図17.3）。

リンパの流れは，静脈血を心臓に戻すのに役立つのと同じ二つの"ポンプ"によって維持されている。

1. **呼吸ポンプ** respiratory pump：リンパの流れは

図 17.1 リンパ系の構成。

リンパ系はリンパ，リンパ管，リンパ組織，それに赤色骨髄からなる。

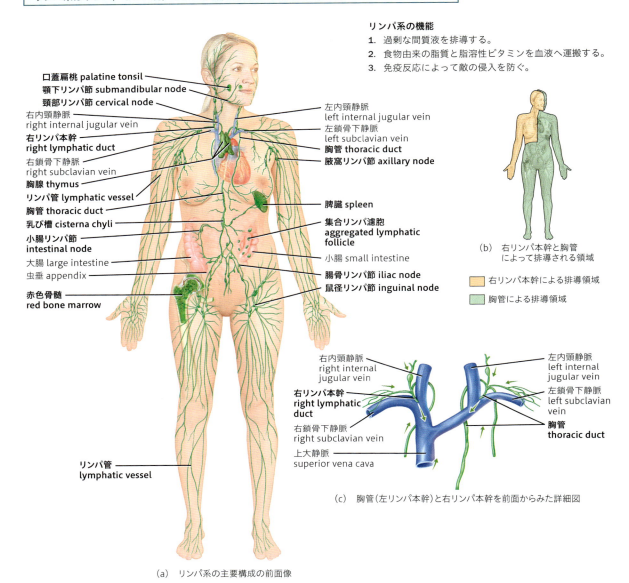

(a) リンパ系の主要構成の前面像

(b) 右リンパ本幹と胸管によって排導される領域

(c) 胸管（左リンパ本幹）と右リンパ本幹を前面からみた詳細図

リンパ系の機能
1. 過剰な間質液を排導する。
2. 食物由来の脂質と脂溶性ビタミンを血液へ運搬する。
3. 免疫反応によって敵の侵入を防ぐ。

Q リンパ組織とは何か？

吸気（息を吸う）時に起る圧の変化によっても維持される。リンパは圧の高い腹部から圧のより低い胸部へと流れる。圧が逆になる呼気（息を吐く）時にはリンパ管内の弁がリンパの逆流を防ぐ。

2. **骨格筋ポンプ skeletal muscle pump**：骨格筋の収縮による"ミルキング作用"（図 16.5 参照）はリンパ管を（静脈と同じように）圧迫し，リンパを鎖骨下静脈へと送り出す。

臨床関連事項

浮腫

浮腫 edema は間質液が組織間隙に過剰にたまった状態である。それはリンパ節の感染や閉鎖したリンパ管のようなリンパ系の通過障害によって生じることがある。浮腫はまた，毛細血管圧が上昇して間質液がリンパ管に流入する速さを上回ったり，毛細血管に再吸収されるよりも速く生成されることによっても起るであろう。ほかには，麻痺のある人のように骨格筋の収縮が起らないことが原因となることもある。

17.1 リンパ系

図 17.2 毛細リンパ管。

毛細リンパ管は中枢神経系，脾臓の一部，赤色骨髄，さらには毛細血管を欠く組織を除いて，からだ中に認められる。

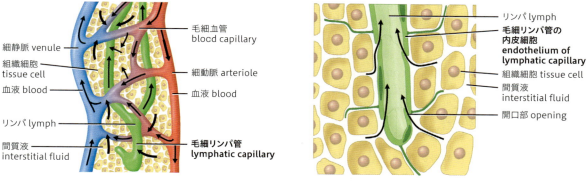

(a) 毛細リンパ管と組織細胞，毛細血管との関係

(b) 毛細リンパ管の詳細図

Q なぜ，リンパは血漿よりも，間質液に近いのか？

図 17.3 リンパ系と心臓血管系との関係を示す模式図。矢印はリンパと血液の流れの方向を示す。

体液の流路は，毛細血管(血漿)→組織間隙(間質液)→毛細リンパ管(リンパ)→(集合)リンパ管とリンパ節(リンパ)→リンパ本幹(リンパ)→内頸静脈と鎖骨下静脈の合流点，つまり静脈角(血漿)の順に流れる。

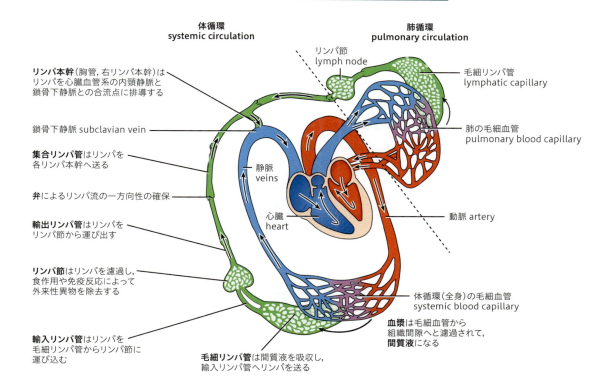

Q 心臓血管系(動脈，静脈，毛細血管)のうちどの血管がリンパをつくるか？

リンパ器官とリンパ組織

からだ全体に広く分布しているリンパ器官やリンパ組織はその機能に基づいて二つのグループに分類される。**一次リンパ器官** primary lymphatic organ は幹細胞が分裂し，成熟した B 細胞や T 細胞に分化する場であり，**赤色骨髄** red bone marrow（成人では扁平骨と長（管）骨の骨端部に存在する）と**胸腺** thymus からなる。**二次リンパ器官・組織** secondary lymphatic organ and tissue はほとんどの免疫反応が起る場で，リンパ節 lymph node，脾臓 spleen，リンパ小節 lymphatic nodule などを含む。

胸　腺　胸腺 thymus は胸骨の後側の左右両肺に挟まれて心臓の上に存在する 2 葉性の器官である（図 17.1 参照）。胸腺には多数の T 細胞と散在する樹状細胞（長い枝分れした突起をもつことからそのように名づけられた），上皮細胞，そしてマクロファージが存在する。未分化 T 細胞が赤色骨髄から胸腺に移住して，そこで増殖するとともに成熟し始める。胸腺に到達した未熟 T 細胞のうち，たった数％しか適切な"教育"を受け，成熟 T 細胞として"卒業する"ことができない。残りの細胞はアポトーシス（計画された細胞死）により死んでいく。胸腺のマクロファージは死細胞や死にかかった細胞の残骸の排除に役立っている。成熟 T 細胞は血液を介して（訳注：血行性だけでなく，リンパ行性に胸腺を離れる経路もある）胸腺を離れ，リンパ節，脾臓，その他のリンパ組織に運ばれ，それらの器官・組織の一部となる。

リンパ節　リンパ管に沿って約 600 の豆形の**リンパ節** lymph node が存在する。リンパ節は表在性のものと深在性のものとが全身に分布し，通常は集団を形成している（図 17.1 参照）。リンパ節は乳腺の周辺，腋窩部，鼠径部などに多く集まっている。それぞれのリンパ節は被膜によって覆われている（図 17.4）。リンパ節の内部では，形質細胞に分化する B 細胞をはじめとし，T 細胞，樹状細胞，マクロファージがそれぞれの居場所に住分けをしている。

リンパはいくつかの**輸入リンパ管** afferent lymphatic vessel（af- ＝向かう，-ferrent ＝運ぶ）の一つからリンパ節に入る。リンパがリンパ節を通過するときに，異物は細胞間の間隙に存在する**細網線維** reticular fiber に捕らえられる。マクロファージは異物の一部を貪食によって破壊し，リンパ球はその他の異物をさまざまな免疫反応によって破壊する。濾過されたリンパは 1 本ないし 2 本の**輸出リンパ管** efferent lymphatic vessel（ef- ＝外へ）を通してリンパ節の反対側から出ていく。リンパ節で形質細胞と T 細胞もリンパ節から出ていくことができ，からだのほかの部分に循環していく。弁によってリンパは輸入リンパ管ではリンパ節の内側へと，輸出リンパ管ではリンパ節の外側へと流れるように方向づけられている（図 17.4）。

リンパ節は濾過装置として働く。リンパがリンパ節

図 17.4 リンパ節の構造（一部は切断面）。緑矢印はリンパ節内に出入りするリンパの流れる方向を示す。

> リンパ節はからだのいたるところにあり，通常はグループを形成して集簇する（小さな塊が複数集まる）。

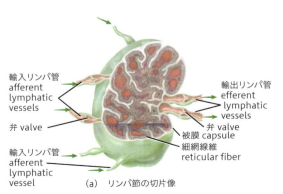
(a) リンパ節の切片像

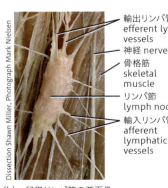
(b) 鼠径リンパ節の前面像

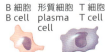
(c) リンパ節内の細胞の種類

Q リンパ節に流出入するリンパ中の異物には何が起るか？

の一端に流入すると，外からの異物はリンパ洞の内側の細網線維に捕えられる．そして，マクロファージはそれらの異物の一部を貪食によって破壊し，リンパ球はその他の異物をさまざまな免疫反応によって破壊する．その後，濾過されたリンパはリンパ節の反対側から出ていく．リンパ節にリンパを運び込むための輸入リンパ管が多く存在すること，また逆にリンパ節からリンパを排出する輸出リンパ管が1本ないし2本しかないことによって，リンパがリンパ節を通り抜けるのにゆっくりとした流れとなるため，濾過を受けるのに十分な時間がある．さらには，すべてのリンパはリンパ管を流れる間に複数のリンパ節を通過することになる．これによって，リンパは血液に合流する前に何度も濾過を受けることになる．

脾　臓　脾臓 spleen は体内のリンパ組織の中でもっとも大きな器官である（図 17.1 参照）．胃と横隔膜の間に位置し，密線維性結合組織でできた被膜で覆われている．脾臓は，白脾髄と赤脾髄と呼ばれる2種類の組織からなる．**白脾髄 white pulp** は主にリンパ球とマクロファージからなるリンパ組織である．**赤脾髄 red pulp** は血液に満たされた**静脈洞 venous sinus** と赤血球やマクロファージ，リンパ球，形質細胞，顆粒白血球を含んだ索状の組織（訳注：**脾索 splenic cord**）で構成されている．

脾臓に流入する血液は脾動脈を介して白脾髄に入る．白脾髄の中ではB細胞とT細胞が免疫反応を果たすのに対し，マクロファージは貪食によって病原体を破壊する．赤脾髄内では脾臓は血球に関連した三つの機能を担っている．つまり，(1)マクロファージによる，老化した，または欠陥のある血球や血小板の除去，(2)からだが供給している量のおそらく約1/3にも及ぶ血小板の貯蔵，(3)胎児期における血球の生成（造血）である．

> **臨床関連事項**
>
> **乳癌とその転移**
>
> 　乳癌の病理，検出法，治療については23章で詳しく学ぶ．簡単にいえば，**乳癌 breast cancer** とは乳房に発生した悪性腫瘍である．ここでは乳癌がどのようにしてリンパ系をへてからだの他の部位へ拡がっていくのかを記す．
>
> 　乳房におけるリンパの吸収を理解することは臨床的に重要であり，リンパ流路を知ることによって乳癌がほかの部位に拡がるのを予測しやすくなる．乳房におけるリンパの吸収を考える際には，乳房を上下左右に4分割すると良い．乳房のリンパの約75％は両側のリンパ管に吸収される．この領域のリンパ管は腋窩に存在する20〜40個のリンパ節へと流れていく．残りの乳房のリンパはからだの中央寄りのリンパ管に吸収される．乳癌の大部分は外側上方で起るので，乳癌はこの領域のリンパを排導するリンパ管を通って腋窩リンパ節へと次々に拡がっていく．癌が原発部位からからだのほかの部位へと拡がることを**転移 metastasis**（meta- ＝ 〜の向こうに；stasis ＝位置する）といい，リンパ管を介する場合は**リンパ行性転移 lymphogenic metastasis** と分類される．リンパ管同士，あるいは腋窩，頸部，胸骨のリンパ節間で幾多のつながりが存在するので，乳癌は反対側の乳房や腹部に転移しうる．乳癌が腋窩リンパ節より先に拡がった場合は**遠隔転移 distant metastasis** と呼ばれ，肺や肝臓，骨への転移がそれにあたる．一般的に癌に侵されたリンパ節は腫大していて，硬く，疼痛はなく，周囲の構造物に癒着して固定されている．一方，感染によって腫大したリンパ節の多くは柔らかく，疼痛があり，可動性である．リンパを濾過して心臓血管系に還流するしくみが腫瘍の転移経路になってしまうことは何とも皮肉なのである．

> **臨床関連事項**
>
> **脾臓摘出術（脾摘）**
>
> 　脾臓は腹部外傷によってもっとも頻繁に傷害される臓器である．破壊された脾臓は重篤な内出血とショックを生じる．致死的な出血を防ぐためには，迅速な**脾摘 splenectomy**（脾臓を摘出すること）が必要である．脾摘後は，通常，ほかの臓器，とくに赤色骨髄や肝臓などの臓器が，脾臓が担っていた機能を引き継ぐ[*1]．

リンパ小節　リンパ小節 lymphatic nodule は被膜のない卵形のリンパ組織の集簇である．これらは胃腸管や尿路，生殖管，そして気道などに沿った粘膜の結合組織中に存在している．ほとんどのリンパ小節は小さくて孤立性であるが，からだの特定の部位では大きな集団として存在するものもある．その中には，咽頭部の扁桃や，小腸の回腸にあるリンパ濾胞の集簇（パイエル板 Peyer's patch）などがある（図 17.1 参照）．リンパ小節の集簇は虫垂にも存在する．口腔と鼻腔と咽頭の境界部に一つの環を形成する五つの**扁桃 tonsil** は，吸い込んだり，飲み込んだりした異物に対して免疫反応を行うために戦略的に配置されている．**咽頭扁桃 pharyngeal tonsil（adenoid）**は咽頭上部の後壁中央部に1個埋め込まれている（図 18.2 参照）．**口蓋扁桃 palatine tonsil** は左右に1個ずつ2個が口腔の後方に存在するが，しばしば扁桃摘出術（扁摘）で除去さ

[*1] 訳注：莢膜保有菌（肺炎球菌や髄膜炎菌）に対する抗体産生応答には脾臓が必須であり，ほかの器官では代償が困難であることが知られている．脾摘の妥当性は，術後に感染症の罹患リスクが増大することを念頭に置きつつ，慎重に検討すべきである．

れることが多い扁桃である．対になっている**舌扁桃 lingual tonsil**は舌の基部に存在しており，同じく扁桃摘出手術で除去されることがある．

> **チェックポイント**
> 1．間質液とリンパはどこが似ていてどこが違うか？
> 2．免疫において胸腺とリンパ節の役割は何か？
> 3．脾臓と扁桃の機能を説明しなさい．

17.2 自 然 免 疫

目 標
・自然免疫のさまざまな構成要素を述べる．

自然（非特異的）免疫には皮膚や粘膜による体表面の物理的かつ化学的なバリア機構が含まれる．また，抗菌物質やナチュラルキラー細胞，食細胞，炎症や発熱などのさまざまな内部防御機構も含まれる．

一次防衛線：皮膚および粘膜

からだの皮膚と粘膜は，病原体に対する**一次防衛線 first line of defense**である．これらは病原体や異物が体外から侵入し，病気を引き起こすのを防ぐ物理的バリアと化学的バリアを形成する．

密に詰まった角化細胞による多層性の**表皮 epidermis**（皮膚の外側の上皮層）は，微生物の侵入に対して強力な物理的バリアとなる（図 5.1 参照）．それに加えて，絶え間ない表皮細胞の剥落は皮膚表面の微生物を除去するのに役立つ．細菌は無傷で健康な表皮を貫くことはめったにない．しかしながら，もし皮膚表面が切り傷や，火傷，あるいは刺傷で破壊されると，病原体は表皮を超えて近隣組織に侵入したり，血液を介してからだのほかの部位に循環してしまう．

体腔表面に沿って存在する**粘膜 mucous membrane**の上皮層は，腔の表面を滑らかにし，湿らせる**粘液 mucus**と呼ばれる液体を分泌する．粘液には若干の粘性があるので，多くの微生物や異物を捕捉できる．鼻粘膜には粘液に覆われた**鼻毛 hair**が存在し吸い込んだ空気中の微生物や，埃や汚染物質を捕えて濾しとる．上気道の粘膜には，顕微鏡でみると上皮細胞表面に毛のような突起，つまり**線毛 cilium**が存在する．吸い込まれ，粘液で捕捉された埃や微生物は，線毛の波動によって喉のほうへ運び出される．咳やくしゃみは粘液の移動と粘液中の病原体の体外への排出を促進する．粘液を飲み込めばそれらを胃に送り，病原体を胃酸で破壊することになる．

さまざまな器官から産生されるその他の体液も皮膚や粘膜の表面を防御するのに役立っている．眼の**涙器 lacrimal apparatus**（図 12.5 参照）は刺激物に反応して涙を産生し洗い流す．まばたきによって涙を眼球表面に拡げるとともに，絶え間なく涙で洗浄することによって，微生物を希釈して眼の表面に定着するのを防ぐ助けとなる．涙はまた一部の細菌の細胞壁を破壊することができる酵素，**リゾチーム lysozyme**を含んでいる．リゾチームは涙のほか，唾液，汗，鼻汁，組織液中にも存在する．**唾液 saliva**は唾液腺で産生され，涙が眼を洗うのと同じように，歯の表面や口腔粘膜から微生物を洗い流す．唾液の流れは口腔への微生物の定着を減少させる．

尿道の自浄作用は**尿 urine**によって行われ，尿路系に微生物が定着するのを防いでいる．同様に**腟分泌物 vaginal secretion**も女性のからだから微生物を追い出す．**排便 defecation**と**嘔吐 vomiting**もまた微生物の排出に役立つ．例えば，ある微生物毒素に反応して胃腸管の下流にある平滑筋が激しく収縮すると下痢 diarrhea が生じ，その結果，直ちに多くの微生物が排出される．

ある種の物質も皮膚や粘膜における微生物侵入に対する抵抗性に貢献している．皮膚の皮脂（脂）腺は**皮脂 sebum**と呼ばれる油状物を分泌し，皮膚表面を覆う防御膜をつくる．皮脂中の不飽和脂肪酸はある種の細菌や真菌の増殖を抑制する．皮膚が酸性（pH 3〜5）であるのは一部脂肪酸や乳酸の分泌によるものである．**発汗 perspiration**は微生物を皮膚表面から洗い流すのを助ける．胃腺からつくられる**胃液 gastric juice**は塩酸，酵素，粘液の混合物である．胃液の強酸性（pH 1.2〜3.0）は多くの細菌と細菌毒を破壊する．腟分泌物もわずかに酸性であり，細菌の増殖を抑える．

二次防衛線：体内の防御

皮膚や粘膜は病原体の侵入を防ぐのに非常に効果的なバリアであるが，創傷，あるいは歯磨きや髭剃りなどの日常の行為によって破壊される可能性がある．表面のバリアを通った病原体はすべて，生体内の抗菌物質や食細胞，ナチュラルキラー細胞，炎症，発熱などによる**二次防衛線 second line of defense**と直面することになる．

抗菌物質　さまざまな体液は微生物の増殖を抑制する四つのタイプの**抗菌物質 antimicrobial substance**を含んでいる．

1．ウイルスに感染したリンパ球，マクロファージ，線維芽細胞は**インターフェロン interferon（IFN）**

と呼ばれるタンパク質を産生する。IFN はひとたびウイルスに感染した細胞から放出されると隣接する未感染細胞へと拡散し，ウイルスの複製を妨げるような抗ウイルス作用をもつタンパク質の合成を誘導する。ウイルスは体細胞中で複製することができて初めて病気を起すことができる。

2. 血漿や細胞膜に存在する通常は不活性の，ある種のタンパク質群は，**補体系 complement system** を形成している。これらのタンパク質は活性化されるとある種の免疫反応やアレルギー反応，炎症反応を"補助"したり増強したりする。補体タンパク質の効果の一つに，微生物の細胞膜に孔を開けることがある。その結果，細胞外液が孔から流入し微生物を破裂する。これが**細胞融解 cytolysis** と呼ばれる過程である。その他の補体の効果として，食細胞を化学的にその場所に引きつける**走化性 chemotaxis** を引き起す。補体タンパク質の中には微生物の表面に結合して貪食を促進する過程である**オプソニン効果 opsonization** を引き起すものもある。

3. **鉄結合性タンパク質 iron-binding protein** は，ある種の細菌が利用できる鉄の量を減らすことにより，その増殖を抑える。その例として，**トランスフェリン transferrin**（血液や間質液に存在），**ラクトフェリン lactoferrin**（母乳，唾液，粘液中に存在），**フェリチン ferretin**（肝臓，脾臓，赤色骨髄に存在），**ヘモグロビン hemoglobin**（赤血球に存在）などがある。

4. **抗菌タンパク質 antimicrobial protein (AMP)** は，広い抗菌活性をもった短鎖ペプチドである。AMP の例として，**デルミシジン dermicidin**（汗腺で産生される），**ディフェンシン defensin** や**カテリシジン cathelicidin**（好中球やマクロファージ，上皮から産生される），**トロンボシジン thrombocidin**（血小板から産生される）などがある。広範囲の微生物を殺すのに加えて，AMP は免疫反応に関与する樹状細胞や肥満細胞を引きつけることができる。面白いことには，AMP に曝露された微生物は抗菌薬でしばしばみられるような耐性を獲得することはなさそうである。

食細胞とナチュラルキラー細胞 微生物が皮膚や粘膜を通過したとき，または血中の抗菌物質による防御をすり抜けた場合には，食細胞やナチュラルキラー細胞による非特異的防御機構が働く。

食細胞 phagocyte（phago- ＝ 食する；-cytes ＝ 細胞）は微生物や壊死細胞片のようなほかの粒子状物を取り込む**貪食 phagocytosis**（-osis ＝ 過程；マクロファージの食作用をさす）を行う特別な細胞である。食細胞の主要な二つのタイプとして好中球とマクロファージがある。感染が起ると好中球と単球は感染部位に遊走していく。この遊走の間に，単球は大きくなり，**マクロファージ macrophage** と呼ばれる活性化された食細胞になる（図 14.2 a 参照）。一部は感染部位に移動する**遊走マクロファージ wandering macrophage** である。**定着マクロファージ fixed macrophage** は，皮膚や皮下組織，肝臓，肺，脳，脾臓，リンパ節，赤色骨髄などの特定の場所に存在する。

血液中のリンパ球の約 5〜10％は**ナチュラルキラー (NK) 細胞 natural killer (NK) cell** で，特定の腫瘍細胞を殺すことができる。NK 細胞は脾臓，リンパ節，赤色骨髄にも存在する。それらは標的細胞の細胞膜を破壊するタンパク質を放出して標的細胞を破壊する。

炎 症 **炎症 inflammation** は組織損傷に対する非特異的な生体の一つの防御反応である。炎症は生体の自然防御反応の一つであるために，創傷に対する組織反応は，熱傷，放射線照射，細菌やウイルスの侵入によって生じる傷害に対する反応と似ている。炎症現象は損傷部位の微生物や毒素，あるいは異物を処理して，ほかの組織に拡散するのを防ぎ，組織の修復の場を準備する。したがって，炎症は組織のホメオスタシス（恒常性）を回復するのに役立っている。炎症における四つの徴候と症状は発赤，疼痛，発熱，腫脹である。炎症は損傷を受けた部位や程度に応じて，その損傷部位における機能障害も引き起こす。

炎症の段階を次に示す。

1. 組織損傷部位では，結合組織内の肥満細胞や血中の好塩基球と血小板が**ヒスタミン histamine** を放出する。ヒスタミンに対する反応として，二つの即時変化が血管で生じる。それは**透過性亢進 increased permeability** と血管の径が増加する**血管拡張 vasodilation** である（図 17.5）。透過性亢進というのは通常は血管内にとどまるはずの物質が血管外に通過してしまうことを意味する。血管拡張は損傷部位にさらに多くの血液を流せるように血管壁の直径を増加させ，微生物毒素や死滅した細胞を除去するのに役立つ。透過性亢進によって抗体や凝固形成の化学的因子のような防御物質も血液中から損傷部位に入っていく。

炎症の過程に生じる現象からその徴候や症状を理解するのは簡単である。発熱と発赤は損傷部に大量の血液が集まることによる。腫脹は毛細血管から漏れ出た大量の間質液の増加（浮腫）によって起る。疼痛は神経の損傷や微生物から放出された

図 17.5 **炎症。**何種類かの物質が血管拡張や血管透過性，細胞の走化性や移住，それに貪食能を亢進させる。

炎症は組織損傷に対する生体の自然免疫反応である。

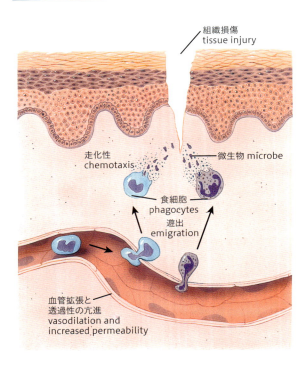

Q 炎症部位での発赤はどうやって起るのか？

毒性物質，浮腫による圧の上昇の結果である。
2. 毛細血管の透過性が亢進すると凝固タンパク質が組織へ漏出する。フィブリノゲンは不溶性のフィブリン線維の厚い網目構造に変化し，侵入微生物を捕え，その拡散を防ぐ。生成された凝固塊は侵入した微生物やその毒素を隔絶する。
3. 炎症過程が始まるとすぐに，食細胞は走化性によって損傷部位に引き寄せられる（図17.5）。損傷部位の近くで好中球は血管壁をくぐり抜け始める。この過程を**遊出** emigration という。感染の初期には好中球が優勢であるが，貪食した微生物と一緒に急速に死滅する。2，3時間以内に，単球が感染部位に到着する。組織に入ると，遊走マクロファージへと変り，損傷組織や死滅した好中球や侵入した微生物を貪食する。
4. 最終的にはマクロファージも死滅する。2，3日のうちに死んだ食細胞と損傷組織からなる部位が形成される。このような死んだ細胞と液体の集合体は**膿** pus と呼ばれる。時折，膿は体表面に到達したり，体腔内に流れ込んで分散される。また膿は感染が終了した後も残る場合もある。この場合には，膿は何日もかかって次第に壊され吸収される。

臨床関連事項

膿瘍と潰瘍

膿が炎症部位から排出できなければ，**膿瘍** abscess になる。膿瘍は限局した場所に過度に膿が貯留したものである。よくある例はにきびやおできである。器官や組織表面の炎症部組織が脱落した場合，生じた開放病巣は**潰瘍** ulcer と呼ばれる。循環の悪い人，例えば，進行したアテローム性粥状動脈硬化を伴った糖尿病者は下肢組織に潰瘍ができやすい。

発 熱 発熱 fever は視床下部のサーモスタット（自動温度調節装置）が再設定されたことによる異常な高体温のことである。発熱は感染や炎症のときによく起る。多くの細菌毒素は，時にマクロファージ由来のインターロイキン1のような発熱誘導サイトカインを遊離させることにより体温を上昇させる。上昇した体温はインターフェロンの効果を高め，一部の微生物の増殖を抑え，修復を助ける生体反応を促進する。

表17.1 は自然免疫の要約である。

チェックポイント

4．皮膚や粘膜においてどのような物理的，化学的要因が疾患防御にかかわっているのか？
5．皮膚や粘膜を貫通してきた微生物に対してどのような内部防御機構が働くのか？
6．炎症の主要な徴候や症状は何か？

17.3 獲 得 免 疫

目 標

・獲得免疫を定義し，自然免疫と比較する。
・抗原と抗体の関係を説明する。
・細胞媒介性免疫と抗体媒介性免疫の機能を比較する。

自然免疫が作用するにはいろんな局面があるが，一つの共通点は，それらの作用が特定のタイプの侵入物に対するのではなく，非特異的であることである。獲得（特異的）免疫では特定の抗原を破壊するために，特異的なタイプの細胞や抗体がつくり出される。**抗原** antigen とは，免疫系が外来性異物（つまり非自己）として認識するようなあらゆる物質をいう。つまり，微生物や食物，薬物，花粉，組織などである。抗原に対す

表 17.1 自然免疫（非特異的免疫）の要約

構成因子	機能
一次防衛線：皮膚および粘膜 first line of defense：skin and mucous membranes	
物理的因子 physical factors	
表皮 epidermis of skin	微生物の侵入に対する物理的バリア。
粘膜 mucous membrane	多くの微生物の侵入を抑えるが，健常な皮膚ほど有効ではない。
粘液 mucus	気道や胃腸管内の微生物を捕える。
鼻毛 hairs	鼻の中の微生物や塵埃を濾しとる。
線毛 cilia	粘液とともに，上気道から微生物や塵埃を捕え排除する。
涙器 lacrimal apparatus	刺激物や微生物を涙で薄め洗い流す。
唾液 saliva	歯や口腔粘膜の表面から微生物を洗い流す。
尿 urine	尿道から微生物を洗い流す。
排便と嘔吐 defecation and vomiting	微生物を体外へ排除する。
化学的因子 chemical factors	
皮脂 sebum	多くの微生物の増殖を抑える防御的酸性膜を皮膚表面に形成する。
リゾチーム lysozyme	汗，涙，唾液，鼻汁，組織液中の抗菌物質。
胃液 gastric juice	胃で細菌やほとんどの毒素を破壊する。
腟分泌物 vaginal secretion	弱酸性であることが細菌の増殖を抑える。そして腟の微生物を洗い流す。
二次防衛線：内部の防御 second line of defense：internal defenses	
抗菌物質 antimicrobial substances	
インターフェロン（IFN）interferon	未感染宿主細胞をウイルス感染から守る。
補体系 complement system	微生物の融解を起す。食作用を促進する。炎症に関与する。
鉄結合性タンパク質 iron-binding protein	利用可能な鉄分量を減らすことにより特定の微生物の増殖を抑える。
抗菌タンパク質（AMP）antimicrobial protein	広域の抗菌活性をもち，樹状細胞や肥満細胞を呼びよせる。
ナチュラルキラー（NK）細胞 natural killer（NK）cell	パーフォリンとグランザイムを含む顆粒を放出して標的の感染細胞を殺す。それによって遊離される微生物を食細胞が殺菌する。
食細胞 phagocyte	外来性異物の粒子を取り込む。
炎症 inflammation	微生物を閉じ込め破壊する。組織修復の起因となる。
発熱 fever	インターフェロンの効果を高める。ある種の微生物の増殖を抑制する。組織修復を助ける生体反応を促進する。

る生体反応を扱う科学分野は**免疫学 immunology** と呼ばれている。**免疫系 immune system** は免疫反応をもたらす細胞や組織からなる。通常，ヒトの獲得免疫系細胞は自分自身の組織や物質を認識して，攻撃することはない。このような自己組織に対する反応の欠落は**自己寛容 self-tolerance** と呼ばれている。

T 細胞と B 細胞の成熟

獲得免疫には B 細胞と T 細胞と呼ばれるリンパ球が関与している。両方とも，一次リンパ器官（赤色骨髄や胸腺）で赤色骨髄由来の幹細胞から分化する（図 14.2 参照）。B 細胞の分化は赤色骨髄中で完了する。T 細胞は赤色骨髄から胸腺に移動した前駆細胞から分化し，そこで成熟する（図 17.6）。**成熟 T 細胞 mature T cell** が胸腺を離れる前，あるいは**成熟 B 細胞 mature B cell** が赤色骨髄を離れる前に，細胞膜に織り込まれる個々の固有のタンパク質をつくり始める。それらのタンパク質の一部は**抗原受容体 antigen receptor**（特有の抗原を認識することができる分子）として機能する（図 17.6）。胸腺から出ていく成熟 T 細胞には主に二つのタイプがある。それは，**ヘルパー T 細胞 helper T cell** と **細胞傷害性 T 細胞 cytotoxic T cell** である（図 17.6）。本章の後半で出てくるが，これらの二つのタイプの T 細胞は大きく異なった機能をもっている。

獲得免疫のタイプ

獲得免疫には細胞媒介性免疫と抗体媒介性免疫の二つのタイプがある。両者ともに抗原によって引き起される。**細胞媒介性免疫 cell-mediated immunity** では，細胞傷害性 T 細胞が侵入した抗原を直接攻撃する。**抗体媒介性免疫 antibody-mediated immunity**

図 17.6 赤色骨髄の多能性幹細胞から発生するB細胞とT前駆細胞の起源。
B細胞やT細胞は一次リンパ組織（赤色骨髄や胸腺）で生まれ，二次リンパ器官・組織（リンパ節，脾臓，リンパ小節）で活性化される。一度活性化すると，いずれのタイプのリンパ球も特定の抗原を認識できる細胞のクローンを形成する。簡略化のため，各リンパ球クローンの細胞膜上の抗原受容体は記入していない。

獲得免疫には細胞媒介性免疫と抗体媒介性免疫の二つのタイプがある。

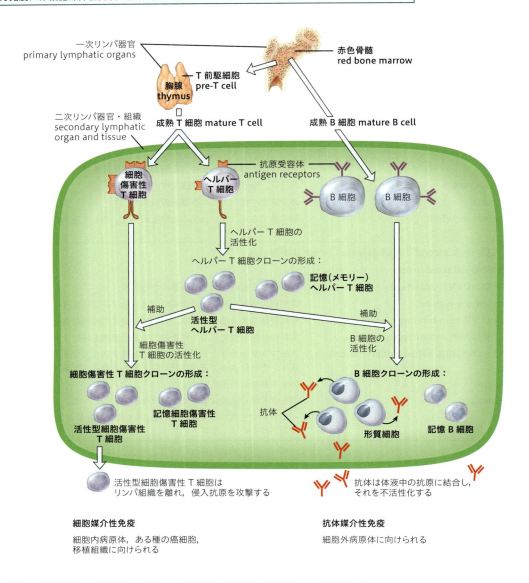

細胞媒介性免疫
細胞内病原体，ある種の癌細胞，移植組織に向けられる

抗体媒介性免疫
細胞外病原体に向けられる

Q 細胞媒介性免疫反応と抗体媒介性免疫反応の両方に関与するのはどのタイプのT細胞か？

では，B細胞が分化して，**抗体 antibody** と呼ばれる特別なタンパク質を合成し分泌する形質細胞になる。一つの抗体は特定の抗原と結合し，それを不活性化することができる。ヘルパーT細胞は細胞媒介性免疫と抗体媒介性免疫の両方の免疫反応を補助する。

細胞媒介性免疫は，とくに，(1)細胞内に存在するウイルスや細菌あるいは真菌類を含む生体内病原体，(2)一部の癌細胞，(3)外来性の移植組織，に効果的に働く。このように，細胞媒介性免疫では常に細胞を攻撃する細胞が関与している。抗体媒介性免疫は細胞外の体液中に存在するウイルスや細菌や真菌類のような細胞外病原体に主に働く。抗体媒介性免疫には**体液 humor**（血液やリンパなど）中で抗原と結合するように抗体が関与するので，**液性免疫 humoral immunity** とも

呼ばれる。

多くの場合，特定の抗原が最初に侵入してきたときは，その抗原に反応する適正な抗原受容体をもつリンパ球集団はごく少数しか存在しない。その集団にはわずかのヘルパーT細胞，細胞傷害性T細胞，B細胞が含まれる。存在部位によって，当の抗原は両方のタイプの獲得免疫反応を惹起できる。それは，特定の抗原が生体に侵入すると，通常その抗原の多くのコピーがからだ中の組織や体液に拡がっていくためである。ある抗原コピーは体細胞中に存在する可能性がある（それは細胞傷害性T細胞による細胞媒介性免疫反応を惹起する）。これに対して，ほかの抗原コピーは体液中に存在する可能性がある（それはB細胞による抗体媒介性免疫反応を惹起する）。このように，細胞媒介性免疫と抗体媒介性免疫とはしばしば共同して特定の抗原のコピーの大半を生体から排除している。

クローン選択：原理

いま学んだように，特異抗原が生体内に存在するときには，通常その抗原と同じものが多数からだ中の組織や体液に分布している。その抗原のおびただしい数のコピーは，初めはその抗原に対応するための適正な抗原受容体をもつヘルパーT細胞，細胞傷害性T細胞，B細胞の小集団の数を圧倒している。そのため，ひとたびそれぞれのリンパ球が複製された抗原と出合って刺激を受けると，引き続いてクローン選択の過程をたどる。**クローン選択** clonal selection とはリンパ球が特異的な抗原に反応して**増殖** proliferation（細胞分裂）し**分化** differentiation（より高度に特化した細胞を形成）する過程のことである。クローン選択の結果，**クローン** clone と呼ばれ，元のリンパ球とまったく同じ特異抗原を認識できる同一細胞集団が形成される（図 17.6）。特定の抗原と出合う前にはわずかのリンパ球しかそれを認識できないが，いったんクローン選択が生じると大量のリンパ球がその抗原に反応できることになる。リンパ球のクローン選択は二次リンパ器官あるいは組織で起る。病気のときに経験する扁桃腺や頸部リンパ節の腫大はおそらく免疫反応に関与するリンパ球のクローン選択によって生じるものであろう。

クローン選択を起すリンパ球はクローンの中で主な二つのタイプの細胞となる。つまり，エフェクター細胞と記憶細胞である。リンパ球クローン中の多数の**エフェクター細胞** effector cell は最終的に抗原を破壊するか不活性化する免疫反応を行う。エフェクター細胞には，ヘルパーT細胞クローンの一部である**活性型ヘルパーT細胞** active helper T cell，細胞傷害性T細胞クローンの一部である**活性型細胞傷害性T細胞** active cytotoxic T cell，B細胞クローンの一部である**形質細胞** plasma cell がある。多くのエフェクター細胞は免疫反応が完了すると最終的に死にいたる。

記憶（メモリー）細胞 memory cell は抗原との初期反応には積極的には関与しない。しかし，同一の抗原が将来再び体内に侵入してくるとリンパ球クローンの多数の記憶細胞が初回よりはるかに迅速に反応を開始できるようになっている。記憶細胞は増殖してより多くのエフェクター細胞，記憶細胞へと分化することによって抗原と反応する。その結果，抗原への二次反応は通常非常に急速かつ強力なので，病気の徴候・症状が発現する前に抗原が破壊されてしまう。記憶細胞にはヘルパーT細胞クローンの一部である**記憶ヘルパーT細胞** memory helper T cell，細胞傷害性T細胞クローンの一部である**記憶細胞傷害性T細胞** memory cytotoxic T cell，B細胞クローンの一部である**記憶B細胞** memory B cell がある。ほとんどの記憶細胞は免疫反応が終了しても死ぬことはない。むしろ長い寿命（しばしば数十年間生存）をもつ。エフェクター細胞と記憶細胞との機能については本章の後半で詳しく述べる。

抗原と抗体

抗原 antigen（**抗体** antibody をつくり出させるもの generator の意味）は生体に，それと反応する特異的な抗体や特定のT細胞をつくらせる。微生物はその全体であっても一部分であっても抗原として働きうる。鞭毛，被膜，細胞壁のような細菌の構造を構成する化学成分には細菌毒素やウイルスタンパク質と同じような抗原性がある。ほかの抗原の例として，花粉の化学成分，卵白，不適合血液細胞，移植された組織や器官がある。環境中の莫大な種類の抗原が際限なく免疫反応を惹起する機会をつくっている。

ほとんどの体細胞表面の細胞膜に存在しているのが**主要組織適合遺伝子複合体** major histocompatibility complex（MHC）タンパク質として知られる，"自己抗原"タンパク質である。一卵性双生児でない限り，各個体のMHC抗原はすべて異なる。赤血球を除き，すべての体細胞表面に数千から数十万のMHC分子が目印として存在する。MHC抗原は，ある者からほかの者へ組織を移植したとき，それが拒絶される原因になっているが，通常の機能はT細胞がある抗原を非自己であり自己ではないとの認識を助けることである。この認識過程はすべての獲得免疫反応の最初の重要なステップである。

抗原は形質細胞に**抗体** antibody として知られるタンパク質の分泌を促す。ほとんどの抗体は四つのポリペプチド鎖をもっている（図 17.7 a）。鎖の二つの先

図17.7 抗体の構造と抗原の抗体に対する関係。

抗原は形質細胞を刺激してその抗原に結合する特異的抗体を産生させる。

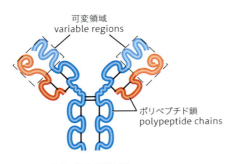
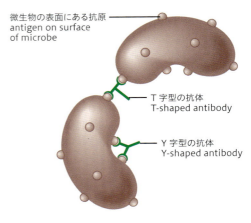

(a) 抗体分子の図

(b) 抗原と結合する抗体分子

Q 抗体の可変領域の機能は何か？

端部は**可変領域 variable region** といわれ，それぞれの抗体によって異なるアミノ酸配列をとることから名づけられた。可変領域は**抗原結合部位 antigen-binding site** であり，まさに家の鍵が鍵穴に合致するように，特定の抗原に"ぴったりと合う"ことで結合する部位である。抗体の"両腕"はいくらか可動性があるため，抗体はT字型やY字型になることができる。この可動性によって，抗体が同時に二つの同一抗原に結合する可能性を高めることになり，例えば，二つの隣接した微生物の表面にある抗原と結合することができる（図17.7 b）。

抗体はグロブリンと呼ばれる血漿タンパク質グループの一つに属するため，**免疫グロブリン immunoglobulin**（訳注：γ-グロブリン）としても知られている。免疫グロブリンは五つの異なったクラスに分類され，IgG，IgA，IgM，IgD，IgE と呼ばれる。それぞれのクラスは異なった化学構造と異なった機能をもっている（表17.2）。IgM 抗体は最初に出現し比較的寿命が短いため，IgM 抗体の存在はつい最近抗原が侵入したことを示唆する。病気の患者で，特定の病原体に対して特異的な IgM が高レベルに存在していると，病気の原因を特定するのに役立つ。胎児や新生児の感染に対する抵抗性は，主に出生前に胎盤を経由してきた母親の IgG 抗体と，出生後の母乳に含まれる IgA 抗体に由来している。

抗原の処理と提示

獲得免疫反応が起るためには，B 細胞と T 細胞が外来抗原の存在を認識しなければならない。B 細胞はリンパや間質液，血漿中の抗原を認識し，結合することができるが，T 細胞はある特定の方法で処理され提示された抗原の断片を認識する。

抗原処理 antigen processing において，抗原性タンパク質は断片に分解され MHC 分子に結合する。次に，抗原-MHC 複合体は体細胞の細胞膜上に挿入される。この複合体が細胞膜上に運ばれることを**抗原提示 antigen presentation** と呼ぶ。抗原の断片が**自己タンパク質 self protein** 由来のときには，T 細胞は抗原-MHC 複合体を無視する。しかし，もし抗原の断片が**外来性タンパク質 foreign protein** 由来の場合は，T 細胞はその抗原-MHC 複合体を侵入者として認識し，獲得免疫反応が始まる。

抗原提示細胞 antigen-presenting cell（APC）と呼ばれる特別な種類の細胞は外来性抗原を処理し，提示する。APC には樹状細胞，マクロファージ，B 細胞がある。これらは抗原が自然防御機構をかいくぐり，生体内に侵入しそうな場所に戦略的に存在している。例えば，皮膚の表皮や真皮（表皮内マクロファージは樹状細胞の1種類である），あるいは呼吸器，胃腸管，尿道や生殖器などを覆う粘膜，そしてリンパ節などである。抗原の処理と提示がすむと，樹状細胞はリンパ管を介して組織からリンパ節に移動する。

表 17.2　免疫グロブリン(Ig)のクラス

名称と構造	特徴と機能
IgG	血中の全抗体の 80％ を占める。リンパや腸管にも存在する。 貪食を促進し，毒素を中和し，補体系を起動させることにより細菌やウイルスに対抗する。 胎盤を介して母体から胎児に移行しうる唯一の抗体クラスであり，新生児にかなりの免疫力を授ける。
IgA 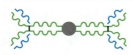	血中の全抗体の 10〜15％ を占める。主に汗，涙，唾液，粘液，乳汁，胃腸分泌物中に存在する。 ストレスの際には減少し，感染に対する抵抗力が下がる。 細菌やウイルスに対する局所の粘膜防御を提供する。
IgM 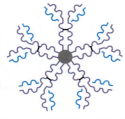	血中の全抗体の 5〜10％ を占める。リンパ中にも存在する。 あらゆる抗原に対して初めて遭遇したときに形質細胞から分泌される最初の抗体クラスである。 補体を活性化し，微生物の凝集や融解を引き起す。 血漿中には，ABO 式血液型の抗 A，抗 B 抗体が存在し，不適合輸血をしたときに(赤血球表面の)A 抗原および B 抗原に結合するが，これらも IgM 抗体である(図 14.6 a)。
IgD	血中の全抗体の約 0.2％ を占める。リンパや B 細胞表面の抗原受容体としても存在する。 B 細胞の活性化に関与している。
IgE	血中の全抗体の約 0.1％ 以下。肥満細胞と好塩基球の表面にも存在する。 アレルギー反応や過敏症反応に関与し，寄生虫に対する防御をする。

　APC による抗原の処理と提示は次のように起る(図 17.8)。

❶ **抗原の取り込み**：抗原提示細胞は食作用によって抗原を取り込む。この取り込みは微生物のような侵入者が非特異的防御を貫通してきた場所なら生体内のどこでも起る。

❷ **抗原の消化によるペプチド断片化**：APC 内において，タンパク質分解酵素が大きな抗原を短いペプチドの断片に分解する。

❸ **MHC 分子の合成**：同時に APC は MHC 分子を合成して，小胞の中に包み込む。

❹ **小胞の融合**：この抗原断片と MHC 分子を含む小胞は，互いに一緒になり融合する。

❺ **抗原ペプチド断片の MHC 分子への結合**：二つの小胞が融合すると，抗原断片は MHC 分子に結合する。

❻ **抗原-MHC 複合体の細胞膜上での発現**：抗原-MHC 複合体を含む結合小胞は細胞膜に組み込まれ，抗原-MHC 複合体が細胞膜上に運ばれる。

　抗原処理の後，樹状細胞は抗原を T 細胞に提示するためにリンパ組織へ移動する。リンパ組織の中では，適切な抗原受容体をもった少数の T 細胞がこの抗原断片-MHC 複合体を認識して結合し，その結果として細胞媒介性免疫反応または抗体媒介性免疫反応のどちらか一方を誘導する。

T 細胞と細胞媒介性免疫

　抗原提示細胞(APC)が MHC 分子を伴った抗原を T 細胞に提示すると，T 細胞は侵入者が生体内に存在し，戦闘を開始しなければならないと伝えられる。T 細胞は，その抗原受容体が外来抗原に結合(抗原認識)し，同時に**共刺激 costimulation** として知られる二つ目の刺激信号を受け取って初めて活性化されることになる(図 17.9)。代表的な共刺激物質として**インターロイキン 2 interleukin-2(IL-2)**がある。二つの刺激信号が必要なのは車のエンジンを始動するのと運転するのに若干似ている。正しい鍵(抗原)を点火装置(TCR)に差し込んで回すと，車は始動する(特異抗原の認識)が，ギアをドライブ(共刺激)にいれないと車は前に進

図17.8 抗原提示細胞(APC)による抗原の処理と提示。

抗原提示細胞(APC)はリンパ組織に移住して，そこで特定の抗原断片と適合する受容体を有するT細胞に対して処理された抗原を"提示"する。

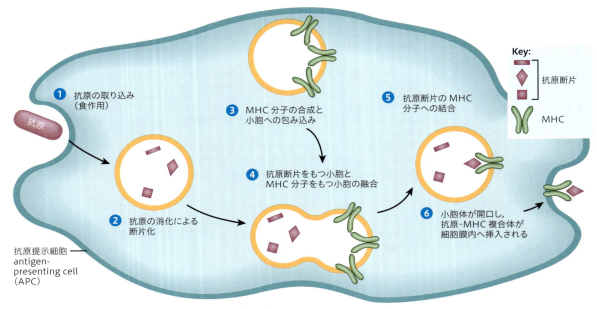

抗原提示細胞(APC)は抗原をMHC分子とともに提示する

Q どのようなタイプの細胞がAPCとして機能しうるか？

まない。共刺激が必要なのは免疫反応が偶発的に生じることを防いでいるのかもしれない。

一度T細胞が活性化されると，クローン選択が起る。クローン選択というのは特異的な抗原に対する反応としてリンパ球が増殖（何度か分裂する）と分化（抗原に対してより高度に特異的な細胞を形成する）過程であることを思い出そう。クローン選択の結果，元のリンパ球とまったく同じ抗原を認識できる同一細胞集団（つまりクローン）が形成される（図17.6 参照）。あるT細胞クローンの中の一部の細胞はエフェクター細胞になる一方，クローンの中のほかの細胞は記憶細胞になる。T細胞クローンのエフェクター細胞は最終的に侵入者を**排除** elimination するための免疫反応を実行する。

すでに学習したように，成熟T細胞にはヘルパーT細胞と細胞傷害性T細胞という二つの主要なタイプがある。**ヘルパーT細胞** helper T cell が活性化すると，活性型ヘルパーT細胞のクローンと記憶ヘルパーT細胞のクローンを形成する（図17.9）。**活性型ヘルパーT細胞** active helper T cell は獲得免疫系のほかの細胞が侵入者と戦うのを助ける。例えば，ヘルパーT細胞は，休止ヘルパーT細胞や休止細胞傷害性T細胞に共刺激として働くタンパク質のインターロイキン2を放出し，T細胞やB細胞，ナチュラルキラー細胞の活性化や増殖を促す。ヘルパーT細胞クローンの**記憶ヘルパーT細胞** memory helper T cell は活性型の細胞ではない。しかし，将来，同じ抗原が生体内に再び侵入したとき，記憶ヘルパーT細胞は早急により多くの活性型ヘルパーT細胞や記憶ヘルパーT細胞

> **臨床関連事項**
>
> **臓器移植**
>
> **臓器移植** organ transplantation では，損傷や疾病のある心臓，肝臓，腎臓，肺，あるいは膵臓などの臓器を他人からもらった臓器と交換する。拒絶のリスクを減らすために，臓器移植の受容者には免疫抑制薬が投与される。その薬剤の中に真菌由来のシクロスポリン cyclosporine があり，ヘルパーT細胞からのインターロイキン2の分泌を抑制するが，B細胞への影響はほとんどない。その結果，拒絶のリスクは少なくなるが，同時に一部の疾患への抵抗性は維持される。

17.3 獲得免疫　**449**

図17.9　ヘルパーT細胞の活性化とクローン選択。

ヘルパーT細胞はひとたび活性化すると，活性型ヘルパーT細胞と記憶（メモリー）ヘルパーT細胞のクローンを形成する。

図17.10　細胞傷害性T細胞の活性化とクローン選択。

細胞傷害性T細胞はひとたび活性化すると，活性型細胞傷害性T細胞と記憶（メモリー）細胞傷害性T細胞のクローンを形成する。

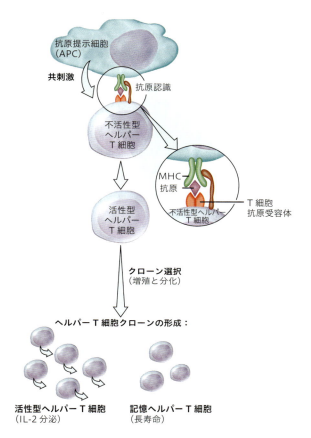
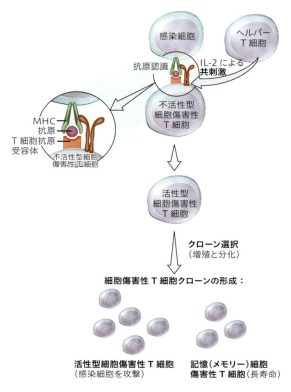

Q 活性型T細胞の機能にはどのようなものがあるか？

Q 記憶（メモリー）細胞傷害性T細胞の機能は何か？

に増殖し分化することができる。

細胞傷害性T細胞 cytotoxic T cell の活性化によって，活性型細胞傷害性T細胞と記憶（メモリー）細胞傷害性T細胞で構成される細胞傷害性T細胞のクローン形成が行われる（図17.10）。**活性型細胞傷害性T細胞** active cytotoxic T cell は抗原となる微生物の感染を受けた体細胞を攻撃する。**記憶（メモリー）細胞傷害性T細胞** memory cytotoxic T cell は感染した体細胞を攻撃しない。その代わり，将来同じ抗原が生体内に入ってきたときに，迅速に，より活性化された細胞傷害性T細胞や記憶（メモリー）細胞傷害性T細胞へと増殖，分化することができる。

侵入者の排除

細胞媒介性免疫反応において，細胞傷害性T細胞はいわば外界からの侵入者と前線に出て戦う兵士である。**細胞傷害性** cytotoxic という名前は細胞を殺すという機能を反映している。細胞傷害性T細胞は二次リンパ器官や組織を離れ，感染した標的細胞や癌細胞，移植細胞を探し出すために移動していき，さらに破壊してしまう（図17.11）。細胞傷害性T細胞は標的細胞を認識しそれに接着する。そして"致死的一撃"を加えて標的細胞を殺す。

細胞傷害性T細胞はナチュラルキラー細胞がするのときわめて似たやり方で感染標的細胞を殺す。主な相違点は，細胞傷害性T細胞は特定の微生物に対する特異的受容体をもつので，その特定の微生物の感染を受けた標的細胞のみ殺すのに対し，ナチュラルキラー細胞は広範にさまざまの微生物に感染した細胞を破壊できる点である。細胞傷害性T細胞が感染した標的細胞を殺すのに二つの主要な機序がある。

1. 細胞傷害性T細胞はその表面の受容体を用いて，

図 17.11 細胞傷害性 T 細胞の作用。"致死的一撃"を与えた後，細胞傷害性 T 細胞は標的を離れ，同じ抗原をもつほかの標的細胞を攻撃することができる。

細胞傷害性 T 細胞はアポトーシスを誘導するグランザイムと感染標的細胞の細胞融解をまねくパーフォリンを放出してその標的を直接殺傷する。

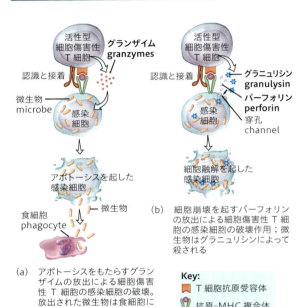

(a) アポトーシスをもたらすグランザイムの放出による細胞傷害性 T 細胞の感染細胞の破壊。放出された微生物は食細胞によって殺される

(b) 細胞崩壊を起すパーフォリンの放出による細胞傷害性 T 細胞の感染細胞の破壊作用；微生物はグラニュリシンによって殺される

Key:
- T 細胞抗原受容体
- 抗原-MHC 複合体

Q 微生物に感染した細胞以外に，細胞傷害性 T 細胞が攻撃するのはどんなタイプの細胞か？

微生物抗原を表出している感染標的細胞を認識しそれに結合する。そして細胞傷害性 T 細胞はアポトーシスを起すタンパク質分解酵素で，細胞成分の断片化を行う**グランザイム granzyme** を放出する（図 17.11 a）。感染細胞が破壊されると，その細胞から遊離された微生物は食細胞によって殺される。

2. あるいは，細胞傷害性 T 細胞は感染細胞に結合し，パーフォリン，グラニュリシンという二つのタンパク質を顆粒から放出する。**パーフォリン perforin** は標的細胞の細胞膜に組み込まれ，膜に穿孔(channel：筒状の孔)を形成する（図 17.11 b）。その結果，細胞外液が標的細胞内に流入して細胞融解(細胞破裂)が起る。細胞傷害性 T 細胞中のほかの顆粒は**グラニュリシン granulysin** を放出し，穿孔を通って感染細胞に入り込み，中の微生物の細胞膜に孔を開けてそれを殺す。細胞傷害性 T 細胞はまた標的細胞中の酵素を活性化する**リンホトキシン lymphotoxin** という毒性分

子を放出して標的細胞を破壊することもある。これらの酵素は標的細胞の DNA を断片化し，細胞を死滅させる。さらに，細胞傷害性 T 細胞はガンマインターフェロンを分泌し，食細胞を遊走させ活性化したり，マクロファージ遊走阻止因子を分泌して食細胞が感染部を離れるのを阻止する。標的細胞から離れた細胞傷害性 T 細胞はさらに別の標的細胞をみつけて破壊することができる。

チェックポイント

7. 主要組織適合遺伝子複合体タンパク質(自己抗原)の正常の機能は何か？
8. 抗原はどのようにしてリンパ組織にたどり着くのか？
9. 抗原提示細胞はどのようにして抗原を処理するのか？
10. ヘルパー T 細胞，細胞傷害性 T 細胞，記憶 T 細胞のそれぞれの機能は何か？
11. 細胞傷害性 T 細胞はどのようにして標的を殺すのか？

B 細胞と抗体媒介性免疫

生体には多数の異なる T 細胞が存在するだけでなく，多数の異なる B 細胞が存在する。それぞれは特定の抗原に反応することができる。外来抗原の存在下で，リンパ節，脾臓，粘膜関連リンパ組織の抗原特異的な B 細胞が活性化される。続いてクローン選択を起して，形質細胞と記憶 B 細胞のクローンを形成する。形質細胞は B 細胞クローンのエフェクター細胞であり，特異抗体を分泌する。抗体はついでリンパや血液中を循環し，抗原侵入部に到達する。

B 細胞の活性化の過程で，B 細胞表面の抗原受容体が抗原と結合する。B 細胞の抗原受容体は，形質細胞から最終的に分泌される抗体と化学的に類似している。B 細胞は未処理の抗原を認識して反応もできるが，B 細胞が抗原を処理したほうがより強い反応が起る（図 17.12）。B 細胞における抗原処理は次のようにして起る。抗原は B 細胞に取り込まれると，ペプチド断片に分解され，MHC タンパク質と結合する。そして B 細胞の表面に移動する。ヘルパー T 細胞はこの処理された抗原-MHC タンパク質複合体を認識し，B 細胞の増殖と分化に必要な共刺激を届ける。ヘルパー T 細胞は B 細胞を活性化するための共刺激物質として作用するインターロイキン 2 やその他のタンパク質を放出する。

B 細胞はひとたび活性化されると，クローン選択を行う（図 17.12）。その結果，形質細胞と記憶(メモリー)B 細胞で構成される B 細胞クローンが形成される。**形質細胞 plasma cell** は抗体を分泌する。抗原の曝露後 2〜3 日で，形質細胞は毎日何億もの抗体を約 4〜5 日間に死ぬまで分泌する。抗体のほとんどはリ

17.3 獲得免疫　451

図 17.12　B 細胞の活性化とクローン選択。形質細胞は実際にはB細胞よりだいぶ大きい。

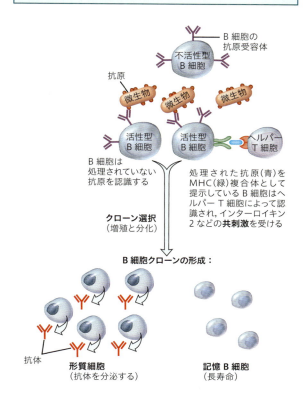

形質細胞は抗体を分泌する。

Q ここに示されているクローン内の形質細胞によって分泌される抗体は何種類になるか？

ンパや血液中を移動し抗原侵入部に達する。**記憶（メモリー）B 細胞** memory B cell は抗体を分泌しない。その代わりに，将来，同じ抗原が再現したときに，より迅速に形質細胞や記憶 B 細胞へと増殖，分化することができる。

五つのクラスの抗体の機能は多少異なるが，すべて種々の方法で抗原を攻撃する。

1. **抗原の中和** neutralize antigen：抗体の抗原への結合は細菌毒素を中和し，ウイルスが体細胞に付着するのを防ぐ。
2. **細菌の固定** immobilize bacterium：抗体の中には細菌の運動を衰えさせ，細菌が近くの組織に拡がるのを制限するものがある。
3. **抗原の凝集** agglutinate antigen：抗体の抗原への結合は病原体を互いに結合させて**凝集** agglutination を起し，粒子を1ヵ所に凝集する。食細胞は凝集した微生物をより簡単に処理する。
4. **補体の活性化** activate complement：抗原抗体複合体は補体タンパク質を活性化し，オプソニン化や細胞破壊によって微生物を取り除く働きをする。
5. **貪食の促進** enhance phagocytosis：抗原がひとたび抗体の可変領域に結合すると，抗体は食細胞を引きよせる"旗"として働く。抗体は凝集を引き起し，補体を活性化させ，微生物を覆うことによって食細胞の活性を高めるので，貪食を受けやすくなる（オプソニン化）。

表 17.3 には獲得免疫反応に関与する細胞の機能をまとめてある。

§ 臨床関連事項

モノクローナル抗体

抗体媒介性免疫反応は，抗原の異なった部位や自分とは異なる細胞のもつ外来抗原を認識する数多くの異なる抗体を産生するという特徴がある。これに対して，**モノクローナル抗体** monoclonal antibody（MAb）は実験室で培養した単一のクローンからなる同一の B 細胞から産生された唯一の抗体である。MAb の臨床的な応用としては，妊娠やアレルギー，それに連鎖球菌咽頭炎，肝炎，狂犬病，一部の性感染症のような疾患の診断がある。MAb はまた早期癌を検出したり，転移の拡がりを決定したりするのにも用いられてきた。MAb は臓器移植に関連した拒絶反応に対抗するワクチンをつくり，自己免疫疾患を治療し，おそらくエイズを治療するのにも有用かもしれない。

免疫学的記憶

獲得免疫反応の特徴は，過去に免疫反応を起した特異的な抗原に対する記憶である。**免疫学的記憶** immunological memory は抗体が長く残存することと，抗原に刺激された B 細胞や T 細胞が増殖し分化する間に生じた非常に寿命の長いリンパ球が存在することによる。

一次反応と二次反応　細胞媒介性であろうと抗体媒介性であろうと，獲得免疫反応は最初の抗原との出合いよりも，2 回目あるいはそれ以降の出合いのほうがより速くより強力である。最初は反応すべき適正な抗原受容体をもつ細胞はごくわずかであるため，免疫反応の強さがピークに達するのに数日を要するだろう。抗原に初めて出合った後は数多くの記憶細胞が存在するので，同じ抗原が次に現れたときには細胞は数時間以内に増殖し，ヘルパー T 細胞や細胞傷害性 T 細胞や形質細胞に分化する。

免疫学的記憶の一つの尺度は，血漿中の抗体の量で

表 17.3 獲得免疫反応に関与する細胞の機能の要約

細 胞	機 能
抗原提示細胞 antigen-presenting cell(APC)	外来抗原の処理と T 細胞への抗原提示を行う。樹状細胞がもっとも抗原提示能力が高く B 細胞とマクロファージがこれに次ぐ[*2]。
ヘルパー T 細胞 helper T cell	T 細胞の活性化や増殖を促進するインターロイキン 2(IL-2)という共刺激タンパク質を分泌することによって，免疫系のほかの細胞が外敵と戦うのを助ける。ほかのタンパク質は食細胞を引きつけると同時にマクロファージの食作用を高める。同時に B 細胞の成熟を促進して抗体産生する形質細胞へ分化させたり，ナチュラルキラー細胞の発達を刺激する。
細胞傷害性 T 細胞 cytotoxic T cell	アポトーシスを誘導するグランザイム，細胞融解を来す流路を形成するパーフォリン，微生物を破壊するグラニュリシン，標的細胞の DNA を破壊するリンホトキシン，マクロファージを引きよせてその貪食能を高めるガンマインターフェロン，さらに感染部位からのマクロファージの遊走離脱を防ぐマクロファージ遊走阻止因子などを放出して宿主標的細胞を殺す。
記憶(メモリー)T 細胞 memory T cell	リンパ組織内にとどまり(訳注：必ずしもリンパ組織だけではない)，最初に遭遇してから何年経過しようとも侵入抗原を認識する。
B 細胞 B cell	抗体を産生する形質細胞へ分化する。
形質細胞 plasma cell	抗体を産生し分泌するためにもっとも成熟した B 細胞。
記憶(メモリー)B 細胞 memory B cell	免疫反応後も生き続ける B 細胞で，将来同じ抗原が侵入する際にも直ちに強力に二次反応できる状況にある細胞。

[*2] 訳注：抗原に出合ったことのない T 細胞(ナイーブ T 細胞)に抗原提示して活性化させることができるのは，樹状細胞のみである。

ある。抗原との最初の接触の後 2，3 日間は抗体が検出されない。その後，抗体レベルはまず最初に IgM，次に IgG の順にゆっくり上昇し，その後は徐々に低下していく(図 17.13)。これが**一次反応 primary response** である。記憶細胞は何十年も残存する可能性がある。同じ抗原に出合うたびに記憶細胞の増殖は急速に起る。再び抗原と出合った後の抗体価は，1 度目の反応のときよりもはるかに大きく，主に IgG 抗体からなる。この加速されたより強い反応は**二次反応 secondary response** と呼ばれる。二次反応で産生された抗体は一次反応のときに産生されたものよりも効果的である。そのため，それらは侵入者を排除するのに，より優れている。

一次反応と二次反応は微生物感染の際に生じる。抗菌薬を使用しなくても感染から回復するのは，通常一次反応によるものである。のちに同じ微生物の感染を受けたときは，二次反応が大変速く起るので，感染の症状や徴候が生じる前に微生物は破壊されてしまう。

自然獲得免疫と人為的な獲得免疫
免疫学的記憶は，例えば，ポリオのような特定の病気に対する予防接種による免疫の根拠となっている。弱毒化したり不活性化した微生物または微生物の一部を含む**ワクチン vaccine** を接種すると，B 細胞と T 細胞が活性化される。もしその後に感染微生物として生きた病原体に出合えば，生体は二次反応を開始する。しかし免疫物質によっては，病原体に対する十分な防御力を維持するために，ワクチンの追加投与を定期的に行わなければならない。表 17.4 は自然獲得免疫と人為的に獲得される免疫を起させるさまざまな種類の抗原との遭遇の例をまとめたものである。

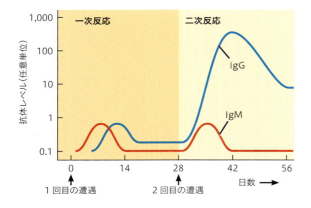

図 17.13 抗体の分泌。一次反応(抗原との最初の遭遇後)は二次反応(抗原との 2 度目，またはその次の遭遇後)よりも反応性が弱い。

免疫学的記憶はワクチンによる予防接種が成功する基本となる。

Q 二次反応の間にもっとも強力に反応する抗体はどのタイプか？

表 17.4 獲得免疫の成立過程

免疫の種類	成立方法
自然獲得による能動免疫	微生物との接触後, B 細胞と T 細胞の抗原認識および共刺激によって, 抗体産生形質細胞, 細胞傷害性 T 細胞, さらに記憶(メモリー)B 細胞および記憶(メモリー)T 細胞の形成が誘導される。
自然獲得による受動免疫	IgG 抗体は胎盤を介して母親から胎児へ移行するし, IgA 抗体は授乳期の母乳により母親から乳児へ移行する。
人為的獲得による能動免疫	ワクチン接種時の抗原は細胞媒介性および抗体媒介性免疫反応を刺激して記憶(メモリー)細胞の産生を促す。抗原は病原性をなくし免疫原性をもつようにあらかじめ処理されている。これによって免疫反応を誘導するだけで, 目立った病気は起さない。
人為的獲得による受動免疫	免疫グロブリン(抗体)の静脈内注射。

チェックポイント

12. 細胞媒介性免疫反応と抗体媒介性免疫反応はどこが似ていて, どこが異なっているか？
13. 抗原に対する二次反応と一次反応との違いは何か？

17.4 加齢と免疫系

目 標

・免疫系に及ぼす加齢の影響を述べる。

年齢が進むにつれて, たいていの人たちがあらゆるタイプの感染症や悪性疾患に罹りやすくなる。ワクチンに対する反応は低下し, 自己抗体(生体自身の分子に対する抗体)をつくりやすくなる傾向がある。さらに, 免疫系は機能レベルの低下を示すようになる。T 細胞集団は年齢とともに減少するため, B 細胞も反応しなくなる。したがって, 抗原の接種に対して十分な抗体レベルは急には上昇しないことから, さまざまな感染に罹りやすくなる。高齢者が毎年インフルエンザの予防接種を受けるよう勧められるのはこのような主な理由による(訳注：加齢による免疫系の変化にはまだ不明な点も多い)。

チェックポイント

14. 加齢に伴って T 細胞や B 細胞の数が減少すると, どうなるか？

・・・

リンパ系や免疫がほかの生体の器官系のホメオスタシスに寄与する多くの方法を理解するために, 次ページの"ホメオスタシスの観点から"を参照しなさい。次の 18 章では, 呼吸器系の構造と機能を明らかにし, その作用が神経系によっていかにして調節されているかをみることにする。もっとも重要なことは, 呼吸器系がガス交換, すなわち酸素を取り込み, 二酸化炭素を排気する仕事をしていることである。心臓血管系は, これらのガスを含んだ血液を肺と組織の間を運搬してガス交換を助けている。

ホメオスタシスの観点から

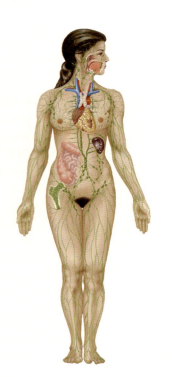

リンパ系と免疫の役割

全身の器官系との関連

- B細胞，T細胞と抗体は，有害な外来侵入者（病原体），ほかの個体の細胞，腫瘍細胞からの攻撃から生体を守る。

外皮系

- リンパ管は皮膚の真皮から余分な間質液や漏れ出した血漿タンパク質を排導する。
- 皮膚にある免疫系細胞（表皮内マクロファージ）は皮膚を守るのを助ける。
- リンパ組織は汗に含まれるIgA抗体を供給する。

骨格系

- リンパ管は骨周辺の結合組織から余分な間質液や漏れ出した血漿タンパク質を排導する。

筋系

- リンパ管は筋周辺の結合組織から余分な間質液や漏れ出した血漿タンパク質を排導する。

神経系

- 免疫細胞は神経系を病原体から守り，神経系は免疫反応を調節する。
- リンパ管は神経系からの余分な間質液や漏れ出した血漿タンパク質を排導する。
- 神経ペプチドは神経伝達物質として働く。

内分泌系

- リンパ流は一部のホルモンやサイトカインの体組織への供給を助ける。
- リンパ管は内分泌腺から余分な間質液や漏れ出した血漿タンパク質を排導する。

心臓血管系

- リンパは毛細血管から濾し出した余分の体液や漏れ出した血漿タンパク質を静脈血に戻す。
- 脾臓のマクロファージは老化した赤血球を破壊したり，血中の残骸を取り除く。

呼吸器系

- 扁桃，肺胞マクロファージ，そしてMALT（粘膜関連リンパ組織）は肺を病原体から守る手助けをする。
- リンパ管は肺から余分の間質液を排導する。

消化器系

- 扁桃やMALTは胃腸管から生体に侵入してきた毒素や病原体に対する防御を助ける。
- 消化器系は唾液や胃腸分泌物中のIgAを供給する。
- リンパ管は小腸から吸収した食物脂質や脂溶性ビタミンを捕えて，それらを血液へ転送する。
- リンパ管は消化器系器官から余分な間質液や漏れ出した血漿タンパク質を排導する。

泌尿器系

- リンパ管は尿路系器官から余分な間質液や漏れ出した血漿タンパク質を排導する。
- MALTは尿道から生体内に侵入してきた毒素や病原体に対する防御の手助けをする。

生殖器系

- リンパ管は生殖器系の器官から余分な間質液や漏れ出した血漿タンパク質を排導する。
- MALTは腟や陰茎から生体内に侵入してきた毒素や病原体に対する防御を助ける。
- 女性では，腟内にたまった精子は免疫反応を阻止する機構によって外来侵入者としての攻撃を受けない。
- IgG抗体は胎盤を経由して発育中の胎児に達しその防御に役立つ。
- リンパ組織は授乳中の母乳にIgA抗体を供給する。

よくみられる病気

エイズ：後天性免疫不全症候群

後天性免疫不全症候群 acquired immunodeficiency syndrome（エイズ AIDS）はヒト免疫不全ウイルス human immunodeficiency virus（HIV）によって免疫系の細胞が進行性に破壊された結果，その感染者があらゆる種類の感染を経験する疾患である．エイズは HIV 感染による最終段階を呈している．HIV に感染した人はウイルスが免疫系を攻撃しているのにもかかわらず，何年もの間，無症候性の時期がある．1981 年に最初の 5 例が報告されてから 20 年間で 2,200 万人がエイズで死亡している．全世界では，現在約 3,000〜4,000 万人が HIV に感染している．

HIV 感染
HIV は血液や一部の体液中に存在するので，人と人との間で血液や体液が交換される行為によって，もっとも効果的に感染（1 人から次の人へと伝播）する．HIV は無防備（コンドーム不使用で）の肛門，腟あるいは口での性交により精液や腟液で感染する．HIV はまた注射針を共有する麻薬静注常用者や HIV に汚染された注射針による針刺し事故にあった医療従事者のように，直接的な血液と血液の接触によっても感染する．さらには，HIV 感染母体から出生時，あるいは授乳中に児へと感染することもある．

腟や肛門性交による HIV の伝播や感染の機会は，ラテックス製コンドームを使用することにより，完全ではないもののかなり減少させることができる．麻薬静注常用者に注射針を共有しないよう推奨することを目的とした公衆衛生計画はこれらの人たちの間での新しい HIV 感染の増加を阻止するのに有効であることがわかった．また，HIV 感染妊婦に特定の薬剤を投薬すると児へのウイルスの伝染を著明に減少させる．

HIV は非常に弱性のウイルスで人体の外では長く生存しえない．このウイルスは虫刺されなどでは感染しない．HIV 感染者との通常の身体接触，すなわち抱擁や家庭用品の共用などでは伝染しない．このウイルスは加熱（60℃で 10 分間）や，通常の消毒薬，つまり過酸化水素，消毒用アルコール，家庭用漂白剤あるいはベタジン Betadine®，ヒビクレンズ Hibiclens® のような殺菌用洗剤などで洗うことにより，個人用常備用品や医療用器具から除くことができる．標準的な食器洗い用洗剤や洗濯用洗剤も HIV を殺す．

HIV：構造と感染
HIV は，タンパク質の被殻（カプシド）で包まれたリボ核酸（RNA）の内核をもち，さらにその外はいくつかのタンパク質が貫通している脂質二重層からなる外被膜（エンベロープ）に覆われている．生きた宿主細胞の外ではウイルスは複製できない．しかし，ウイルスが宿主細胞に感染し侵入すると，宿主細胞の資源を用いて多数のウイルスのコピーをつくる．新しいウイルスはついには宿主を離れてさらにほかの細胞に感染する．

HIV は主にヘルパー T 細胞を傷害する．毎日 100 億個以上のウイルスコピーがつくられる．そのウイルスは感染細胞の細胞膜から急速に発芽していくので，細胞は崩壊して死滅する．HIV 感染者のほとんどで，ヘルパー T 細胞は最初は破壊されるのと同じくらいの速さで補充される．しかし感染後数年すると，徐々に生体のヘルパー T 細胞を補充する能力が衰え，血中のヘルパー T 細胞の数は次第に減少する．

HIV 感染の徴候，症状，診断
HIV に感染してからすぐ，多くの人々が一過性にインフルエンザ様の症状を呈する．一般的な徴候や症状は，発熱，疲労感，発疹，頭痛，関節痛，咽頭痛，リンパ節腫大である．感染者の約 50％に寝汗がある．HIV 感染後 3〜4 週間もすると，形質細胞が HIV に対する抗体を分泌し始める．この抗体は血漿中に検出できるので，一部の HIV のスクリーニング（選別）検査のもとになっている．"HIV 検査陽性"というときは，通常血中に HIV 抗原に対する抗体をもっていることを意味する．

エイズへの進行
2〜10 年の経過の後，ウイルスは多くのヘルパー T 細胞を破壊するので，感染者のほとんどが，免疫不全の症状を経験し始める．HIV 感染者は通常リンパ節腫大があると同時に，疲労感が持続したり，知らぬ間に体重が減少し，寝汗，皮疹，下痢，口腔・歯肉のさまざまな病変などを経験する．さらに，ウイルスは脳の神経に感染し始め，記憶への影響や視力障害をもたらすことがある．

免疫系がゆっくりと衰弱するにつれて，HIV 感染者は，多くの日和見感染 opportunistic infection に罹りやすくなる．日和見感染とは通常は抑制されるが免疫系に欠陥があると増殖する微生物によって起る病気である．エイズは，血中ヘルパー T 細胞数が，1 μL（mm³）当り 200 個以下になったとき，あるいは日和見感染が起きたときのどちらか先に起ったときに診断が下される．やがて，ほとんどが日和見感染が原因で死にいたる．

HIV 感染の治療
現在のところ，HIV 感染は根治できない．新しい HIV 感染を阻止したり，すでに感染している人々のウイルス量（血漿 1 μL 中の HIV RNA のコピー数）を減らすことを狙ったワクチンの臨床試験が行われている．一方では，二つのカテゴリーの薬剤が多くの HIV 感染者の延命に成功していることが証明されている．

1. **逆転写酵素阻害剤** reverse transcriptase inhibitor はウイルスがその RNA を DNA コピーに転写するときに使う酵素である逆転写酵素の作用を妨げる．このカテゴリーの薬剤にはジドブジン（ZDV，以前は AZT と呼ばれていた），ジダノシン（ddI），スタブジン（d4T）がある．2000 年に HIV 感染の治療として認められたトリジビル Trizivir® は三つの逆転写酵素阻害剤を 1 錠に混合したものである．
2. **インテグラーゼ阻害剤** integrase inhibitor は HIV の DNA コピーを宿主細胞の DNA 内へ挿入する働きをも

つインテグラーゼという酵素を阻止する。ラルテグラビルという薬がそのインタグラーゼ阻害剤の例である。
3. **プロテアーゼ阻害剤 protease inhibitor** は新しく産生された HIV 粒子の被膜の材料に断片化されたタンパク質が用いられるが，このタンパク質を断片化させるウイルス酵素であるプロテアーゼの作用を阻害する。このカテゴリーの薬剤には，ネルフィナビル，サクイナビル，リトナビル，インジナビルがある。

HIV 感染患者に対して推奨される治療法は，少なくとも二つ以上の異なる働きをもつ薬種の中から，3種またはそれ以上の抗レトロウイルス剤を多剤併用する**高活性抗レトロウイルス療法** highly active antiretroviral therapy（HAART）である。HAART を受けた多くの HIV 感染者はウイルス量の劇的な減少と，血中のヘルパー T 細胞の増加を経験している。HAART が HIV 感染からエイズへの進行を遅延させるだけでなく，多くのエイズ患者を寛解あるいは，日和見感染の消失に導き，明らかな健康の回復の兆しがみえている。残念なことに，HAART は非常に経費がかかる（年間1万ドル以上）と同時に，治療スケジュールは厳しくて，すべての人がこの薬の副作用に耐えられるわけではない。HIV は薬物療法によって血中から消えるかもしれないが（したがって，血液検査では HIV は"陰性"である），ウイルスは実際にまださまざまなリンパ組織に潜伏している。このような場合には，感染者はほかの人にウイルスを伝播しうる。

アレルギー反応

ほかの多くの人が耐性をもった物質に過剰に反応する人は**アレルギー体質 allergic** であるといわれる。アレルギー反応が生じるたびに，何らかの組織傷害が生じる。アレルギー反応を誘導する抗原を**アレルゲン allergen** と呼ばれる。一般的なアレルゲンとしてはある種の食物（牛乳，ピーナッツ，魚介類，卵），抗菌薬（ペニシリン，テトラサイクリン），ワクチン（百日咳，腸チフス），毒素（ミツバチ，スズメバチ，蛇），化粧品，ウルシ毒のような植物中の物質，花粉，埃，カビ，ある種の X 線撮影に用いられるヨウ素を含む造影剤，そして微生物さえも含まれる。

Ⅰ型（アナフィラキシー）反応 type Ⅰ (anaphylactic) reaction はもっとも一般的で，過去にアレルゲンに感作された人がそれにもう一度曝露された後2〜30分以内に起るのが典型的である。特定のアレルゲンに反応して，一部の人は肥満細胞や好塩基球の表面に結合する IgE 抗体を産生する。同じアレルゲンが次に生体に侵入してくると，すでに体内に存在する IgE 抗体に結合する。この反応で，肥満細胞と好塩基球の両方がヒスタミンやプロスタグランジン，その他の物質を放出する。これらの物質は共同して血管拡張，毛細血管透過性の亢進，肺気道の平滑筋収縮の増加，粘液分泌の増加をもたらす。その結果として，人々は炎症反応，気道狭窄による呼吸困難，過度の粘液分泌による鼻汁を経験する。原因薬剤を投与された直後とか，スズメバチに刺された直後に，それらに対して感受性のある人が起す**アナフィラキシーショック anaphylactic shock** または**アナフィラキシー anaphylaxis** では，通常，血管拡張や血管からの体液喪失によるショックとともに，気道収縮による喘鳴や呼吸困難が起る。気道拡張や心拍を増強するアドレナリンの投与は，通常，この生命を脅かす緊急事態に対して効果的である。

Ⅱ型（細胞傷害性）反応 type Ⅱ (cytotoxic) reaction は体内の血液細胞や組織細胞上にある抗原に対する抗体によって引き起こされる。Ⅱ型反応は，血液型不適合輸血で起るが，細胞融解により細胞を傷害する。

Ⅲ型（免疫複合体）反応 type Ⅲ (immune-complex) reaction には抗原，抗体，補体が関与する。糸球体腎炎や関節リウマチ（RA）はこの型で生じる。

Ⅳ型（細胞媒介性）反応 type Ⅳ (cell-mediated) reaction または**遅延型過敏反応 delayed hypersensitivity** は通常アレルゲンに曝露された後12〜72時間後に発症する。Ⅳ型反応はアレルゲンが抗原提示細胞（皮膚の表皮内マクロファージなど）により捕えられ，それがリンパ節に移行し，アレルゲンを T 細胞に提示することで T 細胞の増殖をもたらすときに発症する。新しい T 細胞の一部はアレルゲンが生体に侵入した部位に戻り，そこで，マクロファージを活性化するガンマインターフェロンや，炎症反応を刺激する腫瘍壊死因子を産生する。**結核菌** *Mycobacterium tuberculosis* のような細胞内寄生細菌は，ツタウルシ毒のようなある種のハプテンと同様に，この型の細胞介在性免疫反応を誘導する。結核に対するツベルクリン皮膚試験も遅延型過敏反応である。

自己免疫疾患

自己免疫疾患 autoimmune disease（**自己免疫 autoimmunity**）における，免疫系は自己寛容を発揮することができずに，その人自身の組織を攻撃してしまう。自己免疫疾患は，通常若年成人に発症し，北米やヨーロッパの成人の5%ほどの人たちを苦しめるほど多発している。女性のほうが男性よりも自己免疫疾患に頻繁に罹患する。通常は自己に反応性をもつ B 細胞や T 細胞はネガティブ選択の間に淘汰されるか，あるいは不活性化される。明らかに，この過程は必ずしも100%効果的だとはいえない。環境内にある未知の誘発物や人によってより罹患しやすいある種の遺伝子の影響下では，自己寛容が壊れ，その結果，T 細胞や B 細胞の自己反応性クローンの活性化をもたらす。さらに，これらの細胞は自己抗原に対する細胞媒介性または抗体媒介性の免疫反応をもたらすことになる。

さまざまな機序によって異なった自己免疫疾患が誘発される。中には，自己抗原と結合して，それを刺激したりブロックしたりする**自己抗体 autoantibody** を産生させるものがある。例えば，甲状腺刺激ホルモン thyroid-stimulating hormone（TSH）にそっくりの自己抗体はグレーヴス病のときに現れ，甲状腺ホルモンの分泌を刺激する（その結果甲状腺機能亢進症をもたらす），アセチルコリン受容体に結合しブロックする自己抗体は重症筋無力症に特徴的な筋力低下を引き起す。その他の自己免疫疾患には特定の体細胞を破壊する細胞傷害性 T 細胞を活性化するものもある。その例としては，インスリンを産生する膵臓のベータ（β）細胞を攻撃する T 細胞が生じる1型糖尿病，ニューロン（神経細胞）の軸索を

取り巻く髄鞘を攻撃するＴ細胞が生じる多発性硬化症（MS）などがある。ヘルパーＴ細胞を不適当な形で活性化したり，過剰なガンマインターフェロンの産生もまた，特定の自己免疫疾患を起す。その他の自己免疫異常には，リウマチ性関節炎（RA），全身性エリテマトーデス（SLE，全身性紅斑性狼瘡），リウマチ熱，溶血性貧血ならびに再生不良性貧血，アジソン病，橋本病，潰瘍性大腸炎などがある。

さまざまな自己免疫疾患の治療は胸腺摘出術 removal of the thymus gland（thymectomy），免疫抑制剤であるベータインターフェロンの注射，さらには人の血漿を濾過して抗体や抗原抗体複合体を取り除くための血漿交換などが用いられる。

伝染性単核症

伝染性単核症 infectious mononucleosis はエプスタイン・バーウイルス Epstein-Barr virus（EBV）によって起る伝染病である。主に子どもや若年成人が罹り，男性より女性のほうが多く罹患する。このウイルスは通常，キスのような密接な口の接触を通してからだの中に侵入してくることが"キス病 kissing disease"と呼ばれる理由である。EBV はリンパ組織で増殖し，血中に広がり，そこで主な宿主細胞であるＢ細胞に感染し増殖する。この感染の結果Ｂ細胞は大型化し，単球に似た外観を呈することが，**単核症** mononucleosis と名づけられた第一の理由である。リンパ球の比率が異常に高い白血球数の増加に加えて，疲労感，頭痛，めまい，咽頭痛，腫大して疼痛のあるリンパ節，発熱などの徴候や症状が出る。伝染性単核症の治療法はないが，通常２〜３週間の経過である。

リンパ腫

リンパ腫 lymphomas（lymph- ＝透明な液，-oma ＝腫瘍）はリンパ組織，とくにリンパ節の癌である。ほとんどは原因不明である。リンパ腫の主な二つのタイプはホジキンリンパ腫と非ホジキンリンパ腫である。

ホジキンリンパ腫 Hodgkin lymphoma（HL）は主に頸部，胸部，腋窩部での一つまたは複数の無痛性で硬いリンパ節腫大が特徴である。病変がこの部位から転移すると，発熱，寝汗，体重減少，そして骨痛が生じる。HL は主に15〜35歳，それから60歳以上の人に発症し，通常は男性に多い。早期に診断されると，HL の治癒率は90〜95％である。

非ホジキンリンパ腫 Non-Hodgkin lymphoma（NHL）は HL より多く，すべての年齢層に起りうる。NHL は HL と同じように発症するが，脾腫，貧血，全身倦怠感を伴うこともある。NHL の人の50％以上は治癒するか，長期に生存できる。HL と NHL の治療としては放射線療法，化学療法，骨髄移植などの選択肢がある。

全身性エリテマトーデス

全身性エリテマトーデス（全身性紅斑性狼瘡）systemic lupus erythematosus（SLE；または**狼瘡** lupus（＝狼））は，複合的に全身の器官系を冒す慢性の自己免疫疾患である。SLE の多くの症例は，15〜25歳の女性で，白人よりも黒人に多い。SLE の原因は不明であるが，疾患への遺伝的素因や環境因子が挙げられる。女性は男性に比べて9倍罹りやすい。この疾患はアンドロゲン（男性ホルモン）が極度に低い女性が罹りやすい。

SLE の徴候や症状には，関節痛，微熱，疲労感，口腔潰瘍，体重減少，リンパ節や脾臓の腫大，光線過敏症，頭髪の急速で大量の抜け毛，さらに時々"蝶形紅斑"と呼ばれる鼻と両頬をまたいだ発疹がある。SLE の皮膚病変の中にはびらん性のものがあり，狼（おおかみ）に咬まれてできる傷に似ていると思われたことから，狼瘡という名前がついた。腎臓の障害は，免疫複合体が腎臓の毛細血管に沈着し，血液の濾過を塞ぐことによって起る。腎不全はもっとも多い死因である（4章"よくみられる病気"参照）。

医学用語と症状

異種移植 xenograft（xeno- ＝異なった，または外来の）　異なる種族の動物間の移植。ブタやウシなどの異種の組織片移植を，重症の熱傷に対して生理的な覆いをつくるためにヒトに行うことがある。

移植片 graft　移植に用いられる組織や臓器，またはそれらの移植されたもの。

ガンマグロブリン gamma globulin　特定の病原体と反応する抗体群で構成される血液由来の免疫グロブリン溶液。病原体を動物に注射し，抗体が産生されてからその血液を採取し，抗体を単離し，短期間の免疫を得るためにそれをヒトに注射する。

自家移植片 autograft（auto- ＝自己）　自分自身の組織を身体のほかの部分に移植すること（熱傷治療や形成外科の皮膚移植など）。

同種移植片 allograft（allo- ＝他）　同じ種族であるが遺伝的に異なった個体からの移植。他人からの皮膚移植や輸血は同種移植である。

脾機能亢進症 hypersplenism（hyper- ＝過剰の）　脾臓の腫大と正常血球の破壊速度の増加に伴う脾臓の機能異常。

脾腫 splenomegaly（mega- ＝大きい）　肥大した脾臓。

扁桃摘出（または扁摘） tonsillectomy（-ectomy ＝摘出）扁桃を取り除くこと。

慢性疲労症候群 chronic fatigue syndrome（CFS）　一般的に若年成人女性が罹り，(1)少なくとも６カ月間正常な活動ができないほどの激しい疲労，(2)似たような症状を示すほかの疾患（癌，感染，薬物濫用，中毒または精神異常）がないこと，で特徴づけられる疾患。

リンパ節炎 adenitis（aden- ＝腺；-itis ＝の炎症）　感染によって腫大し，圧痛を伴う，炎症性リンパ節。

リンパ節症 lymphadenopathy（lymph- ＝透明な液；-pathy ＝病気；腫大リンパ節 swollen gland）　感染に反応したときの腫大した，しばしば痛みを伴ったリンパ節。

17章のまとめ

はじめに

1. さまざまな**病原体** pathogen（細菌やウイルスのように疾患を引き起す微生物）に常に曝露されているにもかかわらず、ほとんどの人は健康でいられる。
2. **免疫** immunity や**抵抗力** resistance とは傷害や疾病を防ぐことができる能力である。**自然(非特異的)免疫** innate (nonspecific) immunity は生まれながらにしてもっている防御のことである。それらは常に存在していて、広範囲の病原体の侵入に対し、迅速かつ全般的な防御をする。**獲得(特異的)免疫** adaptive (specific) immunity は、特定の侵入者に反応する防御である。それは特定の侵入者と戦える特異的リンパ球を活性化する。

17.1 リンパ系

1. 獲得免疫（さらに自然免疫の一部を含む）を担うからだの器官系は**リンパ系** lymphatic system で、リンパ、リンパ管、**リンパ組織** lymphatic tissue を有する構造・器官、それに赤色骨髄からなる。
2. 毛細血管壁から濾出した血漿成分は、生体組織の細胞を浸す間質液を形成する。間質液がリンパ管に入ると、それは**リンパ** lymph と呼ばれる。間質液とリンパは化学的に血漿に類似している。
3. リンパ系は組織間隙の過剰な体液を排出して、血液から漏れたタンパク質を心臓血管系に戻す。また、消化管から血液に脂質と脂溶性ビタミンを輸送し、侵入者から生体を守る。
4. リンパ管は細胞間の組織間隙で**毛細リンパ管** lymphatic capillary として始まる。毛細リンパ管は合流してより大きな（集合）**リンパ管** lymphatic vessel を形成し、最終的に**胸管** thoracic duct や**右リンパ本幹** right lymphatic duct となる。リンパ管に沿ってところどころに被膜に覆われたB細胞やT細胞の集簇である**リンパ節** lymph node が存在する。
5. リンパ流の経路は、間質液から毛細リンパ管、（集合）リンパ管、リンパ節、胸管あるいは右リンパ本幹、そして内頸静脈と鎖骨下静脈の合流点へと流れる。リンパは骨格筋の収縮による"ミルキング作用"と吸気時の圧変化によって流れる。リンパ管内の弁がリンパの逆流を防ぐ。
6. **一次リンパ器官** primary lymphatic organ は幹細胞が分裂し、成熟したB細胞やT細胞に分化する場であり、**赤色骨髄** red bone marrow（成人では扁平骨や長（管）骨の骨幹部および骨端部に存在）と**胸腺** thymus からなる。赤色骨髄中の幹細胞は成熟B細胞や未熟T細胞であり、未熟T細胞は胸腺に移動し、そこで機能的なT細胞に成熟する。
7. **二次リンパ器官・組織** secondary lymphatic organ and tissue はほとんどの免疫反応が起る場で、リンパ節、脾臓、リンパ小節などを含む。
8. リンパ節には形質細胞に分化するB細胞、T細胞、樹状細胞、マクロファージが存在する。リンパは輸入リンパ管からリンパ節に入り、輸出リンパ管を通って出ていく。
9. **脾臓** spleen は体内のリンパ組織の中でもっとも大きな一つの器官である。B細胞が分裂して形質細胞になり、マクロファージが古くなった赤血球や血小板を貪食する場である。
10. **リンパ小節** lymphatic nodule は被膜に覆われていない卵形のリンパ組織の集簇である。それらは胃腸管、気道、尿路、生殖管の粘膜中に散在している。

17.2 自然免疫

1. 自然(非特異的)免疫による防御には皮膚や粘膜に対するバリア（一次防衛線 first line of defense）がある。さらには、さまざまな内部防御（二次防衛線 second line of defense）が存在する。つまり、体内の抗菌物質（インターフェロン interferon、補体系 complement system、鉄結合性タンパク質 iron-binding protein、抗菌タンパク質 antimicrobial protein）、**食細胞** phagocyte（好中球やマクロファージ macrophage）、**ナチュラルキラー(NK)細胞** natural killer (NK) cell（広範囲の感染力のある微生物や特定の腫瘍細胞を殺す能力をもっている）、**炎症** inflammation、**発熱** fever などがある。
2. 表17.1は自然免疫の構成要素をまとめたものである。

17.3 獲得免疫

1. 獲得(特異的)免疫では特定の抗原を破壊するために、特異的なタイプの細胞や抗体がつくり出される。**抗原** antigen とは獲得免疫系が外来性異物（非自己）と認識するあらゆる物質のことである。通常、ヒトの免疫系細胞は**自己寛容** self-tolerance を示し、それらは自己の組織や細胞を認識して攻撃することはない。
2. B細胞は赤色骨髄中で分化を完了するが、T細胞は前駆細胞が骨髄から胸腺に移動し、そこで成熟T細胞になる。
3. 獲得免疫には**細胞媒介性免疫** cell-mediated immunity と**抗体媒介性免疫** antibody-mediated immunity の二つのタイプがある。細胞媒介性免疫反応では細胞傷害性T細胞が侵入した抗原を直接攻撃するが、抗体媒介性免疫反応ではB細胞が抗体を分泌する形質細胞に変化する。
4. **クローン選択** clonal selection はリンパ球が特異的な抗原に反応する中で**増殖する** proliferate、**分化する** differentiate 過程である。クローン選択の結果、同一の特異抗原を認識することができる細胞の**クローン** clone を形成する。クローン選択を受けたリンパ球はそのクローンの中でエフェクター細胞と記憶細胞という二つの主要なタイプの細胞を生み出す。
5. リンパ球クローンの**エフェクター細胞** effector cell は、最終的に抗原を破壊したり不活性化するような免疫反応を行う。エフェクター細胞には、ヘルパーT細胞クローンの一部である**活性型ヘルパーT細胞** active helper T cell、細胞傷害性T細胞クローンの一部である**活性型細胞傷害性T細胞** active cytotoxic T cell、さらにはB細胞クローンの一部である**形質細胞** plasma cell がある。

6. リンパ球クローンの記憶（メモリー）細胞 memory cell は初期反応には積極的には関与しない。しかし，将来，再び抗原がからだに現れると，記憶細胞はより多くのエフェクター細胞や記憶細胞に増殖，分化することによって抗原に迅速に反応することができる。記憶細胞にはヘルパーT細胞クローンの一部である記憶ヘルパーT細胞 memory helper T cell，細胞傷害性T細胞クローンの一部である記憶細胞傷害性T細胞 memory cytotoxic T cell，B細胞クローンの一部である記憶B細胞 memory B cell がある。

7. 主要組織適合遺伝子複合体(MHC)タンパク質は個々のヒトの体細胞に固有な"自己抗原"タンパク質である。赤血球を除いたすべての細胞がMHC分子を表出している。抗原は形質細胞に四つのポリペプチド鎖からなる典型的なタンパク質，つまり抗体 antibody を分泌させる。抗体の可変領域 variable region は抗原結合部位 antigen-binding site であり，そこで抗体が特異的な抗原と結合することができる。抗体は免疫グロブリン immunoglobulin としても知られるが，化学的な性質や構造に基づいて，それぞれに固有の機能をもったIgG, IgA, IgM, IgD, IgE といった五つのクラスに分類される（表17.2）。機能的には，抗体は抗原を中和したり，細菌の動きを止めたり，抗原を凝集させたり，補体を活性化したり，さらには貪食を強めたりする。

8. 抗原提示細胞 antigen-presenting cell（APC）はT細胞を活性化するために抗原を処理し提示する。そして，T細胞やB細胞の細胞分裂を刺激する物質を分泌する。細胞媒介性免疫反応はまず特異的な抗原が少数のT細胞を活性化することから始まる。胸腺を出る成熟T細胞にはヘルパーT細胞と細胞傷害性T細胞の2種類がある。ヘルパーT細胞の活性化によって活性型ヘルパーT細胞と記憶ヘルパーT細胞のクローンが形成される。活性型ヘルパーT細胞は，ほかのヘルパーT細胞や細胞傷害性T細胞，それにB細胞に対して共刺激 costimulation を与えるインターロイキン2 interleukin-2 を分泌する。細胞傷害性T細胞の活性化は活性型細胞傷害性T細胞や記憶（メモリー）細胞傷害性T細胞のクローンを形成する。活性型細胞傷害性T細胞は，(1)標的細胞のアポトーシスを誘導するグランザイム granzyme （そのとき，食細胞が微生物を殺す）を放出したり，(2)細胞融解を起すパーフォリン perforin や微生物を死滅させるグラニュリシン granulysin を放出することによって，侵入者を排除する。

9. 抗体媒介性免疫(液性免疫)反応は特異的な抗原によるB細胞の活性化によって始まる。B細胞は未処理の抗原にも反応できるが，抗原を処理するとその反応はより激しくなる。ヘルパーT細胞から分泌されるインターロイキン2やその他のサイトカインはB細胞の活性化に対して共刺激となる。一度活性化されると，B細胞はクローン選択を行い，形質細胞や記憶細胞のクローンを形成する。形質細胞は抗体を分泌するB細胞クローンのエフェクター細胞である。表17.3 は獲得免疫反応に関与する細胞の機能をまとめたものである。

10. 記憶B細胞と記憶T細胞はある抗原に対する一次反応 primary response の後にも残存しているため，つまり免疫学的記憶 immunological memory が成立するために，ある種の微生物に対する予防接種が可能となる。二次反応 secondary response はからだに再び同じ微生物が侵入する際にからだを防御する反応である。表17.4 は自然獲得免疫ならびに人為的な獲得免疫をもたらすさまざまな抗原との出合いの種類をまとめたものである。

17.4　加齢と免疫系

1. 年齢が進むにつれて，個体は感染症や悪性疾患に罹りやすくなったり，ワクチンに反応しにくくなったり，自己抗体を産生しやすくなる。

クリティカルシンキングの応用

1. マルシアは毎月の自己検査で右乳房のしこりに気がついた。そのしこりは癌性のものであることがわかった。外科医は乳房のしこりやその周辺の組織，リンパ節を除去した。どこのリンパ節が取り除かれたと思うか？　そしてそれはなぜか？
2. リッキーは仕事から車で帰る途中，交通事故にあった。救急室の医師はリッキーの破裂した脾臓を取り除く緊急手術を行った。リッキーの脾臓の役割は何か？　そして脾臓を失うことによって彼のからだにどのような影響があるか？
3. ビージェイは家の飾りつけをしていたときに錆びた釘を踏んでしまった。救急室の看護師は釘を取り除き，ビージェイに破傷風ワクチンを追加免疫した。どうしてか？
4. 眼の角膜と水晶体は完全に毛細血管を欠いていることを16章で学んだ。このことは角膜移植の成功率が高いこととどのように関係しているか？

図の質問の答え

17.1 リンパ組織とは多数のリンパ球を含む細網組織である。

17.2 リンパはそのタンパク質濃度が低いことから間質液と類似している。

17.3 毛細血管がリンパをつくる。

17.4 リンパ中の異物はマクロファージによって貪食されるか，T細胞や形質細胞がつくった抗体によって破壊される。

17.5 発赤は血管拡張による血流の増加によって生じる。

17.6 ヘルパーT細胞が細胞媒介性免疫反応と抗体媒介性免疫反応の両方に関与する。

17.7 抗体の可変領域はその産生を誘導する抗原に特異的に結合することができる。

17.8 樹状細胞，B細胞，マクロファージがAPCとして機能しうる。

17.9 活性型ヘルパーT細胞は休止状態のヘルパーT細胞や細胞傷害性T細胞に対して共刺激として作用するタンパク質のインターロイキン2を放出し，T細胞やB細胞，ナチュラルキラー細胞の活性化や増殖を促す。

17.10 記憶(メモリー)細胞傷害性T細胞の機能は，将来，もし同じ抗原がからだに侵入したら，より活性化された細胞傷害性T細胞や記憶(メモリー)細胞傷害性T細胞に急速に増殖，分化する。

17.11 細胞傷害性T細胞はある種の腫瘍細胞や移植組織細胞を破壊することができる。

17.12 この図におけるすべての形質細胞は同じクローン由来なので，それらは1種類の抗体のみを分泌する。

17.13 IgGが二次反応でもっとも大量に分泌される抗体である。

CHAPTER 18

呼吸器系

　私たちの全身の細胞は栄養分子を分解してエネルギーを放出する代謝反応のために絶えず酸素(O_2)を利用している。同時に，これらの反応は老廃物として二酸化炭素(CO_2)を放出する。過剰な量のCO_2は細胞に有害な酸を生じるので，過剰なCO_2は生体内から速やかに効率的に取り除かれなければならない。呼吸器系と心臓血管系は協力してO_2を供給し，CO_2を除去する。呼吸器系 respiratory system は，ガス交換(O_2の摂取とCO_2の排出)を行い，心臓血管系は肺と体細胞の間でガスを含む血液を輸送する。呼吸器系はガス交換以外にも，血液のpHの調節，嗅覚の受容器，吸入する空気の濾過，音の発生，そして呼気によりからだから水分と熱を外界に逃がすという機能ももっている。

> **先に進むための復習**
> - 軟骨(4.3節)
> - 多列線毛円柱上皮(4.2節)
> - 単層扁平上皮(4.2節)
> - 呼吸を助ける胸郭の筋(8.11節)
> - 拡散(3.3節)
> - イオン(2.1節)
> - 延髄および橋(10.4節)

Q タバコの喫煙が呼吸器系にどのような悪影響を及ぼすのか考えたことはありませんか？　答えは「18.6節の「臨床関連事項：タバコの喫煙が呼吸器系に及ぼす影響」でわかるでしょう。

18.1 呼吸器系の概要

目標
- 呼吸の各段階について考察する。
- 呼吸器官が構造的および機能的にどのように分類されているかを説明する。

呼吸にかかわる段階

　呼吸 respiration と呼ばれる体内でのガス交換には，次の三つの基本的な段階がある。

1. **肺換気** pulmonary ventilation（あるいは呼吸 breathing）は，空気の肺への流入と肺からの流出である。
2. **外呼吸** external respiration は，肺内の空気部分(肺胞)と肺毛細血管内の血液との間のガス交換である。この過程で肺毛細血管血はO_2を得て，CO_2を失う。
3. **内呼吸** internal respiration は，全身の毛細血管内の血液と組織細胞との間のガス交換である。血液は，O_2を失い，CO_2を得る。細胞内でATPを産生する間にO_2を消費しCO_2を排出する代謝反応を**細胞呼吸** cellular respiration と呼ぶ(20章で述べる)。上述のように，O_2の供給とCO_2の排出には心臓血管系と呼吸器系という二つのシステムが協調して働いている。最初の二つの段階には呼吸器系が関与し，最後の段階に心臓血管系が働いている。

呼吸器系の構成要素

　呼吸器系は，鼻，咽頭 pharynx(throat)，喉頭 larynx

461

図 18.1 呼吸器系の器官。

上気道には，鼻，咽頭およびそれらに付属する構造体が含まれる。下気道には，喉頭，気管，気管支と肺が含まれる。

呼吸器系の機能
1. ガス交換を行う。全身の細胞に渡す O_2 の摂取と全身の細胞が発生した CO_2 の排出。
2. 血液の pH 調整を補助する。
3. 嗅覚受容器をもつ，吸入された空気を濾過する，声をつくる，水分や熱を少量発散する。

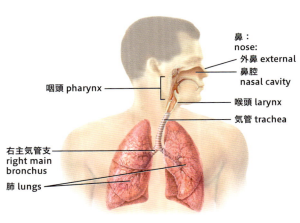

(a) 呼吸器の器官の前方からの表示

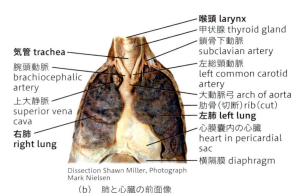

(b) 肺と心臓の前面像

Dissection Shawn Miller, Photograph Mark Nielsen

Q 呼吸器系の導管領域はどのような構造物で形成されているのか？

(voice box)，気管 trachea(windpipe)，気管支，および肺から構成されている（図 18.1）。それぞれの部位は構造あるいは機能によって分類されている。構造的には二つの部分に分かれている。すなわち鼻，鼻腔，咽頭 pharynx(throat) とその関連構造を含む**上気道 upper respiratory system** と喉頭 larynx(voice box)，気管 trachea(windpipe)，気管支，肺からなる**下気道 lower respiratory system** により構成されている。機能的にも呼吸器系は二つの部分に分かれている。

- **導管領域 conducting zone** は，肺の外と内とをつなぐ一連の腔や管である鼻，咽頭，喉頭，気管，気管支，細気管支，終末気管支により構成されている。これらは空気を濾過，加温，加湿し，肺へと流入させる。
- **呼吸領域 respiratory zone** は，空気と血液との間のガス交換を生じる肺内の組織であり，呼吸細気管支，肺胞管，肺胞嚢，肺胞により構成されている。

耳，鼻，咽頭（ENT）の疾患を診断し治療する医学の部門を**耳鼻咽喉科学 otorhinolaryngology**(oto- ＝耳；rhino- ＝鼻；laryngo- ＝喉頭；-logy ＝学問）と呼ぶ。肺疾患の診断治療を行う専門医は**呼吸器病医 pulmonologist**(pulmon- ＝肺）である。

チェックポイント
1. 呼吸にかかわる三つの基本的な段階は何か？
2. 呼吸器系の構成要素は何か？

18.2 呼吸器系の器官

目 標

- 鼻，咽頭，喉頭，気管，気管支，細気管支，肺の構造と機能を述べる。

鼻

鼻 nose は，呼吸器系の入口にある独特の器官であり，外からみることのできる外鼻部分と鼻腔と呼ばれる脳頭蓋骨内部の内鼻部分とから構成されている（図 18.2）。**外鼻 external nose** は，骨と軟骨により形成

図 18.2 頭部と頸部の呼吸器官。

空気は鼻を通過する間に加温，濾過，加湿される。

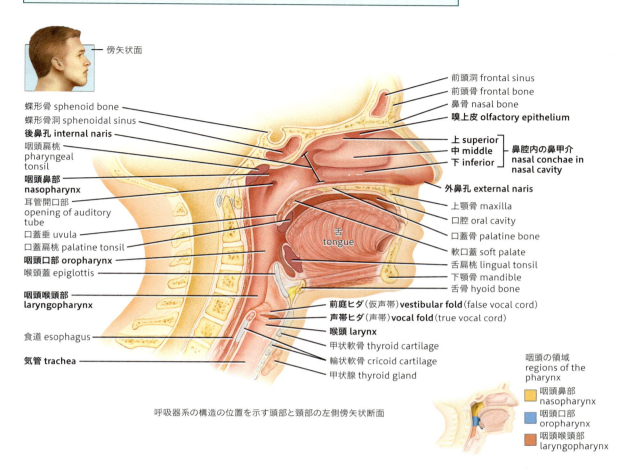

呼吸系の構造の位置を示す頭部と頸部の左側傍矢状断面

Q 空気分子が鼻に入り通過する鼻の経路はどのようなものか？

され，皮膚で覆われ，粘膜で裏打ちされている。外鼻には，**外鼻孔 external naris**（複数形 nares；あるいは nostrils）と呼ばれる二つの開口部がある。

鼻腔 nasal cavity は，鼻骨の下，口腔の上に位置する大きな場所を占める部分であり，**後鼻孔 internal naris** と呼ばれる二つの開口部分をへて咽頭につながっている。四つの副鼻腔 paranasal sinus（前頭洞 frontal sinus，蝶形骨洞 sphenoidal sinus，上顎洞 maxillary sinus，篩骨洞 ethmoidal sinus）や鼻涙管も鼻腔とつながっている。鼻腔は，垂直の仕切りである**鼻中隔 nasal septum** により左右に分けられている。鼻中隔は篩骨垂直板，鋤骨，軟骨で構成されている（図 6.7 a 参照）。

臨床関連事項

鼻形成術

鼻形成術 rhinoplasty（-plasty＝形づくること）は，外鼻の形を変える外科的処置である。鼻形成術は通常美容的理由から行われるが，骨折した鼻や変位した鼻中隔を修復するために行われることもある。麻酔下で外鼻孔から器具を挿入し，鼻軟骨を再形成し，骨を切って位置を変え，希望する形につくり変える。希望した位置に保たれるように治癒するまで内部充填物やスプリントを挿入しておく。

鼻の内部構造は，(1)入ってくる空気を濾過し，加温，加湿する，(2)嗅覚刺激を感じる，(3)言語音の振動を修飾するという，三つの基本的な機能を有してい

る。空気が外鼻孔に入ると、大きな塵埃粒子は粗い毛(鼻毛)によって捕捉される。次に空気は、鼻腔壁から内側にはり出している三つの棚である上、中、下の**鼻甲介 nasal conchae(turbinate)**の上を流れる。鼻腔や三つの鼻甲介の表面は粘膜で覆われている。吸入された空気は鼻甲介の周囲で渦を巻くので、豊富な毛細血管内を流れる血液により暖められる。鼻甲介の大きさを小さくする手術を受けた人の中には、鼻腔通気感の消失感や鼻閉感(空の鼻症候群)を経験する人がいる。嗅覚受容器は上鼻甲介やその近くの鼻中隔の粘膜内に存在し、その部分は**嗅上皮 olfactory epithelium**と呼ばれている。

鼻腔は多列線毛円柱上皮や杯細胞で覆われている。杯細胞から分泌された粘液は空気を加湿すると同時に塵埃を捕える。線毛は塵埃粒子を捕捉した粘液を咽頭の方向に送る(**粘液線毛エスカレーター mucociliary escalator**)。咽頭でそれらは飲み込まれるか吐き出され、塵埃粒子は気道から除去される。

咽 頭

咽頭 pharynx(throat)は、後鼻孔に始まり頸部を下降していく1本の漏斗状の管である(図18.2)。咽頭は、鼻腔および口腔の後方、頸椎のすぐ前に位置する。咽頭の壁は骨格筋で構成され、粘膜で覆われている。咽頭は、空気と食物の通り道、言語音を共鳴させる部屋、外部からの侵入物に対し免疫反応を行う扁桃の収容場所として機能している。

咽頭の上の部分は**咽頭鼻部 nasopharynx**と呼ばれ、二つの後鼻孔につながり、二つの耳管(エウスタキオ管 eustachian)が開口している。後方壁には**咽頭扁桃 pharyngeal tonsil**がある。咽頭鼻部は鼻腔と空気の交換を行い粘液-塵埃複合体を受け取る。多列線毛円柱上皮の線毛は、粘液-塵埃複合体を口腔の方向に運ぶ。また、咽頭鼻部は耳管とわずかな量の空気を交換して、咽頭と中耳の空気圧を均一にする。咽頭の中間部分である**咽頭口部 oropharynx**は、口腔と咽頭鼻部とに開いている。咽頭口部には、2対の扁桃、**口蓋扁桃 palatine tonsil**と**舌扁桃 lingual tonsil**がある。咽頭のもっとも下の部分である**咽頭喉頭部 laryngopharynx**は食道 esophagus(food tube)と喉頭につながっている。咽頭口部と咽頭喉頭部は、空気、食物、飲み物の通路として働いている。

喉 頭

喉頭 larynx(voice box)は、咽頭と気管とをつなぐ粘膜で覆われた軟骨の短い管である(図18.3)。喉頭は頸部の正中で、第4から第6頸椎(C4〜C6)の前方に位置している。

甲状軟骨 thyroid cartilageは硝子軟骨で形成されており、喉頭の前方の壁を構成している。甲状軟骨は、思春期の男性ホルモンの影響により女性よりも男性のほうが大きいことが多く、のどぼとけ(アダムの

図 18.3 喉頭。

喉頭は軟骨で構成されている。

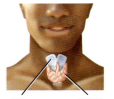
喉頭 larynx　甲状腺 thyroid gland

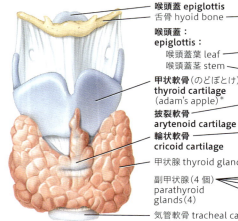

喉頭蓋 epiglottis
舌骨 hyoid bone
喉頭蓋：epiglottis：
　喉頭蓋葉 leaf
　喉頭蓋茎 stem
甲状軟骨(のどぼとけ) thyroid cartilage (adam's apple)*
披裂軟骨 arytenoid cartilage
輪状軟骨 cricoid cartilage
甲状腺 thyroid gland
副甲状腺(4個) parathyroid glands(4)
気管軟骨 tracheal cartilage

*(訳注) アダムのリンゴ＝喉頭隆起
　　　(甲状軟骨正中部の突出)。

(a) 前面　　　(b) 後面

Q 喉頭蓋はどのようにして食物や液体が喉頭に入るのを防ぐのか？

リンゴ）という一般名がつけられている。

喉頭蓋 epiglottis（epi- ＝覆う；glottis ＝声門）は、上皮に覆われた大きな葉状の形の弾性軟骨である（図18.2 も参照）。喉頭蓋の"茎"の部分は甲状軟骨と舌骨の前縁に付着している。喉頭蓋の広い上方の"木の葉"の部分は、付着せずに跳ね上げ戸のように自由に上下する。嚥下時には咽頭および喉頭が挙上する。咽頭は挙上することにより広がり、食物や飲み物を受け入れやすくなる。喉頭の挙上により喉頭蓋は下がり、声門の上に蓋をするような形になり声門を塞ぐ。嚥下中、このようにして喉頭が閉鎖することで液体や食べ物は食道へと移動し、喉頭や気道に入らない。空気以外の何かが喉頭を通過しようとすると、咳反射が生じその物質は排除される。

輪状軟骨 cricoid cartilage（cricoid ＝輪状）は、リング状の硝子軟骨で、喉頭の下壁を形成し、第一気管軟骨輪に付着している。対になった**披裂軟骨 arytenoid cartilage**（arytenoids ＝ひしゃく状）は、大部分が硝子軟骨からなり、輪状軟骨の上部に位置している。披裂軟骨は声帯ヒダと喉頭筋と結合しており、発声機能に関与している。輪状軟骨は、緊急時の気道確保のための手技の目印となっている（気管切開術；465 ページ"臨床関連事項"参照）。

発声の構造

喉頭の粘膜は 2 対のヒダを形成している。上部の 1 対は**前庭ヒダ ventricular fold**（**仮声帯** false vocal cord）と呼ばれ、下方の 1 対は**声帯ヒダ vocal fold**（**声帯** true vocal cord）と呼ばれる（図 18.2 参照）。教科書でいっぱいになったリュックサックのような重いものをもち上げようと力を入れたときには、前庭ヒダは胸腔内圧に対抗して呼吸を止めるように機能する。前庭ヒダは発声には関与しない。

声帯ヒダは話したり歌ったりするときに音を生じさせる。声帯ヒダの内部には硬い軟骨片の間でギターの弦のように張った弾性靱帯がある。硬い軟骨と声帯ヒダの両方に筋が付着している。その筋が収縮すると、弾性靱帯は強く引っ張られ、声帯ヒダを空気の通路の方向に動かす。空気が声帯ヒダを押すと声帯ヒダは振動し、咽頭、鼻、口腔内の空気中に音波が発生する。空気圧が高いほど、より大きな音となる。

音の高低は、声帯ヒダの緊張度によって調節される。声帯が強く引っ張られ緊張すると、より速く振動して高い音になる。低音は声帯ヒダの筋緊張が低下すると生じる。男性ホルモンの影響により、通常男性の声帯ヒダは女性より厚く長くなる。そのため、男性の声帯ヒダは女性に比べゆっくり振動し、女性に比べ低い音になる。

臨床関連事項

喉頭炎と喉頭癌

喉頭炎 laryngitis は喉頭の炎症性疾患であり、呼吸器感染やタバコの煙のような刺激物で生じることが多い。声帯ヒダの炎症は、声帯ヒダの収縮を妨げ、あるいは自由に振動できないほど声帯を腫脹させ、嗄声（させい）や声が出ないという症状を生じさせる。多くの長期喫煙者では、慢性炎症による障害のために永久的な嗄声がみられる。**喉頭癌 cancer of the larynx** は、ほとんど例外なく喫煙者にみられる。その症状として、嗄声、嚥下時痛、耳に放散する痛みが特徴的である。治療は、放射線療法とか手術療法である。

チェックポイント

3. 呼吸器系と循環器系が共通にもつ機能は何か？
4. 外鼻と内鼻の構造や機能を比較しなさい。
5. 喉頭は呼吸や発声においてどのように機能するか？

気　管

気管 trachea（trachea ＝強健な；windpipe）は、食道の前方に位置する筒状の空気の通り道である。気管は喉頭から第 5 胸椎（T5）の上部にわたる部分に位置し、左右の主気管支が分岐するまでの部分をいう（図18.4）。

気管壁は粘膜で覆われ、軟骨で支えられている。粘

臨床関連事項

気管切開術と挿管法

気管が障害され気流が閉塞されることがある。気管軟骨が偶発的に潰れたり、炎症により粘膜が腫脹し気道が閉塞されたり、粘膜の炎症で分泌された過量の粘液により下気道がつまったり、大きなものを吸い込んだり、あるいは癌性腫瘍が気道に突出したときなどである。気管の閉塞部を越えて気流を再開させるのに二つの方法が用いられる。閉塞が喉頭より上部の場合には、**気管切開術 tracheotomy** が行われる。気管ろう（瘻）孔形成術 tracheostomy とも呼ばれるこの処置では、皮膚の切開に続いて、輪状軟骨より下部の気管を縦方向に短く切開する。その後、気管チューブを緊急の空気の通路を確保するため挿入する。第二の方法は**挿管法 intubation** であり、これはチューブを口または鼻から挿入し喉頭および気管を通過させ、より下方まで挿入させるものである。チューブのしっかりした壁は柔軟な閉塞物も押しのけることができ、チューブ内腔によって空気の通路が確保できる。さらに気管を詰まらせている粘液はチューブを介して吸引することができる。

膜は線毛円柱細胞，杯細胞，基底細胞からなる多列線毛円柱上皮で構成されており(表 4.1 E も参照)，鼻腔や喉頭を覆っている粘膜と同様に塵埃に対する防御を行っている。上気道の線毛は粘液や捕捉した粒子を咽頭に向けて下方に移動させているが，下気道の線毛はそれらを咽頭に向けて上方に移動させている。軟骨層は 16 〜 20 個の C 字形の硝子軟骨からなり，一つの軟骨がもう一つの上に積み重なってできている。それぞれの C 字形の軟骨輪は食道側が開いており，嚥下時に食道が気管側にわずかに拡張する余地を残している。C 字形の軟骨輪の硬い部分は気管壁を強固に支持し，気管壁が内側につぶれて，空気の通路を閉塞しないようにしている。気管の軟骨輪は喉頭の下に皮膚の上から触れることができる。

気管支と細気管支

気管は，右肺にいく**右主(一次)気管支 right main (primary) bronchus** と左肺へいく**左主(一次)気管支 left main (primary) bronchus** に分岐する(図 18.4)。気管と同じように主気管支も不完全な輪状の軟骨からなり，多列線毛円柱上皮で覆われている。肺の血管，リンパ管，神経も二つの気管支とともに肺にいたる。

主気管支は，肺に入るとすぐに分岐して各肺葉に 1 本ずつの**葉(二次)気管支 lobar (secondary) bronchus** となる(右肺は 3 肺葉，左肺は 2 肺葉からなる)。葉気管支は分岐を続け，**区域(三次)気管支 segmental (tertiary) bronchus** と呼ばれるさらに細い気管支になる。区域気管支はさらに数回分岐し，より細い**細気管支 bronchiole** となる。ついで，細気管支は**終末細気管支 terminal bronchiole** と呼ばれるさらに細い管に分岐する。気道は多くの枝をもつ 1 本の木の幹に類似しているので，この気管支の配列は一般に**気管支樹 bronchial tree** と呼ばれている。

気管支樹の分岐が広範になるにつれて，いくつかの構造上の変化が認められる。

1. 気管支樹における粘膜は，主気管支，葉気管支，区域気管支における多列線毛円柱上皮から太い細気管支における杯細胞を含む単層線毛円柱上皮に変化し，さらにより細い細気管支では大部分が杯細胞を含まない単層線毛立方上皮に変化し，終末細気管支では大部分が単層非線毛立方上皮へと変化する。気道粘膜の線毛上皮は，吸入された粒子を二つの方法で除去することを思い出そう。杯細胞によって産生された粘液が粒子を捕捉し，線毛が粘液と捕捉された粒子を咽頭に向けて除去するように運動する。また，線毛のない単層立方上皮のある領域では，吸入された粒子は肺胞マクロファージにより除去される。
2. 主気管支における輪状の軟骨は徐々に軟骨片に置き換わり，最後に末梢の細気管支において消失する。
3. 軟骨の量が減少するのに伴い，平滑筋の量が増加する。平滑筋は渦巻き状の束として内腔を取り囲み，内腔の開存性の維持 maintain patency (内腔が開いた状態を保つ)に役立っている。しかし，支持する軟骨がないため筋肉の痙攣により気道は閉塞する。喘息発作中にはこのようなことが生じるため，致死的な状態になることがある。

臨床関連事項

喘息発作

喘息発作 asthma attack 中は，細気管支の平滑筋が攣縮する。支持する軟骨がないので，筋の攣縮は気道内腔を縮小させ，さらに閉塞させることもある。狭窄した細気管支を通って空気が移動するためにはより努力呼吸が必要となる。自律神経系(ANS)の副交感神経やヒスタミンのようなアレルギー反応のメディエーター mediator は，細気管支の平滑筋を収縮させ，末梢の細気管支を狭窄させる(気管支攣縮)。狭窄した管腔を通る空気の流れは大きな音を発生させるので，喘息患者の呼吸音はしばしば部屋の外からでも聞こえる。音発生の原理は電気掃除機と同じである。つまり，大量の空気が限られた小さな直径のチューブを通過するので大きな騒々しい音が発生するわけである。

喘息の人は，喘息のない人では通常症状が生じないような低濃度の刺激に反応する。しばしば，花粉，ダニの塵，カビや特定の食品のようなアレルゲンが引き金となる。その他のよくある引き金には，感情の乱れ，アスピリン，亜硫酸塩(ワインやビールあるいはサラダバーの野菜の鮮度保持に使用)，運動，冷気の吸入，喫煙などがある。症状は，呼吸困難，咳，喘鳴，胸部圧迫感，頻脈，疲労感，皮膚の湿潤，不安などである。

肺

肺 lung(=軽量，浮かんでいる理由から)は，胸腔内にある二つのスポンジ状で円錐形をした臓器である。肺は，縦隔内の心臓やほかの構造により互いに分離されている(図 15.1 参照)。**胸膜 pleural membrane** (pleur- =側面)は 2 層の漿膜からなり，各肺を包み保護している(図 18.4)。外層は胸腔の壁や横隔膜を裏打ちしており，**壁側胸膜 parietal pleura** と呼ばれている。内層の**臓側胸膜 visceral pleura** は，肺に張りついている。臓側胸膜と壁側胸膜の間には**胸膜腔 pleural cavity** と呼ばれるわずかな隙間があり胸膜腔には両方の膜から分泌された潤滑液が存在する。この液体により二つの膜の間の摩擦が小さくなり，呼吸中

図 18.4 気管からの気道の分岐と肺葉。

気管支樹は気管から始まり終末細気管支に終わる。

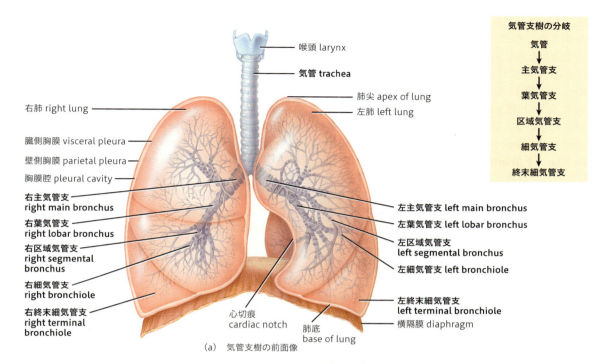

(a) 気管支樹の前面像

(b) 気道の分岐

Q 各肺にはいくつの肺葉と葉気管支があるか？

にそれらの膜が動きやすくなる。

　肺は横隔膜から鎖骨の少し上まで広がり，肋骨に押しあたるように位置している。肺の広い底の部分が**肺底 base** であり，肺の上方の狭い部分が**肺尖 apex** である（図 18.4）。左肺にはくぼみ，**心切痕 cardiac notch** があり，そこに心臓が位置している。心臓が占める空間のために左肺は右肺より約10%小さい。

　裂 fissure と呼ばれる深い溝が，それぞれの肺を**肺葉 lobe** に分割している。左肺は，**斜裂 oblique fissure** により**上葉 superior lobe** と**下葉 inferior lobe** に分けられている。右肺は，**斜裂 oblique fissure** と**水平裂 horizontal fissure** より，**上葉 superior lobe**，**中葉 middle lobe**，**下葉 inferior lobe** に分けられている（図 18.4）。それぞれの葉には独自の二次気管支がある。

　各肺葉は区域気管支 segmental bronchus から連続してより小さな区域に分かれる。ついで，肺区域は**小葉 lobule** と呼ばれる多数の小さな区画に分かれる（図 18.5）。各小葉は弾性結合組織に囲まれ，各々には1本のリンパ管，1本の細動脈，1本の細静脈，1本の終末細気管支からの分枝が存在する。終末細気管支は，**呼吸細気管支 respiratory bronchiole** と呼ばれる微細な枝に分岐する。呼吸細気管支は，線毛のない単層立方上皮で覆われている。ついで，呼吸細気管支はいくつかの**肺胞管 alveolar duct** に分かれる。肺胞管と開口部を共有する複数の肺胞は**肺胞嚢 alveolar sac** と呼ばれている。

　肺　胞　肺胞 alveolus（複数形 alveoli）は，肺胞嚢から外側に突出するカップ形の小袋である。多数の肺胞や肺胞嚢はそれぞれの肺胞管を取り囲んでいる。肺胞壁は，主に薄い単層の扁平な上皮である**I型肺胞上皮細胞 type I alveolar cell** で覆われている（図 18.6）。この肺胞上皮細胞が，ガス交換のほとんどを行う。また，これらの細胞の間には，細胞と空気の間の表面に湿り気を与える**肺胞液 alveolar fluid** を分泌する**II型肺胞上皮細胞 type II alveolar cell** が散在している。肺胞液には，リン脂質とリポタンパク質の混合物である**サーファクタント（界面活性物質）surfactant** が含まれ，肺胞が虚脱しようとするのを抑えている。さらに，肺胞壁には，肺胞腔の小さな塵埃粒子やほかのごみを除去する遊走食細胞である**肺胞マクロファージ（塵埃細胞）alveolar macrophage（dust cell）**も存在している。肺胞上皮細胞の下層には，弾性の基底膜と細網線維や弾性線維を含む薄い結合組織が存在している（以下に簡単に述べる）。肺胞の周囲には，肺細動脈と細静脈とが多数の毛細血管網を形成している（図 18.5 a 参照）。多数の肺胞のために肺はスポンジ構造となっている。

　肺の気腔の部分と血液の間の O_2 と CO_2 の交換は，肺胞壁と毛細血管壁とで構成される**呼吸膜 respiratory membrane** を通過する拡散により行われる。呼吸膜は以下の層で構成されている（図 18.6 b）。

1. 肺胞壁を構成する**I型肺胞上皮細胞 type I alveolar cell**。
2. 肺胞細胞の下にある**上皮基底膜 epithelial basement membrane**。
3. しばしば上皮基底膜と融合する**毛細血管基底膜 capillary basement membrane** の層。
4. 毛細血管壁の**内皮細胞 endothelial cell** の層。

　呼吸膜にはいくつかの層があるが，わずか 0.5 μm* の厚さである。1枚のティッシュペーパーの厚さよりはるかに薄いこの薄さのために，O_2 と CO_2 が血液と肺胞腔内の空気との間を効率よく拡散することができる。さらに，肺には約3億個の肺胞があり，皮膚表面積の約30〜40倍あるいはテニスコートの半分の広さという広大な表面積により，O_2 と CO_2 の交換の場を提供している。

> **チェックポイント**
> 6. 気管支樹とは何か？　その構造を述べなさい。
> 7. 肺はどこに位置しているか？　壁側胸膜と臓側胸膜とを区別しなさい。
> 8. 肺のどこで O_2 と CO_2 の交換が行われるのか？

18.3　肺　換　気

目　標

- 吸息と呼息がどのように行われるかを説明する。
- 種々の肺気量分画と肺容量について定義する。

　肺換気 pulmonary ventilation（呼吸 breathing）は大気と肺の間の空気の流れであり，空気圧の差により生じる（図 18.10 a 参照）。私たちは，肺内の圧が大気圧よりも小さいときに吸息し（息を吸い），肺内の圧が大気圧よりも大きいときに呼息する（息を吐く）。骨格筋の収縮や弛緩が呼吸の力となる空気圧の差をつくる。

---

* 1 μm = 1 m の 1/1,000,000

図 18.5 肺の小葉。

肺胞嚢は1本の肺胞管に共通の開口部を有する複数の肺胞で構成されている。

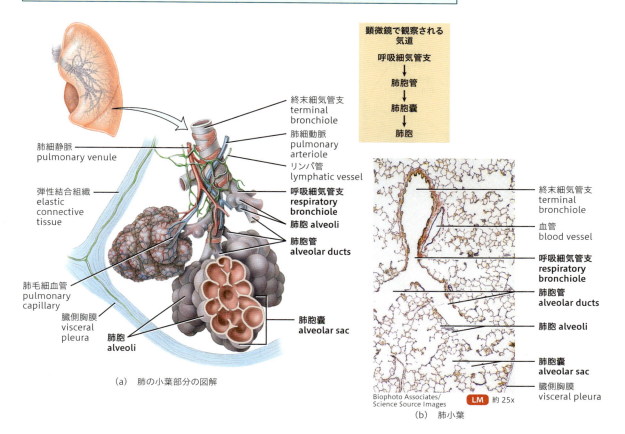

(a) 肺の小葉部分の図解

(b) 肺小葉

吸息筋と呼息筋

空気を吸い込むことは，**吸息 inhalation**（inspiration）と呼ばれる。安静時の吸息筋は，胸腔の底を形成しているドーム形の骨格筋である横隔膜 diaphragm や肋骨の間に広がる外肋間筋 external intercostal muscle である（図 18.7）。横隔膜は，横隔神経 phrenic nerve からの神経インパルスを受けると収縮する。横隔膜は収縮すると下方に下がり平らになり，肺の容量が大きくなる。外肋間筋が収縮すると，肋骨は挙上し外側に引っ張られる。その結果，肺の容量はさらに大きくなる。安静呼吸中に肺に入る空気の約75％は，横隔膜の収縮による。妊娠末期，肥満，窮屈な服を着ているとき，多量の食事後で胃が膨張しているときなどは，横隔膜の低下が妨げられ，息切れが生じることがある。

深い努力吸息時には，胸鎖乳突筋が胸骨を挙上し，斜角筋が第1，第2肋骨を挙上し，小胸筋が第3から第5肋骨を挙上する。胸骨や肋骨が挙上され，肺の容量が大きくなる（図 18.7 b）。胸膜の動きも肺の膨張を助けている。湿った隣接面によりつくり出される表

(c) 肺小葉の断面

Q 肺の小葉の主要な構成部分は何か？

図18.6 肺胞の構造。

呼吸ガスの交換は呼吸膜を通過する拡散により行われる。

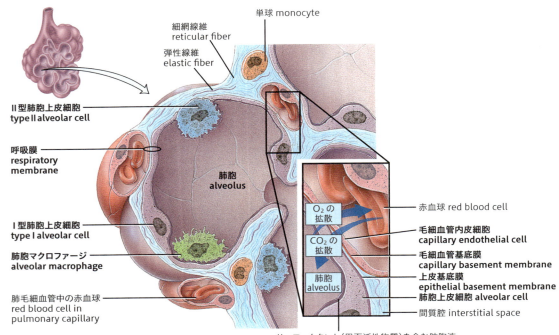

(a) 細胞構成要素を示す肺胞の断面
(b) 呼吸膜の詳細

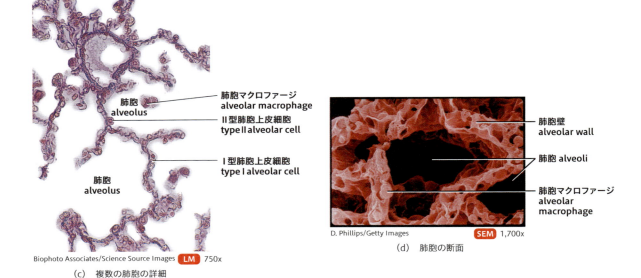

(c) 複数の肺胞の詳細
(d) 肺胞の断面

Q 肺胞液を分泌しているのはどの細胞か？

図18.7 **吸息と呼息の筋とその作用**。小胸筋（ここでは示されていない）は，図8.17および図8.18に図解されている。(a)の矢印は筋収縮の方向を示している。

> 安静吸息中は，横隔膜と外肋間筋が収縮し，肺は広がり，空気が肺へと流入する。呼息時には，横隔膜が弛緩し，肺は内側に弾性で収縮し，肺から空気が押し出される。

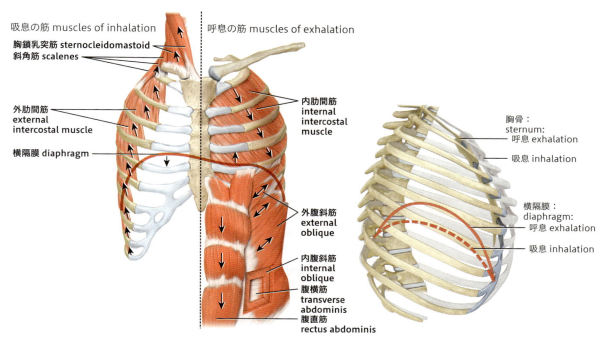

(a) 吸息筋とその作用（左）；呼息筋とその作用（右）　　(b) 吸息および呼息中の胸腔の大きさの変化

Q あなたは主にどの筋を使って呼吸をしているか？

面張力のため，正常時には壁側胸膜と臓側胸膜は密着している。胸腔が拡大すると，胸腔を覆っている壁側胸膜も拡張し，臓側胸膜や肺も一緒に引っ張られる。

息を吐き出すことは，**呼息 exhalation**（expiration）と呼ばれ，横隔膜や外肋間筋の弛緩により始まる。呼息は，伸展されると自然にはね返ろうとする胸壁や肺の**弾性収縮力 elastic recoil** により生ずる。肺胞や気道も収縮するが，完全には虚脱しない。肺胞液中のサーファクタントが弾性収縮力を減少させるので，サーファクタントがない場合には肺胞が虚脱しやすくなり，呼吸困難を生ずる。

安静時の呼息は，筋の収縮を伴わない**受動過程 passive process** により生じる。呼息は，管楽器の演奏，咳，くしゃみ，運動中のように努力呼吸をするときにのみ能動的になる。このようなときには呼息筋，つまり内肋間筋，外腹斜筋，内腹斜筋，腹横筋，腹直筋が収縮し，下部肋骨を下方に下げ，腹部内臓を圧縮し，横隔膜を上方に押し上げる（図18.7 a）。

呼吸中の圧の変化

肺が膨張すると，肺内の空気の**容量 volume** はより増加し，肺内の**空気圧 air pressure** は低下する（ガス分子はより大きな容器に入れられると，容器（この場合は気道や肺胞）の壁に対するそのガスの圧力は低下する）。この場合，大気圧は肺内の圧である**肺胞内圧 alveolar pressure** より高いので空気は肺に入る。反対に，肺の容量が減少すると，肺胞内圧は上昇する（ガス分子はより小さな容器に押し込められると，その分子はより大きな圧で容器の壁を押す）。この場合，空気は圧の高い肺胞領域から圧の低い大気中へと流れる。図18.8 は，安静呼吸中に生じる圧の変化を示している。

1. 安静時の吸息直前には，肺内の空気圧は大気圧と同じ（海面レベルで約 760 mmHg）である。
2. 横隔膜と外肋間筋が収縮し，胸腔全体の大きさが

図18.8 呼吸時の圧の変化。

空気は肺胞内圧が大気圧より低いと肺内へと動き，肺胞内圧が大気圧より高いと肺外へと動く。

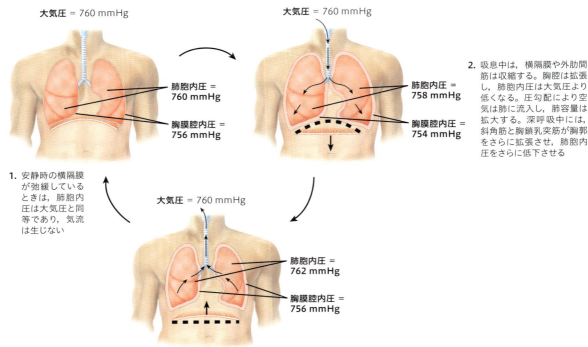

Q 正常の安静呼吸中には，肺胞内圧はどの程度変化するのか？

増大すると，肺の容量は増加し，肺胞内圧は760 mmHgから758 mmHgに低下する。その結果，大気と肺胞との間に圧差が生じ，空気は大気（より圧の高い領域）から肺（より圧の低い領域）に流れる。

3. 横隔膜と外肋間筋が弛緩すると，肺の弾性収縮力により肺の容量は減少し，肺胞内圧は758 mmHgから762 mmHgに上昇する。その結果，空気は肺胞内のより圧の高い領域からより圧の低い領域である大気に流れる。

肺気量分画と肺容量

安静時には，健康成人は1分間に約12回の呼吸をし，1回の吸息と呼息とで約500 mLの空気が肺を出入りする。1回の呼吸量は，**一回換気量 tidal volume** と呼ばれる。**分時換気量 minute ventilation**（MV；1分間に吸息され呼息された空気の総量）は，一回換気量と呼吸数を掛けたものである。

MV = 12 呼吸/min × 500 mL/呼吸
　　= 6,000 mL あるいは 6 L/min

一回換気量にはかなり個人差があり，また同じ人でも測定時で異なる。一回換気量の約70%（350 mL）が呼吸細気管支や肺胞嚢に到達し，ガス交換に関与する。残りの30%（150 mL）は，鼻，咽頭，喉頭，気管，気管支，細気管支，終末細気管支という気道の導管部内に残り，ガス交換には関与しない。これらの導管部の気道はまとめて**解剖学的死腔 anatomic dead space** として知られている。

呼吸数の測定と同時に呼吸中に交換される空気の量を測定するのに通常用いられる器具は，**スパイロメーター spirometer**（spiro- ＝呼吸；meter ＝測定器）と呼ばれる。その記録は**スパイログラム spirogram** と呼ばれる。吸息は上向きに記録され，呼息は下向きに記録される（図18.9）。

非常に深い呼吸をした場合，一回換気量の500 mLよりかなり多くの量を吸息できる。この追加されて吸息された空気は，**予備吸気量 inspiratory reserve volume** と呼ばれ，平均的な成人男性では約3,100 mLで，平均的な成人女性では約1,900 mLである（図18.9）。努力呼息後に吸息すると，さらに多量の空気を吸入しうる。正常に吸息した後に，できる限りの呼息をすると，一回換気量の500 mLに加えて，かなりの量の空気を吐き出すことができる。この吐き出された余分な量は**予備呼気量 expiratory reserve volume** と呼ばれ，男性では1,200 mL，女性では700 mLである。予備呼気量を吐き出した後も，かなりの空気が肺や気道に残る。この残った空気の量は，**残気量 residual volume** と呼ばれ，男性では約1,200 mL，女性では約1,100 mLである。

肺容量 lung capacity は，特定の**肺気量分画 lung volume** を組み合わせたものである（図18.9）。**最大吸気量 inspiratory capacity** は一回換気量と予備吸気量の和である（男性では500 mL ＋ 3,100 mL ＝ 3,600 mL，女性では500 mL ＋ 1,900 mL ＝ 2,400 mL）。**機能的残気量 functional residual capacity** は残気量と予備呼気量の和である（男性では1,200 mL ＋ 1,200 mL ＝ 2,400 mL，女性では1,100 mL ＋ 700 mL ＝ 1,800 mL）。**肺活量 vital capacity** は，予備吸気量と一回換気量，予備呼気量の和である（男性では4,800 mL，女性では3,100 mL）。最後に，**全肺気量 total lung capacity** はすべての肺気量分画の和である（男性では4,800 mL ＋ 1,200 mL ＝ 6,000 mL，女性では3,100 mL ＋ 1,100 mL ＝ 4,200 mL）。ここに示されている値は，若年成人の平均値である。肺気量分画や肺容量は，年齢（高齢者でより小さい），性（一般に女性で低い），体格（低身長の人でより小さい）で変る。肺気量分画や肺容量は，呼吸器疾患を有する人では通常異常であり，それぞれの人の呼吸状態についての情報を提供している。

呼吸パターンと修飾された呼吸運動

安静呼吸時の正常なパターンは，**正常呼吸 eupnea** （eu- ＝よい，容易，あるいは正常；-pnea ＝呼吸）と呼ばれる。正常呼吸は，浅いあるいは深い，あるいは両者の組み合わさった呼吸からなる。浅い（胸式）呼吸は**肋骨呼吸 costal breathing** と呼ばれ，外肋間筋の収縮による胸部の上外側への動きにより生じる。深い（腹式）呼吸は，**横隔膜呼吸 diaphragmatic breathing** と呼ばれ，横隔膜が収縮し下降するために腹部が外側

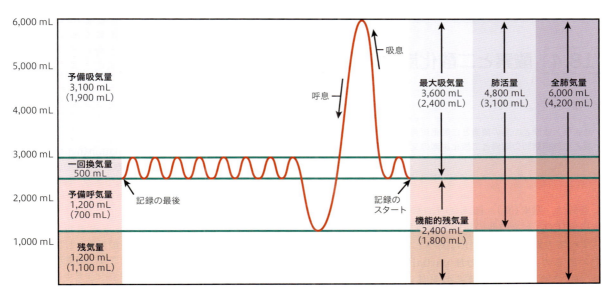

図18.9 肺気量分画と肺容量のスパイログラム。ミリリットル(mL)単位で示す。健常成人男性および女性の平均を示す。（　）内は女性の値である。スパイログラムは右（記録のスタート）から左（記録の最後）に読む。

Q できるだけ深く吸息した後，できるだけ大きく呼息した場合，これはどの肺容量を示すものか？

表 18.1　修飾された呼吸運動

呼吸運動	説　明
咳をする	長く深い吸息の後に強い呼息となり，上気道から空気が一気に吐き出される。この反射運動は，喉頭，気管あるいは喉頭蓋の異物により生じる。
くしゃみをする	呼息筋の発作性の収縮により鼻や口から空気が強く吐き出される。鼻粘膜の刺激により生じる。
ため息をつく	長く深い吸息の後，直ちに短く強く呼息する。
あくびをする	下顎骨を大きく下げ，広く開けた口から深く吸息する。眠気，だるさ，他人のあくびにより刺激されるが，正確な原因は不明である。
嗚咽する	何回か痙攣性に吸息した後，一度長く呼息する。
泣く	吸息後に，多数の短く痙攣性の呼息が生じる。その間，声帯ヒダが振動する。特徴的な表情と涙を伴う。
笑う	泣くと同じ基本動作であるが，運動のリズムと表情が泣くと異なる。
しゃっくりをする	横隔膜が発作性に収縮した後，声門裂が発作性に閉鎖する。そのため，吸息時に鋭い音が出る。通常，消化管の感覚神経終末への刺激で生じる。

に動くことにより生じる。

　笑う，ため息をつく，嗚咽するなどの感情を表現する際にも呼吸が関与する。さらに呼吸は，くしゃみや咳のような動作により下気道から異物を吐き出すことにも使われる。呼吸運動は，会話したり歌ったりするときも修飾され調節される。感情の表現や気道の浄化を行う修飾された呼吸運動を表 18.1 に挙げた。これらの呼吸運動はすべて反射により生じるが，いくつかは随意的に開始することも可能である。

チェックポイント
9. 安静呼吸中に生じることと努力呼吸中に生じることについて比較しなさい。
10. 肺気量分画と肺容量との基本的な違いは何か？

18.4　酸素と二酸化炭素の交換

目　標
・肺胞気と血液との間の酸素と二酸化炭素の交換（外呼吸）と血液と組織細胞間の酸素と二酸化炭素の交換（内呼吸）について述べる。

　空気は，窒素（N_2），酸素（O_2），水蒸気（H_2O），二酸化炭素（CO_2）とその他の気体の混合気体であり，これらすべてのガスが全空気圧に関与している。混合気体中のあるガスの圧は，**分圧 partial pressure** と呼ばれ，P_X で示される。X はその気体の化学式を表す。全空気圧，つまり大気圧は，これらすべてのガスの分圧の合計である。

$$P_{N_2}(597.4\ \text{mmHg}) + P_{O_2}(158.8\ \text{mmHg})$$
$$+ P_{Ar}(0.7\ \text{mmHg}) + P_{H_2O}(2.3\ \text{mmHg})$$
$$+ P_{CO_2}(0.3\ \text{mmHg}) + P_{ほかの気体}(0.5\ \text{mmHg})$$
$$= 大気圧（760\ \text{mmHg}）$$

　各気体は体内で分圧のより高い領域からより低い領域に拡散するので，分圧は重要である。

　体液中では，ガス分圧がより高く，水への溶解度が高い場合に，気体の溶液への溶解量はより大きくなる。液体に接する気体のガス分圧が高ければ高いほど，また溶解度が高ければ高いほど，より多くの気体が溶液にとどまろうとする。CO_2 の溶解度は酸素の 24 倍大きいため，O_2 に比較してより多くの CO_2 が血漿に溶解している。私たちが呼吸する空気には主に N_2 が含まれるが，その溶解度は非常に低いため，海面レベルの圧では血漿にほとんど溶解しておらず，この気体は身体機能に影響を及ぼさない。

臨床関連事項

高圧酸素療法

　高圧酸素療法 hyperbaric oxygenation（hyper ＝過度の，baros ＝圧）とは，圧力をかけることにより，より多くの酸素を血液に溶解させる治療法である。破傷風や壊疽を生じるような嫌気性菌感染の患者を治療するのに有効な方法である（嫌気性菌は，遊離 O_2 の存在下では生きられない）。高圧酸素療法を行う患者は，1 気圧（760 mmHg）以上の圧の存在下で酸素を含む高圧室に入れられる。体組織は酸素を受け取り，細菌が殺される。高圧室は，ある種の心疾患，一酸化炭素中毒，気体塞栓，挫傷，脳浮腫，嫌気性菌による難治性骨感染，噴煙吸入，溺水，窒息，血管不全，熱傷の治療に用いられることもある。

外呼吸：肺におけるガス交換

外呼吸 external respiration は，**肺内ガス交換** pulmonary gas exchange とも呼ばれるが，肺胞内の空気から肺毛細血管内の血液に O_2 が拡散するとともに反対方向に CO_2 が拡散することである（図 18.10 b）。肺で行われる外呼吸により，右心から流れてくる**脱酸素化された血液**（**脱酸素化血** deoxygenated blood）（酸素が減少した血液）は**酸素化された血液**（**酸素化血** oxygenated blood）（酸素で飽和した血液）に変わり左心に戻る。血液は肺毛細血管を流れながら，肺胞気から O_2 を摂取し，肺胞気の中に CO_2 を放出する。この過程は通常ガスの"交換"と呼ばれているが，それぞれのガスはその分圧のより高い領域からより低い領域へと**それぞれ独立** independently して拡散する。外呼吸の効率に影響する重要な因子は，ガス交換面積である。呼吸膜の機能的な面積が減少するような肺疾患，例えば，肺気腫（章末"よくみられる病気"参照）では，ガス交換率が低下する。

安静時には，O_2 は分圧（P_{O_2}）が 105 mmHg の肺胞気から P_{O_2} が約 40 mmHg の肺毛細血管に拡散する。運動中には，筋線維の収縮のためにより多くの O_2 が使われるために肺毛細血管に戻ってくる血液の P_{O_2} は低下する。拡散は，肺毛細血管の P_{O_2} が肺胞気の P_{O_2} である 105 mmHg に等しくなるまで続く。肺胞近傍の毛細血管を通った血液は，ガス交換の生じない導管部分の毛細血管を流れてきた少量の血液と混じるので，肺静脈血の P_{O_2} は肺毛細血管中の P_{O_2} より少し低い約 100 mmHg となる。

O_2 が肺胞気から脱酸素化された血液に拡散する間に，CO_2 は反対方向に拡散する。安静時には，肺胞気の P_{CO_2} は 40 mmHg であるのに対し，脱酸素化された血液の P_{CO_2} は 45 mmHg である。この P_{CO_2} の違いのために，二酸化炭素は血液中の P_{CO_2} が 40 mmHg に低下するまで，脱酸素化された血液から肺胞気中に拡散する。呼息により肺胞気の P_{CO_2} は 40 mmHg に常に維持されている。したがって，左心に戻る肺静脈内の酸素化された血液は，P_{CO_2} 40 mmHg となる。

内呼吸：全身におけるガス交換

左心室は，酸素化された血液（動脈血）を大動脈から動脈をへて全身の毛細血管に駆出する。全身の毛細血管と組織細胞間の O_2 と CO_2 の交換は，**内呼吸** internal respiration あるいは**全身性ガス交換** systemic gas exchange と呼ばれている（図 18.10 c）。O_2 が血流から離れるので，酸素化された血液は脱酸素化された血液（静脈血）となる。肺のみで行われる外呼吸と異なり，内呼吸は全身の組織で行われる。

全身の毛細血管に駆出される血液の P_{O_2} は，組織細胞の P_{O_2}（安静時 40 mmHg）よりも高い（100 mmHg）。組織細胞の P_{O_2} が低いのは細胞が常に ATP 産生のため O_2 を消費しているからである。この分圧差が存在するために，酸素は毛細血管から組織細胞に拡散し，血液の P_{O_2} は 40 mmHg にまで低下する。O_2 が全身の毛細血管から組織細胞に拡散する間に CO_2 は反対方向に拡散する。組織細胞は常に CO_2 を産生するので，細胞の P_{CO_2}（安静時 45 mmHg）は毛細血管血の P_{CO_2}（40 mmHg）よりも高い。その結果，CO_2 は血液中の P_{CO_2} が上昇するまで組織細胞から間質液を通って毛細血管中に拡散する。脱酸素化された血液は右心に戻り，次の外呼吸のために肺へと押し出される。

> **チェックポイント**
>
> 11. 換気，外呼吸，内呼吸の基本的な違いは何か？
> 12. 安静にしている人において，肺毛細血管内の血液中に酸素を拡散させる分圧の差は何か？

18.5 呼吸ガスの運搬

目標

・血液が酸素と二酸化炭素をどのように運搬するのかを述べる。

気体は，肺と体組織との間を血液により運ばれる。O_2 と CO_2 が血液中に入ると，ガスの運搬と交換を助けるようなある化学的変化が生じる。

酸素の運搬

酸素は水にあまり溶解しないので，成分のほとんどが水で構成される血漿には約 1.5% しか溶解しない。血中の O_2 の約 98.5% は，赤血球中のヘモグロビンに結合する（図 18.11）。

> **臨床関連事項**
>
> **高山病**
>
> 高度が上昇すると大気圧全体が低下するので，O_2 の分圧も並行して低下する。P_{O_2} は海面レベルの 159 mmHg から 6,000 m で 73 mmHg に低下する。肺胞気の P_{O_2} もそれに伴って低下し，血液への O_2 の拡散もより少なくなる。**高山病** high altitude sickness に共通の所見や症状，つまり息切れ，頭痛，不眠，嘔気，めまいは，血中の酸素の減少により生じる。

図 18.10 外呼吸と内呼吸における酸素（O_2）と二酸化炭素（CO_2）の分圧の変化。

混合気体における各気体は，そのガスの分圧の高い領域から低い領域に拡散する。

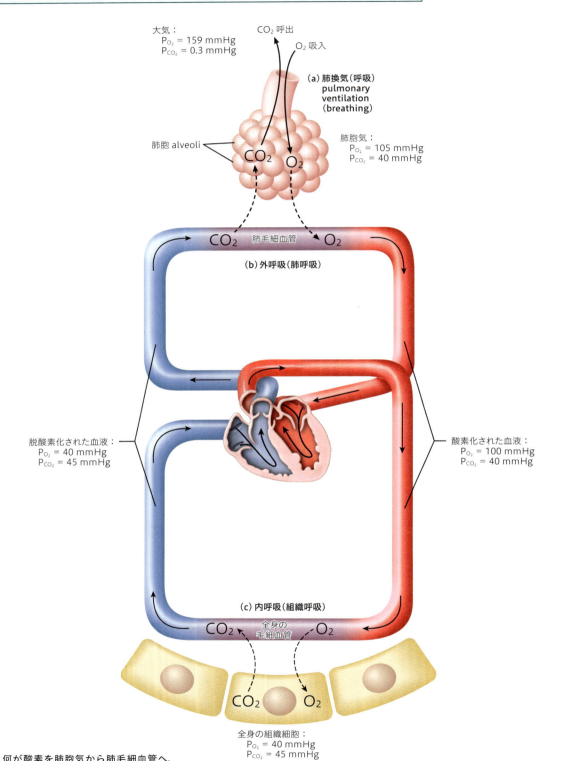

Q 何が酸素を肺胞気から肺毛細血管へ，そして，全身の毛細血管から組織細胞へと移動させているのか？

18.5 呼吸ガスの運搬

図 18.11 血中の酸素と二酸化炭素の運搬。

大部分の O_2 は，赤血球中のヘモグロビンにより酸化ヘモグロビンとして運搬される。大部分の CO_2 は血漿中を炭酸水素イオンとして運搬される。

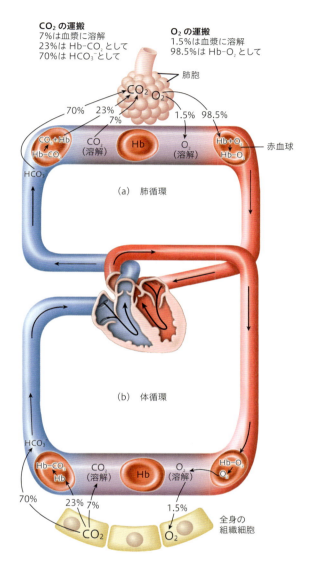

Q 血中の酸素の何パーセントがヘモグロビンにより運搬されるのか？

ヘモグロビンのヘム部分には4個の鉄イオンが含まれ，その各々が O_2 1分子と結合する。酸素と**脱酸素化（還元）ヘモグロビン** deoxyhemoglobin (Hb) は結合して，**酸素化（酸化）ヘモグロビン** oxyhemoglobin ($Hb-O_2$) を形成するが，この反応はかなり可逆的である。

$$Hb + O_2 \underset{\text{酸素の放出}}{\overset{\text{酸素の結合}}{\rightleftharpoons}} Hb-O_2$$

脱酸素化ヘモグロビン　酸素　　　　　酸素化ヘモグロビン

血液の P_{O_2} が高いときは，ヘモグロビンは多量の O_2 と結合し，ヘモグロビンは**完全に飽和した状態** fully saturated になり，すべての結合可能な鉄原子が O_2 分子と結合した状態になる。血液の P_{O_2} が低いときには，ヘモグロビンは O_2 を放出し，O_2 は血液中から間質液や組織細胞中に拡散する（図 18.11 b）。

P_{O_2} に加え，ほかのいくつかの因子もヘモグロビンからの O_2 の放出量に影響する。

- **二酸化炭素 carbon dioxide**：どの組織においても P_{CO_2} が上昇すると，ヘモグロビンはより容易に O_2 を放出する。したがって，運動中の筋組織のようにより多量の CO_2 を産生する代謝の活発な組織を血液が流れるときに，ヘモグロビンはより多くの O_2 を放出する。

- **酸性度 acidity (pH)**：酸性の環境になるとヘモグロビンは，より速やかに O_2 を放出する。運動中，筋は乳酸を産生し，ヘモグロビンからの O_2 の放出を促進する。

- **体温 body temperature**：ある範囲内であれば，体温が上昇するとヘモグロビンから放出される O_2 の量が増加する。代謝の活発な組織は，より多くの熱をつくり出し，その結果，局所の温度を上昇させ，O_2 の放出を促進させる。

臨床関連事項

一酸化炭素中毒

一酸化炭素（CO）は無色無臭の気体で，タバコの煙，自動車の排気ガス，ガス暖房機や室内暖房機などで検出される。CO は O_2 と同じようにヘモグロビンのヘムに結合するが，CO は O_2 より 200 倍以上も強く結合する。したがって，0.1%（P_{CO} = 0.5 mmHg）の濃度でもヘモグロビン分子の半分が CO と結合し，血液の酸素運搬能力が 50% 低下する。血中の CO 濃度が上昇すると**一酸化炭素中毒** carbon monoxide poisoning が生じ，口唇や口腔粘膜は（ヘモグロビンに CO が結合したときの色である）明るい鮮紅色となる。純酸素の投与によりヘモグロビンからの CO の分離が促進され，救命できる場合もある。

二酸化炭素の運搬

二酸化炭素（CO_2）は，主に三つの形で血液中を運搬される（図 18.11）。

1. **溶解した CO_2 dissolved CO_2**：少量（約 7%）が血漿に溶解する。肺に到着すると，肺胞気に拡散し

臨床関連事項

タバコの喫煙が呼吸器系に及ぼす影響

米国では，タバコの喫煙によって年間に約 50 万人が死亡している．これは全死亡者数の 20％に相当する．タバコの煙には 4,000 を超える化学物質が含まれ，そのうちの約 70 は発癌性をもっている．喫煙は身体のほぼすべての器官系に影響を及ぼし，癌，冠状動脈疾患，脳卒中，2 型糖尿病，慢性関節リウマチ，胎児障害，白内障，皮膚老化の加速，勃起不全，創傷治癒の遅延，および歯茎や歯の疾患などを引き起こす．

呼吸器系に関しては，喫煙は肺気腫や慢性気管支炎などの慢性閉塞性肺疾患（COPD）や肺癌を引き起こす．これらについては，本章の終わりに詳細に説明する．これらの条件に加えて，喫煙は，いくつかの要因が呼吸の効率を低下させるので，喫煙者では中等度の運動においてもすぐに「息切れ」を引き起こす原因となる．次のものが**呼吸器系に対する喫煙の影響**である：(1) ニコチンは終末細気管支を収縮させ，これにより肺に出入りする気流を減少させる．(2) 煙中の一酸化炭素はヘモグロビンに結合し，酸素運搬能力を低下させる．(3) 煙中の刺激物質は，気管支樹の粘膜による粘液分泌の増加および粘膜層の肥厚を引き起こし，これらは両方とも肺に出入りする空気の流れを妨げる．(4) 煙中の刺激物質はまた，線毛の動きを阻害し，呼吸器系の内層にある線毛を破壊する．したがって，過剰な粘液および異物片は容易には除去されず，さらに呼吸困難を増す．これは喫煙者の咳嗽につながり，喫煙者のほうが非喫煙者より病気になることが多い理由である．刺激物質はまた，正常な呼吸器上皮を線毛細胞および杯細胞を欠く重層扁平上皮に変異させる可能性がある．(5) 長期の喫煙は肺の弾性線維の破壊を引き起こし，これが肺気腫の主因となる．これらの変化によって，呼息終末に小さな細気管支が潰れ肺胞内に空気が閉じ込められることになる．その結果，ガス交換効率が低下する．

排出される．

2. **アミノ酸と結合 bound to amino acids**：血漿への溶解より多い約 23％が，血液中のアミノ酸やタンパク質のアミノ基と結合する．血液中のもっとも多いタンパク質は（赤血球内の）ヘモグロビンであるので，この形で運ばれる CO_2 の大部分はヘモグロビンと結合する．CO_2 の結合したヘモグロビンは，**カルバミノヘモグロビン carbamino-hemoglobin（Hb–CO_2）** と呼ばれている：

$$Hb + CO_2 \rightleftharpoons Hb\text{–}CO_2$$
ヘモグロビン　二酸化炭素　　カルバミノヘモグロビン

組織毛細血管では P_{CO_2} が比較的高く，カルバミノヘモグロビンの形成は亢進している．しかし，肺毛細血管内では P_{CO_2} は比較的低く，CO_2 は容易にヘモグロビンから離れ肺胞に拡散していく．

3. **炭酸水素イオン bicarbonate ion**：CO_2 の大部分（約 70％）は，**炭酸水素イオン（HCO_3^-；重炭酸イオン）** として血漿中を運搬される．CO_2 が組織の毛細血管中に拡散し赤血球の中に入ると，水と結合して炭酸になる．この反応を触媒する赤血球内の酵素は，**炭酸脱水酵素 carbonic anhydrase（CA）** である．その後，炭酸は H^+ と HCO_3^- に解離する：

$$CO_2 + H_2O \xrightleftharpoons{CA} H_2CO_3 \rightleftharpoons H^+ + HCO_3^-$$
二酸化炭素　水　　　　炭酸　　　水素イオン　炭酸水素イオン

したがって，血液は CO_2 を受け取ると，赤血球内に HCO_3^- が蓄積する．HCO_3^- の一部は血漿中に移動し，その濃度勾配が減少する．それと交代に，塩化物イオン（Cl^-）が血漿から赤血球内に移動する．この血漿と赤血球間の電気的均衡を保つ陰イオンの交換は**塩化物イオン移動 chloride shift** として知られている．これらの化学反応により，CO_2 は組織細胞から除去され，HCO_3^- として血漿中を運ばれる．

血液が肺毛細血管を通過するときには，これらの反応がすべて逆になる．血漿に溶解した CO_2 は肺胞気に拡散する．ヘモグロビンに結合した CO_2 は遊離し，肺胞に拡散する．HCO_3^- は血漿から赤血球内に再び入り，H^+ と再結合して H_2CO_3 となり，H_2CO_3 は CO_2 と H_2O に解離する．この CO_2 が赤血球から遊離し，肺胞気に拡散し排出される（図 18.11 a）．

チェックポイント

13. ヘモグロビンと P_{O_2} との関係はどのようになっているか？
14. 運動中の骨格筋のような代謝の活発な組織の毛細血管を血液が通過するときに，より多くの酸素をヘモグロビンから放出させるのはどのような因子によるのか？

18.6　呼吸調節

目標

- 神経系がどのように呼吸を調節しているのか説明する．
- 呼吸の数と深さを変化させる要因について列挙する．

安静時には，体細胞は1分間に約200 mLの酸素を消費している。しかし，激しい運動中に健常成人では一般にO_2消費が15〜20倍に増加し，持久力訓練を受けたエリート運動選手では30倍にも増加する。呼吸運動を代謝需要にあわせるためにいくつかの機序が関与する。

呼吸中枢

胸郭の大きさは，呼吸筋の活動により変化し，呼吸筋は脳にある中枢から神経インパルスが伝わると収縮し，インパルスがなくなると弛緩する。これらの神経インパルスは脳幹に局在するニューロン（神経細胞）群から送られてくる。これらのニューロン群は，正確には**呼吸中枢** respiratory center と呼ばれ，その存在部位と機能から二つの主要な領域，(1)延髄にある延髄呼吸中枢，(2)橋にある橋呼吸ニューロン群に分けられる（図 18.12 a）。

図 18.12 呼吸中枢領域の場所。

呼吸中枢は延髄にある延髄呼吸中枢と橋にある橋呼吸ニューロン群で構成されている。

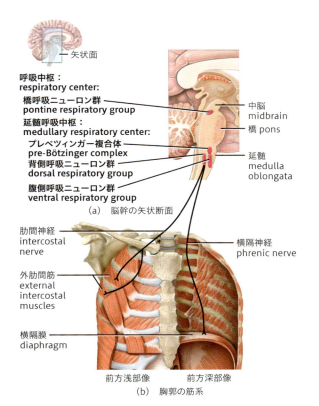

(a) 脳幹の矢状断面
(b) 胸郭の筋系

Q 活動と無活動とを周期的に繰り返すニューロンは呼吸中枢のどの領域に存在するか？

延髄呼吸中枢 延髄呼吸中枢 medullary respiratory center は，以前には**吸息領域** inspiratory area と呼ばれていた**背側呼吸ニューロン群** dorsal respiratory group（DRG）と以前には**呼息領域** expiratory area と呼ばれていた**腹側呼吸ニューロン群** ventral respiratory group（VRG）と呼ばれる二つのニューロンの集合体で構成されている。正常の安静呼吸中には，DRGのニューロンは，横隔神経を介して横隔膜に向け，肋間神経を介して外肋間筋に向けインパルスを発生させる（図 18.12 a 参照）。これらのインパルスはバースト状であり，最初は弱いが約2秒間で増強しその後停止するパターンである（図 18.13 a）。神経インパルスが横隔膜と外肋間筋に到達すると，それらの筋は収縮し吸息が生じる。2秒後にDRGが無活動状態になると横隔膜や外肋間筋は約3秒間弛緩し，肺と胸壁はその弾性収縮力で受動的に戻る。そしてこの周期が繰り返される。

VRGには，呼吸リズムの発生に重要な働きをしていると考えられている**プレベツィンガー複合体** pre-Bötzinger complex と呼ばれるニューロンの集合体が局在している（図 18.12 a）。このリズム発生装置は心臓のそれと類似しており，呼吸の基本的なリズムを調節しているペースメーカー細胞で構成されている。これらのペースメーカー細胞の正確な機序は不明であり，多数の進行中の研究の話題となっている。しかし，ペースメーカー細胞はDRGに信号を送り，DRGのニューロンに対し活動電位を発生させる速度を調節していると考えられている。

VRGの残りのニューロンは正常の安静呼吸には関与していない。VRGは運動中や管楽器の演奏中や高地にいるときのように努力呼吸が必要なときに活性化される。深い吸息中（図 18.13 b），DRGからの神経インパルスは横隔膜や外肋間筋が収縮するよう刺激するだけでなく，努力吸息に加わるよう補助吸息筋（胸鎖乳突筋，斜角筋，小胸筋）にインパルスを送るようにVRGのニューロンを活性化させる。これらの筋肉の収縮により努力吸息が生じる。

努力呼息中（図 18.13 b），DRGは努力吸息を生じさせたVRGのニューロンとともに活動しなくなるが，努力呼息に関与するVRGのニューロンは補助呼息筋（内肋間筋，外斜筋，内斜筋，腹横筋，腹直筋）に神経インパルスを送る。これらの筋肉の収縮により努力呼息が生じる。

橋呼吸ニューロン群 橋呼吸ニューロン群 pontine respiratory group（PRG）は，以前は**呼吸調節中枢** pneumotaxic area と呼ばれており，橋にある

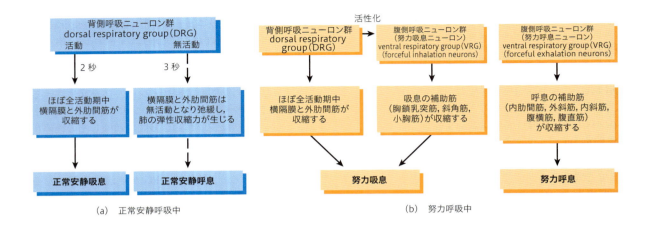

図18.13 正常の安静呼吸(a)と努力呼吸(b)の調節における延髄呼吸中枢の役割。

正常の安静呼吸中には，腹側呼吸ニューロン群は活動していない。努力呼吸中には，背側呼吸ニューロン群は腹側呼吸ニューロン群を活性化する。

Q 呼吸中枢から横隔膜にインパルスを伝える神経は何か？

ニューロンの集合体である(図18.12 a 参照)。PRGのニューロンは吸息中や呼息中に活動している。PRGは延髄にある DRG に神経インパルスを送る。PRG は，運動中や歌唱中や睡眠中のように VRG によって生じた呼吸の基本的リズムを修正することで吸息にも呼息にも役割を果たしている。

呼吸中枢の調節

呼吸の基本的なリズムは背側呼吸ニューロン群(DRG)によって設定され統合されているが，そのリズムは脳のほかの部位，末梢神経系の受容器，その他の因子からの入力に反応して修正される。

呼吸への大脳皮質の影響 大脳皮質は呼吸中枢と接続しているので，呼吸のパターンを随意的に変えることができる。短時間なら呼吸を完全に止めることさえできる。随意調節は水や刺激ガスが肺内に入らないようにするための保護的なものである。しかし，息を止める力は，体内の CO_2 と H^+ の蓄積によって制限される。P_{CO_2} や H^+ 濃度があるレベルに達すると，望むと望まざるにかかわらず延髄呼吸中枢の DRG ニューロンが強く刺激され呼吸が再開する。ヒトは随意的に呼吸を止めて自殺することはできない。失神するほど長時間呼吸を止めたとしても，意識を喪失しているときに呼吸が再開する。視床下部や大脳辺縁系からの神経インパルスも呼吸中枢を刺激し，例えば，笑ったり泣いたりするような情動刺激により呼吸が変化する。

化学受容器による呼吸調節 化学的な刺激量に応じて呼吸の速さと深さの程度が調節される。呼吸器系は CO_2 と O_2 を至適なレベルに維持する機能を有し，体液中の CO_2 と O_2 レベルの変化に非常に敏感に反応する。物質に反応する受容器を**化学受容器 chemoreceptor** という。中枢神経系の延髄内にある**中枢化学受容器 central chemoreceptor** は，脳脊髄液の H^+ 濃度か P_{CO_2} あるいは両者の変化に反応する。大動脈弓の壁内および頸動脈壁内にある**末梢化学受容器 peripheral chemoreceptor** は，血液中の P_{O_2}，H^+，P_{CO_2} の変化に敏感に反応する。

CO_2 は脂溶性であるため，細胞内に容易に拡散し，そこで水(H_2O)と結合して炭酸(H_2CO_3)になる。

臨床関連事項

高炭酸ガス血症と低酸素症

正常な場合，動脈血の P_{CO_2} は 40 mmHg である。たとえ P_{CO_2} のわずかな上昇(**高炭酸ガス血症 hypercapnia** と呼ばれる状態)が生じても，P_{CO_2} 上昇の結果生じる H^+ 濃度の上昇に中枢化学受容器が強く刺激される。末梢化学受容器もまた P_{CO_2} の上昇と H^+ の増加に反応する。さらに，末梢化学受容器は，重症の**低酸素症 hypoxia**，つまり O_2 の欠乏にも反応する。動脈血の P_{O_2} が正常レベルの 100 mmHg から約 50 mmHg に低下すると，末梢化学受容器は強く刺激される。

H_2CO_3 は速やかに H^+ と HCO_3^- に解離する。したがって、血中の CO_2 が増加すると細胞内の H^+ が増加し、CO_2 が減少すると H^+ は減少する。

化学受容器はネガティブフィードバック機構に関与し、血中の CO_2, O_2, H^+ レベルを調節する（図18.14）。P_{CO_2} の上昇、pH の低下（H^+ の増加）、あるいは P_{O_2} の低下の結果、中枢ならびに末梢の化学受容器からの入力が DRG を非常に活性化させ、呼吸数と呼吸の深さが増加する。**過呼吸 hyperventilation** と呼ばれる速く深い呼吸により、P_{CO_2} と H^+ が正常に低下するまでより多くの CO_2 を排出させる。

高度の O_2 欠乏では、化学受容器や DRG の活動性が低下し、刺激に対しほとんど反応せず、呼吸筋への神経インパルスもほとんど送られない。呼吸数が減少あるいは呼吸が停止する結果、P_{O_2} はどんどん低下し、死の結果を招くポジティブフィードバックの悪循環が完成する。

> **臨床関連事項**
>
> **低炭酸ガス症**
>
> 動脈の P_{CO_2} が 40 mmHg 以下（**低炭酸ガス症 hypocapnia** と呼ばれる状態）になると、中枢ならびに末梢の化学受容器は刺激されず、刺激インパルスは DRG に送られない。その結果、CO_2 の蓄積により P_{CO_2} が 40 mmHg に上昇するまで DRG のニューロンは本来の穏やかなペースを保つ。自発的に過換気を行い、低炭酸ガス状態になった人では、非常に長い間呼吸を止めておくことができる。かつては泳ぐ人に、もぐる直前に過呼吸するよう奨励していた。しかし、これを実行するのは危険である。なぜならば P_{CO_2} が吸息を刺激するのに十分なほど上昇する前に O_2 レベルが危険な状態になるほど低下し、失神を生じさせるからである。陸上での失神ではこぶや打撲傷ですむが、水中では溺死するかもしれない。

呼吸に及ぼすほかの影響 呼吸調節に関与するほかの要因としては以下のようなものがある。

- **大脳辺縁系の刺激 limbic system stimulation**：行動への予期あるいは情動的不安により大脳辺縁系が刺激され、興奮性入力が DRG に送られ、呼吸数と呼吸の深さが増加する。
- **固有受容器刺激 proprioceptor stimulation of breathing**：運動を開始すると、P_{O_2}, P_{CO_2}, あるいは、H^+ の濃度が変化する前でもすぐに呼吸数や呼吸の深さが増加する。このすばやい呼吸の変化は、主に関節や筋の動きを監視する固有受容器からの入力刺激により生じる。固有受容器からの神経インパルスは DRG を刺激する。

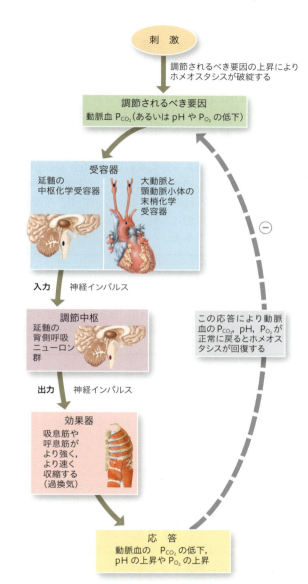

図 18.14 血液の P_{CO_2}、pH（H^+ 濃度）、P_{O_2} の変化に反応する呼吸のネガティブフィードバック調節。

Q 正常な動脈血の P_{CO_2} はどれくらいか？

- **体温 body temperature**：発熱や激しい筋肉の運動による体温の上昇は，呼吸数を増加させる。体温の低下は呼吸数を減少させる。急激な寒冷刺激(冷たい水中へ飛込みなど)により，一過性の**無呼吸 apnea**(a-＝なし；-pnea＝呼吸)が生じ，呼吸が停止する。
- **痛み pain**：突然の激しい痛みにより短い無呼吸が生じる。しかし，持続的な体性痛覚は呼吸数を増加させる。内臓痛は呼吸数を減少させうる。
- **気道刺激 irritation of airway**：咽頭や喉頭の物理的あるいは化学的な刺激により呼吸は瞬時に停止し，それに続き，咳やくしゃみが生じる。
- **膨張反射 inflation reflex**：気管支や細気管支の壁には圧に感受性のある**伸張受容器 stretch receptor**が存在する。肺の過膨張中にこれらの受容器が伸張されると，DRGは抑制される。この結果，呼息が開始する。この反射は，肺の過度な膨張を防ぐための主な保護機構である。

> **チェックポイント**
> 15. 呼吸の調節において，延髄呼吸中枢はどのように機能しているのか？
> 16. 大脳皮質，CO_2とO_2のレベル，固有受容器，膨張反射，温度変化，痛み，気道刺激は，どのようにして呼吸を変化させるのか？

18.7 運動と呼吸器系

目 標
・呼吸器系に及ぼす運動の影響を述べる。

運動中，呼吸器系や循環器系は運動の強さと持続時間に反応して調節を行っている。心臓に対する運動の影響については15章で述べた。ここでは運動がどのように呼吸器系に影響を与えるのかについて焦点をあてる。

心臓は肺以外の全身に送り出す血液と同量の血液を肺に送り出す。したがって，心拍出量が増加すると，肺を流れる血流量も同様に増加する。肺を流れる血流が安静時の2倍の速さになれば1分間当りの酸素摂取量も2倍になる。さらに，O_2が肺胞気から血液中に拡散する割合も，最大運動中に増加する。それは，最大運動中にはより多くの肺毛細血管に血液が流れるため，O_2が肺毛細血管内に拡散することのできる面積がより大きくなるためである。

運動中に骨格筋が収縮すると，筋は多量のO_2を消費し多量のCO_2を産生する。その結果，呼吸器系は正常の血液ガスレベルを維持するためにより激しく働くことになる。激しい運動中には，O_2の消費も呼吸もともに劇的に増加する。運動開始時には，固有受容器の活動により呼吸は急激に増加し，その後はより緩やかに増加する。中程度の運動の場合は，呼吸数の増加よりも主に呼吸の深さが増加する。運動がより激しくなると，呼吸数も増加する。

運動が終了すると呼吸は急激に減少し，その後も安静レベルになるまで徐々に減少する。最初の減少は主に，運動が停止あるいは遅くなるときに固有受容器の刺激が減少するためである。その後のより緩やかな減少は，血液の化学的性質や体温が安静状態までゆっくりと戻るのを反映している。

> **チェックポイント**
> 17. 運動はどのように背側呼吸ニューロン群(DRG)に影響するのか？

18.8 加齢と呼吸器系

目 標
・呼吸器系における加齢の影響について述べる。

年をとると，肺胞を含めて気道組織は弾力性を失い硬くなる。胸壁も同様により硬くなる。その結果，肺容量は減少する。事実，肺活量(最大吸息後に呼出できる最大の空気量)は70歳までに35%も減少することがある。さらに，血中のO_2レベルの低下，肺胞マクロファージの活動性低下，気道を覆っている上皮の線毛活動の低下が生じる。これらの加齢に関連する因子のために，高齢者は肺炎，気管支炎，肺気腫その他の肺疾患に罹患しやすい。加齢に関連する肺の構造や機能の変化のために，高齢者ではランニングのような激しい運動を行う能力も低下する。

> **チェックポイント**
> 18. 年齢とともに肺気量はなぜ減少するのか？

・・・

呼吸器系がほかの身体系のホメオスタシスの維持に関与していることを評価するために，次ページの"ホメオスタシスの観点から"を参照しなさい。次の19章では，どのようにして消化器系は栄養を細胞に利用させ，呼吸器系から供給された酸素がATP産生のために利用されるのかについて述べる。

ホメオスタシスの観点から

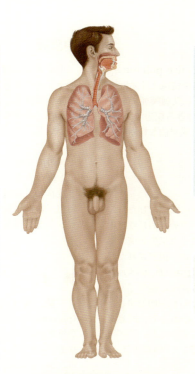

呼吸器系の役割

全身の器官系との関連
- 酸素を摂取し二酸化炭素を排出する。
- 二酸化炭素の排出により体液のpHを調整する。

筋系
- 呼吸数の増加や呼吸の深さの増加は，運動中の骨格筋活動の増加を補助する。

神経系
- 鼻にはにおい（嗅覚）の受容器がある。
- 声帯を通過する空気の振動により声が生じる。

内分泌系
- 肺のアンギオテンシン変換酵素（ACE）は，アンギオテンシンIからアンギオテンシンIIを形成させる。

心臓血管系
- 吸息中，呼吸ポンプは心臓への静脈血の還流を助ける。

リンパ系と免疫系
- 鼻毛，気管，気管支，細気管支の線毛や粘液，肺胞マクロファージは疾患に対する非特異的な抵抗性を高める。
- 咽頭にはリンパ組織（扁桃）が存在する。
- 吸息中，呼吸ポンプはリンパの流れを促進させる。

消化器系
- 呼吸筋の強い収縮は排便を補助する。

泌尿器系
- 呼吸器と尿路系は協力して体液のpHを調整する。

生殖器系
- 呼吸数の増加と呼吸の深さの増加は性交活動を助ける。
- 内呼吸は胎児の成長のために酸素を供給する。

よくみられる病気

慢性閉塞性肺疾患

慢性閉塞性肺疾患 chronic obstructive pulmonary disease（COPD）は，気流の慢性的な閉塞を特徴とする呼吸器疾患である。COPD の主な原因は喫煙や受動喫煙であるので，COPD は多くの場合避けることができる疾患である。その他の原因には，大気汚染，肺の感染，職業的な粉塵やガスへの曝露，遺伝的素因などがある。

肺気腫

肺気腫 emphysema（＝破壊，空気でいっぱいにした）は，肺胞隔壁の破壊を特徴とする疾患であり，そのために呼息中にも空気で満たされたままでいる異常に大きな気腔領域が形成されている。ガス交換面積の減少とともに，傷害された呼吸膜を通過する O_2 の拡散が減少する。血中の O_2 レベルはやや低下し，細胞の O_2 要求量が増加する軽度の運動でも患者は呼吸困難を感じる。破壊された肺胞壁の数が増加するに従い，弾性線維の消失により肺弾性収縮力が減少し，呼息終末期に肺に捕え込まれる空気の量はさらに増加する。数年後に，努力性呼吸の結果，胸郭の大きさが増して"樽状胸"になる。肺気腫には肺癌が発生しやすい。

慢性気管支炎

慢性気管支炎 chronic bronchitis は，気管支粘液の過剰な分泌と咳嗽を特徴とする疾患である。吸入された刺激物により気道上皮の慢性炎症が生じ，粘液腺や杯細胞の大きさや数が増加する。産生された濃厚で過剰な粘液は，気道を狭窄し線毛の機能を障害する。そのため，吸入された病原体は気道分泌液にとどまり急速に数を増やす。慢性気管支炎の症状は，咳嗽に加えて，息切れ，喘鳴，チアノーゼ，肺高血圧症である。

肺　癌

米国では，**肺癌 lung cancer** は男女ともに癌死の最大の原因となっている。診断時点で，肺癌はかなり進行していることが多い。肺癌患者の大部分は最初の診断から 1 年以内に死亡し，全体の生存率は 10 〜 15％にすぎない。肺癌患者の約 85％は喫煙が原因であり，非喫煙者に比べ喫煙者の罹患率は 10 〜 30 倍にもなる。受動喫煙も肺癌や心疾患と関連している。ほかの肺癌の原因には，X 線のようなイオン化された放射線やアスベストやラドンガスのような吸入された刺激物がある。

肺癌の症状には，慢性的な咳，気道からの血痰の喀出，喘鳴，息切れ，胸痛，嗄声，嚥下困難，体重減少，食欲不振，倦怠感，骨の痛み，錯乱，平衡感覚の異常，頭痛，貧血，血小板減少，黄疸などがみられる。

中皮腫

中皮腫 mesothelioma は，漿膜の中皮（単純な扁平上皮）に発生するまれな形の癌である。この疾患のもっとも一般的な発生部位は，全症例の約 75％で，肺の胸膜（胸膜中皮腫）である。この病気は，断熱材，織物，セメント，ブレーキライニング，ガスケット，屋根板，および床材に広く使用されてきたアスベストによってほぼ完全に引き起される。悪性中皮腫の徴候や症状は，アスベストに曝されてから 20 〜 50 年以上経つまでは現れない場合が多い。胸膜中皮腫の徴候および症状は，胸痛，息切れ，胸水，疲労，貧血，血痰，喘鳴，嗄声，および原因不明の体重減少である。病歴，身体診察，レントゲン写真，CT スキャン，および生検に基づいて診断する。

肺　炎

肺　炎 pneumonia (pneumonitis) は，肺胞の急性感染症あるいは急性炎症性疾患である。米国では，肺炎は感染症による死因として最多であり，年間 400 万人の患者が発生すると推定されている。易感染性の人の肺に進入した微生物は，有害な毒素を放出し，炎症や免疫反応を刺激して，副作用として障害を

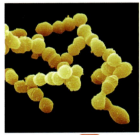
Juergen Berger/
Science Source
SEM 約 8,000x
一般的な肺炎を引き起こす肺炎球菌

生じさせる。毒素や免疫反応により肺胞や気管支粘膜は傷害される。炎症や浮腫のために肺胞は壊死組織片や浸出液で充満され，呼吸やガス交換が阻害される。もっともよくみられる原因菌は，**肺炎球菌 Streptococcus pneumoniae**（図参照）であるが，ほかの細菌，ウイルス，真菌も肺炎の原因となる。肺炎にもっともかかりやすいのは，高齢者，乳児，免疫不全患者，タバコの喫煙者，および閉塞性肺疾患患者である。肺炎のほとんどの症例は，しばしばウイルスによる上気道感染症から始まる。その後，発熱，悪寒，湿性または乾性咳，倦怠感，胸痛，そして時には呼吸困難および喀血（吐血）が認められる。治療法には，抗生物質，気管支拡張薬，酸素療法，水分摂取の増加，および胸部理学療法（叩打，振動，および体位ドレナージ）が行われる。

結　核

結核菌 Mycobacterium tuberculosis は，**結核 tuberculosis**（TB）と呼ばれる感染性，伝染性の疾患を生じさせる。肺と胸膜の感染がもっとも多いが，からだのほかの部位に生じることもある。菌がいったん肺内に進入すると増殖して炎症が

生じ，好中球やマクロファージがその部位に遊走し菌の拡大を防ぐために貪食する．免疫機能が低下していない場合には菌は一生休眠した状態となる．しかし，免疫機能が低下していると菌は血液やリンパに入り込みほかの臓器に感染する．多くの人では病気が進行するまで，疲労感，体重減少，嗜眠，食欲不振，微熱，寝汗，咳，呼吸困難，胸痛，血液の喀出（喀血）などの症状は出現しない．

かぜ，季節性インフルエンザ，H1N1 インフルエンザ

　何百というウイルスが，**かぜ** coryza（common cold）を生じさせる．しかし，成人のかぜの約40％はライノウイルス rhinovirus と呼ばれるウイルス群が原因となっている．典型的な症状には，くしゃみ，鼻水，乾性咳嗽，充血などがある．合併症のないかぜでは発熱を伴うことは珍しい．合併症には，副鼻腔炎，喘息，気管支炎，耳感染症，喉頭炎などがある．近年の研究によると情緒的なストレスとかぜとの間に関係があることが示唆されている．ストレスのレベルが高いと，かぜを引きやすくまた長引きやすい．

　季節性インフルエンザ seasonal influenza（flu）もウイルスで発症する．症状は，悪寒，発熱（通常39℃以上），頭痛，筋肉痛などである．インフルエンザは致死的になる場合もあり，肺炎に進展する場合もある．インフルエンザは消化管（GI）の疾患ではなく，呼吸器の疾患であることを認識することが重要である．消化管症状が出現したときに，"インフルエンザ"になったと間違えている人が大勢いる．

　H1N1インフルエンザ H1N1 influenza（flu）は**ブタインフルエンザ** swine flu として知られている，H1N1型のインフルエンザ influenza H1N1 と呼ばれる新しい型のウイルスで生じるインフルエンザである．このウイルスは，季節性インフルエンザと同様に咳やくしゃみを通じて，あるいは感染したものに触れた後に口や鼻に触れることによって拡大する．このウイルスに感染した人の多くは軽症であり，治療を受けずに回復するが，一部の人は重症となり死亡する．H1N1インフルエンザの症状は，発熱，咳，鼻水，鼻閉，頭痛，筋肉痛，悪寒，倦怠感などである．嘔吐や下痢を示す人もいる．H1N1インフルエンザにより入院した人の多くは，糖尿病，心臓病，気管支喘息，腎臓病などの既往症を一つ以上有している人か妊婦であった．ウイルスに感染した人は，発症1日前から発症後5〜7日あるいはそれ以上の期間，ほかの人を感染させる可能性がある．H1N1インフルエンザの治療には，タミフル Tamiflu® やリレンザ Relenza® のような抗ウイルス薬の使用も含まれる．ワクチン接種も利用できるが，H1N1インフルエンザに対するワクチンは季節性インフルエンザワクチンを代用することはできない．感染を予防するために，米国疾病予防管理センター（CDC）は，セッケンと水あるいはアルコールを用いた手指消毒薬による手洗いをすること，咳やくしゃみをするときにはティッシュペーパーで口や鼻を覆い，そのティッシュは処分すること，口や鼻や目を触らないようにすること，インフルエンザ様の症状のある人との密接な（1.8 m 以内の）接触を避けること，発症後7日間あるいは症状消失後24時間以上は家にいることを推奨している．

肺水腫

　肺水腫 pulmonary edema は，肺の組織間隙や肺胞に間質液が異常に貯留した状態である．肺水腫は，肺毛細血管の透過性亢進（肺原性）やうっ血性心不全（心原性）による肺毛細血管圧の亢進により生じる．もっとも一般的な症状は呼吸困難である．ほかの症状としては，喘鳴，呼吸数の増加，不安感，窒息感，チアノーゼ，顔色不良，多汗などがみられる．

医学用語と症状

機械的人工呼吸 mechanical ventilation　呼吸を補助するために自動的に繰り返す装置（人工呼吸器）を使用すること．プラスチック製のチューブを鼻あるいは口から挿入し，そのチューブに肺に空気を押し込む装置を接続する．呼息は肺の弾性収縮力により受動的に生じる．

気管支鏡検査 bronchoscopy　気管支鏡 bronchoscope により気管支を肉眼的に観察する検査である．気管支鏡は，照明のついたチューブ状の器具で，口（あるいは鼻），喉頭，気管を通して気管支に挿入する．

吸引 aspiration　空気以外の物質，例えば水や食物，あるいはほかの異物を気管支に吸い込むこと．

胸膜炎 pleurisy（pleuritis）　胸膜の炎症により胸膜が腫脹し，呼吸時に二つの胸膜が摩擦するため疼痛が生じる．

呼吸窮迫症候群 respiratory distress syndrome（RDS）　サーファクタントの欠乏のために肺が拡張できないことによって生じる未熟児の呼吸器疾患である．サーファクタントは，表面張力を低下させ，呼息時に肺胞が虚脱するのを防止するのに必要な物質である．

呼吸困難 dyspnea（dys-＝苦痛，困難；-pnea＝呼吸）　苦痛や努力を要する呼吸．

呼吸不全 respiratory failure　呼吸器系が代謝を維持するのに十分な O_2 を供給できないか，呼吸性アシドーシス（間質液の H^+ の濃度が正常より高い）を防ぐのに十分な CO_2 の排出ができない状態をいう．

喘鳴 wheeze　気道の部分的な閉塞により生じる，呼吸時の口笛のような，きしむような，音楽的な高いピッチの音．

窒息 asphyxia（sphyxia＝パルス）　大気中の酸素濃度が低いか，あるいは換気，外呼吸，内呼吸が阻害されるために生じる酸素の欠乏．

低酸素症 hypoxia　組織レベルでの O_2 の欠乏のことで，これは高地のために動脈血の P_{O_2} が低いこと，貧血のように血液中に機能するヘモグロビンが非常に少ないこと，心不全のように組織が必要とする O_2 を十分な速度で届けられないこと，シアン中毒のように組織が O_2 を適切に使用できないことにより生じる．

乳幼児突然死症候群 sudden infant death syndrome（SIDS）　うつ伏せ寝（腹臥位）で眠っている間の低酸素症あるいはマットレスの沈下でたまった呼気を再呼吸することによる低酸素症のためと考えられる生後1週〜12カ月の乳児の死亡をいう．現在は，新生児は仰臥位に寝かせることが推

奨されている。"仰臥位で寝ること"を覚えておきなさい。
囊胞性線維症 cystic fibrosis（CF） 分泌上皮の遺伝性疾患であり，気道，肝臓，膵臓，小腸，汗腺が侵される。気道の閉塞や感染により呼吸困難が生じ，肺組織は破壊される。
鼻炎 rhinitis（rhin- ＝鼻） 鼻粘膜の慢性あるいは急性の炎症をいう。
鼻出血 epistaxis（鼻血 nosebleed） 外傷，感染，アレルギー，悪性腫瘍，出血性疾患により鼻から血液が失われること。硝酸銀で焼灼，電気焼灼法あるいは綿球を詰めることで止血することができる。
頻呼吸 tachypnea（tachy- ＝急速な；-pnea ＝呼吸） 呼吸数が増加すること。

腹部圧迫操作 abdominal thrust maneuver（ハイムリック操作 Heimlich maneuver） 気道の閉塞物を除去するための応急処置法である。臍部と下部肋骨との間を急激に押し上げることにより，横隔膜が突然押し上げられ，肺から空気が勢いよく放出され，空気が気管から強く押し出され，閉塞物が排出される。また溺水者に蘇生を開始する前に肺から水を吐き出させるときにも用いられる。
ラ音 rale プツプツやガラガラという音に似た肺から聞こえる音のことをいう。気管支や肺胞内の液体や粘液の種類や量，あるいは乱流を起す気管支閉塞により，異なった音が聞かれる。

18章のまとめ

18.1　呼吸器系の概要

1. 呼吸には三つの基本的な段階が含まれる：(1)肺胞換気，(2)外呼吸，そして(3)内呼吸。
2. 呼吸器系は鼻，咽頭，喉頭，気管，気管支，および肺からなる。これらは心臓血管系とともに血液に酸素を供給し，血液から二酸化炭素を排除する機能を担っている。
3. 呼吸器系は上部と下部に分かれている。

18.2　呼吸器系の器官

1. **鼻 nose** の外側部分は軟骨や皮膚で形成されており，その内側は粘膜で覆われている。外部に開いている部分が**外鼻孔 external naris** である。鼻の内側部分には**鼻腔 nasal cavity** があり，**鼻中隔 nasal septum** により外側部分から分けられ，**後鼻孔 internal naris** を通じて副鼻腔や咽頭鼻部と連絡している。鼻の機能には，空気の加温，加湿，濾過や嗅覚がある。また，発声時には共鳴室として機能している。
2. **咽頭 pharynx（喉）** は粘膜に覆われた筋性の筒で，咽頭鼻部，咽頭口部，咽頭喉頭部に分けられる。**咽頭鼻部 nasopharynx** は呼吸器として機能する。**咽頭口部 oropharynx** と**咽頭喉頭部 laryngopharynx** は消化器と呼吸器の両方の機能を有している。
3. **喉頭 larynx** は咽頭と気管とを接続する通路である。喉頭は**甲状軟骨 thyroid cartilage**（のどぼとけ［アダムのリンゴ］），**喉頭蓋 epiglottis，輪状軟骨 cricoid cartilage，披裂軟骨 arytenoid cartilage，前庭ヒダ vestibular fold，声帯ヒダ vocal fold**（声帯 true vocal cord）で構成されている。声帯ヒダの緊張は高い音声を，弛緩は低い音声をつくり出す。
4. **気管 trachea（windpipe）** は喉頭から主気管支まで伸びている。平滑筋とC字形の軟骨輪とで構成され，多列線毛円柱上皮で覆われている。
5. **気管支樹 bronchial tree** は，気管，**主気管支 main bronchus，葉気管支 lobar bronchus，区域気管支 segmental bronchus，細気管支 bronchiole，終末細気管支 terminal bronchiole** で構成されている。
6. **肺 lung** は**胸膜 pleural membrane** に覆われた胸腔内にある1対の臓器である。**壁側胸膜 parietal pleura** が外層であり，**臓側胸膜 visceral pleura** が内層である。右肺は二つの裂で3葉に分けられている。左肺は一つの裂により2葉に分けられ，心切痕がある。
7. 各肺葉は**小葉 lobule** で構成されており，小葉にはリンパ管，細動脈，細静脈，終末細気管支，**呼吸細気管支 respiratory bronchioles，肺胞管 alveolar duct，肺胞囊 alveolar sac，肺胞 alveolus** がある。
8. 肺胞壁は，Ⅰ型肺胞上皮細胞，Ⅱ型肺胞上皮細胞と肺胞マクロファージで構成されている。
9. 肺におけるガス（酸素と二酸化炭素）の交換は，Ⅰ型肺胞上皮細胞，基底膜，毛細血管の内皮細胞が薄く挟み込まれた**呼吸膜 respiratory membrane** を介して行われる。

18.3　肺換気

1. **肺換気 pulmonary ventilation（呼吸 breathing）** は，肺への空気の流入・流出という動きである吸息と呼息からなる。空気は圧の高いところから低いところに流れる。
2. **吸息 inhalation** は，**肺胞内圧 alveolar pressure** が大気圧より低下したときに生じる。横隔膜や外肋間筋の収縮により肺の容量が拡大する。肺の容量が増加することにより肺胞内圧が低下し，空気は圧の高いところから低いところへ，大気から肺に流入する。
3. **呼息 exhalation** は，肺胞内圧が大気圧よりも高いときに生じる。横隔膜や外肋間筋の弛緩により肺の容量が減少する。肺胞内圧が上昇し，肺から大気中に空気が流れる。
4. 胸鎖乳突筋，斜角筋，小胸筋は，努力吸息に関与する。努力呼息時には，内肋間筋，外腹斜筋，内腹斜筋，腹横筋，腹直筋が収縮する。
5. **分時換気量 minute ventilation** は，1分間に呼吸された空気の総量である（1分間の呼吸数に一回換気量 tidal volume を掛けた値）。
6. 肺気量分画は，一回換気量，**予備吸気量 inspiratory reserve volume，予備呼気量 expiratory reserve volume，残気量 residual volume** である。

7. 肺容量は二つ以上の肺気量分画を合算した量であり，最大吸気量 inspiratory capacity，機能的残気量 functional residual capacity，肺活量 vital capacity，全肺気量 total capacity などがある。

18.4　酸素と二酸化炭素の交換

1. ガスの分圧 partial pressure（P_X）は，混合気体中のその気体が示す圧力である。
2. 混合気体中において各気体はそれ自体の圧をもち，あたかもほかの気体が存在しないかのように振舞う。
3. 内呼吸と外呼吸において，O_2 や CO_2 は分圧の高い領域から低い領域に移動する。
4. 外呼吸 external respiration は，肺胞気と肺毛細血管の間のガスの交換である。ガス交換は，薄い呼吸膜，広いガス交換面積，豊富な血流により支えられている。
5. 内呼吸 internal respiration は，全身の組織毛細血管と組織細胞との間でのガス交換である。

18.5　呼吸ガスの運搬

1. 大部分の酸素（98.5％）はヘモグロビン内のヘムの鉄イオンにより運ばれる。1.5％は血漿に溶解する。
2. O_2 とヘモグロビンの結合は，P_{O_2}，pH，体温，P_{CO_2} に影響される。
3. 二酸化炭素は三つの方法で運搬される。約7％は血漿に溶解し，23％はヘモグロビンのグロビンに結合し，70％は炭酸水素イオン（HCO_3^-）に変換される。

18.6　呼　吸　調　節

1. 呼吸中枢 respiratory center は，延髄にある延髄呼吸中枢 medullary respiratory center と橋にある橋呼吸ニューロン群 pontine respiratory group により構成されている。
2. 延髄にある延髄呼吸中枢は，正常安静呼吸を調節している背側呼吸ニューロン群 dorsal respiratory group（DRG）と努力呼吸中に機能したり呼吸リズムを調節している腹側呼吸ニューロン群 ventral respiratory group（VRG）とにより構成されている。
3. 橋にある橋呼吸ニューロン群は，運動中や歌唱中や睡眠中の呼吸リズムを修正している。
4. 呼吸中枢の活動は，呼吸のホメオスタシス（恒常性）を維持するため，からだのさまざまな部分からの入力（刺激）に反応して修正される。
5. これらの刺激には，大脳皮質の影響，肺の膨張反射，O_2，CO_2，H^+ レベルなどの化学的刺激，固有受容器からの入力（刺激），血圧の変動，体温，痛み，気道の刺激が含まれる。

18.7　運動と呼吸器系

1. 呼吸数や呼吸の深さは，運動の強度や長さに反応して変化する。
2. 運動開始時には，延髄の呼吸中枢の背側呼吸ニューロン群に興奮性インパルスを送る神経系の変化により呼吸は急激に増加する。中程度の運動中には，血流の化学的，物理的変化により呼吸はより緩徐に増加する。

18.8　加齢と呼吸器系

1. 加齢により肺活量の減少，血中の O_2 レベルの低下，肺胞マクロファージの活動性の低下が生じる。
2. 高齢者は肺炎，肺気腫，気管支炎やほかの肺疾患により罹患しやすい。

クリティカルシンキングの応用

1. あなたの3歳の甥のレビはいつも自分のやり方でやるのが好きだ。レビは20個（手の指と足の指1本につき1個）のチョコレートクッキーを食べたがっている。しかし，あなたは彼に1歳につき1個分のチョコレートクッキーしかあげない。そのとき，彼は「僕は青くなるまで息をとめるよ。悲しがっても知らないよ。」といっている。彼には死の危険があるのか？
2. カティは水泳大会で呼吸困難を訴え運動誘発喘息と診断された。運動誘発喘息は運動選手にとってとくにやっかいな状態である。なぜなら，運動に対しからだの要求とは正反対にからだが反応するからである。このことについて説明しなさい。
3. ブリアナの顔の発赤がますますひどくなってきた。「今日は働きに行けない。」と彼女はささやいた。「私は喉頭炎とひどいかぜに罹ったようです。」ブリアナはどこが悪いのか。
4. あなたがちょうどソーダ水を飲み込もうとしているときに，解剖と生理の勉強仲間のクリスが愉快な冗談をいった。笑う代わりに，あなたは息が詰まって咳き込んだ。クリスは笑うと思ったのに，ソーダ水を吹きかけられた。何が起きたのか。

図の質問の答え

18.1 呼吸器系の導管領域にあたる構造は，鼻，咽頭，喉頭，気管，気管支，細気管支，終末気管支(呼吸細気管支を除く)である。

18.2 空気分子は，外鼻孔から鼻腔，後鼻孔へと流れる。

18.3 喉頭蓋は嚥下中，喉頭の上を閉じ食物や液体が入るのを防ぐ。

18.4 左肺には二つの葉と二つの葉気管支があり，右肺には三つの葉と三つの葉気管支がある。

18.5 肺小葉には1本のリンパ管，1本の細動脈，1本の細静脈と1本の終末細気管支の枝からの呼吸細気管支，肺胞管，および弾性の結合組織に包まれた肺胞嚢がある。

18.6 Ⅱ型肺胞上皮細胞はサーファクタントを含む肺胞液を分泌している。

18.7 安静呼吸を引き起す主な筋は横隔膜と外肋間筋である。

18.8 吸息中の肺胞内圧は758 mmHgであり，呼息中の肺胞内圧は762 mmHgである。

18.9 肺活量で，可能な限り深く吸息し，次にできるだけたくさんの空気を呼息することである。

18.10 酸素は，P_{O_2}の差により肺胞気から肺毛細血管，全身の毛細血管から組織細胞に入る。

18.11 血中の酸素の約98.5％はヘモグロビンにより運ばれる。

18.12 延髄呼吸中枢には，活動と無活動とを周期的に繰り返すニューロンが存在する。

18.13 横隔神経の刺激により横隔膜は収縮する。

18.14 正常動脈血のP_{CO_2}は40 mmHgである。

CHAPTER 19

消化器系

食物には，いろいろな**栄養素** nutrient が含まれているが，それらはからだの組織を新しくつくる，損傷した組織を修復する，そしてそのことに必要な化学反応に関与する分子である。また，食物は生命にとって不可欠で，すべての体細胞で行われる化学反応を促進するエネルギー源となる。少し冗談過ぎるけれども，チョコレートケーキそのものが直接胃や殿部で利用できるわけではない。つまり，多くの食物がそのままの形で細胞のエネルギー源として利用されるわけでもない。まず，消化管細胞の細胞膜を通過できるくらいの大きさにまで分解されなければならない。このことは外部環境と接している表面積が広く，心臓血管系と密接な関係にある消化器系で行われる。この消化器系と心臓血管系の密接な関係は，私たちが食する食物の消化過程にとって必須条件である。

先に進むための復習

- 粘膜（4.4 節）
- 漿膜（4.4 節）
- 平滑筋組織（8.8 節）
- 下顎骨を動かす筋（8.11 節）
- ネガティブフィードバックシステム（1.3 節）
- 単層円柱上皮（4.2 節）
- 糖質，脂質，タンパク質（2.2 節）
- 酵素（2.2 節）

19.1 消化器系の概観

目標

- 消化器系の各器官の所在およびその基本的な機能を同定する。

消化器系 digestive system（dis ＝ 分解；genere ＝ 遂行する）は，摂取した食物を体細胞が利用できるくらいのより小さな分子にまで分解する一連の器官からなり，消化管とその付属器官の二つで構成されている（図 19.1）。**消化管** gastrointestinal（GI）tract （alimentary canal）は，口腔から肛門まで連続した管状の構造である。食物は摂取してから消化，吸収され，体外に排泄されるまでの間，消化管内にとどまっている。消化管は口腔，咽頭，食道，胃，小腸，大腸までである。生体の胃腸管の長さは胃腸管壁の筋が常

Q 乳製品に敏感な人がいることを疑問に思ったことはありませんか？ 答えは 19.8 節の「臨床関連事項：乳糖不耐性」でわかるでしょう。

に緊張しているので，約 5〜7 m であるが，遺体ではそれよりも長く 7〜9 m となる。**付属消化器官** accessory digestive organ は歯，舌，唾液腺，肝臓，胆嚢，膵臓である。歯は食物を機械的に嚙み砕くときに，舌は咀嚼時や嚥下時に補助的に機能する。それ以外の付属器官は決して食物と直接触れることはなく，消化液を産生あるいは貯蔵し，それを導管経由で消化管腔に分泌し，食物を化学的に分解するときに機能する。

消化器系の機能は，全体として六つの基本的な過程に分けられる。

1. **（食物）摂取** ingestion：口腔内に食物や飲料水を取り込む「食べる」という過程である。
2. **（消化液）分泌** secretion：毎日，消化管壁とその付属器官にある細胞から，水，酸，緩衝液，酵素を含む約 7 L の消化液が管腔に分泌される。
3. **（食物の）混合と移送** mixing and propulsion：消化管壁にある平滑筋が収縮と弛緩を繰り返すことによって，食物と消化液が混ぜ合わされ，肛門に向かって移送される。この食物を混合して移送させる消化管の機能は，**消化管運動** motility と

図 19.1 消化器系の消化管とその付属器官。

消化管は口腔，咽頭，食道，胃，小腸および大腸からなる。歯，舌，唾液腺（耳下腺，顎下腺，舌下腺），肝臓，胆嚢，膵臓はその付属器官で，赤色で示してある。

消化器系の機能
1. 摂取：食物を口に入れる。
2. 分泌：水，酸，緩衝液，酵素を消化管に分泌する。
3. 混合と移送：消化管内での混合と移送。
4. 消化：機械的，化学的な食物の分解。
5. 吸収：消化産物の消化管から血液，リンパへの移行。
6. 排便：消化管からの便の排泄。

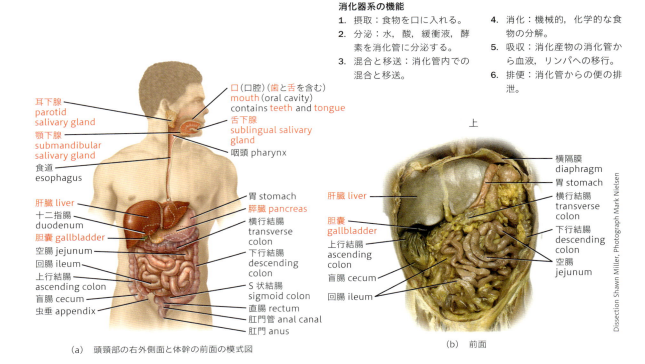

(a) 頭頸部の右外側面と体幹の前面の模式図
(b) 前面

Q どの消化付属器官が食物の機械的消化に役立っているか？

いわれる。

4. （機械的・化学的）**消化 digestion**：摂取された食物は機械的および化学的に小さな分子にまで分解される。食物は歯による**機械的消化 mechanical digestion** で噛み砕かれた後，飲み込まれ，胃や腸の平滑筋で撹拌されて，さらに消化が推し進められる。その結果，食物に含まれる分子は溶解し，消化酵素と完全に混合される。**化学的消化 chemical digestion** では，消化酵素によって食物に含まれる炭水化物，脂質，タンパク質，核酸の巨大分子がより小さな分子にまで分解される。

5. **吸収 absorption**：消化液，分泌液，イオン類，消化産物である小さな分子が，消化管腔を裏打ちしている上皮細胞に取り込まれる過程を**吸収**という。吸収された物質は間質液を通過して血液あるいはリンパに入り，循環して全身の細胞へと運搬される。

6. **排便 defecation**：老廃物，未消化の食物，細菌，消化管から剥離した細胞，吸収されなかった消化物は，肛門から**排便**という過程をへて排泄される。その排泄物を**便 feces（stool）**という。

チェックポイント

1. 消化器系のどの部分が消化管で，どの部分がその付属器官か？
2. 消化器系のどの器官が，食物と直接，接触するのか？

19.2 消化管の管壁と腹膜ヒダ

目標

・消化管の管壁を構成する4層を述べる。

食道下部から肛門管にいたる消化管の管壁は，基本的に同じ4層構造，つまり内腔から表層にかけて粘膜，粘膜下組織，筋層，漿膜の4層になっている（図19.2）。

図 19.2 消化管の管壁。胃（図 19.8），小腸（図 19.12），大腸（図 19.15）では，この基本構造に比べて，少しずつ違いがある。

消化管は内腔から表層にかけて，粘膜，粘膜下組織，筋層，漿膜の 4 層構造である。

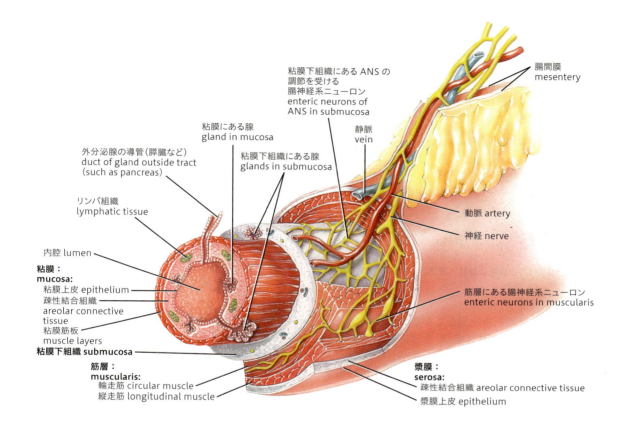

Q 消化管の管壁にある神経の機能は何か？

1. **粘膜**：粘膜 mucosa は消化管の内腔を裏打ちしている。さらに，粘膜は消化管内容物と直接接する粘膜上皮細胞と，**粘膜固有層 lamina propria** といわれる疎性結合組織の層，**粘膜筋板 muscularis mucosae** といわれる薄い平滑筋層からなる。筋層が収縮すると粘膜にヒダが形成され，消化と吸収のための表面積が増大する。また，粘膜には消化管を通じて侵入してくる病原体からからだを守る多くのリンパ小節がある。

2. **粘膜下組織**：粘膜下組織 submucosa は，筋層と粘膜に結合している疎性結合組織で，吸収した食物分子を取り込む多くの血管やリンパ管がある。また，**腸神経系 enteric nervous system (ENS)**，つまり"腸管の脳"といわれる自律神経系（ANS）による調節を受けるニューロン（神経細胞）の網目構造がある。

3. **筋層**：その名称からもわかるように，**筋層 muscularis** は消化管の厚い筋の層である。口腔，咽頭，食道の上部にある筋層は，**骨格筋 skeletal muscle** であり，随意性に嚥下を行うことができる。また，外肛門括約筋も骨格筋で排便を随意性に調節する。括約筋とは，開口部を輪状に取り巻く厚い筋のことであるということを思い出そう。それ以外の消化管は，一般的に内側に輪走筋，外側に縦走筋の 2 層の薄い**平滑筋 smooth muscle** からなる。これらの平滑筋の収縮は不随意性で，食物を機械的に破砕し，消化液と混合し，消化管内を移送させる。この筋層にある ENS のニューロンは，その筋収縮の頻度と強さを調節している。

4. **漿膜と腹膜**：漿膜 serosa は横隔膜よりも下にある消化管の臓器の最外層を覆っており，それは単層

図 19.3 腹部と骨盤の図。腹膜の一部，つまり大網と腸間膜の関係および消化器系の臓器との関連を示す。

> 腹膜は生体でもっとも広い漿膜である。

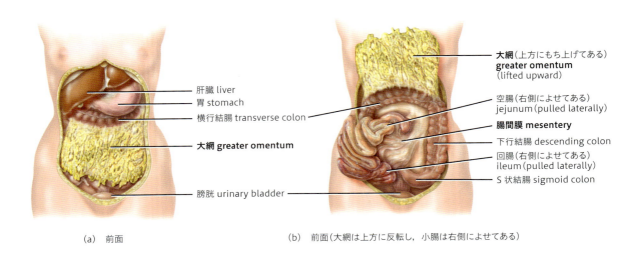

(a) 前面   (b) 前面（大網は上方に反転し，小腸は右側によせてある）

Q 腹膜のどのヒダが小腸を後腹壁に固定しているか？

扁平上皮と疎性結合組織からなる。漿膜は滑らかで水溶性の液体（訳注：漿液）を分泌して，消化管とそれに隣接する臓器との間のすべりをよくしている。漿膜はまた，**腹膜 peritoneum**（＝伸展する）ともいわれる。4.4 節で腹膜は，からだの中でもっとも広い漿膜であると説明されていたことを思い出そう。**壁側腹膜 parietal peritoneum** が腹腔壁を覆うのに対して，**臓側腹膜 visceral peritoneum** は腹腔内にある臓器の表面を覆っている。

からだにあるいくつかの器官は壁側腹膜の**後ろ**，つまり後腹壁にあるので，前面のみ腹膜に覆われる。その器官は**腹膜後器官 retroperitoneal organ**（retro-＝後ろ）といわれ，腹大動脈，下大静脈，十二指腸，上行結腸，下行結腸，腎臓，尿管がそれに相当する。

腹膜ヒダ（訳注：間膜）は，臓器間および臓器と腹腔壁とを結合するとともに，そこには腹部臓器に分布する血管，リンパ管，神経がある。**大網 greater omentum**（＝脂肪性の皮膚）は，まるで脂肪でできたエプロンのように横行結腸表面から垂れて，曲がりくねった小腸を覆っている（図 19.3 a，b）。大網にある多くのリンパ節には，消化管での感染防御に関与するマクロファージや抗体を産生する形質細胞がある。大網には正常でもかなりの脂肪組織が含まれている。体重増加とともにその脂肪量も増加して，ときどき肥満の人に特徴的な"ビール腹"になる。腹膜ヒダの一部に**腸間膜 mesentery**（mes-＝間）があり，小腸を後腹壁に固定している（図 19.3 b）。

> **臨床関連事項**
>
> **腹膜炎 peritonitis**
>
> 腹膜の急性炎症である**腹膜炎 peritonitis** の一般的な病因は，事故や外科手術時の傷，または腹腔臓器の穿孔や破裂によって，腹膜に感染性微生物が混入することによる。

> **チェックポイント**
>
> 3．消化管のうち骨格筋でできている部位はどこか？　その調節は随意性か不随意性か？
> 4．臓側腹膜と壁側腹膜はどこにあるのか？

19.3 口（口腔）

目標

・唾液腺の位置を同定し，その分泌機能を述べる。
・舌の構造と機能の概要を述べる。
・標準的な歯の各部位を列挙し，乳歯と永久歯を比較する。

口 mouth（あるいは**口腔 oral cavity**）は，頰，硬口蓋，軟口蓋，舌で構成される（図 19.4）。口腔の両側

図 19.4 口（口腔）の構造。

口は頬，硬口蓋，軟口蓋，舌で構成される。

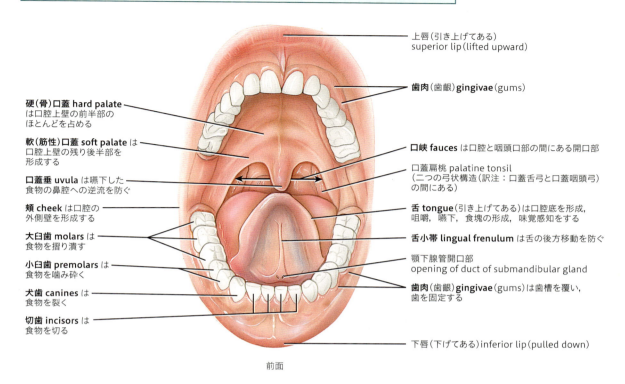

前面

Q 舌筋の機能は何か？

は頬で，**口唇** lip は，口腔の開口部周囲を取り巻く筋性の隆起部である。上唇・下唇ともその外側は皮膚で，内側は粘膜で覆われている。咀嚼時には，口唇と頬が食物を上歯と下歯の間に保持し，会話のときにも補助的に働く。

硬口蓋 hard palate は，上顎骨と口蓋骨からなり，口腔上壁の大部分を占める。それ以外の部分は筋性の**軟口蓋** soft palate である。軟口蓋から指のような形をした**口蓋垂** uvula が垂れ下がっている。嚥下時に口蓋垂が軟口蓋とともに後方に挙上し，食物や飲料水が鼻腔に逆流するのを防ぐ。口腔は，軟口蓋の後端の**口峡** fauces とよばれるところで，咽頭口部に開口している。ちょうどその開口部の後ろに**口蓋扁桃** palatine tonsil がある。

舌

舌 tongue は，口腔底を形成している。それは粘膜で覆われた骨格筋性の付属消化器官である（図 12.4 参照）。

舌筋は咀嚼するために食物を移動させて，それを球状の食塊にし，口の奥に送り込んで嚥下させる。また，舌筋は嚥下や会話のときには舌の形や大きさを変える。**舌小帯** lingual frenulum（lingua＝舌；frenum＝小帯）は，舌下面の真ん中にある粘膜のヒダで，舌が後方に移動しすぎないようにしている（図 19.4）。舌小帯が短いか，硬くなっている場合は，「舌足らず」といわれ，会話が障害されるが，外科的に修復可能である。舌根には舌扁桃がある（図 12.4 a 参照）。舌の上面と側面は**舌乳頭** papilla といわれる突起で覆われているが，その中には味蕾があるもの（訳注：有郭乳頭，葉状乳頭，茸状乳頭）とないもの（糸状乳頭）がある。舌腺は**舌リパーゼ** lingual lipase を分泌するが，それが胃の中に入ると酸性環境下ですぐに，トリグリセリドを脂肪酸とジグリセリド（グリセロールに二つの脂肪酸が結合した化合物）にまで分解し始める。

唾液腺

3 対の**唾液腺** salivary glands は口腔外に位置し，導管を通じて唾液を口腔内に分泌する付属消化器官である（図 19.1 参照）。**耳下腺** parotid salivary gland

は，両側の耳の下前方にかけて皮膚と頬筋の間に位置する。**顎下腺 submandibular salivary gland** は，口腔底，つまり下顎の内側で，一部は下方にある。**舌下腺 sublingual salivary gland** は，舌の直下で顎下腺の上方にある。

唾液腺から分泌される**唾液 saliva** の 99.5％は水（訳注：溶媒）で，残り 0.5％が溶質である。唾液に含まれる水に食物成分が溶解することによって，味覚を感じ，消化反応が始まる。溶質の一つが消化酵素の**唾液アミラーゼ salivary amylase** で，口腔内でのデンプンの分解を始める。唾液には粘液が含まれているので食物を飲み込みやすくなる。リゾチームという酵素には殺菌作用があるので，口腔粘膜は感染から，歯は虫歯から守られている。

唾液分泌 salivation は自律神経系に支配されている。通常，副交感神経によって適量の唾液が絶えず分泌されているので，粘膜は湿潤状態になり，会話時には舌と口唇が滑らかに動けるようになる。逆に，ストレス状態では交感神経が優位となり，口腔内が乾いてくる。

歯

歯 teeth（dentes）は，上顎骨と下顎骨の歯槽突起（訳注：歯槽弓）に埋め込まれている付属消化器官である。歯槽突起は**歯肉 gingiva**（複数形 gingivae あるいは gums）で覆われ，**歯根膜 periodontal ligament**（peri- ＝周囲の；odont- ＝歯）で裏打ちされている。この線維性緻密性結合組織は，歯を骨に結合する（図 19.5 a）。

標準的な歯の外側は，三つの主要部分である歯冠，歯根，歯頸に分けられる。**歯冠 crown** は歯肉より上に露出している部分である。一つから三つの**歯根 root** が歯槽内に埋もれている。**歯頸 neck** は歯肉線近くの歯冠と歯根との境界部にあたる。

歯の内部の大部分を占める**象牙質 dentin** は，歯に基本的な形と硬さを与えている石灰化した結合組織である。歯冠の象牙質は，主にリン酸カルシウムと炭酸カルシウムからなる**エナメル質 enamel** で覆われている。からだの中でもっとも硬く，カルシウム塩に富んだ（乾燥重量の 95％）エナメル質は，歯を咀嚼による損傷や摩耗から守っている。また，象牙質を容易に溶かす酸からも守っている。歯根の象牙質は，別の骨様物質である**セメント質 cementum** で覆われている。セメント質は歯根を歯根膜に結合する。象牙質の内部には結合組織性の**歯髄 pulp** で満たされた空洞の**歯髄腔 pulp cavity** があり，そこには血管，神経，リンパ管がある。歯髄腔から狭く伸びている部分が歯根

図 19.5 典型的な歯の構造。

完全に揃っている場合，乳歯は 20 本，永久歯は 32 本である。

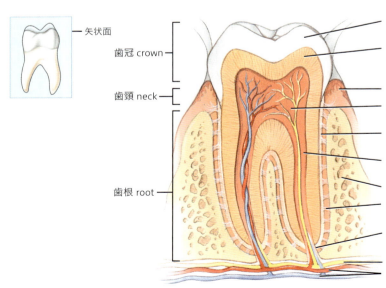

(a) 下顎大臼歯の矢状断面図

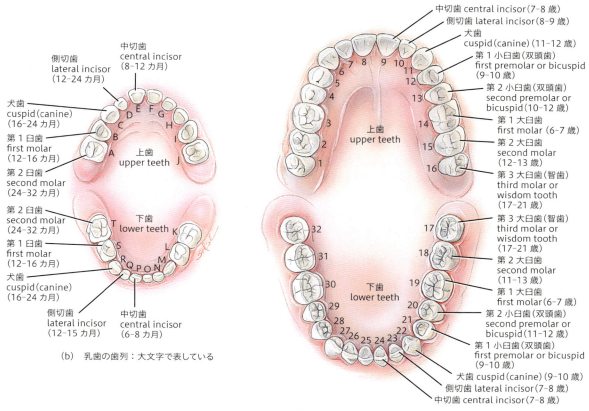

(b) 乳歯の歯列：大文字で表している

(c) 永久歯の歯列：数字で表している

Q 歯を主に構成しているのは主にどんな組織か？

を貫いている**歯根管 root canal**である。それぞれの歯根管の基部には開口部があり，そこから栄養素を運ぶ血管，生体防御に関与するリンパ管，感覚を伝導する神経が出入りしている。

ヒトには，2種類の歯がある。**乳歯 deciduous teeth**は6カ月頃から生え始め，それ以降，全部で20本になるまで，だいたい毎月対になって生えてくる（図19.5 b）。すべての乳歯は，一般的に6歳から12歳までの間に抜け落ちる。**永久歯 permanent teeth**は6歳から大人になるまでに32本の完全なセットになる（図19.5 c）。

ヒトは異なった機能を行う歯をもっている（図19.4参照）。正中線にもっとも近いところに位置する二つの**切歯 incisors**（中 central と 側 lateral）は食物を切り裂くのに適している；切歯の後ろに**犬歯 cuspid (canine)**があり，その表面には一つの先端が鋭くなった**咬頭 cusp**があり，食物を裂き，細断するのに使われる。**小臼歯 premolar**には二つの咬頭があり，噛み砕きと破砕に使われる。**大臼歯 molar**には三つ以上の咬頭があり，噛み砕きと破砕に使われる。

> **臨床関連事項**
>
> **歯根管治療法**
>
> **歯根管治療法 root canal therapy**では，悪くなった虫歯の歯髄腔と歯根管から歯髄組織をすべて取り除くが，次のように行われる。歯に穴をあけ，細菌を除去するために歯根管を磨き洗浄する。その後，薬で処置して，完全にふさぎ，損傷している歯冠を修復する。

口腔内での消化

咀嚼 mastication（＝噛むこと）によって口腔内での機械的な消化が行われる。そのとき，食物を舌で動かし，歯で破砕し，唾液で混合する。その結果，食物はやわらかくなり，形が変り，飲み込みやすい**食塊 bolus**（＝塊）になる。

食物中の糖質には単糖類，二糖類あるいはグリコーゲンやデンプンのような複合多糖類が含まれている

(2.2節)．摂取する糖質の多くは植物から摂取するデンプンであるが，単糖類（グルコース，フルクトース，ガラクトース）だけが血液中に吸収されるので，摂取したデンプンは単糖類にまで分解する必要がある．唾液アミラーゼはグルコース間の特定の化学結合を切断することによって，デンプンを分解する．分解産物には二糖類のマルトース（麦芽糖；グルコース2分子），三糖類のマルトトリオース（グルコース3分子），そしてそれよりも大きい断片であるデキストリン（グルコース5〜10分子）が含まれる．飲み込んだ食物中の唾液アミラーゼは，胃酸で失活するまでの約1時間デンプンを消化し続ける．

> **チェックポイント**
> 5. 口腔を形成する構造は何か？
> 6. 唾液分泌は自律神経系の副交感神経と交感神経によってどのように支配されているか？
> 7. 食塊とは何か？ どのようにしてつくられるか？

19.4 咽頭と食道

目標
・咽頭と食道の位置，構造，機能について述べる．

嚥下時には，食塊は口腔から**咽頭 pharynx**（throat）を通過する．咽頭は骨格筋とそれを裏打ちする粘膜からなり，後鼻孔から後方は食道にまで，前方は喉頭にまで拡がる漏斗状の管である（図19.6 a）．咽頭鼻部が呼吸機能に関与するのに対して（図18.2 参照），飲み込まれた食塊は口腔から咽頭口部と咽頭喉頭部に達し，そこにある筋の収縮で食べ物を食道に送り込む．

食道 esophagus（＝食べ物の通路）は，気管の後方に位置する重層扁平上皮で裏打ちされた筋性の管である．咽頭喉頭部の下端から始まり，縦隔と横隔膜を通過し，胃の上部にいたる．食道は食塊を胃に移送し，粘液を分泌する．食道の両端の筋層には二つの括約筋がある．つまり，**上食道括約筋 upper esophageal sphincter**（UES）は骨格筋性で，**下食道括約筋 lower esophageal sphincter**（LES；cardiac sphincter）は平滑筋性で心臓の近くに位置する．前者は咽頭から食道への食物の移動を，後者は食道から胃への移動を調節している．

嚥下 swallowing（deglution）による口腔から胃までの食塊の移動には，口腔，咽頭，食道が関与するが，それは唾液と粘液の補助的な働きで行われる．嚥下は随意相，咽頭相，食道相の3相に分けられる．

随意相 voluntary stage では，軟口蓋に逆らって舌を前後に動かせて，食塊を無理やり口腔の後ろにまで押しやり，咽頭口部にまで送り込む．食塊が咽頭口部に入ると，嚥下の不随意性の**咽頭相 pharyngeal stage** が始まる（図19.6 b）．そのとき，軟口蓋と口蓋垂が上方に移動して咽頭鼻部を閉鎖し，喉頭蓋も喉頭を閉鎖して声帯が閉じるので，一時的に呼吸がとまる．食塊が咽頭口部を通過してしまうと，気道が再び開き，呼吸が再開される．上食道括約筋が弛緩するとすぐに食塊は食道に入る．

嚥下の**食道相 esophageal stage** では，**蠕動運動 peristalsis**（stalis＝収縮）といわれる過程をへて，食塊を食道から押し出す（図19.6 c）．

❶ 食塊より上にある食道の輪走筋が収縮すると，食道壁が絞られ，食塊が下に向かって押し込まれる．
❷ 食塊下端の周囲にある縦走筋が収縮して，食塊の下の食道部分が短くなり，管腔が広がる．
❸ 食塊が食道の次の部位に移動すると，それより上にある輪走筋が収縮するというサイクルを繰り返す．その収縮によって，食塊は食道を下降して胃に入る．食塊が食道下端に到達すると，下食道括約筋が弛緩して，食塊が胃に移動する．

> **臨床関連事項**
>
> **胃食道逆流症**
>
> 食塊が胃に入ってしまった後，下食道括約筋が十分に収縮しない場合は，胃の内容物が食道下部に逆流することがある．この病態が**胃食道逆流症 gastroesophageal reflux disease**（GERD）である．胃内容物中の塩酸が食道壁を刺激して**胸やけ heartburn** といわれる症状になる．心臓疾患とは何の関係もないが，心臓に非常に近い位置でそれを経験するのでそういわれる．飲酒や喫煙で下食道括約筋が弛緩すると，ますます悪くなる．コーヒー，チョコレート，トマト，脂肪性食品，オレンジジュース，ペパーミント（ハッカ），スペアミント（ミドリハッカ），タマネギなどの胃酸分泌を強く刺激する食物の摂取を控えることによって，GERD の症状を調節することもできる．その他，酸を抑える方法には，処方箋なしで買えるタガメット Tagamet HB® や Pepcid AC® のようなヒスタミン H_2 遮断薬を食事の30〜60分前に服用してもよいし，すでに分泌された酸を Tums® や Maalox® のような制酸剤で中和することでもよい．GERD は食道癌と関係する場合もある．

> **チェックポイント**
> 8. 食塊はどのようにして口腔から胃に入るのか？

19.4 咽頭と食道　497

図 19.6 嚥下。嚥下の咽頭相（b）では舌は口蓋方向に上がり，咽頭鼻部が閉じる。喉頭は上昇し，喉頭蓋が喉頭を閉じて食塊は食道に入る。嚥下の食道相（c）では，蠕動運動によって食物は食道を通過して胃に入る。

> 嚥下によって食物が口腔から胃に移動する。

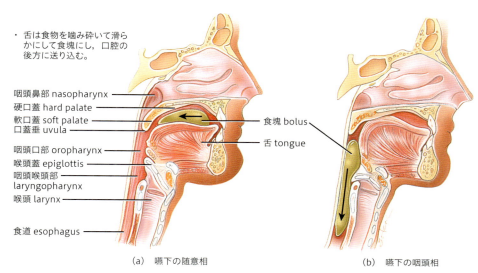

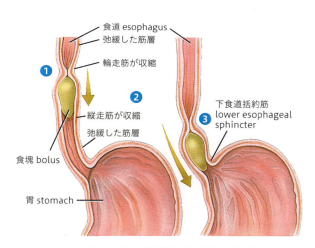

Q 嚥下は随意運動か，それとも不随意運動か？

19.5 胃

目 標

・胃の位置，構造，機能について述べる。

胃 stomach は，横隔膜直下にある典型的なJの字の形をした管腔の拡がった消化管である。胃は食道と小腸の最初の部位である十二指腸の間にある（図19.7）。小腸で食物を消化・吸収するよりも短い時間で，食事が行われるので，胃は食塊の混合や一時的な貯蔵の場として機能する。食物が消化された後，胃は適当な間隔で，消化物を少量ずつ十二指腸に送り込む。胃の位置や形は絶えず変化しており，吸気ごとに横隔膜とともに下降し，呼気ごとに上に引き上げられる。胃は胃腸管の中でもっとも弾力性があり，約6.4Lまでの大量の食物を入れることができる。

胃の構造

胃は噴門，胃底，胃体，幽門の四つの主要な部位に分けられる（図19.7）。**噴門 cardia** は胃の上部の入口を取り囲んでいる。噴門より上で左にある丸い部分は**胃底 fundus** である。胃底の下方の中心にある大きな部分は**胃体 body** といわれる。狭くてもっとも下方にある領域は**幽門部 pyloric part**（pyl- ＝門；-orus ＝守る）である。幽門部は胃体と連結する**幽門洞 pyloric antrum**，**幽門 pylorus** に連結する**幽門管 pyloric canal**，十二指腸に連結する幽門に分けられる。幽門と十二指腸の間には，**幽門括約筋 pyloric sphincter** がある。

胃壁は基本的にはほかの消化管壁と同じく4層構造であるが，少し異なっている。空腹時の胃の粘膜には大きな**ヒダ rugae**（＝しわ）がある。粘膜表面には**表層粘液細胞 surface mucous cell** といわれる単層円柱上皮細胞がある（図19.8）。その上皮細胞はまた，**胃腺 gastric gland** といわれる分泌細胞からなる円柱構造を形成する。胃腺には，**胃小窩 gastric pits** とい

図 19.7 胃の内部と外観の解剖図。破線は胃の各領域の境界を示す。

胃は噴門，胃底，胃体，幽門の四つの領域からなる。

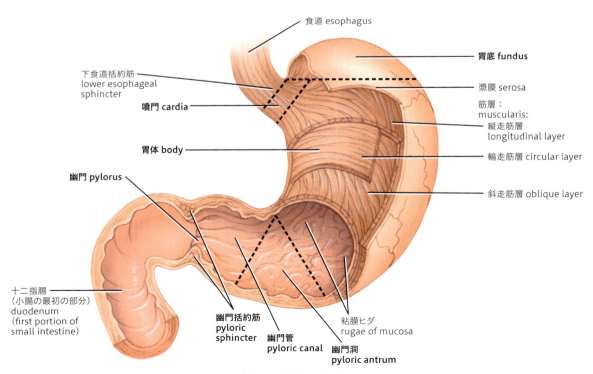

(a) 胃の領域を示す前面図

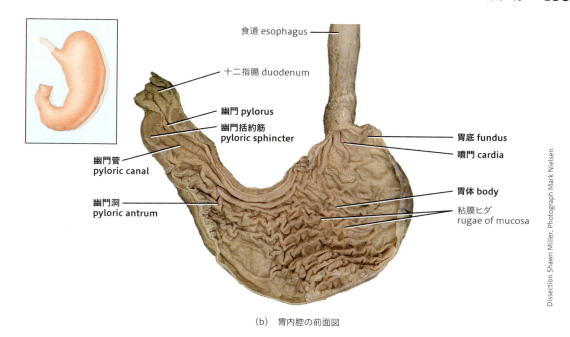

(b) 胃内腔の前面図

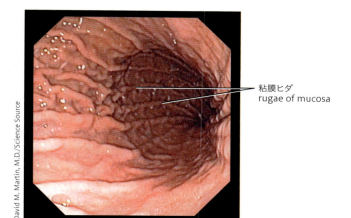

(c) 正常な胃体の内視鏡像

胃の機能
1. 食物を唾液と胃液で混合し糜粥を形成する。
2. 食物を小腸に排出する前に一時的に蓄える。
3. 胃液を分泌する。胃液には殺菌作用やタンパク質変性作用のある塩酸，タンパク質分解酵素のペプシン，ビタミン B_{12} 吸収に必要な内因子，トリグリセリド分解酵素の胃リパーゼを含む。
4. ガストリンを血中に分泌する。

Q たくさんの食物を食べても，あなたの胃のヒダはまだ残っているか？

われる細い通路がある。したがって，いくつかの胃腺で産生された分泌物は，胃小窩から胃の内腔にあふれ出ていく。

胃腺には胃の内腔に分泌物を分泌する3種類の**外分泌細胞** exocrine gland cell（頸部粘液細胞（訳注：副細胞ともいわれる），主細胞，壁細胞）がある（図 19.8）。表層粘液細胞と**頸部粘液細胞** mucous neck cell は，粘液を分泌する。**主細胞** chief cell は，ペプシノゲン pepsinogen といわれる不活性型の胃の酵素を分泌する。**壁細胞** parietal cell は塩酸を産生する。その塩酸には食物に含まれる多くの微生物を殺菌し，ペプシ

ノゲンを活性型の消化酵素である**ペプシン** pepsin に変える補助的な作用がある。壁細胞はまた，ビタミン B_{12} を吸収するのに必要な**内因子** intrinsic factor を分泌する。ビタミン B_{12} は赤血球産生に必要なので，内因子が十分に産生されないと，悪性貧血になる。粘液細胞，主細胞，壁細胞からの分泌物を総称して**胃液** gastric juice という。胃腺にある第4の細胞である**G細胞** G cell は，**ガストリン** gastrin というホルモンを血中に分泌する。

胃の粘膜下組織は疎性結合組織であり，粘膜と筋層を結合している。その筋層にある平滑筋は2層ではな

図 19.8 胃の層構造。

胃腺からの分泌物は，胃小窩から胃の内腔へと分泌される。

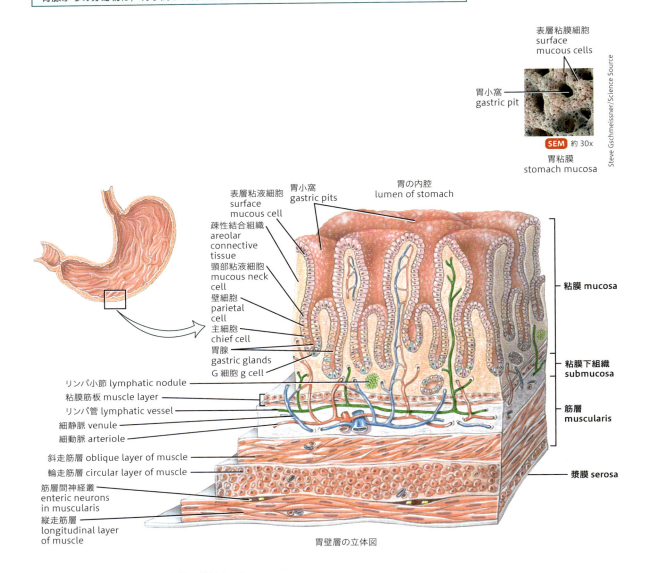

胃壁層の立体図

Q 胃のどの層が，嚥下された食物と接触するか？

く3層（外縦走，中輪走，内斜走）である（図 19.7 a 参照）。単層扁平上皮と疎性結合組織からなる臓側腹膜の一部である漿膜が胃を覆う。

胃における消化と吸収

胃に食物が入って数分すると，15〜25 秒間隔で胃に蠕動波が発生する。主に食物をためる胃底では蠕動波の頻度は少ないが，多くの蠕動波は胃体から始まり，幽門洞に近づくにつれて増強する。それぞれの蠕動波が生じるたびに，胃の内容物は胃体から幽門洞に向かって移動させられる。この過程を**移送** propulsion という。通常，幽門にある幽門括約筋は収縮しているけれども，幽門を完全に閉鎖しているわけではない。胃内の食物分子の多くは最初大きいのでこの狭い幽門を通過できないため，胃体のほうに向かって戻される。この過程を**逆移送** retropulsion という。それから次の蠕動波が始まり，食物分子を幽門洞に向かって移送させる。食物分子が幽門を通過するにはまだ大きすぎる場合は再び逆移送が起り，胃体に向かって絞るように戻される。それから何度も蠕動運動が繰り返さ

れることによって，胃の内容物が胃液と混合し，**麋粥**
chyme（＝ジュース）といわれるスープ状の液体に変えられる。

　麋粥中の食物分子が十分に小さくなると，幽門を通過できるようになるが，この過程を**胃内容排出 gastric emptying** という。この胃からの胃内容排出の過程はゆっくりで，1回に幽門を通過する麋粥の量はたった3 mLにすぎない。このようにして，十二指腸が処理できない量の麋粥を十二指腸に送り込まないようにしている。糖質に富む食物は胃にとどまる時間がもっとも短く，高タンパク食はそれよりいくぶん長くなり，胃からの排出がもっとも遅いのは多量の脂肪を含む食物を摂取した場合である。

> **臨床関連事項**
>
> **嘔　吐**
>
> 　**嘔吐 vomiting** とは上部消化管（胃，時には十二指腸）の内容物を口から強制的に吐き出すことである。嘔吐を引き起こすもっとも強い刺激は胃の炎症と膨張である。みたくない光景，通常の麻酔，めまい，モルヒネのようなある種の薬剤も嘔吐の刺激になる。とくに幼児や高齢者では嘔吐が長引くと，酸性の胃液が失われるので，代謝性アルカローシス（正常な血液のpHがより高くなる状態），脱水，食道と歯の損傷を伴って，重症化することがある。

　胃における主な化学的消化は，酵素のペプシンがタンパク質を構成するアミノ酸とアミノ酸の間のペプチド結合を分解することから始まる。その結果，タンパク質はアミノ酸がより少なくなった**ペプチド peptide** にまで断片化される。ペプシンは胃の強酸性の環境下で（pH 2），効率よく機能する。ペプシンは食物中のタンパク質を消化するが，胃の細胞にあるタンパク質は消化しない。なぜそうさせているのか。第一に，ペプシンは不活性型のペプシノゲンとして分泌されることを思い出そう。ペプシノゲンは胃液に含まれる塩酸と接触することにより，活性型のペプシンに変換される。第二に胃の粘膜は粘液細胞によって分泌された粘液で覆われ，胃の上皮細胞と胃液の間には粘液性の厚い保護膜が形成される。舌腺から分泌される舌リパーゼは，胃の酸性環境下でトリグリセリドを脂肪酸とジグリセリドにまで分解する。

　胃の上皮細胞は多くの物質に対して不透過性なので，胃における物質吸収はほとんど行われないが，胃の粘液細胞は，ある種の薬剤（とくにアスピリン）やアルコールのほか，水分，イオン類，短鎖脂肪酸をわずかではあるが，吸収する。

> **チェックポイント**
>
> 9. 胃液には何が含まれているか？
> 10. ペプシンの作用は何か？ なぜ，不活性型で分泌されるのか？
> 11. 胃から吸収される物質は何か？

19.6　膵　臓

目標
・膵臓の位置，構造，機能について述べる。

　麋粥が胃から十二指腸に入ってくる。小腸における化学的消化は膵臓，肝臓，胆嚢の機能に依存しているので，まず，これらの付属消化器官について考え，そして小腸の消化への関与をみてみよう。

膵臓の構造

　膵臓 pancreas（pan-＝すべて；-creas＝肉）は，胃の後方に位置する（図19.1 参照）。膵臓からの分泌物は**膵管 pancreatic duct** を通じて，十二指腸に分泌される。膵管は肝臓と胆嚢からの管が結合した総胆管と結合して共通の管（肝膵管 hepatopancreatic duct）となり，十二指腸に開口する（図19.9）。

　膵臓は腺上皮細胞の小さな塊からできている。そのうちの多くは**腺房 acini** といわれる細胞集団で，膵臓の**外分泌部 exocrine portion** である（図13.11 参照）。腺房細胞は消化酵素を含む**膵液 pancreatic juice** を分泌する。残り1％の細胞集団は，**膵島 pancreatic islet**（ランゲルハンス島 islet of Langerhans）といわれる膵臓の**内分泌部 endocrine portion** である。これらの細胞はグルカゴン，インスリン，ソマトスタチン，膵ポリペプチドのホルモンを分泌する。それらのホルモンの機能については13.6節に説明されている。

膵　液

　膵液 pancreatic juice は，無色透明の液体で，主に水，塩類，炭酸水素ナトリウム，何種類かの酵素を含んでいる。炭酸水素イオンは膵液をわずかにアルカリ性（pH 7.1～8.2）にし，胃から入ってきたペプシンを不活性化し，小腸内で作用する消化酵素の至適pHを保障する。膵液に含まれる酵素の**膵アミラーゼ pancreatic amylase** はデンプン分解酵素，**トリプシン trypsin**，**キモトリプシン chymotrypsin**，**カルボキシペプチダーゼ carboxypeptidase** はタンパク質分解酵素，**膵リパーゼ pancreatic lipase** は成人での

図 19.9 十二指腸と膵臓，肝臓，胆嚢との関係。挿入図は総胆管と膵管が肝膵管を形成し，十二指腸につながっているようすを示している。

膵管の膵液と総胆管の胆汁は肝膵管をへて十二指腸に流れる。

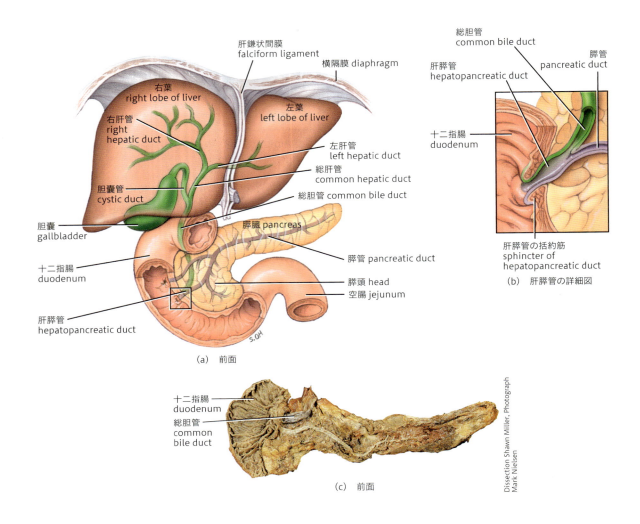

Q 膵液にはどんな物質が含まれるか？

主なトリグリセリド分解酵素，リボヌクレアーゼ ribonuclease とデオキシリボヌクレアーゼ deoxyribonuclease は核酸分解酵素である。膵臓で産生されるタンパク質分解酵素は不活性型なので，膵臓の細胞それ自身を消化できない。不活性型のトリプシノゲンは小腸内腔に達すると，エンテロキナーゼ enterokinase といわれる酵素により活性化されトリプシンになる。続いて，トリプシンはほかの膵臓のタンパク質分解酵素を活性化する。

臨床関連事項

膵臓癌

膵臓癌 pancreatic cancer は通常，50歳を超えた男性に多く発生する。とくに膵臓癌は，かなり進行してリンパ節，肝臓，肺などへ転移するまでは，その症状は現れにくい。膵臓癌は，ほとんどの場合，致死的で，米国における癌死亡の第4位を占めている。膵臓癌は脂肪食，アルコール多飲，遺伝要因，喫煙，慢性膵炎（膵臓の炎症）と関係があることがわかってきた。

チェックポイント

12. 膵臓の腺房とは何か？ 膵島（ランゲルハンス島）の機能とはどこが異なるか？
13. 消化における膵液の役割は何か？

19.7 肝臓と胆嚢

目標
・肝臓と胆嚢の位置，構造，機能について述べる。

成人の**肝臓** liver の平均重量は約1.4 kgで，からだの中で皮膚についで2番目に大きい器官である。横隔膜下にあり，そのほとんどが右側にある。肝臓は結合組織の被膜に直接覆われている部分（訳注：無漿膜野）もあるが，多くは漿膜である臓側腹膜で覆われている。**胆嚢** gallbladder（gall- ＝胆汁）は，西洋ナシ形の袋状器官で，肝臓の前下縁から吊り下がっている（図19.9）。胆嚢の機能は，胆汁を蓄え，濃縮し，必要時に十二指腸に供給することである。

肝臓と胆嚢の構造

肝臓は組織学的にいくつかの要素で構成されている（図19.10）。

1. **肝細胞** hepatocyte（hepat- ＝肝臓；-cytes ＝細胞）：肝細胞は肝機能を担う主な細胞で，広範囲の代謝，分泌機能を発揮する。
2. **毛細胆管** bile canaliculi（＝小さな運河）：肝細胞によって産生された胆汁を集める肝細胞間にある細い管である。毛細胆管から胆汁が**胆管** bile duct へ入る。さらに胆管が集まり最終的にはより大きな**左右の肝管** right and left hepatic ducts になる。そして，その左右の肝管が合して**総肝管** common hepatic duct となり肝臓を出る。総肝管は胆嚢からの**胆嚢管** cystic duct（cystic ＝囊）と結合して**総胆管** common bile duct を形成する。ここから胆汁が**肝膵管** hepatopancreatic duct を通じて小腸の十二指腸に入り消化に関与する（図19.9参照）。小腸内が空になると十二指腸への入口（訳注：大十二指腸乳頭）にある肝膵管周囲の括約筋が収縮してそこを閉じると，胆汁はそれを貯蔵する胆嚢に通じる胆嚢管に向かって戻っていく。

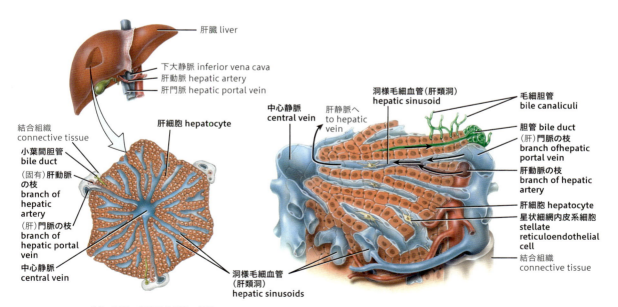

図19.10 肝臓の組織学的構造。

肝小葉は中心静脈のまわりに配列した肝細胞からなっている。

(a) 肝臓の組織学的構造の概観
(b) 肝臓の組織学的構造の詳細図

Q 肝臓のどの細胞が貪食細胞か？

3. **肝類洞 hepatic sinusoid**：肝類洞は肝細胞索の間にあり，（固有）肝動脈の枝からの酸素を多く含む血液と門脈の枝からの栄養素が多く，酸素の少ない血液を受け入れるかなり透過性のある毛細血管である。門脈は胃腸管や脾臓からの静脈血を肝臓に運ぶことを思い出そう。肝類洞は集まって中心静脈に血液を運ぶ。**中心静脈 central vein** の血液は**肝静脈 hepatic vein** を介して，下大静脈に流入する（図16.16参照）。また，類洞内には**星状細網内皮系細胞**（クッパー細胞）**stellate reticuloendothelial cell**（Kupffer cell）といわれる貪食細胞が常在している。この細胞は胃腸管から送られてくる静脈血に含まれる傷ついた赤血球や白血球，バクテリア，ほかの外来物質を処理する。

胆汁

胆汁 bile に含まれる胆汁酸塩は，**乳化 emulsification**，つまり大きな脂肪滴を脂肪小滴にまで分解し，懸濁状態にして，この消化に続く吸収にも働く。脂肪小滴になるとその表面積が非常に大きくなるので，膵リパーゼがトリグリセリドをかなり速く分解することができるようになる。主な胆汁色素はヘム由来の**ビリルビン bilirubin** である。老化赤血球が破壊されると，鉄，グロビン，ビリルビンが放出される。鉄とグロビンは再利用されるが，ビリルビンのいくらかは胆汁中に分泌される。最終的には，小腸内で分解されるが，分解産物の一つはステルコビリンで正常な便を褐色にしている（図14.3参照）。多くの胆汁酸塩は乳化機能を果たした後，小腸の最終部分（回腸）で，能動輸送によって再吸収され，肝臓へ向かう門脈の血流に入る（訳注：腸肝循環）。

肝臓の機能

　肝臓には，胆汁や胆汁酸塩の分泌，網内皮系のクッパー細胞による細菌や死細胞や外来物質の貪食以外にも，ほかに生命を維持するのに必要な多くの機能がある。それらの多くは代謝に関係するので，20章で説明するが，生命を維持するのに必要な肝臓のほかの機能をまとめると次のようになる。

- **糖質代謝 carbohydrate metabolism**：肝臓はとくに，正常な血糖値を維持するのに重要である。血糖値が低下すると，グリコーゲンを分解して血中にグルコースを放出する。また，ある種のアミノ酸や乳酸をグルコースに変え（訳注：糖新生），さらにフルクトースやガラクトースのような別の単糖もグルコースに変える。食後すぐに起る血糖値の上昇時には，余分なグルコースはグリコーゲンとして，あるいはトリグリセリドとしても貯蔵される。
- **脂質代謝 lipid metabolism**：肝細胞はいくらかのトリグリセリドを貯蔵する。脂肪酸を分解してATPを産生する。体細胞へあるいは体細胞から脂肪酸，トリグリセリド，コレステロールを運搬するリポタンパク質を合成する。コレステロールを合成する。コレステロールから胆汁酸塩を合成する。
- **タンパク質代謝 protein metabolism**：肝細胞は，アミノ酸からアミノ基（$-NH_2$）を取り除く反応を行ってATPを産生し，あるいはアミノ酸を糖質や脂肪に変える。その結果できた毒性のあるアンモニア（NH_3）は，かなり毒性の低い尿素に変えられ，尿中に排泄される。また，肝細胞は各種のグロブリン，アルブミン，プロトロンビン，フィブリノゲンのような多くの血漿タンパク質も合成する。
- **薬剤とホルモンの処理 processing of drug and hormone**：肝臓はアルコールのような物質を解毒化し，ペニシリン，エリスロマイシン，スルホンアミドのような薬剤を胆汁中に排泄する。また，甲状腺ホルモンやエストロゲン，アルドステロンのようなステロイドホルモンを不活性化する。
- **ビリルビンの排泄 excretion of bilirubin**：老化赤血球のヘム由来の血中のビリルビンは，肝臓に取り込まれ，胆汁中に分泌される。胆汁に含まれる多く

> **臨床関連事項**
>
> ### 胆石
>
> 　胆汁に含まれる胆汁酸塩とレシチンが不足するか，コレステロールが過剰になると，成分が結晶化して**胆石 gallstone** になることがある。胆石の数が増え，大きくなると胆嚢から十二指腸への胆汁の流れが間欠的になったり，完全に止まったりすることがある。胆石の治療には，胆石融解剤の使用あるいは胆石が管を通過できるくらい小さな粒子になるまで砕く衝撃波治療 lithotripsy（shockwave therapy），あるいは外科手術が行われる。胆石に既往歴がある人，胆石融解剤服用や衝撃波治療の経験がある人には，**胆嚢切除術 cholecystectomy** によって，胆嚢とその内容物を取り除くことが必要となる。米国では毎年50万人以上の人が胆嚢切除術を受けている。胆嚢切除による副作用を避けるためには，胆石患者はライフスタイルを変え，以下に示すような食事に気をつけるべきである。(1) 飽和脂肪酸の摂取を制限する，(2) アルコール類の摂取を避ける，(3) 間食を少なくし，2〜3回の食事で多量に摂取するのではなく，5〜6回に食事回数を増やして少量ずつ摂取する，(4) ビタミン類やミネラルのサプリメントを摂る。

のビリルビンは，小腸内の細菌によって代謝され，便中に排泄される。

- **ビタミンとミネラルの貯蔵 storage of vitamin and mineral**：グリコーゲン貯蔵以外に，肝臓にはある種のビタミン（A，D，E，K）とミネラル（鉄や銅）が貯蔵されており，体細胞が必要とするときは肝臓から放出される。
- **ビタミンDの活性化 activation of vitamin D**：皮膚，肝臓，腎臓で活性型ビタミンDを合成する。

臨床関連事項

肝機能検査

肝機能検査 liver function test は，肝細胞から遊離してくる，ある種の生体成分（酵素とタンパク質）の存在を検出するための血液検査である。これらの検査は肝臓の病気あるいは損傷を明らかにし，あるいはモニターするために実施される。非ステロイド系抗炎症薬，コレステロール低下薬，ある種の抗菌薬，アルコール，糖尿病，感染症（ウイルス性肝炎および単核症），胆石，肝腫瘍，およびカワカワ，コンフリー，ペニーロイヤル，セイヨウタンポポの根，タツナミソウ，麻黄のような薬草のサプルメントを過剰摂取すると血液中に肝細胞内の酵素が増加してくる。

チェックポイント

14．肝臓と胆嚢はどのように十二指腸と連絡しているか？
15．胆汁の機能は何か？
16．主な肝機能をすべて表にしてまとめなさい。

19.8 小　　腸

目　標

・小腸の位置，構造，機能について述べる。

食後2〜4時間以内に胃の内容物は小腸に送られてしまう。主な消化と吸収の段階は，**小腸 small intestine** で行われる。小腸の直径は平均2.5 cmで，長さは生体では約3 mで，死後は平滑筋の緊張がなくなるので，遺体では約6.5 mになる。

小腸の構造

小腸は十二指腸，空腸，回腸の3領域に分けられる（図19.11）。もっとも短い（約25 cm）のが最初の領域の**十二指腸 duodenum** で，胃の幽門から続いている。duodenumは"12"を意味し，12本の指の幅とだいたい同じ長さなので，十二指腸と名づけられた。次

図 19.11 小腸の外観と内部構造。

小腸ではほとんどの消化と吸収が行われる。

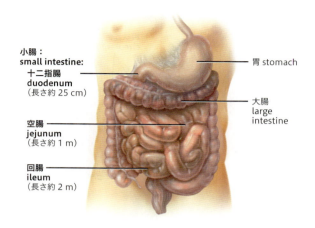

前からみた胃腸管の外観

小腸の機能
1. 分節運動によって，糜粥と消化液が混ぜられ，吸収をする粘膜と接触させられる。蠕動によって糜粥は小腸内を移送される。
2. 炭水化物，タンパク質，脂質が完全に消化される。核酸の消化は小腸で始まり，そこで終わる。
3. 消化器系を通過する栄養素と水の約90％が吸収される。

Q 回腸の大部分が位置するのは腹部の四区分のどこか？

の領域の**空腸 jejunum**（＝空の）の長さは約1 mで，遺体では中が空（から）だったのでそのように名づけられた。そのほとんどは左上腹部にある（図1.12参照）。小腸の最終部分は**回腸 ileum**（＝曲がりくねった）で，その長さは約2 mあり，**回盲括約筋 ileocecal sphincter**（valve；**回盲弁 ileocecal valve**（訳注：バウヒン弁）ともいう）のところで大腸（訳注：盲腸）と連結している。そのほとんどは右下腹部にある。

小腸壁はほかの消化管と同じく粘膜，粘膜下組織，筋層，漿膜からなる4層構造をしている（図19.12c）。小腸の粘膜上皮は単層円柱上皮で，そこには多くの種類の細胞がある。**吸収上皮細胞 absorptive cell** の微絨毛には消化酵素があり，小腸糜粥に含まれる栄養素を最終的に分解・吸収する。上皮には粘液を分泌する**杯細胞 goblet cell** もある。また小腸粘膜には，腸液を分泌する腺上皮で裏打ちされた深く陥入した**腸腺 intestinal gland** がある。粘膜上皮細胞と杯細胞以外に，3種類のホルモンを分泌する腸管内分泌細胞がある。それらは**セクレチン secretin** 分泌のS細胞 S cell，**コレシストキニン cholecystokinin**（CCK）分泌

図 19.12 小腸の構造。

輪状ヒダ，絨毛，微絨毛は小腸の消化と吸収のための表面積を増加させる。

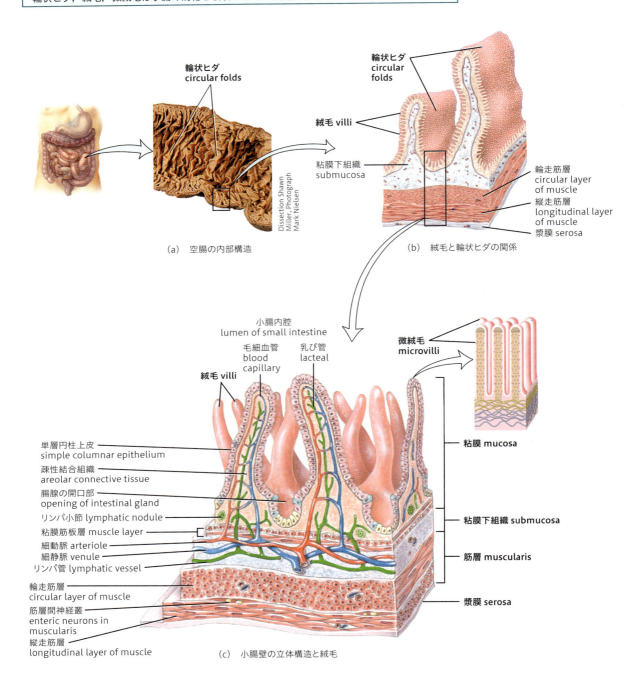

(a) 空腸の内部構造

(b) 絨毛と輪状ヒダの関係

(c) 小腸壁の立体構造と絨毛

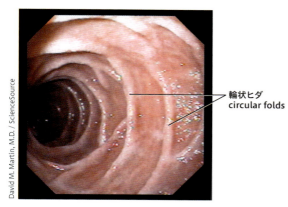

（d） 正常な十二指腸の内視鏡像

Q 食物中の栄養素を吸収する細胞はどこに位置しているか？

のCCK細胞 CCK cell，グルコース依存性インスリン分泌刺激ペプチド glucose-dependent insulinotropic peptide（GIP）分泌のK細胞 K cell である（セクレチンとCCKは表19.2，GIPは表13.3参照）。小腸の粘膜は疎性結合組織であり，その中には食物に含まれる病原体防御に関係する豊富なリンパ組織がある。十二指腸の粘膜下組織には，アルカリ性の粘液を分泌する十二指腸腺 duodenal gland（訳注：ブルンネル腺 Brunner's gland）があり，その粘液は糜粥中の胃酸を中和する働きがある。小腸の筋層 muscularis は2層の平滑筋からなり，外層には縦走筋線維があり，内層には輪走筋線維がある。漿膜は，単層扁平上皮と疎性結合組織からなる。

小腸壁はほかの消化管と同じ4層構造をしているが，小腸は構造上，消化と吸収のために特殊化している。それらは輪状ヒダ，絨毛，微絨毛である。**輪状ヒダ circular fold** は，小腸壁にのみ存在する粘膜と粘膜下組織の隆起状のヒダである。輪状ヒダは吸収面積を増大させるが，小腸を通過する糜粥を直線状に移動させるというよりもむしろ，らせん状に移動させることになる（図19.12 a，b）。さらに，小腸粘膜の上皮細胞表面には，指のような形をした多くの突起状の**絨毛 villus**（複数形 villi；＝毛の束）があり，消化と吸収の面積を大きくしている（図19.12 b，c）。それぞれの絨毛は芯となる疎性結合組織とそれを囲む単層円柱上皮とからなる。そこには細動脈，細静脈，毛細血管網，毛細リンパ管である**乳び管 lacteal**（＝乳白色の）がある。上皮細胞に取り込まれた栄養素は，毛細血管壁あるいは乳び管壁からそれぞれ血液あるいはリンパに入る。小腸には輪状ヒダと絨毛以外に，吸収上皮の細胞膜の自由表面には表面積をさらに大きくする小さ

な突起状の**微絨毛 microvillus**（micro- ＝小さい）がある（図19.12 c 参照）。微絨毛は1本1本を肉眼で観察できないが，光学顕微鏡レベルでは観察可能である。微絨毛は**刷子縁 brush border** といわれるが，全体としてぼやけた線状にみえ，小腸内腔に向かって突出している。微絨毛によって細胞膜の吸収面積がかなり大きくなるので，大量の消化された栄養素が一定時間内に上皮細胞に吸収される。

腸液

腸液 intestinal juice は，水溶性の透明な黄色い液体で，水と粘液を含み，わずかにアルカリ性である（pH 7.6）。膵液に含まれる高濃度の炭酸水素イオン（HCO_3^-）によって，腸液のpHはアルカリ性になる。膵液も腸液も微絨毛に接触した糜粥中の物質の吸収を助ける。小腸の消化酵素は絨毛にある吸収上皮細胞の刷子縁で合成されるので，刷子縁酵素ともいわれる。この小腸にある酵素による大部分の消化は，上皮細胞の中あるいは自由表面にある微絨毛の上で行われる（訳注：膜消化）。

小腸における機械的消化

小腸には分節運動と蠕動運動の2種類の運動がある。**分節運動 segmentations** は局所性の収縮で，糜粥を前後にかき混ぜ，消化液と混合し，食物中の粒子が粘膜と接して，吸収されやすいようにする。この運動は歯磨きチューブの中央と両端を交互に搾り出すのに似ている。この運動は消化管の内容物を1方向に送り込むわけではない。

食物がほとんど吸収されてしまうと分節運動は止まる。蠕動運動は胃の後部から始まり，小腸が短く伸び縮む方向に沿って糜粥を前方に送り込む。蠕動波はゆっくりと小腸の後方に向かって移動し，90～120分後には回腸の端に達する。さらに，胃の後部から次から次へと蠕動運動が始まる。全体として，糜粥が小腸内にとどまっているのは3～5時間である。

小腸における化学的消化

小腸に入った糜粥には，部分的に分解された糖質とタンパク質が含まれている。小腸に分泌される膵液，胆汁，腸液が互いに協調して小腸内での消化を完全に行う。消化が終わるとすぐに，最終分解産物は吸収される。

胃から送り出されるまでの間にマルトース（麦芽糖）にまで分解されなかったデンプンとデキストリンは，小腸内で作用する膵液に含まれる**膵アミラーゼ pancreatic amylase** によって分解される。小腸吸収上皮細胞の表面にある3種類の酵素が二糖類を完全に

分解し，吸収されるのに十分な大きさの単糖類にする。**マルターゼ maltase** はマルトース（麦芽糖）をそれぞれグルコース2分子に，**スクラーゼ sucrase** はスクロース（ショ糖）をグルコース1分子とフルクトース1分子に，**ラクターゼ lactase** はラクトース（乳糖）をグルコース1分子とガラクトース1分子にまで分解する。

胃で始まったタンパク質の消化は，膵液に含まれる酵素であるトリプシン，キモトリプシン，エラスターゼ，カルボキシペプチダーゼによっても，継続する。

臨床関連事項

乳糖不耐症

先に学習したように，小腸の吸収上皮細胞は牛乳や乳製品に含まれる二糖類の乳糖を単糖のグルコースとラクトースにまで分解するラクターゼを産生する。その後，これらの分解産物は小腸壁を通過して血中に吸収される。その酵素のラクターゼを欠く人の病態は**乳糖不耐症 lactose intolerance** といわれる。20歳以上の米国人の3,000～5,000万人がこの疾患に罹患している。糜粥中の分解されなかった乳糖が液状のまま小腸に送られるので，最終的には下痢になる。未消化の乳糖が小腸から大腸に送られ，そこで細菌による発酵が起るので，その結果，ガスの発生，腹部膨満感と痙攣，吐き気の症状が出る。一般的に，その兆候と症状は牛乳や乳製品を食べた後，30分から2時間後に現れるが，その重症度は個々人の耐性の程度に依存する。

もっとも一般的なタイプの乳糖不耐性は年齢と関係する。多くの場合，2歳を過ぎるとラクターゼ産生は減少し始める。別なタイプの乳糖不耐性は小腸の損傷および疾患，あるいは未熟児にみられる。ヨーロッパ系アメリカ人に比べ，アフリカ系アメリカ人，ヒスパニック/ラテン系アメリカ人，ネイティブアメリカ人，アジア系アメリカ人の場合は，乳糖不耐性になりやすい傾向がある。

乳糖不耐性は既往歴，徴候や症状歴，呼気水素テストを基準に診断される。大腸菌が未消化の乳糖を発酵すると，水素ガスが発生する。その水素ガスは血中に入り肺に運ばれ，排出されるので，そのガスを測定する。

乳糖不耐性を調整するいくつかの方法がある。その一つが乳糖の摂取を控えるか，まったく乳糖を摂取しない食事に変えることである。乳糖フリー，あるいは乳糖の少ない牛乳や乳製品を摂取する別の方法もある。牛乳や乳製品を摂取したときに，乳糖消化酵素であるラクターゼの錠剤を服用する場合もある。

乳糖不耐性の人が食事制限をすることによって，カルシウムやビタミンDの摂取不足になることがある。その場合は，カルシウムやビタミンDのサプリメントを摂ること，そして骨の柔らかい魚（イワシ，サーモン），濃い緑色の野菜（ルバーブ，ホウレンソウ，ブロッコリー），豆乳，インゲン豆を含む食事を摂ることによってその不足を解消できる。

しかしながら，それぞれの酵素によって切断されるアミノ酸間のペプチド結合は少しずつ異なる。タンパク質の分解は絨毛を覆っている上皮細胞によって産生される酵素の**ペプチダーゼ peptidase** による分解で完結する。タンパク質の最終分解産物はアミノ酸，ジペプチド，トリペプチドである。

成人では，多くの脂質が小腸で分解される。脂質の分解の第1段階は胆汁酸塩がトリグリセリドと脂質の大きな粒子を小さな脂質の粒子にまで乳化して，膵リパーゼが反応しやすいようにする。トリグリセリドがグリセロール1分子とそれに結合する3分子の脂肪酸から構成されていることを思い出そう（図2.10参照）。第2段階は，膵液に含まれる**膵リパーゼ pancreatic lipase** によって，トリグリセリド分子を分解してグリセロールに結合している三つの脂肪酸のうちの二つを切り離す。残りの3番目の脂肪酸はグリセロールに結合したままになる（訳注：モノグリセリドという）。このようにして，脂肪酸とモノグリセリドがトリグリセリド分解の最終分解産物となる。

膵液には二つの**ヌクレアーゼ nuclease** が含まれている。**リボヌクレアーゼ ribonuclease（RNase）** は RNA を，**デオキシリボヌクレアーゼ deoxyribonuclease（DNase）** は DNA を分解する。二つのヌクレアーゼによって，ヌクレオチドはペントース（訳注：五単糖），リン酸，窒素性塩基にまで分解される。

消化酵素については，表19.1 にまとめてある。

小腸における吸収

口腔から小腸において行われるすべての機械的および化学的消化によって，食物は変化を受け，吸収される大きさの分子にまで分解される。**吸収 absorption** とは，粘膜を覆っている吸収上皮細胞を通過し，その内側にある毛細血管やリンパ管に小分子が移動することである，ということを思い出そう。小腸で90％，胃と大腸で残り10％が吸収される。小腸での吸収は単純拡散，促進拡散，浸透圧，能動輸送によって行われる。小腸で消化あるいは吸収されなかった物質は大腸へと送られる。

単糖類の吸収 すべての糖質は単糖類として吸収される。グルコースとガラクトースは能動輸送によって絨毛の上皮細胞の中に取り込まれる。フルクトース（果糖）は促進拡散で輸送される（図19.13a）。単糖類は吸収された後，促進拡散によって上皮細胞から毛細血管へ運搬され，絨毛内の細静脈に入る。ここから，単糖類は（肝）門脈経由で肝臓に輸送され，心臓を経由して全身を循環する（図19.13b）。16章に，通常の循環系に入る前に肝門脈に含まれる生体物質を肝臓が処

表 19.1　消化酵素の要約

酵　素	由　来	基　質	生成物
糖質消化 carbohydrate-digesting			
唾液アミラーゼ salivary amylase	唾液腺	デンプン（多糖類）	マルトース（麦芽糖）（二糖），マルトトリオース（三糖），デキストリン
膵アミラーゼ pancreatic amylase	膵臓	デンプン（多糖類）	マルトース（麦芽糖），マルトトリオース，デキストリン
マルターゼ maltase	小腸	マルトース（麦芽糖）	グルコース 2 分子
スクラーゼ sucrase	小腸	スクロース（ショ糖）	グルコース，フルクトース
ラクターゼ lactase	小腸	ラクトース（乳糖）	グルコース，ガラクトース
タンパク質消化 protein-digesting			
ペプシン pepsin	胃（主細胞）	タンパク質	ペプチド
トリプシン trypsin	膵臓	タンパク質	ペプチド
キモトリプシン chymotrypsin	膵臓	タンパク質	ペプチド
カルボキシペプチダーゼ carboxypeptidase	膵臓	ペプチドのカルボキシ基末端での最終アミノ酸	ペプチドとアミノ酸
ペプチダーゼ peptidase	小腸	ペプチドのアミノ基末端での最終アミノ酸とジペプチド	ペプチドとアミノ酸
脂質消化 lipid-digesting			
舌リパーゼ lingual lipase	舌	トリグリセリド（脂質）	脂肪酸とジグリセリド
膵リパーゼ pancreatic lipase	膵臓	胆汁酸塩により乳化されたトリグリセリド（脂質）	脂肪酸とモノグリセリド
ヌクレアーゼ nucleases			
リボヌクレアーゼ ribonuclease	膵臓	リボ核酸	ヌクレオチド
デオキシリボヌクレアーゼ deoxyribonuclease	膵臓	デオキシリボ核酸	ヌクレオチド

理するということが記載されていることを思い出そう。

アミノ酸の吸収　食物に含まれるタンパク質は酵素によってアミノ酸，ジペプチド（アミノ酸が 2 個結合した化合物），トリペプチド（アミノ酸が 3 個結合した化合物）にまで分解され，主に十二指腸と空腸で吸収される。吸収されるアミノ酸の約半分は食物由来で，残り半分は消化液とあなたのからだを構成している粘膜表面から剥離した死細胞由来である。アミノ酸，ジペプチド，トリペプチドは能動輸送により絨毛の吸収上皮細胞に入る（図 19.13 a）。上皮細胞内に取り込まれたペプチドはアミノ酸にまで加水分解される。そのアミノ酸は拡散で上皮細胞から，絨毛内の毛細血管に入る。単糖類と同じく，アミノ酸も（肝）門脈経由で肝臓に輸送される（図 19.13 b）。肝細胞に取り込まれなかったアミノ酸は体循環に入る。体細胞は血液中からそれらのアミノ酸を取り込み，タンパク質合成や ATP 産生に利用する。

イオンと水の吸収　小腸を裏打ちしている吸収上皮細胞はまた，消化管に入ってくる食物，飲料水，消化液中に含まれるイオンと水のほとんどを吸収する。小腸で吸収される主なイオンはナトリウム，カリウム，カルシウム，鉄，マグネシウム，塩化物，リン酸，硝酸，ヨウ化物の各イオンである。1 日当り，浸透圧によって消化管に吸収される全水分量は約 9 L である。単糖類，アミノ酸，ペプチド，イオン類は吸収されるときには浸透圧によって水と一緒に取り込まれる。

脂質と胆汁酸塩の吸収　リパーゼはトリグリセリドをモノグリセリドと脂肪酸にまで分解する。その脂肪酸は，10〜12 個以下の炭素原子をもつ短鎖脂肪酸か，あるいは長鎖脂肪酸のどちらかである。小さな短鎖脂肪酸は，単純拡散によって絨毛の上皮細胞を通過し，単糖類とアミノ酸が絨毛内の毛細血管に入ると同じ経路で取り込まれる（図 19.13 a）。胆汁酸塩が大きな脂肪滴を乳化し，多くの**ミセル micelle**（＝小片）を形成する。ミセルは非常に小さな脂肪小滴で，大き

図19.13 **小腸で消化された栄養素の吸収。**いくつかの栄養素は絨毛にある上皮細胞表面あるいはその中で消化されるが，簡素化のためすべての消化物質を小腸内腔に示している。

長鎖脂肪酸とモノグリセリドは乳び管に吸収され，ほかの消化産物は毛細血管に吸収される。

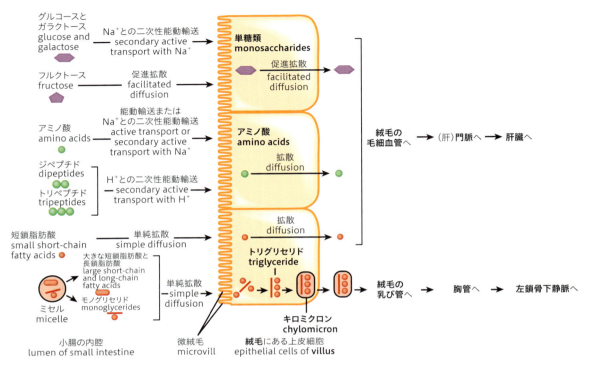

(a) 栄養素が絨毛にある上皮細胞を移動する機序

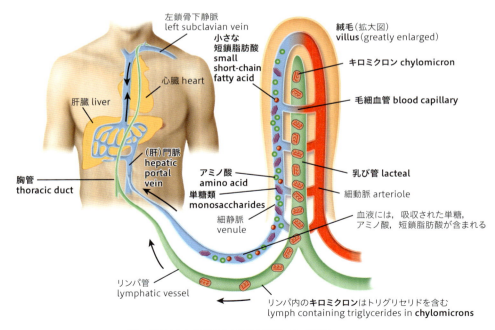

(b) 吸収された栄養素の血液およびリンパへの移動

Q 脂溶性ビタミン(A，D，E，K)はどのようにして吸収されるのか？

な短鎖脂肪酸，長鎖脂肪酸，モノグリセリド，コレステロール，その他の食物に含まれる脂質の周囲に胆汁酸塩がついている(図 19.13 a)。これらの脂質はミセルから絨毛の吸収上皮細胞に拡散して吸収され，袋詰にされ，**キロミクロン** chylomicron になる。キロミクロンはタンパク質で覆われた大きな球状の粒子で，エクソサイトーシスによって上皮細胞から出て乳び管のリンパに入る。このように，吸収された食物中の脂質のほとんどは毛細血管ではなくリンパ管に入るので，(肝)門脈を循環しない。小腸からキロミクロンを運び出したリンパは胸管経由で左鎖骨下静脈と左内頸静脈の合流点(左静脈角)で血液に入る(図 19.13 b)。肝臓や脂肪組織中の毛細血管を通過したキロミクロンは，将来必要になるときまで脂質として貯蔵される。

食事に含まれるある種のからだにとって必要な脂肪の中には，いくつかの意味がある。例えば，脂肪は胃からの糜粥の排泄を遅らせ，満腹感を感じさせる。また，脂肪はコレシストキニン(CCK)といわれるホルモンの放出を刺激して満腹感を強める(表 19.2)。さらに，脂肪は脂溶性ビタミンの吸収にも必要である。

糜粥が回腸に達すると，胆汁酸塩のほとんどが再吸収されて，血液経由で肝臓に再循環する(訳注：腸肝循環という)。胆汁酸塩が胆管の閉塞や肝臓疾患が原因で十分に産生されない場合は脂肪吸収が減じて，食事で摂取した脂質の 40%が失われてしまうことになる。

ビタミン類の吸収 脂溶性のビタミン A，D，E，K は，ミセルに含まれる食物中の脂質とともに単純拡散によって吸収される。ビタミン B 類，ビタミン C のような多くの水溶性ビタミンも，単純拡散によって吸収される。しかし，ビタミン B_{12} は胃で産生される内因子と結合することによって，能動輸送により回腸から吸収される。

アルコールの吸収 アルコールの解毒化，無効力化は血中アルコール濃度に依存する。アルコールは脂溶性なので，胃でその吸収が始まる。しかしながら，その吸収面積は胃よりも小腸のほうがかなり広いので，十二指腸に入るとすばやく吸収される。したがって，胃にとどまる時間が長くなればなるほど，血中アルコール濃度はゆっくりと上昇する。糜粥に脂肪酸が含まれていると，胃からの糜粥の排出がゆっくりとなるので，ピザ，ハンバーガー，ナチョスのような脂肪を多く含む食物をアルコールを飲むときに一緒に摂取すると血中アルコール濃度はゆっくりと上昇させることができる。また，アルコール分解酵素である脱水素酵素は胃の粘膜細胞にあるので，ある程度のアルコールをアセトアルデヒドにまで分解し，無毒化する。胃か

らの糜粥の排出がよりゆっくりになると，それに比例して胃で多くのアルコールが吸収され，アセトアルデヒドへの変換が行われるので，結果的に血中へのアルコール移行が減少する。同じ量のアルコールを飲んだ場合，女性は胃のアルコール脱水素酵素活性が男性よりも 60%以上低いので，血中アルコール濃度が高くなる傾向がある(したがって，より重い二日酔いを経験することになる)。また，アジアの男性のアルコール脱水素酵素活性はより低いといわれている。

> **チェックポイント**
> 17．小腸の粘膜と粘膜下組織は消化と吸収に対してどのように適応しているか？
> 18．吸収とは何か？　主な吸収部位はどこか？
> 19．糖質とタンパク質の消化最終産物はどのようにして吸収されるか？　脂質ではどうか？
> 20．吸収された栄養素はどのような経路で肝臓へ運ばれるか？

19.9　大　　　腸

目　標

・大腸の位置，構造，機能について述べる。

大腸は消化管の最終部位で，大腸全体としての機能は，吸収を完結し，ある種のビタミン類を生成し，便を形成し，それを体外に排泄することである。

大腸の構造

生体でも献体でも**大腸** large intestine は直径 6.5 cm，長さ約 1.5 m であり，回腸端から直腸の肛門までで，結腸間膜(訳注：横行結腸間膜と S 状結腸間膜)で後腹壁に固定されている(図 19.3 b 参照)。大腸は，盲腸，結腸，直腸，肛門管の 4 部位からなる(図 19.14)。

回腸から大腸への開口部(訳注：回盲部)には回盲括約筋があり，小腸から大腸への物質輸送にかかわる。回盲括約筋に続いて大腸の最初の部位である**盲腸 cecum** がある。盲腸には曲がった，コイル状の**虫垂 appendix** がついている。ここには大腸に侵入した細菌を免疫反応によって制御するリンパ小節がある。

盲腸の開口端は，**結腸 colon**(＝食物の通過路)といわれる大腸の中でもっとも長い管につながっており，上行結腸，横行結腸，下行結腸，S 状結腸に分けられる。**上行結腸 ascending colon** は腹部の右側を上行し，肝臓の下面に達すると，左方向に曲がり，**横行結**

図 19.14 大腸の解剖図。

大腸は盲腸, 結腸, 直腸, 肛門管に分けられる。

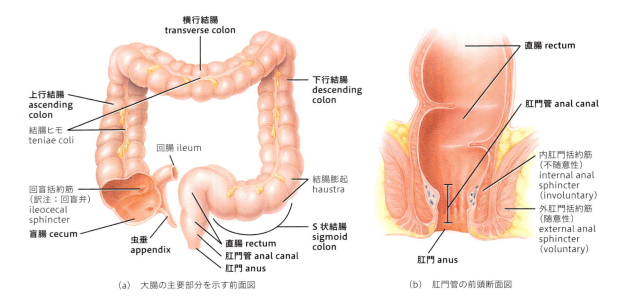

(a) 大腸の主要部分を示す前面図

(b) 肛門管の前頭断面図

大腸の機能
1. 結腸膨起の激しい動き, 蠕動運動, 総蠕動運動によって結腸の内容物が直腸に送り込まれる。
2. 大腸内細菌がタンパク質をアミノ酸に変え, さらにアミノ酸を分解し, ビタミンB類やビタミンKを生成する。
3. いくらかの水分, イオン類, ビタミン類が吸収される。
4. 糞便が形成される。
5. 便（直腸を空にする）を排泄する。

Q 大腸の機能は何か？

腸 transverse colon として左側に向かって腹部を横断する。その後, 脾臓の下端部で曲がり, **下行結腸** descending colon として下行する。S状結腸 sigmoid colon は骨盤の左側の腸骨稜近くから始まり**直腸** rectum に終わる。

直腸の末端の2〜3cmは**肛門管** anal canal といわれる。肛門管の開口部は**肛門** anus で, そこには平滑筋からなる不随意性の内肛門括約筋と随意性の骨格筋からなる外肛門括約筋がある。通常, これらの筋は排便時以外, 肛門を閉じた状態にしている。

大腸壁はほかの消化管と同じく粘膜, 粘膜下組織, 筋層, 漿膜からなる4層構造をしている。粘膜上皮は単層円柱上皮で, その多くは吸収上皮と杯細胞である（図 19.15）。その2種類の細胞が管状の**腸腺** intestinal gland を形成する。吸収上皮細胞は主にイオン類と水の吸収を行う。杯細胞は粘液を分泌して結腸の内容物を滑らかにする。粘膜には孤立リンパ小節もある。小腸と比較して, 大腸粘膜は, 表面積を拡大させるような多くの構造的な適応はしていない。輪状ヒダや絨毛はないが, 吸収上皮細胞には微絨毛はある。したがって, 小腸における吸収のほうが大腸におけるよりもはるかに多い。筋層は外縦走筋層と内輪走筋層であるが, ほかの消化管とは異なり, 外縦走筋層の一部分が厚くなって**結腸ヒモ** teniae coli（＝平たい帯）といわれる3本の縦走する索状構造を形成している。それらはほぼ大腸全体に沿って走行している（図 19.14 a 参照）。筋層が収縮すると結腸全体に**結腸膨起（ハウストラ）** haustra（＝袋のような形）という1連の袋状の構造ができ, それによって結腸表面は凸凹状にみえる。

大腸における消化と吸収

回腸から盲腸への糜粥の輸送は, 回盲括約筋により調節されている。正常に機能している場合, その括約筋はわずかに収縮しているだけなので, 糜粥はゆっくりと輸送される。食後すぐに起る反射が, 蠕動運動を

図 19.15 大腸の構造。

吸収上皮細胞と杯細胞からなる腸腺は，粘膜全体に拡がっている。

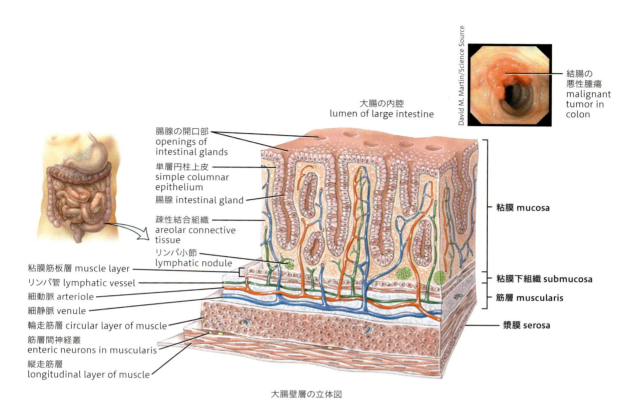

大腸壁層の立体図

Q 大腸の筋層はほかの消化管部位とどのように違うのか？

増強して，糜粥を回腸から盲腸へ強く送り込む。消化管のほかの部分よりも，よりゆっくりとした割合で，**蠕動運動 peristalsis** も起っている。大腸の特徴的な運動は**総蠕動運動 mass peristalsis** で，横行結腸のだいたい真ん中あたりで，強い蠕動波が始まり，結腸内容物を直腸に送り出す。胃に食物が入ると，通常，食事中あるいは食後すぐに総蠕動運動が1日に3～4回起る。

結腸腔内に常在している細菌の活動によって，消化の最終段階が起る。大腸の腺から粘液が分泌されるが，酵素は分泌されない。細菌が，残っている糖質を発酵させ，水素，二酸化炭素，メタンのガスを放出する。これらのガスが多量に貯まると結腸内ガス，つまり**鼓腸 flatulence** の原因となる。細菌はまた，残っているタンパク質もアミノ酸に変える。さらに，ビリルビンを分解してステルコビリンのようなより単純な色素にし，それにより便は褐色になる。正常な代謝に必要な何種類かのビタミンB類やビタミンKは，細菌

によって産生され，結腸で吸収される。

多くの水分は小腸で吸収されるが，大腸で吸収される量も重要になる。大腸ではまた，ナトリウムや塩化物などのイオン類，いくつかの食事性ビタミン類を吸収する。

糜粥が大腸内に3～10時間とどまっている間に水分が吸収されて，固形あるいは半固形状になり，**便 feces** ができる。便の化学的組成として，水，無機塩類，消化管粘膜から剥離した上皮細胞，細菌の分解産物，吸収されなかった消化物質，食物の未消化部分が含まれている。

排便反射

総蠕動運動によって便をS状結腸から直腸に押し込むと，直腸壁が拡張し，伸展受容器が刺激されて，直腸を空にする**排便反射 defecation reflex** が始まる。脊髄からのインパルスは副交感神経（訳注：骨盤内臓神経）を介して下行結腸，S状結腸，直腸，肛門

へ伝達される．その結果，直腸の縦走筋が収縮して直腸が短くなり，直腸内圧が上昇する．さらに，この内圧と副交感神経の刺激が加わり，内肛門括約筋が弛緩する．外肛門括約筋は意識的に調節できる．もし意識的に弛緩させた場合は，排便が起り，便が直腸から肛門を通して排泄される．逆に，意識的に収縮させた場合は，**排便 defecation** を遅らせることができる．横隔膜や腹筋を随意性に収縮して，腹圧を上昇させることで排便を補助し，S状結腸と直腸を内側へ圧迫する．排便が起らなかった場合は，便はS状結腸へ戻される．幼児では外肛門括約筋を随意性に調節できないので，排便反射で自動的に直腸を空にする．

> **臨床関連事項**
>
> **下痢と便秘**
>
> **下痢 diarrhea**(dia- = 〜通過して；-rrhea = 流れ)のときには，腸の運動が活発になり，吸収が悪くなるので，排便回数，便の量，便に含まれる水分量が増加する．糜粥が小腸を，便が大腸をかなり速く通過するので，水分吸収の時間がなくなる．下痢が頻繁に起ると，脱水と電解質の不均衡が起ることがある．乳糖不耐症，ストレス，消化管粘膜を刺激するような細菌によって，消化管運動が活発になることがある．
>
> **便秘 constipation**(con- = 一緒に；stip- = 圧迫する)は，腸の運動機能が低下して，排便回数が減ること，排便が困難になることを意味する．便が長時間結腸にとどまると過剰に水分が吸収され，硬くなる．便秘は習慣的に排便回数が少ないこと(排便の遅れ)，結腸の痙攣，食物繊維の不足，水分摂取の不十分さ，運動不足，ある種の薬剤服用によって起ることもある．

> **チェックポイント**
>
> 21．大腸がどのように機能して，大腸内容物を便に変えるのか？
> 22．排便とは何か？　それはどのようにして起るのか？

19.10 消化の相

目 標
- 消化の3相について概要を述べる．
- 消化作用を調節する主なホルモンについて述べる．

消化機能は，三つの互いに重なる3相，つまり脳相，胃相，腸相によって行われる．

脳 相

脳相 cephalic phase では，食べ物のにおいを嗅いだり，みたり，聴いたり，食物を想像したりすることによって，脳にある神経センターを活性化させる．それから脳は顔面神経(第VII脳神経)，舌咽神経(第IX脳神経)，迷走神経(第X脳神経)を刺激する．顔面神経と舌咽神経は唾液腺を刺激して，唾液を分泌させ，迷走神経は胃腺を刺激して，胃液を分泌させる．この脳相では，いまから口に入ってくる食物に対して口腔と胃の準備をするのが目的である．

胃 相

胃に食物が入ってくるとすぐに，**胃相 gastric phase** が始まる．この胃相では，胃液分泌と胃の運動が促進される．胃相における胃酸分泌はまた，ホルモンの**ガストリン gastrin** によっても制御されている．ガストリンは，糜粥による胃の拡張，糜粥中の部分分解されたタンパク質，胃内の食物の存在による糜粥の高いpHなどの刺激に反応して，G細胞から分泌される．ガストリンは胃腺を刺激し，大量の胃液を分泌させる．また，下食道括約筋の収縮を強め，食道への酸性糜粥を逆流させないようにし，胃の運動を活発にし，幽門括約筋を弛緩させ，胃からの排出を促進する．

腸 相

腸相 intestinal phase は，食物が小腸に入るとすぐに始まる．脳相と胃相で胃液の分泌作用と胃の運動が刺激されるのに対し，腸相では胃からの糜粥の排出を遅らせるという抑制的な影響を与え，十二指腸で処理できない量の糜粥を十二指腸に送り込まないようにする．さらに，腸相では小腸に到達した食物の消化を継続させる反応が起る．

腸相は小腸から分泌されるコレシストキニンとセクレチンといわれる二つの主なホルモンによって制御されている．**コレシストキニン cholecystokinin**(CCK)は，部分分解されたタンパク質由来のアミノ酸と部分分解されたトリグリセリド由来の脂肪酸に反応して，小腸の腸腺にあるCCK細胞によって分泌される．CCKは消化酵素に富む膵液を分泌させ，胆嚢壁を収縮させて，貯蔵している胆汁を胆嚢管から総胆管を通じて押し出す．CCKはまた，幽門括約筋の収縮を促進して胃からの糜粥の排出を遅らせ，脳の視床下部に作用して，**満腹感 satiety** を覚えさせる．

十二指腸に入ってくる酸性の糜粥が，小腸の腸腺にあるS細胞からの**セクレチン secretin** の分泌を刺激する．続いて，セクレチンは胃から十二指腸に入った

表 19.2 消化を調節する主なホルモン

ホルモン	産生部位	刺激	作用
ガストリン gastrin	胃粘膜（幽門部）	胃の拡張，部分的に消化された胃内のタンパク質，カフェイン，胃の糜粥のアルカリ性	胃液の分泌を促進する，胃の運動を亢進させる，幽門括約筋を弛緩する
セクレチン secretin	小腸粘膜	酸性の糜粥の小腸への流入	炭酸水素イオンに富む膵液の分泌を促進する
コレシストキニン（CCK） cholecystokinin	小腸粘膜	小腸内の糜粥に含まれるアミノ酸や脂肪酸	胃の糜粥の排出を抑制する，消化酵素の多い膵液の分泌を促進する，胆嚢から胆汁の分泌を引き起す，満腹感をもたらす

酸性の糜粥を緩衝する炭酸水素イオン（HCO_3^-）に富む膵液の分泌を促進する。

消化を調節する主なホルモンを表19.2 にまとめてある。

> **チェックポイント**
> 23. 消化の脳相を惹起させる刺激は何か？
> 24. 消化の胃相と腸相で起る消化管の活動を比較対照しなさい。

19.11 加齢と消化器系

目標
・消化器系における加齢の影響を述べる。

加齢に伴う消化器系の全体的な変化として，分泌機能の低下，消化管の運動性の低下，筋組織とそれを支持する構造の強さと緊張度の低下，酵素とホルモンの放出に関与する感覚性のフィードバックにおける変化，痛覚と内臓感覚に対する反応の低下がある。消化管上部では，口腔における刺激物やヒリヒリする痛みに対する反応の低下，味覚消失，歯周病，嚥下障害，裂孔ヘルニア，胃炎，消化性潰瘍が起る。小腸では，十二指腸潰瘍，消化障害，吸収障害が現れる可能性がある。加齢に伴って増加してくる病理的疾患には，虫垂炎，胆嚢疾患，黄疸，肝硬変，急性膵炎がある。例えば，便秘，痔疾患，憩室性疾患のような大腸における変化もみられることがある。結腸や直腸の癌，腸閉塞，便秘が加齢とともに増加する。

> **チェックポイント**
> 25. 加齢に伴う消化管の上部と下部における変化を表にしなさい。

・・・

さて，私たちの消化器系の探索はここで終わりなのだが，次ページの"ホメオスタシスの観点から"を参照することにより，消化器系が多くの点で，からだにある別の系のホメオスタシスの維持に寄与しているかがわかるだろう。次の20章では，消化管によって吸収された栄養素が，どのようにしてからだの組織の中で行われる代謝反応に組み込まれていくのかについて述べる。

ホメオスタシスの観点から

外皮系
- 小腸は，ビタミンDを吸収し，それは皮膚と腎臓でカルシトリオールに変換される。
- 過剰に摂取したカロリーは，トリグリセリドとして真皮や皮下組織にある脂肪細胞に蓄積される。

骨格系
- 小腸は，骨基質形成に必要な食物中のカルシウムとリン酸塩を吸収する。

筋系
- 肝臓は，運動時に筋によって生じた乳酸をグルコースに変換できる。

神経系
- ニューロンによるATP産生に必要なグルコースは，肝臓における糖新生（新しいグルコース分子の合成）や食物中の糖質の消化と吸収によって供給される。

内分泌系
- 肝臓では何種類かのホルモンが不活性化される。
- 膵島はインスリンとグルカゴンを放出する。
- 胃と小腸の粘膜にある細胞は，消化作用を調節するホルモンを分泌する。
- 肝臓はアンギオテンシノゲンを産生する。

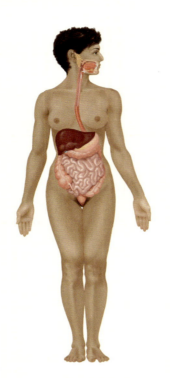

消化器系の役割

全身の器官系との関連
- 消化器系では，食物中の栄養素を体細胞が吸収し，利用できる形にまで分解する。体細胞は吸収した栄養素からATPを産生し，からだの組織を構築する。
- からだの組織の成長や機能に必要な水，ミネラル，ビタミン類を吸収する。
- 老廃物を便にしてからだから排泄する。

心臓血管系
- 消化管は水を吸収して，血液量を維持し，赤血球におけるヘモグロビン合成に必要な鉄を吸収する。
- ヘモグロビンを分解してできるビリルビンは，一部便中に排泄される。
- 多くの血漿タンパク質は肝臓で合成される。

リンパ系と免疫系
- 胃液が酸性なので，胃内の細菌と多くの毒素が破壊される。
- 消化管粘膜の疎性結合組織にあるリンパ小節は細菌を殺す。

呼吸器系
- 努力呼気時に，腹部臓器が横隔膜を圧迫すると，急速な排気が起る。

泌尿器系
- 消化管によって吸収された水は，尿中に老廃物を排泄するために必要である。

生殖器系
- 消化と吸収によって，生殖器の正常な発達，配偶子（卵子や精子）の形成，妊娠中の胎児の成長と発達に必要な脂肪などの栄養素が十分に供給される。

よくみられる病気

食物繊維と消化器系

食物繊維 dietary fiber には、果物、野菜、穀物、豆類に含まれる消化できない植物性炭水化物のセルロース、リグニン、ペクチンがある。木や植物の構成成分で水に溶けにくい**不溶性繊維** insoluble fiber は、果皮や野菜、小麦、トウモロコシの果実を包んでいるヌカに含まれている。不溶性繊維の多くは消化されないが、消化管内を物質が通過するのを速める。逆に、カラスムギ、大麦、ブロッコリー、プルーン、リンゴ、柑橘類に多く含まれる**水溶性繊維** soluble fiber は、ゲル状になって消化管内を物質が通過するのを遅くする。

繊維に富む食事をすると、肥満、糖尿病、動脈硬化、胆石、痔疾患、憩室炎、虫垂炎、大腸癌に罹患する危険性を低下させる可能性がある。水溶性繊維はまた、胆汁酸塩と結合してその再吸収を遅らせるので、血中コレステロール値を低下させるのに役立つ可能性がある。結果的に、多くのコレステロールは胆汁酸塩に変えられて、便中に排泄される。

虫　歯

虫歯 dental caries or tooth decay とはエナメル質や象牙質にあるミネラルが徐々に失われていく（軟化する）ことである。治療をしなければ、微生物が歯髄に侵入して炎症と感染を引き起こし、結果的に歯髄の死を招く。このような歯は歯根管治療で処置できる。

歯周病

歯周病 periodontal disease は、歯肉、歯槽骨、歯根膜、セメント質の炎症と変性を特徴とする多様な症状に起因する。口腔内の不衛生が原因となって、しばしば歯周病になることがある。細菌、刺激性食物、タバコの煙のような局所的な刺激、または、不十分な咀嚼によることもある。

消化性潰瘍疾患

米国では毎年人口の5〜10％の人が**消化性潰瘍疾患** peptic ulcer disease (PUD) に罹患している。**潰瘍** ulcer は粘膜の陥凹性病変で、酸性の胃液にさらされた消化管領域に発生するのが、**消化性潰瘍** peptic ulcer である。消化性潰瘍でもっとも一般的にみられる合併症は出血で、もし、十分な血液供給がなければ、それによって、貧血になる。急性の場合には、ショックから死にいたることもある。PUDには、(1)**ヘリコバクターピロリ菌** Helicobacter pylori、(2)アスピリンのような非ステロイド系抗炎症薬 (NSAID)、(3)通常、膵臓におけるガストリン産生腫瘍が関係するゾリンジャー・エリソン症候群で起るような HCl 分泌亢進、といった三つのはっきりした原因がある。

ヘリコバクターピロリ菌 Helicobacter pylori (従来は Campylobacter pylori といわれていた) が、PUD を引き起すもっとも頻度の高い原因である。この菌は、尿素をアンモニアと二酸化炭素に分解する**ウレアーゼ** urease といわれる酵素を産生する。アンモニアはその細菌を胃酸から守る一方、胃の保護粘膜とそれを裏打ちしている胃の上皮細胞を傷害する。H. pylori はまた、好中球の貪食から自らを守る作用のある酵素のカタラーゼと、細菌を胃の細胞に直接接着させるいくつかの接着性タンパク質を産生する。

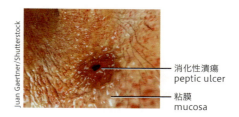

消化性潰瘍 peptic ulcer
粘膜 mucosa

PUD に対するいくつかの有効な治療方法がある。タバコの煙、アルコール、カフェイン、NSAID は、粘膜の防御機能を低下させ、そのプロセスが増強することによる粘膜が塩酸の障害作用に対して過敏になるので、これらの物質の摂取は避けるべきである。H. pylori が関与するケースは、抗菌薬を服用することにより、問題が解決されることが多い。Tums® や Maalox® のような経口制酸薬は、一時的な酸の中和に役立つ。塩酸分泌亢進が PUD の原因となっている場合では、タガメット Tagamet HB® のようなヒスタミン H_2 遮断薬やオメプラゾール (Prilosec®) のようなプロトンポンプ阻害剤が、壁細胞からの H^+ の分泌を阻害するために使用されることがある。

虫垂炎

虫垂炎 appendicitis は虫垂の炎症である。壊疽、破裂、腹膜炎が起きる前に手術するほうが安全なので、疑われる場合は虫垂摘出術（外科的に虫垂を摘出する）を受けるほうがよい。

大腸癌

大腸癌 colorectal cancer は腫瘍の中でも、もっとも悪性度の高い腫瘍である。すべての大腸癌の半分以上は、どちらかといえば遺伝性である。アルコール、高動物性脂肪食、高タンパク食を摂取すると、大腸癌罹患の危険性が増すが、食物繊維、レチノイド、カルシウム、セレンを食事で摂取するとその危険性を予防できるかもしれない。大腸癌の徴候や症状としては、下痢、便秘、腸管痙攣、腹痛、直腸出血がある。**ポリープ** polyp といわれる粘膜表面での前癌性増殖もまた、大腸癌発生の危険性を増加させる。大腸癌は、血便検査、直腸指診法、S状結腸内視鏡検査、結腸内視鏡検査、バ

憩室性疾患

憩室 diverticula は結腸壁にできる小嚢で、**憩室症 diverticulosis** は、筋層が弱まった場所に起る。憩室症の多くの人は、症状もなければ合併症もない。そのうち約 15% の人が、最終的には**憩室炎 diverticulitis** になる。その場合、痛み、便秘あるいは頻回の排便、下痢、悪心、嘔吐、微熱が特徴的に現れる。繊維を多く含む食物を摂取すると患者の症状は著しく軽減することがある。炎症を起している結腸部分は重症化すると、外科的に切除する必要が出てくる場合がある。

肝　炎

肝炎 hepatitis はウイルス、薬剤やアルコールなどの物質が原因で起る肝臓の炎症性疾患である。

A 型肝炎 hepatitis A（感染性肝炎 infectious hepatitis） は A 型肝炎ウイルス（HAV）が原因で、食物、衣服、おもちゃ、食器などが便で汚染されることにより伝播する（便-経口感染）。一般的に、食欲不振、倦怠感、吐き気、下痢、発熱、悪寒を特徴とする小児および若年層の軽度の疾患である。最後に黄疸が現れる。このタイプの肝炎では肝障害は長くは続かない。多くの人は 4～6 週で回復する。ワクチンが適用できる。

B 型肝炎 hepatitis B は、B 型肝炎ウイルス（HBV）が原因で、主に性交渉、ウイルス混入注射器、輸血器具を介して伝播する。それはまた、唾液や涙を介しても伝播する。HBV は数年、あるいは生涯体内に存在し続け、肝硬変、そして肝癌を発症する可能性がある。また、活動性 HBV をもち続ける人はキャリアになる。ワクチンが適用できる。

C 型肝炎 hepatitis C は、C 型肝炎ウイルス（HCV）が原因で、臨床的には B 型肝炎に似ている。肝硬変やおそらく肝癌の原因にもなる。先進国では、輸血用の血液に対して、B 型、C 型肝炎のスクリーニングが実施されている。

D 型肝炎 hepatitis D は、D 型肝炎ウイルスが原因（HDV）で、B 型肝炎とよく似た経路で伝播する。実際、D 型肝炎に感染する前に、必ず B 型肝炎にも感染している。D 型肝炎では重篤な肝障害になり、B 型肝炎ウイルス単独感染よりもかなり高い死亡率である。HBV ワクチンで予防できる。

E 型肝炎 hepatitis E は、E 型肝炎ウイルス（HEV）が原因で、A 型肝炎とよく似た経路で伝播する。慢性肝疾患にはならないが、妊婦が E 型肝炎ウイルスに感染すると、死亡率は非常に高くなる。

医学用語と症状

炎症性腸疾患 inflammatory bowel disease　二つの代表的な疾患がある：(1) クローン病 Crohn's desease は、消化管、とくに回腸遠位部と大腸近位部の炎症である。その炎症が粘膜から粘膜下層、筋層、漿膜にまで拡がっていく。そして (2) 潰瘍性大腸炎 ulcerative colitis は、消化管の粘膜の炎症である。通常、大腸に限局し、直腸出血を伴う。
悪心 nausea　嘔気。気分が悪くなり食欲不振といまにも吐き出したくなるような感じを伴う。消化管の局所的な炎症、全身性の疾患、脳疾患、脳損傷、過激な運動、薬剤の作用や薬剤の過剰投与が原因である。
過敏性腸症候群 irritable bowel syndrome（IBS）　ストレスに反応している人の消化管全体に起る疾患で、下痢と便秘が交互に現れ、痙攣や腹痛のような症状を訴える。便中に多量の粘液が認められ、鼓腸、悪心、食欲不振の症状が出る。
肝硬変 cirrhosis（cirrh- ＝オレンジ色の）　肝炎、肝細胞を破壊する物質、肝臓に感染する寄生虫、アルコール中毒による慢性炎症の結果、肝臓が萎縮あるいは瘢痕化する。肝細胞が線維性あるいは脂肪性結合組織に置き換えられる。黄疸、下肢の浮腫、出血傾向、薬剤過敏の症状が現われる。
口腔・口唇の潰瘍 canker sore　男性よりも、10～40 歳までの女性の口腔粘膜に多くみられる潰瘍。自己免疫反応や食物アレルギーによって起る。
食中毒 food poisoning　細菌、ウイルス、原虫などの感染性病原体あるいは毒素の混入した食べ物や飲料水を摂取した後に起る急性疾患。もっとも一般的な病原菌は黄色ブドウ球菌 *Staphylococcus aureus* の毒素で、主な症状として、腹痛を伴う下痢あるいは嘔吐が起きる。
神経性食欲不振 anorexia nervosa　神経性食欲不振は、自分の意志による体重減少、ボディーイメージの否定的認知、栄養失調を伴う生理学的変化を特徴とする慢性疾患である。神経性食欲不振の患者は、体重管理に対する固定観念があり、また、下剤を頻繁に服用して、体液や電解質の不均衡と栄養不足をさらに悪化させる。この病気は、若い独身の女性に顕著にみられ、遺伝要因の可能性もある。その患者は、さらに痩せ衰えて、最終的には飢餓あるいは合併症の一つによって死にいたることがある。
人工肛門造設術 colostomy（-stomy ＝開口部の取りつけ）　結腸の開口部から便を排泄する迂回路として、外科的"ストーマ"（人工的な開口部）をつくって、腹壁の外側に取りつける。この開口部が人工肛門の役目を果たし、そこから便が腹部に装着されている袋の中へと排泄される。
胆嚢炎 cholecystitis（chole- ＝胆汁；cyst- ＝嚢；-itis ＝の炎症）　胆嚢の自己免疫性炎症の場合もあれば、胆石による胆嚢管の閉塞による場合もある。
肥満体治療法 bariatric surgery（baros- ＝体重 weight, -iatreia ＝医学的治療 medical treatment）　肥満体の人の体重をかなり減少させるために、食事の摂取量と吸収量を制限できる外科的手術法。もっとも一般的に行われる方法は胃バイパス手術 gastric bypass surgery である。この方法の変法の一つでは、胃の上部を「クルミの実」くらいの小さな嚢の大きさにする。胃全体のたった 5～10% ぐらいのその嚢は、残りの 90～95% との間で外科手術に使う U 字形のステープルあるいはプラスチック製のバンドでくくって作成する。その嚢は小腸の空腸とつなげてしまうので、胃の残りの部分と十二指腸を食物が通らないことになる。その結果、食物は少量だけが消化され、わずかな栄養成分だけが小腸に吸収されるので、結果的に、体重を減少させる。
**不正咬合 malocclusion（mal- ＝悪い；occlusion ＝互いを合

わせる）上顎と下顎の歯の面が互いにうまくかみ合わない状態のこと。
放屁 flatus　胃や腸に充満したガスを通常，肛門から排気すること。そのガスが口から排気される場合は，おくび eructation（belching）（げっぷ burping）といわれ，胃内の食物を分解する間に放出されるガス，嚥下した空気，炭酸飲料に含まれるガスが排出される。

旅行者下痢 traveler's diarrhea　消化管の感染性疾患で，下痢，切迫性腸運動，痙攣，腹痛，嘔吐，倦怠感，吐き気，場合によっては発熱や脱水が起る。これらは主として，便中の細菌（とくに大腸菌 *Escherichia coli*）に汚染された食物や水を摂取することによって起る。便中のウイルスや原虫類に属す寄生虫が原因となることはあまりない。

19章のまとめ

はじめに
1. 食物に含まれる大きな分子を小さな分子にまで分解することを**消化** digestion という。
2. 消化と吸収を集約的に行う器官が**消化器系** digestive system である。

19.1　消化器系の概観
1. **消化管** gastrointestinal(GI) tract は，口腔から肛門まで連続した管である。
2. **付属消化器官** accessory digestive organ は，歯，舌，唾液腺，肝臓，胆嚢，膵臓である。
3. 消化過程は基本的には，（食物）摂取，（消化液）分泌，（食物の）混合と移送，**機械的消化** mechanical digestion および**化学的消化** chemical digestion，**吸収** absorption，**排便** defecation の6段階である。

19.2　消化管の管壁と腹膜ヒダ
1. 大部分の消化管の基本的な層構造は，内腔から表層に向かって，**粘膜** mucosa，**粘膜下組織** submucosa，**筋層** muscularis，**漿膜** serosa になっている。
2. 腹膜ヒダには，**腸間膜** mesentery，**大網** greater omentum などがある。

19.3　口（口腔）
1. **口** mouth（**口腔** oral cavity）を構成しているのは頬，硬口蓋，軟口蓋，舌である。
2. **舌** tongue は口腔底を形成する。舌は粘膜で覆われた骨格筋で構成される。舌の上面と側面には**舌乳頭** papilla があり，その一部には味蕾がある。舌腺から分泌された舌リパーゼが胃に入ると，その酸性環境下でトリグリセリドを分解し始める。
3. 唾液の大部分は，**唾液腺** salivary gland によって分泌される。唾液腺は口の外側にあり，導管を通じて唾液を口腔内に送り出す。**耳下腺** parotid salivary gland，**顎下腺** submandibular salivary gland，**舌下腺** sublingual salivary gland の3対の唾液腺がある。唾液は食物を滑らかにし，糖質を化学的に消化し始める。**唾液分泌** salivation は自律神経系の支配を受けている。
4. **歯** teeth（dent）は口腔内へ突出し，機械的消化に適応している。歯の三つの基本的な部位は，**歯冠** crown，**歯根** root，**歯頸** neck である。歯は主に**象牙質** dentin で構成されており，からだの中で一番硬い**エナメル質** enamel で覆われている。**乳歯** deciduous teeth と**永久歯** permanent teeth の2種類がある。
5. **咀嚼** mastication によって，食物は唾液と混合され，**食塊** bolus になる。
6. **唾液アミラーゼ** salivary amylase はデンプンの消化を始める。

19.4　咽頭と食道
1. 嚥下によって，食塊は口腔から咽頭口部といわれる**咽頭** pharynx の一部分に移動する。食塊は咽頭口部から咽頭喉頭部に移動する。
2. **食道** esophagus は，筋性の管で，咽頭と胃の間にある。
3. **嚥下** swallowing とは**蠕動運動** peristalsis によって，食塊が口腔から胃に移動することである。嚥下は**随意相** voluntary stage，**咽頭相** pharyngeal stage（不随意性），**食道相** esophageal stage（不随意性）の3相に分けられる。

19.5　胃
1. **胃** stomach は食道と十二指腸の間にある。胃の主な解剖学的区分は，**噴門** cardia，**胃底** fundus，**胃体** body，**幽門** pylorus である。幽門と十二指腸の間には**幽門括約筋** pyloric sphincter がある。
2. 胃には消化に適した**ヒダ** ruga がある。そこには粘液，塩酸，タンパク質分解酵素（ペプシン），内因子，ガストリンを分泌する胃腺がある。胃にはまた効果的に機械的な運動をする3層の筋がある。
3. **混合波** mixing wave による機械的消化によって，食物は**胃液** gastric juice と混合されて**糜粥** chyme になる。
4. 化学的消化は，主に**ペプシン** pepsin によるタンパク質のペプチドへの分解である。
5. 胃壁ではほとんどの物質が透過できない。胃が吸収できる物質は，水，イオン類，短鎖脂肪酸，ある種の薬剤，アルコールである。

19.6　膵臓
1. **膵液** pancreas は**膵管** pancreatic duct 経由で十二指腸に分泌される。
2. 内分泌部である**膵島** pancreatic islet（ランゲルハンス

島 islet of Langerhans) はホルモンを分泌する。
3. 膵臓の外分泌部の腺房 acini にある細胞は膵液を分泌する。
4. 膵液 pancreatic juice には，デンプン分解酵素の膵アミラーゼ pancreatic amylase，タンパク質分解酵素のトリプシン trypsin，キモトリプシン chymotrypsin，カルボキシペプチダーゼ carboxypeptidase，トリグリセリド分解酵素の膵リパーゼ pancreatic lipase，核酸分解酵素のリボヌクレアーゼ ribonuclease，デオキシリボヌクレアーゼ deoxyribonuclease が含まれている。

19.7 肝臓と胆嚢

1. 肝臓 liver は右葉と左葉に分けられる。胆嚢 gallbladder は肝臓下面の陥凹にある袋で，肝臓で産生された胆汁 bile を貯蔵・濃縮する。
2. それぞれの肝臓の葉には，肝小葉がある。肝小葉は，**肝細胞 hepatocyte**，**肝類洞 hepatic sinusoid（洞様毛細血管），星状細網内皮系細胞 stellate reticuloendothelial cell，中心静脈 central vein** からなる。
3. 肝細胞によって分泌された胆汁は，管系で胆嚢に運ばれ，そこで濃縮後，一時的に貯蔵される。コレシストキニン (CCK) は，胆嚢から胆汁を放出させる。
4. 胆汁は食物中の脂質を乳化 emulsification して，消化に関与する。
5. 肝臓はまた，糖質，脂質，タンパク質を代謝し，薬剤やホルモンを処理し，ビリルビンを排泄し，胆汁酸塩を合成し，ビタミン類やミネラルを貯蔵し，赤血球などを貪食し，ビタミンDを活性化する。

19.8 小　　腸

1. 小腸 small intestine は，幽門括約筋から回盲括約筋 ileocecal sphincter まで伸びていて，十二指腸 duodenum，空腸 jejunum，回腸 ileum に分けられる。
2. 小腸は消化と吸収のために特殊化されている。腺は酵素と粘液を産生し，微絨毛 microvillus，絨毛 villus，輪状ヒダ circular fold によって消化，吸収のため，広大な表面積ができる。
3. 小腸における機械的消化は分節運動 segmentation と蠕動運動の移動波による。
4. 膵液，小腸吸収上皮細胞にある微絨毛にある酵素，胆汁などは，二糖類を単糖類に分解し，タンパク質をペプチダーゼ peptidase で完全に分解し，トリグリセリドを膵リパーゼ pancreatic lipase で脂肪酸とモノグリセリドに分解し，核酸をヌクレアーゼでペントースと窒素性塩基に分解する (表 19.1)。
5. 吸収 absorption とは消化管内で消化された食物からの栄養素が血液中あるいはリンパ中に移動することである。小腸における吸収がほとんどで，単純拡散，促進拡散，浸透圧，能動輸送によって起る。
6. 単糖類，アミノ酸，短鎖脂肪酸は，毛細血管に入る。
7. 長鎖脂肪酸とモノグリセリドはミセル micelle の一部として上皮細胞に吸収されて，トリグリセリドに再合成され，キロミクロン chylomicron として絨毛内の乳び管 lacteal に入る。
8. 小腸では，水分，ミネラル，ビタミン類も吸収される。

19.9 大　　腸

1. 回盲括約筋から肛門 anus までを大腸 large intestine といい，盲腸 cecum，結腸 colon，直腸 rectum，肛門管 anal canal に分けられる。
2. 粘膜には水分を吸収する多くの細胞と粘液を分泌する杯細胞がある。結腸ヒモが収縮すると結腸膨起 haustra が形成される。
3. 総蠕動運動 mass peristalsis は強力な蠕動波であり，結腸の内容物を直腸に送り出す。
4. 大腸内の内容物はさらに分解される。細菌の作用で，ある種のビタミン類が合成される。
5. 大腸では，水，電解質，ビタミン類が吸収される。
6. 便 feces には，水，無機塩類，上皮細胞，細菌，未消化物が含まれる。
7. 直腸から便を排泄することを排便 defecation という。排便は反射性であり，補助筋として横隔膜と腹筋が随意性に収縮し，外肛門括約筋が弛緩する。

19.10 消化の相

1. 消化機能は，三つの互いに重なる3相，つまり脳相，胃相，腸相によって行われる。
2. 脳相 cephalic phase では，いまから口に入ってくる食物に対する口腔と胃での準備として，唾液腺が唾液を分泌し，胃腺が胃液を分泌する。
3. 胃に食物が入ると胃相 gastric phase が始まり，胃液分泌と胃の運動が促進される。
4. 腸相 intestinal phase では，小腸で食物が消化される。さらに，胃の運動と胃液分泌が減少して，胃からの糜粥の排泄を遅らせる。その結果，小腸での糜粥処理能力を越えるようなことが起らないようにしている。
5. ホルモンによる協同作用によって，それぞれの相の機能が調節されている。消化を調節する主なホルモンについては，表 19.2 にまとめてある。

19.11 加齢と消化器系

1. 一般的に，分泌機能低下，消化管運動能低下，筋緊張の低下が起る。
2. とくに，味覚消失，ヘルニア，消化性潰瘍，便秘，痔疾患，憩室性疾患に罹患しやすくなる。

クリティカルシンキングの応用

1. 歯科医の5人のうち4人はシュガーレスガムを噛むべきだと考えているが，全員が歯を磨くべきだと思っている。なぜか？
2. ブリッジテーブルでの議論が熱くなってきた。エドナは彼女の便秘の原因は乳糖不耐性にあると考えている。一方，ゲートルードは，乳糖不耐性は腸の疾患とは関係ないが，胸やけの原因になっていると主張している。もちろん，この2人の女性は長年，骨粗鬆症の原因となるような食生活を送ってはいない。この議論を解決してあげてください。
3. ジャレドは冗談で妹の飲み物にプラスチック製のクモを入れた。しかし，不幸なことにそれを妹が飲んでしまったので，お母さんは冗談では済まされなくなり，すぐに救急病院に連れていった。医者はクモが胃と十二指腸の間に詰まっているかもしれないと疑った。この境界部位にある括約筋の名前を答えなさい。プラスチック製のクモがたどった道筋を追跡しなさい。医師は胃の内部をみるためにどのような手段を使ったか？ クモ以外にどのような構造が観察されたか？
4. ゲートルードはエドナとの口論に混乱して，ブリッジパーティーから飛び出して家に帰った。まだカッカしていたけれども，残っていたスパゲッティーをあたためて，ワインと一緒に食べた。その後チョコレートケーキ1個と2杯のブラックコーヒーを飲んだ。その日の夜は胸やけがひどく眠られなかった。もちろん，彼女はその原因をエドナとの口論のせいにした。あなたは彼女の胸やけが悪化したのは何だと思うか？ 彼女はどうして一時的にそう信じたのか？ 彼女に対する長期的な解決策は何だろうか？

図の質問の答え

19.1 歯で食物を噛み砕く。
19.2 消化管の管壁にある神経は消化管からの分泌液の分泌と消化管運動を制御している。
19.3 腸間膜が小腸を後腹壁に固定させている。
19.4 舌筋は咀嚼するために食物を混合して，食塊の形にし，嚥下時に口の奥に押し込む。また，嚥下や会話のときには舌の形を変える。
19.5 歯の主な構成成分は象牙質といわれる結合組織である。
19.6 嚥下には随意相と不随意相がある。嚥下は，随意性の骨格筋により開始され，平滑筋の不随意性の蠕動運動によって食塊を食道から胃に移送することで終わる。
19.7 食事の量が多くなると胃の粘膜ヒダが伸びるので，それが消えてしまう。
19.8 胃の粘膜にある単層円柱上皮細胞が食物と接触する。
19.9 膵液には水，塩類，炭酸水素イオン，消化酵素が含まれる。
19.10 肝臓にある星状細網内皮系細胞が貪食細胞である。
19.11 回腸はその大部分が右下腹部にある。
19.12 吸収上皮細胞は粘膜上皮にある。
19.13 脂溶性のビタミン類はミセルから単純拡散によって吸収される。
19.14 大腸の機能は吸収を完結し，ある種のビタミン類を合成し，便を形成して，それを排泄することである。
19.15 大腸の筋層から形成された縦走するヒモ(結腸ヒモ)によって，結腸に一連の袋状の構造がつくられる。

CHAPTER 20

栄養と代謝

私たちが食べる食物は、生物学的な働きをするための唯一のエネルギー源である。細胞や組織を維持するために必要とされる多くの分子は体内にある成分からつくられる。それ以外は体内でつくることができないので食事から摂らなければならない。消化器系から吸収された食物分子は主に三つの運命をたどる。

1. **エネルギーを供給** supply energy：能動輸送や DNA の複製、タンパク質合成、筋収縮、体温の維持、細胞分裂などの生命過程を維持するために、エネルギーを供給する。
2. **構成要素としての役割** serve as building blocks：筋タンパク質、ホルモン、酵素といったより複雑な分子を合成するための構成要素として働いている。
3. **将来使用するために貯蔵** storage for future use：例えば、グリコーゲンは肝細胞に、中性脂肪は脂肪細胞に貯蔵される。

本章では以下の点が述べられる。
- ATP の産生、食物がからだの成長や修復のためにどのように使われるか。
- さまざまな要因がどのようにからだの代謝率に影響を与えるか。
- 主要な栄養素。
- 健康的な食生活のためのガイドライン。

> **先に進むための復習**
> - からだの主な元素（2.1 節）
> - 酵素（2.2 節）
> - 糖質（炭水化物）、脂質、タンパク質（2.2 節）
> - ネガティブフィードバックシステム（1.3 節）
> - 肝臓の機能（19.7 節）
> - 視床下部と体温調節（10.4 節）

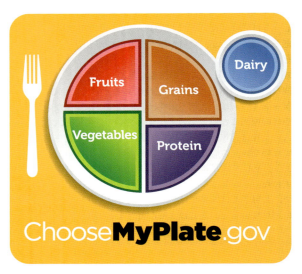

Q これまでに健康的な食生活のガイドラインに従っているかどうか疑問に思ったことはありませんか？ 答えは 20.3 節でわかるでしょう。

20.1 代謝

目標
- 代謝を定義し、ホメオスタシスにおけるその重要性を述べる。
- 体内で糖質、脂質、タンパク質がどのように使われるか説明する。

代謝 metabolism（metabol- ＝変化）とは体内で起る化学反応すべてをいう。化学反応は物質間の化学結合が形成されたり離れたりしたときに起り、これらの化学反応の速度を上げるために**酵素 enzyme** が触媒として働いていると 2 章で述べたことを思い出そう。酵素の中には Ca や鉄、亜鉛などのイオンを必要としているものもある。反応中、基質から取り除かれる、あるいは付加される原子の一時的なキャリアとして働いている**補酵素 coenzyme** と一緒に働く酵素もある。多くの補酵素はビタミンから合成される。例えば、補酵素の NAD^+ はビタミン B のナイアシンから、また補酵素の FAD はビタミン B_2（リボフラビン）からつくられる。

体内の代謝には、物質の同化（合成）と異化（分解）間の反応エネルギーの平衡を保つ働きがあると考えられている。単純な物質を結合させて、より複雑な分子にする化学反応をひとまとめにして**同化（合成）anabolism**（ana- ＝上へ向かう）という。一般的に同化はエネルギーを産生するより多くのエネルギーを使う。これらの反応が使用するエネルギーは異化（分解）によって供給される（図 20.1）。同化の例の一つに、アミノ酸同士がペプチド結合し、タンパク質をつくる過程がある。

複雑な有機化合物を単純な物質に分解する化学反応が**異化（分解）catabolism**（cata- ＝下へ向かう）である。異化では有機分子に貯えられていたエネルギーが

図 20.1 異化と同化の連携における ATP の役割。複雑な分子が分解されるとき（異化，左側），一部のエネルギーが ATP に移され，残りは熱として放出される。単純な分子が結合して複雑な分子になるとき（同化，右側）は ATP は合成のためエネルギーを放出し，また，一部は熱となって放出される。

エネルギーを放出する反応と獲得する反応の連携は ATP を介して達せられる。

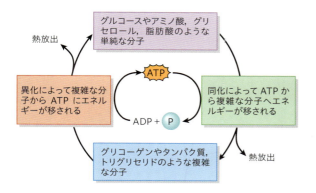

Q 消化酵素を産生する膵臓の細胞では，異化と同化のどちらが優位か？

放出される。このエネルギーは ATP 分子に移され，同化の際に使われる。重要な異化が解糖系，クエン酸回路，電子伝達系で起り，これらは後で簡単に説明する。

異化で放出されたエネルギーの約 40％が，細胞が機能するために使われ，残りは熱に変換され，正常な体温を維持するために働く。過剰な熱は環境に失われる。エネルギーの 10〜20％のみが作業に使われる機械と比べて，40％の効率をもつ代謝は非常に印象的である。それでも細胞が生命を維持するために十分な ATP を合成できるよう，からだは常に外部からエネルギー源を取り入れ処理する必要がある。

糖質代謝

消化によって多糖類や二糖類はグルコース，フルクトース，ガラクトースなどの単糖類に分解され，小腸から吸収される。しかし，吸収されるとすぐにフルクトースとガラクトースはグルコースに変換される。つまり，糖質代謝はまさにグルコースの代謝といえる。

グルコースは体内で ATP を合成するのにもっとも好んで使われる材料なので，食事から吸収されたグルコースの運命は体細胞の ATP 必要度によって決まる。もし細胞がいますぐにでも ATP を必要としているのならグルコースは細胞で酸化される。すぐに ATP を必要としていなければ，肝細胞や骨格筋細胞でグリコーゲンに変換され，貯蔵される。これらのグリコーゲンの貯蔵が満杯であれば，肝細胞がグルコースをトリグリセリド（中性脂肪）に変換し，脂肪組織に貯蔵する。のちに細胞がより多くの ATP を必要とする場合には，グリコーゲンやトリグリセリドのグリセロール部分がグルコースに戻される。また体内の細胞はタンパク質の材料であるアミノ酸をグルコースを使って合成することもできる。

グルコースは細胞で使用される前に促進拡散によって原形質膜を通過し，サイトゾルに入らなくてはならない。インスリンがグルコースの促進拡散を増加させる。

グルコースの異化 ATP を合成するためのグルコースの異化は**細胞呼吸** cellular respiration として知られている。この反応は以下のようになる。

グルコース 1 分子 ＋ 酸素 6 分子 ⟶
ATP 30 または 32 分子 ＋ 二酸化炭素 6 分子 ＋ 水 6 分子

細胞呼吸では四つの化学反応が相互に作用しあっている（図 20.2）。

❶ **解糖系** glycolysis（glyco- ＝糖；-lysis ＝分解）は炭素が六つのグルコース 1 分子が，炭素三つのピルビン酸 2 分子に変換される反応で，サイトゾルで起る。この反応によって 2 分子の ATP が産生される。これらはまた，補酵素の NAD^+ の水素原子に移され，$NADH + H^+$ を二つ産生する。

❷ **アセチル補酵素 A** acetyl coenzyme A（CoA）の形成はピルビン酸がクエン酸回路に入るための一時的な段階である。まず，ピルビン酸がミトコンドリアに入ると二酸化炭素 1 分子が取り除かれ，二つの炭素成分に変換される。グルコースの異化で産生された二酸化炭素は血液中に拡散し，呼息される。その後，補酵素 NAD^+ は $NADH + H^+$ に変換される。残された**アセチル基** acetyl group は補酵素 A と結合し，アセチル補酵素 A（CoA）をつくる。

❸ **クエン酸（クレブス）回路** citric acid (Krebs) cycle は，NAD^+ と FAD の二つの補酵素に水素原子を移し，$NADH + H^+$ と $FADH_2$ を産生する一連の反応である。また，この回路に入ったそれぞれのアセチル CoA から CO_2 と ATP 1 分子を産生する。NADH や $FADH_2$ のエネルギーを獲得するためにはこれらの水素原子の電子が電子伝達系に送られなければならない。

❹ **電子伝達系** electron transport chain の反応によって，$NADH + H^+$ と $FADH_2$ 内のエネルギーから ATP が合成される。解糖系，アセチル CoA の

図 20.2 細胞呼吸。

ATP 産生のためのグルコースの異化には，解糖系，アセチル補酵素 A(CoA) の形成，クエン酸回路，電子伝達系がある。

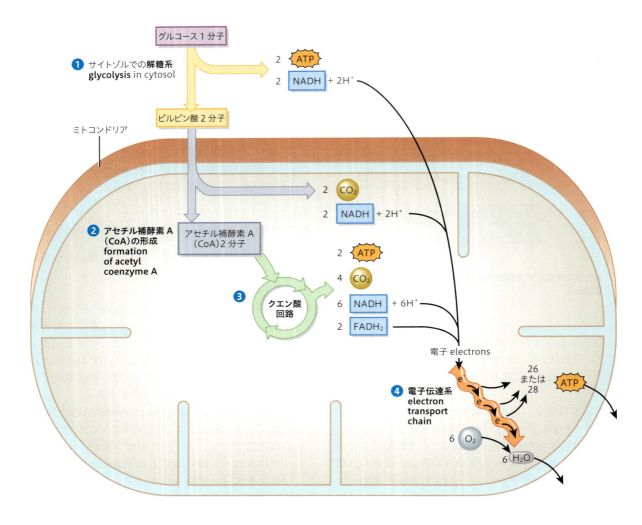

Q 1 分子のグルコースが完全に異化されると何分子の ATP が産生されるか？

形成，クエン酸回路でつくられた NADH + H$^+$ と FADH$_2$ の水素原子が取り除かれて，H$^+$（プロトン）と電子に分けられる。H$^+$ は H$^+$（プロトン）勾配をつくるために使用され，電子は最終の電子受容体として働く酸素とともに電子伝達系のある部位からほかの部位に移動する。H$^+$（プロトン）が濃度勾配によって移動すると ATP が産生される。ATP を産生するこの過程で水もつくられる。

解糖系は酸素を必要としないため，**好気性** aerobic（酸素がある）でも**嫌気性** anaerobic（酸素がない）の状態でも起る。逆にクエン酸回路と電子伝達系は酸素が必要なので，まとめて**好気性細胞呼吸** aerobic cellular respiration と呼ばれている。このように，酸素が存在すると四つの段階，解糖系，アセチル補酵素 A の形成，クエン酸回路，電子伝達系がすべて起る。しかし，酸素がない，あるいは酸素濃度が低い場合は，ピルビン酸は**乳酸** lactic acid と呼ばれる物質に変換されて，細胞呼吸の残りの反応は起らない。嫌気性状態で解糖系だけが起る場合，これは**嫌気性解糖系** anaerobic glycolysis として知られている。

図 20.3 グルコースの同化：グリコーゲンの合成，グリコーゲンの分解，アミノ酸や乳酸，グリセロールからのグルコースの合成。

骨格筋と肝臓に約 500 g のグリコーゲンが貯蔵される。

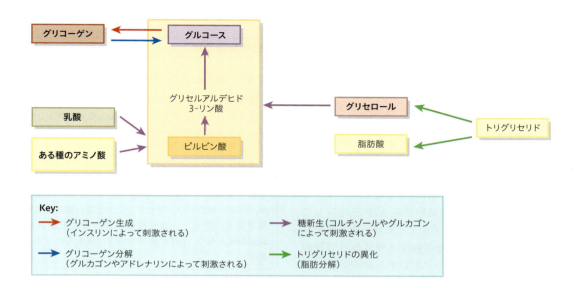

Q アミノ酸からグルコースを合成できるのはからだのどの細胞か？

グルコースの同化　体内のほとんどのグルコースはATPを産生するために分解されるが，グルコースはいくつかの同化にかかわったり，あるいは同化を介して生成されることもある。一つはグリコーゲンの合成で，もう一つはタンパク質や脂質を分解して新たなグルコース分子を合成することである。

グルコースが直ちにATP産生に必要なければ，多くのグルコースが結合して**グリコーゲン** glycogen と呼ばれる長鎖の分子を形成する（図 20.3）。グリコーゲンの合成はインスリンによって刺激される。からだは約 500 g のグリコーゲンを貯蔵することができ，約 75％が骨格筋に，残りが肝細胞に貯蔵される。

もし，血液中のグルコース値が正常より下がってくると膵臓からグルカゴンが，そして副腎髄質からアドレナリンが分泌される。これらのホルモンはグリコーゲンを分解してグルコースをつくる反応を刺激する（図 20.3）。肝細胞が血液中にグルコースを放出すると体細胞がこのグルコースを細胞内に取り入れ ATP を産生する。グリコーゲンの分解は通常，食間に起る。

肝臓のグリコーゲンが減少したときが食べどきである。もしそのときに食べなければ，体内ではトリグリセリド（脂肪）やタンパク質の異化が始まる。実際，正常でも少しのトリグリセリドやタンパク質は分解されるが，飢餓状態や糖質がほとんどない食事をする，あるいは内分泌疾患にでも陥らない限り大量の分解は起らない。

トリグリセリドのグリセロールの部分，乳酸，ある種のアミノ酸は肝臓でグルコースに変換される（図 20.3）。これらの非糖質物質からグルコースを合成する過程は**糖新生** gluconeogenesis（neo- ＝新しい）と呼ばれている。この反応系でグルコースを血液中に放

> **臨床関連事項**
>
> **カーボローディング**
>
> 肝臓や骨格筋に貯蔵されたグリコーゲンの量は変動し，長時間に及ぶ運動時には完全に使い果たされる。つまり，多くのマラソン選手や耐久スポーツを行うアスリートは正確な運動と食事のプログラムに従っており，この中には試合前3日間はパスタやジャガイモなどの糖質を多量に摂取することが含まれている。この訓練は**カーボローディング** carbohydrate loading と呼ばれ，骨格筋で ATP を産生するために利用できるグリコーゲン量を最大にする役割がある。1 時間以上の運動競技では，カーボローディングによって選手の持久力が増加することが知られている。

出することで，グルコースが体内に吸収されない食間時の血糖値を正常に維持することができる。糖新生は副腎皮質から分泌されるグルココルチコイド（糖質コルチコイド）や膵臓から分泌されるグルカゴンによって肝臓が刺激され起る。

脂質代謝

糖質と同じように脂質も異化されてATPを産生する。体内で脂質を直ちに使う必要がなければ，からだ中の脂肪組織や肝臓でトリグリセリドとして貯蔵される。脂質の一部は構造分子として，あるいはほかの物質を合成するために使われる。体内で合成することのできない必須脂肪酸にリノレン酸とリノール酸がある。これらの脂質は植物油や緑黄色野菜に含まれている。

脂質の異化

筋，肝臓，脂肪組織は通常，トリグリセリドを分解してできる脂肪酸からATPを産生している。まず，トリグリセリドがグリセロールと脂肪酸に分解される，**脂肪分解 lipolysis** と呼ばれる過程がある（図20.4）。ホルモンのアドレナリンやノルアドレナリン，コルチゾールがこの過程を促進する。

脂肪分解によってできたグリセロールと脂肪酸は別々の経路を介してさらに異化される。グリセロールは体内の多くの細胞によってグリセルアルデヒド3-リン酸に変換される。もし細胞内のATP供給が多け

> ### 臨床関連事項
>
> #### ケトーシスとアシドーシス
>
> 通常，ケトン体がつくられるくらいの速さで，ほかの組織がそれらをATP産生に使うため，血中のケトン体の濃度は正常では大変低い。血中のケトン体の濃度が正常よりも上昇したのが**ケトーシス ketosis** という状態で，ケトン体のほとんどは酸性なので緩衝されなければならない。過剰に蓄積されると血液のpHは低下する。糖尿病患者がより重度のインスリン不足となったときの徴候の一つが，ケトン体の一つ，アセトンによる甘い香りを呈する呼気である。ケトーシスが長期にわたると**アシドーシス acidosis** となり，pHの異常な低下は死をもたらすこともある。

図 20.4 脂質代謝。トリグリセリドを脂肪酸とグリセロールに分解することを脂肪分解という。グリセロールはグリセルアルデヒド3-リン酸に変換され，さらにグルコースに変換されたり，クエン酸回路に入る。脂肪酸はアセチルCoAとしてクエン酸回路に入る。脂肪酸はまたケトン体にも変換される。

> グリセロールと脂肪酸は別々の経路で異化される。

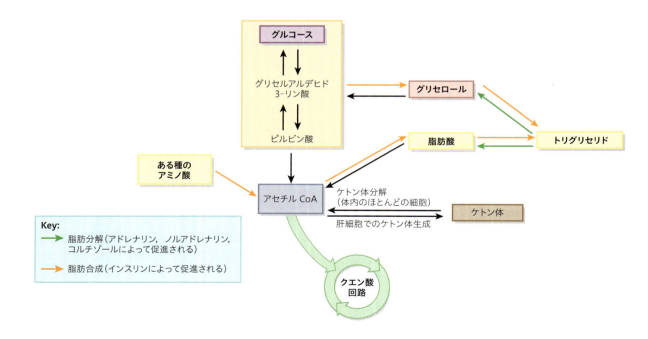

Q どの細胞でケトン体が生成されるか？

れば，グリセルアルデヒド 3-リン酸はグルコースに変換される。つまり，糖新生の一例である。ATP 供給が低ければ，グリセルアルデヒド 3-リン酸は異化経路に入り，ピルビン酸となる。

脂肪酸の異化は酵素が脂肪酸から二つの炭素分子を取り除くことで始まり，それらを補酵素 A(CoA) に結合し，アセチル CoA を形成する。それからアセチル CoA はクエン酸回路に入る（図 20.4）。炭素数が 16 個のパルミチン酸の場合，クエン酸回路と電子伝達系を介して 129 もの ATP が産生される。

正常な脂肪酸分解の一部分として，肝臓で一部のアセチル CoA が**ケトン体 ketone body** と呼ばれる物質に変換される（図 20.4）。その後ケトン体は肝臓を離れ，体内の細胞に入り，アセチル CoA に分解され，クエン酸回路に入る。

脂質の同化 必要とする ATP 以上に多くのカロリーが体内にあると，インスリンが肝細胞や脂肪細胞を刺激してトリグリセリドを合成する（図 20.4）。食事からの過剰な糖質，タンパク質，脂質はすべて同じ運命をたどり，トリグリセリドに変換される。あるアミノ酸は以下の反応を起こす：アミノ酸→アセチル CoA→脂肪酸→トリグリセリド。グルコースから脂質を合成するときには二つの経路を介して行われる。

1. グルコース→グリセルアルデヒド 3-リン酸→グリセロール

あるいは

2. グルコース→グリセルアルデヒド 3-リン酸→アセチル CoA→脂肪酸

結果として，グリセロールと脂肪酸の同化によって貯蔵用のトリグリセリドが合成される。あるいはリポタンパク質やリン脂質，コレステロールといったほかの脂質を合成するために一連の同化に使われる。

血液中における脂質移送 トリグリセリドやコレステロールなどほとんどの脂質は水には溶けない。このような分子が血液中を移送されるためには，まず肝臓や小腸でつくられたタンパク質と結合して，より水溶性にならなければならない。このような**リポタンパク質 lipoprotein** は，内側の中心部にトリグリセリドやほかの脂質があり，これをタンパク質やリン脂質，コレステロールが囲んでいる球形の粒子である。外側のタンパク質はリポタンパク質が体液中で溶解するのを助け，それ以外にも特別な機能をもっている。

リポタンパク質は移送手段である。細胞が脂質を必要としていればそれらを運び，必要としていなければ取り除くといった運搬や取り込む働きがある。リポタンパク質は，その大きさと密度によって分類され，それぞれ名前がつけられている。大きく軽いものから小さく重いものまで，主に 4 種類のリポタンパク質があり，順にキロミクロン，超低密度リポタンパク質(VLDL)，低密度リポタンパク質(LDL)，高密度リポタンパク質(HDL)である。

1. **キロミクロン chylomicron** は小腸の粘膜上皮細胞でつくられ，食物に含まれていた脂肪を脂肪組織に貯蔵用として運ぶ。
2. **超低密度リポタンパク質 very low-density lipoprotein(VLDL)** は肝細胞でつくられたトリグリセリドを脂肪細胞へ輸送し貯蔵する。脂肪細胞にトリグリセリドを放すと，VLDL は LDL に変る。
3. **低密度リポタンパク質 low-density lipoprotein (LDL)** は血中の全コレステロールの約 75% を運び，細胞膜の修復やステロイドホルモン，胆汁酸塩の合成のために全身の細胞に届ける。
4. **高密度リポタンパク質 high-density lipoprotein(HDL)** は体細胞にある余分なコレステロールを取り除き肝臓に運ぶ。

> **§ 臨床関連事項**
>
> **悪玉コレステロールと善玉コレステロール**
>
> LDL が過剰にあると動脈の平滑筋内あるいはその周辺にコレステロールを蓄積し，脂肪塊を形成し冠状動脈疾患のリスクを増加させる(15 章 "よくみられる病気" 参照)。このため，LDL コレステロールは**悪玉コレステロール "bad" cholesterol** として知られている。高脂肪食は VLDL の産生を高め，これがさらに LDL 濃度を上昇させ，脂肪塊の形成を増加させる。HDL は血液中のコレステロールの蓄積を防ぐことから，高 HDL 濃度は冠状動脈疾患のリスクの減少にかかわっている。このため，HDL は**善玉コレステロール "good" cholesterol** と呼ばれている。
>
> 成人の望ましい血中コレステロール濃度は総コレステロール < 200 mg/dL，LDL < 130 mg/dL，HDL > 40 mg/dL である。総コレステロールに対する HDL の割合によって冠状動脈疾患のリスクを予想することができる。総コレステロール値が 180 mg/dL，HDL 値が 60 mg/dL の人であれば危険率は 3 である。4 以上の危険率が望ましくないと考えられ，率が高ければ高いほど冠状動脈疾患になる危険性が高い。

タンパク質代謝

消化によってタンパク質はアミノ酸にまで分解される。糖質や脂質と違って，タンパク質は将来使用するために貯蔵することはできない。代わりに ATP 産生

のためにアミノ酸が酸化され，からだの成長や体組織の修復のために新しいタンパク質の合成に使用される。食事から摂った過剰なアミノ酸はグルコース(糖新生)やトリグリセリドに変換される。

体細胞内へのアミノ酸の能動輸送はインスリン様成長因子(IGF)とインスリンによって促進される。消化された直後からアミノ酸はタンパク質の合成に使用される。多くのタンパク質は酵素として働いている。ほかのタンパク質は輸送機能(ヘモグロビン)，抗体，凝固因子(フィブリノゲン)，ホルモン(インスリン)，筋線維の収縮物質(アクチンとミオシン)として働いている。また，からだの構造要素として働いているタンパク質もある(コラーゲン，エラスチン，ケラチン)。

タンパク質の異化　毎日体内では一定量のタンパク質の分解が起っており，これは主として副腎皮質から分泌されるコルチゾールによって刺激される。寿命のきた細胞(例えば，赤血球)のタンパク質はアミノ酸にまで分解される。いくつかのアミノ酸はリサイクル過程の一部としてほかのアミノ酸に変換され，ペプチド結合によって新しいタンパク質に合成される。肝細胞で脂肪酸やケトン体あるいはグルコースに変換されるアミノ酸もある。図 20.3 はアミノ酸がグルコースに変換される過程(糖新生)を，そして図 20.4 はアミノ酸が脂肪酸あるいはケトン体に変換される過程を示している。

またアミノ酸は ATP をつくるために酸化される。しかし，アミノ酸がクエン酸回路に入る前にまずアミノ基($-NH_2$)が取り除かれなければならず，この過程を**脱アミノ反応 deamination** という。脱アミノ反応は肝細胞で起り，アンモニア(NH_3)を生成する。それから肝細胞で毒性の高いアンモニアが比較的毒性の低い尿素に変換され，これは尿中に排泄される。

タンパク質の同化　タンパク質の同化，すなわちアミノ酸がペプチド結合によって新しいタンパク質を形成する反応は体内のほとんどすべての細胞のリボソームで，それも細胞の DNA と RNA によって調節されている。インスリン様成長因子，甲状腺ホルモン，インスリン，エストロゲン，テストステロンがタンパク質合成を促進する。タンパク質は細胞構造の主な構成要素であることから，成長期，妊娠中，あるいは疾患や外傷によって組織が障害されているときには，とくに食事から適度な量のタンパク質を摂ることが重要である。適切な量のタンパク質をいったん摂取するとそれ以上タンパク質を摂っても骨や筋量は増加しない。ただし力を使うウエイトトレーニングなどの筋肉トレーニングプログラムを規則的に行うと増加する。

体内にある 20 種類のアミノ酸のうち，10 種類が**必須アミノ酸 essential amino acid** である。それらは体内で必要量を合成することができないため食事から摂らなくてはならない。**非必須アミノ酸 nonessential amino acid** は体内で合成することができる。アミノ酸からピルビン酸あるいはクエン酸回路内の酸にアミノ基を移すことによって合成される。必要とされる必須アミノ酸や非必須アミノ酸が細胞内にあれば直ちにタンパク質合成が起る。表 20.1 には糖質，脂質，タンパク質の同化と異化が起る過程を要約している。

臨床関連事項

フェニルケトン尿症

フェニルケトン尿症 phenylketonuria(PKU) はタンパク質代謝の遺伝性疾患で，アミノ酸のフェニルアラニンが血液中に増加することが特徴である。フェニルアラニンはチロシンに変換されるとクエン酸回路に入ることができるが，フェニルケトン尿症の子どもの多くにはこの変換酵素を暗号化する遺伝子に突然変異がある。酵素が欠損しているためフェニルアラニンは代謝されず，またタンパク質合成にも使われず，血液中に増加する。治療しなければ嘔吐，皮疹，てんかん発作，成長障害，重度の精神遅滞が起る。新生児で PKU のスクリーニングを行い，成長に必要なだけのフェニルアラニンが添加された食事制限によって精神遅滞は防ぐことができる。しかし，学習能力は障害されたままである。人工甘味料のアスパルテーム(Nutra Sweet®)にはフェニルアラニンが含まれているため PKU の子どもには制限しなければならない。

チェックポイント

1. 解糖系ではどんなことが起るか？
2. 電子伝達系ではどんなことが起るか？
3. 1 分子のグルコースが完全に酸化されるとき，どの反応系が ATP を産生するか？
4. 糖新生とは何か，またなぜ重要なのか？
5. 異化と同化の違いは何か？
6. 異化と同化との連携に ATP はどのようにかかわっているか？
7. リポタンパク質の中のタンパク質の機能は何か？
8. 善玉コレステロールと悪玉コレステロールに含まれるリポタンパク質は何か？　またこれらの用語はどのような理由で使われるのか？
9. トリグリセリドはからだのどこに貯蔵されるのか？
10. ケトン体とは何か？　ケトーシスとは何か？
11. タンパク質が異化されるとアミノ酸はどのような運命をたどるか？

表 20.1　代謝の要約

過　程	特　徴
糖質代謝 carbohydrate metabolism	
グルコースの異化 　glucose catabolism	ほとんどの細胞においてグルコースの完全な異化（細胞呼吸）がATP産生の主要経路である。これには解糖系，クエン酸回路，電子伝達系が含まれる。1分子のグルコースから30〜32分子のATPができる。
解糖系 glycolysis	グルコースがピルビン酸に変換され，1分子のグルコースから2分子のATPができる；この反応は好気性でも嫌気性条件下でも起る。
クエン酸回路 　　citric acid cycle	これは補酵素（NAD^+，FAD）が高エネルギー電子を取り込む一連の反応である；ここでいくつかのATPが産生され，CO_2，H_2O ならびに熱が副産物として産生される。反応は好気性条件下で起る。
電子伝達系 　　electron transport chain	グルコース異化の三つ目の反応で，電子がキャリアから次のキャリアへ運ばれ，ATPのほとんどが産生される。反応は好気性条件下で起る。
グルコースの同化 　glucose anabolism	ATP産生が即座に必要でないときは，グルコースは貯蔵のためにグリコーゲンに変換される。グリコーゲンはATPをつくるためグルコースに戻される。糖新生とはアミノ酸やグリセロール，乳酸からグルコースを合成することである。
脂質代謝 lipid metabolism	
トリグリセリドの異化 　triglyceride catabolism	トリグリセリドはグリセロールと脂肪酸に分解される。グリセロールはグルコースに変換されたり（糖新生），解糖系を介して異化される。脂肪酸はアセチルCoAに変換され，クエン酸回路に入りATPを産生したり，ケトン体の産生に使われる。
トリグリセリドの同化 　triglyceride anabolism	グルコースやアミノ酸からトリグリセリドを合成する。トリグリセリドは脂肪組織に貯蔵される。
タンパク質代謝 protein metabolism	
タンパク質の異化 　protein catabolism	アミノ酸が脱アミノ反応を介してクエン酸回路に入る。脱アミノ反応によって生じたアンモニアは肝臓で尿素に変換され，尿中に排泄される。アミノ酸はグルコース（糖新生）や脂肪酸，ケトン体に変換される。
タンパク質の同化 　protein anabolism	タンパク質合成はDNAによって指令が出され，細胞のRNAやリボソームを用いて行われる。

20.2　代　謝　と　熱

目　標

・熱がどのように産生され，また放出されるか説明する。
・体温がどのように調節されているか述べる。

　ここでは熱と食事との関係，熱産生と熱放散，そして体温調節について学習する。

熱の測定

　熱 heat はエネルギーの一つの形で，**温度 temperature** として測定でき，またカロリーと呼ばれる単位で表すことができる。本章の初めに記載したように，1 カロリー calorie(cal) は 1 g の水を 1℃ 上昇させるのに必要とされる熱量と定義されている。カロリーは相対的に小さな単位であることから，**キロカロリー kilocalorie(kcal)** あるいは**カロリー Calorie (Cal；常に大文字のCでつづる)** がしばしばからだの代謝率を測定したり，食物のエネルギー量を表すために用いられる。1キロカロリーは1,000カロリーである。このようにある食物が500 Caloriesあった場合，実際私たちはキロカロリーといっている。食物のカロリー値を知っておくことは重要である。もしいろいろな活動に必要なエネルギー量を知っていれば，私たちの活動を維持するために必要な量のキロカロリーのみを摂るよう食事を調節することができる。

体温のホメオスタシス

　からだは代謝反応の程度に応じて熱を産生している。代謝による熱産生とからだからの熱放散の割合が等しければ体温のホメオスタシスは維持される。したがって，どのように熱が産生され，放散されるかを理解することは重要である。

　熱産生　体内で産生される熱のほとんどは食事から摂る食物の異化によるものである。熱が産生される割合，つまり**代謝率（代謝量）metabolic rate** はキロカロリーで測定される。多くの要因が代謝率に影響する

ことから，ある標準的な状態，すなわち静かで安静，空腹状態で測定する。この状態は**基礎状態** basal state と呼ばれている。この状態で得られた値が**基礎代謝率（基礎代謝量）** basal metabolic rate（BMR）である。BMR は成人の場合 1 日 1,200 ～ 1,800 キロカロリーで，男性の場合体重 1 kg 当り 24 キロカロリー，女性では 22 キロカロリーである。

　消化やウォーキングなどの日々の活動を支えるためにさらに必要となるカロリーは，比較的坐位でいることの多い人では少なくて 500 キロカロリー，オリンピックレベルの運動選手では 3,000 キロカロリーを超えることもある。以下の要因が代謝率に影響する。

1. **運動** exercise：激しい運動をすると代謝率は BMR の 15 ～ 20 倍に増加する。
2. **ホルモン** hormone：甲状腺ホルモンが BMR を調節する主なホルモンで，甲状腺ホルモンの血中濃度が上昇すると代謝も亢進する。テストステロン，インスリン，成長ホルモンも代謝率を 5 ～ 15％増加させることができる。
3. **神経系** nervous system：運動時やストレス状態にあるとき，自律神経の交感神経系がノルアドレナリンを遊離し，副腎髄質からアドレナリンやノルアドレナリンの分泌を刺激する。いずれのホルモンもからだの細胞の代謝率を促進する。
4. **体温** body temperature：体温が上昇すると代謝率は上昇する。すなわち発熱時には代謝率は実質的に上昇する。
5. **食物の消化** ingestion of food：食物，とくにタンパク質が消化されると代謝率は 10 ～ 20％高まる。
6. **年齢** age：子どもの代謝率は，からだの大きさと比例し，また成長にかかわるため高く，ほぼ同じ大きさのからだであれば高齢者の約 2 倍である。
7. **ほかの要因** other factor：代謝率に影響するほかの要因は性（女性は低い，ただし妊娠中や授乳中を除く），気候（熱帯地域は低い），睡眠（眠ると低下する）や栄養失調（低くなる）などである。

熱放散　代謝反応によって熱は持続的に産生されるため，常に熱を外に放出するかそうでなければ体温は上昇し続けることになる。周囲への熱放散の仕方には放射，伝導，対流，蒸発の四つがある。

1. **放射** radiation は接触していない温かい物体と冷たい物体間の赤外線による熱の移動である。冷たい物体から熱を吸収するより，からだから多くの赤外線を放射することによって熱が喪失する。もし周囲の物体がからだより温かければ，放射により熱を喪失するよりも吸収することになる。
2. **伝導** conduction は直接接している物体の間で起る熱交換である。椅子や衣服，アクセサリーなどからだに接しているものへ熱が奪われる。また熱は伝導によって得ることもでき，例えば，熱い浴槽に浸かっているときなどがそうである。
3. **対流** convection は異なる温度にある気体や液体の移動によって起る熱の移動である。からだが空気や水に接しているとき伝導と対流によって熱の移動が起る。冷たい空気がからだに接すると，その空気は温められ，対流の流れによって運び去られる。風や扇風機のように空気がより速く移動すると対流も早く起る。
4. **蒸発** evaporation は液体が気体へ変化することである。安静時，熱放散の約 22％が水分の蒸発によって起り，約 300 mL が呼気として，そして 400 mL が皮膚から毎日失われる。蒸発は運動時にオーバーヒートしないための主要な防御機構である。極端な状態では，1 時間当り最大約 3 L の汗が生成され，それがすべて蒸発すると 1,700 キロカロリー以上の熱が失われることになる。からだを流れ落ちる汗では蒸発と比較してほとんど熱は失われない。

体温調節

　熱産生量と熱放散量が等しければ，37℃くらいのほぼ一定の体温を保つことができる。もし熱産生が熱放散を上回ると，体温は上昇する。例えば，激しい運動や感染は体温を上昇させる。熱放散が熱産生よりも上回れば，体温は低下する。冷水に浸かる，甲状腺機能低下症のような疾患，アルコールや抗うつ薬などの薬は体温の低下をもたらす。体温が上昇するとからだのタンパク質の破壊が起り，低体温では不整脈が起り，いずれも死にいたることがある。

　熱産生と熱放散のバランスは視床下部のニューロン（神経細胞）群によって調節されている。これらのニューロンは血液の温度が上昇するとインパルスを多く発生し，血液の温度が低下するとインパルスが減少する。もし体温が低下するといくつかのネガティブフィードバック機構を介して，熱を保持したり，熱産生を促進するような反応が起り，体温を正常に戻すよう働く（図 20.5）。温度受容器から視床下部に神経インパルスが送られ，ここから甲状腺刺激ホルモン放出ホルモン（TRH）が分泌される。TRH は下垂体前葉を刺激して甲状腺刺激ホルモン（TSH）の分泌を促す。視床下部からのインパルスと TSH が以下のような種々の効果をもたらす。

20.2 代 謝 と 熱

図 20.5 熱産生を促進するネガティブフィードバック機構。

視床下部の熱産生中枢が刺激されると体温が上昇する。

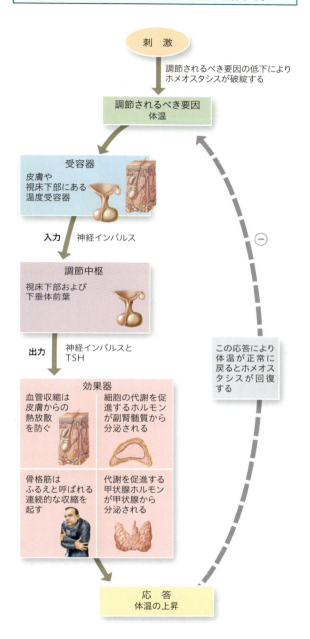

Q どのような因子が代謝率を高め，その結果，熱産生を増加させるのか？

- 交感神経が皮膚血管を収縮させる（血管収縮）。血流の減少は皮膚からの熱放散を抑える。熱放散が少ないため代謝率が同じでも体温は上昇する。
- 交感神経が副腎髄質を刺激し，アドレナリンやノルアドレナリンを血液中に分泌させる。これらのホルモンは細胞内の代謝を高め，熱産生を増加させる。
- 視床下部が脳の一部を刺激し筋緊張を高める。ある筋（主動筋）で筋緊張が高まるとわずかの収縮が拮抗筋の筋紡錘を伸展させ，伸張反射を起す。その結果，拮抗筋の収縮が主動筋の筋紡錘を伸展させ，さらに伸張反射を起す。この繰り返し起る筋収縮が**ふるえ shivering** で，多くの熱産生をもたらす。最大のふるえ反応が起っているわずかの間に熱産生は通常の約4倍になる。
- 甲状腺が TSH に反応し，甲状腺ホルモンをより多く血液中に分泌して代謝率を高める。

体温が正常よりも高くなると図 20.5 に示されているネガティブフィードバック機構の逆の作用が起る。温度の高くなった血液が視床下部を刺激する。神経インパルスによって皮膚の血管拡張が起る。体内の暖かいところから冷たい皮膚へ流れてくる血流を増加させるため皮膚が温かくなり，余分な熱が放射や伝導によって外気へ放出される。同時に代謝率は低下し，高い温度の血液が視床下部-交感神経系を活性化することによって皮膚の汗腺を刺激する。汗の水分が皮膚から蒸発すると皮膚は冷たくなる。すべての反応は熱産生効果と相互作用し，体温を元の正常レベルに戻すよう働く。

臨床関連事項

低体温

低体温 hypothermia は核心温度が 35℃ あるいはそれ以下に低下した状態である。低体温が起る原因にはかなりの寒冷刺激（氷水に浸かる），代謝性疾患（低血糖症，副腎不全症，甲状腺機能低下症），薬物（アルコール，抗うつ薬，鎮静薬，精神安定薬），熱傷，栄養不良などがある。低体温のときには寒いという感覚，ふるえ，混乱，血管収縮，筋強直，徐脈，自発運動の低下や昏睡などの症状がみられる。通常，不整脈によって死にいたる。高齢者は寒さに対する代謝性防御機構が低下しているため，低体温に陥る危険性が大きい。

チェックポイント

12. どのような方法で周囲に熱を放散したり，周囲から熱を獲得するか？ 気温が 40℃，湿度 85% のとき，太陽の照りつける海岸では人はどのようにして熱を放散することができるか？

20.3 栄養素

目標

- 栄養素を定義し，六つの主な分類を同定する。
- 健康的な食生活のためのガイドラインを列挙する。

栄養素 nutrient は食物中に含まれている物質で，体細胞の成長，維持，修復のために使われる。六つの主な栄養素は糖質，脂質，タンパク質，水，ミネラル，ビタミンである。**必須栄養素 essential nutrient** は必要に見合うだけの量が体内で十分生成されず，食事から摂らなければならない特別な栄養分子である。一部のアミノ酸(リシン，フェニルアラニン，トリプトファンなど)や一部の脂肪酸(リノレン酸，ω(オメガ)3 脂肪酸，リノレン酸，ω6 脂肪酸など)，ビタミン(ビタミン A，B 群，C，D，E，K など)やミネラル(ヨウ化物，鉄，マグネシウム，リン，カリウム，セレン，ナトリウム，亜鉛など)が必須栄養素である。糖質，タンパク質，脂質，水の構造と機能は 2 章で述べている。本章では，健康的な食生活のためのガイドライン，そして代謝におけるミネラルとビタミンの役割について説明する。

健康的な食生活のためのガイドライン

食物中のタンパク質と糖質は，1 g 当り約 4 キロカロリー供給するのに対して，脂肪は約 9 キロカロリーである。どの種類の糖質，タンパク質，脂肪をどれくらい摂取するのが適切なのか確かなことはわからない。基本的に世界中の異なる人種がそれぞれのライフスタイルにふさわしい食事を摂っている。

2011 年 6 月 2 日，米国農務省(USDA)は健康的な食生活を送るためのガイドラインを修正した**マイプレート MyPlate** と呼ばれる図(アイコン)を導入した。2005 年に USDA が発表したマイピラミッド MyPyramid に代わるものである。図 20.6 に示すように，プレートは異なる大きさの 4 色に区切られている。

- 緑(野菜)
- 赤(フルーツ)
- オレンジ(穀類)
- 紫(タンパク質)

プレートの横にある青いカップ(乳製品)は日常的に食べる乳製品を示している。

2011 年 1 月に発表された米国人のための食品ガイドラインはマイプレートに基づいている。そのガイ

図 20.6 マイプレート MyPlate。

色の異なる部分はより健康的な食品を選択するための視覚的なヒントを意味している。

Q 青いカップは何を意味しているか？

ラインは以下の通りである。

- 食事を楽しむが少なめに摂ることでバランスのよい栄養を摂りなさい。
- 過食は避けてプレートの半分は野菜とフルーツにしなさい。
- 脂肪のない，あるいは低脂肪ミルクに替えなさい。
- 少なくとも穀類の半分を全粒粉にしなさい。
- 塩分の少ない食品を選びなさい。
- 砂糖の入った飲み物の代わりに水を飲みなさい。

マイプレートは，健康的な食事においてバランス，多様性，適正，栄養配分をかなり強調している。バランスは単純に多くの種類の食物を摂ることを意味している。マイプレートの図はいかに私たちのプレートが多くの食品群からの食物で満たされているかを示している。野菜とフルーツはプレートの半分を占めており，タンパク質と穀類がその他の半分である。また野菜と穀類が多くの割合を占めていることに注目しなさい。

一つの食物あるいは食品群によってからだが必要とするすべての栄養素や食品群が供給されるわけではないので，健康的な食事にとって多様性は重要である。したがって，多くの食物を各食品群から選択するのがよい。野菜の選択にはさまざまなものがある。ブロッコリーやコラード，ケールのような濃い緑色の野菜，

ニンジンやサツマイモ，赤唐辛子といった赤やオレンジ色の野菜，トウモロコシ，サヤエンドウ，ジャガイモなどのデンプン質の野菜，キャベツ，アスパラガス，アーティチョークなどのほかの野菜，レンズマメ，ヒヨコマメ，黒豆といったマメやエンドウ類。マメやエンドウ類には野菜とタンパク質食品に含まれているよい栄養素があるので，いずれの食品群にも入っている。タンパク質の食品の選択は非常に多様化しており，肉や家禽類，海産物，マメやエンドウ類，卵，大豆製品，ナッツや種子などが含まれている。穀類には白パンや白米，精製した小麦粉でつくったパスタなど精製した穀物同様に全粒パンやオートミール，玄米のような全粒粉も含まれている。フルーツには新鮮なもの，缶詰あるいはドライフルーツ，100％ジュースも含まれている。乳製品にはカルシウムを強化した大豆製品同様，チーズやヨーグルト，プディングといった牛乳でつくられた多くの食品と乳酸飲料も含まれている。

　栄養素の多い食品を選ぶことは，個人が消費したカロリーと吸収したカロリーとのバランスをとることに役立つ。穀類の半分を全粒粉に，ジュースよりは丸ごと，あるいは切ったフルーツを，無脂肪か低脂肪乳製品を，肉や家禽肉は少量で赤身の部分にすることがコツである。

ミネラル

　ミネラル mineral は無機物で体重の約4％を占め，そのほとんどは骨格系に存在している。体内で働いているミネラルにはカルシウム(Ca)，リン(P)，カリウム(K)，硫黄(S)，ナトリウム(Na)，塩化物(Cl)，マグネシウム(Mg)，鉄(Fe)，ヨウ化物(I)，マンガン(Mn)，銅(Cu)，コバルト(Co)，亜鉛(Zn)，フッ化物(F)，セレン(Se)，クロム(Cr)などがある。ほかには，アルミニウム，ホウ素，ケイ素，モリブデンなどがあるが，ほとんど機能していない。通常の食事には適量のカリウム，ナトリウム，塩化物，マグネシウムが含まれている。食事をする際，カルシウム，リン，鉄，ヨウ化物を十分含んだ食物を摂取するよう注意しなくてはならない。過剰に摂取してもほとんどのミネラルは尿中や糞便中に排泄される。

　ミネラルの主な役割は酵素反応を助けることである。カルシウム，鉄，マグネシウム，マンガンは補酵素の一部，またマグネシウムはADPをATPに変換する際の触媒としても働いている。ナトリウムやリンは体液のpH調整にかかわる緩衝系として働いている。また，ナトリウムは体液の浸透圧調節にかかわっているほか，ほかのイオンとともに神経インパルスの発生にも関与している。**表20.2** は体内でのミネラルの役割を表している。

ビタミン

　成長や正常な代謝を維持するために，わずかの量必要とされる，有機性の栄養素は**ビタミン vitamin** と呼ばれている。糖質やタンパク質，脂質とは違って，エネルギーを供給することも，からだを構成する物質として働くこともない。

　ほとんどのビタミンは，補酵素として機能しており，体内では合成されないので食物から摂取しなくてはならない。ビタミンKのような一部のビタミンは腸内細菌によって産生され吸収される。ビタミンの中には**プロビタミン provitamin** と呼ばれる原材料が供給されると，体内で合成することができるものもある。例えば，ビタミンAはオレンジやニンジン，ホウレンソウのような緑黄色野菜に含まれているプロビタミンのβ-カロテンから体内で合成される。からだに必要なすべてのビタミンがたった一つの食物に含まれることはない。すなわちこれがさまざまな種類の食物を摂るもっともな理由の一つである。

　ビタミンは脂溶性と水溶性の二つに分けられる。**脂溶性ビタミン fat-soluble vitamin** にはビタミンA，D，E，Kがある。19章で学んだように，これらは食事中の脂質と一緒に小腸から吸収され，キロミクロン内に詰め込まれる(19.8節)。脂肪と一緒でなければ適切な量を吸収することができない。脂溶性ビタミンは細胞，とくに肝細胞に貯蔵される。からだに必要以上の脂溶性ビタミンの摂取は**ビタミン過多(剰)症 hypervitaminosis** として知られ，有害な効果となることもある。**水溶性ビタミン water-soluble vitamin** にはビタミンB群とCがある。これらは体液中に溶解している。水溶性の場合，過剰に摂取しても体内に貯蔵されず，尿中に排泄される。

　その他の機能として，ビタミンC，E，β-カロテン(プロビタミン)は酸素のフリーラジカルを不活性化することから**抗酸化ビタミン antioxidant vitamin** と呼ばれている。フリーラジカルはもっとも外側の電子殻内で，とくに対になっていない電子を運ぶ分子やイオンと反応する。フリーラジカルは細胞膜やDNA，ほかの細胞の構造にダメージを与え，動脈狭窄を起す動脈硬化性プラークの形成にかかわっている。フリーラジカルの中には体内に自然に発生するものもあるが，その他はタバコの煙や放射線など環境の有害物質に由来するものもある。抗酸化ビタミンはある種の癌を予防したり，動脈硬化性プラークの形成を減少させる，加齢現象を遅らせる，あるいは眼球の水晶体で白内障の予防に働いていると考えられている。**表20.3** には主なビタミンとその由来，機能，欠乏時あるいは過剰時の症候や疾患を表している。

表 20.2　体内のミネラルとその機能

ミネラル	体内の分布と由来	重要性
カルシウム calcium	体内でもっとも多いミネラルでリン酸と結合して存在する。約99％が骨と歯に貯蔵されている。血中 Ca^{2+} 濃度は副甲状腺(上皮小体)ホルモン(PTH)によって調節されている。カルシトリオールがカルシウムの吸収を促進する。過剰な場合は糞便や尿中に排泄される。牛乳，卵黄，貝類，緑黄色野菜に多く含まれる。	骨や歯の形成，血液凝固，正常な神経筋活動，エンドサイトーシスやエキソサイトーシス，細胞の運動性，細胞分裂時の染色体の移動，グリコーゲン代謝，神経伝達物質やホルモンの放出。
リン phosphorus	約80％がリン酸塩として骨や歯に存在している。血中リン酸濃度は副甲状腺ホルモンによって調節されている。過剰な場合は尿中やわずかの量が糞便中に排泄される。乳製品，肉，魚，家禽類，ナッツに含まれる。	骨や歯の形成。リン酸塩($H_2PO_4^-$，HPO_4^{2-}，PO_4^{3-})は血液中の主な緩衝物質である。筋収縮や神経活動に重要な役割を果たしている。多くの酵素の構成成分である。エネルギー変換に関与(ATP)，DNA や RNA の成分。
カリウム potassium	細胞内液の主な陽イオン(K^+)。過剰分は尿中に排出される。ほとんどの食物に含まれている(肉，魚，家禽類，フルーツ，ナッツ)。	ニューロン(神経細胞)や筋線維の活動電位の発生と伝導に必要。
硫黄 sulfur	多くのタンパク質(インスリンやコンドロイチン硫酸塩など)，電子伝達系の電子キャリア，ビタミン(チアミンとビオチン)の構成成分。過剰な場合は尿中に排泄される。牛肉，レバー，ラム肉，魚，家禽類，卵，チーズ，マメ類に含まれる。	ホルモンやビタミンの構成成分として，種々のからだの活動を調節している。電子伝達系での ATP 産生に必要。
ナトリウム sodium	細胞外液にもっとも多い陽イオン(Na^+)。骨にも存在している。尿中や汗に排泄される。通常の食事では必要以上のナトリウム(食塩)を摂取してしまう。	浸透による水分分布に強い影響を与える。炭酸水素塩による緩衝系の一部。神経と筋の活動電位の伝導機能に必要。
塩化物 chloride	細胞外液の主な陰イオン(Cl^-)。過剰な場合は尿中に排泄される。食塩(NaCl)，醤油，加工食品に含まれる。	血液の酸塩基平衡，水分バランスや胃内での塩酸の産生に関与。
マグネシウム magnesium	細胞内液に重要な陽イオン(Mg^{2+})。尿中と便中に排泄される。緑色野菜，海産物，無精白製品など多くの食品に含まれる。	神経や筋組織が正常に機能するために必要。骨形成に関与。多くの補酵素の成分となっている。
鉄 iron	約66％が血液のヘモグロビンに存在。体内の鉄は髪の毛，上皮細胞，粘膜細胞の脱落や，汗，尿，糞便，胆汁中への排泄，そして月経時の出血によって失われる。肉，レバー，貝類，卵黄，マメ類，ドライフルーツ，ナッツ，シリアルに含まれる。	ヘモグロビンの構成成分で可逆的に酸素と結合する。電子伝達系のシトクロムの構成成分。
ヨウ化物 iodide	甲状腺ホルモンの必須成分。尿中に排泄される。海産物，ヨウ素含有塩，ヨウ素の豊富な土壌で栽培された野菜に含まれる。	代謝率を調節する甲状腺ホルモンの合成に必要。
マンガン manganese	いくらかは肝臓や脾臓に貯蔵されているが，ほとんどが糞便中に排泄される。ホウレンソウやタチヂシャ，パイナップルに含まれる。	いくつかの酵素を活性化する。ヘモグロビンの合成，尿素の生成，成長，生殖，授乳，骨形成に，そしておそらくインスリンの産生・分泌や細胞障害の抑制に必要。
銅 copper	いくらかは肝臓や脾臓に貯蔵されているが，ほとんどが糞便中に排泄される。卵，全粒粉小麦，マメ類，ビート，レバー，魚，ホウレンソウ，アスパラガスに含まれる。	鉄とともにヘモグロビンの合成に必要。電子伝達系の補酵素，メラニン形成に必要な酵素の構成成分。
コバルト cobalt	ビタミン B_{12} の構成成分。レバー，腎臓，牛乳，卵，チーズ，肉に含まれる。	ビタミン B_{12} の一部として，赤血球生成に必要。
亜鉛 zinc	ある種の酵素の重要な構成成分。多くの食物に含まれているがとくに肉に多い。	炭酸脱水酵素の構成成分として二酸化炭素の代謝に重要。正常な成長や創傷治癒，正常な味覚，食欲，男性では精子形成に重要。ペプチダーゼの構成成分としてタンパク質分解にかかわっている。
フッ化物 fluoride	骨，歯，その他の組織の構成成分。海産物，お茶，ゼラチンに含まれる。	歯の構造を改善し，虫歯を予防する。
セレン selenium	ある種の酵素の重要な構成成分。海産物，肉，鶏肉，トマト，卵黄，牛乳，マッシュルーム，ニンニク，セレンの豊富な土壌で栽培された穀物に含まれる。	甲状腺ホルモンの合成，精子の運動性，適切な免疫系の機能に必要。抗酸化剤としても働く。染色体の切断を阻止し，先天性異常，流産，前立腺癌，冠状動脈疾患の予防に関与するかもしれない。
クロム chromium	ビール酵母に高濃度で存在。ワイン，そしていくつかのブランドのビールにも含まれる。	糖質，脂質代謝において正常なインスリンの作用に必要。

表 20.3　主なビタミン類

ビタミン	特徴と由来	機能	欠乏時の症状や疾患
脂溶性 fat-soluble	適切に吸収するためにはすべて胆汁酸塩と食事からのいく分かの脂質が必要である。		
A	消化管内でプロビタミンのβ-カロテン(または,ほかのプロビタミン)から生成される。肝臓に貯蔵される。カロテンやほかのプロビタミンは緑黄色野菜に含まれ,ビタミンAはレバーや牛乳に含まれる。	一般的な健康と上皮細胞の活動を維持する。β-カロテンはフリーラジカルを不活性化する抗酸化剤として働く。網膜の光受容器において光感受性の視物質の生成には必要不可欠である。骨芽細胞や破骨細胞の活動の調節を助けることによって,骨や歯の成長に関与する。	欠乏すると上皮細胞の萎縮や角化が起り,皮膚や毛髪の乾燥化をもたらす。耳,副鼻腔,呼吸器,尿路,消化器系の感染の増加；体重増加が起らない；角膜の乾燥；褥瘡が起る。**夜盲症 night blindness**(暗順応の低下)。骨や歯の発達の遅延化あるいは障害。
D	太陽光によって皮膚内で7-デヒドロコレステロールがコレカルシフェロール(ビタミンD_3)に変換される。それから肝臓の酵素によってコレカルシフェロールが25-ヒドロキシコレカルシフェロールに変る。腎臓に存在する二つ目の酵素が25-ヒドロキシコレカルシフェロールを活性型ビタミンDであるカルシトリオール(1,25-ジヒドロキシコレカルシフェロール)に変換する。ほとんどは胆汁内に排泄される。魚の肝油,卵黄,強化ミルクなどに含まれる。	消化管においてカルシウムやリンの吸収に必要不可欠で,副甲状腺ホルモン(PTH)とともに血中のCa^{2+}のホメオスタシスを維持するために働いている。	骨でのカルシウム利用が減少すると小児では**くる病 rickets**,成人では**骨軟化症 osteomalacia**になる。筋緊張は低下する可能性がある。
E (トコフェロール tocopherol)	肝臓,脂肪組織,筋に貯蔵されている。新鮮なナッツや麦芽,種油,緑色野菜に含まれる。	細胞の構造,とくに細胞膜の形成を助けている,ある種の脂肪酸の異化を抑制する。DNA,RNA,赤血球の形成に必要である。創傷治癒を促進したり,神経系の正常な構造と機能に関与し,瘢痕化を防ぐ。四塩化炭素のような毒性化学物質から肝臓を保護しているようである。フリーラジカルを不活性化する抗酸化剤として働く。	一価不飽和脂肪酸の酸化がミトコンドリア,リソソーム,細胞膜の構造や機能の異常を引き起すかもしれない。溶血性貧血の発症も考えられる。
K	腸内細菌によって産生され,肝臓や脾臓で貯蔵される。ホウレンソウ,カリフラワー,キャベツ,レバーに含まれる。	肝臓でプロトロンビンなどのいくつかの血液凝固因子の合成に必要不可欠な補酵素である。	血液凝固時間の延長により出血量が増加する。
水溶性 water-soluble	体液中に溶解しており,多くは体内に貯蔵することはできない。過剰に摂取したものは尿中に排泄される。		
B_1 (チアミン thiamin)	熱ですぐに破壊される。無精白製品,卵,豚肉,ナッツ,レバー,酵母に含まれる。	炭素間結合を分解する多くの異なった酵素の補酵素として働き,ピルビン酸をCO_2と水にする糖代謝に関与する。神経伝達物質のアセチルコリンの合成に必要不可欠である。	異常な糖代謝によってピルビン酸や乳酸が生成され,筋細胞やニューロンで十分なATPが産生されない。欠乏によって以下のようになる。(1) **脚気 beriberi**,消化管の部分的な麻痺による消化器障害,骨格筋の麻痺,四肢の萎縮が起る。(2) **多発性神経炎 polyneuritis**,髄鞘の退化による；反射障害,触覚の低下,小児の発育障害,食欲低下。

表 20.3　つづく

表 20.3　主なビタミン類（つづき）

ビタミン	特徴と由来	機能	欠乏時の症状や疾患
B_2（リボフラビン riboflavin）	腸内細菌によってわずかな量が供給される。酵母，レバー，牛肉，子牛の肉，ラム肉，卵，無精白製品，アスパラガス，エンドウマメ，ビート，ピーナッツに含まれる。	糖質やタンパク質代謝におけるある種の補酵素（例えば，FADやFMN）の構成要素で，とくに眼，外皮，腸管の粘膜，血液の細胞内に存在している。	欠乏すると酸素利用が不適切となり，ものがかすんでみえたり，白内障，角膜の潰瘍をもたらす。皮膚炎，皮膚の亀裂，腸管粘膜の病変，ある種の貧血も起る。
ナイアシン niacin（ニコチンアミド nicotinamide）	アミノ酸のトリプトファンから合成される。酵母，肉類，レバー，魚，無精白製品，エンドウマメ，豆類，ナッツ類に含まれる。	酸化還元反応の補酵素のNADとNADPの必要不可欠な構成要素である。脂質代謝ではコレステロール産生を抑制し，トリグリセリドの分解を助ける。	主な欠乏症は**ペラグラ pellagra**で，皮膚炎，下痢，精神障害によって特徴づけられる。
B_6（ピリドキシン pyridoxine）	腸内細菌によって合成される。肝臓，筋，脳に貯蔵されている。そのほか鮭，酵母，トマト，トウモロコシ，ホウレンソウ，無精白製品，レバーやヨーグルトにも含まれる。	正常なアミノ酸代謝に必要不可欠な補酵素である。抗体産生を助ける。トリグリセリドの代謝の補酵素として働くことがある。	もっとも一般的な欠乏症状は眼，鼻，口の皮膚炎である。他の所見としては成長の遅延や嘔気がある。
B_{12}（シアノコバラミン cyanocobalamin）	野菜に含まれない，かつコバルトを含む唯一のビタミンBである。消化管で吸収されるためには胃粘膜から分泌される内因子が必要である。レバー，腎臓，牛乳，卵，チーズ，肉類に含まれる。	赤血球の生成，アミノ酸のメチオニン生成，アミノ酸がクエン酸回路へ入るため，そしてアセチルコリンを合成するのに使われるコリン生成に必要不可欠な補酵素である。	悪性貧血，神経精神障害（運動失調症，記憶喪失，虚弱，人格や気分の変化，異常な感覚），骨芽細胞の機能の障害。
パントテン酸 pantothenic acid	一部は腸内細菌によって産生される。主に，肝臓や腎臓に貯蔵される。そのほか，レバー，酵母，緑色野菜やシリアルにも含まれる。	補酵素Aの構成要素で，クエン酸回路に入るためピルビン酸からアセチル基を移す，脂質やアミノ酸からグルコースへの変換，コレステロールやステロイドホルモンの合成に必要不可欠である。	心身の疲労，筋痙縮，副腎皮質ステロイドホルモン生成の減少，嘔吐，不眠症。
葉酸 folic acid（folate, folacin）	腸内細菌によって合成される。緑色野菜，ブロッコリー，アスパラガス，パン，乾燥豆，柑橘系の果物に含まれる。	DNAやRNAの窒素性塩基を合成する酵素系の構成要素である。正常な赤血球や白血球の生成に必要不可欠である。	異常に大きな赤血球が生成される（大赤血球性貧血症）。葉酸欠乏の母親から生まれる乳児では神経管欠損のリスクが高い。
ビオチン biotin	腸内細菌によって産生される。酵母，レバー，卵黄，腎臓に含まれる。	ピルビン酸をオキサロ酢酸に変換したり，脂肪酸やプリン体の合成に必要不可欠な補酵素である。	精神的な抑鬱，筋肉痛，皮膚炎，心身の疲労，嘔気。
C（アスコルビン酸 ascorbic acid）	熱ですぐに破壊される。腺組織や血漿にいくらか貯蔵されている。柑橘系の果物，トマト，緑色野菜に含まれる。	結合組織を形成するコラーゲンを含むタンパク質合成を促進する。補酵素として毒性物質と結合し無毒化して排泄する働きがある。抗体と協働したり，創傷の治癒を促進したり，抗酸化剤として機能する。	壊血病；貧血；コラーゲン形成が低下したことに関連する多くの症状；触ると痛い歯肉の腫脹や歯がぐらつく（歯槽突起もまた衰える），創傷の治癒が遅れる，出血傾向（結合組織の変性により血管壁が脆弱化する），発達遅延などが起る。

臨床関連事項

ビタミンとミネラルのサプルメント

多くの栄養士は特別な状況を除いて，**ビタミンやミネラルのサプルメント** vitamin supplement or mineral supplement を摂るよりも，いろいろな食物を含んだ，バランスのとれた食事の摂取を勧めている。必要とされるサプルメントの例としては月経出血が多い女性への鉄；妊娠中あるいは授乳中の女性への鉄やカルシウム；妊娠の可能性のある女性への葉酸（胎生期の神経管欠損のリスクを抑える）；推奨されている量を食事から摂取できないことから，ほとんどの成人への Ca；肉を食べない純粋の菜食主義者へのビタミン B_{12} がある。北米の人々の多くは有益な効果をもっているとされる抗酸化作用の高いビタミンを食事から摂っていないことから，ビタミン C と E のサプルメントを勧める専門家もいる。必ずしも多ければよいというわけではなく，ビタミンやミネラルを多く摂りすぎると有害となることもある。

チェックポイント

13. USDA（米国農務省）のマイプレートについて説明し，各食品群の例を挙げなさい。
14. 体内でのミネラルのカルシウム，ナトリウムの働きを簡単に説明しなさい。
15. ビタミンはミネラルとどう異なるのか，また脂溶性ビタミンと水溶性ビタミンの違いを説明しなさい。

よくみられる病気

発熱

発熱 fever は視床下部体温調節中枢のサーモスタットがリセットされることによって起る核心温度の上昇のことである。発熱の原因でもっとも多いのはウイルスやバクテリアによる感染やバクテリアの毒素で，そのほかには排卵，甲状腺ホルモンの過剰分泌，腫瘍，ワクチンに対する反応などがある。食細胞が，ある種のバクテリアを食べると熱を産生する物質，**発熱物質** pyrogen（pyro- ＝火；-gen ＝つくる）の分泌が刺激される。この発熱物質が血流によって視床下部に到達すると視索前野のニューロンからプロスタグランジンが分泌される。プロスタグランジンは視床下部のサーモスタットをより高い値にリセットすることによって体温調節機構が新しくセットされた核心温度に上げようと働く。**解熱薬** antipyretic が熱を下げる薬物で，これらにはアスピリン，アセトアミノフェン（Tylenol）やイブプロフェン（Advil）などがあり，これらはすべてプロスタグランジンの合成を抑えることによって熱を下げる。

発熱物質の産生によってサーモスタットが 39℃にリセットされたとする。この時点で熱産生機能（血管収縮，代謝の亢進，ふるえ）が最大限に働く。このように，核心温度が正常よりも上昇しているにもかかわらず，皮膚は冷たいままで，ふるえが起る。この状態を**悪寒** chill といい，核心温度が上昇している明らかな徴候である。数時間後，核心温度がセットされた温度に到達すると悪寒は消失する。しかし，からだは 39℃の体温に調節され続ける。発熱物質がなくなると，サーモスタットは正常な 37℃にリセットされる。核心温度は高いため，熱放散機能（血管拡張や発汗）が働き，核心温度を下げる。皮膚は温かくなり，汗をかき始める。発熱のこの時期は**クリーゼ** crisis と呼ばれ，核心温度が下がっていることを意味している。

核心温度が 44〜46℃以上になると死にいたるが，発熱は有益なこともある。例えば，体温が上がるとインターフェロンの効果やマクロファージの食作用が強化され，病原体の増殖が抑えられる。発熱によって心拍数が増加するため，感染と戦う白血球が速やかに感染部位に向かうことができる。さらに抗体産生とT細胞の増殖を促進する。さらに熱によって化学反応が促進して，これによって体細胞の修復がさらに早くなる。

肥満

肥満 obesity とは脂肪組織の過剰な蓄積によって理想体重を約 20％ 以上超えた場合である。米国では成人の 1/3 以上が肥満である（運動選手は肥満ではなく筋組織が正常以上にあるための**オーバーウェイト** overweight である）。中等度の肥満でさえ健康には害となる。循環器疾患，高血圧，呼吸器疾患，非インスリン依存性糖尿病，関節炎，癌（乳癌，子宮癌，結腸癌），静脈瘤や胆嚢疾患などの危険因子となる。

わずかの例では，視床下部の摂食中枢の腫瘍や障害によって肥満が起る場合もあるが，ほとんどの場合は原因がはっきりしない。遺伝的な要因，早期に教育される食生活，緊張をほぐすための過食や社会的な習慣が関係する要因もある。肥満者の中には食事の消化・吸収中，ほとんどカロリーを消費しない，いわゆる食事由来の熱産生がより小さい人がいることが報告されている。さらに減量している肥満者が正常な体

重を維持するためには，肥満になったことのない人よりもカロリーを約15%少なくする必要がある。興味深いことに容易に体重が増えてしまう人が故意に過剰なカロリーを摂取すると，過剰なカロリーを摂取しても体重が増えにくい人よりも，NEAT(非運動性熱産生，例えばイライラしたときにみられるような)が少ないことが示されている。実験動物において，レプチンは食欲を抑えて満腹感を生ずるが，ほとんどの肥満者にはレプチンが不足している。

食事での余分なカロリーのほとんどはトリグリセリドに変換され，脂肪細胞に貯蔵される。最初に，脂肪細胞が大きくなり，最大に達すると分裂する。その結果，極端な肥満では脂肪細胞の増殖が起る。内皮に存在する酵素のリポタンパクリパーゼがトリグリセリドの貯蔵を制御している。その酵素は腹部脂肪内ではとても活性が高いが，殿部の脂肪内では高くない。腹部での脂肪の蓄積は血中のコレステロール値の上昇や心疾患の他の危険因子と関係している。というのも，この部位の脂肪細胞は代謝的により活性が高いと考えられているからである。

減量に成功した人のほとんどが2年以内に元に戻ってしまうことから肥満の治療は難しい。しかし，適度な減量は健康上の利益と関係している。肥満治療には，行動変容プログラム，超低カロリー食，薬物，手術などがある。多くの病院で提供されている行動変容プログラムでは食行動を変えて運動の促進を勧めている。栄養管理としては「心臓に健康的な」食事，これには多くの野菜と少ない脂肪，特に飽和脂肪酸を少なくする食事がある。典型的な運動プログラムでは1日30分間のウォーキングを1週間のうち5〜7日実施することを勧めている。定期的に行う運動は減量と減量した体重維持の両方を促進する。超低カロリーダイエット(VLC)には商業ベースに作られた400〜800キロカロリー/日の液体混合物が含まれている。VLC食は通常医師の密な管理のもとで12週間処方される。肥満治療に二つの薬物が使用される。シブトラミンは摂食行動を支配している脳の領域でセロトニンとノルアドレナリンの再取り込みを抑制することによって食欲を低下させる。オーリスタットは腸管内に放出されるリパーゼを抑えることによって作用を発揮する。リパーゼの活性が弱ければ弱いほど，食事に含まれているトリグリセリドの吸収が低下する。それ以外の治療に反応しない極端な肥満者に対しては外科的手技が考慮される。もっともよく行われる二つの手術は，胃バイパスと胃形成術で，いずれも胃の容量を極端に小さくすることによって少量の食物だけが入るようになる。

医学用語と症状

栄養失調 malnutrition(mal- ＝悪い)　摂取する総カロリーあるいはある栄養素の摂取が少なかったり過剰すぎて栄養のバランスが悪い状態。

過食症 bulimia(食欲異常亢進症 bringe-purge syndrome)　独身の若い，中流階級の白人女性に多く，1週間に最低2回過食し，その後自分で嘔吐する，極端な食事制限や断食，激しい運動，下剤や利尿剤を使用するのが特徴である。これは体重が増えることへの不安やストレス，うつ，視床下部腫瘍などの疾患に対する反応として起る。

クワシオルコル kwashiorkor　正常あるいはほぼ正常なカロリーを摂取しているにもかかわらず，タンパク質の摂取が障害される疾患で，腹部の浮腫，肝肥大，血圧低下，徐脈，体温低下，そして時には精神遅滞などがみられる。トウモロコシには成長や組織の修復に必要な必須アミノ酸二つが含まれていないため，トウモロコシをよく食べるアフリカの子どもたちに多い。

消耗症 marasmus　タンパク質とカロリー両方の摂取が不適切なために起る一種の低栄養状態。発育遅延，低体重，筋消耗，憔悴，皮膚の乾燥，細く乾燥した髪の毛などが特徴である。

熱痙攣 heat cramp　大量の発汗によって起る痙攣。汗に含まれている塩分が喪失し，これにより痛みを伴う筋収縮が起る。このような痙攣はよく使う筋肉で起る傾向があるが，筋肉を休めリラックスすると出現することはない。塩分を含んだ飲み物を補給すると速やかに改善する。

熱射病 heatstroke(日射病 sunstroke)　高温下の環境にいることによって引き起こされ，重症ではしばしば死にいたることもある。視床下部のサーモスタットの障害により皮膚への血流が減少し，発汗が極度に低下して体温が急激に上昇する。体温が43℃に達することもある。直ちに行わなければならない処置は，冷水に浸けてからだを冷やすことと，水分や電解質を補給することである。

熱疲労 heat exhaustion(heat prostration)　一般的に核心温度は正常か少し低い状態で，皮膚は冷たく多量の発汗により湿っている。熱疲労は通常体液と電解質の喪失，とくに塩(NaCl)の喪失が著しい。塩の喪失は筋痙攣，めまい，嘔吐，失神をもたらす。体液の喪失は血圧低下をもたらす。絶対安静，水分補給と電解質補正が推奨される。

20章のまとめ

20.1 代謝

1. 代謝 metabolism は体内で起る化学反応のすべてをいい，同化と異化の二つの過程がある。同化 anabolism は単純な物質を結合させ複雑な分子にする反応からなる。異化 catabolism は複雑な有機化合物を単純な物質に分解する反応から構成される。代謝はタンパク質の酵素 enzyme によって触媒され，酵素自体は変化しないで化学反応の速度を上げる働きがある。同化にはエネルギーが必要で，これは異化によって供給される。

2. 消化によって多糖類と二糖類は単糖のグルコースに変換される。グルコースは促進拡散によって細胞内に入るが，これはインスリンによって刺激される。グルコースの一部は細胞で異化され，ATP が産生される。過剰なグルコースは肝臓や骨格筋にグリコーゲンとして貯蔵されたり，脂肪に変換される。グルコースの異化は細胞呼吸 cellular respiration とも呼ばれている。グルコースを完全に異化し，ATP を産生するためには解糖系，クエン酸回路，電子伝達系が働く。この反応は，グルコース1分子＋酸素6分子→ATP 30 ないし 32 分子＋二酸化炭素6分子＋水6分子で表される。

3. 解糖系 glycolysis は好気性あるいは嫌気性の状態で起る。解糖系はサイトゾルで起り，グルコース1分子がピルビン酸2分子に分解される。解糖系では2分子の ATP と二つの NADH ＋ H$^+$ が生成される。

4. 酸素が十分にあると，ほとんどの細胞ではピルビン酸がアセチル CoA acetyl coenzyme A に変換され，これがクエン酸回路に入る。クエン酸（クレブス）回路 citric acid (Krebs) cycle はミトコンドリア内で起る。もともとグルコースやピルビン酸，アセチル CoA に含まれていた化学エネルギーが補酵素の NADH や FADH$_2$ に移される。

5. 電子伝達系 electron tansport chain はミトコンドリアの中で起る一連の反応で，還元された補酵素のエネルギーが放出され ATP に移される。

6. 肝臓や骨格筋で貯蔵するためグルコースがグリコーゲン glycogen に変換され，これはインスリンに刺激される。体内に約 500 g のグリコーゲンを貯蔵することができる。グリコーゲンからグルコースへの分解は主として食間に起る。糖新生 gluconeogenesis とはグリセロールや乳酸，アミノ酸をグルコースに変換することである。

7. トリグリセリドの一部は ATP 産生のため異化される。その他は脂肪組織に貯蔵される。ほかの脂質はからだの構造分子としてあるいは，ほかの物質を合成するために使われる。トリグリセリドは脂肪酸とグリセロールが異化される前に分解されなければならない。グリセロールはグリセルアルデヒド 3-リン酸，さらにグルコースに変換される。脂肪酸はアセチル CoA に異化された後，クエン酸回路に入る。肝臓でのケトン体 ketone body 生成は脂肪酸分解の正常な過程であるが，ケトン体の濃度の過剰な状態はケトーシスと呼ばれ，アシドーシスを引き起す。

8. グルコースやアミノ酸から脂質への変換はインスリンに刺激される。血液中ではリポタンパク質 lipoprotein が脂質を輸送する。リポタンパク質には食事からの脂質を脂肪組織に運ぶキロミクロン chylomicron，トリグリセリドを肝臓から脂肪組織に運ぶ超低密度リポタンパク質 very low-density lipoprotein (VLDL)，コレステロールを体細胞に運ぶ低密度リポタンパク質 low-density lipoprotein (LDL)，体細胞から余分なコレステロールを除去し処理するために肝臓に運ぶ高密度リポタンパク質 high-density lipoprotein (HDL) がある。

9. インスリン様成長因子やインスリンがあるとアミノ酸は能動輸送によって細胞内に入る。細胞内でアミノ酸はタンパク質に合成され，酵素，ホルモン，からだの構造成分などとして働く。また，脂肪やグリコーゲンとして貯蔵されたり，エネルギーとして使われる。アミノ酸が分解される前にアミノ基が取り除かれる（脱アミノ反応 deamination）。結果としてできたアンモニアが肝細胞で尿素に変換され，尿中に排泄される。アミノ酸はまたグルコースや脂肪酸，ケトン体にも変換される。タンパク質合成はインスリン様成長因子や甲状腺ホルモン，インスリン，エストロゲン，テストステロンによって刺激される。これは DNA や RNA の指令を受けて，リボソーム内で起る。

10. 表 20.1 に糖質，脂質，タンパク質代謝が要約されている。

20.2 代謝と熱

1. 1カロリー calorie とは 1 g の水を 1℃ 上昇させるのに必要なエネルギー量のことである。Calorie カロリーは食物のカロリー値を表したり，からだの代謝率を測定するための熱量の単位である。1 Calorie は 1,000 カロリーあるいは 1 キロカロリー kilocalorie に相当する。

2. 熱 heat のほとんどは食事した食物が異化された結果である。熱産生の割合は代謝率（代謝量）metabolic rate として知られ，運動やホルモン，神経系，体温，食物の消化，年齢，性，気候，睡眠，栄養状態などに影響を受ける。基礎状態での代謝率を基礎代謝率（基礎代謝量）basal metabolic rate (BMR) という。

3. 熱放散機構には放射，伝導，対流，蒸発がある。放射 radiation は，直接に接していない温かい物体から冷たい物体への熱の移動である。伝導 conduction は直接接している物体間の熱の移動である。対流 convection は異なる温度にある気体や液体の移動による熱の移動である。蒸発 evaporation は液体から気体への変換のことで，この過程で熱が失われる。

4. 正常な体温は熱産生と熱放散機構を調節しているネガティブフィードバック機構によって維持されている。体温が低下したとき熱を産生したり，保持する反応が起るが，これには血管収縮，アドレナリン，ノルアドレナリン，甲状腺ホルモンの分泌，ふるえ shivering がある。体温が上昇したときの熱放散反応には血管拡張，代謝率の低下，発汗がある。

20.3 栄養素

1. 栄養素 nutrient には，糖質，脂質，タンパク質，水，ミネラル，ビタミンがある．
2. マイプレート MyPlate ではバランスよく，多様な，そして適切な栄養配分を強調している．健康的な食事では，野菜やフルーツがプレートの半分を，タンパク質と穀類がもう半分を占めている．野菜と穀類が多くの部分を占めている．1日に摂取する三つの乳製品も推奨されている．
3. 重要な機能がわかっているミネラル mineral には，カルシウム，リン，カリウム，ナトリウム，塩化物，マグネシウム，鉄，マンガン，銅，亜鉛などがある．これらの機能は**表 20.2** に要約されている．
4. ビタミン vitamin は有機性の栄養素で成長や正常な代謝を維持している．多くは補酵素として働いている．**脂溶性ビタミン** fat-soluble vitamin は脂肪と一緒に吸収され，ビタミン A，D，E，K がある．**水溶性ビタミン** water-soluble vitamin は水とともに吸収され，ビタミン B 群と C がある．主なビタミンの働きとその欠乏時あるいは過剰時の症候や疾患については**表 20.3** に要約されている．

クリティカルシンキングの応用

1. ジェリーとブライアンは健康的な食事を望んでいる．最近，栄養学の授業で健康的な食生活の新しいガイドラインとして，USDA のマイピラミッドがマイプレートに代わったことを教わった．マイプレートの知識をもとに健康的な生活を維持するためにジェリーとブライアンにどのようなアドバイスをしたらよいか？ プレートを描き，四つの領域に色を塗ることによって，それぞれ何を意味しているのか示し，いくつかの例を挙げなさい．青いカップも忘れないように．
2. 太陽が照りつける夏の暑い日の午後，海岸で横たわって日光浴をしている集団がいる．体温の上昇はどのような機序によって起るか？ 何人かが冷たい水の中に飛び込んだ．どのような機序によって体温が下がるか？
3. マークはマラソンのトレーニングをしている．彼は，パスタやパン，米をたくさん食べるとよいと聞いたことがあった．マラソンを探求しているマークにとって，この食事はどのような利点があるか？
4. ロブは毎朝マルチビタミン剤と毎晩夕食時にβ-カロテン，ビタミン C，ビタミン E を含んだ抗酸化剤を摂っていた．体内での抗酸化剤の働きは何か？ もし，1 日の必要量を超えて摂取した場合，抗酸化剤に何が起るか？

図の質問の答え

20.1 膵臓における消化酵素の産生は同化の一部であり，つまり同化が優位である．
20.2 グルコース 1 分子が完全に異化されると 30 または 32 分子の ATP が生成される．
20.3 肝細胞が糖新生を行うことができる．
20.4 肝細胞がケトン体を生成している．
20.5 運動，交感神経系，ホルモン（アドレナリン，ノルアドレナリン，甲状腺ホルモン，テストステロン，ヒト成長ホルモン），体温の上昇，食物の消化が代謝率を高める．その結果，熱産生が増加する．
20.6 青いカップは牛乳やヨーグルト，チーズといった三つの乳製品を示していることを忘れないように．

CHAPTER 21

泌尿器系

Q なぜ血液透析が行われ，なぜ必要なのかを考えたことはありませんか？　答えは 21.3 節の「臨床関連事項：血液透析」でわかるでしょう。

からだの細胞は代謝機能をもち，それらは酸素と栄養素を消費し，二酸化炭素などの物質を産生する。これらの物質は有益な機能をもたないので，からだから除去される必要がある。呼吸器系がからだから二酸化炭素を除去するのに対して，泌尿器系は大部分のほかの不要な物質を除去する。しかしながら，本章でこれから学ぶように，泌尿器系は単に老廃物の除去に関与しているだけではなく，ほかの多くの重要な機能も有している。

先に進むための復習

- 細胞膜を通過する輸送（3.3 節）
- 単層立方上皮（4.2 節）
- 移行上皮（4.2 節）
- 抗利尿ホルモン（ADH）（13.3 節）
- 副甲状腺（ビタミン D，カルシトリオール，カルシウムのホメオスタシス）（13.5 節）
- レニン-アンギオテンシン-アルドステロン系（13.7 節）
- 毛細血管での濾過と再吸収（16.1 節）
- 血液膠質浸透圧（16.1 節）

21.1 泌尿器系の概観

目標

- 泌尿器系の構成要素とその一般的な機能を列挙する。

泌尿器系 urinary system は左右の腎臓，左右の尿管，一つの膀胱，1 本の尿道から構成されている（図 21.1）。腎臓は血液を濾過した後，大部分の水分や溶質を血流に戻す。そして，残りの水分および溶質によって**尿** urine がつくられる。尿は尿管を通って膀胱に運ばれ，そこに貯蔵される。その後，尿道を通って体外に排出される。腎臓の解剖，生理，疾患に関する科学的な学問を**腎臓病学** nephrology（nephro- ＝腎臓；-logy ＝〜学）という。男性と女性の泌尿器系と男性生殖器系を扱う医学の一分野を**泌尿器科学** urology（uro- ＝尿）という。この分野の専門医を**泌尿器科医** urologist と呼ぶ。

腎臓は泌尿器系の中で主要な働きをする。泌尿器系のほかの部分は，主として排泄経路および一時的な貯蔵にかかわっている。腎臓は以下に述べる機能を果たすことにより，全身のホメオスタシスの維持に関与する。

- **血中のイオン濃度の調節** regulation of ion levels in the blood：腎臓はいくつかのイオンの血中濃度調節に関与する。もっとも重要なのは，ナトリウムイオン（Na^+），カリウムイオン（K^+），カルシウムイオン（Ca^{2+}），塩化物イオン（Cl^-），リン酸水素イオン（HPO_4^{2-}）の血中濃度の調節である。
- **血液量と血圧の調節** regulation of blood volume and blood pressure：腎臓は水分を血液に戻したり尿中に排泄したりすることによって，体内の血液量を調節する。腎臓はまたレニン-アンギオテンシン-アルドステロン系を活性化する酵素レニンを分泌し（図 13.14 参照），腎臓への血液の流入・流出を調節したり，血液量を調節することによって，血圧調節に関与する。
- **血液 pH の調整** regulation of blood pH：腎臓は尿中に種々の量の H^+ を排泄することによって，血中の H^+ 濃度を調節する。腎臓はまた H^+ の重要な緩衝剤である炭酸水素イオン（HCO_3^-）を保持する。これらの二つの作用により血液 pH 調整に関与する。
- **ホルモンの産生** production of hormone：腎臓は二つのホルモンを産生する。活性型ビタミン D の**カルシトリオール** calcitriol はカルシウムのホメオスタシス（図 13.10 参照）に関与し，**エリスロポエチン** erythropoietin は赤血球の産生を刺激する（図

図 21.1 女性の泌尿器系の器官とその周囲の構造。

腎臓で産生された尿は，まず尿管を通り，次に膀胱に蓄えられ，最後に尿道を通って体外へ排出される。

泌尿器系の機能

1. 腎臓は血液の量およびその組成を調節し，血圧およびpHの調整に役立つ。また，二つのホルモンを産生し，老廃物や異物を排泄する。
2. 尿管は腎臓から膀胱に尿を輸送する。
3. 膀胱は尿を蓄え，尿道へ尿を排出する。
4. 尿道は体外へ尿を排出する。

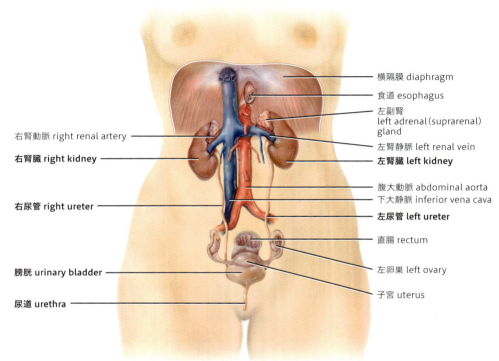

(a) 前面

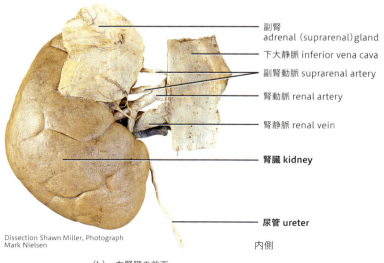

(b) 右腎臓の前面

Q 泌尿器系の器官の中で，尿を形成するうえで主要な働きをするものは何か？

14.4 参照)。

- **老廃物の排泄 excretion of waste**：腎臓は，尿を産生することにより，からだにとって有益な機能をもたない物質である**老廃物 waste** を排泄する。老廃物のいくつかは，体内で代謝反応の結果生じる。例えば，アミノ酸の分解によってアンモニアや尿素，ヘモグロビンの分解によってビリルビン，筋線維中のクレアチンリン酸の分解によってクレアチニンが，核酸の分解によって尿酸が生じる。尿中に排泄されるほかの老廃物は薬物や環境毒物（鉛，水銀，殺虫剤）といった食物中の異物である。

> **チェックポイント**
> 1. 老廃物とは何か。そして腎臓は老廃物の体内からの除去にどのようにかかわるのか？

21.2 腎臓の構造

目標

・腎臓の構造および血液供給について述べる。

　腎臓 kidney は，そら豆のような形をした赤みがかった対になっている器官である（図 21.2）。腎臓は第 12 胸椎から第 3 腰椎の高さで脊柱の両側にあり，腹膜と後腹壁の間に位置する（訳注：腹膜後器官という）。腎臓上部は第 11 および第 12 肋骨で保護されている。右腎臓の上部は肝臓によって占められているため，右腎臓の位置は左腎臓よりわずかに低い。左右差はあるにしても，両側の腎臓ともに仮肋によっていくぶん保護されている。

図 21.2 腎臓の構造。

> 腎被膜は腎臓を覆っている。腎臓内部は，二つの主な部分，浅層の腎皮質と深層の腎髄質からなる。

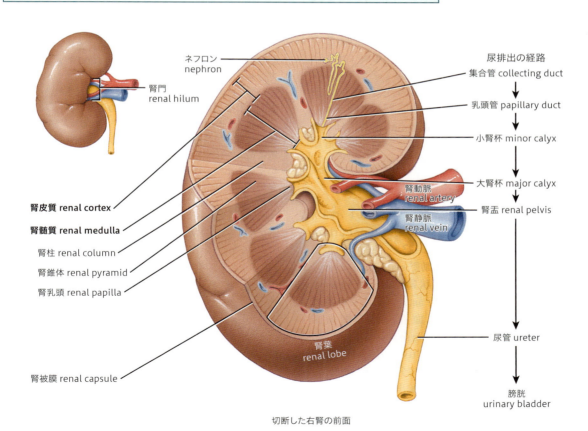

切断した右腎の前面

Q 腎錐体は腎臓のどこにあるか？

腎臓の外部構造

成人の腎臓はおよそ入浴セッケンの大きさである。内側縁の中央付近には**腎門 renal hilum** と呼ばれるくぼみがあり，そこを通って尿管が出ていき，血管，リンパ管および神経が出入りする。左右の腎臓は滑らかで透明な**腎被膜 renal capsule** に囲まれている。腎被膜は結合組織の膜で，腎臓の形を保持し，外傷に対する障壁として役立つ（図 21.2）。また，脂肪組織が腎被膜を囲み，腎臓を支えるクッションとなる。不規則緻密結合組織（交織線維性緻密結合組織）でできた薄い膜（訳注：腎筋膜）とともに脂肪組織が腎臓を後腹壁に固定する。

腎臓の内部構造

腎臓の内部は二つの主要な領域からなる。一つは外側の明るい赤色の領域で，**腎皮質 renal cortex**（cortex＝外皮または背側）と呼ばれる。その内部には外側より暗い赤褐色の領域があり，**腎髄質 renal medulla**（medulla＝内側部分）と呼ばれる（図 21.2）。腎髄質内には数個の円錐形の**腎錐体 renal pyramid** がある。腎皮質が内部へ伸びた部分は**腎柱 renal column** と呼ばれ，腎錐体間の空間を埋める。

腎臓で産生された尿は，腎錐体（図 21.4 参照）中の何千本もの乳頭管を通って，**小腎杯 minor calyx** と呼ばれる杯状の構造体に送り込まれる。各腎臓には 8 〜 18 個の小腎杯がある。ついで尿は小腎杯から 2 〜 3 個の**大腎杯 major calyx**，それから腎盂と呼ばれる 1 個の大きな腔に流れ込む。**腎盂 renal pelvis** は尿管に尿を送り，尿管は膀胱に尿を運ぶ。膀胱は尿を貯蔵し，最終的には尿を体外に排出する。

腎臓への血液供給

安静時心拍出量の約 20 〜 25％，すなわち 1 分間当り約 1,200 mL の血液が，左右の**腎動脈 renal artery** を通って両腎臓に流れ込む（図 21.3）。各腎臓内で腎動脈は，次第に細い血管（**区域動脈 segmental artery**，**葉間動脈 interlobar artery**，**弓状動脈 arcuate artery**，**放射状皮質動脈 cortical radiate artery**（訳注：小葉間動脈））に分かれ，最終的に血液を**輸入細動脈 afferent arteriole**（af-＝近く；-ferre＝運ぶ）に送る。各輸入細動脈は**糸球体 glomerulus**（＝小球；複数形 glomer-uli）と呼ばれる毛細血管網に分枝する。

糸球体の毛細血管は再結合し，**輸出細動脈 efferent arteriole**（ef-＝外）を形成する。糸球体から出た各輸出細動脈は分枝し，**尿細管周囲毛細血管 peritubular capillary**（peri-＝周囲）と呼ばれる毛細血管網を形成する（後述）。これらの毛細血管は次第に再結合し，**尿細管周囲静脈 peritubular vein** を形成する。尿細管周囲静脈はさらに合流して**放射状皮質静脈 cortical radiate vein**（訳注：小葉間静脈），**弓状静脈 arcuate vein**，**葉間静脈 interlobar vein** となる。最終的にすべての静脈は**腎静脈 renal vein** に血液を還流する。

ネフロン

腎臓の機能的単位を**ネフロン nephron** と呼び，各腎臓に約 100 万個ある（図 21.4）。各ネフロンは二つの部分から構成されている。二つの部分とは，血漿を濾過する**腎小体 renal corpuscle**（＝小体）と濾過した液体が通過する**尿細管 renal tubule** である。個々のネフロンに密接にかかわるのは血液供給である。糸球体濾液の組成は尿細管を通過する過程で，老廃物および過剰物質が加わったり，役立つ物質が尿細管周囲毛細血管内の血液に送り返されたりする。

各腎小体は二つの部分，すなわち**糸球体 glomerulus**（毛細血管網）と**糸球体嚢（糸球体包）glomerular capsule**（ボーマン嚢 Bowman's capsule）（二重の壁を

臨床関連事項

腎移植

腎移植 kidney transplantation とは，腎臓が機能していない患者（レシピエント）への生体臓器提供者あるいは死体からの腎臓の移植のことである。レシピエントの腹部を切開した後，ドナーの腎臓は骨盤内に移植される。移植された腎臓の動・静脈は骨盤内の近傍の動・静脈と吻合され，その後，尿管が膀胱に接続される。腎移植では，患者には一つの腎臓しか提供されない。一つの腎臓で腎機能の維持に十分であるからである。罹患腎臓はたいていそのままにされる。ほかの臓器移植の場合と同様，腎臓を移植されたレシピエントは感染や拒否反応のサインに用心しなければならない。"外来性"の臓器が拒否されるのを避けるため，移植を受けたレシピエントには一生にわたり免疫抑制薬が処方される。

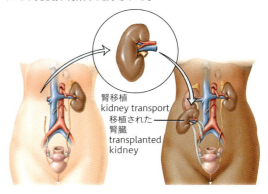

ドナー：機能している腎臓
donor: functioning kidneys

レシピエント：機能している腎臓
recipient: functioning kidneys

腎移植 kidney transport
移植された腎臓 transplanted kidney

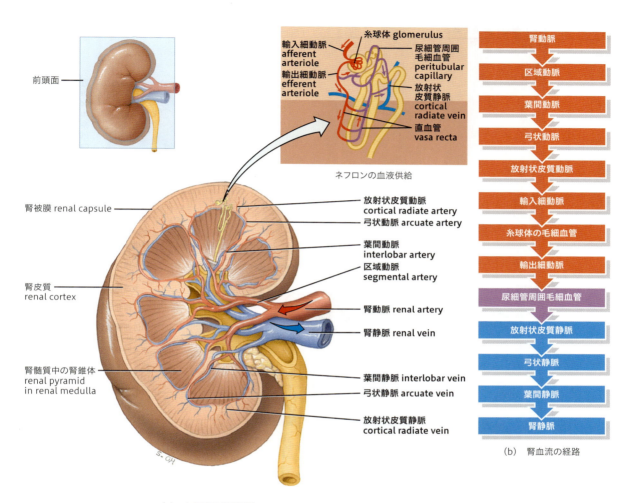

図 21.3 右腎臓の血液供給。動脈は赤，静脈は青，尿を運ぶ構造体は黄色で示す。

腎動脈は，安静時心拍出量の約25%を腎臓に供給する。

(a) 右腎臓の前頭断面

(b) 腎血流の経路

Q 腎動脈には1分間にどれくらいの血液が流入するか？

もつ上皮性の杯状の構造体であり，糸球体を取り囲んでいる）からなる。濾液は糸球体嚢から尿細管に送られる。濾液が通過する尿細管の三つの主要な部分を順に述べると，**近位曲尿細管 proximal convoluted tubule**，**ネフロンループ nephron loop**（訳注：ヘンレループ Henle loop），**遠位曲尿細管 distal convoluted tubule** である。**近位 proximal** というのは糸球体嚢の近くに位置している尿細管部分をさし，**遠位 distal** というのは糸球体嚢から遠く離れた尿細管部分をさす。曲 convoluted というのは尿細管がまっすぐではなく，きつく巻きついていることを意味する。

腎小体，近位および遠位曲尿細管は腎皮質内に存在するのに対し，ネフロンループは腎髄質内まで伸びる。ネフロンループの最初の部分は，近位曲尿細管が下方に向かって最終的に曲がるところから始まる。ネフロンループは腎皮質に始まり，腎髄質内へ向かって下方に伸びる。その部分は**ネフロンループ下行脚 descending limb of the nephron loop** と呼ばれる（図21.4）。ネフロンループ下行脚はついでヘアピンカーブをつくり，腎皮質に戻って遠位尿細管に終わる。この部分は**ネフロンループ上行脚 ascending limb of the nephron loop** として知られる。数個の

図 21.4 **ネフロンの各部分および集合管とそれらに付随する血管。** ネフロンのほとんどは皮質ネフロンである。その腎小体は腎皮質の浅層側にあり，短いネフロンループのほとんどの部分が腎皮質の中にある（訳注：皮質ネフロンのネフロンループ先端部は腎髄質の外層までしか達さない）。1本のネフロンについては図 21.7 参照。

> ネフロンは腎臓の機能的単位である。

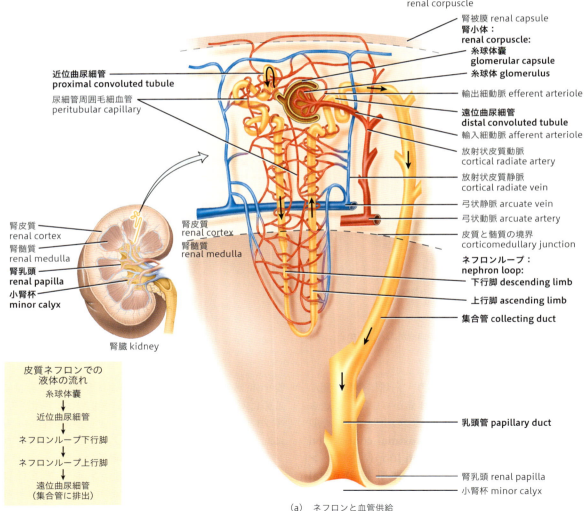

(a) ネフロンと血管供給

(b) ネフロン部分

Q 水分子がネフロンの近位曲尿細管にちょうど入ったところである。1滴の尿として腎盂に到達するためにその水分子はネフロンのどのような部位（複数）を通って流れていくのか？

ネフロンの遠位曲尿細管は1本の共通の**集合管 collecting duct** に注ぐ。数本の集合管が合流して**乳頭管 papillary duct** を形成し，その後，小腎杯，大腎杯，腎盂そして尿管につながる（図21.2, 図21.4）。

> **チェックポイント**
> 2. どのような構造が腎臓を保護し，クッションとなっているのか？
> 3. 腎臓の機能的な単位は何か？　その構造を記述しなさい。

21.3 ネフロンの機能

目 標

・ネフロンと集合管が行う三つの基本的な機能を同定し，各機能がどこで行われるのかを示す。

尿の産生は，ネフロンと集合管における三つの基本的な過程，すなわち，糸球体濾過，尿細管再吸収，尿細管分泌をへて行われる（図21.5）。

❶ 濾過とは，液体ならびに一定の大きさより小さな溶質が膜を通して圧力で押し出されることである。尿産生の最初の段階は**糸球体濾過 glomerular filtration** である。血圧によって血漿中の水分と大部分の溶質が糸球体の毛細血管壁から押し出される。糸球体で濾過されて糸球体嚢に入った液は**糸球体濾液 glomerular filtrate** と呼ばれる。ほかの毛細血管で起るのと同様の濾過が糸球体の中でも起る（図16.3 参照）。

❷ 濾液が尿細管と集合管を流れる間に，**尿細管再吸収 tubular reabsorption** が起る。尿細管と集合管の細胞は濾過した水分の約99％と役立つ溶質の大部分を，尿細管周囲毛細血管を流れる血液中に戻す。

❸ 濾液が尿細管と集合管を流れる間に，**尿細管分泌 tubular secretion** も起る。尿細管と集合管の細胞は老廃物，薬物，過剰イオンなどの物質を尿細管周囲毛細血管中の血液から除去し，尿細管中の液体の中に分泌する。濾液は尿細管再吸収と尿細管分泌を受け，小腎杯と大腎杯に入る。それを**尿 urine** と呼ぶ。

ネフロンはその機能を遂行しながら，血液の量とその組成のホメオスタシス維持に関与する。そのようすはいくぶんリサイクルセンターに似ている。ゴミ収集車は，漏斗状の器の中にゴミを捨て，それを通過した小さなゴミがベルトコンベアーの上にのる（血漿の糸球体濾過）。そのベルトコンベアーはゴミを運び，作業員はそのゴミの中からアルミ缶，プラスチック，ガラス容器といった役立つものを取り出す（再吸収）。ほかの作業員は，余分なゴミや大きなものをベルトコンベアーにのせる（分泌）。ベルトコンベアーの端では

図 21.5 ネフロン機能の全体像。尿中に残った排出物は，最終的には体外に出る。

糸球体濾過は腎小体で起る。尿細管再吸収と尿細管分泌は，尿細管と集合管の全域で起る。

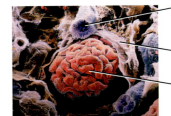

腎小体 renal corpuscle

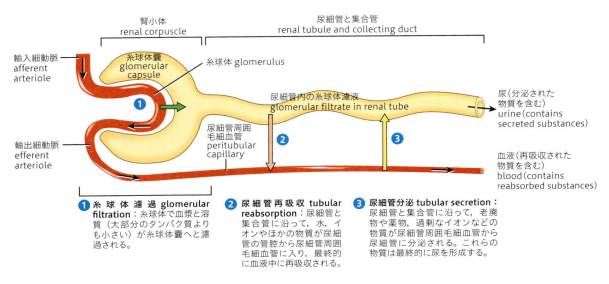

1. **糸球体濾過 glomerular filtration**：糸球体で血漿と溶質（大部分のタンパク質よりも小さい）が糸球体嚢へと濾過される。

2. **尿細管再吸収 tubular reabsorption**：尿細管と集合管に沿って，水，イオンやほかの物質が尿細管の管腔から尿細管周囲毛細血管に入り，最終的に血液中に再吸収される。

3. **尿細管分泌 tubular secretion**：尿細管と集合管に沿って，老廃物や薬物，過剰なイオンなどの物質が尿細管周囲毛細血管から尿細管に分泌される。これらの物質は最終的に尿を形成する。

Q 薬物であるペニシリンが尿細管の細胞から分泌されるとき，ペニシリンは血液に付加されているのか，それとも血液から除去されているのか？

残っているすべてのゴミがトラックに積まれて，埋立地に輸送される（尿中への老廃物の排出）。

表 21.1 は，成人男子において種々の物質が 1 日当りに濾過される量，再吸収される量，尿中に排泄される量を比較したものである。表 21.1 に示している値は典型的な値であるが，それらの数値は食事によりかなり変動する。尿産生に関与する三つのステップの各々について，以下にもっと詳細に述べる。

糸球体濾過

糸球体の毛細血管を取り囲む糸球体嚢は 2 層の細胞から構成される（図 21.6）。柔らかな風船の中に押し込まれた握り拳が風船の 2 層によって取り囲まれている状態を腎小体と考えてみよう。握り拳が糸球体毛細血管，風船が糸球体嚢，風船の 2 層間の空間が**包内腔** capsular space である。糸球体嚢の内壁を構成する細胞は**足細胞** podocyte と呼ばれ，糸球体の内皮細胞に密着している。それらの細胞はともに**濾過膜** filtration membrane を形成しており，血液から包内腔へ水分および溶質を通過させる。血液の構成要素と大部分の血漿タンパク質は濾過膜を通過するには大きすぎるため，血液中に残る。糸球体嚢の外層を構成するのは単層扁平上皮細胞である。

有効濾過圧 濾過を引き起す圧は糸球体の毛細血管の血圧である。ほかの二つの圧，すなわち，(1) 血液膠質浸透圧（16 章参照），(2) 糸球体嚢の圧（包内腔と尿細管にすでに存在する液体によるもの）が糸球体濾過に対抗する。これらの圧のどちらかが上昇すると，糸球体濾過は減少する。通常，血圧はこの二つの圧の

21.3 ネフロンの機能   **549**

表 21.1　1日当りに濾過される物質の量，再吸収される物質の量，尿中に排出される物質の量

物　質	濾過量*（尿細管に入る量）	再吸収量（血液に戻る量）	尿中分泌（排出）量
水 water	180 L	178～179 L	1～2 L
タンパク質	2.0 g	1.9 g	0.1 g
塩化物イオン（Cl^-）chloride ion	640 g	633.7 g	6.3 g
ナトリウムイオン（Na^+）sodium ion	579 g	575 g	4 g
炭酸水素イオン（HCO_3^-）bicarbonate ion	275 g	274.97 g	0.03 g
グルコース glucose	162 g	162 g	0
尿素 urea	54 g	24 g	30 g †
カリウムイオン（K^+）potassium ion	29.6 g	29.6 g	2.0 g ‡
尿酸 uric acid	8.5 g	7.7 g	0.8 g
クレアチニン creatinine	1.6 g	0	1.6 g

* 糸球体濾過量を，1日当り180Lとする。
† 濾過と再吸収とは別に，尿素は分泌もされている。
‡ 濾過されたほとんどすべての K^+ は，曲尿細管とネフロンループにおいて再吸収される。その後，種々の量の K^+ が集合管で分泌される。

図 21.6　尿産生の第1段階の糸球体濾過。

糸球体濾液（赤矢印）は包内腔に入り，ついで近位曲尿細管に入る。

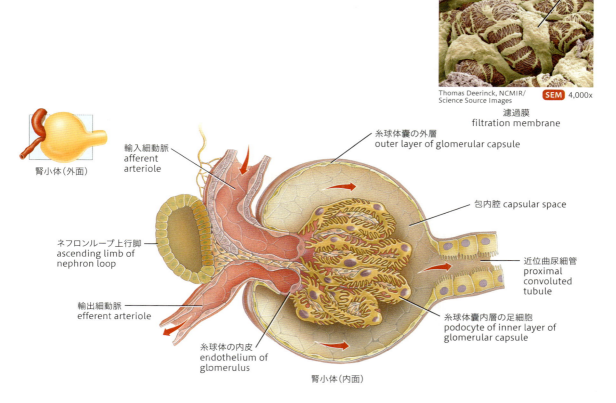

Q 腎小体の濾過膜を構成するのはどの細胞（複数）か？

和より高く，約 10 mmHg の**有効濾過圧** net filtration pressure を生じる。有効濾過圧により，大量の液体，すなわち 1 日当り女性で約 150 L，男性で約 180 L の液体が包内腔中に押し出される。有効濾過圧は以下のようにまとめられる。

　有効濾過圧＝
　　糸球体毛細血管圧－（血液膠質浸透圧＋糸球体嚢圧）

輸出細動脈の直径は輸入細動脈の直径より小さいので，糸球体の毛細血管の血圧を上昇させるのに役立つ。血圧がいくぶん上昇あるいは低下すると，糸球体濾過を正常に維持するために，輸入細動脈と輸出細動脈の直径が変化し，有効濾過圧を一定に保つ。輸入細動脈が収縮すると，糸球体への血流が減少し，有効濾過圧は低下する。輸出細動脈が収縮すると，血液の流出が緩徐となり，有効濾過圧は上昇する。

> **臨床関連事項**
>
> **乏尿と無尿**
>
> 出血などの血圧が著しく低下するような状況では，糸球体の血圧が非常に低下するため，輸出細動脈が収縮しても有効濾過圧は低下する。そのような場合，糸球体濾過は緩徐となり，完全に停止することさえある。その結果，1 日当りの尿量が 50 〜 250 mL の**乏尿** oliguria（olig- ＝乏しい；-uria ＝尿産生），あるいは 1 日当りの尿量 50 mL より少ない**無尿** anuria となる。尿管を詰まらせる腎結石や男性の尿道を詰まらせる前立腺肥大などの閉塞によっても有効濾過圧は低下し，それにより尿量が減少する。

糸球体濾過量　左右の腎臓で 1 分間当りにつくられる濾液の量を，**糸球体濾過量** glomerular filtration rate（GFR）という。成人における GFR は，女性では約 105 mL/分，男性では約 125 mL/分である。腎臓にとって，GFR を一定に保つことは重要である。GFR が高すぎると，尿細管の通過が速すぎて，必要な物質の再吸収ができず，それらの物質は尿の一部として体外に排泄されてしまう。一方，GFR が低すぎると，ほとんどすべての濾液が再吸収されてしまい，老廃物が十分に排泄されない。

心房性ナトリウム利尿ペプチド atrial natriuretic peptide（ANP）は糸球体濾過量を増加させることによってナトリウムイオンと水の排泄を部分的に促進するホルモンである。血液量が増加するときに起るように，心臓が伸展すると，心臓の心房細胞から ANP がより多く分泌される。ANP は腎臓に作用して，ナトリウムイオンと水の尿中への排泄を増加させる。このようにして血液量は減少し，正常に戻る。

からだの大部分の血管と同様に，腎臓の血管も自律神経系の交感神経線維によって支配されている。交感神経線維が活動すると，血管収縮を起す。安静時には，交感神経刺激は少なく，輸入細動脈と輸出細動脈は相対的に弛緩している。運動時や出血時などに起るように交感神経が強く刺激されると，輸出細動脈よりも輸入細動脈のほうが収縮する。その結果，糸球体毛細血管への血流量が極度に減少し，有効濾過圧が低下し GFR が減少する。このような変化により，尿量は減少する。尿量の減少により，血液量は維持され，ほかのからだの組織への血流量を増加させることができる。

尿細管再吸収

尿細管再吸収 tubular reabsorption（つまり，濾過された水と多くの溶質を血液に戻すこと）が，ネフロンと集合管の第二の基本的機能である。濾過された液体は近位曲尿細管に入ると**尿細管液** tubular fluid となる。尿細管と集合管を流れるに従い，尿細管液の構成は再吸収と分泌により変化する。通常，濾過された水の約 99％ は再吸収される。糸球体濾液中のたった 1％ の水が尿 urine，すなわち腎盂の中に注ぎ込む液体となって，からだから実際に排出される。

尿細管から集合管にわたる全域の上皮細胞で尿細管再吸収が起る（図 21.7）。その大部分は近位曲尿細管で起り，濾過された水の 65％，濾過されたグルコース，アミノ酸の 100％，Na^+（ナトリウムイオン），K^+（カリウムイオン），Cl^-（塩化物イオン），HCO_3^-（炭酸水素イオン），Ca^{2+}（カルシウムイオン），Mg^{2+}（マグネシウムイオン）など種々のイオンの大部分が再吸収される。溶質が再吸収されることによっても，水分の再吸収は以下の方法によって促進される。溶質が尿細管周囲毛細血管に移動すると，尿細管液中の溶質濃度は低

> **臨床関連事項**
>
> **糖尿と多尿**
>
> 血糖値が正常レベルを超えて上昇すると，近位曲尿細管のトランスポーターは濾過されたグルコースの再吸収を十分に速く行えなくなる。その結果，尿中にいくらかのグルコースが残り，このような状態を**糖尿** glucosuria と呼ぶ。もっとも一般的な糖尿の原因は糖尿病である。糖尿病ではインスリン活性が不足しているので，血糖値が正常値よりはるかに高くなる。尿細管再吸収が起ると"水は溶質に追従する"ので，濾過された溶質の再吸収が減少するような状態でも，尿中へ失われる水の量が増加する。**多尿** polyuria（poly- ＝多），すなわち尿の過剰排泄が，通常，糖尿に付随する。これは糖尿病の一般的な症状である。

21.3 ネフロンの機能

図 21.7 ネフロンと集合管における濾過，再吸収，分泌の要約。糸球体で最初に濾過された量に対する%で示す。

> 濾過は腎小体で起る；再吸収は尿細管と集合管の全域で起る。

腎小体
濾過される物質：
水と，イオン，グルコース，アミノ酸，クレアチニン，尿酸など血中に存在するすべての溶質（タンパク質を除く）

近位曲尿細管
濾液の（血液への）再吸収：
- 水　　　　65%（浸透）
- Na⁺　　　65%（Na⁺-K⁺ポンプ，シンポーター，アンチポーター）
- K⁺　　　 65%（拡散）
- グルコース 100%（シンポーター，促進拡散）
- アミノ酸　100%（シンポーター，促進拡散）
- Cl⁻　　　50%（拡散）
- HCO₃⁻　　80〜90%（促進拡散）
- 尿素　　　50%（拡散）
- Ca²⁺，Mg²⁺ 変動（拡散）

（尿への）分泌：
- H⁺　　　変動（アンチポーター）
- NH₄⁺　　変動（アンチポーター，アシドーシスの増加）
- 尿素　　変動（拡散）
- クレアチニン　少量

近位曲尿細管の末端部で，尿細管液は血液に対してまだ等張である（300 mOsm/L）。

ネフロンループ
（血液への）再吸収：
- 水　　　　15%（下行脚での浸透）
- Na⁺　　　20〜30%（上行脚のシンポーター）
- K⁺　　　 20〜30%（上行脚のシンポーター）
- Cl⁻　　　35%（上行脚のシンポーター）
- HCO₃⁻　　10〜20%（促進拡散）
- Ca²⁺，Mg²⁺ 変動（拡散）

（尿への）分泌：
- 尿素　　変動（集合管から再循環される）

ネフロンループの末端部で，尿細管液は低張である（100〜150 mOsm/L）。

尿 urine

遠位曲尿細管の起始部
（血液への）再吸収：
- 水　　　10〜15%（浸透）
- Na⁺　　 5%（シンポーター）
- Cl⁻　　 5%（シンポーター）
- Ca²⁺　 変動（副甲状腺ホルモンによる刺激）

遠位曲尿細管の末端部と集合管
（血液への）再吸収：
- 水　　　5〜9%（ADHに刺激されて水チャネルが挿入される）
- Na⁺　　1〜4%（Na⁺-K⁺ポンプ，アルドステロンによって刺激されるNa⁺チャネル）
- HCO₃⁻　H⁺分泌に依存して量が変動（アンチポーター）
- 尿素　　変動（ネフロンループに再循環される）

（尿への）分泌：
- K⁺　　食事での摂取に応じて量が変動（リークチャネル）
- H⁺　　酸-塩基ホメオスタシスを維持するために量が変動（H⁺ポンプ）

集合管を出る尿細管液（訳注：尿のこと）はADHレベルが低いときは希釈され，ADHレベルが高いときは濃縮される。

Q ネフロンと集合管のどの部分で分泌が起るか？

下するが，尿細管周囲毛細血管中の溶質濃度は上昇する。その結果，浸透によって水が尿細管周囲毛細血管中に移動する。近位曲尿細管より遠位に位置する細胞群は水と選択されたイオンのホメオスタシスを維持するために，再吸収を微調節する（表 21.1）。

尿細管分泌

ネフロンと集合管の第三の機能は**尿細管分泌 tubular secretion**，すなわち血液中の物質を尿細管細胞を通して尿細管液中に移動させることである。尿細管再吸収の場合と同様，尿細管分泌も尿細管と集合管

の全域で，受動拡散と能動輸送の両方の過程を介して起る．分泌される物質には，水素イオン（H^+），K^+，アンモニア（NH_3），尿素，クレアチニン（筋細胞におけるクレアチンからの老廃物），ペニシリンなどのある種の薬物が含まれる．尿細管分泌により，からだからこれらの物質が除去される．

アンモニアはアミノ酸からアミノ基が除去されるときに産生される有毒な老廃物である．肝臓の細胞で大部分のアンモニアは，より毒性の少ない化合物の尿素に変換される．少量の尿素とアンモニアが汗にも存在するが，大部分の窒素含有老廃物は尿中に排泄される．からだ中の尿素とアンモニアはどちらも糸球体で濾過され，さらに近位曲尿細管で尿細管液中に分泌される．死期の近いヒトでは，腎不全によってアンモニアが体内に蓄積するため，アンモニア臭がすることがある．過剰な K^+ の尿細管分泌もまた非常に重要である．体液の K^+ 濃度を一定に維持するために，尿細管細胞での K^+ の分泌は毎日のカリウム摂取に伴って変動する．

尿細管分泌は血液 pH を調整するのにも関与する．アルカリ食品よりも酸性食品が多く含まれる北米の典型的な高タンパク食を摂っても，血液の pH は正常値（7.35～7.45）に保たれている．酸の除去のために，尿細管細胞は尿細管液中に H^+ を分泌し，血液 pH を正常範囲に保つ．H^+ が分泌される結果，尿の pH は通常酸性となる（pH 7 以下となる）．

ネフロン機能に対するホルモン性調節

ホルモンが尿細管による Na^+，Cl^-，水の再吸収の程度と K^+ 分泌の程度に影響を与える．イオンの再吸収と分泌を調節するもっとも重要なホルモンは**アンギオテンシン II** angiotensin II と**アルドステロン** aldosterone である．アンギオテンシン II は，近位曲尿細管で Na^+ と Cl^- の再吸収を促進する．アンギオテンシン II はまた，副腎皮質に作用してアルドステロンの分泌も刺激する．そのアルドステロンは遠位曲尿細管の末端部分と集合管全域の尿細管細胞に作用して，Na^+ と Cl^- をさらに再吸収し，K^+ をさらに分泌する．Na^+ と Cl^- がさらに再吸収されると，浸透によって水もまたさらに再吸収される．血漿 K^+ レベルはアルドステロンに刺激されて起る K^+ 分泌によって主に調節されている．血漿 K^+ 濃度が上昇すると心臓調律（リズム）に重大な障害を起し，心停止を起すことさえある．**心房性ナトリウム利尿ペプチド** atrial natriuretic peptide（ANP）というホルモンは糸球体濾過量を増加させるほか，尿細管による Na^+（と Cl^- と水）の再吸収の抑制にわずかに関与する．糸球体濾過量が増加すると，Na^+，Cl^-，水の再吸収は減少し，尿中により多くの水と塩が失われる．結果的には血液量を減少させる効果がある．

水の再吸収を調節する主なホルモンは，ネガティブフィードバックで作用する**抗利尿ホルモン** antidiuretic hormone（ADH；訳注：バソプレシンとも呼ばれる）である（図 21.8）．血液中の水分濃度がわずか 1% 低下しても，視床下部の浸透圧受容器が興奮して，下垂体後葉から ADH の分泌が促進される．ADH 分泌に対す

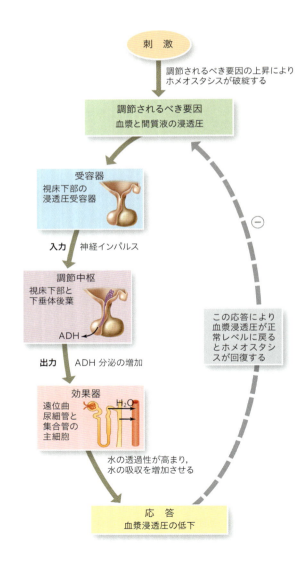

図 21.8 抗利尿ホルモン（ADH）による水の再吸収のネガティブフィードバック調節．

ADH 濃度が高いとき，腎臓はより多くの水を再吸収する．

Q 水をまったく飲まずに 5 km 走りきったヒトの血液中の抗利尿ホルモン濃度は，正常値よりも高いか低いか？

る2番目の強力な刺激は、出血時あるいは著しい脱水時に起るような、血液量の減少である。ADHは遠位曲尿細管の末端部と集合管全域の細胞に作用する。ADHがないと、これらの尿細管部分は水に対して非常に透過性が低い。ADHはこれらの尿細管細胞の細胞膜に水チャネルとして機能するタンパク質を挿入することによって、それらの細胞の水透過性を亢進させる。尿細管細胞の水透過性が亢進すると、水分子は尿細管液からこれらの細胞、そして血液中へと移動する。例えば、著しい脱水時などでADHが最高値にある場合、腎臓は毎日400〜500 mLという少量の非常に濃縮した尿を産生することができる。ADH濃度が低下すると、水チャネルは細胞膜から取り除かれる。ADH濃度が低下しているとき、腎臓は大量の希釈尿を産生する。

> ### 臨床関連事項
>
> #### 利尿薬
>
> **利尿薬** diuretics は、腎臓で水の再吸収を遅くする物質であり、それにより**利尿** diuresis、すなわち尿流量の増加を起す。天然に存在する利尿薬にはコーヒー、紅茶、コーラに含まれる**カフェイン** caffeine やビール、ワイン、カクテルに含まれる**アルコール** alcohol がある。カフェインは、Na^+ の再吸収を阻害する。アルコールはADHの分泌を阻害する。**尿崩症** diabetes insipidus として知られる状態では、ADHの分泌が不十分、またはADH受容体に欠陥があり、その患者は1日当り20 Lにも及ぶ非常に薄い尿を排泄する。

ここまで述べてきたホルモンは尿としての水分損失の調節に関与しているが、尿細管はイオン組成を調節するホルモンにも反応する。例えば、血中 Ca^{2+} 濃度が正常より低くなると、副甲状腺(上皮小体)が刺激され、**副甲状腺ホルモン** parathyroid hormone (parathormone;PTH)が分泌される。分泌されたPTHによって遠位曲尿細管の最初の部分にある細胞が刺激され、Ca^{2+} をより多く血液中に再吸収するようになる。PTHはまた近位曲尿細管での HPO_4^{2-} (リン酸水素イオン)の再吸収を抑制する。これによって、リン酸の排泄を促す。

尿の成分

尿量や、尿の物理的、化学的、顕微鏡的特性の分析を**尿検査** urinalysis と呼び、これによりからだの状態がよくわかる。表21.2に尿の主な物理的特性を要約してある。

1日に排出する尿の量は健常成人で1〜2 Lである。水が尿の全容量の約95%を占める。正常尿に含まれる典型的な溶質は、尿素、クレアチニン、カリウムイオン、アンモニアのほか、尿酸、ナトリウムイオン、塩化物イオン、マグネシウムイオン、硫酸イオン、リン酸イオン、カルシウムイオンなどである。

疾患によってからだの代謝あるいは腎機能が変化すると、通常尿中には存在しない微量の物質が現れたり、通常の成分量が異常になる。表21.3には尿検査の一部として検出されるいくつかの尿の異常成分を示してある。

表21.2 正常尿の物理的特性

特性	説明
量 volume	24時間で1〜2 Lであるが、かなり変動する。
色 color	黄色か琥珀色であるが、尿の濃度や食事によって変化する。色はウロクロム(胆汁の分解によって生じる色素)とウロビリン(ヘモグロビンの分解)によるものである。濃縮された尿の色は濃くなる。食事(食用の根であるビーツによって赤色の尿が出る)、薬、特定の病気によって色は変化する。腎結石により尿中に血液が出る。
濁度 turbidity	排尿直後は透明だが、しばらくすると濁る(曇る)。
におい odor	少し芳香性があるが、時間がたつとアンモニア臭になる。消化したアスパラガスからメチルメルカプタンを形成する能力が遺伝する人がいる。その尿は特有のにおいがする。
pH	4.6〜8.0の範囲で、平均6.0。食事によってかなり変動する。高タンパク食により酸性度が上昇し、菜食によりアルカリ度が上昇する。
比重 specific gravity	比重(密度)は、ある物質の体積当りの重さと、蒸留水の体積当りの重さの比である。尿の比重は1.001〜1.035の範囲である。溶質の濃度が高くなればなるほど比重が高くなる。尿がより濃縮される朝に、比重は高くなる。

> ### チェックポイント
>
> 4. 腎臓における血液の濾過は血圧によってどのように促進されるか?
> 5. 液体が尿細管を移動する際、どのような溶質が再吸収され、また分泌されるのか?
> 6. アンギオテンシンⅡ、アルドステロン、抗利尿ホルモンはどのように尿細管再吸収と分泌を調節するのか?
> 7. 正常尿の特性は何か?

臨床関連事項

血液透析

これまでに学んだように，腎臓には多くの重要な機能がある。例えば，血液中の電解質レベル，血圧，血液量，pHなどの調節，そして老廃物の排出である。片方あるいは両方の腎臓が全体の10〜15％の能力しか発揮していないとき，その人は**血液透析** hemodialysis の対象となる。血液透析とは，血液から老廃物や余分な水分を除去し，ホメオスタシスを維持するために電解質バランスを回復させるプロセスである。腎不全の主な原因は糖尿病である。

血液透析では，血液が橈骨動脈などの動脈から除去され，**腎透析装置** kidney dialysis machine に送られる。血流量，血圧，液体量，その他の生命情報をモニターするのは基本的にコンピューターである。10〜12パイント(訳注：パイントは液量の単位で，1パイントは約0.5 L)の血液の1パイントのみが生体の外に出される。血圧と流速はポンプで制御され，抗凝血薬(ヘパリン)が血栓の形成を防ぐために添加される。次いで血液が**ダイアライザー** dialyzer(透析器)，つまりネフロンに相当する人工腎臓に送られる。ダイアライザーは選択的透過性膜で構成され，それは膜の一方の側に一方向に流入する血液と，膜のもう片側に反対方向に流入する**透析液** dialysate と呼ばれる液とを分離する。透析液は血漿と同じ溶質濃度である。血液がダイアライザーを通って移動する際，血液細胞は膜を通過しない。しかし，例えば尿素などのあらゆる老廃物，余分な水分や電解質は血液から透析液に移動する。同時に，血液中に欠如している物質が透析液から血液中に移動する。基本的にダイアライザーは老廃物と余分な水分を除去し，血液中の電解質バランスを適正な状態に回復させる。透析液は継続的に交換され，使用済みの透析液はドレナージ容器に流し込まれる。処理された血液は，ダイアライザーから空気塞栓検出器に送られ，気泡が除去された後，静脈，例えば橈骨静脈を介して患者に戻される。血液透析は通常3〜5時間かかり，1週間に3回行われる。

生体外の選択的透過性膜である腎臓透析装置を使用するほかに，生体自身の選択的透過性膜の一つを利用する代替法がある。この方法では腹膜と呼ばれる腹腔の裏打ちを選択的透過性膜として利用し，**腹膜透析** peritoneal dialysis (PD)と呼ばれる。透析液はカテーテルを通して腹部に投与される。老廃物と余分な水分と電解質は血液から透析液に入ってくる。数時間後，使用済みの透析液はバッグに排出され，新しい透析液と交換される。これを通常1日4〜6回繰り返す。

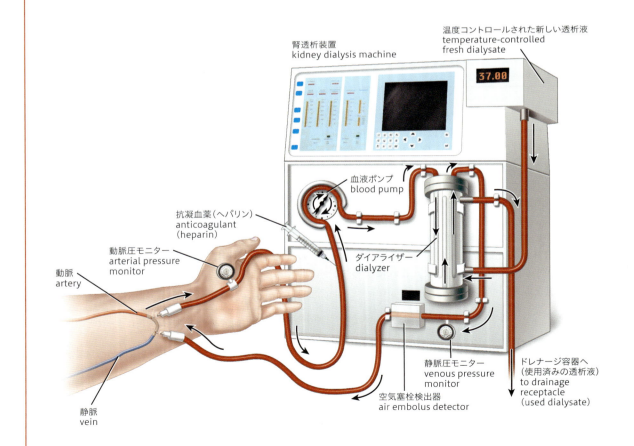

表 21.3 尿の異常成分の要約

溶 質	説 明
アルブミン albumin	血漿の正常成分。濾過されるには大きすぎるので，通常，ごく微量しか尿中に排出されない。過剰のアルブミンが尿中に含まれる場合，すなわち**タンパク尿** albuminuria は，濾過膜の透過性が亢進していることを示す。濾過膜の透過性亢進は，外傷，疾病，血圧上昇，腎細胞の損傷によって起る。
グルコース glucose	尿中にグルコースが存在する場合，すなわち**糖尿** glucosuria は，通常，糖尿病の指標となる。
赤血球 red blood cell(erythrocyte)	破裂した赤血球からのヘモグロビンが尿中に存在する場合，すなわち**血尿** hematouria は，腎結石，腫瘍，外傷，腎疾患の結果起る泌尿器官の急性炎症に伴って生じる。
白血球 white blood cell(leukocyte)	白血球や膿のほかの成分が尿中に存在する場合は，**膿尿** pyuria と呼ばれ，腎臓やほかの泌尿器官に感染があることを示す。
ケトン体 ketone body	尿中にケトン体が多量に含まれる場合は，**ケトン尿** ketonuria と呼ばれ，糖尿病，食欲不振，飢餓，食事中の炭水化物不足の指標となる。
ビリルビン bilirubin	赤血球がマクロファージによって破壊されるとヘモグロビンのグロビン部分がはずれ，ヘムはビリベルジンになる。大部分のビリベルジンはビリルビンになる。尿中のビリルビン量が正常より多い場合，**ビリルビン尿** bilirubinuria と呼ばれる。
ウロビリノゲン urobilinogen	ウロビリノゲン（ヘモグロビンの分解産物）が尿中に存在する場合，**ウロビリノゲン尿** urobilinogenuria と呼ばれる。微量含まれるのは正常であるが，ウロビリノゲン量が増加している場合は，溶血性貧血，悪性貧血，感染性肝炎，胆管閉塞，黄疸，肝硬変，うっ血性心不全，伝染性単核症の可能性がある。
尿円柱 cast	**尿円柱** cast は硬くなった物質の小さな塊で，それらが形成された尿細管の内腔の形をしていると考えられる。尿円柱は後から産生された糸球体濾液によって，尿細管から押し出される。尿円柱はそれらを構成する細胞や物質，あるいはその形状に基づいて命名される。例えば，白血球円柱，赤血球円柱，上皮性円柱（尿細管の細胞）などがある。
微生物 microbe	細菌の数や種類は，尿路での特異的な感染ごとに異なる。もっとも一般的なのが大腸菌である。尿中に出現するもっとも一般的な真菌は，カンジダ・アルビカンス *Candida albicans* で，腟炎の原因となる。もっとも頻繁にみられる原虫は腟トリコモナス *Trichomonas vaginalis* で，女性では腟炎，男性では尿道炎の原因となる。

21.4 尿の輸送，貯蔵，排出

目 標

・尿管，膀胱，尿道の構造と機能について述べる。

本章の初めで学んだように，ネフロンでつくられた尿は小腎杯へ排出される。小腎杯は合して大腎杯となり，大腎杯が合して腎盂を形成する（図 21.2 参照）。尿は腎盂から尿管に排出された後，膀胱をへて尿道から体外に排出される（図 21.1 参照）。

尿 管

2本の**尿管** ureters はそれぞれ一つの腎臓の腎盂から膀胱へと尿を輸送する（図 21.1 参照）。尿管は膀胱の数 cm 後下方を通るため，膀胱は尿管を圧迫する。このようにして排尿の間，膀胱内圧が上がっても尿管への尿の逆流が起らない。この生理的な弁が働かない場合，膀胱炎 cystitis（膀胱の炎症）が腎臓の炎症へと拡がってしまう可能性がある。

尿管壁は3層からなる。内側の層は粘膜である。その粘膜には疎性結合組織によって裏打ちされた移行上皮 transitional epithelium（表 4.1 J 参照）が含まれる。移行上皮は伸展することができる。これは変動する容積の液体を入れなければならない器官にとって大きな利点である。粘膜の杯細胞から分泌された粘液は細胞が尿と直接接するのを防ぐ。尿の溶質濃度および pH は，尿管壁を形づくる細胞のサイトゾルの溶質濃度および pH と著しく異なる。中間層は平滑筋からなる。尿は主にこの平滑筋の蠕動性収縮によって腎盂から膀胱へ輸送されるが，尿圧と重力も尿輸送に寄与するらしい。外層は血管，リンパ管，神経を含む疎性結合組織からなる。

膀 胱

膀胱 urinary bladder は袋状の筋性の器官であり，恥骨結合の後ろの骨盤腔に位置する（図 21.9）。男性の場合は直腸のすぐ前にある（図 23.1 参照）。女性の場合は腟の前で，子宮の下に位置する。膀胱は腹膜の

図 21.9 尿管，膀胱，尿道（女性）。

尿は，排尿によって排出されるまで膀胱に貯蔵される。

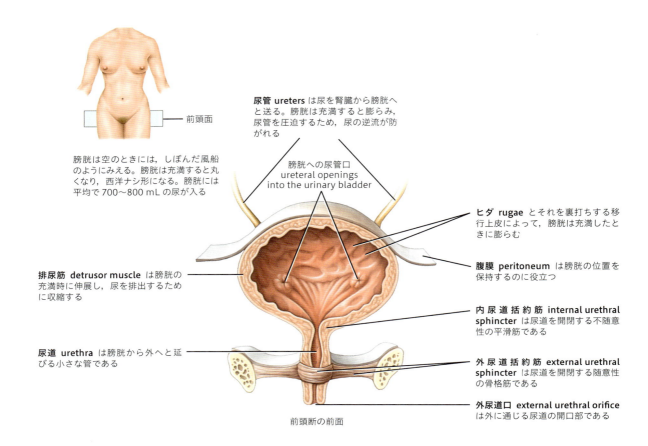

前頭面

膀胱は空のときには，しぼんだ風船のようにみえる。膀胱は充満すると丸くなり，西洋ナシ形になる。膀胱には平均で 700〜800 mL の尿が入る

尿管 ureters は尿を腎臓から膀胱へと送る。膀胱は充満すると膨らみ，尿管を圧迫するため，尿の逆流が防がれる

膀胱への尿管口 ureteral openings into the urinary bladder

ヒダ rugae とそれを裏打ちする移行上皮によって，膀胱は充満したときに膨らむ

腹膜 peritoneum は膀胱の位置を保持するのに役立つ

排尿筋 detrusor muscle は膀胱の充満時に伸展し，尿を排出するために収縮する

内尿道括約筋 internal urethral sphincter は尿道を開閉する不随意性の平滑筋である

尿道 urethra は膀胱から外へと延びる小さな管である

外尿道括約筋 external urethral sphincter は尿道を開閉する随意性の骨格筋である

外尿道口 external urethral orifice は外に通じる尿道の開口部である

前頭断の前面

Q 排尿に対する随意性調節の欠如を何と呼ぶか？

ヒダで支えられている。膀胱の形はどれだけ尿を蓄えているかに依存する。尿が少ないときはしぼんだ風船のようにみえる。わずかに伸びると球状になり，尿量が増加するに従い，西洋ナシ形のようになって腹腔内へと突出する。膀胱の容量は平均 700〜800 mL である。女性の膀胱はそのすぐ上の空間を子宮が占めているので男性より小さい。膀胱底では尿管が**尿管口 ureteral opening** を介して膀胱内に尿を注ぎ込む。尿管と同様，膀胱の粘膜も伸びることが可能な移行上皮である。また，粘膜には**ヒダ rugae** と呼ばれるしわがあり，このヒダにより膀胱は膨らむことができる。膀胱壁の筋層は**排尿筋 detrusor muscle**（detrusor = 下に押す）と呼ばれる3層の平滑筋からなる。腹膜が膀胱上面を覆い，外側の漿膜を形づくる。膀胱の残り部分は線維性の外膜となっている。

臨床関連事項

膀胱鏡検査

膀胱鏡検査は男性の尿道，膀胱，前立腺の粘膜を直接検査するための非常に重要な手技である。この検査では，膀胱鏡（自由に折れ曲がる細いライト付きの管）を尿道に挿入して，それが通過する構造体を調べる。特殊なアタッチメントを使うと，組織サンプルを検査のために採取したり（生検），小さな石を取り除くことができる。膀胱鏡検査は癌や感染症などの膀胱の問題を調べるために役立つ。肥大した前立腺の結果起る閉塞の程度も調べることができる。

尿道

尿道 urethra は泌尿器系の最終部位であり，膀胱底からからだの外側に通じる細い管である（図21.9）。女性では，恥骨結合のすぐ後ろ，腟壁の前にある。からだの外側への開口部である**外尿道口** external urethral orifice は陰核と腟口の間にある（図23.6参照）。男性の場合，尿道は前立腺，深部の会陰筋，最後に陰茎の中（訳注：尿道海綿体）を通る（図23.1参照）。

尿道に開口する膀胱からの入口周囲には平滑筋からなる**内尿道括約筋** internal urethral sphincter がある。内尿道括約筋の開閉は不随意性である。内尿道括約筋の下には骨格筋からなる**外尿道括約筋** external urethral sphincter があり，これは随意性調節下にある。女性においても男性においても尿道はからだから尿を排出するための通路である。男性の尿道は精液を射出する管としての役目もある。

排尿

膀胱は排出する前の尿をためる。そして**排尿** micturition（＝尿を出す；urination）と呼ばれる作用によって尿を尿道に放出する。排尿時には不随意性ならびに随意性の筋収縮が協調する必要がある。膀胱内の尿量が200〜400 mLを超えると，膀胱内圧がかなり上昇し，膀胱内にある伸展受容器が脊髄に神経インパルスを送る。インパルスは脊髄下部に伝わり，**排尿反射** micturition reflex と呼ばれる反射を誘発する。この反射により，脊髄から出力する副交感神経のインパルスが排尿筋の**収縮** contraction と内尿道括約筋の**弛緩** relaxation を引き起こす。同時に，体性運動ニューロンを抑制して，外尿道括約筋中の横紋筋を弛緩させる。膀胱壁収縮と括約筋弛緩により，排尿が起こる。膀胱の充満は尿がいっぱいだという感覚を引き起こし，これにより，実際に排尿反射が起る前に意識的な排尿欲求が起る。膀胱を空にするというのは反射だが，私たちは幼い頃に自分の意思で排尿したり止めたりすることを学ぶ。外尿道括約筋や骨盤底の特定の筋の調節を学習すると，大脳皮質の働きにより，排尿を起したり，ある限られた時間内では排尿を遅らせたりすることができる。

> **チェックポイント**
> 8．どのような力が腎盂から膀胱へと尿を押し出すのに関与するか？
> 9．排尿とは何か？　排尿反射はどのように起るか？
> 10．男性と女性とで尿道の位置を比較するとどうなるのか？

21.5　加齢と泌尿器系

目 標
・泌尿器系に及ぼす加齢の影響について述べる。

加齢とともに，腎臓の大きさは縮小し，腎臓への血流は減少し，濾過する血液量は減少する。左右の腎臓の重さは20歳では平均260 gであるが，80歳までに200 gより軽くなる。同様に，腎血流量と濾過量は40歳から70歳の間で，50％も減少する。加齢とともに，より一般的になる腎疾患には，急性ならびに慢性の腎臓の炎症や腎結石などがある。加齢とともに乾きの感覚が減退するため，高齢者では脱水しやすくなる。多尿，夜間多尿（夜間の過剰排尿），排尿の頻度増加，排尿障害（痛みを伴う排尿），尿閉，尿失禁，血尿（尿中に血液が含まれる）などとともに，高齢者では尿路感染症がより一般的になる。

> **チェックポイント**
> 11．高齢者に脱水が起りやすいのはなぜか？

・・・

泌尿器系がどれだけ多様にほかの身体系のホメオスタシスに寄与しているかを評価するために，次ページの"ホメオスタシスの観点から"を参照しなさい。ついで，22章で，腎臓と肺がどのように体液量，体液中のイオン濃度，酸塩基平衡のホメオスタシスの維持に寄与しているのかを学ぶ。

> **臨床関連事項**
>
> ### 尿失禁
>
> 排尿が止められないことを**尿失禁** urinary incontinence と呼ぶ。約2歳以下での失禁は正常であり，これは外尿道括約筋へのニューロン（神経細胞）が完全に発達していないからである。乳児の場合，膀胱が十分に膨張して排尿反射を引き起せば，いつでも排尿する。**ストレス性尿失禁** stress incontinence，すなわちもっとも一般的にみられる尿失禁では，咳，くしゃみ，笑い，運動，しぶり腹，重いものをもち上げること，妊娠，ただの歩行などのような腹圧を上げる身体的ストレスが膀胱からの尿の漏出を引き起す。喫煙者の場合，非喫煙者と比べて尿失禁になる危険性は2倍である。

ホメオスタシスの観点から

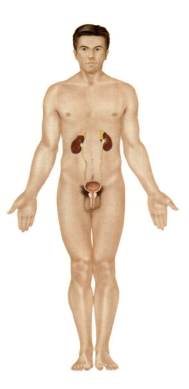

泌尿器系の役割

全身の器官系との関連
- 腎臓は，血液中の老廃物や過剰物質を除去し，それらを尿中に排出することにより，体液の量，組成，pHを調整する。
- 尿管は尿を腎臓から膀胱へと輸送する。膀胱は尿を尿道から排出するまで蓄える。

外皮系
- 腎臓と皮膚はともにカルシトリオール，すなわち活性型ビタミンDの合成に関与する。

骨格系
- 腎臓は，骨の細胞外基質形成に必要な血中カルシウムとリン酸の量を調節する役割を担う。

筋系
- 腎臓は，筋収縮に必要な血中カルシウムの調節に関与する。

神経系
- 腎臓は糖新生（ある種のアミノ酸や乳酸からのグルコース合成）をする。それにより，とくに空腹時や飢餓時にニューロン（神経細胞）でのATP産生のためのグルコースを供給する。

内分泌系
- 腎臓は，カルシトリオール，すなわち活性型ビタミンDの合成に関与する。
- 赤血球の産生を刺激するホルモンであるエリスロポエチンを分泌する。

心臓血管系
- 血液から濾過した水の再吸収を促進したり抑制したりすることによって，腎臓は血液量や血圧の調節に関与する。
- 腎臓の細胞から分泌されるレニンは血圧を上昇させる。
- ヘモグロビン分解によって生じるビリルビンは黄色の色素（ウロビリン）に変換されて，尿中に排出される。

リンパ系と免疫系
- 血液から濾過した水の再吸収を促進したり抑制したりすることによって，腎臓は間質液とリンパの量を調節する役割を担う。排尿により微生物を尿道から流し出す。

呼吸器系
- 腎臓と肺は体液のpH調整において協調する。

消化器系
- 腎臓は，カルシトリオール，すなわち活性型ビタミンDの合成に関与する。カルシトリオールは食物中からのカルシウム吸収に必要である。

生殖器系
- 男性では，前立腺から陰茎にいたる尿道部分は，尿のほか，精液の通路でもある。

よくみられる病気

糸球体腎炎

糸球体腎炎 glomerulonephritis は腎糸球体の炎症である。そのもっとも一般的な原因の一つは、からだのほかの部分、とくに咽喉に感染した連鎖球菌によって産生される毒素に対するアレルギー反応である。炎症が起きて腫脹した糸球体は血球や血漿タンパク質を濾過液の中に通してしまうため、尿には多数の赤血球（血尿）と大量のタンパク質（タンパク尿）が含まれる。

腎不全

腎不全 renal failure は糸球体濾過が減少あるいは停止した状態である。**急性腎不全 acute renal failure (ARF)** では腎臓はその機能を突然、完全に（あるいはほぼ完全に）停止する。急性腎不全の主な特徴は、尿量の減少であり、乏尿あるいは無尿になる。その原因としては、血液量の減少（例えば、出血による）、心拍出量の減少、腎細管の損傷、腎結石、血管造影において血管を映すために用いた色素、非ステロイド抗炎症薬、いくつかの抗菌薬に対する反応などがある。

慢性腎不全 chronic renal failure (CRF) は、進行性で通常不可逆性の糸球体濾過量の減少のことをいう。慢性腎不全は慢性の糸球体腎炎、腎盂腎炎、多発性嚢胞腎疾患、腎組織の外傷性喪失によって起りうる。慢性腎不全の最終段階は、末期腎不全 end-stage renal failure と呼ばれ、約90%のネフロンが失われたときに起る。この段階では、糸球体濾過量は正常の10〜15%に減少し、乏尿となり、血中の含窒素老廃物とクレアチニンの濃度は高い。末期腎不全の患者には腎透析療法を毎日行うことが必要とされ、腎移植手術の対象となりうる。

多発性嚢胞腎疾患

多発性嚢胞腎疾患 polycystic kidney disease (PKD) は、もっとも一般的な遺伝性疾患である。多発性嚢胞腎疾患では、尿細管に何百、何千の嚢胞（液体で満たされた腔）ができ、穴だらけになる。さらに、非嚢胞性の尿細管の細胞が不適切にアポトーシス（プログラムされた細胞死）を起すことによって、進行性の腎機能障害が起り、最後には腎不全の最終段階にいたる。

多発性嚢胞腎疾患の患者では、嚢胞とアポトーシスが肝臓、膵臓、脾臓、性腺にあることがある。また、大脳動脈瘤や心臓弁不全や結腸憩室の起る危険性が高い。通常、患者が成人になり、腰痛、尿路感染症、血尿、高血圧、腹部腫瘤を起すまで徴候はない。血圧を正常に保つための薬物を使用し、食事のタンパク質と塩分を制限し、尿路感染症を管理することによって、腎不全の進行を遅らせうる。

医学用語と症状

遺尿 enuresis（＝尿を排出すること） 随意的に排尿できるようになった年齢以降に起る不随意性の排尿。
静脈性腎盂造影 intravenous pyelogram (IVP)（intra- ＝中へ；veno- ＝静脈；pyelo- ＝腎盂；-gram ＝記録） 色素を静脈内投与した後の腎臓の放射線写真（X線写真）。
腎結石（腎石）kidney stone (renal calculus) 尿中の塩の結晶が固まって時々形成される不溶性の石。過剰な無機塩の摂取、飲水量の不足、異常な酸性あるいはアルカリ性の尿、副甲状腺の過活動が原因となりうる。通常は腎盂で形成される。しばしば激痛を起す。
尿閉 urinary retention 尿を完全にあるいは正常に排出できなくなること。おそらく尿道あるいは膀胱頸部の閉塞、尿道の神経性収縮、排尿欲求の欠如によって起る。男性では、前立腺の肥大により尿道が締めつけられ、尿閉を起しうる。尿閉が長引く場合は、カテーテル（細いゴム製の排液チューブ）を尿道に挿入し、尿を排出させなければならない。
排尿障害 dysuria（dys ＝痛みを伴う：uria ＝尿） 痛みを伴う排尿。
夜尿 nocturnal enuresis（夜間多尿 nocturia） 睡眠中の排尿、すなわち夜尿となる。5歳児の約15%で起るが、次第に自然に解消する。成人の約1%を悩ませる。その原因としては、正常より小さい膀胱、膀胱の充満に反応して目覚めにくいこと、夜間における正常より多い尿産生などがありうる。

21章のまとめ

21.1 泌尿器系の概観

1. 泌尿器系の臓器には，腎臓，尿管，膀胱，尿道がある。
2. 腎臓は血液を濾過した後，大部分の水や溶質を血液中に戻す。残った水分と溶質が**尿 urine** を構成する。
3. 腎臓は血液イオン組成，血液量，血圧，血液 pH を調整する。
4. 腎臓はまたカルシトリオールとエリスロポエチンを分泌し，老廃物と異物を排出する。

21.2 腎臓の構造

1. **腎臓 kidney** は脊柱の両側にあり，腹膜と後腹壁との間に位置する。
2. 左右の腎臓は，腎被膜に包まれており，さらに腎被膜は脂肪組織によって取り囲まれている。
3. 腎臓の内部は，**腎皮質 renal cortex**，**腎髄質 renal medulla**，**腎錐体 renal pyramid**，**腎柱 renal column**，**大腎杯 major calyx** と **小腎杯 minor calyx**，**腎盂 renal pelvis** によって構成される。
4. 血液は**腎動脈 renal artery** を通って腎臓に流入し，**腎静脈 renal vein** を通って腎臓から流出する。
5. **ネフロン nephron** は腎臓の機能的単位である。ネフロンは**腎小体 renal corpuscle**（**糸球体 glomerulus** と **糸球体嚢 glomerular capsule**（ボーマン嚢 Bowman's capsule））と**尿細管 renal tubule**（**近位曲尿細管 proximal convoluted tubule**，**ネフロンループ下行脚 descending limb of the nephron loop**，**ネフロンループ上行脚 ascending limb of the nephron loop**，**遠位曲尿細管 distal convoluted tubule**）から構成される。個々のネフロンは固有の血液供給がある。数個のネフロンの遠位曲尿細管が1本の**集合管 collecting duct** に集まる。

21.3 ネフロンの機能

1. ネフロンには三つの基本的機能がある。すなわち，**糸球体濾過 glomerular filtration**，**尿細管再吸収 tubular reabsorption**，**尿細管分泌 tubular secretion** である。
2. 足細胞と糸球体の内皮は漏出性の濾過膜を形成し，水と溶質を血液から**包内腔 capsular space** に通過させる。血球と大部分の血漿タンパク質は濾過膜を通過するには大きすぎるため，血液中に残る。濾過を引き起す圧は糸球体の毛細血管の血圧である。
3. 表 21.1 には濾過，再吸収，尿中へ排出される1日当りの物質の量が記載されている。
4. 左右の腎臓において1分間当りに産生される濾液量を**糸球体濾過量 glomerular filtration rate（GFR）**という。**心房性ナトリウム利尿ペプチド atrial natriuretic peptide（ANP）** は GFR を増加させ，一方，交感神経の刺激は GFR を減少させる。
5. 尿細管と集合管全域を裏打ちする上皮細胞によって尿細管再吸収と尿細管分泌が行われる。尿細管再吸収によりからだが必要としている物質，例えば，水，グルコース，アミノ酸，ナトリウムイオン（Na^+），カリウムイオン（K^+），塩化物イオン（Cl^-），炭酸水素イオン（HCO_3^-），カルシウムイオン（Ca^{2+}），マグネシウムイオン（Mg^{2+}）などが保持される。
6. **アンギオテンシンⅡ angiotensin Ⅱ** は Na^+ と Cl^- の再吸収を促進する。アンギオテンシンⅡはまた，副腎皮質を刺激して**アルドステロン aldosterone** を分泌させる。アルドステロンは集合管を刺激して，Na^+ と Cl^- をさらに再吸収させ，K^+ をさらに分泌させる。**心房性ナトリウム利尿ペプチド atrial natriuretic peptide（ANP）** は尿細管による Na^+（と Cl^- と水）の再吸収を抑制し，血液量を減少させる。
7. 大部分の水は，再吸収される溶質とともに，主に近位曲尿細管で浸透によって再吸収される。残った水の再吸収は遠位曲尿細管の末端部と集合管で，**抗利尿ホルモン antidiuretic hormone（ADH）** によって調節される。
8. 尿細管分泌によって，からだが必要としない物質を尿中に排出する。例えば，過剰なイオン，窒素性老廃物，ホルモン類，ある種の薬物などである。腎臓は，H^+ を分泌することによって，血液の pH の維持に関与する。尿細管分泌はまた，血中の K^+ レベルを適切に維持する役割も担っている。
9. 表 21.2 には**尿検査 urinalysis** で評価される尿の物理的特性，例えば，色，におい，濁度，pH，比重が記載されている。正常尿は化学的には約95%の水と5%の溶質を含む。
10. 表 21.3 には尿検査によって診断される異常成分が要約されている。例えば，アルブミン，グルコース，赤血球，白血球，ケトン体，ビリルビン，ウロビリノゲン，尿円柱，微生物などである。

21.4 尿の輸送，貯蔵，排出

1. **尿管 ureter** は尿を左右の腎臓の腎盂から膀胱に輸送する。尿管は粘膜，平滑筋，疎性結合組織から構成される。
2. **膀胱 urinary bladder** は恥骨結合の後ろに位置する。その機能は，**排尿 micturition** 前に尿をためることである。
3. 膀胱粘膜は伸展可能な移行上皮である。膀胱壁の筋層は**排尿筋 detrusor muscle** と呼ばれる3層の平滑筋からなる。
4. **尿道 urethra** は膀胱底から出る管である。その機能はからだから尿を排出することである。
5. **排尿反射 micturition reflex** によって尿は膀胱から排出される。その排出は排尿筋の収縮と内尿道括約筋の弛緩を引き起す副交感神経のインパルスと，外尿道括約筋にいたる体性運動ニューロンの抑制によって起る。

21.5 加齢と泌尿器系

1. 加齢に伴い，腎臓の大きさは縮小し，腎臓への血流は低下し，血液の濾過量は減少する。
2. 加齢に伴う一般的な問題には，尿路感染症，頻尿（排尿の頻度増加），尿閉，尿失禁，腎結石などがある。

クリティカルシンキングの応用

1. 昨日，あなたは盛大なアウトドアパーティーに出席し，そこでは飲み物としてビールだけが出された。あなたは昨日何度も何度もトイレに行ったことを覚えており，今日はとても喉が乾いている。アルコールによって影響されたホルモンは何か？ そしてそのホルモンは腎機能にどのような影響を与えるか？
2. サラは"平均以上"の1歳児である。彼女の両親はサラを保育園で一番最初にトイレで用をたせる子どもにしたいと願っている。しかしながら，少なくともこの場合には，サラは年相応に平均的であり，失禁してしまう。両親はサラが失禁してしまうことについて心配すべきか？
3. キールは健康で非常に活発な4歳児である。彼はトイレに行くのを嫌がる。なぜならば，彼がいうには"何かを失うかもしれない"からである。彼の両親はキールの膀胱がいっぱいになってしまったら，腎臓の働きが止まるのではないかと心配している。両親はこのような心配をしなければならないだろうか？
4. 今月で2度目の頻尿，突然の尿意，排尿障害と微熱が起き，今日，メレディスは苛立っている。彼女を診た医者は彼女が疑っていることは誤りであることを確認し，抗生物質を処方した。彼女の状態を述べ，どうしてこの状態が繰り返されるのか，またどのように予防できるのかを述べなさい。

図の質問の答え

21.1　尿を形成するうえで，腎臓が泌尿器系の主要な働きをする。
21.2　腎錐体は腎髄質にある。
21.3　毎分約1,200 mLの血液が腎臓に流入する。
21.4　水分子は近位曲尿細管→ネフロンループ下行脚→ネフロンループ上行脚→遠位曲尿細管→集合管→小腎杯→大腎杯→腎盂と流れる。
21.5　分泌されたペニシリンは血液から除去されている。
21.6　足細胞と糸球体の内皮とで腎小体の濾過膜を構成する。
21.7　分泌は，近位曲尿細管，ネフロンループ，遠位曲尿細管の末端部と集合管で起る。
21.8　5 km走後には，発汗によってからだの水分が喪失しているため，血中の抗利尿ホルモンは正常より高濃度となっている。
21.9　排尿に対する随意性調節の欠如は尿失禁と呼ばれる。

CHAPTER 22

体液，電解質と酸塩基平衡

21章では腎臓でどのようにして尿がつくられるかを学んだ。腎臓のもう一つの重要な機能はからだの体液バランスを維持することである。正常では腎臓やほかの器官による調節機構が働いていて体液のホメオスタシス（恒常性）が維持されている。この機構の一部あるいはすべてが機能障害に陥ると，からだのすべての器官の機能に重大な危機をもたらす。本章では，体液量と体液分布の調節機構を探り，体液中の溶質の濃度とpHがどのように決定されるのかを検討する。

先に進むための復習
- 酸，塩基，pH（2.2節）
- 細胞内液，細胞外液（3.3節）
- 浸透（3.3節）
- 抗利尿ホルモン（ADH）（13.3節）
- 体液中のカルシウム濃度のホルモンによる調節（13.5節）
- レニン-アンギオテンシン-アルドステロン経路（13.7節）
- 呼吸の数と深さの調節（18.6節）
- 腎臓でのイオンの再吸収と分泌（21.3節）
- ネガティブフィードバックで作用するADH分泌（21.3節）

Q 喉が渇くのはなぜだろうかと考えたことはありませんか？ 答えは22.1節の「臨床関連事項：渇きのメカニズム」で見つけることができるでしょう。

22.1 体液区分と体液バランス

目標
- 細胞内液（ICF）と細胞外液（ECF）の存在部位を比較し，からだの種々の体液区分を述べる。
- 水と溶質の摂取および排出の方法を述べ，それぞれがどのように調節されているかを説明する。

からだの水と水に溶けている溶質が**体液 body fluid** を構成している。

脂質の多くない成人では，体重の55～60％が体液である（図22.1）。体液は二つの大きな区分（細胞内と細胞外）に分かれる。体液の約2/3は**細胞内液 intracellular fluid**（ICF；intra- ＝内の；あるいはサイトゾル cytosol）であり，細胞内にある液体である。残りの約1/3は**細胞外液 extracellular fluid**（ECF；extra- ＝外の）であり，細胞外に存在する液体とその他の液体である。ECFの約80％は**間質液 interstitial fluid**（組織間液；inter- ＝間の）と呼ばれ，組織の細胞の間に存在し，残りの約20％は**血漿 blood plasma**，すなわち血液の液体成分である。細胞外液には，リンパ管内のリンパ，神経系の脳脊髄液，関節内の滑液，眼球内の眼房水と硝子体の液，内耳の内リンパと外リンパ，肺，心臓，腹部の器官の漿膜間の液体である胸膜液，心膜液，腹膜液も含まれ，一括して間質液としてまとめられている。

二つの"バリア barrier"が細胞内液と間質液の間および間質液と血漿の間にある。

1. 各細胞の**細胞膜 plasma membrane** は周囲の間質

図 22.1 体液区分。

脂質の多くない成人では，体重の 55〜60％ が体液である。

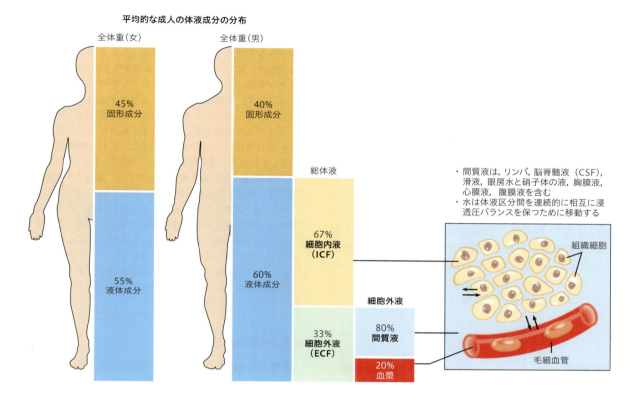

Q 体液とは何か？

液から細胞内液を分離している。すでに 3.2 節で細胞膜は選択的な透過性のあるバリアであることを学んでいる。細胞膜はある物質を通過させるがほかの物質は通過させない。さらに能動輸送ポンプがサイトゾルと間質液とで濃度差をつくるように常に働いている。

2. **血管壁** blood vessel wall が間質液と血漿とを分けている。最小の血管である毛細血管の壁のみが血漿と間質液の間で水と溶質の交換が可能である。

必要な水と溶質が存在し，それぞれの体液区分で釣り合いが正しくとれているとき，からだの**体液バランス（平衡）**fluid balance がとれていることになる。水は単一物質としてはからだの中では最大の物質であり，年齢と性に依存して全体重の 45〜75％ を占める。

濾過，再吸収，拡散，浸透圧の過程によって各体液区分の水と溶質の連続的な交換を行う（図 22.1）。しかしながら，各区分に含まれる体液の量は非常に安定している。細胞内液と細胞外液の間の水の移動を決めているのは浸透圧であるから，各体液区分の溶質の濃度が水の移動の方向を決定することになる。体液に含まれる最大の溶質は**電解質** electrolyte すなわち水に溶け，解離してイオンとなる無機化合物である。電解質が水の浸透圧による移動の主な要因である。体液バランスは主に電解質のバランスに依存しているので，互いにきわめて密接な関係にある。水と電解質が体液中に存在するのとまったく同じ比率で摂取されることはほとんどあり得ないから，腎臓が過剰な水を排出する尿希釈の能力あるいは過剰な電解質を排出する尿濃縮の能力を有することがホメオスタシスを維持するうえで究極的に重要な点である。血漿中のアルブミン（電解質ではない）と呼ばれるタンパク質もまた浸透圧に寄与していることを思い出そう。

水の摂取と排出の源

からだは水を摂取するか，もしくは代謝反応の結果

得ることができる(図22.2)。主な水の供給源は飲んだ液体(約1,600 mL)と水分を含む食物(約700 mL)であり、消化管 gastrointestinal (GI) tract から吸収され、1日約2,300 mLになる。もう一つの水の供給源は体内の化学反応に伴ってつくられる**代謝水 metabolic water(酸化水)**である。その多くは細胞の有酸素呼吸(図20.2参照)などのような代謝(酸化)に伴って生じ、一部は脱水反応(図2.8参照)によって生ずる。代謝水(酸化水)は1日約200 mLである。したがって、1日の水の摂取量は約2,500 mLになる。

正常では、体液量は水の排出と摂取が同じであるため一定に保たれる。水の排出には四つの経路がある(図22.2)。腎臓は毎日約1,500 mLの尿をつくり出し、皮膚からの蒸散は約600 mL、肺からは水蒸気として約300 mL排出され、消化管からは便として約100 mL排出される。生殖可能年齢の女性は月経でも水の排出が生ずる。平均すると水の排出は1日約2,500 mLである。ある経路からの水の排出量は非常に変化する。例えば、激しい運動時には汗の形で皮膚から滝のように流れ出す。消化管の感染による嘔吐や下痢によって水を排出する場合もある。

臨床関連事項

渇きのメカニズム

視床下部にある**渇き中枢 thirst center** と呼ばれる部分が飲水の欲求を司る。水の摂取より排出のほうが多いと、**脱水 dehydration**(体液の量の減少と浸透圧の上昇)が渇き中枢を刺激する。体液が体重の2%まで減少すると軽度の脱水になる。血液量の減少は血圧低下の原因になる。これが腎臓にレニン分泌を促し、アンギオテンシンIIの生成を促す。浸透圧の上昇による視床下部の浸透圧受容器の刺激と、血中アンギオテンシンIIの増加は視床下部の渇き中枢を刺激する。唾液分泌の減少による口腔の乾きが感覚神経によって検出されると、これも刺激要因になる。その結果、渇き感覚が生じ、通常(もし水があれば)飲水を促し、正常な体液量に回復する。図22.3を見れば渇きの原因となる要素を視覚的に捉えることができる。

時には、渇き感覚が十分早く生じない場合、あるいは飲める水が制限されると重篤な脱水状態になる。このようなことは高齢者、幼児あるいは精神的に混乱しているような人に起りうる。激しく汗をかいたり、下痢や嘔吐によって体液が失われた場合、渇き感覚が生ずる前に水分を補給するのは浸透圧や体液のホメオスタシスを維持するためには賢い方法である。

水と溶質の排出の調節

過剰 excess な水や溶質の排出は主に尿量の調節を介して行われる。**尿中の塩の排出量 urinary salt (NaCl) loss** が**体液の量 body fluid volume** を決める主因である。その理由は、浸透圧では"水は溶質に従う"からであり、細胞外液(および尿)の二つの主な溶質はナトリウムイオン(Na^+)と塩化物イオン(Cl^-)であるからである。日々の食物に含まれるNaClは非常に変化するので、ホメオスタシスを維持するために尿として排出されるNa^+とCl^-の量は大きく変化する。腎臓でのNa^+とCl^-の再吸収(ひいてはどのくらい尿へ排出するか)を調節するホルモンは**心房性ナトリウム利尿ペプチド atrial natriuretic peptide(ANP)**、**アルドステロン aldosterone** である。

図22.4は塩辛い食物を食べた後の一連の経過を示している。その結果生じた血液量の増加は心臓の心房を伸展させ、心房性ナトリウム利尿ペプチドの分泌を促し、ANPは**ナトリウム利尿 natriuresis**(natrium = sodium;Na^+と(そしてCl^-と)水の尿への排出の増加)を生じ、血圧が下がる。最初の血液量の増加は腎臓でのレニンの分泌を抑える。血液中のレニンが減るとアンギオテンシンIIの生成が減少する。アンギオテンシンIIが少なくなるとアルドステロンの分泌量が少なくなり、アルドステロン量の減少によって腎臓の尿細管でのNa^+とCl^-および水の再吸収が減少する。さ

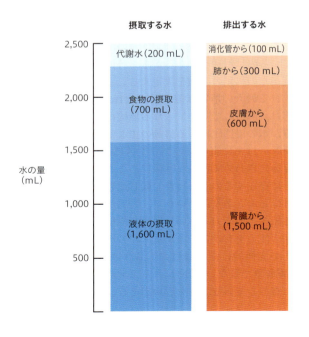

図22.2 水分バランス:正常状態での1日の水の摂取と排出。数値は成人の平均量。

正常では1日の水の摂取と排出は等しく2,500 mLである。

Q 利尿薬は水分バランスにどのような影響を与えるか?

22.1 体液区分と体液バランス **565**

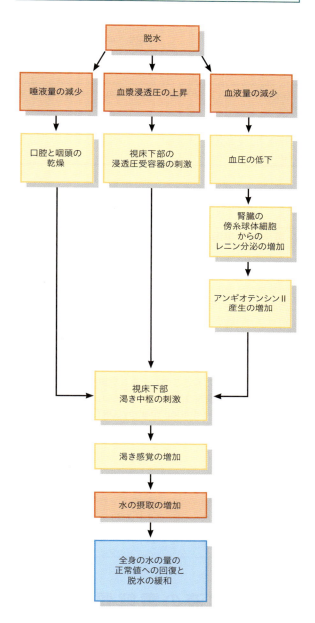

図 22.3 脱水が渇きを引き起す経路。

水の排出が水の摂取を上回った場合，脱水が生ずる。

Q この経路による調節はネガティブフィードバックかポジティブフィードバックか？ それはなぜか？

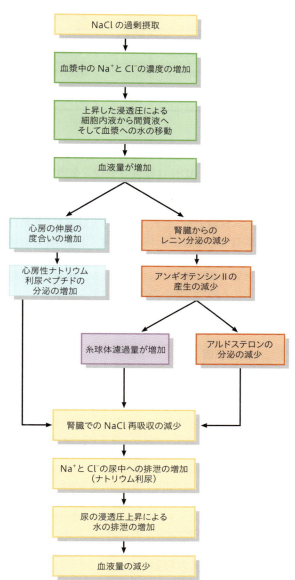

図 22.4 NaCl を過剰摂取したときのホルモンによる腎臓での Na^+ と Cl^- の再吸収調節。

腎臓での Na^+ と Cl^- の再吸収（これに伴う尿量の減少）を調節するのはアルドステロン，心房性ナトリウム利尿ペプチドの二つのホルモンである。

Q 過剰なアルドステロンの分泌はなぜ浮腫を生じるのか？

らにアンギオテンシンⅡが少なくなるとアルドステロンの分泌量が減り，これはさらに尿細管での Na^+ と Cl^- の再吸収を減少させる。濾過された Na^+ と Cl^- は尿細管内に残り尿として排出される。多くの Na^+ と Cl^- が尿に含まれると，浸透圧により尿への水の排出が促進され，血液量が減り，血圧が低下する。これに

対して，脱水状態になると，アンギオテンシンⅡとアルドステロンが増え，腎臓での Na^+ と Cl^- の再吸収（そして浸透圧による水の再吸収）が促進され，尿量が減り，体液量が保持される。

水の排出を調節する主なホルモンは**抗利尿ホルモン antidiuretic hormone**（ADH）である。体液浸透圧の

表 22.1 からだの水分バランスの維持にかかわる要因

要因	機序	効果
視床下部の渇き中枢 thirst center in hypothalamus	飲水の欲求の刺激	渇きがいやされるまで水を摂取する
アンギオテンシンⅡ angiotensin Ⅱ	アルドステロン分泌を刺激	尿中への水の排出の減少
アルドステロン aldosterone	Na^+ と Cl^- の再吸収を増加させ，その浸透圧によって水の再吸収を増加させる	尿中への水の排出の減少
心房性ナトリウム利尿ペプチド(ANP) atrial natriuretic peptide	ナトリウム利尿，すなわち水を伴う Na^+ (と Cl^-)の尿への排出を増やす	尿中への水の排出の増加
抗利尿ホルモン(ADH) antidiuretic hormone	腎臓の集合管を構成している細胞の細胞膜への水チャネルタンパク質の挿入を促進する．その結果，水の透過性が増加し，より多くの水が再吸収される	尿中への水の排出の減少

上昇(体液内の水の濃度の低下)は ADH 分泌を促す(図 21.8 参照)．ADH は腎臓の集合管を構成する細胞膜に水チャネルを挿入する．その結果，これらの細胞の水の透過性が高まり，管腔内の水は細胞内に，そして血流へ移動する．これに対して大量の水の摂取は血漿と間質液の浸透圧を下げる．すぐに ADH の分泌は停止し，血中濃度はゼロになる．そして，水チャネルが尿細管の細胞膜から取り除かれる．水チャネルの数が減少するので，尿への水の排出がより増える．

表 22.1 に体液の水分バランス(平衡)の維持にかかわる要因を要約してある．

臨床関連事項

Na^+ のバランス不均衡を示すもの

腎不全のために過剰なナトリウムイオンが残っているとすると，その浸透圧のため水も残っている．その結果，血液量が増加し，血圧が上昇し，**浮腫 edema**(異常な間質液の貯留)が生ずる．腎不全と過剰なアルドステロン分泌が Na^+ の過剰保持の主な原因の二つである．これに対して過剰な Na^+ の排出は，浸透圧による過剰な水の排出を伴い，結果として**血液減少 hypovolemia**(異常な血液量の減少)をもたらす．Na^+ が関係する血液減少はアルドステロン量が不十分なときに起こることが多い．

体液区分間の水の移動

細胞内液と間質液は通常同じ浸透圧なので，細胞は膨張や縮小はしていない．間質液の浸透圧が上昇すると細胞内から水を吸収するので細胞はわずかに縮小する．逆に，間質液の浸透圧の低下は細胞を膨張させる．浸透圧の変化のほとんどはナトリウムイオン濃度の変化によってもたらされる．間質液の浸透圧の低下は普通 ADH 分泌を抑制する．したがって，正常に機能している腎臓は，過剰な水を尿中に排出し，体液の浸透圧を正常値まで上昇させる．その結果，細胞が膨張している時間はわずかで，短い．

臨床関連事項

水中毒と経口補液

腎臓が水を排出できる速度(最大尿量は毎分 15 mL である)より速く摂取すると，あるいは腎臓の機能に欠陥があると，間質液のナトリウムイオン濃度が低下し浸透圧に従って，水は間質液から細胞内液へ移動する．その結果，**水中毒 water intoxication**(過剰な水のため細胞が危険な状態にまで膨張している状況)を引き起こし，痙攣，昏睡そして死にいたる．このおそろしい事態を防ぐためには静脈内に溶質を投与するか食塩(NaCl)を与えるなどの**経口補液 oral rehydration therapy(ORT)**が行われる．

チェックポイント

1. からだの体液区分のそれぞれの大まかな容量はどのくらいか？
2. 水の摂取と排出のどの経路が調節されるか？
3. アンギオテンシンⅡ，アルドステロン，心房性ナトリウム利尿ペプチド，抗利尿ホルモンは体液量と浸透圧をどのように調節するのか？

22.2 体液の電解質

目標

- からだの大きな三つの体液区分：血漿，間質液，細胞内液の電解質の構成成分を比較する．
- ナトリウム，塩化物，カリウム，カルシウムの各イオンの機能を論じ，それらの濃度がどのように調節されているかを説明する．

電解質が水に溶けてできたイオンには一般的に四つの機能がある．

1. 電解質は特定の体液区分内に閉じ込められており，また非電解質より多いので，ある特定のイオンは**体液区分間の浸透圧の調節**を行う。
2. 正常な細胞の活動を行うために，あるイオンは**酸塩基平衡の維持**にかかわる。
3. イオンが**電流を運ぶ**ことにより神経の活動電位が生じる。
4. いくつかのイオンは酵素を最適に活性化するのに必要な**補助因子（コファクター）**となる。

図22.5では細胞外液（血漿と間質液）と細胞内液の主な電解質およびマイナスに荷電しているタンパク質の濃度を比較している。二つの細胞外液区分での主な違いは，血漿が多くのマイナスに荷電したタンパク質を含むのに対して，間質液にはほとんどないことである。正常な毛細血管ではタンパク質の透過性がないので実質的にはほんのわずかなタンパク質しか血管内から間質液に漏れ出ない。このタンパク質濃度の差が血液膠質浸透圧をつくり上げ，血漿と間質液の浸透圧の差をつくり出す。この二つの細胞外液区分におけるほかの溶質の濃度はほとんど同じである。

細胞内液の電解質は細胞外液のそれと著しい差がある。細胞外液にもっとも豊富な陽イオンはNa^+で90％を占める。Na^+は細胞外液の浸透圧のほぼ半分をつくり出すので，体液と電解質のバランスの中心的役割を担う。Na^+はニューロンと筋線維の活動電位を発生させることとその伝導に必要である。本章の初めで学んだように血中のNa^+濃度はアルドステロン，抗利尿ホルモン（ADH）そして心房性ナトリウム利尿ペプチド（ANP）によって調節されている。

塩化物イオン（Cl^-）は細胞外液の陰イオンとしてもっとも普通に存在するイオンであり，胃液の塩酸

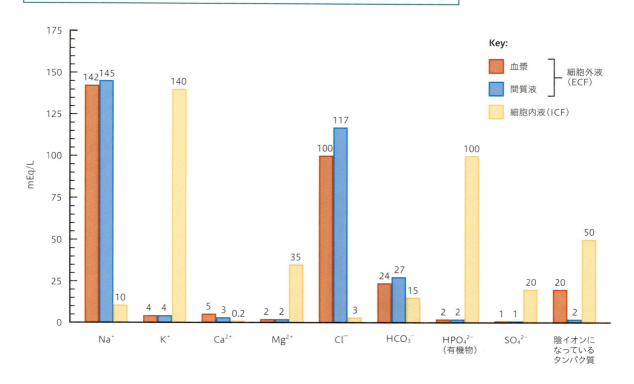

図22.5 血漿，間質液，細胞内液の電解質とマイナスに荷電したタンパク質の濃度。各棒グラフの高さは1L当りのミリ当量（mEq/L），いい換えると陽イオンと陰イオン（プラスまたはマイナスに荷電している）の単位容量当りの総数を示す（訳注：正しくは，数値は，1価の陽イオンまたは陰イオンの場合，1L当りのイオンの数をアボガドロ定数（$6.02×10^{23}$）で割り，1,000倍した値を示し，2価のイオンの場合は，イオンの数をアボガドロ定数で割り，2倍にし，さらに1,000倍した値を示す。つまり血漿1LにはNa^+は$142×6.02×10^{23}/1,000$（個）あり，Ca^{2+}は$(5/2)×6.02×10^{23}/1,000$（個）あることになる）。

細胞外の電解質は細胞内のそれと比べ異なっている。

Q 細胞外液の主な陽イオンは何か？

(HCl)生成に必要である。ほとんどの細胞膜にはCl⁻が通過するチャネルがあるので，Cl⁻は細胞内外の液の間を自由に移動する。そのためCl⁻は異なった体液区分間の陰イオンのバランスを保つのに有用である。先に学んだように，ADHは尿への水の排出を調節するので，ADHはまた体液のCl⁻のバランスを補助的に調節する。また，腎臓でのナトリウムイオンの再吸収の増減は塩化物イオンの再吸収の増減にも影響する。反対に荷電した粒子は電気的に引きつけられるので，マイナスに荷電したCl⁻はプラスに荷電したNa⁺に従って移動する。

カリウムイオン(K^+)は細胞内液でもっとも多い陽イオンであり，ニューロン（神経細胞）や筋線維での静止電位を発生させることや活動電位の再分極相に重要である。K^+が細胞の内外へ移動するときは，しばしばH^+との交換で行われるので，体液のpH調整にもかかわる。血漿K^+濃度の調節は主にアルドステロンによって行われる。血漿カリウムイオン濃度が上昇すると，より多くのアルドステロンが分泌される。アルドステロンは腎臓の集合管の細胞を刺激し，K^+の尿への分泌を促進し，過剰なK^+は尿へ排出される。逆に血漿のカリウムイオン濃度の低下はアルドステロン分泌を抑え尿へのカリウムイオンの排泄が減少する。

成人のカルシウムの約98％はリン酸イオンと結合して無機塩として骨または歯に存在する。体液ではカルシウムは主に細胞外の陽イオン(Ca^{2+})として存在する。骨や歯の硬さに貢献しているのに加え，Ca^{2+}は血液凝固，神経伝達物質の放出，筋緊張の維持，ニューロンや筋線維の興奮性に重要な役目を果たす。

血漿中のCa^{2+}濃度を調節する2種類のホルモンは副甲状腺（上皮小体）ホルモン（PTH）とカルシトリオール（ホルモン作用のあるビタミンD活性型（図13.10参照））である。血漿Ca^{2+}濃度の低下はPTHをより多く分泌させ，このホルモンが骨組織の破骨細胞を刺激することによって**骨吸収** bone resorption（カルシウム（とリン酸）を骨基質の無機塩の形で遊離させる）を促進する。PTHはまた糸球体で濾過されたCa^{2+}を血液中に戻すこと，つまり**再吸収** reabsorptionを促進し，カルシトリオールの産生を促し，消化管からのCa^{2+} **吸収** absorptionを促進する。

表22.2にいくつかの電解質の不足または過剰から引き起される疾患の例が要約されている。

> **チェックポイント**
> 4．電解質の役割は何か？

22.3 酸塩基平衡

目標
- 体液の水素イオン濃度を一定に維持するための各種緩衝剤の役目および二酸化炭素の肺からの排出と腎臓での水素イオンの排泄を比較する。
- 酸塩基平衡の不均衡を定義し，からだに対する影響を述べ，治療方法を定義する。

ここまでの議論で種々のイオンがホメオスタシスを維持するためにそれぞれ異なった役目を果たしていることがわかった。体液のH^+濃度(pH)をある適性な範囲に維持することがホメオスタシスの維持におけるもっとも主要な仕事である。すべてのタンパク質ではその特定の機能を発現するためにその三次元構造が重要であり，この三次元構造はH^+濃度で容易に変化するので，この仕事（酸塩基平衡を保つ）は非常に重要である。食事に多くのタンパク質が含まれている場合，このタンパク質は消化の過程でアミノ酸にまで分解され，細胞の代謝活動は塩基より酸をより多くつくり，その結果，血液は酸性に傾く。

健康的なヒトでは，血液のpHは7.35～7.45の間にある。体液からのH^+の除去，すなわち，からだからの除去は以下の三つの方法で行われる。緩衝系，二酸化炭素(CO_2)の肺からの排出，そして尿へのH^+の排出である。

緩衝系の作用

緩衝剤 bufferとは，速やかにまた一時的にH^+と結合することにより，活性の高いある過剰なH^+をからだからではなく溶液から取り除く物質である。例えば，胃酸（塩酸）を過剰に産生しているとき，タムズ

> **臨床関連事項**
>
> **体液と電解質の不均衡**
>
> **体液と電解質の不均衡** fluid and electrolyte imbalanceに対する危険をはらむ人とは，ほかの人に食物や液体の摂取を依存している乳児，高齢者，入院患者である。静脈内投与，排泄や吸引処置，尿管カテーテル処置を受けている患者も同様な危険をはらんでいる。利尿処置を受けていて過剰な体液を排出し水分補給が要求されている人，体液保持あるいは液体摂取制限を受けている人も同様な危険をはらんでいる。最後に，外科手術直後，重篤な火傷，傷害を受けた人，慢性疾患（うっ血性心不全，糖尿病，慢性閉塞性肺疾患，癌）の患者，出産直後，渇きについて反応ができない，あるいは渇きについて人に伝えることのできない意識障害のある人も体液や電解質の不均衡による危険な状況にある。

表 22.2　血液の電解質の不均衡

電解質*	不足 疾患と原因	不足 症状	過剰 疾患と原因	過剰 症状
ナトリウム(Na^+) 136〜148 mEq/L	低ナトリウム血症 hyponatremia はナトリウムの摂取不足；嘔吐や下痢による排出、アルドステロン欠乏、ある利尿薬の使用；水分の過剰摂取によって生ずる	筋緊張の低下；めまい、頭痛、低血圧；頻脈とショック；精神錯乱、昏迷、昏睡	高ナトリウム血症 hypernatremia は脱水、水分の奪取、食物中あるいは静脈内投与液中の過剰なナトリウムによって生ずる。これは ECF の浸透圧の高張化となり、細胞から水を引き出すので細胞の脱水を生じる	強烈な渇き感覚、高血圧、浮腫、動揺、痙攣
塩化物(Cl^-) 95〜105 mEq/L	低塩素血症 hypochloremia は嘔吐、水分過剰、アルドステロン欠乏、うっ血性心不全、フロセミド(ラシックス Lasix®)のようなある種の利尿薬を用いる治療によって生ずる	筋攣縮、代謝性アルカローシス、浅い呼吸、低血圧、強縮(テタニー)	高クロール血症 hyperchloremia は水分の排出や水分が奪取されることによる脱水、塩化物の過剰摂取、腎不全、アルドステロン過剰、あるタイプのアシドーシスといくつかの薬物によって生ずる	嗜眠、衰弱、代謝性アシドーシス、急速な深呼吸
カリウム(K^+) 3.5〜5.0 mEq/L	低カリウム血症 hypokalemia は嘔吐、下痢による排出、カリウム摂取の減少、過剰なアルドステロン、腎臓病、ある種の利尿薬を用いる治療によって生ずる	筋疲労、弛緩性麻痺、精神錯乱、尿量増加、浅い呼吸、T 波の平坦化を含む心電図の変化	高カリウム血症 hyperkalemia はカリウムの過剰摂取、腎不全、アルドステロン不足、組織の挫滅あるいは溶血した血液の注入で生ずる	いらいら感、悪心、嘔吐、下痢、筋緊張の低下；心室細動を引き起すことにより死をもたらしうる
カルシウム(Ca^{2+}) 総量：9.0〜10.5 mg/dL；イオン化しているもの：4.5〜5.5 mEq/L	低カルシウム血症 hypocalcemia は Ca^{2+} の排出、Ca^{2+} 摂取の不足、リン酸濃度の上昇、副甲状腺ホルモンの欠乏によって生ずる	指のしびれや刺痛；反射の亢進、こむら返り(クランプ)、強縮(テタニー)、痙攣；骨折；窒息の原因となる喉頭筋の攣縮	高カルシウム血症 hypercalcemia は副甲状腺(機能)亢進症、ある種の癌、ビタミン D の過剰摂取、パジェット病(変形性骨炎)の結果生ずる	嗜眠、衰弱、食欲不振、悪心、嘔吐、多尿、かゆみ、骨の痛み、鬱、精神錯乱、昏迷、昏睡
リン酸(HPO_4^{2-}) 1.7〜2.6 mEq/L	低リン酸血症 hypophosphatemia は尿への排出量の増加、小腸での吸収不足、利用量の増加で生ずる	混乱、てんかん様発作、昏睡、胸部痛、筋痛、しびれ、指の刺痛、共同運動の失調、記憶喪失、無気力	高リン[酸]血症 hyperphosphatemia は腎機能不全に伴う過剰なリン酸排出不足、リン酸の過剰摂取、体細胞破壊に伴う血中へのリン酸放出で生ずる	食欲不振、吐き気、嘔吐、筋力低下、反射亢進、筋強直、頻脈
マグネシウム(Mg^{2+}) 1.3〜2.1 mEq/L	低マグネシウム血症 hypomagnesemia は摂取不足あるいは尿や便への排出過多。アルコール中毒、栄養失調、糖尿病、利尿治療で生ずる	筋力低下、短気、筋強直、譫妄、痙攣、混乱、食欲不振、吐き気、嘔吐、感覚異常、不整脈	高マグネシウム血症 hypermagnesemia は腎不全、Mg^{2+} 含有制酸剤などによる Mg^{2+} 過剰摂取、アルドステロン不足、甲状腺機能低下症	低血圧、筋力低下、筋麻痺、吐き気、嘔吐、態度感情の変化

* 数値は成人の血漿濃度の正常範囲を示す。

Tums®やマーロックス Maalox® のような制酸剤は酸から過剰なH⁺を取り除くだろう。緩衝剤はまた，H⁺濃度が低下するとH⁺を溶液中に放出する。緩衝剤は強酸や強塩基を弱酸や弱塩基に転換することにより，体液の水素イオン濃度の急激な変化を妨げる。強酸は弱酸に比べ水素イオンをより容易に遊離するので，より多くの自由な水素イオンをつくり出す。同様に強塩基は弱塩基よりpHをより上昇させる。体液内の主な**緩衝系 buffer system** はタンパク質緩衝系と炭酸-炭酸水素塩緩衝系とリン酸緩衝系である。

タンパク質緩衝系

多くのタンパク質は緩衝剤として働く。体液に含まれるタンパク質全体が**タンパク質緩衝系 protein buffer system** を構成し，これは細胞内液および血漿での最大の緩衝系である。ヘモグロビンはとくに赤血球内ではすぐれた緩衝剤で，アルブミンは血漿での主な緩衝剤である。タンパク質はアミノ酸から構成される有機分子で，少なくともそれぞれ最低一つのカルボキシ基(-COOH)とアミノ基(-NH₂)をもっていることを思い出そう。これらの基がタンパク質を緩衝剤として機能させている要素である。pHが上昇するとこのカルボキシ基はH⁺を放出する。このH⁺は溶液中の過剰なOH⁻と結合して水となる。pHが低下したときアミノ基はH⁺と結合し-NH₃⁺となる。このようにタンパク質は酸と塩基両者に対する緩衝剤となる。

炭酸-炭酸水素塩緩衝系

炭酸-炭酸水素塩緩衝系 carbonic acid-bicarbonate buffer system は弱塩基である**炭酸水素イオン** bicarbonate ion (HCO_3^-) と弱酸である**炭酸** carbonic acid (H_2CO_3) からなる。陰イオンである HCO_3^- は細胞内液，細胞外液両方にかなりの量が存在する(図 22.5 参照)。腎臓は濾過された HCO_3^- を再吸収するので尿として排出することはない。HCO_3^- は過剰なH⁺があれば弱塩基として働き，以下の式のように過剰なH⁺を取り除く。

$$H^+ + HCO_3^- \longrightarrow H_2CO_3$$
水素イオン　炭酸水素イオン　　　炭酸
　　　　　　（弱塩基）

逆に，H⁺が不足すると，H_2CO_3 は弱酸として作用し，以下の式のようにH⁺を供給する:

$$H_2CO_3 \longrightarrow H^+ + HCO_3^-$$
炭酸(弱酸)　　水素イオン　炭酸水素イオン

リン酸緩衝系

リン酸緩衝系 phosphate buffer system は基本的に炭酸-炭酸水素塩緩衝系と同じような機序で作動する。リン酸緩衝系を構成する要素は**リン酸二水素イオン** dihydrogen phosphate ($H_2PO_4^-$) と**リン酸水素イオン** monohydrogen phosphate (HPO_4^{2-}) である。リン酸は細胞内液では主要な陰イオンであり，細胞外液では少ないことを思い出そう(図 22.5 参照)。リン酸二水素イオンは弱酸として作用し，OH⁻のような強塩基に対して緩衝作用がある。例えば，

$$OH^- + H_2PO_4^- \longrightarrow H_2O + HPO_4^{2-}$$
水酸化物イオン　リン酸二水素イオン　　水　　リン酸水素イオン
（強塩基）　　　　（弱酸）　　　　　　　　　　（弱塩基）

これに対してリン酸水素イオンは弱塩基として作用し，塩酸(HCl)のような強酸から放出されるH⁺を緩衝する能力がある。

$$H^+ + HPO_4^{2-} \longrightarrow H_2PO_4^-$$
水素イオン　リン酸水素イオン　　リン酸二水素イオン
（強酸）　　　（弱塩基）　　　　　　（弱酸）

リン酸は細胞内液で一番濃度の高い陰イオンなので，リン酸緩衝系はサイトゾル内でpHを調整するのに重要である。細胞外液では程度は小さいが，酸に対する緩衝剤として働き，尿でも同じように働く。

二酸化炭素の排出

呼吸は体液のpHの維持に重要な働きを行う。体液の二酸化炭素(CO_2)濃度の上昇はH⁺濃度の上昇，すなわちpHの低下(より体液を酸性へ)をもたらす。逆に体液の CO_2 濃度の低下はpHの上昇(より体液をアルカリ性へ)をもたらす。このような関係は以下の可逆反応で示される。

$$CO_2 + H_2O \rightleftharpoons H_2CO_3 \rightleftharpoons H^+ + HCO_3^-$$
二酸化炭素　水　　　　　　炭酸　　　　　水素イオン　炭酸水素イオン

呼吸回数と深度の変化は数分以内に体液のpHを変える。換気が盛んになれば，より多くの CO_2 が排出され，上記の反応は左に進行し，H⁺濃度が低下し，pHは上昇する。換気が正常より少なくなると，CO_2 の排出が少なくなり，血液のpHは低下する。

体液のpHと呼吸の回数と深度はネガティブフィードバックを介して互いに作用する(図 22.6)。血液がより酸性になる，すなわちpHが低下(H⁺濃度の上昇)すれば，延髄の中枢性化学受容器(訳注：延髄の中枢性化学受容器は血中のH⁺でなく CO_2 濃度に反応する)と末梢の大動脈小体と頸動脈小体で検知され，その両者は延髄の呼吸中枢を刺激する。その結果，横隔膜とほかの呼吸筋はより強く，そしてより頻回に収縮を繰り返し，より多くの CO_2 を排出し，上式は左に進行する。その結果，H_2CO_3 が少なくなり，H⁺濃度が低下し，血液のpHが上昇する。この反応が血中のpH(H⁺濃度)を正常に戻し，酸塩基のホメオスタシスが回復する。

22.3 酸塩基平衡　571

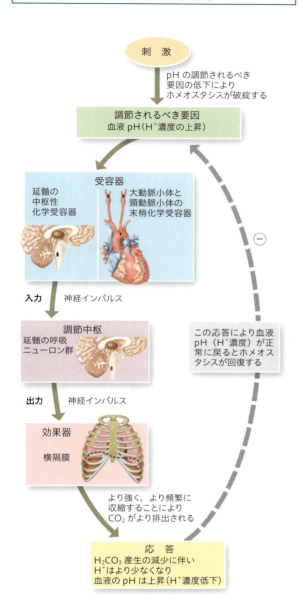

図22.6 呼吸系による血液pHのネガティブフィードバック調節。

二酸化炭素の排出は血中H⁺を減少させる。

Q もし30秒息を止めたら，血液のpHはどうなるだろうか？

これに対して，もし血液のpHが上昇すると，呼吸中枢は抑制され，呼吸の回数と深度が減少する。換気が減少すると血中CO_2が蓄積し，H⁺濃度が上昇する。この呼吸による調節機構は強力ではあるが，炭酸という1種類の酸の濃度の調節にしか働かない。

腎臓によるH⁺の排出

酸を除去するもっとも遅い機序は，またからだがつくり出す多くの酸を排出する唯一の機序でもある。尿細管の細胞はH⁺を尿中へ排出する。また，腎臓は新たなHCO_3^-を合成するし，濾過されたHCO_3^-の再吸収も行うので，この重要な緩衝剤は尿に排出されて失われることはない。この腎臓の酸塩基平衡における役割のため，腎不全が急速な死の原因になるといっても驚くことはない。

表22.3には体液のpHを維持する機序を要約してある。

酸塩基平衡異常

アシドーシス acidosis とは動脈血のpHが7.35以下になった状態である*。アシドーシスによる主な生理学的作用はシナプス伝達が抑えられることによる中枢神経系の活動抑制である。動脈血のpHが7以下になると，神経系の活動が厳しく抑制され，錯乱から昏睡状態になり，最後には死にいたる。

アルカローシス alkalosis とは動脈血のpHが7.45以上になった状態である*。アルカローシスの主な生理学的作用は中枢神経系と末梢神経系の両者を極度に興奮させることである。ニューロンは正常時には刺激とはならない刺激にも反応し，繰り返しインパルスを発生するようになる。その結果，神経過敏(不安症)を引き起こし，筋攣縮 muscle spasm，痙攣 muscle convulsion，そして死にいたる。

アシドーシスまたはアルカローシスを生ずるような血液のpHの変化は代償作用で元に戻される。**代償作用 compensation** とは，酸塩基平衡の障害に対する生理学的反応で正常な動脈血のpHに戻す作用のことである。代償作用では，**完全に**動脈血のpHが正常範囲に収まる場合か，あるいは**部分的に**動脈血のpHが7.35以下もしくは7.45以上にとどまる場合がある。代謝の結果，血液のpHが変化した場合，過換気か換気過少によって血液のpHが正常値の範囲に戻される。この代償作用を**呼吸性代償 respiratory compensation** といい，数分以内に発生し1時間以内に最大に達する。呼吸障害が原因で血液のpHが変化し

＊（訳注）正確には，血液を酸性側にしようとする状態をアシドーシス，平衡を塩基性側にしようとする状態をアルカローシスといい，血液のpHが7.35未満になった状態をアシデミア acidemia，7.45より大きくなった状態をアルカレミア alkalemia と区別する。つまり換気不全は血液を酸性側に傾けるので呼吸性アシドーシスといい，その結果，血液が酸性になったらアシデミアであるということになる。体内には代償作用があるので，結果として血液が酸性になっていない場合もあるからである。

表 22.3　体液の pH を維持する機序

機序	内容
緩衝系	体液の pH の急激な変化を防ぐために強酸あるいは強塩基を弱酸や弱塩基に転換する。
タンパク質	細胞や血液中でもっとも豊富な緩衝剤である。ヘモグロビンは赤血球のサイトゾル内での，アルブミンは血漿での緩衝剤である。
炭酸-炭酸水素塩	血液 pH の調整のために重要な緩衝剤である。細胞外液にもっとも豊富に存在する。
リン酸	細胞内液および尿における重要な緩衝剤である。
肺からの二酸化炭素の排出	CO_2 の肺からの排出の増加は pH を上昇（H^+ を減少）させ，排出の減少は pH を低下（H^+ を増加）させる。
腎臓による水素イオンの排出	尿細管は H^+ を尿へ分泌し，HCO_3^- を再吸収し，尿へ排出しない。†

たときは，**腎性代償 renal compensation**（腎臓の尿細管での H^+ 分泌と HCO_3^- の再吸収の変化）が pH を元に戻す。腎性代償は数分以内に生じるが，最大効果が出現するには数日かかる。

チェックポイント

5. タンパク質，炭酸水素イオン，リン酸イオンは体液の pH を維持するのにどのように働くのか？
6. アシドーシスとアルカローシスの主な生理学的影響は何か？

22.4　加齢と体液および電解質のバランス（平衡），酸塩基平衡

目標

・加齢に伴って生ずる体液，電解質，酸塩基平衡の変化を述べる。

　成人と乳児，とくに未熟児では，体液の分布，体液と電解質のバランス，酸塩基平衡のホメオスタシスが非常に異なっている。したがって，この分野では乳児は成人と比べ，より多くの問題を抱えることになる。この差異は以下の条件に起因する。

- **水の分配比と分布 proportion and distribution of water**：新生児の体重の約 75％ は水であり，未熟児では 90％ に及ぶことがある。成人では約 55〜60％ が水である（この場合の成人の水の割合とは 2 歳児のものである）。成人では細胞外液（ECF）に比べ 2 倍の水が細胞内液（ICF）にあるが，未熟児では逆である。ECF は ICF に比べより変化するので，急速な水の摂取あるいは排出は乳児ではより問題となる。水の摂取と排出の速度は成人より乳児では 7 倍速い，すなわち，体液のわずかな変化は 7 倍の異常をもたらすことになる。

- **代謝率（代謝量）metabolic rate**：乳児の代謝率は成人の約 2 倍である。これはより多くの代謝産物や酸を産生することになり，乳児ではよりアシドーシスになりやすいことを意味する。

- **腎機能の発達 functional development of the kidney**：乳児の腎臓の尿濃縮能力は成人に比べ約半分しかない（生後 1 カ月になるまで，機能的発達は終了していない）。その結果，新生児の腎臓の尿濃縮能力も過剰な酸の除去能力も成人に比べ効果的に機能していない。

- **体表面積 body surface area**：乳児の体容量に対する体表面積の比は成人の 3 倍大きい。皮膚からの水分の喪失は成人より乳児のほうが大きい。

- **呼吸数 breathing rate**：乳児の呼吸数の多さ（30〜80 回/min）は肺からの水の排出をもたらす。呼吸数の多さはより多くの CO_2 を排出し，P_{CO_2} を下げ，呼吸性アルカローシスを起す可能性がある。

- **イオン濃度 ion concentrations**：新生児は成人に比べより K^+ と Cl^- の濃度が高い。これは代謝性アシドーシスをもたらしやすい。

　子どもや青年に比べ，高齢者はしばしば体液や電解質のバランス，酸塩基平衡の維持能力に欠ける。年齢がすすむにつれ，多くの場合，細胞内液が減少し，骨格筋量の減少と脂肪組織の増大（脂肪組織は水が非常に少ない）のため K^+ 濃度が低下する。年齢に関係した呼吸と腎臓の機能の変化は，CO_2 の排出と尿への過剰な酸の排出が遅くなることにより酸塩基平衡が危うくなる。腎血流量の減少や糸球体濾過量の減少，抗利尿ホルモンに対する感受性の低下のようなほかの腎機能の変化は体液と電解質のバランスに対して不利な作

用をもたらす．有効な汗腺の数と効率の低下のため，皮膚からの水分の排出は年齢とともに減少する．このような加齢に伴う変化のため，高齢者はいくつかの体液や電解質に関する機能障害に陥りやすい．

- **脱水** dehydration と**高ナトリウム血症** hypernatremia は，しばしば水の不十分な摂取あるいは嘔吐，排便，排尿で排出する Na^+ より多くの水の排出によって生じる．
- **低ナトリウム血症** hyponatremia は Na^+ 摂取不足，尿への Na^+ の排出増加，嘔吐，下痢，腎臓での尿濃縮能力不足によって生じる．
- **低カリウム血症** hypokalemia はしばしば高齢者が便秘のため慢性的に下剤を使うとき，高血圧あるいは心疾患のため K^+ 排出を伴う利尿薬を使うときに生じる．
- **アシドーシス** acidosis は肺と腎臓での酸塩基平衡の不均衡を代償する能力不足により生じる．アシドーシスの原因の一つは腎臓の尿細管でのアンモニア (NH_3) 生成が減少することで，これは H^+ が NH_4^+ となって尿に排出しないからである．もう一つの原因は肺での CO_2 排出が減少することである．

チェックポイント

7．なぜ幼児は成人に比べ，体液，電解質，酸塩基平衡でより重大な問題が起きやすいのだろうか？

22章のまとめ

22.1 体液区分と体液バランス

1. **体液** body fluid は水とそれに溶けている溶質からなる．
2. 体液の約 2/3 は細胞内にあり，**細胞内液** intracellular fluid (ICF) と呼ばれる．ほかの約 1/3 は**細胞外液** extracellular fluid (ECF) と呼ばれ，からだの残りすべての液体である．ECF の約 80% は**間質液** interstitial fluid（組織間液）であり，これは細胞と細胞の間の微小環境に存在し，ECF の約 20% は血液の液体成分である**血漿** blood plasma である．
3. **体液バランス**（平衡）fluid balance とは，からだのそれぞれの体液区分が正常な量の水と溶質を含んでいることである．水はからだを構成する単一物質としては最大の物質であり，脂質の多くない成人の全体重の 45〜75% を占める．**電解質** electrolyte とはイオンとして液体に溶けている無機化合物のことである．体液バランスと電解質のバランスは相互に関係する．
4. 1日の水の摂取と排出はそれぞれ約 2,500 mL である．摂取する水の供給源は飲んだ液体と食物に含まれる水分と代謝反応で生じた水（**代謝水** metabolic water）である．水は尿と皮膚からの蒸発と肺の呼気に含まれる水蒸気と便に含まれる水分を通してからだから失われる．女性では月経によって排出する分が加わる．
5. からだの水を得るための主な調節は水の摂取量の調節である．視床下部の渇きの中枢 thirst center が飲水の要求を調節する．
6. **アルドステロン** aldosterone は尿への Na^+ と Cl^- の排出を減らすので体液量を増加させる．**心房性ナトリウム利尿ペプチド** atrial natriuretic peptide (ANP) は Na^+（と Cl^-）と水の尿への排出を促し，ナトリウム利尿を引き起こすので，血液量を減らす．
7. 表 22.1 に水分バランスの維持にかかわる要因をまとめてある．

22.2 体液の電解質

1. 電解質は体液区分の間の浸透圧を調節し，酸塩基平衡の維持を助け，電流を運び，酵素の補助因子として働く．
2. ナトリウムイオン (Na^+) は細胞外液ではもっとも多いイオンである．神経インパルス，筋収縮，体液バランス，電解質バランスにかかわる．Na^+ 濃度はアルドステロン，抗利尿ホルモン，心房性ナトリウム利尿ペプチドによって調節される．
3. 塩化物イオン (Cl^-) は細胞外液の主たる陰イオンである．浸透圧の調節，胃液に含まれる塩酸の生成にかかわる．Cl^- 濃度は腎臓での Na^+ の再吸収の増減で調節される．
4. カリウムイオン (K^+) は細胞内液ではもっとも多い陽イオンである．ニューロンや筋線維の静止電位の生成に必要で，pH の調整にかかわる．K^+ 濃度はアルドステロンによって調節される．
5. カルシウムはからだの中でもっとも多いミネラルである．カルシウム塩は骨と歯の構成要素である．Ca^{2+} は基本的には細胞外液の陽イオンであり，血液凝固，神経伝達物質の放出，筋収縮に必要である．Ca^{2+} 濃度は副甲状腺ホルモンとカルシトリオールによって調節される．
6. 表 22.2 には重要な電解質の不足または過剰に由来する疾患の例が記載されている．

22.3 酸塩基平衡

1. 動脈血の pH の正常値は 7.35〜7.45 である．pH のホメオスタシスは，緩衝系（タンパク質緩衝系 protein buffer system，炭酸-炭酸水素塩緩衝系 carbonic acid-bicarbonate buffer system，リン酸緩衝系 phosphate buffer system），呼気ガスとして排出される二酸化炭素，腎臓で排出される H^+ と再吸収される HCO_3^- によって維持される．表 22.3 に体液の pH を維持する機序がまとめてある．

2. アシドーシス acidosis は動脈血の pH が 7.35 以下になった状態；主な作用は中枢神経系（CNS）の活動抑制である。アルカローシス alkalosis は動脈血の pH が 7.45 以上になった状態；主な作用は中枢神経系（CNS）の活動の過剰亢進である。

22.4 加齢と体液および電解質のバランス（平衡），酸塩基平衡

1. 加齢に伴い，細胞内液の減少と骨格筋の量が減ることに由来するカリウムの減少が生ずる。
2. 加齢に伴う腎臓の機能の低下は，体液バランス（平衡）と電解質のバランス（平衡）に影響する。

クリティカルシンキングの応用

1. ジョゼはファストフードの店で昼食を摂った。ポテトフライのラージサイズとケチャップ付ダブルチーズバーガー（高濃度食塩の昼食）を食べ，次に大瓶ペットボトルに満たした水をすべて飲んだ。ジョゼのからだはこのランチに対してどのような反応をしただろうか？
2. 今朝，今年 1 歳になったティモンは朝から水泳プールで忙しく練習していた。今日の練習プログラムは水面下で泡を吹き出すことだった。練習後，ティモンはふらふらして痙攣を起した。救急室の看護師は水泳練習がティモンの症状の原因であると思った。何が悪かったのだろうか？
3. 長年の多量の喫煙によりエマの肺は障害を生じた。肺気腫による呼吸困難のため，ショッピングセンターでは，エマは頻繁に座って一息入れることをしない限り通り抜けることができないくらいである。肺気腫に関連して，エマの酸塩基平衡に何が起っているか説明しなさい。
4. アレックスは授業に 15 分も遅刻してしまった。ペンを探している間，教官は心臓が水分バランスに与える影響について何かしゃべっていた。しかしアレックスはうわの空だったし，すでにそんなことはないと思い込んでいたので教官の話を無視することにした。心臓と体液バランスについての関係をアレックスに説明しなさい。

図の質問の答え

22.1 体液とは，体内の水とそれに溶けている物質からなる液体成分である。
22.2 利尿薬は尿量を増やすので，からだからの液体の排出を増やし，体液量が減る。
22.3 結果（水分摂取の増加）が刺激（脱水）と反対方向であるから，ネガティブフィードバックが成立している。
22.4 アルドステロンの濃度の増加は腎臓での NaCl と水の再吸収を異常にまで高め，血液量を増加させ，血圧を上昇させる。上昇した血圧は毛細血管から組織側へより多くの液体を移動させ，間質液に体液が蓄積する。この状況を浮腫という。
22.5 細胞外液に含まれる最大の陽イオンは Na^+ である。
22.6 一時的に息をこらえると，CO_2 と H^+ が蓄積するので血液 pH をわずかに低下させる。

CHAPTER 23

生殖器系

　有性生殖 sexual reproduction とは，配偶子 gamete（＝配偶者）と呼ばれる生殖細胞によって生物が子孫をつくる過程をいう。雄の配偶子（精子）が雌の配偶子（二次卵母細胞）と融合して受精 fertilization した結果，両親それぞれの染色体を一組ずつもった細胞ができる。男女の生殖器系を構成する器官は，その機能によってグループ化することができる。**性腺 gonad**（男性では精巣，女性では卵巣）は配偶子を産生し，性ホルモンを分泌する。さまざまな**精路 sperm duct** は次に配偶子の貯蔵や輸送にかかわり，**付属生殖腺 accessory sex gland** は配偶子を保護し，その動きを促進する物質を産生する。最後に，陰茎や子宮などの**支持構造 supporting structure** は配偶子の受け渡しと接合を助け，女性においては妊娠中に胚子や胎児の発育を支える。

> **先に進むための復習**
> ・体細胞分裂（3.7 節）
> ・自律神経系における交感神経系と副交感神経系（11.1 節）
> ・視床下部と下垂体のホルモン（13.3 節）

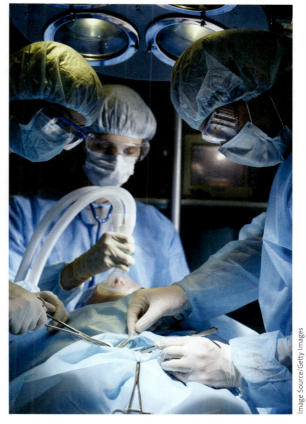

Q 精管切除術や卵管結紮術がどのように行われるのか考えたことはありませんか？　答えは 23.4 節の「臨床関連事項：外科的不妊手術」で知ることができるでしょう。

23.1 男性生殖器系

目　標

・男性生殖器の位置，構造，機能について述べる。
・精子がどのように産生されるのかを述べる。
・男性の生殖機能を調節するホルモンの役割を説明する。

　男性生殖器系 male reproductive system は，精巣，一連の精路系（精巣上体，精管，射精管，尿道），付属生殖腺（精嚢，前立腺，尿道球腺（カウパー腺）），そして陰嚢や陰茎などの支持構造によって構成される（図 23.1）。精巣は精子を産生しホルモンを分泌する。精子は精路系によって輸送，貯蔵され，成熟が助けられて体外へ運び出される。精液は精子に加え，付属生殖腺で供給された分泌物を含む。

陰　嚢

　陰嚢 scrotum（＝袋）は精巣を支持する袋で，弛緩性の皮膚，表層筋膜，平滑筋からなる（図 23.1）。陰嚢内部は中隔によって左右二つに分割され，その中に精巣が 1 個ずつ収まる。

　精子の産生と生存には正常体温より約 2 〜 3℃低い温度が最適である。この温度は，陰嚢が骨盤腔の外にあるので保たれている。冷気に曝されると，精巣は骨格筋の収縮によって挙上して骨盤腔に近づくことで，身体熱を吸収できる。暖気に曝されると，骨格筋の弛緩と精巣の下降が起り，外気に触れる表面積が増すことで，精巣は余分な熱を周囲に放出できるようになる。

精　巣

　精巣 testis（複数形 testes または testicles；図 23.2）は 1 対の卵形をした腺で，胚子の後腹壁に発生し，通常胎生 7 カ月に陰嚢に向かって下降を始める。

図 23.1 男性生殖器と周囲の構造。

生殖器は新しい個体を生み出し，遺伝物質を次の世代へ引き継ぐのに適した構造をしている。

男性生殖器系の機能
1. 精巣は精子と男性ホルモンのテストステロンを産生する。
2. 精路は精子の輸送，貯蔵，成熟を助ける。
3. 付属生殖腺は精液の液体成分の大部分を分泌する。
4. 陰茎は精液の射出と尿の排泄のための通路である尿道を含む。

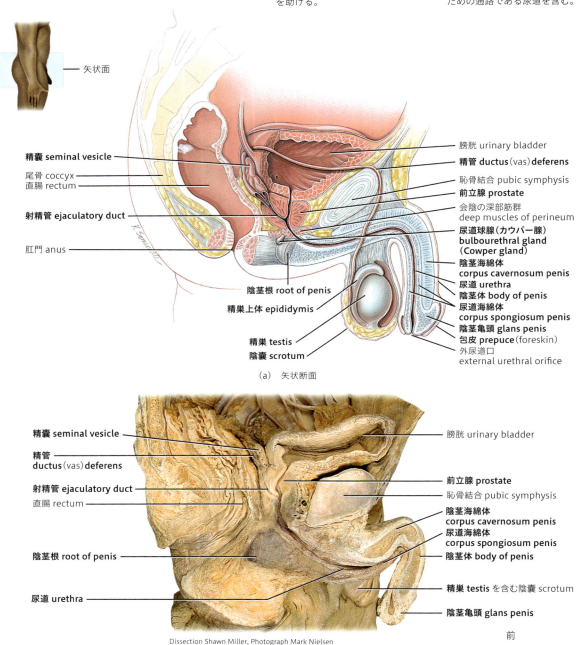

(a) 矢状断面

Dissection Shawn Miller, Photograph Mark Nielsen

(b) 矢状断面

Q 男性生殖器官の中で，陰茎は機能上どのように分類されるのか？

図 23.2 精巣の解剖と組織
(a) 精子発生は精細管内で起る。(c) 精子発生のステージ。矢印はもっとも未熟なものからもっとも成熟したものまでの，精子形成細胞(精細胞)の進行を示す。手短に，(n)は一倍体，(2n)は二倍体の染色体数を表している。

> 男性の性腺である精巣は一倍体の精子を産生する。

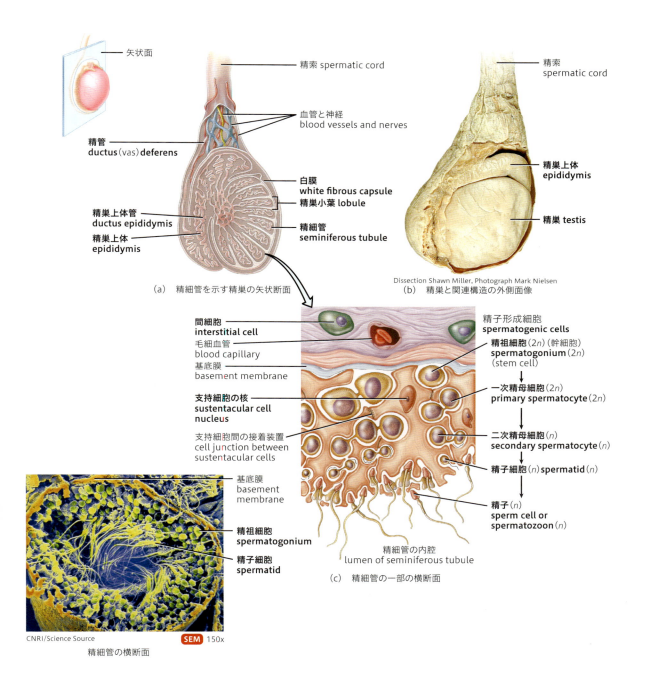

Q 精細管の中で，どの精子形成細胞がもっとも未熟か？

精巣は厚い**線維性被膜(白膜)white fibrous capsule**で覆われ，それが内部に伸びて精巣を**小葉 lobule**に区画する(図23.2 a)。200〜300個の小葉それぞれに1〜3本の著しく蛇行した**精細管 seminiferous tubule**(semin- =種；fer- =運ぶこと)が含まれ，その中で精子発生と呼ばれる過程をへて精子が産生される(後述)。

精細管を裏打ちするのは，**精子形成細胞(精細胞) spermatogenic cell**と呼ばれる精子をつくり出す細胞である(図23.2 c)。精細管の辺縁で基底膜に接して位置するのは**精祖細胞 spermatogonium**(複数形 spermatogonia；-gonia =子孫)で，幹細胞と前駆細胞の役割をもつ。細胞は管の内腔に向かって，一次精母細胞，二次精母細胞，精子細胞，精子という成熟順に層をなして存在する。完成した**精子 sperm cell**(spermatozoon；-zoon =生命)は精細管の内腔に放出される。

精細管内で精子形成細胞の間に存在するのが大型の**セルトリ細胞 Sertoli cell**(支持細胞 sustentacular cell)で，精子形成細胞を支持，保護，栄養する。また，変性した精子形成細胞を貪食し，精子を輸送する液体を分泌し，さらにインヒビンというホルモンを分泌して精子産生の制御を助けている。精細管と精細管の間(=間質)には**間細胞 interstitial cell**(ライディッヒ細胞 Leydig cell)の集団が存在し，この細胞はもっとも重要なアンドロゲン(男性ホルモン)である**テストステロン testosterone**を分泌する。アンドロゲン androgenは男性的特徴の発現を促進させるホルモンである。テストステロンはまた，男性の性的衝動(性欲)を促進する。

精子発生 精巣内の精細管で精子が産生される過程は**精子発生 spermatogenesis**と呼ばれ，第一減数分裂，第二減数分裂，精子形成(精子完成)の3段階からなる。まず減数分裂から述べる。

減数分裂の概要 3章で学んだように，脳の細胞，胃の細胞，腎臓の細胞など大部分の体細胞は23対の染色体すなわち合計46本の染色体をもっている。各対の一組はそれぞれの親から受け継いだものである。互いに対を構成する2本の染色体は**相同染色体 homologous chromosome**(homo- =同じ)と呼ばれ，同じ(またはほとんど同じ)順序のよく似た遺伝子配列をもつ。体細胞は二組の染色体をもつので**二倍体細胞 diploid cell**(dipl- =2倍；-oid =形)と呼ばれ，$2n$と表記される。配偶子は体細胞と異なり23本の染色体一組をもつのでnと表記される。こうして配偶子は**一倍体 haploid**(hapl- =単一)といわれる。

有性生殖では，それぞれの親から生み出された2個の異なる配偶子が融合して個体が生じる。もし各配偶子が体細胞と同じ数の染色体をもつと，受精が起るたびに染色体の数は倍になってしまう。そのため，配偶子は**減数分裂 meiosis**(mei- =減らすこと；-osis =の状態)と呼ばれる生殖細胞に特有な細胞分裂の手段で一組の染色体を受け取るのである。減数分裂は連続した二つのステージで起る。**第一減数分裂 meiosis I**と**第二減数分裂 meiosis II**である。最初に，精子発生過程で減数分裂はどのように起るのかを学習する。次に章の後半で，卵子発生すなわち女性の配偶子産生過程における減数分裂の各ステップについて学習する。

精子発生のステージ 精子発生は思春期に始まり，生涯続く。**精祖細胞 spermatogonium**の分裂開始から精子が精細管内腔に放出されるまでに65〜75日間を要する。精祖細胞は二倍体の染色体数(46)をもつ。精祖細胞が有糸分裂した後，一つの細胞は基底膜近くに精祖細胞としてとどまり，将来有糸分裂を行うために幹細胞として残る(図23.3 a；訳注：本章で使われている"有糸分裂"とは，染色体数が半減しない体細胞が分裂するときの分裂の仕方をさす)。もう一つの細胞は**一次精母細胞 primary spermatocyte**に分化する。一次精母細胞は精祖細胞と同じく二倍体である。

1回の分裂で完了する有糸分裂とは異なり，減数分裂には連続した二つのステージがみられる。**第一減数分裂 meiosis I**と**第二減数分裂 meiosis II**である。第一減数分裂に先行する期間に，二倍体細胞の染色体は複製を開始する。複製の結果，各染色体は2本の姉妹(遺伝的に同質の)染色分体で構成され，染色分体はセントロメアで結合する。こうした染色体の複製は体細胞分裂における有糸分裂に先行して起るそれと似ている。

臨床関連事項

停留精巣

精巣が陰嚢内に下降しない状態を**停留精巣 cryptorchidism**(crypt- =隠れた；orchid =精巣)と呼ぶ。満期で生まれた幼児の約3%，未熟児の約30%に起る。両側性の停留精巣を放置すると，骨盤腔の温度が高いことが原因で不妊となる。精巣癌になる可能性は停留精巣の場合30〜50倍高く，これは骨盤腔の高温が原因で引き起される生殖細胞の異常分裂によると考えられている。停留精巣をもった男児の約80%は生後1年以内に精巣が自然に下降する。精巣が下降せずにとどまる場合は，生後18カ月以内に外科的に矯正することが望ましい。

第一減数分裂 第一減数分裂 meiosis I は染色体の複製が完了すると開始し，四つの時期からなる。前期 I，中期 I，後期 I，終期 I である（図 23.3 b）。前期 I では，染色体は短く太くなり，核膜と核小体は消失し，有糸分裂紡錘体が形成される。有糸分裂の前期にはみられない二つの出来事が減数分裂の前期 I に起る（図 23.3 b）。第一に，相同染色体の各対の 2 本の姉妹染色分体が一組になる。この出来事は**対合**（ついごう） synapsis と呼ばれる。形成された 4 本の染色分体は**四分染色体** tetrad と呼ばれる構造をつくる。第二に，2 本の相同染色体の染色分体の一部がほかのものと交換される。このような非姉妹（遺伝的に異質の）染色分体の一部の間の交換は**乗換え（交叉）**crossing-over と呼ばれる（図 23.3 c 参照）。この過程は相同染色体の染色分体間における遺伝子の交換を可能にしている。乗換えによって生じた細胞は互いに遺伝的に異なり，またこれらを生み出した元の細胞とも遺伝的に異なる。乗換えは，**遺伝的組換え** genetic recombination（すなわち遺伝子の新しい組合せの形成）をもたらし，減数分裂を介して配偶子をつくるヒトやほかの生物間にみられる大きな遺伝的変異の原因の一つとなっている。

中期 I では，相同な 1 対の染色体からつくられた四分染色体は相同染色体と並んで，細胞の中期板に沿って配列する（図 23.3 b）。後期 I の間，対をなす相同染色体の各々は，セントロメアに接着した微小管の働きで細胞の反対側の極へ引かれて分離する。セントロメアでつながれている染色分体は対のままになっている（有糸分裂の後期に，セントロメアが裂けて姉妹染色分体が分離することを思い出しておこう）。減数分裂の終期 I および細胞質分裂は，有糸分裂の終期および細胞質分裂によく似ている。第一減数分裂の真の効果は，生じた細胞（**二次精母細胞** secondary spermatocyte）のそれぞれに一倍体の染色体をもたせることである。元の細胞に存在した各相同染色体対の一方だけをもつようになるからである。

第二減数分裂 減数分裂の第 2 期である第二減数分裂 meiosis II も四つの時期からなる。前期 II，中期 II，後期 II，終期 II である（図 23.3 b）。これらは有糸分裂の間に起る出来事によく似ている：セントロメアが裂け，姉妹染色体が分離し，細胞の反対側の極に向かって移動する。

要約すると，第一減数分裂は 1 個の二倍体開始細胞で始まり，一倍体の染色体をもった 2 個の細胞で終わる。第二減数分裂の間に形成された 2 個の一倍体細胞のそれぞれが分裂する；最終結果として，最初の二倍体開始細胞と遺伝的に異なる 4 個の一倍体の配偶子ができる。第二減数分裂により形成された一倍体の細胞は**精子細胞** spermatid と呼ばれる。

精子形成 精子発生の最終期は**精子形成（精子完成）** spermiogenesis とよばれ，一倍体の精子細胞のそれぞれが 1 個の**精子** sperm cell となる（図 23.2 c 参照）。

精　子 精子 sperm は 1 日に約 3 億個の割合で産生される。いったん射出されると，大部分の精子は女性生殖路内で 48 時間以上生存できない。精子の主な部位は頭部と尾部である（図 23.4）。**頭部** head には核（DNA）と**先体（アクロソーム）**acrosome（acro- ＝頂上に）があり，先体は二次卵母細胞への精子進入を助ける酵素が入った小胞である。精子の**尾部** tail は運動

> **図 23.3** **精子発生と減数分裂。**$2n$ は二倍体（46 本の染色体）を意味し，n は一倍体（23 本の染色体）を意味する。減数分裂と図 3.21 に示されている体細胞分裂とを比較しなさい。

精子形成とは精子細胞が精子へ成熟する過程である。

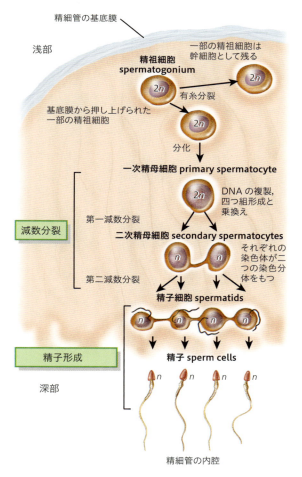

(a) 精子発生

図 23.3 つづく

図 23.3 つづき

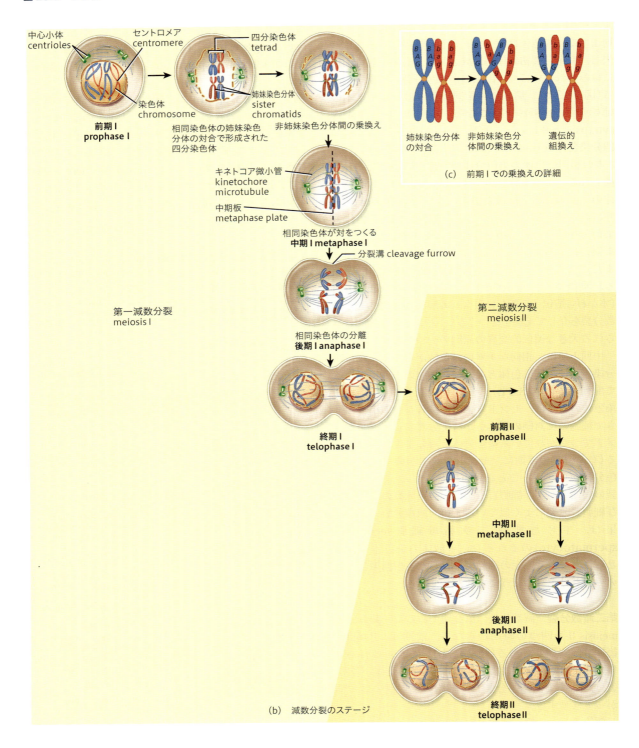

(b) 減数分裂のステージ

(c) 前期 I での乗換えの詳細

Q 乗換え（交叉）の意義は何か？

図 23.4 精子の区分。

約3億の精子が毎日成熟する。

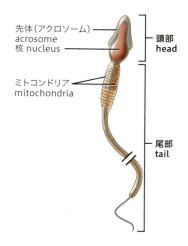

Q 精子尾部の機能は何か？

に必要な ATP を供給するミトコンドリアを含む。

ホルモンによる精巣の制御 思春期の始まりに，視床下部の神経分泌細胞は**性腺刺激ホルモン（ゴナドトロピン）放出ホルモン** gonadotropin-releasing hormone（GnRH）の分泌を増す。GnRH は続いて，下垂体前葉を刺激して**黄体形成ホルモン** luteinizing hormone（LH）と**卵胞刺激ホルモン** follicle-stimulating hormone（FSH）の分泌を増す。図 23.5 に精巣の間細胞と支持細胞を制御して精子発生を促進する，これらのホルモンとネガティブフィードバック回路を示す。

LH は精細管の間に存在する間細胞を刺激し，**テストステロン** testosterone を分泌させる。このステロイドホルモンは精巣内でコレステロールから合成され，主要なアンドロゲンである。テストステロンはネガティブフィードバック機構に作用して下垂体前葉の LH 分泌を抑制し，視床下部神経分泌細胞の GnRH 分泌を抑制する。外生殖器や前立腺に存在する標的細胞の中にある酵素がテストステロンを**ジヒドロテストステロン** dihydrotestosterone（DHT）と呼ばれる別のアンドロゲンに転換する。

FSH とテストステロンは協同して精子発生を促進する。男性生殖機能を発揮するのに必要なレベルまで精子発生が進行すると，支持細胞は**インヒビン** inhibin を放出する。インヒビンは下垂体前葉からの FSH 分泌を抑制すること（inhibition）から命名された

図 23.5 ホルモンによる精子発生の制御とテストステロンおよびジヒドロテストステロン（DHT）の作用。グレーの点線はネガティブフィードバックによる抑制を示す。

FSH の放出は GnRH によって刺激され，インヒビンによって抑制される。LH の放出は GnRH によって刺激され，テストステロンによって抑制される。

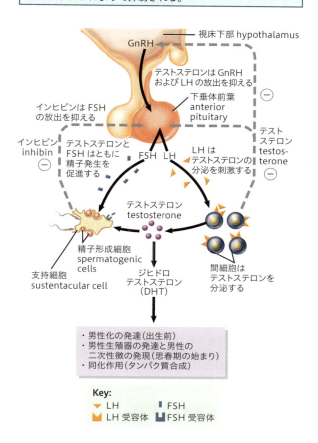

Q どの細胞がインヒビンを分泌するのか？

ホルモンである（図 23.5）。インヒビンはこうして精子発生に必要とされたホルモンの分泌を抑制する。精子発生があまりに遅いとインヒビンの放出がその分減り，これによって FSH の分泌が増えて精子発生が加速する。

テストステロンとジヒドロテストステロンはともに同じアンドロゲン受容体に結合し，以下のようなさまざまな効果をもたらす。

- **出生前発育 prenatal development**：出生前，テストステロンは生殖器の導管系を男性型へ発達させ，また精巣下降を促進する。これに対し，DHT は外生殖器の発達を促進する。また，テストステロンは脳内でエストロゲン（女性ホルモン）に変換される。

このエストロゲンは男性脳の特定領域を発達させる役割を担っている。

- **男性の二次性徴の発達 development of male sexual characteristics**：思春期には，テストステロンとDHTが男性生殖器を発達させて大きくし，さらに男性の二次性徴の発達をもたらす。その結果，筋および骨格が成長し，広い肩幅と引き締まった殿部ができる。陰毛，腋毛，顔毛，胸毛（遺伝の制限内で）が生じ，また皮膚が厚くなり，皮脂腺の分泌が増す。さらに喉頭が大きくなり，その結果，声が低くなる。
- **性機能の発達 development of sexual function**：アンドロゲンは男性の性行動と精子発生に，さらに男女双方の性的衝動（性欲）に寄与する。女性におけるアンドロゲンの主な供給源が副腎皮質であることを思い出そう。
- **同化作用の促進 stimulation of anabolism**：アンドロゲンは同化作用をもつ，すなわちタンパク質合成を促進するホルモンである。この結果は明らかで，女性に比べて男性は筋や骨の重さと量が多い。

チェックポイント

1. 陰嚢はどのように精巣を保護するのか？
2. 精子発生でもっとも重要な出来事は何か？ またそれはどこで起るのか？
3. 男性生殖器系においてFSH，LH，テストステロン，インヒビンの役割は何か？ またこれらのホルモンの分泌はどのように調節されているのか？

男性生殖器系における精路

精子発生に続いて，絶えず放出される精子と支持細胞の分泌液との圧力によって，精子と分泌液が精細管から精巣上体へと押し出されていく（図23.2a 参照）。

精巣上体
精巣上体 epididymis（epi- ＝上または上方；-didymis ＝精巣；複数形 epididymides）は勾玉形をした器官で，精巣の後縁に沿ってある（図23.1a，図23.2a 参照）。精巣上体の大部分は強く迂曲した**精巣上体管 ductus epididymis** からなる。機能的には，精巣上体管は**精子成熟 sperm maturation** の場であり，この過程で精子は運動性と二次卵母細胞を受精させる能力とを獲得する。精子成熟過程は10〜14日間を要する。精巣上体管は精子を貯蔵し，さらに性的興奮時に平滑筋の蠕動収縮により精子を精管へ送り出す働きもある。精子は数カ月も精巣上体管内に貯蔵されることがある。この間に射出されなかった精子は結局，貪食され再吸収されてしまう。

精管
精巣上体の末端部で精巣上体管の迂曲が次第に緩くなり，より太くなる。精巣上体から続く管は**精管 ductus deferens**（vas deferens；vas ＝管；de- ＝離れて；図23.1 参照）と呼ばれる。精管は精巣上体の後縁に沿って上行し，鼠径管すなわち前腹壁にできた通路を貫く。その後，骨盤腔に入り膀胱の横から後面に向けてループ状に下行する（図23.1a 参照）。精管は3層からなる厚い筋層をもつ。機能的には，精管は精子を貯蔵し最大数カ月間生きたままとどめることができる。精管はまた，性的興奮時に筋層の蠕動収縮によって精子を精巣上体から尿道のほうへ運ぶ働きをする。

精管が陰嚢内を上行する際に血管，自律神経，リンパ管と一緒になって**精索 spermatic cord** を構成する。精索は男性生殖器系の支持構造の一つである（図23.2a 参照；訳注：精管を中心としたこれらの構造は，腹壁の筋に由来する筋膜によって全体が包まれ，精索となる）。

射精管
射精管 ejaculatory duct（ejacul- ＝排出すること；図23.1 参照）は精管と精嚢（後述）からの導管が合流して形成される。射精管は精子を尿道内へ送り出す。

尿道
尿道 urethra は男性生殖器系の終末導管であり，精液と尿の両方の通路である。男性の尿道は前立腺，会陰深部の筋，陰茎を通過する（図23.1 参照）。尿道が体外へ開口する部分を**外尿道口 external urethral orifice** という。

付属生殖腺

男性生殖器系における精路は精子を貯蔵し輸送するが，**付属生殖腺 accessory sex gland** は精液の液体成分のほとんどを分泌する。

1対の**精嚢 seminal vesicle** は嚢状の構造で，膀胱底の後方かつ直腸の前方にある（図23.1 参照）。精嚢はフルクトース，プロスタグランジン，凝固性タンパク質（血液でみられるものとは異なる）を含むアルカリ性の粘液を分泌する。アルカリ性の分泌物は男性尿道および女性生殖路の酸性環境を中和し，精子の不活化と死滅を防ぐのに役立つ。フルクトースは精子のATP産生に用いられる。プロスタグランジンは精子の運動能と活性化に寄与し，また女性生殖路の筋収縮を促進することもある。凝固性タンパク質は射精された精液を凝固させる。精液が凝固するのは，腟から精子が漏れ出るのを防ぐためと考えられる。精嚢の分泌物は通常，精液の約60％を占める。

前立腺 prostate はゴルフボールほどの大きさで

ドーナツ形をした単一の腺である(図23.1参照)。膀胱の下にあり，尿道上部を取り囲む。前立腺は生後から思春期にかけてゆっくりと発達し，その後急速に増大する。30歳までに最大となり45歳くらいまで安定しているが，その後に，さらに肥大すると，尿道を圧迫して尿の流れを悪くする。前立腺は乳白色で弱酸性の液体(pH 約6.5)を分泌し，分泌液は，(1) **クエン酸** citric acid(精子がクエン酸回路を介してATP産生に利用する；20.1節参照)，(2)酸性ホスファターゼ(機能不明)，(3) **前立腺特異抗原** prostate-specific antigen (PSA)など数種類のタンパク質分解酵素を含む。前立腺液は精液の約25％を占める。

1対の **尿道球腺** bulbourethral gland はエンドウマメぐらいの大きさである。前立腺の下で尿道の両側に位置する(図23.1 a 参照)。性的興奮時に，尿道球腺はアルカリ性物質を尿道内に分泌し，残留尿による酸性環境を中和することで通過する精子を保護する。同時に，尿道球腺は粘液を分泌して陰茎先端部と尿道上皮を潤滑にし，射精時に障害を受ける精子の数を減少させている。

精液

精液 semen(＝種)は精子と精嚢，前立腺，尿道球腺の分泌物との混合物である。通常，射精時における精液量は2.5～5.0 mLで1 mL当り5,000万～1億5,000万の精子を含む。その数が1 mL当り2,000万以下の場合，男性不妊になりやすい。受精の際，二次卵母細胞に到達する精子はほんのわずかなので，きわめて多数の精子が必要とされるのである。一方，たくさんの精子が精嚢液で十分に希釈されないと，精子尾部が絡みあって運動性が失われるので不妊となる。

前立腺液が弱酸性にもかかわらず，精液全体がpH 7.2～7.7と弱アルカリ性を示すのは精嚢からの分泌液がアルカリ性で量的にも多いからである。前立腺の分泌物は精液を乳白色にし，精嚢および尿道球腺の分泌液は精液に粘着性を与える。精液には特定の細菌を破壊できるある種の抗菌作用をもつ物質も含まれる。この抗菌物質は精液内と下部女性生殖路(腟)内に自然発生する大量の細菌を排除するのに役立っている。精液中に血液が混入した状態は **血精液症** hemospermia (hemo- ＝血液；-sperma ＝種)と呼ばれる。多くの場合，血精液症は精嚢内血管の炎症に起因する。治療には通常，抗生物質が用いられる。

陰茎

陰茎 penis 内の尿道は，精液の射出と尿の排出を担う通路である。陰茎は円筒状で根，体，陰茎亀頭からなる(図23.1参照)。**陰茎根** root of penis はから

だに付着した部分(近位部)である。**陰茎体** body of penis は三つの円筒状の組織塊で構成される。背外側に位置する二つの組織塊は **陰茎海綿体** corpus cavernosum penis(複数形 corpora cavernosa penis；corpora ＝主な体部；cavernosa ＝中空の)と呼ぶ。中央腹側部のより小さな組織塊は **尿道海綿体** corpus spongiosum penis と呼び，この中を尿道が通る。これら三つの組織塊は筋膜(線維性結合組織の膜)と皮膚に取り巻かれ，静脈洞で満たされた勃起組織で構成される。

尿道海綿体の遠位端は **陰茎亀頭** glans penis と呼ばれる少し膨らんだところである。陰茎亀頭には尿道が外に向けて開口する(**外尿道口** external urethral orifice)。露出できない陰茎亀頭は緩やかに付着した **包皮** prepuce(foreskin)で包まれる。

> ### 臨床関連事項
>
> #### 包皮切開術
>
> **包皮切開術** circumcision(＝環状に切ること)は包皮の一部を切除する外科処置である。通常，出生直後や生後3～4日目ないし8日目にユダヤ教儀式の一つとして行われる。多くの医療従事者は包皮切開の医学的正当性を認めていないが，尿路感染リスクの低下，陰茎癌発生の防御，性感染症リスクの低下などの利点が指摘されている。事実，アフリカのいくつかの村における調査では，包皮切開した男性にHIV感染の割合が低いことが報告されている。

多くの場合，陰茎の動脈が収縮し血液流入を制限しているため，陰茎はたるんだ(締まりのない)状態にある。最初にみられる性的興奮の徴候は **勃起** erection すなわち陰茎の膨らみと硬直である。副交感神経のインパルスが神経伝達物質と一酸化窒素を含んだ局所ホルモンの放出を引き起こすことで陰茎動脈の平滑筋が弛緩する。これにより陰茎を支配する動脈が拡張し，大量の血液が静脈洞に流入する。この静脈洞の拡張が陰茎から血液を排出する静脈を圧迫し，その結果血液の流出が遅くなる。男性の勃起した陰茎を女性の腟に挿入することを **性交** sexual intercourse(coitus)とよぶ。

射精 ejaculation(ejectus- ＝投げ出すこと)すなわち尿道から体外へ向かう力強い精液の放出は腰部脊髄で統合された交感神経性反射で起る。反射の一部として膀胱底の平滑筋性の括約筋が閉じる。したがって射精時に排尿は起きず，また精液が膀胱に入ることもない。射精の前であっても，精管，精嚢，射精管，前立腺の蠕動性収縮が起り，精液を陰茎内の尿道へ送り込む。こうして精液が射精前に少量放出される，これを **漏精** emission という。漏精は睡眠中にも起る(夜間

漏精)。陰茎の動脈が収縮すると陰茎は元の弛緩した状態に戻り，静脈にかかっていた圧力が和らぐ。男性生殖器系においては副交感神経と交感神経が協同して作用し，男性の性的反応を促進させることに注意したい。この現象は，二つの自律神経系が通常相互に拮抗的に作用するほかの器官系とは対照的である。

早漏 premature ejaculation は，例えば前戯中や腔への挿入直後などあまりにも早い時点で起る射精のことである。通常，不安やほかの心理的要因によることが多いが，まれに包皮や亀頭の感覚が過敏なために起る。多くの男性にとって，早漏はさまざまなテクニック(射精しそうになった時に亀頭と陰茎体の間を圧迫するなど)や行動療法または薬物療法によって防ぐことができる。

臨床関連事項

勃起障害

以前はインポテンス impotence と呼ばれた**勃起障害 erectile dysfunction(ED)**は，成人男性が射精，または性交に十分な時間，勃起状態を持続ないし勃起状態に到達できないことをいう。インポテンスの多くは，一酸化窒素が十分に放出できないことで引き起される。シルデナフィル剤(バイアグラ Viagra®)は一酸化窒素の効果を高める。

チェックポイント

4. 精細管から尿道まで，精子が通る導管系の順路を説明しなさい。
5. 精液とは何か？　またその機能は何か？

23.2　女性生殖器系

目 標

- 女性生殖器系に含まれる器官の位置，構造，機能について述べる。
- 卵母細胞はどのようにしてつくられるのかを説明する。

女性生殖器系 female reproductive system(図23.6)の器官は卵巣，卵管(ファロピオ管)，子宮，腟，そしてまとめて外性器あるいは外陰部と呼ぶ外生殖器から構成される。乳腺も女性生殖器系の一部とみなされる。**婦人科学 gynecology**(gyneco- ＝女性；-logy ＝〜の学問)は女性生殖器系の病気の診断や治療にかかわる医学の専門分野である。

卵　巣

卵巣 ovary(複数形 ovaries；＝卵の容器)は左右1対の器官で，二次卵母細胞(受精後に成熟卵子または卵となる細胞)と，プロゲステロンおよびエストロゲン(女性ホルモン)，インヒビン，リラキシンなどのホルモンを産生する。卵巣は精巣と同じ胚組織に由来し，殻をはずしたアーモンドのような大きさと形をしている。卵巣は骨盤腔の両側に靱帯で固定されている。図23.7 に卵巣の組織を示す。

胚上皮 germinal epithelium は卵巣表面を覆う単層上皮(背の低い立方形または扁平)の層である(訳注：卵巣を包む腹膜から卵ができると考えられていた時代に胚上皮の用語ができた。腹膜から卵ができることはないが，卵巣を包む臓側腹膜を慣例で"胚上皮"と呼んでいる)。胚上皮の深部は**卵巣皮質 ovarian cortex**で，卵胞が存在する密線維性結合組織の領域である。各**卵胞 ovarian follicle**(folliculus ＝小さな袋)は1個の**卵母細胞 oocyte** とそれを取り巻くさまざまな数の周囲細胞とで構成される。周囲細胞は発達中の卵母細胞を栄養しながら，卵胞がより大きく成長するにつれてエストロゲンを分泌し始める。卵胞は**成熟卵胞 mature follicle**(**グラーフ卵胞 Graafian follicle**)まで増大する。成熟卵胞は液体が充満した大きな卵胞で，破裂して二次卵母細胞を排出する準備ができた卵胞である(図23.7)。排卵した卵胞の残存物は発達して**黄体 corpus luteum**(＝黄色いからだ)になる。黄体が変性して**白体 corpus albicans**(＝白いからだ)と呼ばれる線維組織になるまで黄体はプロゲステロン，エストロゲン，リラキシン，インヒビンを産生する。**卵巣髄質 ovarian medulla** は卵巣皮質よりも深部領域で疎性結合組織からなり血管，リンパ管，神経を含む。

卵子発生　卵巣における配偶子形成を**卵子発生**(卵子

臨床関連事項

卵巣嚢腫

卵巣嚢腫 ovarian cyst は卵巣内または卵巣表層に袋状に液体がたまったものである。このような嚢腫は比較的よくみられ，通常，癌ではなく，しばしば自然に消失するものもある。癌性の嚢腫は40歳以上の女性に起りやすい。卵巣嚢腫では腹部の痛み，圧迫感，鈍痛，膨満感；性交痛；月経遅延，月経痛，月経不順；下腹部の突然の激しい痛み；腟出血を伴うことがある。卵巣嚢腫の多くは治療を必要としないが，大きな嚢腫(5 cm 以上)は外科的に摘出されることがある。

23.2 女性生殖器系 **585**

> **図 23.6** 女性生殖器と周囲の構造。

女性の生殖器官は，卵巣，卵管（ファロピオ管），子宮，腟，外性器，乳腺である。

女性生殖器系の機能
1. 卵巣は二次卵母細胞とエストロゲン，プロゲステロン，インヒビン，リラキシンなどのホルモンを産生する。
2. 卵管は二次卵母細胞を子宮へ輸送し，通常，受精が起る場所である。
3. 子宮は受精卵の着床，妊娠中の胎児の発育，分娩の場である。
4. 腟は性交時に陰茎を受け入れ，そして出産の通路となる。
5. 乳腺は新生児の栄養のために乳汁を合成，分泌，放出する。

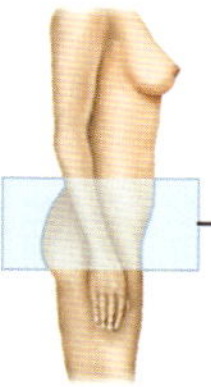

矢状面

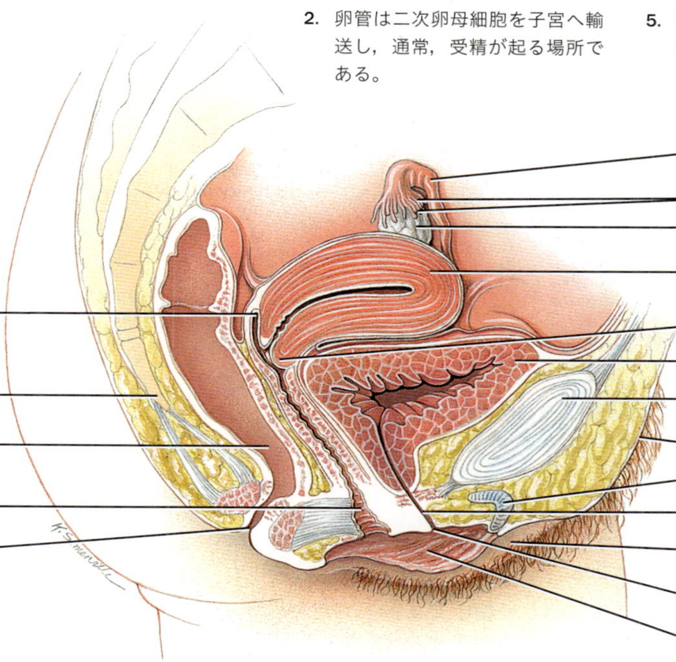

卵管（ファロピオ管） uterine (fallopian) tube
卵管采 fimbriae
卵巣 ovary
子宮 uterus
後腟円蓋 posterior fornix of vagina
子宮頸 cervix
膀胱 urinary bladder
尾骨 coccyx
恥骨結合 pubic symphysis
直腸 rectum
恥丘 mons pubis
陰核 clitoris
腟 vagina
尿道 urethra
肛門 anus
大陰唇 labium majus
外尿道口 external urethral orifice
小陰唇 labium minus

(a) 矢状断面

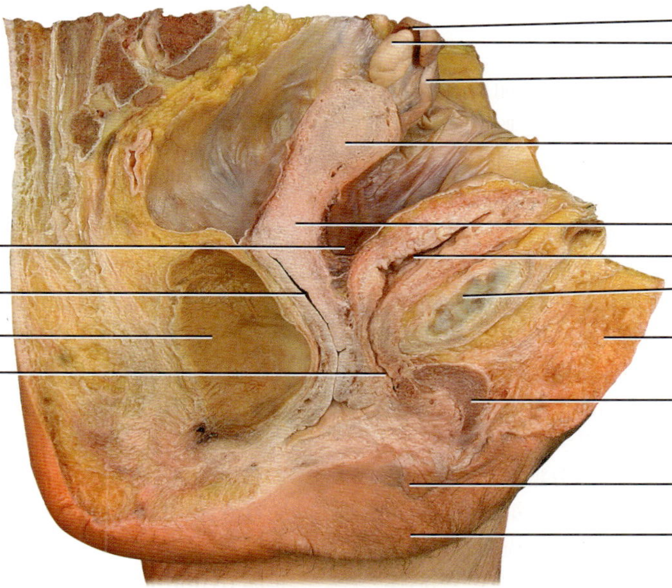

卵管采 fimbriae
卵巣 ovary
卵管（ファロピオ管） uterine (fallopian) tube
子宮 uterus
子宮頸 cervix of uterus
膀胱子宮窩 vesicouterine pouch
膀胱 urinary bladder
腟 vagina
恥骨結合 pubic symphysis
直腸 rectum
恥丘 mons pubis
尿道 urethra
陰核 clitoris
小陰唇 labium minus
大陰唇 labium majus

Dissection Shawn Miller, Photograph Mark Nielsen

(b) 矢状断面

Q どの用語が女性の外性器を表しているのか？

図23.7 **卵巣の組織**。矢印は卵巣周期中に起る卵子成熟の発達段階の順序を示す。

卵巣は女性の性腺であり，一倍体の卵母細胞を産生する。

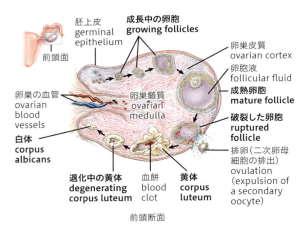

前頭断面

Q 卵巣の中で内分泌組織を含むのはどのような構造か，またそれらはどのようなホルモンを分泌するのか？

図23.8 **卵子発生**。二倍体細胞($2n$)は46本の染色体をもち，一倍体細胞(n)は23本の染色体をもつ。

卵母細胞では，受精が起ったときだけ第二減数分裂が完了する。

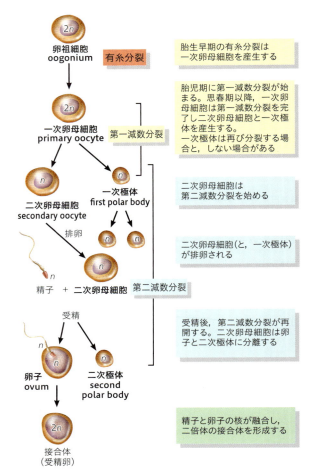

Q 女性が一次卵母細胞を形成する時期と男性が一次精母細胞を形成する時期はどのように違うのか？

形成) oogenesis (oo- ＝卵) という。男性の精子発生は思春期に始まるが，女性の卵子発生は誕生前の段階ですでに始まっている。また，男性は新しい精子を生涯つくり続けるが，女性は出生時に一生分の卵子すべてをもっている。卵子発生は本質的に精子発生と同じ様式で起り（図23.3 参照），それには細胞の減数分裂と成熟がかかわる。

第一減数分裂 胎児期の早い段階で卵巣内の細胞（訳注：原始生殖細胞＝始原生殖細胞）は**卵祖細胞** oogonia に分化し，二次卵母細胞に発達する細胞の元となる（図23.8）。出生以前に卵祖細胞の大部分は変性してしまうが，少数の細胞は**一次卵母細胞** primary oocyte と呼ばれるより大きな細胞に発達する。一次卵母細胞は胎児期に第一減数分裂を開始するが，思春期になるまで完了しない。出生時に20万～200万個の一次卵母細胞が各卵巣に残る。これらの細胞は思春期に約4万個となるが，そのうち400個だけが女性の生殖期間に成熟し排卵され，残りは変性する。

思春期以降，下垂体前葉から分泌されるホルモンは毎月，卵子発生の再開を刺激する。第一減数分裂は数個の一次卵母細胞で再開されるが，周期ごとに1個の卵胞だけが排卵に必要な成熟度に達する。二倍体の一次卵母細胞が第一減数分裂を完了することによって，大きさの異なる2個の一倍体細胞がつくられ，それぞれ2本の染色分体からなる23本の染色体(n)をもつようになる。第一減数分裂によってつくり出された小さいほうの細胞は**一次極体** first polar body と呼ばれ，不要になった核だけの小塊である。大きいほうの細胞は**二次卵母細胞** secondary oocyte で細胞質の大部分を受け取る。二次卵母細胞がいったん形成されると第二減数分裂を開始し，やがて停止する。これらの事象を行う卵胞は成熟（グラーフ）卵胞へと発達し，まもなく破裂して二次卵母細胞を放出する。この放出過程が**排卵** ovulation である。

第二減数分裂 排卵では通常1個の二次卵母細胞（一次極体とともに）が骨盤腔内に排出され，卵管の中に

押し流されていく。精子が二次卵母細胞に進入すると（受精），第二減数分裂が再開する。二次卵母細胞は大きさの異なる2個の一倍体(*n*)細胞に分裂する。大きいほうの細胞は**卵子 ovum** あるいは成熟卵，小さいほうは**二次極体 second polar body** である。精子の核と卵子の核はその後融合して二倍体(2*n*)の**接合体**(受精卵)**zygote** を形成する。一次極体はさらに分裂し2個の極体を生じることもある。その場合，一次卵母細胞は最終的に1個の一倍体(*n*)卵子と3個の一倍体(*n*)極体を生み出すことになる。こうして各一次卵母細胞は1個の配偶子(受精後，卵子になる二次卵母細胞)を生み出すのである。これに対し，各一次精母細胞は4個の配偶子(精子)を生み出す。

卵　管

女性は子宮から外側へ伸びる2本の**卵管 uterine tube**(ファロピオ管 fallopian tube)をもち，卵管は二次卵母細胞を卵巣から子宮へ運ぶ(図 23.9)。漏斗状をした卵管の末端は**卵管漏斗 infundibulum** と呼ばれ，卵巣に近接するが，骨盤腔に開口している。卵管漏斗は**卵管采 fimbriae**(＝房飾り)と呼ばれるふさふさした指状の突起で終わる。卵管は卵管漏斗から内側に伸びて，子宮両側の上外方の角の部分に付着する。

排卵直前の成熟卵胞の表面を取り巻く卵管采が運動して局所的な流れをつくり，二次卵母細胞を卵管へと押し流す。卵母細胞はその後，卵管粘膜の線毛と平滑筋の蠕動収縮によって管に沿って移動する。

二次卵母細胞が精子と受精する場所は通常，卵管である。受精は排卵後24時間以内ならいつでも起る。受精卵(接合体)は7日以内に子宮内へ下降する。未受精の二次卵母細胞は崩壊する。

子　宮

子宮 uterus(womb)は膣にたまった精子が卵管に到達するまでの通路の一部として機能する。子宮はまた，受精卵の着床，妊娠中の胎児の発育，分娩の場でもある。性周期中に受精卵の着床が起きなければ，子宮は月経血の源となる。子宮は膀胱と直腸の間に位置し，西洋ナシを逆さにした形をしている。

卵管よりも上部のドーム状部分は**子宮底**(底部)**fundus of uterus**，先細りする中央部は**子宮体**(体部)**body of uterus**，膣に開口する狭い部分は**子宮頸**(頸部)**cervix of uterus** と呼ぶ。子宮体の内部を**子宮腔 uterine cavity** という(図 23.9)。

組織学的に，子宮は子宮外膜，子宮筋層，子宮内膜の3層構造からなる(図 23.9)。外層の**子宮外膜 perimetrium**(peri- ＝周囲，-metrium ＝子宮)すなわち漿膜は臓側腹膜の一部で，単層扁平上皮と疎性結合組織で構成される。

中間の筋層は**子宮筋層 myometrium**(myo- ＝筋)といい，平滑筋で構成され，子宮壁の大部分を形成する。分娩時に，子宮筋は協調して収縮し，胎児を膣へ押し出す力になる。

子宮壁の最内層を**子宮内膜 endometrium**(endo ＝内側)といい，粘膜である。子宮内膜は胎児に栄養を与えるが，受精が起らなければ月経周期ごとに脱落する。子宮内膜には多くの**子宮腺 endometrial gland** があり，その分泌液は精子と接合体に栄養を与える。**子宮内膜症 endometriosis**(endo- ＝内部；metri- ＝子宮；-osis ＝～の状態)は，子宮内膜組織が子宮の外で増殖することで特徴づけられる疾患である。この組織は卵管開口部から骨盤腔に入り，卵巣，直腸子宮窩，子宮の外表面，S状結腸，骨盤および腹部のリンパ節，子宮頸部，腹壁，腎臓，膀胱などの場所のいずれかで見出されるようになる。子宮内膜組織は子宮の内外にかかわらずホルモンの変動に反応する。各性周期ごとに組織は増殖し，次いで剥離して出血する。これが子宮以外の場所で生じると，炎症や痛み，瘢痕，不妊を引き起す。症状としては，月経前の疼痛あるいは異常に激しい月経痛が挙げられる。

> **臨床関連事項**
>
> ### 子宮摘出術
>
> 子宮を外科的に摘出する**子宮摘出術 hysterectomy**(hyster- ＝子宮)はもっとも一般的な婦人科手術である。子宮線維症(線維化と平滑筋の増生を伴う非癌性腫瘍)；子宮内膜症；骨盤内炎症性疾患；再発性卵巣嚢腫；過剰な子宮出血；子宮頸癌，子宮癌，卵巣癌などの場合に手術適応となる。**子宮部分摘出術 partial(subtotal) hysterectomy** では，子宮体は摘出されるが，子宮頸はそのまま残る。**子宮全摘出術 complete hysterectomy** では子宮の体部と頸部がともに摘出される。**広汎性子宮全摘出術 radical hysterectomy** では，子宮の体部および頸部と卵管，場合によっては卵巣，膣の上部，骨盤内リンパ節，靱帯などの支持構造がすべて取り除かれる。子宮摘出術は腹壁を切開するかまたは膣を経由して行われる。

膣

膣 vagina(＝鞘)は体外から子宮頸にいたる筒状の管である(図 23.9)。膣は性交時に陰茎を受け入れる場所で，月経血の出口そして分娩時に胎児の産道となる。膣は膀胱と直腸の間に位置し，**膣円蓋 fornix**(＝弓状または天井)と呼ばれる陥凹が子宮頸を囲む(図 23.6 参照)。避妊用具(ペッサリー)が正しく挿入されれば膣円蓋に納まり，子宮頸が覆われる。

膣の粘膜は多量のグリコーゲンを蓄え，グリコーゲ

図 23.9 子宮とその関連構造。図の左側では，卵管と子宮を切り開いて内部の構造を示す。

子宮は月経，受精卵の着床，胎児の発育および分娩の場である。

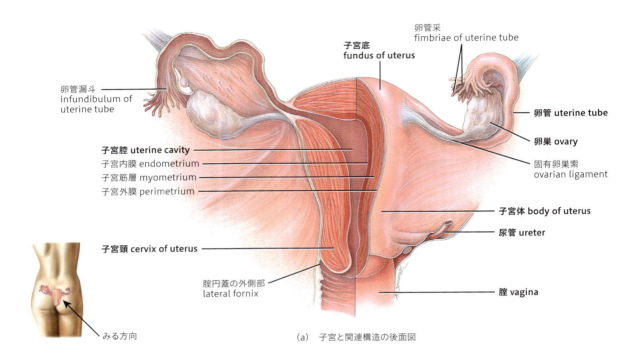

(a) 子宮と関連構造の後面図

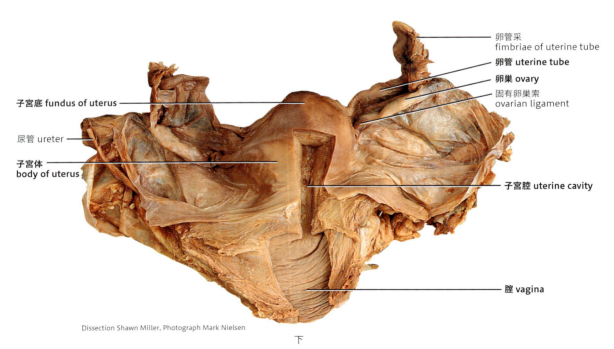

Dissection Shawn Miller, Photograph Mark Nielsen

(b) 子宮と関連構造の後面像

Q 子宮のどの部分が月経後に再構築されるのか？

ンの分解により有機酸が産生される。その結果できた酸性環境は微生物の増殖を妨げる反面，精子にとっては害となる。このため，主に精囊から分泌される精液中のアルカリ性成分が，腟の酸性度を中和して精子の生存力を高める。筋層は平滑筋で構成されて伸縮性に富み，性交時の陰茎の受け入れや分娩を可能にしている。**処女膜 hymen**(＝膜）と呼ばれる薄い粘膜のヒダが，腟の出口である**腟口 vaginal orifice** を部分的に覆うことがある（図 23.10 参照）。

会陰と女性の外性器

会陰 perineum は男女ともに両大腿と殿部の間に広がる菱形の領域で，外生殖器と肛門を含む（図 23.10）。

陰門 vulva（＝まわりを包むこと）あるいは**外陰部 pudendum** は女性の外生殖器を表す用語である（図 23.10）。**恥丘 mons pubis**（mons ＝山）は粗い陰毛で覆われた脂肪組織の高まりで，恥骨結合を保護する。恥丘から下後方に伸びる 1 対の皮膚の縦ヒダを**大陰唇 labium majus**（複数形 labia majora；labia ＝唇；majora ＝より大きい）という。女性の大陰唇は男性の陰囊と同じ胚組織から発生したものである。大陰唇は脂肪組織，皮脂腺，汗腺を含み，恥丘と同様に陰毛で覆われる。大陰唇はより深部にある内生殖器を保護している。大陰唇の内側には 1 対の皮膚のヒダがあり，**小陰唇 labium minus**（複数形 labia minora；＝より小さい）という。小陰唇は陰毛や脂肪を欠き，汗腺がわずかにあるが，豊富な皮脂腺をもつ。皮脂腺は抗菌物質を産生し，性交中に滑らかさをつくる。

陰核 clitoris は勃起組織と神経からなる小さな円柱状の塊で，小陰唇が前方で結合したところにある。**包皮 prepuce**（foreskin）と呼ばれる皮膚層が小陰唇の結合部に形成され，陰核の体部を覆っている。陰核の露出した部分が**亀頭 glans** である。陰茎と同様に，陰核も性的刺激によって大きくなる。

両小陰唇が囲む領域は**前庭 vestibule** と呼ばれる。前庭には処女膜（残存していれば），**腟口 vaginal orifice** すなわち腟の体外への開口部，**外尿道口 external urethral orifice** すなわち尿道の体外への開口部，外尿道口の両側に**尿道傍腺**（訳注：スキーン腺）**paraurethral gland** の導管開口部などが存在する。

尿道傍腺は尿道の壁内に存在し粘液を分泌する。男

図 23.10 陰門の構成要素。

陰茎と同様に，陰核も性的刺激で勃起可能である。

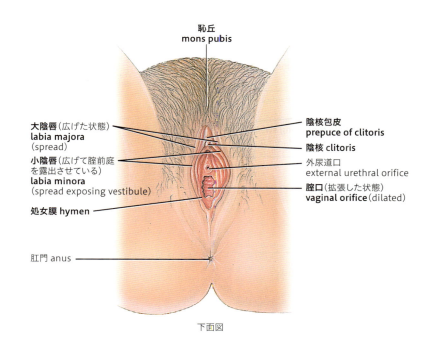

下面図

臨床関連事項

会陰切開

母体と胎児の間で迅速な分娩が必要とされる場面では，**会陰切開 episiotomy**（episi- ＝外陰または恥骨領域；-otomy ＝切断）が行われることがある。会陰切開は外科ハサミを用いて実施される。切開は会陰の正中線に沿ってなされるか，正中線に対してほぼ 45° 傾けて行われる。実際，胎児が通ることによってできてしまうギザギザの裂け目の代わりに真っ直ぐで縫合しやすい切開が行われる。傷は数週間以内に吸収される縫合糸で各層ごとに縫い合わされるので多忙な新米の母親にとって抜糸のわずらわしさがない。

Q どのような表面構造が腟口の前方にあるか？

性の前立腺は女性の尿道傍腺と同じ胚組織から発生する。腟口の両側には**大前庭腺**（訳注：バルトリン腺）greater vestibular gland が存在し，性的興奮時や性交時に少量の粘液を産生し，子宮頸管粘液とともに潤滑液の役割を担う。男性では，尿道球腺が大前庭腺と相同である。

乳 腺

乳腺 mammary gland（mamma＝乳房）は乳房の中に存在し，汗腺が乳汁を産生するように変化したものである。乳腺は大胸筋と前鋸筋の上にあり，結合組織の層で両筋につなぎ止められている（図23.11）。各々の乳房には色素沈着した突出部の**乳頭** nipple が1個あり，ここには乳汁を排出する導管の開口部が密集している。乳頭を取り巻く円形の色素沈着した皮膚の領域を**乳輪** areola（＝小さな空間）という。乳輪には通常のものと違って皮脂腺が多数あるため，表面ででこぼこしてみえる。乳房内部の乳腺は，脂肪組織と乳房を支える**乳房提靱帯** suspensory ligament of the breast（**クーパー靱帯** Cooper's ligament）と呼ばれる結合組織の束とによって区画された15〜20の**葉** lobe が放射状に配置してできている。それぞれの葉はさらに小さな**小葉** lobule に区画され，その中に**腺房** alveolus（複数形 alveoli；＝小さな空洞）と呼ばれる乳汁を分泌する腺がある。乳汁が産生されると，腺房から一連の導管を通って乳頭へ排出される。

出生時，乳腺は未発達で胸の上でわずかに隆起する程度である。思春期の始まりとともに，エストロゲンとプロゲステロンの影響で女性の乳腺は発達を開始する。導管系が成熟し，脂肪が付いて，より乳房の大きさが増す。乳輪と乳頭も大きくなり，色素が沈着して浅黒くなる。

乳腺の機能は乳汁の合成，分泌，射出であり，これらの働きは**乳汁分泌** lactation と呼ばれ，妊娠と出産に関連する（図24.10 参照）。乳汁の産生はプロゲステロンとエストロゲンの作用とともに，下垂体前葉からのプロラクチンによって大きく刺激される。乳汁の射出はオキシトシンによって促進されるが，オキシトシンは乳児が母親の乳頭を吸引する（哺乳）刺激に反応して下垂体後葉から分泌される。

図 23.11 乳腺。

乳腺の機能は乳汁の合成，分泌，射出（乳汁分泌）である。

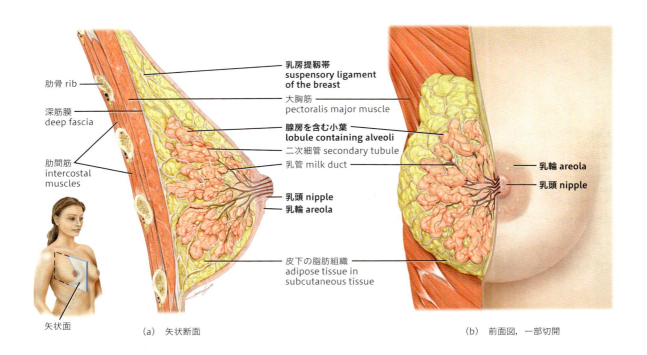

(a) 矢状断面　　(b) 前面図，一部切開

Q どのようなホルモンが乳腺からの乳汁の射出を調節しているのか？

臨床関連事項

乳房の豊胸術と縮小術

乳房を大きくすること breast augmentation（＝拡大）は専門的には**豊胸術** augmentation mammaplasty と呼ばれ，乳房のサイズや形を大きくする外科的処置である．豊胸術は，自分の乳房がとても小さいと感じている女性が胸を大きくしたい，体重減少や妊娠後の変化によって乳房が小さくなったのを回復させたい，たるんだ乳房の形をよくしたい，外科的手術や外傷，先天的な奇形が原因による乳房の形状異常を直したい，などの理由で行われる．もっともよく使用されるのは，生理食塩水かシリコーンゲルで満たされたインプラント（包埋物）を使う方法である．インプラントのための切開は，乳房の下，乳輪の周囲，腋窩あるいは臍部で行われる．インプラントを置くためのポケット（袋）を乳房のすぐ後ろあるいは大胸筋の下のどちらかに形成する．

乳房の縮小 breast reduction（乳房縮小術 reduction mammoplasty）は乳房の脂肪や皮膚，腺組織を取り除くことにより乳房のサイズを小さくさせる外科的処置である．この方法は慢性的な背部，頸部または肩の痛みを軽減するために行ったり，悪い姿勢，循環や呼吸障害，乳房下の皮膚の発疹，活動制限，自尊心の問題，ブラジャーの肩紐が原因となる肩の深い溝，ある種のブラジャーや衣服が着用できないなどの問題に適応される．もっとも一般的な手術方法は，乳輪のまわりを切り開いて乳房と腹部の間のしわに向かって乳房を下方に向かって切り，そのしわに沿って切開する．医師は，切開部位から過剰な組織を取り除く．多くの場合，乳頭と乳輪はそのまま乳房に残す．しかし，もし乳房が異常に大きい場合には，乳頭と乳輪は乳房の少し高い位置に改めてつけ直す．

臨床関連事項

乳房の線維嚢胞症

女性の乳房は嚢胞や腫瘍ができやすい．女性の胸部腫瘍のうちもっとも多いのが**線維嚢胞症** fibrocystic disease である．この疾患では液体が充満した1個以上の嚢胞と肥厚した腺房が発達する．主に30～50歳の女性に好発し，おそらくは性周期の排卵後期に起る相対的なエストロゲンの過剰あるいはプロゲステロンの欠乏が原因と考えられている（後述）．

線維嚢胞症は通常，片側あるいは両側の乳房で起り，月経が始まる1週間程度前にしこりができたり，膨らんだり，触ると痛みを感じるようになる．

チェックポイント

6．卵子発生の主な出来事を述べなさい．
7．卵管はどこにあるのか？　またその機能は何か？
8．子宮の組織学的構造を述べなさい．
9．腟の組織はその機能をどのようにして役立てているのか？
10．乳腺の構造と支持について述べなさい．

23.3 女性の性周期

目標

・卵巣周期と子宮周期に起る主な出来事を述べる．

生殖年齢の間，妊娠していない女性では通常，卵巣と子宮で周期的な変化を示す．各周期は約1カ月で，卵子発生と子宮での受精卵を受け入れるための準備，との両方に関係する．視床下部，下垂体前葉，卵巣から分泌されたホルモンが主な出来事を制御している．**卵巣周期** ovarian cycle すなわち卵母細胞の成熟とその後に卵巣で起る一連の出来事についてはすでに学習した．卵巣から放出されるステロイドホルモンは**子宮周期** uterine cycle（月経周期 menstrual cycle）を制御する．子宮周期とは，受精卵の到着に備えるために起る子宮内膜の一連の変化で，受精卵は誕生まで子宮で育つ．受精が成立しないと卵巣ホルモンの血中濃度が低下し，その結果，子宮内膜の一部が剥がれ落ちることになる．**女性の性周期** female reproductive cycle という一般用語は，卵巣周期と子宮周期ならびに両者を制御するホルモンの変化や，これらの変化に関連した乳房や子宮頸の周期的な変化の総称である．

ホルモンによる女性の性周期の制御

視床下部から分泌される**性腺刺激ホルモン（ゴナドトロピン）放出ホルモン** gonadotropin-releasing hormone（GnRH）は卵巣周期と子宮周期を制御する（図23.12）．GnRHは下垂体前葉からの**卵胞刺激ホルモン** follicle-stimulating hormone（FSH）と**黄体形成ホルモン** luteinizing hormone（LH）の放出を促す．FSHは卵胞の発達を開始させ，また発達中の卵胞によるエストロゲン分泌を開始させる．LHは卵胞のさらなる発達とエストロゲン分泌が最大限になるよう，促進する．周期の中間点でLHは排卵を誘発し，その後，黄体の形成を促進する．これが黄体形成ホルモンと命名された由縁である．LHの刺激を受けると，黄体はエストロゲン，プロゲステロン，リラキシン，インヒビンを産生し分泌する．

エストロゲン estrogen は卵胞から分泌され，全身

図 23.12　女性の性周期。女性の性周期の長さは 24～36 日間が一般的であるが，排卵前期はほかの同期に比べ，長さにばらつきがある。(a)卵巣周期および子宮周期に起る出来事と下垂体前葉ホルモンの放出とは一連の四つの周期と互いに相関している。ここには受精と着床が起っていない周期を示した。(b)正常な女性の性周期の各相における下垂体前葉ホルモン(FSH と LH)と卵巣ホルモン(エストロゲンとプロゲステロン)の相対的な濃度変化を示す。

> エストロゲンは排卵前の優勢(主席)卵胞から分泌される。排卵後，プロゲステロンとエストロゲンはともに黄体から分泌される。

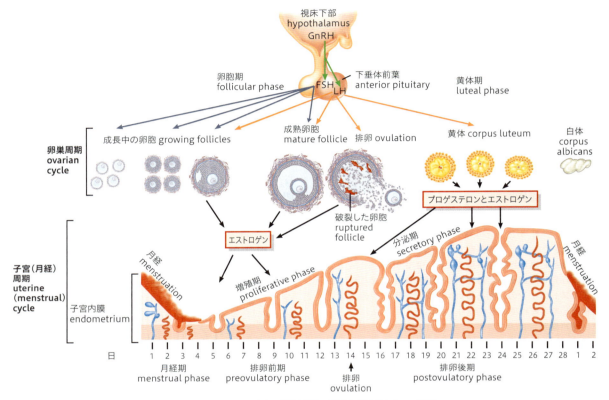

(a) 卵巣と子宮の変化に対するホルモン制御

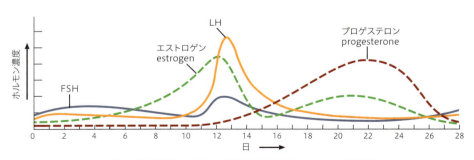

(b) 下垂体前葉ホルモンと卵巣から分泌されるホルモンの濃度変化

Q どのホルモンが子宮内膜が発達する増殖期に，排卵に，黄体の発達に，そして周期の中間点で起る LH サージに関与しているか？

のいたるところで重要な機能をもつ。

- エストロゲンは女性生殖器や女性の二次性徴および乳腺の発達と維持を促進する。二次性徴は乳房，腹部，恥丘，殿部に脂肪組織が増える；広くなった骨盤；頭髪や体毛の生え方に現れる。
- エストロゲンはインスリン様成長因子，インスリン，甲状腺ホルモンと一緒に作用してタンパク質合成を促進する。
- エストロゲンは血中コレステロール値を下げる。このことが，50歳以下の女性では同年代の男性よりも冠状動脈疾患のリスクが著しく低い理由と考えられる。

プロゲステロン progesterone は主に黄体の細胞から分泌され，エストロゲンと協同して子宮内膜に作用し受精卵着床の準備とその後の維持を行う，また乳腺に作用し乳汁分泌の準備を行う。

少量の**リラキシン** relaxin が黄体から毎月周期ごとに産生され，子宮筋層の収縮を抑制することで子宮を弛緩させている。おそらく，受精卵は"（動きがなくて）静かな"子宮のほうが着床しやすいと考えられる。妊娠中は胎盤がより多くのリラキシンを産生し，リラキシンは子宮の平滑筋を弛緩した状態に保つ。妊娠末期にはリラキシンが恥骨結合の柔軟性を高め，子宮頸を拡張させることで，新生児の出産を助けている。

インヒビン inhibin は発達中の卵胞と排卵後の黄体から分泌される。インヒビンは FSH の分泌を抑制するとともに，LH の分泌も多少抑制する。

女性の性周期の 4 期

女性の性周期の長さは 24 ～ 36 日までの幅がある。ここでは便宜上，性周期の長さを 28 日と仮定し 4 期に分けることにする。月経期，排卵前期，排卵，排卵後期である（図 23.12）。卵巣周期（卵巣内の出来事）と月経周期（子宮内の出来事）は同時に起るので，両者を一緒に論じる。

月経期 月経期 menstrual phase は**月経** menstruation（menses；＝月）とも呼ばれ，周期初日からおよそ 5 日間続く（慣例的に，月経初日は新しい周期初日を表す）。

卵巣内の出来事 月経期には数個の卵胞が成長し大きくなる。

子宮内の出来事 子宮から流出する月経血は 50 ～ 150 mL の血液と子宮内膜の組織細胞からなる。この流出は卵巣ホルモン（エストロゲンとプロゲステロン）の濃度低下が子宮動脈を収縮させることで起る。その結果，動脈から血液供給を受けていた細胞は虚血に陥って壊死し始める。最終的に子宮内膜の一部が脱落する。月経血は子宮腔から子宮頸そして腟を経由して体外に流出する。

排卵前期 排卵前期 preovulatory phase は月経が終わった日から排卵日までの間の時期である。性周期の長さに個人差ができるのはこの期間の長さの違いによる。28 日周期では，排卵前期は 6 ～ 13 日間続く。

卵巣内の出来事 FSH の影響で，数個の卵胞は発達し続け，エストロゲンとインヒビンの分泌を開始する。6 日目までに，左右いずれかの卵巣内でただの 1 個の卵胞がほかのすべての卵胞より大きく発達し，**優勢（主席）卵胞** dominant follicle となる。優勢卵胞から分泌されるエストロゲンとインヒビンは FSH 分泌を減少させ（図 23.12 b，8 ～ 11 日目を参照），このことがほかの十分に発達しなかった卵胞の発達を止め，変性させることになる（訳注：**閉鎖卵胞**という）。

1 個の優勢卵胞が**成熟（グラーフ）卵胞** mature (graafian) follicle になる。成熟卵胞は，排卵の準備ができるまで成長し続け，卵巣表面に水疱様の膨らみを形成する。卵胞は成熟中，LH 濃度が上昇する影響下でエストロゲン産生を増やし続ける。

卵胞は成長と発達を続けていることから，卵巣周期の中で月経期と排卵前期はまとめて**卵胞期** follicular phase と呼ばれる。

子宮内の出来事 成長中の卵胞から血液中に放出されたエストロゲンは子宮内膜の修復を促す。子宮内膜の肥厚につれて短く直線状の子宮腺が発達し，小動脈はコイル状となって伸びていく。

排 卵 排卵 ovulation すなわち，成熟（グラーフ）卵胞の破裂と骨盤腔への二次卵母細胞の放出は 28 日周期では通常 14 日目に起る。

排卵前期の最終段階でみられる高濃度のエストロゲンが LH と GnRH に**ポジティブフィードバック** positive feedback 効果を及ぼす。高濃度のエストロゲンは視床下部を刺激して性腺刺激ホルモン放出ホルモン（GnRH）をさらに放出させ，それが下垂体前葉を刺激してより多くの LH を産生させる。ついで，GnRH はさらに LH の放出を促進する。この結果生じる LH サージ（図 23.12 b）が成熟（グラーフ）卵胞の破裂と二次卵母細胞の放出をもたらす。排卵に関連した LH サージを検出する市販の家庭用検査によって，排卵前日を予測することができる（訳注：LH サージとは，

突発的に LH が増えることをいう）。

排卵後期　女性の性周期の**排卵後期 postovulatory phase** は排卵日から次の月経開始日までの間の時期で，持続期間がほぼ一定で，28 日周期の 15 〜 28 日までの 14 日間続く。

一側の卵巣内での出来事　排卵後，成熟卵胞は崩壊する。LH によって刺激されると，残存した卵胞細胞（卵胞上皮細胞）は肥大して黄体を形成し，プロゲステロン，エストロゲン，リラキシン，インヒビンを分泌する。そのため卵巣周期の中で，この時期は**黄体期 luteal phase** とも呼ばれる。

　それに続く出来事は卵母細胞が受精したかどうかにかかっている。卵母細胞が受精しなかった場合，黄体は 2 週間だけ維持され，その後に黄体の分泌活動が低下し，黄体は変性して白体となる（図 23.12 a）。プロゲステロン，エストロゲン，インヒビンの濃度低下に伴い，これらの卵巣ホルモンによるネガティブフィードバックの抑制が解除されるので GnRH，FSH，LH の放出が高まる。その後に卵胞の成長が再開し，新しい卵巣周期が始まる。

　もし二次卵母細胞が受精して卵割を開始すると，黄体は通常 2 週間の生存期間をすぎても存続する。胚子が受精後約 8 日から産生する**ヒト絨毛性性腺刺激ホルモン human chorionic gonadotropin(hCG)** の作用で黄体は変性から"救済"される。LH と同様に，hCG は黄体の分泌活動を促進する。母体の血液中または尿中に hCG が存在することが妊娠の指標であり，hCG は家庭用妊娠検査により検出できるホルモンである。

子宮内の出来事　黄体で産生されるプロゲステロンとエストロゲンは子宮腺の成長を促してグリコーゲン分泌を開始させ，また子宮内膜の血管新生と肥厚を促進する。これらの準備的な変化は排卵後約 1 週間，すなわち受精卵が子宮に到着する時期にピークとなる。

　図 23.13 に，卵巣周期と月経周期におけるホルモンの相互作用および卵巣と子宮の周期的変化を要約した。

チェックポイント

11. 子宮周期と卵巣周期における次のホルモンの機能を述べなさい：GnRH，FSH，LH，エストロゲン，プロゲステロン，インヒビン。
12. 子宮周期とそれに関連する卵巣周期の各段階における主な出来事とホルモン変化の概略を簡単に述べなさい。
13. 子宮周期と卵巣周期に起る主なホルモンの変動を明示した図を作成しなさい。

23.4　避妊法と流産

目標

- さまざまな避妊法の有効性について比較する。
- 自然流産と人工流産の差違を説明する。

　避妊 birth control(contraception) とは，受精を制御し妊娠を防ぐためのさまざまな手段によって，子どもの数を制限することをいう。たった一つで理想的な避妊法というものは存在しない。妊娠を防ぐための 100%信頼できる唯一の方法は，**完全な禁欲 complete abstinence** すなわち性行為を避けることである。ほかにいくつかの方法があるが，それぞれ一長一短がある。外科的不妊手術，ホルモン療法，子宮内装着具，殺精子薬，バリア法，計画的禁欲などがある。**表 23.1** にさまざまな避妊法の失敗率を示す。避妊法の形式ではないが，本節では子宮から受胎産物が未熟なまま排出される，いわゆる流産についても解説する。

避妊法

非侵襲的不妊法　エシュア Essure® は**非侵襲的不妊法 non-incisional sterilization** の一つで，卵管結紮術に代わるものである。Essure 処置では，カテーテルを用いてポリエステル線維と金属（ニッケル−チタン合金とステンレス鋼）製の柔軟な微小コイルを腟から入れ，子宮を経由して左右の卵管に挿入する。挿入物（瘢痕形成）は 3 カ月以上たつと，挿入物内や周囲の組織の成長を促すことで卵管を閉鎖する。卵管結紮術と同様に，二次卵母細胞は卵管を通過できないし，精子は卵母細胞に到達できない。卵管結紮と異なり，非侵襲的不妊法は全身麻酔を必要としない。

ホルモン療法　完全な禁欲や不妊手術は除いて，ホルモン療法はもっとも効果的な避妊法である。**経口避妊薬 oral contraceptive**（ピル）は妊娠を阻止するホルモンを含んでいる。**混合経口避妊薬 combined oral contraceptive(COC)** と呼ばれるものは，プロゲスチン（プロゲステロンと同じ作用をもつホルモン）とエストロゲンを含有する。COC の主な作用は，FSH や LH といった性腺刺激ホルモンの分泌を抑制して排卵を阻止することである。通常，FSH と LH が低濃度になると卵巣で優勢卵胞が発達しなくなる。その結果，エストロゲンが増加しなくなり，また性周期の中間点で起る LH サージも消失し，排卵が生じない。仮に排卵が起ったとしても，COC は子宮での着床を阻止し，また卵管で卵子や精子の移動を抑制する。

23.4 避妊法と流産 **595**

> **図 23.13** 卵巣周期と月経周期におけるホルモン相互作用の要約。
>
> 下垂体前葉から分泌されるホルモンは卵巣機能を調節し，卵巣から分泌されるホルモンは子宮内膜の変化を制御する。

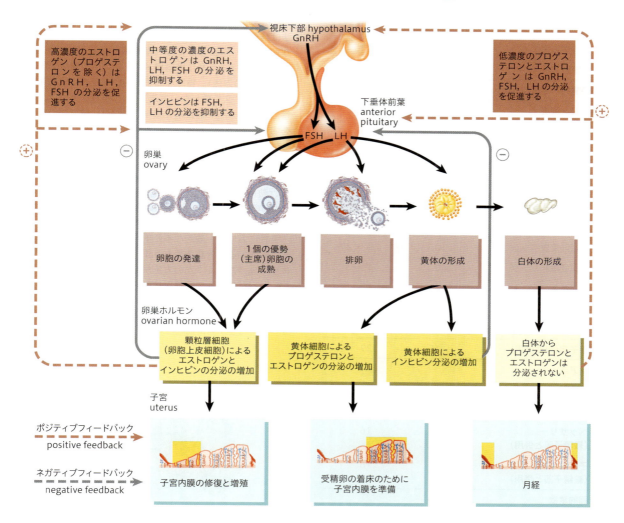

Q エストロゲンとプロゲステロンの濃度が低下したときに GnRH の分泌が促進される。これはポジティブフィードバックの効果あるいはネガティブフィードバックの効果のどちらか？ またそれはなぜか？

　プロゲスチンは子宮頸管粘液を増やし，精子の子宮内進入を困難にする。**プロゲスチン単体ピル progestin-only pill** は子宮頸管粘液を増やし，子宮での受精卵着床を阻止しようとするが，排卵を抑制することはない。

　経口避妊薬は避妊に役立つ以外に，月経周期の長さの調節や月経血量の減少（そのため貧血のリスクが低下する）に有効である。ピルは子宮内膜癌や卵巣癌の防止にも役立ち，子宮内膜症のリスクを軽減させる。しかし，経口避妊薬は血液凝固異常，脳血管障害，偏頭痛，高血圧，肝機能障害，心疾患などの病歴をもつ女性には推奨されない。喫煙者でピルを服用する女性は，非喫煙のピル使用者よりも心臓発作または狭心症を引き起こす確率がはるかに高い。喫煙者は禁煙するか，ほかの避妊法を用いるべきである。

　以下にさまざまな種類の**経口 oral** ホルモン療法をあげる。

- **混合ピル**：**混合ピル combined pill** はプロゲスチンとエストロゲンを含有し，通常１日１回３週間服用することで妊娠を防ぎ，月経周期を調節する。4

表 23.1　さまざまな避妊法の失敗率

方法	失敗率(%)* 完全に行使†	失敗率(%)* 通常使用
完全な禁欲	0	0
外科的不妊手術		
精管切除術	0.10	0.15
卵管結紮術	0.5	0.5
非侵襲的不妊法(Essure)®	0.2	0.2
ホルモン療法		
経口避妊薬		
混合ピル(Yasmin®)	0.3	1～2
長期経口避妊薬(Seasonal®)	0.3	1～2
ミニピル(Micronor®)	0.5	2
非経口避妊薬		
避妊皮膚パッチ	0.1	1～2
避妊用腟リング	0.1	1～2
緊急避妊薬	25	25
ホルモン注射	0.3	1～2
子宮内避妊具(Copper T380A®)	0.6	0.8
殺精子薬(単独使用)	15	29
バリア法		
男性用コンドーム	2	15
腟パウチ	5	21
ペッサリー(殺精子薬と併用)	6	16
子宮頸キャップ(殺精子薬と併用)	9	16
計画的禁欲		
リズム法	9	25
徴候体温法(STM)	2	20
避妊なし	85	85

* 使用した最初の年に予期せぬ妊娠をした女性の百分率として定義。
† 方法を正しく堅実に使用しているときの失敗率。

臨床関連事項

外科的不妊手術

不妊手術 sterilization は個人的にこれから後の生殖能力をなくす手段である。男性における不妊手術の主な方法は**精管切除術（精管切断術）vasectomy**（-ectomy＝切り取る）で，両側の精管の一部を取り除く方法である。精管に到達するために外科用メスを用いて皮膚を切開したり（通常の方法），特殊な鉗子を用いて皮膚に穴を開けたりする（メスを使わない方法）。次に精管を見つけ，精管ごとに2カ所を縫合糸で縛り（結紮し），結紮間の精管を切り取る。術後も精子の産生は精巣で続くが，精子はもはや体外に出ることができず，変性して貪食によって壊される。血管を切らないので，テストステロンの血中濃度は正常値に保たれ，これにより精管切除術は性欲や性行動に影響を及ぼさない。手術が成功すれば，ほぼ100％の効果がある。修復手術も可能であるが，妊孕性を得ることができるのは30～40％程度である。

女性における一般的な不妊手術は，両側の卵管を結紮して切断する**卵管結紮術 tubal ligation** である。これには少し違ったいくつかの方法がある。"クリップ"または"クランプ"によって卵管を挟む方法，卵管を結紮するかさらに切断する方法，そして時には焼き切る方法などである。いずれの方法でも二次卵母細胞は卵管を通過できず，精子は二次卵母細胞に到達できない。

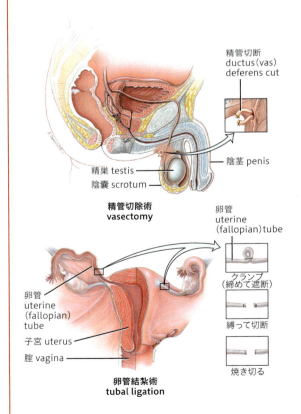

週目に服用するピルには活性がなく（ホルモンは含まれておらず），月経が誘発される。ヤスミン Yasmin® がある。

- **長期経口避妊薬**：長期経口避妊薬 extended cycle birth control pill はプロゲスチンとエストロゲンを含有し，12週からなる3カ月周期の間1日1回服用し，次の1週間は活性のないピルを服用する。13週中に月経が起る。シーズナル Seasonale® がある。
- **ミニピル**：ミニピル mini pill は低濃度のプロゲスチンのみを含有し，1カ月間毎日服用する。マイクロノア Micronor® がある。

非経口 non-oral のホルモン療法もあり，以下のようである。

- **避妊皮膚パッチによる避妊**：避妊皮膚パッチ contraceptive skin patch（オーソエブラ Ortho Evra®）は，プロゲステロンとエストロゲンを含有し，3週間，週に一度皮膚（上腕外側部，背部，下腹部，または殿部）に貼る。1週間後にパッチをはがし，新しいパッチを別の場所に貼り替える。4週目にはパッチを使用しない。
- **避妊用腟リング**：直径5cmほどの柔軟性のあるドーナツ形をした避妊用腟リング vaginal contraceptive ring（ニュバリング NuvaRing®）はエストロゲンとプロゲステロンを含有し，女性が自分で腟内に挿入する。妊娠を防ぐために3週間入れたままにしておき，次の1週間は外して月経を起す。
- **緊急避妊薬**：緊急避妊薬 emergency contraception（EC）はモーニングアフターピル morning-after pill として知られ，プロゲスチンとエストロゲンの両方あるいはプロゲスチン単独を含有し，避妊をしないで性交した後に妊娠を防ぐために使用される。ECピルに含まれる比較的高濃度のプロゲスチンとエストロゲンは，FSHとLHの分泌を抑制する。これらの性腺刺激ホルモン（ゴナドトロピン）の刺激効果がなくなることで，卵巣は自らのエストロゲンとプロゲステロンの分泌を停止する。次に，エストロゲンとプロゲステロンの血中濃度が低下することで子宮内膜の脱落を引き起し，それによって着床が阻止される。避妊をしないで性交渉をした後はできるだけ早く，しかも72時間以内に第1錠を服用する。第2錠は第1錠の服用後，12時間の間隔を置いて服用する。これによって，通常の避妊ピルと同様に作用する。
- **ホルモン注射**：ホルモン注射 hormone injection は，ヘルスケア専門家（訳注：日本の医療機関にはこのような職種は確立されておらず，医師が行う）が3カ月に1回の割合でデポ・プロベラ Depo-provera® などのプロゲスチンを筋肉注射する。

子宮内避妊具 子宮内避妊具 intrauterine device（IUD）はプラスチック，銅，またはステンレス製の小さなもので，ヘルスケア専門家（医師）が子宮腔に挿入する。IUDは，精子が卵管内へ進入するのを阻止することで受精が起らないようにする。今日の米国でもっとも一般的に使用されているIUDはカッパーT380A Copper T380A® で，最高10年間の使用が認められており，卵管結紮に匹敵するほど長期間の効果がある。リングが抜け落ちたり，出血または不快感があるため，使用できない女性もいる。

殺精子薬 殺精子物質または**殺精子薬** spermicide を含有するさまざまな泡沫剤，クリーム，ゼリー，坐薬，洗浄液は精子が腟や子宮頸で生存するのを困難にし，また処方箋なしで入手できる。これらを性交の前に腟内に入れる。もっとも汎用されている殺精子薬はノノキシノール-9 nonoxynol-9 で，精子の細胞膜を破壊して死滅させる。殺精子薬は，男性用コンドーム，腟パウチ，ペッサリーまたは子宮頸キャップなどのバリア法と併用すればより効果があがる。

バリア法 バリア法 barrier method は物理的バリアを用いて，精子が子宮腔や卵管に到達することを防ぐ避妊法である。避妊効果に加えて，ある種のバリア法（男性用コンドームと腟パウチ）は，エイズのような性感染症（STD）をある程度防ぐ効果もある。これに対し，経口避妊薬やIUDにはこのような防御効果はない。バリア法には男性用コンドーム，腟パウチ，ペッサリー，子宮頸キャップなどがある。

男性用コンドーム male condom は，精子が女性生殖路に滞らないように陰茎を覆う無孔性のラテックス製である。**腟パウチ** vaginal pouch は**女性用コンドーム** female condom とも呼ばれ，精子が子宮に入れないようにつくられている。腟パウチはポリウレタン製の鞘で連結した柔らかい二つの輪でできている。片方の輪は鞘の内側にあって子宮頸をぴったり覆うように挿入される。他方の輪が腟の外に残って女性外性器を覆う。**ペッサリー** diaphragm はゴム製でドーム状の構造をして子宮頸をぴったり覆うもので，殺精子薬と併用して使われる。ペッサリーは性交の6時間前までに女性が挿入する。ペッサリーは大部分の精子が子宮頸に入り込むのを阻止し，殺精子薬が通り抜けた精子のほとんどを死滅させる。ペッサリーはある種のSTDのリスクを低下させることができるが，

腔が露出しているため，HIV感染に対しては完全に防止できない。**子宮頸キャップ cervical cap** はペッサリーと似ているが，より小さく硬い。キャップは子宮頸をぴったりと覆うようにヘルスケア専門家（医師）に正しく装着してもらう必要がある。殺精子薬は子宮頸キャップと併用する。

計画的禁欲 女性の性周期に起る生理学的変化の知識があれば，カップルは妊娠可能な日に性交を控えるか，子どもを欲しいと思うならば妊娠可能日に計画的に性行為を行うか，いずれかの選択ができる。月経周期が正常かつ規則的な女性では，こうした生理学的知識が排卵日を予測するのに役立つ。

生理学的見地に基づいた最初の方法は1930年代に開発され，**リズム法 rhythm method** として知られている。各性周期の中で排卵が起りそうな日に性交を控えるというものである。この時期（排卵前の3日間，排卵日，排卵後の3日間）の間，性行為を控える。多くの女性では性周期が不規則なので，リズム法による避妊の効果は乏しい。

別の方式には**徴候体温法 sympto-thermal method (STM)** という生殖能力自己チェック法に基づいた自然な家族計画の方法があり，妊娠を避けるか望むかいずれの場合にも役立つ。STMは正常に変動する生理的指標を利用する方法で，基礎体温の上昇や生卵の白身のような透明で粘りのある多量の子宮頸管粘液分泌がみられる徴候を排卵期と特定する。女性の生殖能力を左右するホルモン変化を反映した，これらの指標はいつ受精するのか，しないのかを知る二重点検システムとなっている。妊娠を望まないのであれば，妊娠可能期には性行為を避けるようにする。STM利用者はこれらの変化を観察して表を作成し，それを正確に解釈することが基本である。

流　産

流産 abortion は通常，妊娠20週以前の早期に受胎物が子宮から排除されることをさす。流産は**自発的 spontaneous**（自然に起る；**自然流産 miscarriage** とも呼ぶ）または**誘発的 induced**（故意に実施される）な場合がある。

人工流産（人工妊娠中絶）にはさまざまなタイプがある。その一つに，RU486とも呼ばれる**ミフェプリストン mifepristoneR**を含む薬がある。妊娠9週までに限って用いられるホルモンで，ミソプロストール（プロスタグランジンの一種）を併用する。ミフェプリストンは抗プロゲスチン薬であり，プロゲステロン受容体に結合し，競合的にプロゲステロンの作用を阻害する。プロゲステロンは子宮内膜に着床の準備をさせ，着床後の子宮内膜を維持する。妊娠中にプロゲステロン濃度が下がるか，あるいはプロゲステロンの作用が阻止されると，月経が起り，胚子は子宮内膜とともに剥離する。ミフェプリストンを服用して12時間以内に子宮内膜の変性が始まり，72時間以内に剥離が始まる。子宮の収縮を刺激するミソプロストールは，子宮内膜の排出を助成するようにミフェプリストン服用後に投与する。

人工流産の別のタイプは**真空吸引法 vacuum aspiration**（吸引）と呼ばれ，妊娠16週までに実施される。小さくて柔軟性のある管を吸引装置に装着し，腔から子宮に挿入する。その後，胚子または胎児，胎盤，子宮内膜を吸引によって取り除く。妊娠の13週から16週の間では，**掻爬 dilation and evacuation** と呼ばれる手技が一般的に用いられる。子宮頸を拡張させた後，吸引と鉗子を用いて胎児，胎盤，子宮内膜を取り除く。妊娠16週から24週にかけての**後期流産 late-stage abortion** では掻爬法に似た外科的手法や，非侵襲的に流産を引き起す生理食塩水や薬剤が用いられる。薬剤や生理食塩水は腟坐薬，点滴静注または子宮を通して羊水への子宮内注入によって分娩を誘発する。

> **チェックポイント**
> 14．経口避妊薬はどのようにして妊娠の可能性を低下させるのか？
> 15．避妊の方法の中に性感染症を防止するものと防止しないものがあるのはなぜか？

23.5　加齢と生殖器系

目　標

・生殖器系における加齢の影響を述べる。

生後10年間の生殖器系は未熟な状態のままである。10歳頃にホルモンの影響を受けた変化が男女ともに起る。**思春期 puberty**（＝成熟年齢）は二次性徴の発達が始まり，生殖能力をもつようになる時期である。思春期の始まりは，GnRHの突発的な分泌が引き金となって起るLHとFSHの突発的な大量分泌によって特徴づけられる。GnRH分泌を引き起す刺激物質は未だ不明であるが，レプチンというホルモンの役割が明らかにされつつある。思春期直前にレプチン濃度は脂肪組織量の増加に比例して上昇する。生殖機能を開始するために，長期使用可能なエネルギー貯蔵（脂肪組織内トリグリセリド）が十分に備わったことを視床下

部に知らせるシグナルがレプチンなのかもしれない。

　女性では，初めての月経である**初潮** menarche から月経が永久に停止する**閉経** menopause までの間，性周期は通常月に一度ずつ起る。したがって，初潮から閉経までの間が女性生殖器系における生殖可能な限られた期間となる。40〜50歳の間に，残りの予備の卵胞はなくなってしまう。その結果，卵巣はホルモン刺激に対する反応性が次第に弱まる。下垂体前葉からFSHとLHが大量に分泌されるにもかかわらず，エストロゲンの産生は減少することになる。多くの女性は顔面紅潮や多汗を経験するが，これはGnRHの大量放出に呼応する。閉経期に起るほかの症状は頭痛，抜け毛，筋肉痛，腟の乾燥，不眠症，うつ状態，体重増加，情緒不安定などである。卵巣，卵管，子宮，腟，外部生殖器，乳房などで，ある程度萎縮が閉経後の女性に起る。エストロゲンの欠乏により，ほとんどの女性は閉経後に骨に含まれるミネラル濃度(骨密度)が低下する。性的欲望(性欲)の低下がみられないのは，副腎のアンドロゲンによって維持されているからである。子宮癌発症のリスクは65歳頃にピークとなるが，子宮頸癌の発症はより若い女性に多い。

　男性の場合，生殖機能の低下は女性よりもはるかに軽微である。健康な男性はしばしば80歳代または90歳代でも生殖能力を保持している。55歳前後になるとテストステロンの合成が減少し，筋力低下，精子の活力低下，性欲減退がみられる。しかし，老年になっても数多くの精子が存在していることがある。

　60歳以上の男性のおよそ3分の1では，前立腺が正常サイズの2〜4倍の大きさに肥大する。これを**良性前立腺肥大症** benign prostatic hyperplasia(BPH)といい，頻尿，寝小便，排尿困難，尿の流れが弱くなる，排尿後に尿が漏れる，残尿感などの症状を特徴とする。

チェックポイント
16．思春期には男性と女性でどのような変化が起るのか？ **17．**初潮と閉経という用語は何を意味するのか？

・・・

　生殖器系が身体のほかの器官系のホメオスタシスの維持に多くの点で寄与していることを認識するために，次ページの"ホメオスタシスの観点から"を参照しなさい。次の24章では，妊娠期間に起る主な出来事を学び，遺伝学(遺伝)が子どもの発達にどのような役割を演じているのかを知ろう。

ホメオスタシスの観点から

外皮系
- アンドロゲンは体毛の成長を促す。
- エストロゲンは乳房，腹部，殿部への脂肪の沈着を刺激する。
- 乳腺は乳汁を産生する。
- 皮膚は妊娠中に胎児の発育によって伸展する。

骨格系
- アンドロゲンとエストロゲンは骨格系の骨の成長と維持を促す。

筋系
- アンドロゲンは骨格筋の成長を促す。

神経系
- アンドロゲンは性的行動（性欲）に影響する。
- エストロゲンは男性の脳におけるある部位の発達にかかわっていると考えられる。

内分泌系
- テストステロンとエストロゲンは視床下部と下垂体前葉にフィードバックによる効果を及ぼす。

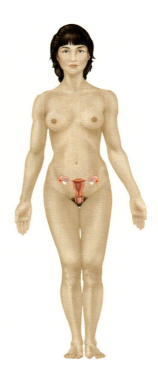

生殖器系の役割

全身の器官系との関連
- 男性および女性の生殖器系は生殖子（卵子と精子）を産生し，これらは受精して胚子，胎児となる。これらには分裂して分化し，からだのすべての系の器官を構成するようになる細胞が含まれる。

心臓血管系
- エストロゲンは血中コレステロールを減少させ，50歳以下の女性における冠状動脈疾患のリスクを低下させると考えられる。

リンパ系と免疫系
- 精液中に抗菌剤様の物質が存在することと，腟液が酸性を呈することは，生殖路における病原菌に対する先天性免疫として役立つ。

呼吸器系
- 性的興奮は呼吸の頻度と深さを増大させる。

消化器系
- 妊娠中の胎児は消化管を圧迫するので，胸やけや便秘になりやすくなる。

泌尿器系
- 男性では，前立腺と陰茎を通って伸びる尿道が尿と精液の共通の通路となる。

よくみられる病気

男性の生殖器系疾患

精巣癌 精巣癌 testicular cancer は 20〜35 歳の男性にみられるもっとも一般的な癌である。精巣癌の 95％以上は精細管内の精子形成細胞に由来する。精巣癌の早期の徴候は精巣内の腫瘤で、しばしば精巣の重量感または下腹部の鈍痛を伴うことがある。しかし通常、痛みは起らない。精巣癌を早期に発見する機会を増やすために、男性は全員、定期的に精巣の自己検診を行うべきである。自己検診は 10 代の頃から開始し、その後も月に一度は必要である。温かい風呂やシャワーの後（陰嚢の皮膚が弛緩するとき）、左右の精巣を以下の要領で調べる。すなわち、精巣を握り、親指と人差し指の間でていねいに転がすように動かす。そして、しこり、腫大、硬さ、その他の変化を調べる。しこりまたはその他の変化を発見したら、できるだけ早く医師に相談すべきである。

前立腺疾患 前立腺は尿道の一部を囲んでいるため、前立腺の種々の感染症、肥大または腫瘍が生じると尿の流出が妨げられる。前立腺の急性および慢性感染症は成人男性で普通にみられ、しばしば尿道炎を伴う。**急性前立腺炎 acute prostatitis** では前立腺が腫れて圧痛を生じる。**慢性前立腺炎 chronic prostatitis** は中年およびそれ以降の男性でもっとも一般的な慢性感染症の一つである。診察すると、前立腺の肥大、軟化、圧痛を認め、表面が凸凹している。

前立腺癌 prostate cancer は米国人男性の癌による死因のトップである。血液検査で血中の前立腺特異抗原（PSA）の値を測定する。前立腺上皮細胞でのみ産生される PSA の量は前立腺の肥大に伴って増加し、感染や良性肥大または前立腺癌の指標となることがある。40 歳以上の男性は年 1 回の検査が必要である。医師が直腸に指を入れて前立腺を触診する**直腸指診 digital rectal exam** を行う。多くの医師も、50 歳以上の男性に年 1 回の PSA 検査を勧めている。前立腺癌の治療には外科手術、放射線療法、ホルモン療法、化学療法などがある。多くの前立腺癌はゆっくり進行するので、70 歳以上の男性で小さな腫瘍の場合は、治療を行う前に"慎重な経過観察"を勧める泌尿器科医もいる。

女性の生殖器系疾患

月経前症候群 月経前症候群 premenstrual syndrome（PMS）は身体的、情緒的に激しい苦痛を伴う周期性障害である。女性の性周期の排卵後期に現れ、月経が始まると症状は劇的に消滅する。徴候と症状は個人差が大きく、浮腫、体重増加、乳房が大きくなり圧痛がある、腹部膨満、背部痛、関節痛、便秘、皮疹、疲労感と無気力、眠気、うつや不安、いらいら感、情緒不安定、頭痛、協調性低下やわがままな状況になったり、甘いものや塩辛い食物を求めるようになったりする。PMS の原因は不明である。女性によっては、規則的な運動を行う；カフェイン、塩、アルコール類の摂取を避ける；複合糖質の含有量が高く、タンパク質の少ない食事をする；ことによって症状が改善する。

乳 癌 米国では 8 人に 1 人の女性が**乳癌 breast cancer** になる可能性に直面している。乳癌は肺癌についで、米国人女性の癌死亡率で 2 番目に高い原因となっている。まれではあるが、男性でも乳癌は発症する。30 歳以下の女性での乳癌発症は少なく、発症率は閉経後に急上昇する。米国で毎年乳癌と診断される約 18 万人のうちの約 5％は、とくに若年で発症したケースで、遺伝性の遺伝子変異（DNA の変化）が原因である。現在のところ、研究者たちは乳癌への関与が疑われる 2 種類の遺伝子 *BRCA1*（breast cancer 1）と *BRCA2* を同定している。*BRCA1* の変異は卵巣癌発症のリスクも高める。また、*p53* 遺伝子の変異は男女の乳癌発症のリスクを高め、さらにアンドロゲン受容体遺伝子の変異は男性の乳癌発症と関連する。乳癌はかなり進行しても、通常痛みを伴わないので、しこり（腫瘤）に気づいたら、その大きさにかかわらず直ちに医師に相談すべきである。乳房自己検診やマンモグラムによる早期発見が生存率を高める最良の手段である。

直径 1 cm 以下の腫瘍を発見するもっとも効果的な方法は、超高感度の X 線フィルムを用いる**マンモグラフィー mammography**（-graphy ＝記録すること）である。乳房の画像は**マンモグラム mammogram** と呼ばれ、2 枚の平板を用いて乳房を片方ずつ挟み圧迫することで最良の像が得られる。乳房の異常を評価するための補助的な手段として**超音波 ultrasound** を使う方法がある。超音波では直径 1 cm より小さい腫瘍を見つけることはできない（マンモグラフィーでは可能）。腫瘍の塊が液体で充満した嚢胞状の良性なのか、あるいは固形（悪性の可能性がある）腫瘍なのかを診断するためには有用である。

乳癌発生のリスクを高める因子には、（1）乳癌の家族歴とくに母親または姉妹、（2）出産経験なしまたは初産が 35 歳以降、（3）一側に乳癌罹患歴、（4）X 線のような電離性放射線の被曝、（5）過度のアルコール摂取、（6）喫煙、などがある。

米国癌協会は、可能な限り早期に乳癌を発見する方法として以下の手順を推奨している。

- 20 歳以上のすべての女性は月 1 回の乳房自己検診の習慣を身につけること。
- 20〜40 歳の女性は 3 年に一度、40 歳を超えた女性は毎年、医師による乳房検査を受けること。
- 35〜39 歳の女性は後に比較できるように、マンモグラフィー検査を受けておくこと（基準マンモグラム）。
- 無症状の女性でも 40 歳以降は毎年、マンモグラフィー検査を受けること。
- 乳癌歴や明確な乳癌の家族歴またはほかの乳癌リスク因子をもつ女性は、何歳であってもマンモグラフィー検査の実施計画について医師と相談すること。

2009年11月，米国政府の予防医療サービス専門作業部会（USPSTF）は乳癌発症の通常のリスクをもつ女性に対する乳癌のスクリーニング検査について一連の勧告を行った。勧告は，乳癌の症状や徴候がない女性，乳癌のリスクが高くない女性（例えば，乳癌の家族歴がない場合）が対象となる。勧告内容を以下に示す。

- 50～74歳の女性は2年ごとに，マンモグラフィー検査を受けること。
- 75歳以上の女性はマンモグラフィー検査を受けなくてよい。
- 乳房の自己検診は必要ではない。

乳癌の治療にはホルモン療法，化学療法，放射線療法，**腫瘍摘出術 lumpectomy**（腫瘍と周辺組織の摘出），根治的乳房切除術またはその変法，あるいはこれら治療法を組み合せた方法などがある。**根治的乳房切除術 radical mastectomy**（mast- =乳房）は乳房の病巣とともにその下の胸筋と腋窩リンパ節を切除する（癌細胞の転移は通常，リンパ管や血管を介して起るのでリンパ節を切除する）。放射線療法と化学療法は迷入した癌細胞をすべて破壊するため，外科手術の後に行われる。

さまざまな種類の化学療法薬は病状の再発や進行のリスクを下げるために使用される。タモキシフェン（ノルバデックス Nolvatex®）はエストロゲン拮抗薬でエストロゲン受容体に結合し作用を抑え，乳癌細胞へのエストロゲンの影響を減少させる。タモキシフェンは20年間にわたって使用され，癌の再発抑制効果を十分に発揮してきた。ハーセプチン Herceptin®は乳癌細胞の表面抗原に対するモノクローナル抗体を利用した薬剤で，腫瘍の退縮や病状進行を遅らせる効果がある。最近の臨床治験の初期結果から，エストロゲンの合成に必要な最終的酵素であるアロマターゼの抑制薬である新しい薬剤の，フェマラ Femara®とアミミデクス Amimidex®は，タモキシフェンよりも再発率が低いと報告されている。最後に，乳癌**再発防止 prevention**のために，タモキシフェンとエビスタ Evista®（ラロキシフェン raloxifen）の二つの薬剤が市販されていることを付記する。ラロキシフェンは乳房や子宮のエストロゲン受容体をブロックするが，興味深いことに，骨のストロゲン受容体を活性化する。したがって，ラロキシフェンは乳房や子宮癌の発症の危険性を考慮することなく，骨粗鬆症の治療に効果的に用いることができる。

卵巣癌と子宮頸癌

卵巣癌 ovarian cancerは女性の癌の中で6番目に多い癌であるが，卵巣癌が転移する（広がる）前に発見することが難しいため，すべての婦人科領域の悪性腫瘍（乳癌を除く）においてもっとも死亡率が高い。卵巣癌に関係する危険因子は，年齢（通常50歳以上）；人種（白人に多い）；卵巣癌の家族歴；40年以上の活発な排卵；未出産または初めての妊娠が30歳以上；高脂肪，低線維，ビタミンA不足の食事；アスベストやタルクへの長期にわたる曝露などが挙げられる。早期卵巣癌では自覚症状がないが，症状があっても腹部不快感，胸やけ，吐き気，食欲不振，鼓腸や膨満感といったごく普通にみられる症状を伴ったものである。後期卵巣癌の徴候と症状は腹部膨満，腹部や骨盤の痛み，持続的な胃腸障害，尿路障害，月経不順，月経時の大量出血，などである。

子宮頸癌 cervical cancerは子宮頸部の癌で，米国では1年に約12,000人の女性が罹患し，年間約4,000人が死亡する。子宮頸癌は頸部細胞（通常，扁平細胞）の数と形の変化と，増殖が起きた**子宮頸部異形成 cervical dysplasia**と呼ばれる前癌状態から始まる。これらの異常細胞は，時に正常な状態に戻ることもあり，時に癌に進行し，通常ゆっくり大きくなることもある。多くの場合，子宮頸癌は早期の段階にパップ検査 Pap test（4.2節の"臨床関連事項：パパニコロー検査"参照）で診断できる。ほとんどすべての子宮頸癌は数種類のヒトパピローマウイルス（HPV）によって引き起され，ほかのタイプは生殖器の疣贅（後述）が原因となる。現在，約2,000万の米国人がHPVに感染していると推定されている。多くは免疫反応を介して体内からHPVを撃退しているが，時に数年をへて癌に進展することがある。HPVは腟や肛門そしてオーラルセックスを介して感染し，罹患したパートナーには徴候や症状が現れないことがある。子宮頸癌の徴候と症状は，腟からの不正出血（月経時以外），性交後出血，閉経後出血や血液が混じった持続的なおりもの，などである。HPV感染のリスクを下げる方法には，危険な性行為（無防備なセックス，若年時のセックス，多数の性交渉パートナー，高リスクの性行為に従事するパートナー）を避けること，高い免疫力，HPVワクチン接種が挙げられる。2種のワクチン（ガーダシル Gardasil®とサーベリックス Ceravix®）は多くの子宮頸癌の原因となるHPVのタイプに対するもので，男女に有効である。子宮頸癌の治療オプションには**高周波円錐切除術 loop electrosurgical excision procedure（LEEP）**，異常細胞を凍結する**冷凍療法 cryotherapy**，異常組織を焼く**レーザー療法 laser therapy**，**子宮摘出術 hysterectomy**，**広汎性子宮全摘出術 radical hysterectomy**，**骨盤臓器全摘出術 pelvic extenaration**，**放射線治療 radiation**，**化学療法 chemotherapy**などが挙げられる。

外陰腟カンジダ症

カンジダ・アルビカンス Candida albicansは通常，胃腸および尿生殖路の粘膜で増殖する酵母様真菌である。この菌が原因で発症するのが**外陰腟カンジダ症 vulvovaginal candidiasis**で，腟の炎症である腟炎 vaginitisが生じる。カンジダ症は一般に酵母感染といわれ，局所の激しいかゆみ；どろどろの黄色いチーズ様分泌物；酵母様の臭気；痛みを特徴とする。この疾患は女性の約75%が少なくとも一度は経験しており，通常は別目的の抗菌薬治療後に真菌が増殖した結果として起る。この疾患の素因として，経口避妊薬やコルチゾン様薬剤の服用，妊娠，糖尿病などが挙げられる。

性感染症

性感染症 sexually transmitted diseases（STD）は性行為によって広まる疾患である。エイズやB型肝炎は性感染症であるが，ほかの機序で罹患することもあり，それぞれ17章と19章で解説されている。

クラミジア

クラミジア chlamydia は クラミジア・トラコマチス菌 *Chlamydia trachomatis*（chlamy- ＝マント）によって起る性感染症（STD）である。この特異なバクテリアは細胞外では増殖することができず，宿主細胞内で自身を"覆い隠して"分裂増殖する。現在，クラミジアは米国でもっとも流行している性感染症である。多くの場合，初感染では無症状なので臨床的に診断するのが難しい。男性では主に尿道炎を起し，透明な分泌物，排尿時の灼熱感や痛み，頻尿が生じる。治療をしなければ精巣上体の炎症を引き起すことがあり，男性不妊の原因となる。クラミジアに感染した女性の70％は無症状であるが，クラミジアは骨盤内炎症性疾患の原因のトップである。卵管が炎症を起すこともあり，卵管内に瘢痕形成を生じることで不妊症のリスクが高まる。

トリコモナス症

トリコモナス症 trichomoniasis はよくみかける性感染症（STD）で，もっとも治癒しやすいと考えられている。原因は原虫の**腟トリコモナス** *trichomonas vaginalis* で，普通に女性の腟や男性の尿道に生息している。感染した人の多くは徴候や症状を示さない。症状がある場合は，女性ではかゆみ，灼熱感，女性器の痛み，排尿時の不快感，異臭を伴うおりものなどがみられる。男性では陰茎のかゆみや痛み，排尿後または射精後の灼熱感，少量の膿などがみられる。淋病のような，ほかの性感染症に罹っているとトリコモナス症を発症する危険度が増加する。

淋　病

淋病 gonorrhea（俗語"the clap"）は**淋菌** *Neisseria gonorrhoeae* によって生じる。感染している粘膜から放出される分泌液が感染源で，性交時または胎児の産道通過時に感染する。男性は通常，多量の膿の排出と排尿痛を伴う尿道炎を起す。女性では，必ず腟が感染し，膿が出る。感染とそれに続く炎症が腟から子宮，卵管そして骨盤腔へ波及することがある。毎年，何千人という女性が淋病に感染し，卵管を塞ぐような瘢痕形成を来し不妊症を呈する。産道に存在する淋菌が新生児の眼に感染すれば，失明する可能性がある。

梅　毒

梅毒 syphilis は**梅毒トレポネーマ** *Treponema pallidum* によって起り，性行為や輸血を介して感染し，また胎盤を介して胎児も感染する。梅毒はいくつかの段階をへて病状が進行する。**第1期** primary stage では，接触部位の**下疳** chancre と呼ばれる痛みのない開放性潰瘍が主な徴候である。この下疳は1〜5週以内に治癒する。6〜24週後に生ずる皮膚の発疹，発熱，関節および筋肉の痛みなどの徴候と症状は全身の主要器官系すべてに感染が広がる**第2期** secondary stage の到来を告げることになる。臓器変性の徴候が現れると**第3期** tertiary stage である。第3期で神経系に波及すると**神経梅毒** neurosyphilis と呼ばれる。脳の運動野が広範囲に障害されるにつれて，患者は排尿および排便動作の調節ができなくなり，結局は寝たきりになって自ら食事することさえできなくなる。大脳皮質の障害は記憶喪失や，刺激過敏性から幻覚症状といったさまざまな人格変化をもたらす。

陰部ヘルペス

陰部ヘルペス genital herpes はⅡ型単純ヘルペスウイルス（HSV-2）が原因で起り，男性の包皮，亀頭，陰茎，女性の外性器あるいは腟上部まで痛みを伴う水疱を生じる。ほとんどの患者では水疱は消失したり，再び現れたりするが，ウイルスそのものは体内に残存する。治療法はない。関連ウイルスのⅠ型単純ヘルペスウイルス（HSV-1）はSTDではないが，非開放性の潰瘍を口腔や口唇に形成する。感染の典型例では，反復性の症状が年に数回出現する。

陰部疣贅

陰部疣贅 genital wart の典型は，単一または複数の隆起物として陰部に現れ，ヒトパピローマウイルス（HPV）の数種類が原因となる。病巣は平坦または膨隆，さまざまな大きさ，または指状突起をもったカリフラワー様の形状を示す。米国では，年間100万人近くが陰部疣贅に罹患している。感染しているパートナーがこの病気の徴候や症状を示さない場合でも，性的に感染し，陰部疣贅は性的接触後の数週間または数カ月で現れる。多くの例では，免疫系がHPVを防御し，感染細胞は2年以内に正常に戻る。免疫が無効な場合は病巣が現れる。局所性ゲルが時に有効であるが，陰部疣贅の治療法はない。前述したように，ワクチンガーダシル Gardasil® が多くの陰部疣贅防止に役立つ。

医学用語と症状

去勢 castration（＝切り取ること）　性腺を摘出除去，不活性化あるいは破壊すること。去勢は通常，精巣を摘出する場合にのみ用いる。

月経過多 menorrhagia（meno- ＝月経；-rhage ＝前へ破裂すること）　極端に長びくか，量が多量な月経期。月経周期を制御するホルモンの乱れ，骨盤感染，薬剤（抗凝固薬），子宮筋腫，子宮内膜炎，子宮内避妊具の使用などで起ることがある。

月経困難症 dysmenorrhea（dys- ＝困難な，または痛みのある）　痛みの伴う月経；この用語は通常，女性が月に1日以上，普通の生活ができないくらいの重い月経症状を呈する場合に用いられる。子宮腫瘍，卵巣嚢胞，骨盤内炎症性疾患，子宮内避妊具が原因で生じることがある。

骨盤内炎症性疾患 pelvic inflammatory disease（PID）　骨盤内器官とくに子宮，卵管，卵巣での広範囲な細菌感染の総称で，骨盤のうずき，腰背部の痛み，腹痛，尿道炎などが特徴である。しばしばPIDの初期症状は月経直後に起る。感染が広がり症状が進むと，生殖器官の有痛性の膿瘍を伴って発熱する。

コルポスコピー colposcopy（colpo- ＝腟，-scopy ＝みること）　倍率5〜50倍の拡大レンズと光源を装備したコルポスコピーを用いて腟や子宮頸を視診する。一般に，パップスメアで異常が現れた場合に実施する。

子宮筋腫 fibroids（fibro- ＝線維；-eidos ＝類似）　筋組織と

線維組織からなる子宮筋層の非癌性腫瘍。その増殖は高濃度のエストロゲンと関連している。思春期前には発生せず，通常閉経後に増殖は止まる。症状は月経時の不正出血，骨盤内の痛みと圧迫感などである。
子宮頸管内膜搔爬 endocervical curettage（curette＝削り道具）　子宮頸を広げ，子宮内膜を搔爬器と呼ばれるスプーン状の形をした機器で削り取る処置である；一般にD＆Cと呼ばれる（拡張 dilation の頭文字Dと搔爬 curettage の頭文字C）。
性交痛 dyspareunia（dys-＝困難な，para＝〜のそばに，-enue＝ベッド）　性交中に起る痛み。陰部または骨盤腔に生じる痛みで，潤滑性の不足，炎症，感染，ペッサリーまたは子宮頸キャップの不適切な使用，子宮内膜症，骨盤内炎症性疾患，骨盤腫瘍，子宮靱帯のゆるみなどが原因となる。
恥垢 smegma　主に剝がれ落ちた上皮細胞で構成される分泌物で，外性器周辺とくに男性の包皮下に多くみられる。

パパニコロー検査 Papanicolaou test（パップスメア Pap smear）　子宮頸またはその周囲の腟の一部から綿棒を使って採取した細胞を顕微鏡で調べて子宮癌を発見するための検査。悪性細胞は特徴的な形態をもつので，症状が出る前でも診断が可能である。
無月経 amenorrhea（a-＝なしで；men-＝月；-rrhea＝流れ）　月経がないこと。ホルモンバランスの変調，肥満，極端な体重減少，過酷な運動トレーニング時に起るような体脂肪の極端な減少，などによって起ることがある。
卵管摘出術 salpingectomy（salpingo＝管）　卵管の摘出。
卵巣摘出術 oophorectomy（oophor-＝卵を生むこと）　卵巣の摘出。
卵巣囊腫 ovarian cyst　卵巣腫瘍のもっとも一般的なものであり，腫瘍内には液体で満たされた卵胞や黄体が存在し成長を続ける。

23章のまとめ

はじめに

1. 有性生殖 sexual reproduction とは，配偶子 gamete（卵細胞と精子）の融合によって子孫をつくる過程をいう。
2. 生殖器官は**性腺 gonad**（配偶子を産生する），**精路 duct**（配偶子を輸送し貯蔵する），**付属生殖腺 accessory sex gland**（生殖細胞を維持する物質を産生する），**支持構造 supporting structure** に区分される。

23.1　男性生殖器系

1. **男性生殖器系 male reproductive system** には精巣，精巣上体，精管，射精管，尿道，精囊，前立腺，尿道球腺（カウパー腺），陰囊，陰茎がある。
2. **陰囊 scrotum** は精巣の温度を保持し調節する袋である。男性の性腺である**精巣 testis** は陰囊内にある卵形をした器官で，**精子 sperm cell** が発生する**精細管 seminiferous tubule** を含む。**支持細胞 sustentacular cell** は精子に栄養を与え，インヒビンを産生する。**間細胞 intersitial cell** は男性ホルモンのテストステロンを産生する。
3. **精子発生 spermatogenesis** は精巣で起り，第一減数分裂 meiosis I，第二減数分裂 meiosis II，精子形成 spermiogenesis からなる。その結果，1個の**一次精母細胞 primary spermatocyte** から一倍体の精子が4個形成される。
4. 成熟精子は**頭部 head** と**尾部 tail** からなる。その機能は二次卵母細胞を受精させることである。
5. 思春期には，**性腺刺激ホルモン放出ホルモン gonadotropin-releasing hormone（GnRH）**が下垂体前葉から**黄体形成ホルモン luteinizing hormone（LH）**および**卵胞刺激ホルモン follicle-stimulating hormone（FSH）**の分泌を促進する。LH は間細胞を刺激してテストステロンを産生させる。FSH とテストステロンは精子発生を開始させる。
6. **テストステロン testosterone** は生殖器の成長，発達，維持を制御する。また，骨成長，タンパク質同化作用，精子成熟を促し，男性の二次性徴の発達を促進する。**インヒビン inhibin** は支持細胞が産生し，インヒビンによるFSH分泌の抑制は精子発生速度の調節を助ける。
7. 精子は精巣を出て隣接した**精巣上体 epididymis** へ運ばれ，そこで運動性を高める。**精管 ductus（vas）deferens** は精子を貯蔵し，**射精 ejaculation** 時に精子を**尿道 urethra** へ向けて送り出す。**射精管 ejaculatory duct** は精囊の導管と精管との合流によって形成され，精子を尿道内へ排出する。男性尿道は前立腺，会陰深層の筋，陰茎を貫く。
8. **精囊 seminal vesicle** はアルカリ性の粘液を分泌し，その分泌液は精液の約60％を占め，精子の活性に役立つ。**前立腺 prostate** は弱酸性の液体を分泌し，その分泌液は精液の約25％を占め，精子の運動性を上げる。**尿道球腺 bulbourethral gland** は潤滑を与える粘液と，酸を中和するアルカリ性物質を含む粘液を分泌する。
9. **精液 semen** は精子と精囊分泌液の混合である。精液は精子の輸送，栄養供給，男性尿道や腟の酸性度を中和するのに役立つ。
10. **陰茎 penis** は**陰茎根 root of penis**，**陰茎体 body of penis**，**陰茎亀頭 glans penis** の3部からなる。陰茎は精子を腟に導く機能がある。性的興奮時に陰茎の静脈洞が拡張することを**勃起 erection** と呼ぶ。

23.2　女性生殖器系

1. 女性の生殖器官には卵巣，卵管（ファロピオ管），子宮，腟，外性器がある。乳房も生殖器系の一部とみなされる。
2. 女性の性腺は**卵巣 ovary** で，子宮の両側で骨盤腔上部に位置する。卵巣は二次卵母細胞を産生する。また二次卵母細胞を放出し（排卵の過程），エストロゲン，プロゲステロン，リラキシン，インヒビンを分泌する。
3. **卵子発生 oogenesis**（一倍の二次卵母細胞を産生）は卵巣で始まる。一連の卵子発生は第一減数分裂と第二減数分裂

からなる。第二減数分裂は，排卵された二次卵母細胞が精子と受精した後に完了する。

4. **卵管**（ファロピオ管）**uterine（fallopian）tube** は二次卵母細胞を卵巣から子宮まで輸送し，通常受精が行われる場所である。

5. **子宮 uterus** は西洋ナシを逆さにした大きさと形をした器官で，月経，受精卵の着床，妊娠中の胎児の発育，分娩時に機能する。子宮はまた，精子が二次卵母細胞を受精させるために卵管へ到達する通路の一部となる。子宮壁の最内層は**子宮内膜 endometrium** で，月経周期中に著しく変化する。

6. **腟 vagina** は月経血の流路となり，性交時に陰茎を受け入れ，産道の下部となる。腟壁の平滑筋はかなりの伸縮が可能である。

7. **陰門 vulva** は女性の外生殖器の総称で，恥丘 mons pubis，大陰唇 labium majus，小陰唇 labium minus，陰核 clitoris，腟前庭 vestibule，腟口 vaginal orifice，外尿道口 urethral orifice，尿道傍腺 paraurethral gland，大前庭腺 greater vestibular gland からなる。

8. 女性乳房の**乳腺 mammary gland** は汗腺が変化したもので，大胸筋の表層に位置する。その機能は乳汁を分泌し射出すること（乳汁分泌 lactation）である。乳腺の発達はエストロゲンとプロゲステロンに依存する。乳汁の産生はプロラクチン，エストロゲン，プロゲステロンによって促され，乳汁の射出はオキシトシンによって促進される。

23.3 女性の性周期

1. **女性の性周期 female reproductive cycle** には卵巣周期と子宮（月経）周期とがある。**卵巣周期 ovarian cycle** の機能は，二次卵母細胞を発達させることである。**子宮周期 uterine cycle** の機能は，毎月，受精卵を受け入れるために子宮内膜を準備することである。

2. 卵巣周期と子宮周期は視床下部の GnRH によって調節され，GnRH は下垂体前葉の FSH と LH の放出を促進する。FSH は卵胞の発達を促し，卵胞のエストロゲン分泌を開始させる。LH は卵胞をさらに発達させ，卵胞細胞のエストロゲン分泌，排卵，**黄体 corpus luteum** の形成，黄体によるプロゲステロンとエストロゲンの分泌を促進する。

3. **エストロゲン estrogen** は女性生殖器の成長，発達，維持，そして二次性徴の発達やタンパク質合成を促進する。

4. **プロゲステロン progesterone** はエストロゲンと協同作用して，子宮内膜で着床の準備をし，乳腺で乳汁合成の準備を行う。

5. **リラキシン relaxin** は恥骨結合の柔軟性を高め，また子宮頸を拡張して新生児の出産を容易にする。

6. **月経期 menstrual phase** には，子宮内膜の一部が剥がれ落ち，血液や組織細胞が流出する。

7. **排卵前期 preovulatory phase** には，卵巣内の一部の卵胞集団が成熟を始める。そのうち，1個の卵胞がほかの発達中の卵胞より大きくなり優勢（主席）卵胞となるが，ほかの卵胞は死滅する。それと同時に子宮では内膜の修復が起る。エストロゲンは排卵前期における主要な卵巣ホルモンである。

8. **排卵 ovulation** は，成熟（グラーフ）卵胞 mature（graafian）follicle の破裂によって二次卵母細胞が骨盤腔に放出されることである。排卵は LH サージによって引き起される。

9. **排卵後期 postovulatory phase** には，卵巣の黄体からプロゲステロンとエストロゲンがともに大量に分泌され，子宮内膜は着床準備のため肥厚する。

10. 受精と着床が起らない場合には黄体は変性し，その結果プロゲステロンとエストロゲンの濃度が低下し，子宮内膜の脱落（月経）を引き起して新たな性周期を開始させる。受精と着床が起ると，黄体はヒト絨毛性性腺刺激ホルモン **human chorionic gonadotropin（hCG）** によって維持される。

23.4 避妊法と流産

1. 避妊法には完全な禁欲，外科的不妊手術（精管切除術，卵管結紮術），非侵襲的不妊法，ホルモン療法（複合ピル，ミニピル，避妊皮膚パッチ，避妊用腟リング，緊急避妊薬，ホルモン注射），子宮内避妊具，殺精子薬，バリア法（男性用コンドーム，腟パウチ，ペッサリー，子宮頸キャップ），計画的禁欲（リズム法，徴候体温法）がある。

2. 経口避妊薬のうちエストロゲンとプロゲスチンを含有する混合タイプは，FSH と LH の分泌を減らすことで卵胞の発達と排卵を抑制し，卵子と精子の卵管内への移動を抑え，子宮への着床を妨げる。

3. **流産 abortion** とは，受胎物が子宮から未熟な状態で排除されることである。自発的 spontaneous または誘発的 induced な場合がある。

23.5 加齢と生殖器系

1. **思春期 puberty** は二次性徴が発達を開始し，生殖能力が生じる時期である。女性は年をとると，プロゲステロンやエストロゲン濃度が低下し，その結果，月経に変化が起きて**閉経 menopause** となる。

2. 男性は年をとると，テストステロン濃度が低下するに伴い，筋力低下や性欲減退そして受精可能な精子が減少する。前立腺疾患も普通にみられる。

クリティカルシンキングの応用

1. 30歳のジャネールは子どもを授かりたいと切望している。しかし，妊娠するのに問題はないが，妊娠を維持するのに問題がある。彼女は妊娠早期に流産する。どのようなホルモンが不足して流産の要因になっているのだろうか？
2. フィルは次の子どもが生まれた後に精管切除術を受けることを妻に約束した。しかしながら，彼は男としての性的能力への影響について少し心配している。あなたはフィルに，処置について何を話すか？
3. フリオと彼の妻はなかなか妊娠できずにいた。不妊クリニックは，その原因はフリオがぴったりしたブリーフを毎日着用することと，熱い浴槽に毎晩長時間浸ることにあるのではないかと指摘した。このことが生殖能力にどんな影響を与えるのか？
4. マイクおじさんは前立腺肥大(良性前立腺過形成)と診断された。この状態の症状は何か？ 前立腺除去は精液にどんな影響を与えるのか？

図の質問の答え

23.1 機能上，陰茎は支持構造と考えられる。
23.2 精祖細胞(幹細胞)がもっとも未熟である。
23.3 乗換え(交叉)は母方および父方染色体由来の遺伝子の新しい組合せの形成を可能にする。
23.4 精子尾部はミトコンドリアを含み，ミトコンドリアは精子運動に必要なエネルギーを供給するATPを産生する。
23.5 支持細胞がインヒビンを分泌する。
23.6 女性の外性器は総称して陰門または外陰部と呼ばれる。
23.7 卵胞がエストロゲンを分泌し，黄体がエストロゲン，プロゲステロン，リラキシン，インヒビンを分泌する。
23.8 一次卵母細胞は出生時の卵巣に存在しているので，その女性と同じ年齢である。男性では，一次精母細胞は絶えず精祖細胞から形成されているので，たった数日の年齢である。
23.9 子宮内膜が各月経後に再構築される。
23.10 恥丘，陰核，陰核包皮，外尿道口が腟口の前方にある。
23.11 オキシトシンが乳腺からの乳汁射出を調節する。
23.12 増殖期の子宮内膜発達にはエストロゲン；排卵にはLH；黄体の発達にはLH；周期中間点のLHサージにはエストロゲンが重要なホルモンである。
23.13 反応が刺激と反対であるため，これはネガティブフィードバックである。エストロゲンとプロゲステロンの減少がGnRHの放出を促進し，続いてGnRHがエストロゲンの産生と放出を増やす。

CHAPTER 24

発生と遺伝

両親からの遺伝と子宮内環境下での正常な発達が，胚子，胎児，それに続く健康な子どもの誕生の恒常性の決定に重要な役割を担う．本章では，精子と二次卵母細胞の受精から成体の発達までの一連の過程を学ぶ．とくに，受精から始まり，着床，胚子～胎児の発達，分娩から新生児までに焦点をあてる．また，遺伝（次世代への遺伝形質の伝達）の原理にも触れる．

> **先に進むための復習**
> - 体細胞分裂（3.7節）
> - 精巣と卵巣（23.1節，23.2節）
> - 卵管と子宮（23.2節）
> - エストロゲンとプロゲステロン（23.3節）
> - ポジティブフィードバック（1.3節）
> - 乳腺（23.2節）
> - オキシトシン（13.3節）
> - プロラクチン（13.3節）

ヒト胚性幹細胞

Q 幹細胞の起源についていままでに不思議に思ったことはありませんか？ 幹細胞研究はどのようにしてさまざまな疾患に応用されようとしているのか？ 答えは24.1節の「臨床関連事項：幹細胞研究」でわかるでしょう．

24.1 胚子期

目標
・胚子期に起る主な発達経過について説明する．

妊娠 pregnancy は，受精から始まり，着床，胚子の発生，胎児の発達，そして受精から約38週後または母親の最後の月経から約40週後に起る出産までの一連の過程である．

発生生物学 developmental biology は精子と二次卵母細胞との受精から成体の発達までの一連の経過を扱う学問である．受精から第8週までを胚子 embryo（em- ＝～中へ；-bryo ＝成長）と呼び，この時期を胚子期 embryonic period という．発生学 embryology は受精卵の形成から妊娠第8週までの発達を研究する学問である．胎児期 fetal period は第9週から誕生までをいう．この時期に発達するヒトを胎児 fetus（＝生まれたもの）という．

出生前発育 prenatal development（pre- ＝前；natal ＝誕生）は胚子期と胎児期を含めた受精から出生までの期間をいう．出生前発育の妊娠9カ月は3分割され，三半期 trimesters と呼ばれる．

1. **妊娠第1三半期 first trimester** は発生のもっとも重要な段階であり，主要な器官系のすべての形成が開始される．その全身的な形成過程のため，発生中の生体は薬剤，放射線，微生物にもっとも影響を受ける時期でもある．
2. **妊娠第2三半期 second trimester** は器官系の発生がほとんど完成する時期である．この段階の終わりまでに，胎児は明らかにヒトの様相を呈するようになる．
3. **妊娠第3三半期 third trimester** は胎児の体重が倍になる急速な発達時期である．この期の初めの段階で，ほとんどすべての器官系は完全に機能するようになる．

発生第1週

発生第1週は受精，受精卵の卵割，胞胚形成，着床を含むいくつかの重要な出来事で特徴づけられる．

受　精 受精 fertilization（fertil- ＝実を結ぶ）の期間で，一倍体の精子および一倍体の二次卵母細胞の遺伝物質が融合して単一の二倍体の核を形成する（図24.1）．腟内に放出された約2億個の精子のうち，200万個未満（1％）が子宮頸部に到達し，二次卵母細胞に達するものはそのうちの約200個（0.0001％）だけ

図 24.1　受精。 二次卵母細胞を囲んでいる放射冠と透明帯を貫通する精子が示されている。

> 受精においては，精子からの遺伝材料が二次卵母細胞の遺伝材料と融合して単一の二倍体の核を形成する。

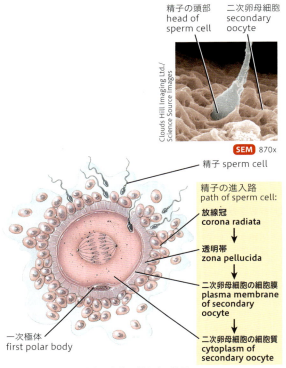

二次卵母細胞に侵入する精子

Q 受精能獲得とは何か？

胞膜は卵母細胞の細胞膜と融合できるように作り変えられる。

受精が成立するためには，精子がまず二次卵母細胞を囲む細胞の集まり，**放線冠 corona radiata**（corona＝冠；radiata＝輝くこと）を貫通しなければならない。次に放線冠と卵母細胞の細胞膜との間にある透明な糖タンパク質の層，**透明帯 zona pellucida**（zona＝ゾーン；pellucida＝光の透過を許す）を貫通する（図 24.1）。このとき，透明帯にある糖タンパク質のうちの一つが精子の受容体として働き，精子頭部にある特異的膜タンパク質と結合して精子頭部を覆うヘルメット様構造の**先体**（アクロソーム）**acrosome** から酵素を放出させる。精子の尾部がむち打ち運動で精子を前進させると同時に先体内の酵素が透明体を消化し，通路をつくる。多くの精子が透明帯に接着して酵素を放出するが，最初に透明帯を完全に貫通して卵母細胞の細胞膜に達した精子だけが卵母細胞と融合する。一つの精子と二次卵母細胞の融合が，それ以上の精子と受精しないようにする反応の始まりとなる。

精子が二次卵母細胞に侵入すると，卵母細胞は第二減数分裂を完了する。卵母細胞はより大きな卵子（成熟卵）とより小さな二次極体に分かれ，二次極体は断片化し壊れてしまう（図 23.8 参照）。精子頭部にある核と受精した卵子の核は融合し，それぞれの細胞からの 23 本の染色体をもった一つの二倍体の核になる。このように一倍体（n）の細胞が融合し 46 本の染色体をもつ二倍体（$2n$）を復元する。この時点で受精卵は**接合体 zygote**（zygon＝卵黄）と呼ばれる。

臨床関連事項

二卵性双生児

二卵性双生児 dizygotic（fraternal）**twins** は，二つの別々の二次卵母細胞が排卵され，それらがそれぞれ異なる精子と受精することで生じる。二卵性双生児は年齢が同じで，同時期に子宮内に存在するが，別の時期に生まれた兄弟と同様に遺伝的に同一ではない。二卵性双生児は同性の場合も異性の場合もある。**一卵性双生児 monozygotic**（identical）**twins** は，もともと一つの受精卵より生じるため，まったく同じ遺伝物質をもち，常に同性である。一卵性双生児は，発育初期の段階において接合体が二つに分離することによって生じる。分離の 99％は受精後 8 日以内に起る。もしも 8 日以降に分離すると，**結合体 conjoined twins** となり，互いに結合し，からだの構造のいくつかを共有する。

である。

正常の受精は排卵後 12 ～ 24 時間に卵管内で行われる。腟内での精子の生存時間は約 48 時間であるが，排卵後の二次卵母細胞の生存時間は約 24 時間である。よって，妊娠がもっとも生じやすいと考えられるのは，排卵前の 2 日間と排卵後 1 日の間に性交が行われた場合で，"チャンスは 3 日"である。

精子は尾部の鞭毛運動によって腟から子宮頸管内へ泳いでいく。子宮腔および卵管内では精子の進入は主にこれらの器官の壁の収縮による。このとき，精液中のプロスタグランジンが性交時に子宮の動きを刺激し，精子を子宮から卵管に移動するのを助けている。精子は射精後数分以内で卵母細胞まで到達できるが約 7 時間後まで**受精**できない。女性の生殖路（主に卵管内）で止まっている間に，精子は**受精能を獲得 capacitation**（capacit-＝できる）できる。これは一連の機能変化で，精子はより活発に鞭毛を動かすようになり，精子の細

胚子の発達早期　受精後，接合体は速やかに**卵割 cleavage** と呼ばれる有糸分裂を繰り返す（図 24.2）。接合体の最初の分裂は受精後約 24 時間で始まり，6

図 24.2 卵割および桑実胚と胚盤胞の形成。

卵割とは発生初期に起る接合体の迅速な有糸分裂のことである。

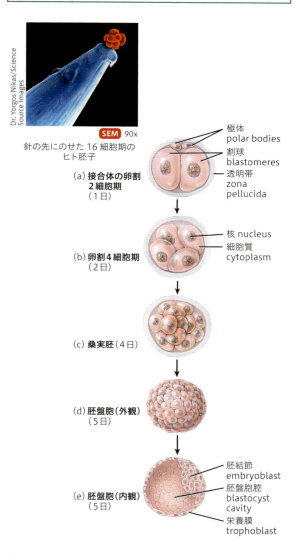

(a) 接合体の卵割 2細胞期 (1日)
(b) 卵割 4細胞期 (2日)
(c) 桑実胚 (4日)
(d) 胚盤胞 (外観) (5日)
(e) 胚盤胞 (内観) (5日)

針の先にのせた16細胞期のヒト胚子

極体 polar bodies
割球 blastomeres
透明帯 zona pellucida
核 nucleus
細胞質 cytoplasm
胚結節 embryoblast
胚盤胞腔 blastocyst cavity
栄養膜 trophoblast

Q 桑実胚と胚盤胞との組織学的な違いは何か？

受精後4日の終わりまでには，桑実胚の細胞数はさらに増加し，卵管から子宮腔に向かって移動を続ける。桑実胚が受精後4ないし5日で子宮腔に入ると，子宮内膜の子宮腺から分泌されたグリコーゲンを多く含んだ分泌物が桑実胚へ侵入し，割球の間にたまり，**胚盤胞腔 blastocyst cavity**（blasto- ＝芽；-cyst ＝袋）という液体で満たされた大きな腔の辺縁に割球がみられるようになる（図24.2 e）。この腔の形成により，発達中の細胞塊は**胚盤胞 blastocyst** と呼ばれる。この段階で細胞数は数百に達するが，いまだ胚盤胞の大きさは最初の接合体とほとんど変らない。割球がさらに再配列して，二つのはっきりした構造，すなわち内細胞塊と栄養膜とが形成される（図24.2 e）。**胚結節 embryoblast（内細胞塊 inner cell mass）** は胚盤胞の中にあり，やがて胚子になる部分である。それは文字iの点ほどのサイズである。**栄養膜 trophoblast**（tropho- ＝発達，栄養）は，胚盤胞の壁を形成する外表層の細胞である。最終的に，母胎間の栄養分や老廃物の交換の場となる胎盤のうち胎児由来の部分をつくる。

胚盤胞は子宮腔内で2日間ほど漂い，その後子宮壁に接着する。受精後6日頃，胚盤胞は子宮内膜に緩やかに接触する。この過程を**着床 implantation** という

図 24.3 着床時の胚盤胞と子宮内膜との関連性。

胚盤胞が子宮内膜に接着する着床は，受精後6日頃に起る。

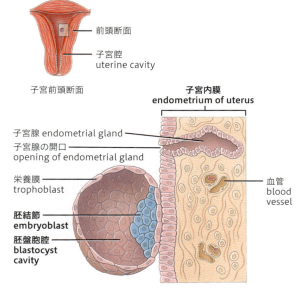

前頭断面
子宮腔 uterine cavity
子宮前頭断面
子宮内膜 endometrium of uterus
子宮腺 endometrial gland
子宮腺の開口 opening of endometrial gland
栄養膜 trophoblast
胚結節 embryoblast
胚盤胞腔 blastocyst cavity
血管 blood vessel

子宮内膜と胚盤胞の前頭断面（受精後6日頃）

Q 胚盤胞が子宮内膜とどのように融合し，子宮内膜へ潜り込むのか？

時間後に完了する。その後に続く分裂では，分裂に要する時間が少し短くなる。受精後2日までに2回目の卵割が完結し4細胞になる（図24.2 b）。受精後3日の終わりまでには16細胞になる。卵割によって徐々に小さくなる細胞を**割球 blastomere**（blasto- ＝芽；-meres ＝パーツ）という。卵割が連続して起り最終的に**桑実胚 morula**（＝桑の実）と呼ばれる充実性の球体ができる。桑実胚はもともとの接合体とほぼ同じ大きさで，まだ透明帯によって取り囲まれている（図24.2 c）。

図 24.4　発生第 1 週に起る事象の要約。

受精は一般に卵管で起る。

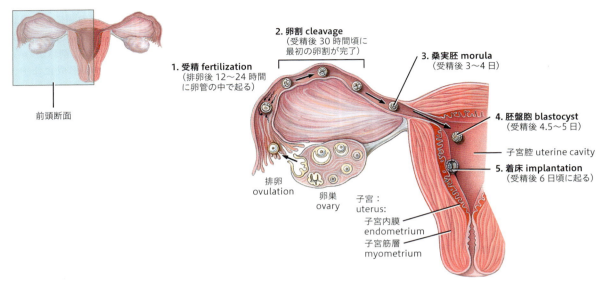

子宮・卵管・卵巣の前頭断面

Q 着床時に胚盤胞はどのように向いているか？

（図 24.3）。胚盤胞が着床するとき，子宮内膜側に胚結節が向く（図 24.3）。

第 1 週の主な発生過程を図 24.4 に要約する。

チェックポイント

1. 受精は普通どこで起るのか？
2. 胚盤胞の層構成とそれらの発達の結末について述べなさい。
3. 着床はいつ，どこで，どのようにして起きるのか？

発生第 2 週

受精後 8 日頃，栄養膜は **栄養膜合胞体層 syncytiotrophoblast** と **栄養膜細胞層 cytotrophoblast** の 2 層に分かれて発達する（図 24.5 a）。この 2 層の栄養膜は発達するに従って絨毛の一部となる（図 24.8 挿入図参照）。着床の間，栄養膜合胞体層が分泌する酵素は胚盤胞を子宮内膜への侵入を可能にする。また，栄養膜はヒト絨毛性性腺刺激ホルモン（ヒト絨毛性ゴナドトロピン；hCG）を分泌し，黄体からプロゲステロンとエストロゲンの分泌を維持する。これらのホルモンは子宮内膜の分泌期を維持し，月経を防止する。およそ妊娠第 9 週には胎盤がほぼ完成し，妊娠を維持するためのプロゲステロンとエストロゲンを分泌する。早期妊娠テストは受精後 8 日頃に尿中に排泄される少量の hCG を検出する。

胚結節も受精後 8 日頃に二層性，**下胚盤葉 hypoblast**（原始内胚葉 primitive endoderm）と **上胚盤葉 epiblast**（原始外胚葉 primitive ectoderm）へ分化する（図 24.5）。これら 2 層の細胞が全体として平らな **二層性胚盤 bilaminar embryonic disc**（bilaminar ＝ 二層）を形成する。加えて，上胚盤葉には小さな腔が現れ，最終的には **羊膜腔 amniotic cavity**（amnio- ＝ 羊）を形成するほどに大きくなる。

羊膜腔が大きくなるに従って，**羊膜 amnion** という薄い保護膜が上胚盤葉から分化する（図 24.5）。胚子が成長するに従って，羊膜は胚子全体を最終的に包み込む（図 24.8 挿入図参照）。羊膜腔は **羊水 amniotic fluid** で満たされるようになる。羊水は胎児の衝撃吸収材として働き，胎児の体温を調節し，乾燥を防ぎ，また胎児皮膚と周囲の組織との癒着を防ぐ。胎児の細胞は，通常，羊水内に剥がれ落ちるので，それらの細胞は **羊水穿刺 amniocentesis** という方法で調べることができる（章末"医学用語と症状"参照）。

受精後 8 日には下胚盤葉の細胞が移動して **卵黄嚢 yolk sac** の壁を形成しながら胚盤胞の内表面を覆う。胚盤胞腔と呼ばれていた領域が卵黄嚢の領域と一致す

図 24.5 発生第2週に起る重要な事象。

受精後8日頃，栄養膜は栄養膜合胞体層と栄養膜細胞層とに分化する。胚結節は上胚盤葉と下胚盤葉とに分化する（二層性胚盤）。

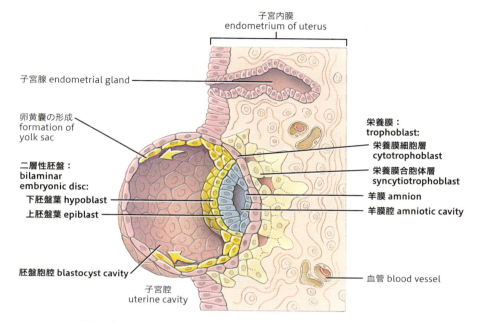

（a）受精後8日頃の胚盤胞を示した子宮前頭断面

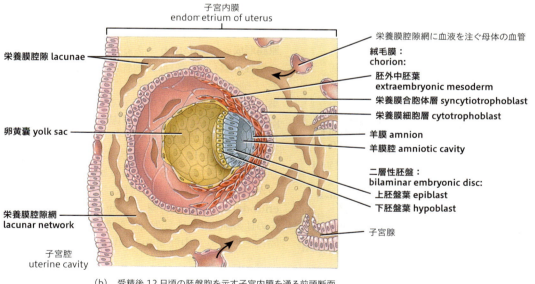

（b）受精後12日頃の胚盤胞を示す子宮内膜を通る前頭断面

Q どのようにして二層性胚盤は栄養膜とつながるのか？

る(図 24.5 b)。卵黄嚢はヒトでは以下のいくつかの重要な働きをもつ。発生第2〜3週では胚子に栄養を供給し，発生第3〜6週では造血の場となる。

また最終的に発生途上の生殖腺へと移動する最初の細胞(原始生殖細胞)を有し，消化管の部分を形成する。さらに胚子にとっての衝撃吸収材として働き，胚子を乾燥から守る。

受精後9日に，胚盤胞は完全に子宮内膜の中に埋没する。そして**栄養膜腔隙 lacunae**(＝小さな湖)という小さな腔が栄養膜の中に発達する(図 24.5 b)。発生12日までに，腔隙は融合して大きくなり，互いが連なって**栄養膜腔隙網 lacunar network** になる。栄養膜腔隙網へ流入した母体血と子宮腺の分泌物は，胚子の豊富な栄養源となり，また腔隙は胚子の老廃物の廃棄場となる。

受精後12日頃に，卵黄嚢に由来する中胚葉細胞が，羊膜および卵黄嚢のまわりに結合組織(間葉)をつくる。これを**胚外中胚葉 extraembryonic mesoderm** という(図 24.5 b)。胚外中胚葉と2層の栄養膜が**絨毛膜 chorion**(＝膜)を構成する(図 24.5 b)。絨毛膜は胚子と後の胎児を取り囲む(図 24.8 挿入図参照)。最終的に絨毛膜は母体と胎児との物質交換をする胎盤の主要な胎児部分となる。絨毛膜は母親の免疫反応から胚子や胎児を守り，重要な妊娠ホルモンであるヒト絨毛性性腺刺激ホルモン(hCG)を産生する。

発生第2週の終わりまでに，二層性胚盤は胚外中胚葉からなる**付着茎 connecting(body)stalk** で栄養膜と連結する(図 24.6 挿入図参照)。付着茎は将来の臍帯となる。

チェックポイント

4. 栄養膜の機能は何か？
5. 羊膜，卵黄嚢および絨毛膜の形成過程とそれらの機能を述べなさい。

発生第3週

発生第3週は，その後6週間にわたって進む急速な胚子の発達と分化の始まりである。第3週に三層性胚盤がつくられ，発生第4〜8週の器官形成の基礎となる。

原腸形成 発生第3週で最初に起る大きな出来事は**原腸形成 gastrulation** である(図 24.6)。この過程で二層性胚盤(二胚葉)は三層性胚盤(三胚葉)に変化する。三胚葉は3層の一次胚葉，すなわち外胚葉，中胚葉，内胚葉から構成されている。**一次胚葉 primary germ layer** は重要な胚子の組織で，ここからさまざまな組織や器官が発達する。

原腸形成の一部として上胚盤葉の細胞は内方へ移動し，上胚盤葉を離れる(図 24.6 b)。そのうちのいくつかの細胞は下胚盤葉の細胞を押し出し，**内胚葉 endoderm**(endo-＝内側；-derm＝皮膜)を形成する。その他の細胞は，上胚盤葉と新たにできた内胚葉との間にとどまり，**中胚葉 mesoderm**(meso-＝中間)を形成する。そして，上胚盤葉に残った細胞は**外胚葉 ectoderm**(ecto-＝外側)を形成する。胚子の発達に伴い，内胚葉は消化管，気道，その他の器官を裏打ちする上皮になる。中胚葉は筋，骨および結合組織になる。外胚葉は皮膚の表皮や神経系になる。

受精後22〜24日に，中胚葉は**脊索 notochord**(noto-＝背部；-chord＝ひも)という充実性の細胞からなる円柱を形成する。脊索は周囲の中胚葉細胞を刺激して脊柱と椎間円板を形成させる。また脊索は脊索の上を覆う外胚葉に働きかけて，**神経板 neural plate**

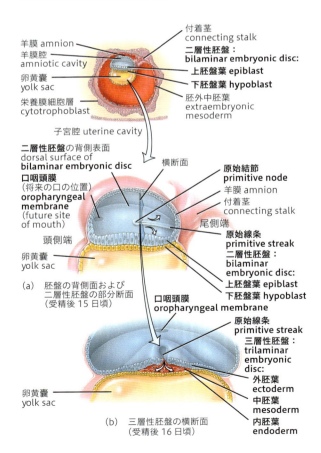

図 24.6 原腸形成。

原腸形成は上胚盤葉からの細胞の移動と再編成による。

(a) 胚盤の背側面および二層性胚盤の部分断面(受精後15日頃)

(b) 三層性胚盤の横断面(受精後16日頃)

Q 原腸形成の重要性とは何か？

も形成する（図 24.9 a 参照）。発生第 3 週の終わりまでに，神経板の外側端はより盛り上がり，**神経ヒダ** neural fold を形成する。正中の窪みを**神経溝** neural groove という。一般に両側の神経ヒダは互いに近づき融合して，神経板は**神経管** neural tube になる。神経管の細胞は脳と脊髄になる。こうした神経板，神経ヒダ，神経管の一連の形成過程を**神経管形成** neurulation という。

臨床関連事項

神経管閉鎖障害（NTDs）

神経管閉鎖障害 neural tube defects（NTDs）は神経管の正常な発達や閉鎖を損ねることによって起り，**二分脊椎** spina bifida（6 章で述べられている）と**無脳症** anencephaly（an- = なし；encephal = 脳）がある。無脳症では脳頭蓋骨の発達不全が起り，羊水との接触が残った脳の部分が変性する。通常，呼吸や心臓の調節など生命機能を調節する脳の部分もまた，影響を受ける。そのため，無脳症をもつ新生児は死産か出生後数日内に死亡する。無脳児は 1,000 人に 1 人の割合で生まれ，男性より女性の割合のほうが 2～4 倍多い。神経管閉鎖障害はビタミン B 群の一つである葉酸の濃度が低いことに関連している。

尿膜，絨毛膜絨毛，胎盤の発達 卵黄嚢の壁は**尿膜** allantois（allant- = ソーセージ）という血管を伴った小さな袋を形成する（図 24.8 挿入図参照）。ほかの多くの哺乳類では尿膜がガス交換や老廃物の排泄に用いられている。これらの機能はヒトにおいては胎盤が主に担うので，尿膜は目立った構造ではない。それにもかかわらず，ヒトの尿膜は初期の造血および血管形成に関与し，将来の膀胱の発達にかかわる。

発生第 2 週の終わりまでに，**絨毛膜絨毛** chorionic villi ができ始める。手の指のようなこれらの突起は絨毛膜（栄養膜細胞層に囲まれた栄養膜合胞体層）から構成され，胎児の血管を含む（図 24.7）。発生第 3 週の終わりまでに，毛細血管が絨毛膜絨毛の中に発達して，臍動脈および臍静脈によって胚子の心臓と連結する。結果として，母体の血管と胎児の血管が密接することになる。しかしながら，大事なことは両者の血管が連結することもないし，正常では血液が混じり合うこともないということである。それに対し，母体の血液中の酸素と栄養素は細胞膜を横切って拡散し，絨毛の毛細血管へと入る。二酸化炭素などの老廃物は反対方向に拡散する。

胎盤 placenta（= 平らなケーキ）は母体と胎児の間での栄養素と老廃物の交換の場である。胎盤は二つの個体，すなわち母体と胎児から発達する特別な構造で

臨床関連事項

幹細胞研究

幹細胞 stem cell は，特化されていない（機能において非特異的な）細胞で，不定の期間で分裂する能力を有し，やがて特定の（機能的に特異的な）細胞になることができる。幹細胞には二つの大きな起源がある。胚性幹細胞と成体幹細胞である。**胚性幹細胞** embryonic stem cell は 4，5 日齢の胚子から採取する。例えば，受精卵および受精卵が最初の数回の分裂を終えて胚盤胞となる割球である。このような細胞は人体のあらゆるタイプの細胞になる能力があるので**全能性幹細胞** totipotent stem cell とよばれる。胚性幹細胞は 4，5 日齢であり，その原始胚葉（外胚葉，中胚葉，内胚葉）は多く（すべてではない）の異なったタイプの細胞をつくることができるが，それらは胎盤や臍帯をつくることはできない。このような分化段階の細胞は**多能性幹細胞** pluripotent stem cell と呼ばれる。**成体幹細胞** Adult stem cell は，**組織特異的幹細胞** tissue-specific stem cell とも呼ばれ，胎盤，臍帯および胎生期の羊水中に認められ，新生児，幼児および成人の多くの器官や組織（脂肪組織，皮膚，肝臓，骨髄など）に存在する。それらの細胞はその局在する組織や器官においてさまざまな異なる細胞を産生する。成体幹細胞のほとんどが，**多分化能性幹細胞** multipotent stem cell であり，1 種類以上の細胞を形成するが，全能性幹細胞や多能性幹細胞よりもより制限される。多分化能性幹細胞の例としては，皮膚の細胞を形成する角化細胞，血液細胞に分化する骨髄系およびリンパ系幹細胞，精子になる精粗細胞がある。研究者たちは，障害された器官や疾患をもった器官の修復のために，腎臓，心臓，肺，骨格筋，胃腸管のような特化された細胞になる成体幹細胞の誘導の実験に現在勤しんでいる。

一つの幹細胞研究の現在の応用は骨髄細胞移植であり，ドナーの骨髄細胞が放射線，化学療法，骨髄移植あるいは疾患により破壊された骨髄細胞の置換に利用される。これは，白血病など何らかの血液関連疾患の治療に用いられている。幹細胞はまた，リンパ腫，ある種の貧血，重症複合型免疫不全症，多発性骨髄腫および神経芽細胞腫の治療にも用いられる。幹細胞治療は，糖尿病，関節リウマチ，炎症性疾患などの自己免疫疾患，さまざまなタイプの癌，脳損傷，脳卒中，パーキンソン病，自閉症，認知症，脳血管疾患，肝臓病，エイズ，骨関節炎および難聴の治療に応用されようとしている。幹細胞研究は，また，適切な治療を施す目的で疾患のプロセスがどのように起るかを調べることにも用いられる。最後に，幹細胞は新薬の安全性や効果をテストする材料として用いることができる。

614 CHAPTER 24 発生と遺伝

図 24.7 絨毛膜絨毛の発達。

絨毛膜絨毛の血管は臍動脈と臍静脈を介して胚子の心臓につながっている。

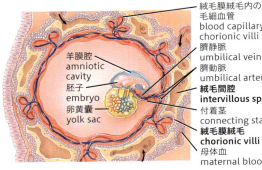

胚子とその血管供給を示す子宮の前頭断面(受精後 21 日頃)

Q なぜ絨毛膜絨毛の発達は重要なのか？

ある。発生第 12 週の初めまでに，胎盤ははっきりとした二つの部分をもつようになる。(1)絨毛膜絨毛からなる胎児部分と，(2)子宮内膜からなる母体部分である(図 24.8 a)。完成した胎盤は，パンケーキのような形になる(図 24.8 b)。胎盤をほとんどの微生物は通過できないが，エイズ，風疹，水痘，麻疹，脳炎およびポリオを引き起すウイルスは通過することができる。同様に，種々の薬剤やアルコールならびに先天異常を起すある種の物質は胎盤を自由に通過できる。胎盤はまた糖質，タンパク質，カルシウム，鉄などの栄養素を貯蔵し，必要ならば胎児循環に放出する。また妊娠維持に必要ないくつかのホルモンを分泌する(後述)。

胎盤と胚子(後の胎児)の間の実際の連結は付着茎から発達する**臍帯 umbilical cord**(umbilical ＝へそ)による。臍帯は胎児の脱酸素化された血液を胎盤へ運ぶ

図 24.8 胎盤と臍帯。

胎盤は，胚子の絨毛膜絨毛と母体の子宮内膜の一部から形成される。

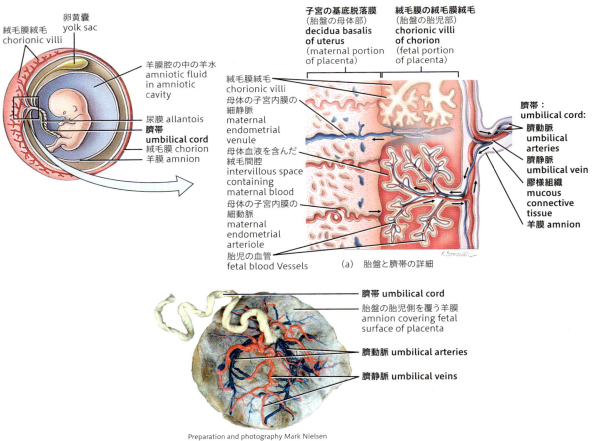

Q 胎盤の機能は何か？

2本の臍動脈と，胎盤で酸素化された血液を胎児へ運ぶ1本の臍静脈，加えて膠様組織（ワルトンジェリー）とで構成される．羊膜層は臍帯の全体を覆い，臍帯の外観が光ってみえる（図24.8 a）．

新生児の出生後，胎盤は子宮から剥がれるので，これを**後産 afterbirth** と呼ぶ．このとき，臍帯は結紮された後に新生児側についたまま切断される．新生児側の短い臍帯部分（長さ約2.5 cm）は，普通出生後12～15日の間に萎びて剥がれ落ちる．臍帯がついていた部位は薄い皮膚の層で覆われて，瘢痕組織をつくる．その瘢痕が**臍（へそ）umbilicus**（navel）である．

製薬企業はヒト胎盤を，ホルモン，薬剤および血液の供給源として活用している；また，胎盤の部分を熱傷の保護材料としても使う胎盤と臍帯の静脈は血管移植に利用し，臍帯血は幹細胞の供給源として将来使うために凍結保存する，例えば癌の放射線治療後に赤色骨髄を再生させるために使う．

発生第4～8週

第4～8週は胚子にとって大変重要な時期である．なぜならほとんどすべての器官がこの時期に現れるからである．第8週の終わりまでに，すべての主要な器官系が発達を始めているが，その機能はまだ最小限のものである．

受精後第4週の間に，胚子は形，大きさとも劇的な変化をとげ，大きさはほとんど3倍になる．扁平で二次元的な三層性胚盤は三次元的な円筒状に変化する．この過程を**胚子の折り畳み embryonic folding** という．

最初に識別できる構造は頭部にある構造である．耳が発生する最初の徴候は外胚葉の肥厚した部分，**耳板 otic placode**（将来の内耳）である．耳板は受精後22日頃にはっきりしてくる（図24.9 d 参照）．眼も受精後22日頃に発生を始める．これは**水晶体板 lens placode** と呼ばれる外胚葉の肥厚部分によって示される（図24.9 c 参照）．

発生第4週の中頃までに，上肢の発達が**上肢芽 upper limb bud** という外胚葉で覆われた中胚葉の突出として始まる（図24.9 c, d 参照）．発生第4週の終わりまでに**下肢芽 lower limb bud** が発達する．心臓もまた**心臓隆起 heart prominence** という胚子の腹側表面にはっきりとした隆起を形成する（図24.9 c 参照）．**尾 tail** も発生第4週末の胚子の目立った特徴である（図24.9 c 参照）．

発生第5週の間に，急速な脳の発達があり，頭部の発達が目立つようになる．第6週の終わりまでに，頭部は体幹に比較して大きく成長し，四肢がしっかりと

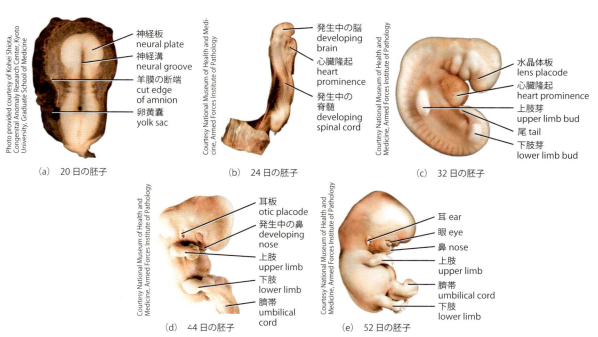

図24.9 胚子期および胎児期の発達過程にみられる代表的な事象の要約．胚子と胎児は実際の大きさで表示されていない．

胎児期の発生は胚子期で形成された組織や器官の成長と分化が主である．

(a) 20日の胚子 — 神経板 neural plate／神経溝 neural groove／羊膜の断端 cut edge of amnion／卵黄嚢 yolk sac

(b) 24日の胚子 — 発生中の脳 developing brain／心臓隆起 heart prominence／発生中の脊髄 developing spinal cord

(c) 32日の胚子 — 水晶体板 lens placode／心臓隆起 heart prominence／上肢芽 upper limb bud／尾 tail／下肢芽 lower limb bud

(d) 44日の胚子 — 耳板 otic placode／発生中の鼻 developing nose／上肢 upper limb／下肢 lower limb／臍帯 umbilical cord

(e) 52日の胚子 — 耳 ear／眼 eye／鼻 nose／上肢 upper limb／臍帯 umbilical cord／下肢 lower limb

図24.9　つづく

図 24.9 つづき

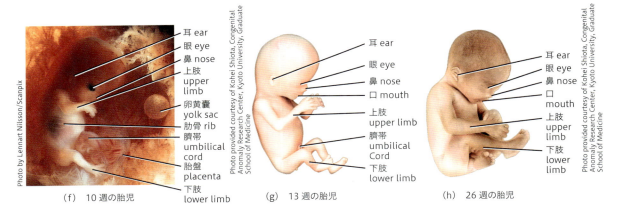

(f) 10週の胎児　(g) 13週の胎児　(h) 26週の胎児

Q 胎児期の中間と終わりで，胎児の体重はどのように違うか？

発達する。さらに，頸部と体幹がまっすぐになり始め，心臓は4室の構成となる。第7週までに四肢の諸領域がはっきりし，指が現れる（図24.9 e 参照）。第8週の初め，すなわち胚子期の最終の週では，手の指は短く，水かきがあり，尾は短くなるがまだ確認できる。さらに眼は開き，耳介が明らかである。第8週の終わりまでに，四肢のすべての領域が明瞭となり，指がはっきりし，水かきがなくなる。また，眼瞼が一体となって融合し，尾は消え，外性器が分化し始める。この時点で胚子は明らかなるヒトの特徴をもつにいたる。

チェックポイント

6. どのようにして3層の一次胚葉が形成されるのか？またそれらはなぜ重要なのか？
7. 神経管形成はどのように起るのか述べなさい。またそれがなぜ重要なのか？
8. 胎盤はどのように形成されるのか？ そしてその機能は何か？
9. 発生第2〜4週における胚子の発達はなぜ重要なのか？
10. 胚子期の後半において，体肢にどのような変化が認められるか？

24.2 胎児期

目標

・胎児期とこの時期に起る主要な現象を定義する。

胎児期には，胚子期に発達した組織や器官が成長し，分化する。胎児期に新たな構造が形成されることはほとんどないが，からだの成長は，とくに在胎期間の後半に著しい。例えば最後の2カ月半の間に，満期の体重のうちの半分が追加される。胎児期の初めに頭の大きさは身長の半分であったのに，胎児期の終わりには身長のたった1/4である。また同期間で，体肢の長さも体長の1/8から1/2になる。胎児はまた胚子よりも薬剤，放射線，微生物による障害を受けにくくなる。

臨床関連事項

子宮外妊娠

子宮外妊娠 ectopic pregnancy（ec- ＝ 外の；-topic ＝ 場所）は子宮腔以外の場所で胚子または胎児が発達してしまうことである。子宮外妊娠は一般に受精卵の卵管通過障害によって起る。通過障害は，以前に罹った卵管感染による瘢痕形成，卵管の平滑筋の運動能低下，卵管の形態異常などによる。子宮外妊娠のもっとも多い場所は，卵管ではあるが，卵巣，腹腔あるいは子宮頸部でも起りうる。子宮外妊娠の徴候と症状は月経周期が1ないし2回なかった後の出血と急性の腹痛あるいは骨盤痛である。そのまま放置すると，発達中の胚子が卵管を破り，しばしば妊婦を死にいたらしめることがある。

胚子期と胎児期に起る主な発達過程を表24.1と図24.9にまとめた。

チェックポイント

11. 胎児期には，胎児のからだ全体で，どのような発達傾向があるのか？
12. 表24.1を用いて9〜12週齢の時期で，からだの構造のどれか一つを選び，その後の胎児期における発達過程をたどりなさい。

表 24.1 胚子および胎児の発達に伴う変化

時　期	平均サイズと重量	代表的な変化
胚子期		
1〜4 週	0.35〜0.5 cm 0.02 g	一次胚葉と脊索が発生する。神経管形成が起る。脳が発生を始める。血管形成が始まり，血液が卵黄囊，尿膜および絨毛膜でつくられる。心臓が形成され拍動を開始する。絨毛膜絨毛が発達し，胎盤形成が始まる。胚子の折り畳みが起る。原腸と体肢芽が発生する。眼と耳が発生し始め，尾が形成され，からだづくりが始まる。
5〜8 週	0.8〜2.3 cm 1 g	脳の発達が続く。体肢が目立ち始め，指が現れる。心臓は 4 室になる。両眼は離れ，眼瞼は融合している。鼻が発達するが平坦である。顔はより人間らしくなる。骨化が始まる。血球が肝臓でつくられ始める。外性器が分化し始める。尾は消える。主要な血管が形成される。多くの内臓器官が発達を続ける。
胎児期		
9〜12 週	2.3〜5.4 cm 2〜14 g	頭部は胎児の長さの半分くらいあり，胎児の長さは約 2 倍になる。脳は大きくなり続ける。顔は幅広く，眼は十分に発達しているが，閉眼しており，両眼は互いに離れている。鼻が高くなる。外耳も発達するが低い位置にある。骨化が進む。相対的に上肢は最終的な長さになるが，下肢はまだ十分に発達していない。心臓の拍動が検出可能となる。外性器から性別の判断がつく。胎児の排尿は羊水に加わる。赤色骨髄，胸腺および脾臓が造血に関与する。胎児は動き始めるが，その動きはまだ母親に感知されない。からだの各系が発達を続ける。
13〜16 週	7.4〜11.6 cm 23〜100 g	相対的に頭部が残りのからだ部分より小さい。両眼は最終的な位置へと内側へ移動する。両耳も頭の横の最終的な位置へと移動する。下肢は長くなる。胎児はより人間的な姿になる。からだの各系は急激に発達する。
17〜20 週	13〜16.4 cm 140〜300 g	頭部と残りのからだの部分との均整がよりとれてくる。眉と頭髪が現れる。成長速度は遅くなるが，下肢は長くなり続ける。胎脂（脂腺の脂肪性分泌物と死んだ上皮細胞）と産毛（繊細な胎児の毛）が胎児を覆う。褐色脂肪がつくられ，熱産生の場となる。胎動が母親により感じられる（胎動初感）。
21〜25 週	27〜35 cm 550〜800 g	頭部と残りのからだとの均整がよりとれてくる。体重はかなり増加し，皮膚はピンク色でしわがよる。発生第 24 週までに，肺の細胞がサーファクタント（界面活性物質）を産生し始める。
26〜29 週	32〜42 cm 1,110〜1,350 g	からだの均整がより整い，開眼する。足の指に爪が現れる。体脂肪は全体重の 3.5％で，皮下脂肪が付加されてしわを伸ばす。発生第 28〜32 週に精巣は陰囊へと下降を始める。赤色骨髄が造血する主要な場となる。この時期に誕生した多くの未熟児は，集中的な治療を受ければ，生きることができる。なぜなら，肺は十分な換気を行うことができ，中枢神経系は呼吸と体温を調節できるくらい十分に発達しているからである。
30〜34 週	41〜45 cm 2,000〜2,300 g	皮膚はピンク色で滑らかである。胎児が逆さまの配置をとる。発生第 30 週までに瞳孔反射が認められる。体脂肪は体重の約 8％になる。発生第 33 週およびそれ以降の胎児は未熟児で生まれても生存可能である。
35〜38 週	50 cm 3,200〜3,400 g	発生第 38 週までに，胎児の腹囲が頭囲を上回る。皮膚は一般に青味を帯びたピンク色であり，成長速度は出生が近づくにつれて遅くなる。体脂肪は全体重の 16％になる。妊娠満期の男児において，通常，精巣は陰囊の中にある。誕生後であっても，乳児はまだ発育途上であり，さらなる年月が，とくに神経系の発達に必要である。

24.3 妊娠中の母体の変化

目 標

- 妊娠中に分泌されるホルモンの産生場所とそれらの働きを述べる。
- 妊娠中に起る母体の内分泌変化および構造と機能の変化について述べる。

妊娠にかかわるホルモン

妊娠 3〜4 カ月頃までは，卵巣の黄体が**プロゲステロン** progesterone と**エストロゲン** estrogen を分泌する。これらのホルモンは，妊娠中の子宮内膜を維持し，母乳を分泌するための乳腺の発達を促す。しかしながら，黄体で分泌される量は正常な月経周期で排卵後に産生される量より若干多いにすぎない。妊娠 3 カ月から残りの妊娠期間を通して，胎盤自体が必要とさ

れる高レベルのプロゲステロンとエストロゲンを産生する。胎盤絨毛膜は**ヒト絨毛性性腺刺激ホルモン（ヒト絨毛性ゴナドトロピン）human chorionic gonadotropin(hCG)**を血中に分泌する。次に，hCGは黄体にプロゲステロンとエストロゲンの産生を続けるように刺激する。この両者のホルモンは月経を防ぎ，胚子および胎児の子宮内膜への付着を継続させる。受精後8日までに，hCGが妊婦の血中および尿中で検出可能となる。hCG分泌のピークは妊娠第9週に起る。妊娠4～5カ月の間に，hCGのレベルは急激に下がり，出産まで低レベルのままになる。

絨毛膜は妊娠第3週後から第4週までの間にエストロゲンを分泌し始め，第6週までにプロゲステロンを分泌する。これらのホルモンは出産時まで分泌量が増える。妊娠3～9カ月の間は胎盤が，妊娠の維持に必要なエストロゲンとプロゲステロンを分泌する。高レベルのプロゲステロンは子宮筋層を弛緩させ，子宮頸部をしっかりと閉じさせる。出産後，血中のエストロゲンとプロゲステロンは正常なレベルまで下がる。

リラキシンrelaxinは最初に卵巣の黄体でまず産生され，後に胎盤で産生されるホルモンである。このホルモンは恥骨結合の柔軟性と仙腸関節および仙尾関節の靱帯の柔軟性を高め，また分娩時に子宮頸管を広げるのに役立っている。これらの効果は胎児の分娩を容易にする。

胎盤の絨毛膜でつくられる第3のホルモンは**ヒト胎盤性乳腺刺激ホルモン（ヒト絨毛性ソマトマンモトロピン）human chorionic somatomammotropin(hCS)**である。hCSの分泌は胎盤の体積に比例して増加し，妊娠第32週後に最大値に達したのち，その後は，比較的一定のレベルを保つ。乳汁分泌のために乳腺を発達させ，タンパク質合成を増やして母体を成長させ，母体と胎児の代謝のある部分の調節をする。

胎盤が産生するホルモンで最近みつかったものに**副腎皮質刺激ホルモン放出ホルモン（コルチコトロピン放出ホルモン）corticotropin-releasing hormone (CRH)**がある。このホルモンは妊娠とは無関係に視床下部からのみ分泌されている。現在，CRHは出産のタイミングを決定する"時計"の一部と考えられている。妊娠初期に高レベルのCRHをもつ妊婦は早産の傾向があり；低レベルの妊婦は予定日よりも遅れて出産する傾向がある。胎盤からのCRHにはもう一つの重要な働きがある：それはコルチゾールの分泌を増加させることで，胎児の肺の成熟に，サーファクタントの産生に必要である（18.2節参照）。

> **臨床関連事項**
>
> **早期妊娠テスト**
>
> 早期妊娠テスト early pregnancy test は受精後8日頃で尿中に排泄され始めるヒト絨毛性性腺刺激ホルモン（hCG）を検出する。検査キットは生理のなかった初日に早くも妊娠を検出できる，すなわち妊娠14日頃である。尿中hCGとキット中のhCG抗体との間で反応が起った際に，キット中の化学物質の色調が変化する。

妊娠中の変化

妊娠3カ月の終わり頃までに，子宮は骨盤腔のほとんどを占めるようになる。胎児が発育するに従って，子宮は腹腔のより上へと張り出してくる。妊娠末期になると，子宮は腹腔のほとんどを占め，胸骨の剣状突起のレベルまで達する。大きくなった子宮は母体の腸管，肝臓，胃を押し上げ，また横隔膜を押し上げて胸腔の幅を広げる。

妊娠中の皮膚の変化がとても著明な場合がある。例えば，マスクのような形に眼や頬骨のまわりに色素沈着が増えたり，乳輪や下腹部に色素が沈着する。子宮が大きくなるに従って腹部に線条(妊娠線)が現れ，脱毛が増える。妊娠に伴う生理的な変化として胎児，羊水，胎盤，拡大した子宮，からだの水分量の増加などによる体重増加；タンパク質・トリグリセリド・ミネラルの貯蔵の増加；乳汁分泌のための乳房肥大；そして脊柱前彎による下部背部痛などが起る。

母体の心臓血管系にも変化が起る。胎盤への血流の増加と代謝の活発化により心臓の一回拍出量は30％ほど増え，心拍出量は20～30％増える。とくに，妊娠後半期には心拍数は10～15％増え，血液量は30～50％増える。これらの増加は，胎児が栄養と酸素をさらに必要とすることに応えるためである。

肺機能も妊娠中に胎児が要求する増加分の酸素に見合って変化する。一回換気量は30～40％増え，予備呼気量は40％まで減り，分時換気量(1分間の呼吸量)は40％まで増え，全身の酸素消費は10～20％増える。また拡大した子宮が横隔膜を押し上げるため呼吸困難も生じる。

消化器系に関しては，妊婦は空腹を感じることが多くなる。胃にかかる圧力が胃の内容物を食道のほうへ押し上げ，結果として胸やけを起す。胃腸管の蠕動運動が弱まり，便秘の原因となる，また胃の内容物がとどまりやすく，むかつき，嘔吐や胸やけを起す。大きくなった子宮が膀胱を圧迫するので頻尿，我慢できない尿意および尿失禁などの泌尿器系の症状が現れる。

生殖器系の変化は浮腫と腟の血流増加が起ることで

ある。子宮は非妊娠時の 60 〜 80 g から満期の 900 〜 1,200 g まで重くなる。妊娠初期では子宮筋層の筋線維の数が増え，さらに第 2・第 3 三半期では筋線維が大きくなるからである。

> **チェックポイント**
> 13. 妊娠時に関与するホルモンを列挙し，それぞれの機能を述べなさい。
> 14. 妊娠中，母体に起る構造的および機能的変化は何か？

24.4 運動と妊娠

> **目標**
> ・運動への妊娠の影響および妊娠への運動の影響を説明する。

　妊娠初期にみられるわずかな変化だけが運動に影響を与える。妊婦はいつもよりも疲れやすく，妊娠嘔吐（むかついたり，吐いたりする）により通常の運動が妨げられる。妊娠期間が長くなるにつれて体重が増え，姿勢が変化すため，活動するにはより多くのエネルギーが必要となる。また，急に止まったり，方向を変えたり，急に動き出すような動作をすることが困難になる。さらに，リラキシンのホルモンレベルが上昇することで，いくつかの関節，とくに恥骨結合の安定性が低下する。これを補償するために多くの妊婦は足を大きく広げたり，足を引きずって歩くようになる。

　運動中，血液は内臓（子宮を含む）から筋や皮膚に移動するが，胎盤への血流量が不足するという証拠はない。運動による熱産生は脱水を生じ，さらなる体温の上昇を招く。とくに，妊娠初期の過激な運動と熱の蓄積は避けるべきである。なぜなら，高体温が神経管欠損と関係しているからである。体内の水分が十分に保たれ，きちんと支持できるブラジャーをつけていれば，乳汁分泌に影響することはない。全体的にみて健康女性の正常妊娠であれば，節度ある身体活動は胎児に危険を及ぼすことはない。

　妊娠中の母親にとって，運動による利益は，健康感がより強く得られることと，小さな不満が解消されることである。

> **チェックポイント**
> 15. 妊娠初期または後期では，運動能力に対する影響はどのように変化するか？

24.5 分　　娩

> **目標**
> ・分娩の 3 期に関連する出来事を説明する。

　分娩 labor は胎児が子宮から腟を通って排出される過程である。**出産 parturition**（parturit- ＝出産）もまた分娩を意味する。

　プロゲステロンは子宮の収縮を抑制する。妊娠末期になると，母体の血中エストロゲンは急激に上昇し，プロゲステロンの子宮収縮抑制効果に勝る変化を生じる。エストロゲンはまた胎盤を刺激してプロスタグランジンを分泌させる。プロスタグランジンが子宮頸部の膠原線維を消化する酵素をつくるように働きかけ，子宮頸部を柔らかくする。高レベルのエストロゲンは子宮の筋線維にオキシトシンの受容体を発現させる。オキシトシンは子宮の収縮を促すホルモンである。リラキシンは恥骨結合の柔軟性を高め，子宮頸管の開大を助ける。

　娩出の間の子宮収縮の調節はポジティブフィードバックによってなされる。子宮の収縮は胎児の頭部あるいはからだを子宮頸部へと押しやる。それにより子宮頸部が広げ（伸張させ）られる。子宮頸部の伸張受容体からの興奮が視床下部に送られ，下垂体後葉よりオキシトシンを放出させる。オキシトシンは子宮筋層をより強く収縮させ，子宮頸部はより拡張する。その結果，より多くのオキシトシンが分泌される。新生児が娩出されると，子宮頸部の拡張が減少するので，このポジティブフィードバックは働かなくなる。

　子宮収縮は子宮の上部から始まり下へと波状に起り（蠕動運動と同様に），最終的に胎児を排出する。**真分娩 true labor** は子宮収縮が定期的に起り，普通，痛みを伴うことで始まる。子宮収縮の間隔が短くなるに従い，収縮が強くなる。真分娩のもう一つの徴候は歩くことで増強する背中の痛みである。真分娩の信頼できる徴候は子宮頸部の拡張と分娩中に子宮頸管にみられる血液の混じった粘液の分泌物からなる"お印"である。**偽分娩 false labor** においては，腹痛が不規則に起るが，痛みが増強することがなく，歩行によってその痛みがそれほど変化することもない。また"お印"も子宮頸部拡張もない。

　真分娩は以下の 3 期に分かれる。

1. **開口期**：分娩の始まりから子宮頸管の全開大までの期間を**開口期 stage of dilation** という。この時期は通常 6 〜 12 時間続き，子宮の定期的収縮，

羊膜の破裂，子宮頸管の完全な開大(10 cm)が起る．羊膜が自然に破裂しないときには，人工的に破る．
2．**娩出期**：子宮頸管の完全な拡張から胎児の娩出までの10分～数時間を**娩出期 stage of expulsion**という．
3．**後産期**：胎児の娩出後，胎盤の排出すなわち"後産"が子宮の力強い収縮によってなされるまでの5～30分あるいはそれ以上を**後産期 placental stage**という．この収縮はまた分娩中に切断された血管を収縮させて出血傾向を減少させる．

一般に，分娩は第1子の際は長く続き，通常14時間ほどかかる．経産婦においては，分娩期間は個人差がかなりあるが，だいたい8時間程度である．

生理的に未熟な乳児の分娩にはいくつかの危険性がある．一般に**未熟児 premature infant** あるいは早産児とは誕生時の体重が2,500 g未満の乳児をさす．出生前の管理が乏しかったり，薬物を乱用したり，前に未熟児を出産したことがあったり，出産年齢が16歳以下ないし35歳以上の場合，未熟児分娩が起りやすい．未熟児のからだは機能的に不十分なので，医学的手助けがない限り生存が危ぶまれる．妊娠第36週未満の乳児を出産した場合の主な問題はサーファクタントが不十分なので新生児が呼吸窮迫症候群 respiratory distress syndrome（RDS）になることである．RDSは人工的界面活性剤を投与し肺自体が働けるようになるまで酸素を運ぶ換気を行えば管理できる．

約7%の妊婦が予定日から2週間たっても分娩しな

い．そのような乳児を**過期産児 post-term infant** あるいは**遅産児 post-date baby** と呼ぶ．このような場合，胎児にとって脳が傷ついたり，胎児の死さえも起る危険がある．なぜなら，経時変化した胎盤からの酸素と栄養素の供給が不十分になるためである．予定日をすぎた出産を人工的に促すことができる．オキシトシン（ピトシン Pitocin®）の投与によって分娩を始めさせたり，外科的に出産（帝王切開）を行ったりすることである．

胎児と胎盤の娩出に続く6週間は母体の生殖器官の形態および機能が妊娠前の状態に戻る期間である．この期間を**産褥期 puerperium** という．

> **チェックポイント**
> 16．どのようなホルモンの変化が分娩を誘導するのか？
> 17．真分娩では開口期，娩出期および後産期にどのようなことが起るか？

24.6 乳汁分泌

目標

・乳汁分泌のホルモンによるコントロールを論じる．

乳汁分泌 lactation（lact- ＝ミルク）は乳腺が母乳を産生し駆出することである．乳汁の合成を司る主なホルモンは下垂体前葉から分泌される**プロラクチン prolactin（PRL）**である．妊娠経過に従って血中プロラクチン濃度は上昇するが，乳汁分泌は起らない．なぜならプロゲステロンがプロラクチンの効果を抑制しているからである．出産後，母親のエストロゲンとプロゲステロンの血中濃度が低下すると，その抑制が外れる．授乳中のプロラクチン産生を維持する基本的刺激は乳児の吸乳行動である．吸乳が乳頭の伸展受容器に視床下部へ伝わる神経インパルスを発生させ，より多くのプロラクチンが下垂体前葉から放出される．

オキシトシンは乳汁を乳管へ射出（放出）させる（図24.10）．乳房の腺細胞でつくられた乳汁は乳児が活発に吸乳をするまで蓄えられている．乳頭の触覚受容器が刺激されると感覚神経が興奮し，視床下部へと感覚インパルスが伝えられる．その反応として下垂体後葉からオキシトシンの分泌が増加する．

オキシトシンは腺細胞および導管を取り囲む平滑筋様細胞を刺激して収縮させる．これにより乳汁が乳腺の腺房から導管へと圧送され，吸乳できるようになる．

妊娠末期および出産後の初めの数日間，乳腺は**初乳 colostrum** という濁った液を分泌する．これはラクトースに乏しく脂肪成分がないので乳汁と同じ栄養は

臨床関連事項

難産

難産 dystocia（dys- ＝苦痛または困難；toc- ＝誕生）すなわち分娩困難は胎児の位置異常か経腟分娩のための産道のサイズが不十分であることが原因で起る．例えば，**骨盤位 breech presentation** においては，胎児の頭でなく殿部あるいは下肢が最初に産道に入る．これは早産の際にしばしば起る．もし胎児あるいは母体に問題があって経腟分娩が不可能な場合，胎児を腹部切開して外科的に取り出すことがある．腹壁と子宮の下部を通る低い水平の切開を入れ，切開部より胎児と胎盤を取り出す．この手術は，ジュリアス・シーザーの誕生との関連が一般的にいわれているが，この手法が **cesarean section (C-section)** といわれる本当の理由は，ジュリアス・シーザーの誕生の約600年も前にローマ法で *lex cesarea* とすでに記されていたからである．ただし，帝王切開を何度も受けている女性であっても経腟分娩を行わないことはない．

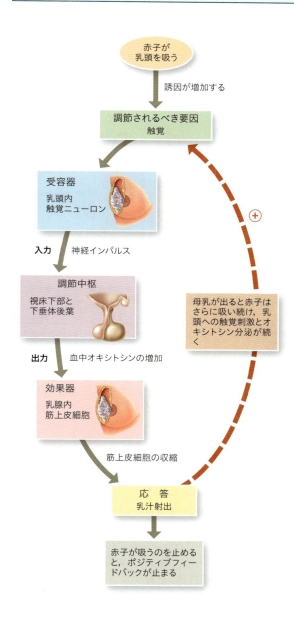

図 24.10 乳汁射出反射，ポジティブフィードバック。

オキシトシンが乳房内の筋上皮細胞の収縮を刺激する。それが腺細胞および導管細胞を圧迫し，乳汁を射出させる。

Q オキシトシンのもう一つの働きは何か？

ないが，初乳は約4日後に真の乳汁が出てくるまでの代役をする。初乳と乳汁は出生後数カ月の間，乳児を守るための重要な抗体を含んでいる。

毎日8〜10回ほどの割合で吸乳させると，出産後の数カ月にわたって卵巣周期をブロックする。しかしながら，この効果は不確定なものである。一般に排卵は出産後の最初の月経期に先だって起るので，まだ月経がないからといって妊娠しないとは限らない。それゆえ，母乳を与えているからといっても，信頼できる避妊法とはいえない。

母乳を与えるもっともよい点は栄養分が豊富なことである。ヒトの母乳は無菌的で，乳児の消化，脳の発達および成長に理想的な脂肪酸，乳糖，アミノ酸，ミネラル，ビタミンおよび水を含んでいる。

オキシトシンが発見される前から，産婆術で双子の2番目の子の分娩を早めるために，最初に生まれた子に授乳する方法をとっていた。現在ではその方法がなぜ効果があるのかがわかってきた。それは授乳がオキシトシン分泌を刺激するからである。双子でなく，生まれた子が一人の場合であっても，赤子の面倒を母親にまかせると，胎盤（後産）の娩出を促進し，子宮をもとの大きさに戻すのに役立つのである。合成オキシトシン（Pitocin®）は分娩を誘導するために，あるいは出産後の子宮の緊張を増強し，出産後出血をコントロールするために投与される。

チェックポイント

18. 乳汁分泌に関与するのはどのホルモンか？ それぞれの機能は何か？

24.7 遺 伝

目 標

・遺伝を定義し，優性遺伝，劣性遺伝，および伴性遺伝の特性について説明する。

父親と母親の遺伝物質は，精子と二次卵母細胞とが融合して受精卵を形成したときに一体化する。子どもたちは両親に似るが，それは両親から形質を受け継いでいるからである。以下に遺伝と呼ばれるこの過程に関連する原理を考える。

遺伝 inheritance はある世代から次の世代に遺伝的形質を渡すことである。両親から受け継いだ形質を子どもたちへと伝える過程である。遺伝を扱う生物学の分野を**遺伝学 genetics** という。遺伝に関する問題（もしくは潜在性の問題）に助言する健康管理の分野を**遺伝カウンセリング genetic counseling** という。

遺伝子型と表現型

配偶子を除いたすべてのヒト細胞の核は23対の染色体をもっている，すなわち二倍体（2n）である。1対の一方の染色体は母親由来であり，もう一方は父親由

来である。それぞれの**相同染色体**homologous chromosome（対をなす2本の染色体の片方）は同じ形質を支配する遺伝子をもっている。ある染色体に体毛の遺伝子があると，その相同染色体上の同じ部分にも体毛の遺伝子がある。同じ形質をコードし，相同染色体上で相対応する部位にある遺伝子を**アレル（対立遺伝子）**allele と呼んでいる。例えば，体毛にかかわる遺伝子のうちあるアレルは硬い毛を，もう一方のアレルは細い毛をコードする。**突然変異**mutation（muta- ＝変換）とは同じ形質に変異を生む，永続的に遺伝可能なアレルの変化である。

遺伝と遺伝子の関係を**フェニルケトン尿症** phenylketonuria（PKU）という疾患に関与するアレルで説明する。PKUのヒトはアミノ酸のフェニルアラニンを別のアミノ酸のチロシンに変換する酵素，フェニルアラニンヒドロキシラーゼをもっていない。PKUの乳児がフェニルアラニンを含んだ食物を食べると，フェニルアラニンの血中濃度が高くなる。結果として重い脳障害と精神遅滞を引き起こす。フェニルアラニンヒドロキシラーゼをコードするアレルを P と示し；この酵素をつくれない変異型のアレルを p とする。図24.11に両親とも一つずつの P と p をもつ場合に可能な配偶子の組合せを示した。この図を**パネットスクエア** Punnett square という。パネットスクエアを作成するには，精子の中にある出現可能な父方のアレルを左側に書き，卵子（二次卵母細胞）の中にある出現可能な母方のアレルを上に書く。図中の四枠には，精子と卵子の結合によってできる接合体の可能なアレルの組合せが3種類示されている。すなわち，PP，Pp および pp の**遺伝子型** genotype である。子孫がもつ PP の遺伝子型は25％，Pp の遺伝子型は50％，pp の遺伝子型は25％になることがこのパネットスクエアからわかる。PP あるいは Pp の遺伝子型を引き継いだヒトは，フェニルケトン尿症を発症しないが；pp の遺伝子型を引き継いだヒトはフェニルケトン尿症で苦しむことになる。Pp の遺伝子型のヒトはPKUのアレル（p）を一つもつことになるが，正常な形質（P）をコードするアレルがより優性である。一方のアレルに優性でその存在をマスクし，完全に発現するアレル（この場合の P）を**優性アレル** dominant allele といい，その形質を優性形質という。またマスクされるほうのアレル（この場合の p）を**劣性アレル** recessive allele といい，その形質を劣性形質という。

伝統的に，遺伝子を示すシンボルにはイタリック体を用い，優性アレルは大文字で，劣性アレルには小文字を用いる。相同染色体上に同じアレルをもつヒト（例えば，PP あるいは pp）をその形質について**ホモ接合体** homozygous という。PP は優性ホモ接合体で，

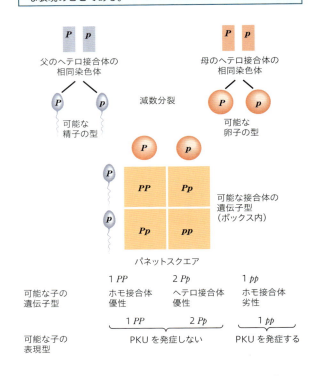

図24.11 フェニルケトン尿症（PKU）の遺伝。

遺伝子型は遺伝子構成のことで，表現型は遺伝子の身体的な表現のことである。

Q 両親がここに示すような遺伝子型をもつとしたら，第1子がPKUを発症する確率は何％になるか？ またPKUが第2子に発症する確率はどのくらいか？

pp は劣性ホモ接合体である。相同染色体に異なるアレルをもつヒト（例えば，Pp）をその形質について**ヘテロ接合体** heterozygous という。

表現型 phenotype（pheno- ＝みせること）とは，遺伝子の組合せが，からだの中でどのように表現されているかを示す言葉である；からだのすなわち外面的な遺伝子の表現である。Pp（ヘテロ接合体）を有するヒトは，PP（ホモ接合体）を有するヒトとは違った**遺伝子型** genotype をもつが，**表現型** phenotype は両者同じで，フェニルアラニンヒドロキシラーゼを正常につくることができる。劣性遺伝子をもっているが，表現されていないヘテロ接合体のヒト（Pp）はその劣性遺伝子を子孫に渡すことができる。このようなヒトを劣性遺伝子の**キャリア（保因者）** carrier という。

正常な形質を情報化するアレルは異常な形質をコードするアレルに対して常に優位であるとは限らないばかりか，重症疾患の優性アレルが通常，致死的となり，胚子や胎児の死を招くことがある。しかし，一つの例外としてハンチントン病（HD）がある。これは優

性アレルによる疾患で，成人になるまで症状が出ない。優性ホモ接合体のヒトとヘテロ接合体のヒトは発症する；劣性ホモ接合体のヒトは正常である。HDでは神経系の変性が進行し最終的に死にいたるが，30～40歳まで発症しないので，多くの患者はアレルをすでに子どもたちに渡してしまっていることが多い。

不完全優性 incomplete dominance においては，1対のアレルのどちらもが優位にならない。すなわち，ヘテロ接合体は優性ホモ接合体と劣性ホモ接合体の中間の表現型を示す。ヒトにおける不完全優位の例としては**鎌状赤血球症** sickle-cell disease（SCD）の遺伝がある。優性ホモ接合体の遺伝子型である $Hb^A Hb^A$ をもつヒトは正常のヘモグロビンを形成し，劣性ホモ接合体の遺伝子型である $Hb^S Hb^S$ をもつヒトは鎌状赤血球症を発症して重篤な貧血になる。ヘテロ接合体の遺伝子型 $Hb^A Hb^S$ は普通は健康であるが，貧血に関して若干の問題をもつ。なぜなら，全ヘモグロビンの半分は正常で半分は異常だからである。ヘテロ接合体のヒトはキャリアであるので，**鎌状赤血球の形質** sickle-cell trait をもつといわれる。

ひとりの人間はそれぞれの遺伝子に対して二つのアレルしか伝達できないが，いくつかの遺伝子は2種類以上の形態が違うアレルをもつ場合があり，これを**複アレル（対立遺伝子）** multiple allele inheritance という。複アレル遺伝の一例としてはABO式血液型の遺伝が挙げられる。ABO式血液型の四つの表現型，A，B，AB，Oは I 遺伝子という遺伝子における3種類の異なるアレルの6通りの組合せによって決定される。I 遺伝子には，(1)A抗原を産生する I^A アレル，(2)B抗原を産生する I^B アレル，(3)A抗原もB抗原も産生しない i アレルの3種類があり，各人には両親より一つずつの I 遺伝子，合計二つのアレルが遺伝し，異なった表現型を生み出している。六つの遺伝子型が次のような四つの血液型をつくり出す。

遺伝子型	血液型（表現型）
$I^A I^A$ または $I^A i$	A
$I^B I^B$ または $I^B i$	B
$I^A I^B$	AB
ii	O

I^A と I^B は優性形質として遺伝するが，i 遺伝子は劣性形質として遺伝する。AB型のヒトはA型とB型の赤血球の両方をもっているのが特徴である。

常染色体と性染色体

顕微鏡で観察すると，正常なヒトの体細胞の染色体46本は，それらの大きさ，形そして染色様式によって23対の異なる染色体として分類される。そのうちの22対の相同染色体は男女とも同じ形をしており，**常染色体** autosome という。また，23番目の対になった染色体を**性染色体** sex chromosome という。この性染色体は男性と女性とでは異なってみえる（図24.12 a）。女性で対になった染色体をX染色体という。男性においても一つのX染色体をもつが，それと対をなす染色体はかなり小さく，Y染色体と呼ばれる。

一つの精母細胞が染色体数を半分に減らす減数分裂の結果，X染色体をもつ2個の精子とY染色体をもつ2個の精子を生じる。卵母細胞はY染色体をもたないのでX染色体のみをもつ生殖子をつくる。もし二次卵母細胞がX染色体をもつ精子と受精すると，子ど

図 24.12 性の遺伝。図(a)において，性染色体（23番目の対）は色のついたボックス中に示されている。

性の決定は受精時に精子の性染色体によってなされる。

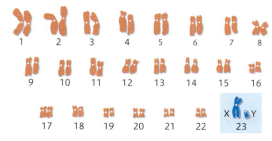

(a) 正常男性の染色体

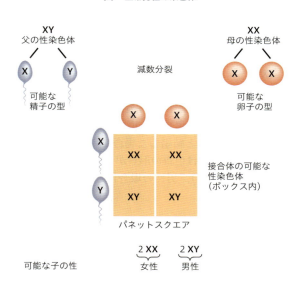

(b) 性の決定

Q 性染色体以外の染色体は何と呼ばれているか？

もは普通女性(XX)となる。またY染色体をもつ精子との受精は男性(XY)をつくる。したがって，ヒトの性は父親の精子の染色体で決定されることになる(図24.12b)。もっとも重要な男性決定遺伝子はY染色体上の性決定領域(SRY)sex-determining region of the Y chromosome と呼ばれるものである。SRYは男性としての発達へスイッチを廻す遺伝子である。受精卵においてSRY遺伝子が存在し機能するだけで，胎児は精巣を形成し男性へ分化する。一方，SRYがないと，胎児は卵巣を形成し女性へ分化する。

性染色体は性に関係のないいくつかの形質の伝達にも関与している。これらの形質に関与する多くの遺伝子はY染色体にはなくX染色体上にある。この特徴は**伴性遺伝 sex-linked inheritance**といういままで述べた遺伝様式とは異なるものを生み出す。

伴性遺伝の一例は**赤緑色盲 red-green color blindness**というもっとも一般的な色盲である。これは赤あるいは緑に感受性のある網膜の錐体が不完全なため，赤と緑が同じ色としてみえる状態である(赤にみえるか緑にみえるかは，どちらの錐体があるかによる)。赤緑色盲の遺伝子は c と表し劣性で，正常色覚の遺伝子は C と表し優性である。C/c 遺伝子はX染色体上にのみ存在するので，色を認識する能力はすべてX染色体に依存している。可能な遺伝子の組合せは次の通りである。

遺伝子型	表現型
$X^C X^C$	正常女性
$X^C X^c$	正常女性（劣性遺伝子のキャリア）
$X^c X^c$	赤緑色盲の女性
$X^C Y$	正常男性
$X^c Y$	赤緑色盲の男性

二つの X^c をもつ女性だけが赤緑色盲になる。このまれな状態は色盲の男性が色盲の女性あるいはキャリア(保因者)の女性と結婚した場合にのみ生じる($X^C X^c$ の遺伝子型の女性は色盲の形質が正常な優性遺伝子でマスクされている)。男性の場合は2番目のX染色体

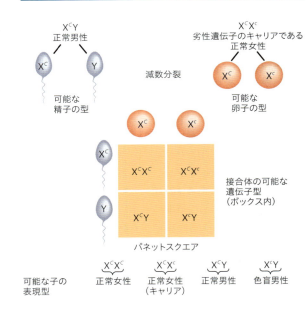

図24.13 赤緑色盲の遺伝。

赤緑色盲は伴性形質の一例である。

Q 赤緑色盲の女性の遺伝子型はどのように表されるか？

をもたないため X^c の形質をマスクすることができず，X^c 遺伝子をもつすべての男性は赤緑色盲となる。図24.13に正常な男性とキャリアの女性との間に生まれた子どもにおける赤緑色盲の遺伝様式を示す。以上述べたような遺伝形質を伴性形質 sex-linked trait という。もっとも一般的なタイプの血友病 hemophilia(損傷後，血液が凝固しない，もしくは凝固が非常に遅い)は伴性形質である。

チェックポイント

19. 遺伝子型，表現型，優性，劣性，ホモ(同系)接合，ヘテロ(異種)接合とはそれぞれ何を意味するのか？
20. 不完全優性を定義せよ。その例を挙げなさい。
21. 複アレル遺伝とは何か？ その例を挙げなさい。
22. 性の決定はどのようにして起るのか？
23. 伴性遺伝を定義せよ。またその例を挙げなさい。

臨床関連事項

ゲノミクス

20世紀の最後の10年間に，マウス，ショウジョウバエ，そして50以上の微生物のゲノムの配列が読み解かれた．その結果，ゲノムと生体の生物学的機能との関係を研究する**ゲノミクス genomics** 分野の研究が盛んになった．私たちのゲノムの32億にものぼるヌクレオチド全部を解明しようとするヒトゲノムプロジェクトは1990年に始まり，2003年4月に完了した．科学者は現在，ヒトゲノム遺伝子の総数は約21,500個であり，以前に予期されていた10万個をはるかに下回ることを明らかにしている．ヒトゲノムとそれに対する環境の影響についての情報は，遺伝子病の発症に関与する特別な遺伝子を突き止め，なぜそれらが病気を引き起すのかを知ることにつながる．ゲノム医学は，また，新薬の開発を目的とし，さらに高血圧，糖尿病，癌のような遺伝素因が発症に関与する病気に対するより効果的なカウンセリングおよび治療を施す医師を助けるスクリーニングテストを提供する．

ヒトゲノムプロジェクト：
DNA クロモソームのロゴ

よくみられる病気

不妊

女性不妊 female infertility（妊娠不能）は米国の生殖年齢にある約10％の女性に起る．女性不妊は，卵巣異常，卵管閉塞あるいは子宮が受精卵を受け入れられない状態などによって起る．**男性不妊 male infertility**（sterility）は二次卵母細胞を受精させることができないことである．したがって，勃起障害を意味するものではない．男性の懐妊能力には，十分な量の正常な生きている精子が精巣でつくられること，精子が閉塞のない精路を通ること，腟に十分な精子がとどまることなどが関与してくる．精巣の精細管はさまざまな因子に感受性を示す．放射線，感染，毒素，栄養不良，陰嚢内高温度などが精細管の変性の原因となり，男性不妊をつくる．

正常な性周期の開始と維持には，女性は最低限の体脂肪が必要である．正常のわずか10〜15％ほど体脂肪が欠乏しても，月経を遅らせたり，排卵を抑制したり，無月経を起したりする．ダイエットや過激な運動は体脂肪レベルを下げ，不妊を誘発する．ただし，過激な運動を自粛し，体重が増加すれば元に戻る．また，非常に肥満した女性が，痩せた女性と同様に，無月経や不妊の問題を経験することがある．男性も栄養不良や減量で生殖能に問題が出ることがあり，前立腺液の減少や精子の数や運動能の減退などが起る．

さまざまな不妊に対する治療が現在行われている．

- **体外受精（試験管内受精）in vitro fertilization（IVF）** 母親になる予定の女性に卵胞刺激ホルモン（FSH）を月経後に与え，通常のような一つの二次卵母細胞でなく数個の二次卵母細胞を成熟させる（過排卵）．数個の卵胞が適当な大きさになった際，臍の近くに小切開を加え，刺激を受けて成熟した卵胞から二次卵母細胞を吸引し，精子を含んだ液に移し，そこで受精させる．

- **卵細胞質内精子注入法 intracytoplasmic sperm injection（ICSI）** 精子ないし精子細胞を卵母細胞の細胞内に注入して受精させる方法で，精子運動能の障害や精子細胞が精子に分化できないために起る男性不妊の治療に用いられる．体外受精によりできあがった接合体が8ないし16細胞期に到達した時点で，着床とその後の胚子の発達のために子宮へ移す．

- **胚子移植 embryo transfer** においては，男性の精液が人工的に二次卵母細胞のドナー（提供者）女性に注入される．ドナー女性の卵管で受精した後に，その桑実胚あるいは胚盤胞はドナーから不妊女性に移され，胚子から胎児の最後まで子宮内で保持する．

- **配偶子卵管内移植 gamete intrafallopian transfer（GIFT）** の目的は，母親になる予定の女性の卵管内で正常な受精のプロセス同様の現象（精子と二次卵母細胞が合体する）を実現することである．この方法は，強い酸性や不適当な粘液などで，受精ができない女性生殖路の状態を回避するためのものである．卵胞刺激ホルモン（FSH）と黄体形成ホルモン（LH）を与えて数個の二次卵母細胞を産生させ，それらを成熟卵胞より吸引して採取し，体外において精子の入った液と混合した後に直ちに卵管へと注入する．

ダウン症候群

　ダウン症候群 Down syndrome(DS)はしばしば減数分裂の際に起り，それにより一方の生殖子に余分な21番染色体が入ってしまう疾患である。余分な染色体は通常は母親由来である。すべての卵母細胞は母親がまだ胎児のときにすでに第一次減数分裂が始まるので，その後長年にわたって染色体を障害する物質や放射線に曝されることになる（それに対し，精子が二次卵母細胞を受精させる時点では，精子になってからまだ10週以内と卵母細胞に比べて時間がたっていない）。ダウン症候群の発生率は30歳以下の女性は3,000人の出生に1人の割合だが，35〜39歳では300人に1人，48歳では9人に1人となる。

　ダウン症候群は精神発達遅滞；成長障害（低身長・短指）；特徴的な顔貌（大きな舌，平坦な顔，広い頭蓋，つりあがった眼，丸顔）；心臓，耳，手足の奇形などによって特徴づけられる。性的な成熟はほとんど達成されないし，長生きは期待できない。

医学用語と症状

妊娠嘔吐（つわり） emesis gravidarum(emeo＝吐く；gravida＝妊娠女性) 妊娠初期の朝に起りやすい嘔気や嘔吐のことで，つわり morning sickness とも呼ばれる。その原因は明らかでないが，胎盤から分泌される高濃度のヒト絨毛性性腺刺激ホルモン(hCG)と卵巣から分泌される高濃度のプロゲステロンが関与していると考えられている。時には症状が重篤になり経静脈栄養のために入院する必要がある場合がある。

骨盤位 breech presentation 出産時の胎位の異常で，胎児の殿部あるいは下肢が母体の骨盤内に入り込むこと。最多の原因としては早産である。

催奇性物質 teratogen(terato-＝怪物；-gen＝源) 胚子の発達障害を生じるすべての物質や影響のことをいう。例えばアルコール，農薬，産業物質，抗菌薬，サリドマイド，LDS，コカインなどがある。

産褥熱 puerperal fever(puer＝小児) 分娩に伴う母親の感染症で産褥敗血症 puerperal sepsis，産褥熱 childbed fever とも呼ばれる。産道に始まる感染が子宮内膜に及ぶことにより起る。ほかの骨盤内組織に広がり，敗血症にいたる可能性がある。

子癇前症 preeclampsia 突然の高血圧，タンパク尿および全身性浮腫によって特徴づけられる。子癇前症は胎児に対する自己免疫あるいはアレルギー反応が関与しているかもしれない。さらに痙攣や昏睡も加わると，子癇症 eclampsia といわれるようになる。

絨毛膜絨毛診 chorionic villi sampling(CVS) 出生前診断の手法で絨毛膜絨毛を採取し羊水穿刺と同様の遺伝疾患を検査する。受精第8週の早期から実施でき，検査結果は数日以内にわかる。実施後の自然流産の確率は約1〜2%である。

受精齢 fertilization age 最終正常月経(LNMP)の後，2週間頃まで二次卵母細胞は受精しないので，受胎齢より2週間短い。

受胎産物 conceptus 接合体から発達するすべての構造。胚子，胎盤の胚子部分，付着する膜（絨毛膜，羊膜，卵黄嚢，尿膜）を含む。

受胎齢 gestational age(gestatus＝子をもうける) 最終正常月経(LNMP)の初日から計算された胚子もしくは胎児の齢。

胎児手術 fetal surgery 胎児に対する外科的な処置。ある場合には子宮を開き，直接的に胎児を手術する。胎児手術は横隔膜ヘルニアを修復したり，肺の障害を取り除くのに用いられてきた。

胎児性アルコール症候群 fetal alcohol syndrome（FAS) 胎児が子宮内でアルコールに曝露すると特徴的な奇形を来す。精神発達遅滞のもっとも一般的な原因の一つであり，米国ではもっとも防ぐことが可能な先天奇形である。胎児性アルコール症候群の症状には出生前および出生後の発育遅延，特徴的な顔貌（短眼瞼裂，薄い上口唇と窪んだ鼻橋（訳注：鼻根に続く両眼に挟まれた領域）），心臓およびほかの器官の異常，四肢奇形，生殖器異常，および中枢神経障害などがある。行動異常としては多動性，神経過敏，集中力の低下，因果関連の理解不能などが一般に認められる。

胎児超音波検査法 fetal ultrasonography 出生前診断の手技で超音波を使い，妊娠の確認，多胎妊娠の同定，胎齢の決定，胎児の活力や発達の評価，胎位の把握，胎児や母体の異常の確認，さらに羊水穿刺などの特別な手技の際に使われる。

致死遺伝子 lethal gene(lethum＝死) 発現することにより，胚子期もしくは出生後早期に死にいたらしめる遺伝子。

超女性症候群 metafemale syndrome 少なくとも三つのX染色体(XXX)をもつことを特徴とする性染色体異常（訳注：トリプルX症候群）。700回の出生に1回の確率で起る。これらの女性は生殖器の発育不全と受胎力の低下があり，一般には精神遅滞が認められる。

羊水穿刺 amniocentesis(amnio-＝羊膜；-centesis＝液体を抜くための穿刺) 出生前診断の手法で羊水の一部を採取し，胎児の細胞および羊水中の物質を分析する。ダウン症候群，血友病，テイ-サックス病 Tay-Sachs disease，鎌状赤血球症，ある種の筋ジストロフィー症などの遺伝的障害の有無を検査する。多くは14〜18週目に行う。実施後の自然流産の確率は約0.5%である。

24章のまとめ

24.1 胚子期

1. 妊娠 pregnancy は，受精，着床，胚子の発達，胎児の発達と続く一連の経過のことである．それは出産をもって終わる．
2. 受精 fertilization の際，精子は二次卵母細胞へ侵入し，両者の核が合体する．透明帯への侵入は精子の先体(アクロソーム)にある酵素によって容易になる．結果としてできた細胞を接合体 zygote という．通常は一つの精子だけが二次卵母細胞と受精する．
3. 早期の急速な接合体の細胞分裂を卵割 cleavage という．また，卵割によって次々にできる細胞を割球 blastomere といい，やがてできる充実性の球体を桑実胚 morula という．
4. 桑実胚は胚盤胞 blastocyst へと発達する．胚盤胞は栄養膜 trophoblast (外細胞塊)と胚結節 embryoblast (内細胞塊)へと分化する細胞の集まりでできる中腔性の球体である．胚盤胞の子宮内膜への接着を着床 implantation という．
5. 栄養膜は栄養膜合胞体層 syncytiotrophoblast と栄養膜細胞層 cytotrophoblast へと分化する．内細胞塊は下胚盤葉 hypoblast と上胚盤葉 epiblast という二層性胚盤 bilaminar embryonic disc へと分化する．羊膜 amnion は栄養膜細胞層からできる薄い保護膜である．
6. 下胚盤葉が卵黄嚢 yolk sac を形成する．卵黄嚢は，胚子に栄養を与え，血液細胞をつくり，原始生殖細胞をつくり，やがて消化管の一部となる．血液と分泌液は栄養膜腔隙網 lacunar network へと流入し，胚子への栄養供給と胚子からの老廃物の除去が行われる．胚外中胚葉 extraembryonic mesoderm と栄養膜は，胎盤の主な胚子部分である絨毛膜 chorion を形成する．
7. 発生第3週の特徴は原腸形成 gastrulation である．原腸形成とは二層性胚盤から三層性胚盤(外胚葉 ectoderm・中胚葉 mesoderm・内胚葉 endoderm)へと変ることである．三層性胚盤よりすべての組織と器官が形成される．神経板 neuralplate，神経ヒダ neural fold そして神経管 neural tube の形成への過程を神経管形成 neurulation という．神経管から脳と脊髄が発生する．
8. 絨毛膜の突出物である絨毛膜絨毛 chorionic villi の血管は，胚子の心臓につながり，母体と胎児の血管を近接させる．したがって，栄養素と老廃物は母体血と胎児血の間で交換される．
9. 胎盤 placenta は母体と胎児の間での栄養素と老廃物の交換の場である．また胎盤は保護バリアであり，栄養素を貯蔵し，また妊娠を維持するいくつかのホルモンを分泌する．胎盤と胚子(後の胎児)を実際に連結するものは臍帯 umbilical cord である．
10. 発生第4週にからだの器官や器官系の形成が起る．発生第4週の終わりまでに上肢芽 upper limb bud と下肢芽 lower limb bud が発達し，発生第8週の終わりまでには胚子は明らかにヒトの特徴を呈する．

24.2 胎児期

1. 胎児期は主に胚子期に発達した組織や器官の成長や分化にかかわる．
2. 発生第9～16週までの胎児の成長は著しい．
3. 胚子と胎児の発達に関する主要な変化は表24.1にまとめられている．

24.3 妊娠中の母体の変化

1. 妊娠はヒト絨毛性性腺刺激ホルモン(ヒト絨毛性ゴナドトロピン) human chorionic gonadotropin (hCG)，エストロゲン estrogen およびプロゲステロン progesterone によって維持される．
2. リラキシン relaxin は恥骨結合の柔軟性を高め，妊娠末期に子宮頸管を広げるのに役立っている．
3. ヒト胎盤性乳腺刺激ホルモン(ヒト絨毛性ソマトマンモトロピン) human chorionic somatomammotropin (hCS) は乳腺発達，タンパク質同化作用，グルコースや脂肪酸の異化作用を進める．
4. 胎盤で産生される副腎皮質刺激ホルモン放出ホルモン(コルチコトロピン放出ホルモン) corticotropin-releasing hormone (CRH) は出産のタイミングを決めると考えられている．また胎児の副腎によるコルチゾールの分泌を刺激する．
5. 妊娠中にいくつかの解剖学的，生理学的な変化が母親に起る．

24.4 運動と妊娠

1. 妊娠中にいくつかの関節が安定性を欠く．これによりある種の動作が実行困難になる．
2. 適度な運動ならば，正常妊娠中に胎児を危険に曝すことはない．

24.5 分娩

1. 分娩 labor とは，胎児が子宮から腟を通って外に出てくる過程をいう．真分娩 true labor は，子宮頸管の開大，胎児の出産および胎盤娩出からなる．
2. オキシトシンは子宮収縮を刺激する．

24.6 乳汁分泌

1. 乳汁分泌 lactation とは乳腺における母乳の産生と駆出のことをいう．
2. 乳汁産生は，プロラクチン prolactin (PRL)，エストロゲンおよびプロゲステロンの影響を受ける．
3. 乳汁射出はオキシトシンによる．
4. 母乳を与える利点として，乳児にとって理想的な栄養を含んでいる，疾患を予防する，アレルギーになる可能性を減らすなどがある．

24.7 遺伝

1. 遺伝 inheritance とは遺伝的形質を次の世代へと渡すこ

2. 生物の遺伝子構成を遺伝子型 genotype といい，また身体的に表現した形質を表現型 phenotype という。
3. **優性アレル** dominant allele は特別な形質を調節し，一方，**劣性アレル** recessive allele の発現は優性アレルに抑えられる。
4. **不完全優性** incomplete dominance においては，1対のアレルのどちらもが優性にならない。表現型としては，ヘテロ接合体は優性ホモ接合体と劣性ホモ接合体の中間型となる。一例として鎌状赤血球症がある。
5. **複アレル（対立遺伝子）遺伝** multiple allele inheritance においては，アレルは2種類以上の形質をもつ。一例として ABO 血液型がある。
6. すべての体細胞は46本の染色体をもっている。そのうちの22対が**常染色体** autosome で残りの1対が**性染色体** sex chromosome である。
7. 女性の性染色体は二つの X 染色体である。男性の性染色体は一つの X 染色体と一つの Y 染色体である。Y 染色体は非常に小さい染色体であるが，SRY といわれる男性決定遺伝子を含んでいる。
8. SRY 遺伝子が受精卵に存在し機能するだけで，胎児は精巣を形成し，男性へ分化する。SRY 遺伝子がなければ，胎児は卵巣を形成し，女性へ分化する。
9. **赤緑色盲** red-green color blindness と**血友病** hemophilia は X 染色体上の劣性遺伝子による。これらは主に男性に起る**伴性形質** sex-linked trait である。なぜなら Y 染色体上には拮抗するような優性遺伝子がないからである。

クリティカルシンキングの応用

1. 仲間がフェイスブックに，自分たちに男の子と女の子の双子が生まれたことを載せた。もう一人の仲間が「おめでとう！　彼らは一卵性双生児だと思うよ」といった。あなたが双子をみなくても，彼女に伝えられることは何か？
2. ケンドラは学校の授業で遺伝学について勉強していたが，ある日泣きながら帰宅した。彼女はお姉さんに次のようにいった。「うちの家系と家族の特徴を調べていて，パパとママは私の本当の親ではないことを発見したの。だって特徴がまったく合わないの！」ママとパパは舌を丸めることができたのだが，ケンドラはそれができないことがわかったのである。それでもまだママとパパはケンドラの親といえるのだろうか？
3. フェリシティは彼女のまだ生まれていない赤ちゃんの健康について心配していた。フェリシティの病歴から，彼女の主治医は遺伝性疾患の有無について検査したいと思っている。フェリシティはこの検査が赤ちゃんを傷つけてしまうことをおそれている。しかし，主治医はフェリシティに"検査の手技は胎児の組織の試料を採取するけれども赤ちゃんに触れることはない"と安心させている。どのようにしてそれは可能だろうか？
4. ドンナは3週間後に出産を予定している。彼女は赤ちゃんを母乳で育てるか，人工乳で育てるかを悩んでいる。彼女は保育所でアシスタントとして働いており，母乳で育てられた乳児は，乳幼児用粉ミルク（人工乳）で育てられた乳児よりも病気になる回数が少ないことを感じている。彼女はあなたが解剖学と生理学を学んでいると知り，母乳で育てる有用性について，あなたからの説明を求めている。

図の質問の答え

24.1 受精能獲得とは，精子が二次卵母細胞と女性の卵管内で受精できるようになる精子の一連の機能変化のこと。
24.2 桑実胚は，中身のつまった球形の細胞の集まりである。それに対して胚盤胞は，内腔（胚盤胞腔）と胚結節が細胞（栄養膜）で取り囲まれた球体である。
24.3 胚盤胞は消化酵素を分泌し，着床部位の子宮内膜を分解して着床する。
24.4 着床時，胚盤胞は胚結節が子宮内膜にもっとも近接するように向いている。
24.5 二層性胚盤は付着茎によって栄養膜と結合する。
24.6 原腸形成は二次元構造の二層性胚盤を三次元構造の三層性胚盤へと発達させる。
24.7 絨毛膜絨毛は胎児と母体の血管を互いに近接させるのに重要である。
24.8 胎盤は，母体と胎児の間の物質の交換に働き，多くの微生物から保護するバリアとして働き，栄養素の貯蔵場としても働く。
24.9 この間に，胎児の体重は2倍に増える。
24.10 オキシトシンはまた分娩中の子宮収縮を刺激する。
24.11 第1子も第2子もフェニルケトン尿症にかかる可能性は25％である。
24.12 性染色体でない染色体は常染色体である。
24.13 赤緑色盲の女性は X^cX^c の遺伝子型である。

クリティカルシンキングの応用の答え

Chapter 1
1. 解剖学的正位では，両腕をからだの側面に垂らし，手掌を前に向ける。
2. 階層性をもった生命が存在しうるもっとも小さな構造レベルは細胞である。その生き物が生きているかどうかを確認するには，代謝，反応性，運動，成長，分化，再生（生殖）という生命プロセスをチェックすればよい。
3. 解剖学的にいえば，ガイの答えは矛盾だらけである。尾側とは頭より下方あるいは頭より遠いほうを意味し，背側は背中を意味し，腓腹部は下腿のふくらはぎのことである。しかも，鼠径部は体幹の前面で下肢の上端近くにある。
4. 正中矢状面はからだを等しく左右半分に分割する（訳注：したがって，鏡に映っている側の足を地面から上げれば，鏡に映る2本の足はいずれも地面から上がっていることになる）。横断面（水平面）はからだを上下二つに分ける（訳注：したがって，上半身のみが鏡に映れば，鏡に映るのは頭が二つ，腕が4本，足が0本となる）。

Chapter 2
1. 牛乳に含まれるタンパク質がレモンジュースに含まれる酸により変性する。変性は牛乳中のタンパク質がもはや水に溶けないようにその形状の特質を変化させる。
2. 心臓にとってヘルシーな鮭をコーン油で調理するほうが，コーン油からつくったマーガリンで調理するよりも好ましい。純粋なコーン油は心臓病の危険性を減らすと考えられている多価不飽和脂肪酸を含んでいる。一方，コーン油からマーガリンを製造するために，コーン油は水素添加され，その過程で健康に非常によくないトランス脂肪酸ができる。
3. アルバートJr.はpHを理解していない。pHスケールの目盛が一つ増加するごとにH^+濃度は1/10ずつ低下する。pH 3.5溶液はpH 2.5より10倍弱い酸性（あるいは10倍よりアルカリ性）である。
4. ただ単にスクロース（ショ糖）に水を加えるだけでは単糖に分解できない。水は溶媒としてスクロースを溶かした，スクロースの水溶液となる。スクロースをグルコースとフルクトースに完全に分解するには，酵素スクラーゼの存在が必要となるだろう。

Chapter 3
1. リソソームに含まれる消化酵素が骨組織を消化し，骨組織に貯蔵されていたカルシウムを放出させる。
2. 海水はからだの細胞よりも高濃度の溶質（NaCl）を含んでいるので，からだにとっては高張液である。したがって，海水を飲めば，からだの細胞は収縮していが状になってしまうだろう。
3. ムチン（タンパク質）は粗面小胞体に付着したリボソームで合成される。合成されたムチンは，粗面小胞体から輸送小胞をへて，ゴルジ装置に運ばれる。ゴルジ小嚢をへる間に（輸送小胞を利用する），修飾を受けて糖タンパク質になる。そして分泌小胞に梱包されて，細胞膜まで運ばれ，エクソサイトーシスによって放出される。
4. ジェアードは，"早くふける"という加齢の異常につながる危険因子をいくつか抱えている。ストレスが多いと，染色体の端にある，加齢現象をふせぐテロメアが短くなり，その結果，細胞死が起って加齢が早く進む。チョコレートや清涼飲料水に大量に含まれる糖（グルコース）は，タンパク質間を架橋して弾力性を低下させ，組織を老化させる。彼の免疫系の機能は異常を来している可能性があり，自己免疫反応を引き起こしてさらに加齢を進行させる。

Chapter 4
1. 針は皮膚の角化扁平上皮組織を貫いている。上皮には血管がないので出血は起らない。
2. コラーゲンは人体でもっとも豊富にあるタンパク質である。骨，軟骨，密線維性結合組織にはコラーゲンが豊富に含まれている。コラーゲンは，腱，靱帯，腱膜にも含まれている。
3. 卵管の内面は線毛単層円柱上皮で覆われている。線毛（ここでは"毛"と表現されている）は卵子（あるいは受精卵）の動きを助ける。
4. マラの"傷めた軟骨"には，骨の長さが伸びる部位である脛骨の硝子軟骨が含まれていた。軟骨には血流がないため，軟骨の治癒は遅く，彼女の右足の成長が遅れた。彼女の左足は正常に成長したため，左右の足の長さに差が出た結果，彼女は足をひきずるようになった。

Chapter 5
1. 毛幹は死んで角化した細胞が融合したものである。毛の基部にある毛球には活動性の毛母があり，細胞分裂が起きている。毛根周囲神経叢（神経組織）が個々の毛包を囲んでいる。
2. 表皮は，表皮の最深部にある基底層で始まるケラチノサイトの細胞分裂によって修復される。ケラチノサイトは有棘層，顆粒層，角質層をへて表面に移動する。細胞は表面へ移動する間に全体が角化して扁平になり死滅する。この過程には約2〜4週間かかる。
3. 皮膚に伸展性と弾力性があるのは，主として真皮深層部の膠原線維と弾性線維によるものである。皮膚表面に白色の線として認められる線条は，妊娠時の皮膚の過伸展による真皮の小さな亀裂が原因である。
4. ジェレミーのにきびは油（皮脂）が脂腺に蓄積することによって生じる。皮脂の分泌は思春期以降に増えることが多い。にきびの色はメラニンと酸化された油による。

629

Chapter 6
1. J.R. は脛骨と腓骨，橈骨の茎状突起，舟状骨を骨折している。
2. 長骨の大きさ，とくに関節をつくる骨端の大きさを比較してみる。これらの構造は男性のほうが大きくて太い傾向がある。筋のつく隆起，線，粗面，稜もたいていの場合，男性でより明瞭である。骨盤の構造にも違いがあるはずで，出産のために骨盤は女性のほうが広くて浅く，骨盤上口と骨盤下口も大きい。
3. オルガは女性であり，その年齢からみても，骨粗鬆症に罹っている。骨量の減少は，カルシウムの喪失が増えて，成長ホルモンとエストロゲンの産生が減少したためである。椎骨が縮むので，背が曲がり，背が低くなる。
4. ケイトは下腿にある2本の骨のうち，大きいほうの骨(脛骨)の近位端を(膝蓋骨の高さで)骨折した。ケイトの骨折を治すためには，カルシウム，リン，マグネシウム，ビタミンA，C，D，ヒト成長ホルモンとその他のホルモン，骨基質をつくるタンパク質が必要である。

Chapter 7
1. 膝関節の屈曲，股関節の屈曲(同時に膝の挙上を伴う)，頸の過伸展，手指の屈曲，肘と肩では屈曲と伸展，そして下顎を下制した。
2. 股関節は，大腿骨頭が寛骨の寛骨臼にはまって形成された球関節に属する，可動性で滑膜性の連結である。股関節の運動は屈曲/伸展，外転/内転，回旋と描円である。
3. ACLとは前十字靱帯である。後外側に走り，脛骨と大腿骨とを連結している。ACLは，ほかの関節内および関節外靱帯とともに働いていて膝関節を安定させる。
4. おばあさんは変形性関節症に罹っているようである。変形性関節症は高齢者の中で，もっとも一般的な退行性関節疾患である。おばあさんは"足"は買えないが，関節形成術(損傷した関節を人工関節で，置換すること)について，医師とそのよい点と悪い点について話しあった。

Chapter 8
1. 神経伝達物質であるアセチルコリンの信号を受け取らなければ骨格筋は収縮しない。アセチルコリンの放出が阻止されるので，骨格筋は働かない。
2. アリが使ったのは，口輪筋(口をすぼめる)，前頭筋(眉を動かす)，頬骨筋(頬を動かす)，頬筋(頬を膨らます)。
3. ケイトは下肢の筋を使っていなかったため筋原線維が消失して，筋が萎縮してしまった。運動によって筋原線維，ミトコンドリア，筋小胞体を増強して，筋を太くすることが必要である。
4. スプリンター(短距離競走選手)の筋には速筋-解糖型の太い線維の割合が多いが，マラソン選手の筋には速筋-酸化・解糖型の細い線維のほうが多いだろう。これは，スプリンターのトレーニングは筋肥大を促進する傾向にあるが，マラソン選手のトレーニングは，筋量の増加ではなくて，心肺機能を高めるからだろう。

Chapter 9
1. コーヒーの香りを感じ，目覚まし時計の音を聴くのは感覚神経，伸びをし，あくびをするのは運動神経，唾液が出るのは自律神経(副交感神経)である。
2. アセチルコリン(ACh)は興奮性の神経伝達物質で，運動神経から分泌されて筋収縮を開始させる。マーガに投与された薬剤が筋線維の受容体をブロックするため，AChは筋細胞に接触できず，筋細胞を刺激できない。
3. 脳内にはエンドルフィンなどの神経ペプチドがみられる。これらは快感に関係しており，天然の鎮痛薬である。
4. 髄鞘は神経インパルスの伝導(伝播)速度を高める。乳幼児では髄鞘化が完全ではないので，年齢の高い子どもに比べ反応が遅く，運動の協調性も低い。

Chapter 10
1. 腕神経叢は，腋窩領域を通り，腕と手を支配する。ケイトの体重が腕神経叢を圧迫し，神経インパルスの伝導を妨げてしまった。
2. テリーは自動車事故で頭部に傷を負った。その結果，視覚機能の中枢がある後頭葉付近のクモ膜下腔で脳脊髄液(CSF)の循環が遮断されてしまった。永久的かつ致命的ともなりうる脳損傷を防ぐために，たまってくるCSFはシャントを用いて排出する。
3. 脳卒中で左中心前回の一次運動野と左前頭葉のブローカ野が傷害された。これらの領野はどちらも大脳皮質にある。
4. カイルの足の受容器がピンによる痛みを検出し，インパルスが感覚神経を通って脊髄に達し，脊髄でこの信号が運動ニューロンに伝えられ，この運動ニューロンが足の筋を刺激して収縮させた。その結果，逃避反射が起った。

Chapter 11
1. 自律神経系のうちの副交感神経系が消化を司る。消化器系の器官は食物を消化し，栄養を吸収し，老廃物を排泄するように活動が増加する。リラックスした状態では，心拍数は減少し気道は収縮する。
2. 口頭発表することに対する不安は交感神経系を活性化する。身が危険にさらされていなくても闘争・逃走反応が開始され，問題に記されたような症状が起る。副腎髄質からのアドレナリンとノルアドレナリンの放出がその効果を持続させる。
3. 鳥肌は交感神経系の反応である。交感神経節前ニューロンの細胞体は脊髄の胸髄と腰髄(T1～L2)に存在し，その軸索は脊髄前根を通って交感神経節に達する。そこから交感神経節後ニューロンが毛包の平滑筋(立毛筋)に達し，それが収縮すると鳥肌になる。
4. 二重支配とは，多くの器官が自律神経系の交感神経と副交感神経都によって支配されていることをさしており，頭が複数存在するということではない。

Chapter 12
1. エベリンの行った行為は以下の数種類の感覚受容器を刺激している。暖かい風呂は温覚の受容器を，くすぐりは

自由神経終末を，唇へのキスは触覚小体を，腕をやさしくなでる動作は毛根神経叢を刺激している。
2. 内耳の前庭器の球形嚢，卵形嚢は頭部のとる位置に反応し，静的平衡の維持に働く。平衡斑の耳石膜は頭部の動きに反応して動き，有毛細胞を刺激して，第Ⅷ脳神経を伝わっていく神経インパルスを発生させる。
3. 角膜は眼球に入射する光線の屈折のうち約75％を担っている。角膜表層を削って角膜の形を変えると，光の屈折が変化し，網膜上に結像させることが可能となる。これにより視力の改善が期待できる。
4. 検眼士は検眼の際，虹彩の筋を一時的に麻痺させる点眼薬を使用した。この薬は，瞳孔散大筋を収縮状態に麻痺させるため，ラターシャの瞳孔は散瞳した。一方，瞳孔括約筋は弛緩状態で麻痺するため，明るい光に反応した縮瞳ができなくなり，光がまぶしく感じられるようになったのである。

Chapter 13

1. パトリックは膵臓のベータ細胞の破壊による1型糖尿病である。彼はグルコースを代謝するためにインスリン注射をしなければならない。彼の伯母は2型糖尿病である。彼女はインスリンを産生できるが，彼女の体細胞はホルモンに対する感受性が下がっている。
2. 加齢に伴い，成長ホルモン(GH)を含む多くのホルモンの分泌が低下する。加齢に伴う筋肉量の減少の原因の一つにGHの欠如がある。また，テストステロン濃度の低下も筋肉量を減少させる。
3. メラトニンは松果体から暗闇や睡眠中に分泌される。睡眠パターンを決めている中枢は視床下部にあるが，このパターンを決めるシステムを生物時計と呼ぶ。メラトニンはこの生物時計をリセットするのを助ける。SADは過剰のメラトニンによって引き起こされるのかもしれない。全波長高照度光照射によりメラトニン分泌が抑制され，SADの治療法となる。
4. 脱水は下垂体後葉からのADHの分泌を刺激する。ADHは腎臓による水分の貯留を増加させ，発汗を抑え，細動脈を収縮させ，その結果血圧を上昇させる。アドレナリンとノルアドレナリンはストレスに対する反応として副腎髄質から放出されるだろう。

Chapter 14

1. ビリルビンは古い赤血球が肝臓で貪食され，そのヘモグロビンから由来するヘムが分解されてできる色素である。もし胆管がビリルビンを胆汁として肝臓から排泄できなくなるとビリルビンは血中やその他の組織に蓄積し，皮膚や眼球が黄色になり黄疸と呼ばれる。
2. 対象1はA型，対象2はAB型，対象3はO型である。
3. 青紫の爪床の色はチアノーゼでみられる。これは酸素不足(低酸素症)が長く続くことによって引き起こされる。
4. 多能性幹細胞は骨髄系幹細胞やリンパ系幹細胞に分化し，この二つから血液のすべての細胞成分すなわち赤血球，血小板，白血球(単球，好酸球，好中球，好塩基球，リンパ球)が産生される。

Chapter 15

1. ペースメーカーは電気刺激を心臓の右側(右心房あるいは右心室)に送り，心筋を刺激して収縮を引き起こす。ペースメーカーは心臓調律(リズム)が乱れている状態のときに用いられ，洞房結節の機能の代わりを務める。
2. 車が急に現れたので，交感神経系が活性化されたのである。延髄の心臓血管中枢から出た交感神経のシグナルは脊髄を下降して心臓促進神経に到達する。そこからノルアドレナリンが放出され，この物質が心拍数と心収縮力を増加させる。
3. 一回拍出量(SV) ＝ 心拍出量(CO) ÷ 心拍数(HR：拍/min)である。安静時の心拍出量が5,250 mL/minだと仮定すると，SV ＝ 5,250 mL/min÷40拍/min ＝ 131.25 mLとなる。この式を書き直すとCO ＝ SV × HR(拍/min)となる。運動によってジャン・クロードの心拍出量はCO ＝ 131.25 mL×60(拍/min) ＝ 7,875 mL/minとなる。
4. ジャネットは夫からの話はよい知らせだと思ってよい。HDL(高密度リポタンパク質)はからだの余分なコレステロールを取り去るので，"善玉コレステロール"とされている。一方，LDL(低密度リポタンパク質)は動脈硬化性プラークの形成を促進することから，"悪玉コレステロール"として知られている。患者にとってHDLは高く，LDLは低いことが望ましい。

Chapter 16

1. アドレナリンの作用の一つは細動脈の血管収縮である。細動脈が一時的に収縮すると，歯科領域での局所的な血流を減少させ，出血を減らすことになる。
2. 静脈弁が弱くて血液が逆流すると静脈瘤が発生する。加齢により，静脈壁は伸展性を失い，血液により拡張し伸びきったままとなる。動脈は静脈よりも内膜と中膜が厚く拡張した状態のままになることは少なく，また弁も存在しない。
3. 栄養素，老廃物，酸素，二酸化炭素の交換は胎盤を通して行われるが，胎盤では母体と胎児の循環系があわさる。臍帯(臍の緒)には母体と胎児の間で物質を運ぶ血管がある。臍静脈は胎盤から胎児へ栄養素と酸素を運ぶ。臍静脈を流れる血液の一部は肝臓に入るが，大部分の血液は静脈管に流れ込み，次に下大静脈に入る。脱酸素化し，老廃物を含む胎児の血液は2本の臍動脈を通り胎盤へ還流する。臍動脈は胎児の内腸骨動脈から分枝する血管である。
4. ピーターは動脈を切った。心室の収縮により発生する高い圧力のために，血液は動脈から噴出する。

Chapter 17

1. 右腋窩リンパ節がおそらく切除されたと思われる。腫瘍(乳腺のしこり)から流れ出るリンパは腋窩リンパ節によって濾過されるからである。腫瘍からの癌細胞はリンパによって腋窩リンパ節に運ばれ，転移によって癌を拡げる可能性がある。
2. 脾臓はリンパ球(B細胞，T細胞，形質細胞)，顆粒白血球，樹状細胞，マクロファージから構成され，それらは

すべて病原体と戦う。脾臓は血小板を貯蔵し，不完全で古くなった赤血球や血小板を破壊し，血液細胞を生成する（胎児期の一定期間）。脾臓を持ち続けることがもちろん望ましいが，脾臓の機能のいくつかは赤色骨髄と肝臓など造血能を有する他の器官によって代行することができる。

3. 破傷風の初回免疫は人為的獲得による能動免疫を用意する。追加免疫は破傷風菌やその毒素に対する免疫を維持するのに必要である。

4. 血流がないので，抗体やT細胞は角膜に容易には到達しない。したがって移植された異質な角膜を拒絶する免疫反応は生じない。

Chapter 18

1. 息止め（息こらえ）により，血中の CO_2 と H^+ の値は上昇し，O_2 は低下する。これらの変化により吸息中枢は強く刺激され，レビの意識のあるなしにかかわらず，呼吸を再開するように刺激が送られる。

2. 通常，運動時には交感神経系に刺激が送られるため細気管支が拡張し，気流と酸素供給が増加する。気管支喘息の場合は，細気管支の収縮が生じ，吸息が困難となり気流が低下する。

3. ブリアナはウイルス感染により，かぜ（coryza）をひいた。喉頭の炎症である喉頭炎は，よくみられるかぜの合併症である。声帯ヒダの炎症により，声が出なくなった。

4. あなたが飲み込んだときに喉頭蓋が完全に閉まらず，液体が喉頭内に入ってしまったためである。液体による刺激により一過性に呼吸が止まり，その後に咳反射が生じ液体が喀出された。

Chapter 19

1. 食べ物の残りと細菌を取り除くために歯を磨くべきである。食後に細菌が分解した糖が歯に残っていると，エナメル質を溶かしてしまうような酸ができる。その結果，虫歯になる。

2. エドナとゲートルードは両方とも間違っている。大腸における腹部痙攣，下痢，ガス充満による腹部膨満感は乳糖不耐性の症状である。

3. 幽門括約筋がこの境界部位にある。おもちゃのクモは，口腔から咽頭口部，咽頭喉頭部を通過して，食道に入り，最終的には，胃に入る。胃の内視鏡検査では，胃の粘液で覆われた上皮，胃小窩，ヒダが明瞭に観察される。

4. ゲートルードの胸やけは下食道括約筋が十分に収縮できなかった結果，胃酸が食道に逆流し，胸やけ症状を感じたことが原因である。トマト，チョコレート，コーヒーのような胃酸分泌を刺激する食べ物は，括約筋を弛緩させるようなアルコールと同じく，胸やけ症状をさらに悪化させる。ゲートルードが薬品棚に抗胃酸剤をもっていたなら，胃酸を中和するために服用することができた。もし，その症状が続くようなことであれば食習慣を変える必要があるだろうし，内科医に処方薬について相談してほしい。

Chapter 20

1. 図20.1参照。

2. 太陽や周囲の熱い砂からの放射，そして熱い砂に寝そべったことから伝導によって体温は上昇するであろう。水に飛び込むと伝導と対流によって熱は水へ奪われる。

3. マークが考えている食事は典型的なカーボローディングとして知られている。耐久性を争う運動の試合前2～3日間，糖質を多く含む食事をすると筋肉内にグリコーゲンが多く貯蔵されるという証拠がある。試合中，グリコーゲンはグルコースに分解され，それが引き続いてATP産生に使われる。

4. フリーラジカルによる細胞膜やDNA，血管壁の障害は抗酸化剤によって守られる。ビタミンCは水溶性なので過剰な量は尿中に排泄される。ビタミンA（β-カロテンから合成）とビタミンEは脂溶性なので，肝臓などの組織に毒性をもつレベルにまで蓄積することがある。

Chapter 21

1. アルコールは抗利尿ホルモン（ADH）の分泌を抑制する。視床下部が血中水分量の減少を感知すると，ADHが分泌される。ADHは集合管と遠位曲尿細管の水透過性を増加させることにより，水の再吸収を促す。

2. 失禁（排尿に対する不随意性調節の欠如）はサラの年齢の子どもでは正常である。外尿道括約筋にいくニューロンは2歳くらいまで完全に発達しない。また，随意的に排尿をコントロールしようとする欲求も必要であり，それには大脳皮質がかかわらなければならない。

3. 心配しなくてもよい。糸球体濾過は主に血圧によって駆動される。これに対抗するのは，糸球体嚢の圧であり，膀胱内の尿の圧ではない。正常な生理的条件下で尿は膀胱内に貯留し，腎臓に向かって戻らない。

4. 記述されている症状からみて，メレディスは尿路感染症（UTI）に罹患している。UTIの大部分は抗菌薬で治癒できる。女性の尿道は短く，尿道は肛門に近いので，女性は繰り返しUTIに罹りやすい。女性の尿路には，細菌が容易に侵入し，コロニーを形成する。UTIを予防するには，拭くときと性交時に清潔にすること，生理用タンポンやナプキンを規則的に交換すること，液体を毎日多量に摂取し，頻繁に排尿することで細菌を洗い流すことである。

Chapter 22

1. 高いナトリウム濃度は心房性ナトリウム利尿ペプチド（ANP）分泌を促し，（Na^+ が水とともに腎臓から排出されるため）血漿 Na^+ 濃度が低下するとともに血液量が減少する。

2. ティモンは水中毒に陥った。彼は水泳練習中，過剰な水を飲み，体液が過剰に希釈あるいは低張になってしまった。水は細胞内に入り込み，細胞が膨張し，痙攣を引き起こした。

3. エマの肺気腫はからだがつくり出す二酸化炭素（CO_2）を十分排出できないという結果をもたらす。CO_2 濃度が上昇すると，CO_2 は水と反応し H^+ と炭酸水素イオン

(HCO_3^-)に解離する。増加した H^+ が呼吸性アシドーシスをつくり出す。彼女の腎臓はより多くの H^+ の排出とより多くの HCO_3^- の再吸収を行って代償することを試みる。

4. 血液量の増加は心房をより伸展させることになり，ANPの放出を促進し，Na^+ の腎臓からの排出量が増加する（ナトリウム利尿）。Na^+ の排出とともに，水の排出が生じるために血液量が減少する。

Chapter 23

1. ジャネールはプロゲステロンが不足しているのだろう。プロゲステロンは黄体から分泌され，子宮に作用して妊娠の準備と維持を行う。プロゲステロン値の減少は流産の原因となる。
2. 精管切除術においては精管を切断するので，精子は体外へ輸送されず，精巣の機能は影響を受けない。間細胞はテストステロンというホルモンを分泌し，男性の性徴と性衝動を維持する。精管切除術はホルモンの産生またはホルモンが血液を介して全身のほかの部分へ輸送されることに影響を与えない。
3. 精子産生には正常体温よりやや低い温度が最適である。フリオがぴったりしたブリーフを着用し，熱い浴槽に浸ることで温度が高くなり，精子の産生と生存を妨げ，生殖能力を阻害する結果となる。
4. 前立腺肥大（良性前立腺過形成）の症状は頻尿，夜尿，排尿時の躊躇，尿流出力の低下，残尿感などである。前立腺分泌液は精液に乳白色の外観を与え，精子のための栄養，凝固性酵素，精液を液化する前立腺特異抗原（PSA）などを供給する。前立腺の関与がなければ，精液量は約25%減少する。

Chapter 24

1. 友達の子は二卵性双生児である。もし一つの受精卵が卵割の過程で二つの細胞群に分かれて双子になったのならば一卵性双生児になるはずである。一卵性双生児は同じ受精卵から生じるので，彼らは同じ遺伝子情報をもち，必ず同性となるはずである。
2. 本当の親といえる。舌を丸めることは優性遺伝である。ケンドラの両親は舌を丸めることのできる遺伝子がどちらもヘテロ接合体である（Tt）。その優性遺伝子（T）は舌を丸める能力をもたらすが，両親はどちらもケンドラに劣性遺伝子（t）を渡したことになる。したがってケンドラは劣性遺伝子（tt）のホモ接合体となり，舌を丸めることができない。
3. 主治医は羊水か絨毛膜絨毛より胎児組織の試料を得ようとしているのであろう。羊水は剝離した胎児の細胞を含み，絨毛膜絨毛は胎盤の胎児部分である。したがって，羊水穿刺と絨毛膜絨毛診断は胎児から直接試料を採取するものではない。
4. 母乳で養われる新生児は母親より相当の分泌型 IgA 抗体を受けることになる。これらの抗体は新生児を多くの病原体から守ることができ，乳児が独自で抗体を産生できるようになるまでの生後数カ月間働く。その他の母乳に含まれる感染防御物質として，インターロイキン10，ムチン，糖タンパク質，T リンパ球およびマクロファージがあり，有害なバクテリアの増殖を抑えて有益なバクテリアの繁殖を促す物質も含まれる。加えて，新生児の成長に必要な栄養素，ホルモンおよび成長因子が母乳に含まれる。授乳は，下垂体からのオキシトシン分泌を刺激し，それが子宮を収縮させて妊娠前の状態に戻すのを助ける。

索　引

あ

I 帯　188
間細胞　577, 578
亜　鉛　534
赤　目　323
アキレス腱　227
悪性黒色腫　114
悪性腫瘍　68
悪玉コレステロール　527
アクチン　188, 189
アクロソーム　579
アジソン病　354
アシドーシス　31, 405, 526, 571, 573
味物質　303
アスコルビン酸　536
アスパラギン酸　249
アスピリン　370
アセチル基　523
アセチルコリン　190, 249, 289
アセチルコリンエステラーゼ　192, 289
アセチル補酵素 A　523, 524
頭（⇨ 頭部）　11, 150, 152, 158
厚い皮膚　102
圧受容器　8, 390, 404
圧受容器反射　404
圧　迫　182
アデノシン三リン酸 ➡ ATP
アデノシン二リン酸　39
アテローム性動脈硬化　369
アテローム性動脈硬化症　382
後　産　427, 615
アドレナリン　287, 347, 405
アナフィラキシー　456
アナフィラキシーショック　456
アナフィラキシー反応　456
アニオン ➡ 陰イオン
アブミ骨　316
アポクリン汗腺　107
アポトーシス　69
アミノ基　35, 36
アミノ酸　35, 510
　　──と結合　478
Rh 因子　370
Rh 式血液型　370
RNA ポリメラーゼ　61
アルカリ性　30

アルカローシス　31, 571
アルコール　553
アルツハイマー病　57, 279
アルドステロン　344, 405, 552, 564, 566
アルビノ　103
アルファ細胞（α 細胞）　341, 342
アルブミン　359, 360, 555
アレル　622
アレルギー体質　456
アレルゲン　456
鞍関節　176, 177
アンギオテンシン I　344
アンギオテンシン II　344, 405, 552, 566
アンギオテンシン変換酵素　344, 429
安　静　182
安静時　392
安静時徐脈　392
アンチコドン　62
暗調小体　201
暗　点　323
アンドロゲン　129, 344, 346, 578
アンドロゲン性脱毛症　106
アンヒドラーゼ　36

い

胃　5, 291, 327, 498
胃　液　440, 443, 499
硫　黄　22, 534
イオン　24, 243, 390
イオン結合　24
イオンチャネル　44, 47
イオン濃度　572
異　化　28, 522
いが状赤血球　49
E 型肝炎　518
閾　値　245
異形成　69
移行細胞　75
意　識　267
異種移植　457
異種間移植　97
萎　縮　69
胃小窩　498
胃食道逆流症　496
移植片　457
異所性興奮源　393
胃　腺　498
移　送　489, 500, 514
胃　壁　498
痛　み　482
位置エネルギー　27

1 型糖尿病　344
I 型肺胞上皮細胞　468, 470
I 型反応　456
I 型皮膚機械受容器　297, 298
一次運動野　271, 272
一次嗅覚野　271, 272
一次極体　586
一軸性　176
一次骨化中心　126, 127
　　──の発生　125
一次視覚野　271, 272, 314
一次精母細胞　577-579
一次体性感覚野　271
一次聴覚野　272
一次ニューロン　274
一次胚葉　612
一次反応　452
一次防衛線　440
一次味覚野　271, 272, 305
一重共有結合　25, 33
一次卵母細胞　586
一次リンパ器官　438
一倍体　578
一方向性情報伝達　249
一卵性双生児　608
胃腸腺　291
一回換気量　472, 473
一回拍出量　389, 392
一過性脳虚血発作　273
一価不飽和脂肪酸　33
一酸化炭素　250
一酸化炭素中毒　477
一酸化窒素　250, 328
一般感覚　295
胃　底　498, 499
遺　伝　621
遺伝カウンセリング　621
遺伝学　621
遺伝子　39, 59
遺伝子型　622
遺伝子の組換え　579
胃内容排出　501
遺　尿　559
い　ぼ　117
陰イオン　25
陰　核　585, 589
陰核包皮　587
陰　茎　6, 583
陰茎海綿体　576, 583
陰茎亀頭　576, 583
陰茎根　576, 583
陰茎体　576, 583
飲作用　52
インスリン　341
インスリン依存型糖尿病　344

インスリン非依存型糖尿病　344
インスリン様成長因子　332
インターフェロン　440, 443
インターロイキン 2　447
インテグラーゼ阻害剤　455
咽　頭　5, 462, 464, 496
咽頭喉頭部　463, 464
咽頭口部　463, 464
咽頭相　496
咽頭鼻部　464
咽頭扁桃　439, 464
陰　嚢　575, 576
インパルス　186, 239, 245
インヒビン　347, 581, 593
インピンジメント症候群　216
陰部ヘルペス　603
陰部疣贅　603
陰　門　589

う

右一次気管支　466
ウィリス動脈輪　410
ウイルス療法　69
上　12
右腋窩静脈　420
右腋窩動脈　411
ウェルナー症候群　69
ウェルニッケ野　271, 272
右外頸静脈　418
右外側足底動脈　414
右外腸骨静脈　423
右外腸骨動脈　414
右下副甲状腺　339
右下腹部　17, 18
右下肋部　17
右寛骨　152
右　脚　386
右胸膜腔　16, 377
右区域気管支　469
右後脛骨動脈　414
烏口突起　148
烏口腕筋　216, 217
右細気管支　469
右鎖骨下静脈　420
右鎖骨下動脈　408, 410, 411
右膝窩静脈　423
右膝窩動脈　414
右尺側皮静脈　420
右尺骨静脈　420
右終末細気管支　469
右主気管支　462, 466, 469

あ

右掌側静脈叢　420
右上副甲状腺　339
右小伏在静脈　423
右上腹部　17, 18
右上腕静脈　420
右上腕動脈　411
後ろ　12
右心室　380, 381
右腎臓　542
右深掌静脈弓　420
右深足底静脈弓　423
右心房　380, 381
──の右心耳　380
薄い皮膚　102
右前脛骨静脈　423
右前脛骨動脈　414
右前腕正中皮静脈　420
右総頸動脈　408, 410, 411
右総腸骨静脈　423
右総腸骨動脈　414
右足背動脈　414
右側腹部　17
右鼠径部　17
右大腿静脈　423
右大腿動脈　414
右大伏在静脈　423
右肘正中皮静脈　420
右腸骨部　17
右椎骨静脈　418
右椎骨動脈　410, 411
うっ血性心不全　390
右橈側静脈　420
右橈側皮静脈　420
右内頸静脈　418
右内側足底動脈　414
右内腸骨静脈　423
右内腸骨動脈　414
右尿管　542
右肺　462
右肺動脈　406
右腓骨静脈　423
右腓骨動脈　414
右副腎　345
うま味　303
膿　442
右葉　337
右葉気管支　469
右リンパ本幹　435, 436
ウレアーゼ　517
ウロビリノゲン　362, 555
ウロビリン　362
右腕頭静脈　418, 420
運動　6, 131, 530
──の補助　119
運動エネルギー　27
運動学　167
運動感覚　299
運動緩慢　279
運動機能　238
運動系　238
運動後　197
運動失調　268
運動終板　190, 191
運動神経　277
運動前野　271, 272

運動単位　190
運動中　197
運動ニューロン　190, 241, 260, 261
運動野　271, 272
運動路　258

え

エアロビクス　391
永久歯　495
エイズ　455
衛星細胞　242
H 帯　188
H1N1（型）インフルエンザ　485
栄養失調　538
栄養素　360, 532
栄養膜　609, 611
栄養膜腔隙　611, 612
栄養膜腔隙網　611, 612
栄養膜合胞体層　610, 611
栄養膜細胞層　610, 611
会陰　589
会陰切開　589
会陰部　115
エウスタキオ管　316
A 型肝炎　518
腋窩静脈　419
腋窩神経　12
腋窩動脈　410
腋窩リンパ節　436
液性結合組織　92
液性免疫　444
液相エンドサイトーシス　52
エクソサイトーシス　51-53
エクリン汗腺　107
壊死　69
SA 結節　386
SO 線維　199
S 細胞　505
S 状結腸　512
エストロゲン　34, 129, 347, 591, 617
SPF 値　115
A 帯　188
ATP　28
──の結合と乖離　193
──の分解　192
ATP 合成酵素（ATP シンターゼ）　40
ATP 分解酵素（ATP アーゼ）　36, 40
エナメル質　494
NK 細胞　441, 443
エネルギー　27
ABO 式血液型　370
エピネフリン ➡ アドレナリン
A 部位　61
AV ブロック　393
AV 結節　386
AV 束　386
エフェクター細胞　445

FOG 線維　199
FG 線維　199
エプスタイン・バーウイルス　457
エラスチン　86
エリスロポエチン　349, 364, 541
塩　29
遠位　12, 545
──の骨端　121
遠位曲尿細管　545-547
遠位脛腓関節　168
円回内筋　219, 221
遠隔転移　439
塩化物　534, 569
塩化物イオン　549
塩化物イオン移動　478
塩基　38
塩基性　30
塩基トリプレット　61
嚥下　496
遠視　311
炎症　441, 443
炎症性腸疾患　518
遠心系　238
遠心性ニューロン　241
延髄　264, 265, 276
──の損傷　264
延髄呼吸中枢　264, 479
円柱細胞　75
エンテロキナーゼ　502
エンドサイトーシス　51, 53
エンドルフィン　250
塩味　303

お

尾　615
横隔膜　15, 213, 214, 471
横隔膜呼吸　473
横行結腸　511, 512
横細管　188
黄色骨髄　120
横足弓　158
黄体　584, 586
黄体期　594
黄体形成ホルモン　332, 336, 581, 591
黄疸　104, 373
横断面　13, 14
嘔吐　440, 443, 501
応答　8
横突起　143
黄斑　309
黄斑変性　313
横紋　185
横紋筋　200
悪寒　537
オキシダーゼ　36, 57
オキシトシン　333, 336
オクテットの法則　24
オステオン　122, 123
遅い痛み　299
オトガイ孔　139

大人のくる病　162
オーバーウェイト　537
オプシン　312
オプソニン効果　441
ω（オメガ）3 脂肪酸　35
ω（オメガ）6 脂肪酸　35
親指　152
温受容器　299
温度　529
温度感覚　299
温度受容器　296, 297, 299

か

下　12
外　12
外因性　369
外因性経路　368
外陰腟カンジダ症　602
外陰部　589
下位運動ニューロン　274, 275
外果　156
回外　175
回外筋　219
外眼筋　209
外頸静脈　418
外頸動脈　410
開口期　619
外呼吸　461, 475, 476
介在ニューロン　241
介在板　200, 379
外耳　315, 321
概日リズム　268
開始 tRNA　61
外耳道　133, 315, 321
外斜視　209
回旋　174
外旋　174
回旋筋腱板　215
外側　12
外側顆　154-156
外側区画　227, 229
外側楔状骨　157
外側広筋　225-227
外側足底動脈　413
外側側副靱帯　178, 179
外側直筋　210, 305
外側半月　178-180
外側皮質脊髄路　274, 275
外側面　74
回腸　505
外腸骨動脈　408, 413, 422
外転　174
外転神経　277
外転神経（Ⅵ）　265
解糖　195
解糖系　523, 524, 529
回内　175
外尿道括約筋　556, 557
外尿道口　556, 557, 582, 583, 589
外胚葉　612
灰白質　243
外反　175

索引

外反母趾　162
外鼻　462
外皮系　3, 100
外鼻孔　463
回復酸素摂取　197
外腹斜筋　211, 212, 471
外分泌細胞　499
外分泌腺　83, 326
外分泌部　501
解剖学　1
解剖学的死腔　472
解剖学的正位　11
解剖頸　148, 149
開放骨折　128
蓋膜　316, 317, 398
外毛根鞘　105
界面活性物質　468
海綿質（海綿骨）　124
回盲括約筋　505
外毛根鞘　105
回盲弁　505
潰瘍　442, 517
潰瘍性大腸炎　518
外来性タンパク質　446
解離　29
外リンパ　316
外肋間筋　213, 214, 471
カイロプラクティック　162
カウパー腺　576
下横隔動脈　408
下角　159
化学　21
化学エネルギー　27
下顎窩　133
化学記号　21
化学結合　24
下顎骨　134, 135, 139
化学シナプス　248
化学受容器　296, 298, 390, 404, 480
化学的因子　443
化学的消化　490
化学反応　27
化学療法　66, 106, 602
下関節窩　143
下関節突起　143
過期産児　620
鉤爪趾　162
下気道　462
可逆反応　28
下丘　266
蝸牛　316, 317, 321
蝸牛インプラント　323
蝸牛管　316, 317
蝸牛神経　278
蝸牛窓　316
架橋　192
核　23, 43, 58, 60, 264
角運動　172
角化重層扁平上皮　80
角化　103
角化症　116
顎下神経節　288
顎下腺　494

顎下リンパ節　436
顎関節　133
顎関節症症候群　139
拡散　46, 53
角質層　102, 103
核小体　58
拡張期　388
拡張期血圧　428
拡張蛇行静脈　401
獲得免疫　434
角膜　306, 310
核膜　58
角膜移植　323
核膜孔　58
下顎神経　277
下顎神経節　286
過形成　69
下行結腸　512
化合物　24
下行路　258
過呼吸　481
芽細胞　122
下肢　11, 12
下肢芽　615
下肢帯　132, 133, 152
下斜筋　210, 306
過剰　564
顆状関節　176, 177
過食症　538
下食道括約筋　496
下伸筋支帯　227
過伸展　173
下垂体　327, 330, 331, 333
下垂体窩　133, 330
下垂体後葉　291, 331, 333
下垂体後葉ホルモン　336
下垂体性低身長症　129
下垂体前葉　331, 333
下垂体前葉ホルモン　336
下垂体門脈　330
加水分解　29, 31
ガストリン　499, 514
ガス類　360
かぜ　485
化生　69, 174
仮声帯　465
家族歴　114
下大静脈　379, 406, 416, 417
肩回旋筋腱板損傷　181
硬さ　122
カタラーゼ　57
カチオン ➡ 陽イオン
下腸間膜神経節　286, 287
下腸間膜動脈　406, 408
下直筋　210, 305
滑液　93, 171
滑液包　172, 178, 180
滑液包炎　172
滑液包切除術　182
割球　609
滑車神経　277
滑車神経（Ⅳ）　265
滑車切痕　149, 150
褐色細胞腫　354

活性型細胞傷害性 T 細胞　444, 445, 449
活性型ヘルパー T 細胞　444, 445, 448
活性部位　37
活動電位　186, 239, 245
滑膜　93, 171
滑膜炎　182
滑膜腔　17, 171
滑膜細胞　93
滑膜性の連結　168, 171
滑面小胞体　55
括約筋　186
カテリシジン　441
寡動　279
可動関節　168
可動範囲　172
寡能性幹細胞　59
下胚盤葉　610-612
下鼻甲介　134, 135, 139, 463
過敏性腸症候群　518
カフェイン　553
下腹神経叢　286
下腹部　17
カプセルに包まれた神経終末　297
過分極　245
可変領域　446
カーボローディング　525
鎌状赤血球症　35, 372, 623
鎌状赤血球の形質　623
かゆみ　298
下葉　468
カリウム　22, 23, 534, 569
カリウムイオン　549
顆粒球　364, 365
顆粒層　102
下涙小管　305
カルシウム　22, 534, 569
カルシウムチャネル遮断薬　429
カルシトニン　130, 338, 340
カルシトリオール　339
カルバミノヘモグロビン　478
カルボキシ基　35, 36
カルボキシペプチダーゼ　501, 509
加齢　10, 67, 131
加齢黄斑病　313
加齢黄斑変性　313
仮肋　147
カロテン　104
カロリー　529
渇き中枢　268, 564
癌　68
眼圧　309
癌遺伝子　68
癌ウイルス　68
肝炎　518
肝円索　426
感音性難聴　322
眼窩　132

眼科学　295
感覚　295
眼窩腔　17
感覚機能　238
感覚系　238
感覚受容器　238, 241, 260, 295
感覚神経　277
感覚ニューロン　241, 260
感覚毛　317
感覚毛束　319, 320
感覚野　271
感覚路　258
間期　65
肝機能検査　505
眼球　291, 306
眼球血管膜　306
眼球線維膜　306
眼球突出　354
間欠性跛行　431
眼瞼　305
癌原遺伝子　68
眼瞼炎　323
還元ヘモグロビン　477
眼瞼攣縮　191
肝硬変　518
寛骨　152
寛骨臼　153, 159
肝細胞　503
幹細胞　59, 95, 102, 613
カンジダ・アルビカンス　602
間質液　46, 326, 437, 562
冠循環　384
環状 AMP　329
眼障害　344
緩衝系　30, 570
緩衝剤　30, 568
冠状静脈洞　379, 384, 406, 416, 417
冠状動脈疾患　382
冠状動脈バイパス術　383
冠状縫合　140, 169
肝静脈　504
冠状面　13
眼振　323
眼神経　277
肝膵管　503
完成した骨　120
関節炎　182
関節円板　172, 180
関節窩　148
関節学　167
関節鏡検査法　179
関節腔　171
関節置換術　180
関節痛　182
関節突起　139
関節内補充療法　182
関節軟骨　120, 121, 127, 171
──と骨端板の形成　127
関節半月板切除術　179
関節包　171, 178

関節面　143
関節リウマチ　182
汗腺　3, 107, 291
乾癬　116
完全強縮　198
完全骨折　128
感染性肝炎　518
完全な禁欲　594
完全に飽和した状態　477
肝臓　5, 291, 327, 510, 503
杆体　309
環椎　143
貫通管　122, 123
間脳　261, 262, 276
肝斑　103
眼房水　309
γ（ガンマ）-アミノ酪酸　249
ガンマグロブリン　457
甘味　303
顔面　12
顔面神経　277
顔面神経（Ⅶ）　265
顔面神経障害　251
顔面神経麻痺　208
顔面頭蓋　132
顔面頭蓋骨　132
肝門脈　425, 426, 503, 510
肝門脈循環　425
間葉　122
肝類洞　503, 504
関連痛　299

き

気圧障害　323
記憶　275
記憶細胞　445
記憶細胞傷害性T細胞　444, 445, 449
記憶B細胞　445, 451, 452
記憶ヘルパーT細胞　444, 445, 448
機械受容器　297
機械的消化　490
機械的人工呼吸　485
気管　5, 462, 463, 467
器官　3, 465
器官系　3
器官系レベル　2, 3
気管支　5
気管支鏡検査　485
気管支樹　466
　──の分岐　467
気管支動脈　408
気管切開術　465
気管平滑筋　291
器官レベル　3
危険因子　382
起始　203
基質　36, 37, 84, 85
季節性インフルエンザ　485
季節性情動障害　348

偽足　51
基礎状態　530
基礎代謝率（基礎代謝量）　336, 530
拮抗筋　203
拮抗支配　289
基底細胞　301-304
基底細胞癌　114
基底層　74, 102
基底板　316, 317
基底膜　74
基底面　74
亀頭　589
気道刺激　482
希突起膠細胞　242
キナーゼ　36
キヌタ骨　316
機能　1
機能亢進症　353
機能低下症　353
機能的残気量　473
偽分娩　619
キモトリプシン　501, 509
逆移送　500
逆転写酵素阻害剤　455
客観的　10
ギャップ結合　200, 379
キャリア　44, 47, 622
キャリアタンパク質　48
QRS複合体　387
弓　158
吸引脱脂術　88
嗅覚　301
嗅覚受容細胞　301, 302
嗅覚受容体　301
嗅覚鈍麻　301
球関節　176, 177
嗅球　301
球形嚢　316, 317, 321
嗅細胞　301, 302
嗅索　301
吸収　75, 108, 490, 508
吸収上皮細胞　505
弓状膝窩靱帯　178
弓状静脈　544, 545
弓状動脈　544, 545
嗅上皮　302, 463, 464
求心系　238, 301
嗅神経　277
嗅神経（Ⅰ）線維　265
嗅神経孔　136, 138
求心性ニューロン　241
急性腎不全　559
急性前立腺炎　601
急性等容量性血液希釈　373
嗅腺　301
嗅線毛　301, 302
吸息　468
吸息領域　479
9の法則　116
橋　265, 276
境界　114
胸郭　132, 133, 146

胸管　435, 436, 510
狭義の触覚　298
頬　208, 209
胸腔　15
狂犬病　251
橋呼吸ニューロン群　266, 479
胸骨　146, 147
頬骨　134, 136, 139
頬骨弓　133
胸骨体　146
胸骨柄　146
狭窄　384
胸鎖乳突筋　212, 223, 471
共刺激　447, 449, 451
凝集　451
凝集原　370
凝集素　370
胸神経　256
狭心症　392
胸腺　438, 438
胸大動脈　406, 408, 409
胸椎　141, 143
共通統合野　271, 272
胸部彎曲　141, 142
強膜　306, 310
胸膜　17, 93, 466
胸膜炎　485
胸膜腔　15, 466
胸膜腔内圧　472
強膜静脈洞　309
共有　25
共有結合　25
胸腰部　286
協力筋　204
巨核芽球　366
巨核球　366
棘　128
棘下筋　216-218
棘筋　222, 223
棘上筋　216, 217
局所的影響　115
局所用製剤　110
極性共有結合　27
極性頭部　34
棘突起　143, 143
虚血性脳卒中　273
距骨　157
挙上　174, 182
巨人症　129
去勢　603
ギラン-バレー症候群　251
起立性低血圧　431
キロカロリー　529
キロミクロン　510, 511, 527
近位　12
　──の骨端　121
近位曲尿細管　545
筋萎縮　190
筋炎　232
筋学　185
筋活動電位　190
緊急避妊薬　597
筋強直症　232

筋緊張　195
筋緊張亢進症　232
筋緊張低下症　232
筋系　4
筋形質　188
筋形質膜（筋細胞膜）　188
筋原性疾患　231
筋原線維（筋細線維）　187-189
均衡性低身長症　129
筋骨格系　185
筋細胞　187
筋挫傷　182, 232
近視　311
筋ジストロフィー　231
筋腫　232
筋周膜　187, 188
筋小胞体　188
筋上膜　187, 188
筋性動脈　398
筋性部　190
筋節　188, 189
筋線維　93, 186-189
筋全体　197
筋層　491, 500, 506, 513
筋束　187, 188
筋組織　3, 73, 93
筋痛　232
筋電図　198
筋電図検査　195
均等　12
筋内膜　187, 188
筋軟化症　232
筋肥大　190
筋疲労　197
筋フィラメント　187
筋腹　203
筋紡錘　260
筋膜　89, 186
筋膜切開　218

く

区域気管支　466, 467
区域動脈　544
空気圧　471
空腸　505
クエン酸　583
クエン酸回路　523, 524, 529
区画　218
区画症候群　218
口　492
屈曲　172
屈筋区画　218, 221, 226, 227
屈筋区画筋　220
屈筋支帯　220
クッシング症候群　354
屈折　311
クーパー靱帯　590
首　11
クプラ　321
苦味　303
クモ膜　255, 261

クモ膜下腔　255, 263
クモ膜絨毛　263, 264
グラニュリシン　450
グラーフ卵胞　584, 593
クラミジア　603
クラミジア・トラコマチス菌　603
グランザイム　450
グリア　241
グリア細胞　95, 241
クリーゼ　537
グリコーゲン　31, 525
グリコーゲン顆粒　52
クリスタ（クリステ）　57
グリセロール　32, 525, 526
グリセロール分子　33
グルココルチコイド　346
グルコサミン　86
グルコース　525, 526, 549, 555
　　──の異化　529
　　──の同化　529
グルコース依存性インスリン分泌刺激ペプチド　349, 507
グルコースキャリア　48
グルタミン酸　249
くる病　162
クレアチニン　549
クレアチン　195
クレアチン補給　197
クレアチンリン酸　195
グレーヴス病　354
クレチン病　353
クレブス回路　523
クローン　445
クローン選択　445, 449, 451
グロブリン　359, 360
クロム　534
クワシオルコル　538

け

毛　3, 104
鶏冠　136, 138
経口補液　566
経口ホルモン療法　595
脛骨　155, 156
脛骨コンポーネント　180
脛骨粗面　156
憩室　518
憩室炎　518
形質細胞　85, 365, 444, 451, 452, 445, 450
憩室症　518
茎状突起　133, 149, 150
頸神経　256
頸神経叢　256, 259
痙性麻痺　275
頸椎　141, 143
頸動脈孔　133
頸動脈小体　404
頸動脈洞の圧受容器　391
経皮的冠動脈形成術　383
経皮薬剤投与　109
頸部　11, 12
頸部粘液細胞　499
頸部リンパ節　436
頸部彎曲　141, 142
頸膨大　256, 257
経絡　300
系レベル　3
痙攣　231
経路　259
外科頸　148, 149
下痢　603
K細胞　507
血圧　8, 402, 428
血圧計　428
血液　4, 92, 358
　　──の粘性　402
血液学　358
血液型　370
血液型分類　370
血液凝固　368
血液凝固因子　368
血液銀行　373
血液検査　367
血液減少　566
血液膠質浸透圧　400
血液酵素検査　367
血液試料　367
血液生成　362
血液組織　92
血液貯蔵部　397
血液透析　554
血液ドーピング　363
血液脳関門　264
血液pHの調整　541
血液量と血圧の調節　541
結核　484
結核菌　456, 484
血管　4, 404
血管運動緊張　405
血管拡張　398, 441
血管拡張薬　429
血管腔　397
　　──の太さ　402
血管腫　116
血管収縮　398
血管新生　68, 431
血管抵抗　402
血管壁　563
血管膜　310
血管攣縮　367
血球産生　120
血球成分　359
月経　593
月経過多　603
月経期　593
月経困難症　603
月経周期　591, 592
月経前症候群　601
結合組織　3, 73, 84, 100
結合組織鞘　105
結合体　608
血漿　46, 92, 359, 360, 437, 562
月状骨　150, 151
血漿タンパク質　359
血小板　92, 365, 366
血小板血栓　367
血小板減少症　373
血清　368
血精液症　583
血栓　369
血栓症　368, 369
血栓性静脈炎　431
血栓溶解薬　370
血中グルコース　343
血中のイオン濃度の調節　541
結腸　511
結腸ヒモ　512
結腸膨起　512
血餅　368
　　──の退縮　369
結膜　306
結膜炎　323
ゲート開放　47
ケトーシス　526
ゲート閉鎖　47
ケトン体　527, 555
解熱薬　537
ゲノミクス　625
ゲノム　59
ケミカルピーリング　110
ケラチノサイト　100
ケラチン　102
下痢　514
ケロイド　116
腱　89, 188
腱画　211
検眼鏡　308
嫌気性　524
嫌気性解糖　196
嫌気性解糖系　524
原形質性星状膠細胞　242
肩甲下筋　216, 217
肩甲挙筋　214, 215
肩甲棘　148
肩甲骨　148
肩鎖関節脱臼　181
腱索　381, 383
犬歯　493, 495
原子　1, 21
原始外胚葉　610
原子価殻　24
原子核　21
幻肢感覚　299
原始結節　612
原始内胚葉　610
原子番号　22
腱鞘炎　203
剣状突起　146
減数分裂　64, 578
元素　21
原腸形成　612
腱板損傷　216
肩峰　148
腱膜　89
腱膜瘤　162

こ

高圧酸素療法　474
高位脳中枢　404
口咽頭腔　612
抗A抗体　370
好塩基球　364
甲介　136
口蓋骨　134-136, 139
口蓋垂　493
口蓋扁桃　134-136, 439, 464, 493
口蓋裂　139
効果器　8, 238, 241, 260, 261, 285
後角　258
高活性抗レトロウイルス療法　456
後過分極相　245
硬化療法　401
交換血管　399
交感神経　391
交感神経幹神経節　286, 287
交感神経系　238, 285, 286
交感神経節後ニューロン　284
交感神経節前ニューロン　284
交換反応　28
後眼房　309, 310
後期　64, 65
後期Ⅰ　580
後期Ⅱ　580
好気性　524
好気性呼吸　196
好気性細胞呼吸　524
口峡　493
抗凝固薬　369
後期流産　598
咬筋　209
抗菌タンパク質　441, 443
抗菌物質　440, 443
口腔　5, 17, 492
　　──の潰瘍　518
後区画　218, 221, 226, 227, 229
　　──の筋　220
広頸筋　208, 209
後脛骨静脈　422
後脛骨動脈　413
高血圧　429
抗血管新生因子　90
抗血清　371
抗原　370, 442, 445
　　──の凝集　451
　　──の中和　451
抗原結合部位　446
抗原受容体　443
抗原処理　446
膠原線維　85, 86
抗原提示　446
抗原提示細胞　452, 446
硬(骨)口蓋　139, 493

後交通動脈　410, 411
後根　258
後根神経節　258
交叉　579
虹彩　307, 310
後索　257, 274
後索-内側毛帯路　273
抗酸化ビタミン　533
抗酸化物質（抗酸化剤）　24
後産期　620
好酸球　85, 360, 364, 365
後十字靱帯　179, 180
高周波円錐切除術　602
高周波静脈閉鎖術　401
拘縮　218
恒常性　7
甲状腺　327, 334, 337
甲状腺右葉　337
甲状腺機能亢進症　336
甲状腺クリーゼ　354
甲状腺左葉　337
甲状腺刺激ホルモン　332, 336
甲状腺刺激ホルモン放出ホルモン　332
甲状腺腫　354
甲状腺ホルモン　328, 336, 338
甲状腺濾胞　334, 337
鉤状突起　149, 150
甲状軟骨　464
口唇　493
　──の潰瘍　518
口唇ヘルペス　116
合成　27, 522
合成オキシトシン　334
後正中溝　257
合成反応　27
光線過敏症　114
酵素　36, 45, 522
酵素-基質複合体　37
構造　1
構造式　25
梗塞　392
後側頭泉門　141
抗体　359, 370, 444, 445
後退　175
後大脳動脈　410, 411
抗体媒介性免疫　443, 444
高炭酸ガス血症　364, 405, 480
好中球　85, 360, 364, 365
高張液　49
後天性免疫不全症候群　455
喉頭　5, 462-464
喉頭炎　465
後頭顆　133
喉頭蓋　464, 465
喉頭癌　465
後頭筋　208, 209
後頭孔　133
後頭骨　133-136
後頭前頭筋　208, 209

後頭葉　269
鉤突窩　149
高ナトリウム血症　573
広背筋　216-218
紅斑　104
広汎性子宮全摘出術　587, 602
後鼻孔　463
抗B抗体　370
硬膜　255, 261
硬膜上腔　255
硬膜静脈洞　418
高密度リポタンパク質　382, 527
肛門　5, 512
肛門管　512
後葉　330
膠様組織　614
効率　36
抗利尿物質　334
抗利尿ホルモン　333-336, 405, 552, 565
高山病　475
口輪筋　208, 209
股関節　154
股関節完全形成術　162
股関節骨折　162
呼吸　461, 468, 476
呼吸器系に対する喫煙の影響　478
呼吸器病医　462
呼吸窮迫症候群　485
呼吸困難　485
呼吸細気管支　468, 469
呼吸数　572
呼吸性代償　571
呼吸中枢　479
呼吸調節中枢　479
呼吸不全　485
呼吸ポンプ　403, 435
呼吸膜　468, 470
呼吸領域　462
黒質　266
鼓室階　316
鼓腸　513
骨　3, 119
　──の破砕　122
　──のミネラル量　161
　──のリモデリング　128
骨化　125
骨学　119
骨格筋　186, 187, 203, 238, 291, 491
骨格筋組織　4, 93, 185
骨格筋ポンプ　403, 436
骨格系　3, 119
骨芽細胞　122, 123
骨化中心　125
　──の発生　125
骨幹　120, 121

骨関節炎　162
骨幹端　120, 121
骨間膜　168, 169
骨吸収　122, 128, 568
骨吸収阻害剤　161
骨形成原細胞　122, 123
骨細管　122, 123
骨細胞　122, 123
骨小腔　122, 123
骨小柱　124, 123
　──の形成　125
骨髄移植　366
骨髄炎　162
骨髄腔　121, 122, 127
　──の形成　126
骨髄系幹細胞　359, 361
骨スキャン　124
骨折　128
骨組織　92, 122
骨粗鬆症　161
骨端　120
骨単位　122, 123
骨単位間連絡管　123
骨単位性導管　123
骨端線　120, 121, 128
骨端軟骨　170
骨端板　120, 127
骨沈着　128
骨内膜　121, 122
骨軟化症　162
骨肉腫　163
骨盤　152
骨盤位　620, 626
骨盤縁　152
骨盤下口　152
骨半規管　316
骨盤腔　15
骨盤計測法　153
骨盤軸　153
骨盤上口　152, 159
骨盤臓器全摘出術　602
骨盤内炎症性疾患　603
骨盤内臓神経　288
骨膨大部　316
骨膜　120, 121, 123, 126
　──の発生　125
骨迷路　316
骨量欠乏症　163
固定筋　204
コドン　61, 63
ゴナドトロピン放出ホルモン　332, 581, 591
コバルト　534
コファクター　567
鼓膜　315, 321
鼓膜穿孔　315
固有感覚　299
固有受容器　299, 404
固有受容器刺激　481
コラーゲン　86
ゴルジ装置　56
コルチ器　316
コルチコトロピン　332, 336
コルチコトロピン放出ホルモ

ン　333, 346, 618
コルチゾール　346
コルポスコピー　603
コレシストキニン　349, 505, 514, 515
コレステロール　44
根　258
混合経口避妊薬　594
混合神経　258, 277
混合　489
混合ピル　595
根骨　149
根治的乳房切除術　602
コンドロイチン硫酸　86
コンパートメント　218
コンパートメント症候群　218

さ

再灌流　384
細気管支　466, 467
催奇性物質　626
再吸収　400, 568
細菌の固定　451
サイクリックAMP　329
採血専門技師　373
最小内臓神経　286
細静脈　397, 399, 401, 427
臍静脈　426, 614
再生　6, 243, 614
再生管　243
臍帯　426, 427, 614
最大吸気量　473
左一次気管支　466
最長筋　222, 223
左胃動脈　408
細動脈　291, 397, 399
臍動脈　426, 427, 614
臍動脈索　426
サイトゾル　43, 52, 60, 562
再発寛解型MS　250
最表層　74
臍部　17
再分極相　245
細胞　2
　──の形態　75
細胞外液　7, 46, 562
細胞外マトリクス　84
細胞間結合　74
細胞呼吸　461, 523
細胞骨格　52, 54
細胞質　43, 44, 52, 60
細胞質分裂　64
細胞周期　64
細胞傷害性　449
細胞傷害性T細胞　443, 444, 449, 452
細胞傷害性T細胞クローン　444, 449
細胞傷害性反応　456
細胞小器官　2, 43, 60
細胞生物学　43
細胞層の配列　75
細胞体　239

索引

細胞体分裂　66
細胞内液　43, 46, 52, 562
細胞認識マーカー　45
細胞媒介性反応　456
細胞媒介性免疫　443, 444
細胞分裂　64
細胞膜　43, 44, 60, 562
細胞融解　441
細胞レベル　2
細網線維　85, 86, 88, 438
サイモシン　349
サイロキシン　334
サーカディアンリズム　268
左下副甲状腺　339
左下腹部　17, 18
左下肋部　17
左冠状動脈　408
左脚　386
左胸膜腔　16, 377
索　258
左区域気管支　469
鎖骨　147, 148
坐骨　152-154
鎖骨下静脈　419
鎖骨骨折　147
坐骨神経痛　280
左鎖骨下静脈　510
左鎖骨下動脈　408, 410, 411
左終末細気管支　469
左主気管支　466, 469
左上腹部　17, 18
左心室　380, 381
左腎臓　542
左心房　380, 381
　――の左心耳　380
痤瘡　106
左総頸動脈　408, 410, 411
左総腸骨静脈　423
左総腸骨動脈　414
左側頭葉　272
左側腹部　17
左鼠径部　17
左腸骨部　17
刷子縁　507
殺精子薬　597
左肺　462
左肺動脈　406
左半球　272
サーファクタント　468
左副腎　345
左葉　337
左葉気管支　469
左腕頭静脈　420
酸　29
酸塩基平衡の維持　567
三角筋　216-218
三角筋粗面　149
三角骨　150, 151, 222
酸化水　564
Ⅲ型反応　456
残気量　473
残渣小体　51
三叉神経　277

三叉神経（V）　265
三次気管支　466
三軸性　176
　――の運動　175
三次ニューロン　274
三重共有結合　25
産褥期　620
産褥熱　626
サンスクリーン　115
酸性　30
酸性度　477
三尖弁　381, 383
酸素　22, 23
　――の運搬　477
三尖性胚盤　612
酸素化血　379, 475
酸素化（酸化）ヘモグロビン　477
酸素負債　197
三半規　607
サンブロック　115
酸味　303

し

歯　494
シアノコバラミン　536
歯垢　107, 315
シェーグレン症候群　96
耳介　315, 321
自家移植片　102, 457
歯科矯正学　128
視覚　305
視覚連合野　271, 272
自家血輸血　373
耳下腺　493
C型肝炎　518
自家培養皮膚移植　102
弛緩　194, 557
歯冠　494
耳管　316, 321
弛緩期　198, 388
弛緩性麻痺　275
子癇前症　626
色素上皮層　308, 309
色素の量　103
色調　114
色盲　314
子宮　291, 585, 587
　――の基底脱落膜　614
子宮外妊娠　616
子宮外膜　587
子宮筋腫　603
子宮筋層　587
子宮腔　586, 587
子宮頸（頸部）　586, 587
子宮頸癌　602
子宮頸管内膜搔爬　604
子宮頸キャップ　598
子宮頸部異形成　602
子宮周期　591, 592
子宮腺　587
子宮全摘出術　587
子宮体（体部）　586, 587
糸球体　544-547
糸球体腎炎　559

糸球体嚢　544, 546, 547
糸球体包　545
糸球体濾液　547
糸球体濾過　547, 548
糸球体濾過量　550
子宮底（底部）　586, 587
子宮摘出術　587, 602
子宮内避妊具　597
子宮内膜　587, 609
子宮内膜症　587
子宮部分摘出術　587
歯齦　493
軸　175
軸骨格　132
軸索　190, 239, 240
軸索終末　190, 240
軸索小丘　240
軸索側枝　240
軸椎　143
歯頸　494
刺激　7, 239, 295
刺激伝導系　386
刺激頻度　197
刺激ホルモン　330
止血　367
試験管内受精　625
視交叉（視神経交叉）　314
自己寛容　443
自己抗体　456
死後硬直　194
自己タンパク質　446
自己調節　401
指骨　151, 152, 157, 158
篩骨　133, 134, 138
篩骨垂直板　136
篩骨洞　133, 138, 140
篩骨蜂巣　138, 140
自己貪食　56
自己免疫　456
自己免疫疾患　456
自己免疫反応　67
自己融解　57
自己律動性　200
歯根　169, 494
歯根管　494, 495
歯根管治療法　495
歯根膜　494
G細胞　499
視索　314
時差ぼけ　348
四肢　132
支持　119
CCK細胞　507
支持結合組織　90
支持構造　575
支持細胞　301-304, 316, 317, 319, 320
　――の核　577
歯歯槽結合　168
支質　86, 95
脂質　31
脂質消化　509
脂質代謝　504
脂質二重層　44, 45

四肢麻痺　279
歯周病　168, 517
思春期　598
視床　267, 276, 314
視床下部　267, 327, 330, 331, 333
　――の渇き中枢　566
耳小骨　132, 316, 321
糸状乳頭　303, 304
茸状乳頭　303, 304
矢状縫合　140
矢状面　12
視診　10
指伸筋　221
視神経　277, 314
視神経（Ⅱ）　265
視神経円板　309
視神経孔（管）　133, 137
耳神経節　288
歯髄　494
歯髄腔　494
シス脂肪酸　35
刺青　104
耳石　319
耳石器　319
耳石膜　319
指節骨　152
脂腺　106
自然獲得による受動免疫　453
自然獲得による能動免疫　453
自然の血液ドーピング　363
自然免疫　434
自然流産　598
歯槽　137, 139
歯槽突起　137, 139
歯槽突起窩　169
子孫　69
下　12
支帯　220
肢帯　132
死体硬直　194
耳痛　323
膝横靱帯　179, 180
膝蓋下脂肪体　171, 178
膝蓋腱反射　260, 261
膝蓋骨　154, 155
膝蓋靱帯　178, 179, 226
膝蓋大腿ストレス症候群　154
膝蓋面　154
膝窩静脈　422
膝窩動脈　413
膝関節　156
　――の脱臼　181
膝関節全置換術　180
膝関節置換術　180
膝関節半置換術　180
失語症　272
実質　95
失神　431
疾病　10
質量　21

質量数 22	重症筋無力症 231	漿液 93	蒸発 530
耳道腺 107, 315	舟状骨 150, 151, 157	小円筋 216-218	上皮 74
歯突起 143	自由上肢骨 132, 133, 148	上横隔動脈 408	上皮基底膜 468
シナプス 240	自由神経終末 103, 296, 297	消化 490	上鼻甲介 136, 138, 463
シナプス間隙 190, 247	終神経節 287, 288	障害 9	上皮小体 338
シナプス後ニューロン 247	重層上皮 75	消化液分泌 489	上皮小体ホルモン 129, 338
シナプス終末球 190, 191, 240	縦足弓 158	消化管 349, 489	上皮組織 3, 73, 100
シナプス小胞 190, 240	十二指腸 505	消化管運動 489	上皮膜 93
シナプス前ニューロン 247	十二指腸腺 507	消化器系 5, 489	小伏在静脈 422
シナプス伝達 247	終末細気管支 466, 467	上顎骨 134-137	小胞 46, 50
歯肉 493, 494	自由面 74	上顎洞 137, 140	——による輸送 53
自発的流産 598	絨毛 506, 507, 510	消化性潰瘍 517	小胞体 55
篩板 136, 138	絨毛間腔 614	消化性潰瘍疾患 517	漿膜 15, 93, 491, 500, 506, 513
耳板 615	絨毛膜 611, 612	松果体 268, 276, 327, 348	漿膜性心膜 377, 378
C反応性タンパク質 382	——の絨毛膜絨毛 614	上眼瞼挙筋 210, 210	正味の拡散 46
耳鼻咽喉科学 295, 462	絨毛膜絨毛 613, 614	上関節窩 143	静脈 379, 397, 401
ジヒドロテストステロン 581	絨毛膜絨毛診断 626	上関節突起 143	静脈炎 431
視物質 312	主観的 10	上気道 462	静脈管 426, 427
ジペプチド 35	主気管支 467	上丘 266	静脈管索 427
脂肪移植 110	縮瞳 312	小臼歯 493, 495	静脈還流 402
脂肪吸引法 88	手根 149	小胸筋 214, 215	静脈採血 367
脂肪細胞 85	手根管 150, 151, 220	上頸神経節 286	静脈性腎盂造影 559
脂肪酸 33, 526	手根管症候群 151, 220	上行結腸 511	静脈洞 439
脂肪組織 291, 349	酒さ 109	小膠細胞 242	静脈内溶液 49
脂肪滴 52	主細胞 338, 499	上行大動脈 379, 406, 408, 409	静脈弁 401
脂肪凍結法 88	樹状突起 240	上行路 258	静脈瘤 401
脂肪分解 526	受精 607, 610	踵骨 157	睫毛 305
しみ 103	受精能獲得 608	踵骨腱 227	消耗症 538
耳鳴 323	受精齢 626	小骨盤 152, 153	小葉 468, 578, 590
弱視 209	主席卵胞 593	上肢 11, 12	上葉 468
尺側手根屈筋 221	受胎産物 626	上肢芽 615	小葉間静脈 544
尺側手根伸筋 221	腫大リンパ節 457	上矢状静脈洞 263, 264	小葉間胆管 503
尺側皮静脈 419	受胎齢 626	硝子体 309	小葉間動脈 544
尺側偏位 174	出血 367, 373	上肢帯 132, 133, 147, 148	小菱形骨 150, 222
若年性糖尿病 344	出血性脳卒中 273	硝子体腔 309, 310	少量元素 21
斜角筋 471	出産 619	上室性頻拍 393	上涙小管 305
雀卵斑 103	出生前発育 581, 607	上斜筋 210, 306	上腕筋 219, 220
斜視 209, 323	出力 8, 9, 364, 405	症状 10	上腕骨 148
車軸関節 176, 177	受動過程 46, 53, 471	上食道括約筋 496	上腕骨滑車 149
斜膝窩靱帯 178	主動筋 203	上伸筋支帯 227	上腕骨小頭 149
射精 583	手背静脈網 419	小腎杯 544, 546	上腕骨体 149
射精管 576, 582	腫瘍 68	脂溶性ビタミン 533	上腕骨頭 148
尺骨 149, 150	腫瘍学 68	脂溶性ホルモン 329	上腕三頭筋 219, 220
尺骨静脈 419	受容器 7	常染色体 623	上腕静脈 419
尺骨粗面 150	腫瘍血管新生因子 68	小泉門 141	上腕動脈 410
尺骨動脈 410	主要元素 21	掌側静脈叢 419	上腕二頭筋 219, 220
斜面 13, 14	主要組織適合遺伝子・複合体 445	上大静脈 379, 406, 416, 417, 420	食塊 495
斜裂 468	主要組織適合抗原 366	小腸 505	食細胞 51, 441, 443
縦隔 15, 16	受容体 45, 328	上腸間膜静脈 425, 426	食作用 364
自由下肢骨 132, 133, 154	腫瘍摘出術 602	上腸間膜神経節 286, 287	触診 10
終期 65, 66	腫瘍マーカー 69	上腸間膜動脈 406, 408	褥瘡 116
終期I 580	シュレム管 309	上直筋 210, 305	食中毒 518
終期II 580	シュワン細胞 242	小殿筋 226	食道 496
集合管 547	循環時間 431	小内臓神経 286	食道相 496
集合リンパ管 435, 437	循環路 406	小脳 261, 262, 276, 268	食道動脈 408
集合リンパ濾胞 436	順応 296	小囊 56	触媒 36
収縮 388, 557	手掌 150	小脳核 268	植皮 102
収縮期 198, 388	上 12	小脳活樹 268	食物摂取 489
収縮期血圧 428	上位運動ニューロン 274, 275	小脳脚 268	食物繊維 517
収縮周期 192	上衣細胞 242	小脳半球 268	食物の消化 530
収縮性 186	上胃部 17	小脳皮質 268	鋤骨 134-136, 139
	小陰唇 585, 587, 589	小膿胞 107	除細動 393
		上胚盤葉 610, 611, 612	除細動器 393

索引

処女膜　587, 589
除神経萎縮　190
女性化腺腫　354
女性化乳房　354
女性生殖器系　584
女性の性周期　591
女性不妊　625
女性用コンドーム　597
初潮　599
触覚　298
触覚円板　102, 297, 298
触覚小体　103, 297, 298
触覚上皮細胞　102, 298
ショック　431
初乳　620
徐脈　428
自律神経胸腰部　285
自律神経系　238
自律神経節　284
自律神経叢　287
自律神経頭仙部　287
自律神経反射　261
自律神経反射異常　293
自律性運動ニューロン　283, 284
自律性感覚ニューロン　283
視力　309
しわ　109
深　12
塵埃細胞　468
腎移植　544
人為的獲得による受動免疫　453
人為的獲得による能動免疫　453
人為的な多血症　363
腎盂　544
侵害受容器　296, 297, 299
心外膜　377–379
心拡大　392
腎機能の発達　572
心筋　238, 291, 378
心筋炎　394
心筋虚血　392
伸筋区画　218, 221, 226, 227
　──の筋　220
心筋梗塞　392
伸筋支帯　220
心筋層　378, 379
心筋組織　93, 185, 200
真空吸引法　598
シングルユニット型平滑筋組織　201
神経　4, 236, 243
神経インパルス　7
神経炎　280
神経科医　236
神経学　236
神経芽腫（神経芽細胞腫）　251
神経管　613
神経管形成　613
神経管閉鎖障害　613

神経筋疾患　231
神経筋接合部　190, 191
　──の働き　191
神経系　4, 530
神経経路　285
神経溝　613
神経膠細胞　95
神経膠腫　241
神経細胞　95
神経周膜　258, 259
神経障害　344
神経上膜　258, 259
神経性食欲不振　518
神経性部　190
神経節　240, 241
神経節細胞層　308
神経層　308
神経叢　259, 308
神経束　258
神経組織　3, 73
神経痛　280
神経伝達物質　52, 190, 240, 285
神経伝達物質受容体　249
神経伝導路　243, 258
神経内膜　258, 259
神経梅毒　603
神経板　612
神経ヒダ　613
神経ブロック　280
神経分泌細胞　330
神経ペプチド　250
腎結石　559
進行　114
人工肛門造設術　518
人工ペースメーカー　387
心雑音　389
心耳　379
深指屈筋　221
心室　379
心室細動　393
心室収縮期　388
心室性期外収縮　393
心室中隔　379, 381
心室中隔欠損　392
心室頻拍　393
心周期　388
心循環　384
腎障害　344
深掌静脈弓　419
腎小体　544, 546, 547
深静脈　416, 419, 421, 422, 424
腎静脈　544
深［部］静脈血栓症　431
腎神経節　286, 287
腎髄質　543, 544
親水性　29
腎錐体　544
シンスプリント　157, 227
心静止　394
新生児の溶血性疾患　373
腎性代償　572
新生物　68
腎石　559

心切痕　468
振戦　231, 279, 376
心臓　4, 291, 327, 349, 376, 377, 397, 404
腎臓　5, 291, 327, 349, 542, 543
心臓カテーテル法　394
心臓血管系　4, 358
心臓血管疾患　344
心臓血管造影　394
心臓血管中枢　264, 390, 391, 403, 404
心臓促進神経　390, 391
心臓突然死　394
心臓病学　376
腎臓病学　541
心臓発作　392
心臓リハビリテーション　394
心臓隆起　615
深足底静脈弓　422
靱帯　89, 171
靱帯結合　168
診断　10
腎柱　544
伸張受容器　482
心停止　394
心的外傷後ストレス障害　350
伸展　173
心電図　387
伸展性　103, 186
浸透　48, 53
浸透圧受容器　296, 298, 334
振動覚　298
腎透析装置　554
腎動脈　408, 544, 545
心内膜　378, 379
心内膜炎　394
腎乳頭　546
心嚢　377
心肺蘇生　378
心拍出量　389
心拍数　389
真皮　100, 101, 103
腎皮質　543, 544
心肥大　394
真皮乳頭　103
腎被膜　544
深部受容器　404
腎不全　559
心ブロック　393
真分娩　619
心房　379
心房細動　393
心房収縮期　388
心房性期外収縮　393
心房性ナトリウム利尿ペプチド　349, 406, 550, 552, 564, 566
心房粗動　393
心房中隔　379
心房中隔欠損　392
心膜　16, 17, 93, 377

心膜液　379
心膜炎　379
心膜腔　15, 377, 379
心膜心嚢　378
蕁麻疹　116
腎門　544
唇裂　139
真肋　147

す

膵アミラーゼ　501, 507, 509
随意相　496
膵液　501
髄核　141
膵管　501
髄腔　122
水酸化物イオン　29
髄鞘　241
水晶体　307, 310
水晶体板　615
水素　22, 23
水素イオン　29
膵臓　5, 291, 327, 341, 342, 501
膵臓癌　502
水素結合　27
水素原子　33
水素添加　35
錐体　309
垂直板　138
膵島　341, 342, 501
水頭症　264
水平面　13, 14
水平裂　468
水疱　116
髄膜　254
髄膜炎　280
睡眠　267
水溶性繊維　517
水溶性ビタミン　533
水溶性ホルモン　330
膵リパーゼ　501, 508, 509
スキーン腺　589
スクラーゼ　508, 509
ステルコビリン　362
ステロイド　33
ステロイドホルモン　328
ステント　383
ストレス性尿失禁　557
ストレス反応　349
ストレッサー　349
ストレプトキナーゼ　370
スパイログラム　472
スパイロメーター　472
スーパーオキシド　24
スパズム　231
滑り　172
スポーツヘルニア　211

せ

精液　583
正円孔　133

正円窓　316
精　管　6, 576, 577, 582
精管切除術（精管切断術）
　　596
性感染症　602
性機能の発達　582
制　御　36
整形外科学　185
生　検　69
性　交　583
性交痛　604
精細管　577, 578
精細胞　578
精　索　582
精　子　577-579
正視眼　311
精子形成（精子完成）　579
精子形成細胞　578
精子細胞　579
精子成熟　582
精子発生　578
静止膜電位　243
成熟 T 細胞　443, 444
成熟 B 細胞　443, 444
成熟卵胞　584, 586, 593
正常安静吸息　480
正常安静呼息　480
正常眼圧緑内障　313
星状膠細胞　242
正常呼吸　473
星状細網内皮系細胞　503, 504
星状神経節　286
正常洞調律　393
正常の眼　311
正常彎曲　141
生　殖　6
生殖器　291
生殖器系　6
生殖細胞分裂　64
生殖腺動脈　408
精神性発汗　107
成人発症型糖尿病　344
青錐体　309
生成物　36, 37
性　腺　6, 347, 575
性腺刺激ホルモン放出ホルモン　332, 581, 591
性染色体　623
精　巣　6, 327, 347, 575-577
精巣癌　601
精巣上体　56, 576, 577, 82
精巣上体管　577, 582
精祖細胞　577-579
成体幹細胞　613
声帯ヒダ　463, 465
正中矢状面　12, 14
成　長　6
成長中の骨　120
成長中の卵胞　586
成長板　120, 127
成長ホルモン　332, 336
成長ホルモン放出ホルモン　332

成長ホルモン抑制ホルモン　332
精　嚢　576, 582
生理学　1
生理食塩水　48
生理的心拡大　392
精　路　575
セカンドメッセンジャー　329
赤　核　266
脊　索　612
赤色筋線維　199
赤色骨髄　120, 359, 436, 438, 444
脊　髄　4, 255, 258
脊髄視床経路　273
脊髄視床路　273, 274
脊髄神経　236, 258
赤錐体　309
脊髄反射　260
脊髄尾部麻酔　144
脊髄膜　254, 255
脊　柱　132, 133, 141
脊柱管　15, 143
脊柱起立筋　222, 223
脊柱後彎　163
脊柱前彎　163
脊柱側彎症　163
脊椎穿刺　255
赤脾髄　439
赤緑色盲　314, 624
セクレチン　349, 505, 514, 515
舌　493
舌咽神経　278, 391
舌咽神経（Ⅸ）　265
石灰化　122, 125
石灰化細胞外基質　127
舌下神経　278
舌下神経（Ⅻ）　265
舌下腺　494
赤血球　92, 360, 361, 365, 555
赤血球増加症　362, 373, 402
接合体　587
舌　骨　132, 140
節後ニューロン　285
切　歯　495
舌小帯　493
摂食中枢　268
接触による感覚　298
節前ニューロン　285
Z　線　188
Z　板　188
舌乳頭　493
舌扁桃　440, 464
舌リパーゼ　493, 509
セメント質　494
セルトリ細胞　578
セルロース　31
セレン　534
セロトニン　250
セロトニン選択的再取り込み阻害薬　249

浅　12
腺　83, 238
前　12
線　維　84, 86
線維化　95
線維芽細胞　85
線維筋痛症　231
線維性心膜　377, 378
線維性星状膠細胞　242
線維の連結　168
線維性被膜　578
線維性攣縮　231
線維束性収縮　231
線維素溶解　369
線維軟骨結合　170
線維囊胞症　591
線維膜　171, 310
線維輪　141
前　角　257, 258
前額面　14
全か無の法則　246
前眼腔　309, 310
前眼房　309
前　期　64, 65
前期Ⅰ　580
前期Ⅱ　580
前鋸筋　214, 215
前区画　218, 220, 221, 226, 227, 229
前脛骨筋　228, 229
前脛骨静脈　422
前脛骨動脈　413
前脛腓靱帯　169
全　血　373
全血液量　360
全血管長　402
全血球計算　367
前交通動脈　410, 411
仙　骨　141, 143, 146
　——の岬角　144
仙骨管　144
仙骨孔　144
仙骨神経叢　256, 259
仙骨部彎曲　141, 142
仙骨裂孔　144
前　根　258
前　索　257, 258
潜　時　198
浅指屈筋　221
前十字靱帯　178, 179
線　条　103
浅掌動脈弓　410
腺上皮　74, 75
浅静脈　416, 419, 421, 422, 424
染色質　59
染色体　59
染色分体　64
全身性エリテマトーデス（全身性紅斑性狼瘡）　96, 457
全身性ガス交換　475
全身性発作　251
全身的影響　115
前正中裂　257

全層熱傷　115
前側索経路　273
前側頭泉門　141
喘息発作　466
先　体　579, 608
前大脳動脈　410, 411
選択性エストロゲン受容体モジュレーター　161
選択的透過性　44
善玉コレステロール　527
前　庭　316, 321, 589
前庭階　316, 317
前庭器　319
前庭神経　278, 320
前庭窓　316
前庭ヒダ　463, 465
前庭膜　316, 317
先天性甲状腺機能低下症　353
先天性副腎過形成　347
蠕動運動　496, 513
前頭眼野　271, 272
前頭筋　208, 209
前頭骨　132
前頭前野　271, 272
前頭洞　133, 140
前頭面　13, 14
前頭葉　269
前　突　174
セントロメア　64
全能性幹細胞　59, 613
全肺気量　473
前白交連　257
前皮質脊髄路　274, 275
潜伏期　198
腺　房　501, 590
　——を含む小葉　590
喘　鳴　485
線　毛　54, 104, 440, 443
泉　門　140
前　葉　330
前立腺　576, 582
前立腺癌　601
前立腺特異抗原　583
前腕正中皮静脈　419

そ

走化性　441
総肝管　503
総肝動脈　408
挿管法　465
臓　器　3
臓器移植　97, 448
早期妊娠テスト　618
双極細胞層　308
双極ニューロン　240
象牙質　494
造　血　120, 359, 362
爪　根　107, 108
桑実胚　609, 610
爪　床　107, 108
爪上皮　107, 108
増　殖　445
総蠕動運動　513

索引

臓側胸膜 466	粗面小胞体 55	体性神経系 238	大菱形骨 150, 151, 222
臓側漿膜 17		体性反射 261	タウ 270
臓側板（⇨臓側漿膜）377	**た**	大前庭腺 590	ダウン症候群 626
臓側腹膜 492	体 150, 152, 158	大泉門 141	唾液 440, 443, 494
臓側葉（⇨臓側漿膜）93	ダイアライザー 554	対側 12	唾液アミラーゼ 494, 509
爪体 107	第1楔状骨 157	大腿筋膜 224	唾液腺 5, 291, 493
相対的 12	第一減数分裂 578	大腿筋膜張筋 224-226	唾液分泌 494
総胆管 503	第Ⅰ度熱傷 115	大腿骨 154, 155	楕円関節 177
総腸骨静脈 422	第Ⅰ脳神経 301	大腿骨頭 154, 155	多価不飽和脂肪酸 33
総腸骨動脈 406, 408, 413, 414	大陰唇 585, 587, 589	大腿骨コンポーネント 180	多極ニューロン 240
相同器官 287	体液 444, 562, 564	大腿骨体 155	たこ 103, 117
相同染色体 578, 622	——と電解質の不均衡 568	大腿骨頭 154, 155	多軸性 176
掻爬 598	体液区分間の浸透圧の調節 567	大腿四頭筋腱 225-227	——の運動 175
層板顆粒 102	体液バランス（体液平衡）563	大腿静脈 414, 422	打診 10
爪半月 107, 108	大円筋 216-218	大腿直筋 225-227	脱アミノ反応 528
層板小体 100, 297, 298	体温 477, 482, 530	大腿動脈 413	脱臼 182
爪母 107, 108	体温調節 108	大腿二頭筋 225, 227	脱酸素化血 379, 475
爪母基 107, 108	体外受精 625	大腿方形筋 226	脱酸素化ヘモグロビン 477
僧帽筋 214, 215	退化中の黄体 586	大腸 5, 511	脱水 334, 564, 573
僧帽弁 381	体幹 11, 12	大腸癌 517	脱髄 251
僧帽弁逸脱 384	大気圧 472	大殿筋 224-226	脱水縮合 31
僧帽弁狭窄 384	大臼歯 493, 495	大転子 154, 155	脱分極相 245
僧帽弁閉鎖不全 384	第Ⅸ脳神経 391	体動調整型ペースメーカー 387	脱毛剤 106
搔痒症 116	大胸筋 216, 217	大動脈 406	多糖（類）31
早漏 584	大頬骨筋 208, 209	大動脈弓 406, 408, 409, 411	多尿 550
側角 257, 258	体腔 14	——の圧受容器 391	多能性幹細胞 59, 359, 361, 613
速筋-解糖型線維 199	退形成 69	大動脈小体 404	多発性硬化症 250
速筋-酸化・解糖型線維 199	大孔 133	大動脈腎動脈神経節 286, 287	多発性嚢胞腎疾患 559
足根 157	対光反射 261	大動脈造影 431	多分化能性幹細胞 59, 613
足根骨 157	大骨盤 152, 153, 159	大動脈弁 381-383	食べ込み小体 51
側鎖 35, 36	体細胞 64	大動脈弁狭窄 384	ターミネーター 61
足細胞 548	体細胞分裂 64	大動脈弁閉鎖不全 384	多毛症 106, 354
速順応型受容器 296	大坐骨切痕 153	大内臓神経 286	多列上皮 75
促進拡散 47, 53	第3楔状骨 157	大内転筋 224-227	単一筋線維 197
塞栓 369	第Ⅲ度熱傷 115	第2楔状骨 157	単核症 457
側頭筋 209	第3脳室 263, 264	第二減数分裂 578	胆管 291, 503
側頭骨 133-136	胎児 607	第Ⅱ度熱傷 115	単球 360, 364, 365
側頭葉 269	胎児期 607	大脳 261, 262	単極ニューロン 241
側脳室 263, 264	胎児手術 626	——の白質 269	短骨 120
足背静脈弓 421	胎児循環 425	大脳回 268	短鎖脂肪酸 510
足背動脈 413	胎児性アルコール症候群 626	大脳基底核 267, 270	炭酸 31, 570
鼠径部 12	胎児超音波検査法 626	大脳脚 265, 266	炭酸-炭酸水素塩緩衝系 31, 570
鼠径部筋挫傷 224	代謝 6, 28, 522	大脳溝 268	炭酸水素イオン 31, 478, 549, 570
鼠径ヘルニア 211	代謝系生化学検査セット 367	大脳縦裂 268	炭酸脱水酵素 478
鼠径リンパ節 436	代謝産物 360	大脳動脈輪 410, 411	胆汁 504
組織 2, 73	代謝水 564	大脳半球 268	単収縮 197
組織移植 97	代謝率（代謝量）529, 572	——の機能分化 275	単純拡散 46, 53
組織因子 369	体臭 107	大脳皮質 258, 261	単純骨折 128
組織学 73	第Ⅹ脳神経 390, 391	大脳辺縁系 270	単純糖 31
組織拒絶反応 97	体循環 406, 437	——の刺激 481	単純ヘルペス 116
組織呼吸 476	代償作用 571	大脳裂 268	炭水化物 31
組織再生 95	帯状疱疹 279	胎盤 349, 426, 613	弾性 86, 103, 186
組織修復 95	大食細胞 85	体表面積 572	男性化 347
組織特異的幹細胞 613	大腎杯 544	大伏在静脈 422	男性化腺腫 354
組織プラスミノゲン活性化因子 273, 370	体性運動経路 274	大網 492	男性型脱毛症 106
組織レベル 2	体性運動ニューロン 284	大腰筋 224-226	弾性靴下 401
咀嚼 495	体性感覚 238, 295	第4脳室 263, 264	弾性収縮力 471
咀嚼筋 209	体性感覚経路 273	対立 175	男性生殖器系 575
疎水性 29	体性感覚連合野 271, 272	対立遺伝子 ➡ アレル	弾性線維 85, 86
疎性結合組織 90		対流 530	弾性動脈 398
ソマトメジン 332		大菱形筋 214, 217	男性の二次性徴の発達

582
男性不妊　625
男性用コンドーム　597
胆石　504
炭素　22, 23
淡蒼球　267, 270
単層上皮　75
短頭　219, 220
単糖（類）　31, 510
短内転筋　227
胆嚢　5, 291, 503
胆嚢炎　518
胆嚢管　503
単能性幹細胞　59
胆嚢切除術　504
タンパク質　35, 529
タンパク質緩衝系　570
タンパク質消化　509
タンパク質代謝　504
タンパク質同化ステロイド　200
単麻痺　279
淡明層　102, 103
断面　13
単量体　29
弾力性　103

ち

チアノーゼ　104, 364
チアミン　535
遅延型過敏反応　456
知覚　271, 296
恥丘　589
遅筋-酸化型線維　199
逐次伝導　246
恥垢　604
恥骨　152-154
恥骨弓　159
恥骨筋　224-227
恥骨結合　91, 152, 170
遅産児　620
致死遺伝子　626
遅順応型受容器　296
腟　585, 587
腟円蓋　587
チック　231
腟口　587, 589
窒素　22, 23
窒息　485
窒素性塩基　37, 39
腟トリコモナス　603
腟パウチ　597
腟分泌物　440, 443
緻密結合組織　90
緻密質（緻密骨）　122
着床　609, 610
チャネルタンパク質　47
チャーリー・ホース　226, 232
中間　12
中間径フィラメント　52, 200, 201
中間楔状骨　157
中間広筋　225-227

中期　64
中期 I　580
中期 II　580
中期赤道板　64, 65
中頸神経節　286
中耳　316
中耳炎　322
中耳腔　17
中手骨　150, 151
中心窩　309
中心管　122, 123, 257, 258, 263
中心溝　269
中心子　53
中心子周辺基質　53
中心静脈　503, 504
中心前回　269, 271
中心体　53, 54
虫垂　511, 512
虫垂炎　517
中枢化学受容器　480
中枢神経系　236, 237, 242
中性　30
中性子　21
肘正中皮静脈　419
中足　158
中足骨　157, 158
肘頭　149
肘頭窩　149
中脳　266, 276
中胚葉　612
中皮　76, 93
中鼻甲介　136, 138, 463
中皮腫　484
中膜　398
中葉　468
チューブリン　53
腸　291
腸液　507
超音波　601
超音波ドップラー法　431
超音波補助脂肪吸引法　88
聴覚連合野　271, 272
腸間膜　492
長期経口避妊薬　597
蝶形骨　133-137
蝶形骨洞　133, 140
腸脛靱帯　224
徴候　10
徴候体温法　598
長骨　120
腸骨　152-154
腸骨筋　224-226
腸骨稜　153
腸骨リンパ節　436
長軸　132
長趾屈筋　228, 229
長趾伸筋　228, 229
長掌筋　221
頂上面　74
超女性症候群　626
聴診　10
腸神経系　238, 491
調節　7, 311, 285, 358

調節中枢　8
調節物質　360
腸腺　505, 512
腸相　514
超低密度リポタンパク質　527
長橈側手根伸筋　221
長内転筋　224-227
蝶番関節　176
長腓骨筋　228, 229
跳躍伝導　247
腸腰筋　223, 224
腸肋筋　222
直血管　545
直腸　5, 512
直腸指診　601
直径　114
鎮痛　300

つ

椎間円板　91, 141, 142
椎間孔　143, 258
椎間板ヘルニア　162
椎弓　143
椎弓根　143
椎弓板　143
椎孔　143
対合　579
椎骨　141
椎骨静脈　418
椎骨動脈　410
椎前神経節　287
椎体　143
対麻痺　279
ツチ骨　316
爪　3, 107
つわり　626

て

底　150, 152, 158
低塩素血症　569
D 型肝炎　518
低カリウム血症　569, 573
低カルシウム血症　569
低眼圧緑内障　313
底屈　175
低血圧　431
抵抗反応　349
抵抗力　434
T 細管　188
T 細胞　5, 365
テイ-サックス病　57
低酸素　392
低酸素症　364, 405, 480, 485
停止　203
釘植　168
低身長症　129
T 前駆細胞　444
低体温　531
低炭酸ガス症　481
定着マクロファージ　441
低張液　49

低ナトリウム血症　569, 573
T 波　387
ディフェンシン　441
低マグネシウム血症　569
低密度リポタンパク質　382, 527
停留精巣　578
低リン酸血症　569
デオキシリボ核酸　37
デオキシリボース　37
デオキシリボヌクレアーゼ　502, 509
テストステロン　34, 347, 578, 581
テタニー　354
鉄　22, 534
鉄結合性タンパク質　441, 443
テニス肘　181, 203
デヒドロゲナーゼ　36
デュシェンヌ型筋ジストロフィー　231
デルミシジン　441
テロメア　67
転移　439
転移 RNA　61
電位依存性 Ca^{2+} チャネル　249
電位依存性チャネル　244
転移制御遺伝子　69
伝音性難聴　322
電解質　25, 563
てんかん　251
てんかん焦点　251
てんかん発作　251
電気シナプス　247
電気的興奮性　186, 239
電気的除細動　393
電気分解治療　106
電子　21, 23
電子殻　23
電子伝達系　523, 524, 529
転写　59, 61
天性疾患　392
伝染性単核症　457
伝導　246, 258
伝導路 ➡ 神経伝導路
伝播　246
殿部　12
デンプン　31

と

糖　39
島　269, 271
銅　534
同化　27, 522
頭蓋　11, 132, 133
頭蓋腔　15
同化作用の促進　582
透過性亢進　441
動眼神経　277
動眼神経（Ⅲ）　265
導管領域　462, 469

索引

動悸　394
同系移植片　102
凍結脂肪吸引　88
瞳孔　307, 308
瞳孔括約筋　291
瞳孔散大筋　291
統合機能　238
統合中枢　260
橈骨　149, 150
橈骨窩　149
橈骨静脈　419
橈骨切痕　149
橈骨粗面　149, 150
橈骨頭　149, 150
――の脱臼　181
橈骨動脈　410
糖脂質　44, 45
糖質　31
糖質消化　509
糖質代謝　504, 529
同種移植片　457
導出涙管　305, 306
凍傷　117
豆状骨　150, 151, 222
同心円状の層板　122, 123
糖新生　525
透析液　554
闘争・逃走反応　289, 349
頭側　12
同側　12
橈側手根屈筋　221
橈側皮静脈　419
橈側偏位　174
糖タンパク質　44, 45
等張液　48, 49
頭頂骨　133-136
頭頂葉　269
ドゥップ　389
動的　7
糖尿　550
糖尿病　344
糖尿病網膜症　323
逃避反射　259
頭部　11, 12, 579, 581
洞房結節　386
動脈　379, 397
動脈管　381, 426, 427
動脈管開存症　392
動脈管索　381, 428
動脈硬化性プラーク　382
動脈採血　367
動脈瘤　431
透明帯　608
動毛　319
動揺病　322
洞様毛細血管　503
ドーパミン　250
特異性　36
特異的免疫　434
特殊運動　174
特殊感覚　238, 295
独立の感覚細胞　296, 297
独立の細胞　297
床ずれ　116
トコフェロール　535

怒張性静脈　401
突起　143
突然変異　622
凸面　311
とびひ　117
トラウマ後ストレス障害　350
トラコーマ　323
トランス脂肪酸　33
トランスフェリン　362, 441
トランスポーター　44
トリグリセリド　32, 510, 526, 529
――の貯蔵　120
トリコモナス症　603
トリプシン　501, 509
トリプレット　53
トリペプチド　35
とり目　314
努力吸息　480
努力呼息　480
トリヨードサイロニン　336
トロピン　330
トロポニン　188
トロポミオシン　188
トロンビン　368
トロンボジシン　441
貪食　51, 441
――の促進　451
貪食作用　364

な

内　12
ナイアシン　536
内因子　362, 499
内因性経路　369
内果　156
内眼筋　209
内頸静脈　418
内頸動脈　410, 411
内呼吸　461, 475
内細胞塊　609
内耳　316, 321
内耳神経（Ⅷ）　265
内斜視　209
内旋　174
内臓　15
内臓平滑筋組織　201
内臓感覚　295
内臓反射　261
内側　12
内側顆　154-156
内側区画　226, 227
内側楔状骨　157
内側広筋　225-227
内側足底動脈　413
内側側副靭帯　178, 179, 181
内側直筋　210, 305
内側頭　219, 220
内側半月　179, 180
内腸骨動脈　408, 413, 414,
422
内転　174
内転筋区画　226, 227
内尿道括約筋　556, 557
内胚葉　612
内反　175
内皮　76, 398
内皮細胞　468
内腹斜筋　211, 212, 471
内部の防御　443
内分泌学　328
内分泌系　326
内分泌腺　83, 326
内分泌部　501
内膜　398
内毛根鞘　105
内リンパ　316
内肋間筋　213, 214, 471
ナチュラルキラー細胞　365, 441, 443
ナトリウム　22, 23, 534, 569
ナトリウムイオン　549
ナトリウム-カリウムポンプ　50
ナトリウム利尿　564
涙　306
――を流す　306
波の加重　198
軟（筋性）口蓋　493
軟骨　3, 90
軟骨炎　182
軟骨形成不全　129
軟骨形成不全低身長症　129
軟骨結合　170
軟骨細胞　90
軟骨小腔　90
軟骨性の連結　168, 170
軟骨性雛形　125, 127
軟骨内骨化　125, 125
軟骨膜　90, 125
難産　620
難聴　318, 322
軟膜　255, 261
軟膜層　359, 360

に

におい物質　301
2型糖尿病　344
Ⅱ型肺胞上皮細胞　468, 470
Ⅱ型反応　456
Ⅱ型皮膚機械受容器　297, 298
にきび　106, 107
肉離れ　182
ニコチンアミド　536
二酸化炭素　477
――の運搬　477
二次気管支　466
二次極体　586, 587
二軸性　175, 176
二次骨化中心　126

二次性高血圧　429
二次精母細胞　577, 579
二次ニューロン　274
二次反応　452
二次防衛線　440, 443
二重関節　171
二重共有結合　25
二重支配　285
二重らせん構造　37
二次卵母細胞　586, 608
二次リンパ器官・組織　438
二尖弁　381, 383
二層性胚盤　610-612
日光曝露　114
日射病　538
二糖（類）　31
二倍体細胞　578
二分脊椎　162, 613
乳化　504
乳癌　439, 601
――再発防止　602
乳酸　524, 525
乳歯　495
乳汁分泌　334, 590, 620
乳腺　590
乳頭　303, 590
乳頭管　546, 547
乳頭筋　381
乳糖不耐症　37, 508
乳び管　507, 510
乳び槽　436
乳房　591
乳房縮小術　591
乳房提靱帯　590
乳幼児突然死症候群　485
乳様突起　133
入力　7, 8, 9, 364, 405
乳輪　590
ニューロパチー　251
ニューロン　95, 239
尿　440, 443, 541, 547
――中の塩の排出量　564
尿円柱　555
尿管　5, 542, 555, 556, 586
尿管口　556
尿検査　553
尿細管　544
尿細管液　550
尿細管再吸収　547, 548, 550
尿細管周囲静脈　544
尿細管周囲毛細血管　544, 545
尿細管分泌　547, 548, 551
尿酸　549
尿失禁　557
尿素　549
尿道　557, 582
尿道海綿体　576, 583
尿道球腺　576, 583
尿道傍腺　589
尿閉　559

尿崩症　353, 553
尿膜　613
二卵性双生児　608
妊娠　607
妊娠悪阻　626
認知症　280

ぬ

ヌクレアーゼ　508, 509
ヌクレオチド　37, 39

ね

ネガティブフィードバックシステム　8
熱　529
ネックリフト　112
熱痙攣　538
熱産生　186
熱射病　538
熱傷　115
熱疲労　538
ネフロン　544
ネフロンループ　545-547
ネフロンループ下行脚　545
ネフロンループ上行脚　545
粘液　440, 443
粘液水腫　353
粘液線毛エスカレーター　464
捻挫　86, 182
粘膜　93, 443, 440, 491, 500, 506, 513
粘膜下組織　491, 500, 506, 513
粘膜筋板　491
粘膜固有層　491
年齢　114, 530

の

脳　4, 261
脳炎　280
膿痂疹　117
脳幹　261, 262, 276
脳血管障害（脳血管発作）　273
脳室　264
脳腫瘍　279
脳神経　236, 265, 277
脳神経反射　260
脳髄膜　254, 261, 263
脳脊髄液　46, 264
脳相　514
脳卒中　273
脳底動脈　410
脳電図　276
濃度　46
脳頭蓋　132
脳頭蓋骨　132
能動過程　46, 53
能動輸送　46, 49, 53

濃度勾配　46
脳浮腫　49
囊胞性線維症　486
脳発作　273
膿瘍　442
脳梁　268
のど　5
ノノキシノール-9　597
乗換え　579
ノルアドレナリン　249, 287, 289, 347, 405
ノルエピネフリン ➡ ノルアドレナリン

は

歯　494
肺　5, 291, 462, 466
肺炎　484
肺炎球菌　484
胚外中胚葉　611, 612
肺活量　473
肺癌　484
肺換気　461, 468, 476
肺気腫　484
肺気量分画　473
配偶子卵管内移植　625
背屈　175
敗血症　373
胚結節　609
肺呼吸　476
杯細胞　77, 505
胚子　607
　——の折り畳み　615
胚子移植　625
胚子期　607
肺循環　406, 437
排除　448
胚上皮　584
肺静脈　379, 406
肺神経叢　286
肺水腫（肺水浮腫）　390, 485
胚性幹細胞　613
肺性心　394
排泄　108
肺尖　468
背側　12
背側呼吸ニューロン群　479
肺塞栓症　370
背側中溝　257
背側面　148
バイタルサインの測定　10
肺底　468
肺動脈　406
肺動脈幹　379, 381, 383, 406
肺動脈弁　382
梅毒　603
梅毒トレポネーマ　603
肺内ガス交換　475
排尿　557
排尿筋　556
排尿障害　559

排尿反射　557
胚盤胞　609
胚盤胞腔　609, 611
排便　440, 443, 490, 514
排便反射　513
肺胞　468-470
肺胞液　468
肺胞管　468, 469
肺胞上皮細胞　470
肺胞内圧　471, 472
肺胞囊　468, 469
肺胞壁　470
肺胞マクロファージ　468, 470
肺葉　468
廃用性萎縮　190
排卵　586, 593
排卵後期　594
排卵前期　593
ハヴァース管　122
ハヴァース系　122
ハウストラ　512
パーキンソン病　57, 279
白衣高血圧　431
薄筋　225-227
白質　243, 268
白色筋線維　199
拍動　393
白内障　313
白斑　103
白皮症　103
白脾髄　439
白膜　578
剝離　117
剝離法　401
破骨細胞　122, 123
バセドウ病　354
バソプレシン　334, 336
パチニ小体　100, 298
発汗　440
発癌　68
発癌物質　56, 68
白血球　92, 364, 365, 555
白血球減少症　366
白血球増加症　366
白血球分画　366
白血病　373
発生学　607
発生生物学　607
発熱　442, 443, 537
発熱物質　537
パップ検査　84
パップスメア　84
鼻　462
鼻毛　440, 443
ばね指　203
パネットスクエア　622
パパニコロー検査　84, 604
馬尾　256, 257
パーフォリン　450
ハムストリング　225, 227
ハムストリング筋緊張性挫傷　226

速い痛み　299
バリア法　597
鍼治療　300
バルトリン腺　590
破裂した卵胞　586
パワーストローク　192
半関節　168
半関節形成術　162
半規管　316, 321
半月（板）　91, 172, 180
半月板損傷　179
半月弁　382
半腱様筋　225, 227
反射　259
反射弓　260
反対側　12
伴性遺伝　624
パントテン酸　536
万能供血者　371
万能受血者　371
反応性　6
半膜様筋　225, 227

ひ

ヒアルロン酸　86
ヒアルロン酸分解酵素　86
pHスケール　30
鼻炎　486
ビオチン　536
被蓋上皮　74
被殻　267, 270
非角化重層扁平上皮　80
皮下採血　367
皮下組織　87, 100, 186
B型肝炎　518
非活動性萎縮　190
光受容器　296, 297
光受容細胞　308, 309
光受容細胞層　308
脾機能亢進症　457
非極性共有結合　25
非均衡性低身長症　129
鼻腔　17, 462, 463
非経口　597
鼻形成術　463
非外科的高周波フェイスリフト　112
鼻甲介　463, 464
非黒色腫皮膚癌　114
腓骨　156
尾骨　141, 146
鼻骨　134, 135, 137
腓骨静脈　422
尾骨神経　256
腓骨切痕　156
腓骨頭　156
腓骨動脈　413
脾索　439
B細胞　5, 365, 452
B細胞クローン　451
　——の形成　444
膝の腫れ　181
皮脂　440, 443
皮脂腺　3

索引 649

脾腫 457
微絨毛 52, 77, 506, 507
糜粥 501
鼻出血 486
尾状核 267, 270
微小管 53, 54
皮静脈 416, 419, 422
脾静脈 425, 426
非侵襲的不妊法 594
ヒス束 386
ヒスタミン 441
非ステロイド系抗炎症薬 348
ビスホスホネート 161
微生物 555
脾臓 5, 291, 436, 439
ヒダ 498, 556
肥大 69
非対称性 114
ビタミン 533
　──のサプリメント 537
　──の貯蔵 505
ビタミンA 535
ビタミンB$_1$ 535
ビタミンB$_2$ 536
ビタミンB$_6$ 536
ビタミンB$_{12}$ 536
ビタミンC 536
ビタミンD 109, 505, 535
ビタミンE 535
ビタミンK 535
ビタミン過多症（ビタミン過剰症）533
鼻中隔 133, 139, 463
鼻中隔彎曲 162
必須アミノ酸 528
必須栄養素 532
必須脂肪酸 35
脾摘 439
非同期的 199
脾動脈 408
非特異的免疫 434
ヒト絨毛性腺刺激ホルモン（ヒト絨毛性ゴナドトロピン）349, 594, 618
ヒト成長ホルモン 332
ヒト胎盤性乳腺刺激ホルモン（ヒト絨毛性ソマトマンモトロピン）618
ヒトパピローマウイルス 68
ヒト免疫不全ウイルス 455
皮内 117
泌尿器科医 541
泌尿器科学 541
泌尿器系 5, 541
避妊 594
避妊皮膚パッチ 597
避妊用膣リング 597
P波 387
非必須アミノ酸 528
皮膚 3, 100, 327, 443
　──のタイプ 114

尾部 579, 581
P部位 61
皮膚科学 100
皮膚癌 114
皮膚感覚 108
腓腹筋 228, 229
皮膚充填剤 110
皮膚蒼白 104
皮膚付属器 104
被包神経終末 296, 297
非ホジキンリンパ腫 457
肥満 537, 537
肥満細胞 85
肥満体治療法 518
眉毛 305
日焼けローション 115
描円 174, 174
表現型 622, 622
病原体 434
表層粘液細胞 498
標的細胞 328
表皮 101, 102, 440, 443
　──の創傷の治癒 109
表皮内マクロファージ 102
病理学者 73
病歴 10
日和見感染 455
ヒラメ筋 228, 229
ピリドキシン 536
ビリベルジン 362
非流暢失語 272
微量元素 21, 22
ビリルビン 362, 504, 555
　──の排泄 504
鼻涙管 305, 306
披裂軟骨 464, 465
疲労消耗 350
貧血 372
頻呼吸 486
頻脈 428

ふ

ファーストメッセンジャー 329
ファロー四徴 392
ファロピオ管 6, 585, 587
フィードバックシステム 7
フィブリノゲン 359, 360, 368, 383
フィブリリン 86
フィブリン 368
フィラメント滑り機構 192
フェイスリフト 112
フェニルケトン尿症 528, 622
フェリチン 441
フォルクマン管 123, 124
深い創傷の治癒 109
不完全強縮 198
不完全優性 623
不規則骨 120

不均等 13
複アレル遺伝（複対立遺伝子遺伝）623
腹横筋 211, 212, 471
腹腔 15
腹腔神経節 286, 287
腹腔動脈 406, 408
復元力 90
副交感神経 391
副交感神経系 238, 285, 288
副交感神経節後ニューロン 284
副交感神経節前ニューロン 284
副甲状腺 327, 338, 339
副甲状腺機能低下症 354
副甲状腺ホルモン 129, 338, 340, 553
複合炭水化物 31
腹骨盤腔 15
　──の領域 17
複雑骨折 128
複写 59
副腎 327, 341, 345
副腎髄質 287, 341
副神経（XI）265
副靱帯 172
副腎動脈 408
副腎皮質 341
副腎皮質刺激ホルモン 332, 336, 346
副腎皮質刺激ホルモン放出ホルモン 333, 346, 618
腹側 12
腹側呼吸ニューロン群 479
腹側中裂 257
輻輳 312
腹大動脈 406, 408, 409
腹直筋 211, 212, 471
副鼻腔 140
副鼻腔炎 140
腹部圧迫操作 486
腹膜 17, 93, 492, 556
腹膜炎 492
腹膜後器官 492
腹膜透析 554
浮腫 436, 566
婦人科学 584
不随意筋 185, 200
不随意的 200, 238
不正咬合 518
不整脈 393
不全脱臼 182
付属器官 305
付属肢骨格 132
付属消化器官 489
付属生殖腺 575, 582
ブタインフルエンザ 485
付着茎 612
フッ化物 534
物質 21
物質交換 400
物質レベル 1

物体の動き 27
物理的因子 443
太いフィラメント（筋細糸）188
不動関節 168
不妊手術 596
部分骨折 128
部分層熱傷 115
部分発作 251
浮遊肋 147
不溶性繊維 517
プラスミノゲン 369
プラスミン 369
フランク-スターリングの心臓法則 389
フリーラジカル 24, 384
ふるい 531
プルキンエ線維 386
プレベッツィンガー複合体 479
ブロウリフト 112
ブローカの言語野 271, 272
プロゲスチン単体ピル 595
プロゲステロン 347, 593, 617
プロジェリア 69
プロスタグランジン 348
プロテアーゼ 36, 57
プロテアーゼ阻害剤 456
プロテアソーム 57
プロテオミクス 69
プロトロンビナーゼ 368
プロトロンビン 368
プロビタミン 533
プロモーター 61
プロラクチン 332, 336, 620
プロラクチン放出ホルモン 332
プロラクチン抑制ホルモン 332
分圧 474
分化 6, 445
分解 27, 522
分界線 152
分解能 309
分解反応 27
分極 243
吻合 385
分子 1, 24
分時換気量 472
分子式 24
分節運動 507
分泌 75
分泌小胞 52
分娩 619
ぶん回し 174
噴門 498, 499
分裂間期 64
分裂期 64
分裂溝 66

へ

平滑筋　238, 291, 491
　──の緊張　201
平滑筋層　3
平滑筋組織　93, 185, 200
閉経　599
平衡　46, 318
平衡斑　319
閉鎖孔　153, 159
閉鎖骨折　128
閉鎖不全　384
閉鎖卵胞　593
閉塞　431
平面　12
平面関節　175, 177
壁細胞　499
壁側胸膜　466
壁側漿膜　15
壁側板　377
壁側腹膜　492
壁側葉　93
ペースメーカー　386
ベータ（β）細胞　341, 342
β（ベータ）遮断薬　290, 429
β受容体　290
臍　17, 426, 615
ペッサリー　597
ヘテロ接合体　622
ヘパリン　369
ペプシノゲン　499
ペプシン　499, 509
ペプチダーゼ　508, 509
ペプチド　35, 501
ペプチド結合　35, 36
ヘマトクリット　359, 361
ヘモグロビン　104, 361, 441
ヘモクロマトーシス　373
ヘリコバクターピロリ菌　517
ペルオキシソーム　57
ヘルニア　211
ヘルパーT細胞　443, 444, 448, 452
ヘルパーT細胞クローン　449
ベル麻痺　208
弁　381, 401, 437
便　490, 513
変異　39, 68
変化　296
弁狭窄　392
変形性関節症　182
娩出期　620
変性　35
胼胝　103, 117
扁摘　457
扁桃　439
扁桃摘出　457
便秘　514
扁平骨　120

扁平細胞　75
扁平上皮癌　114
扁平足　158
片麻痺　279
鞭毛　54
ヘンレループ　545

ほ

防御　358
豊胸術　591
剖検　6
縫合　140, 168
膀胱　5, 291, 542, 555
膀胱鏡検査　556
縫工筋　225-227
放散痛　299
傍矢状面　13, 14
房室結節　386
房室束　386
房室ブロック　393
房室弁　381
放射　530
放射状皮質静脈　544, 545
放射状皮質動脈　544, 545
放射線治療　602
放出ホルモン　332
紡錘体　64
放線冠　608
膨大部　320
膨大部頂　321
膨大部稜　320
膨張反射　482
包内腔　548
乏尿　550
包皮　576, 583, 589
放屁　519
包皮切開術　583
飽和脂肪酸　33
頬　493
黒子（ほくろ）　103
保護　119, 182
補酵素　37, 522
保護作用　108
母指　158
ホジキンリンパ腫　457
ポジティブフィードバック　593
ポジティブフィードバックシステム　8
補助因子　37, 567
細いフィラメント（筋細糸）　188, 189
補体系　441, 443
補体の活性化　451
歩調取り　386
勃起　583
勃起障害　584
発作性頻拍　394
ボツリヌス菌　191
ボツリヌス毒素　112
ボディピアス　104
母指　103
ホメオスタシス　7, 367
ホモシステイン　383

ホモ接合体　622
ポリープ　517
ポリエン脂肪酸　33
ポリペプチド　35
ポリリボソーム　63
ホルネル症候群　287
ホルモン　7, 131, 326, 390, 530
　──の産生　541
　──の処理　504
ホルモン注射　597
本態性高血圧　429
ポンプ　49
翻訳　59, 61

ま

マイクロダーマブレーション　110
マイクロフィラメント　52
マイクロメートル　66
マイスネル小体　103, 298
マイプレート　532
前　12
膜　15, 93
膜周辺タンパク質　44, 45
膜電位　243
膜内骨化　125, 125
膜内在性タンパク質　44, 45
マグネシウム　22, 534, 569
膜迷路　316
マクロファージ　85, 441
麻酔　280
末期腎不全　559
末梢化学受容器　480
末梢神経系　236, 237, 242
末梢神経障害　251
末梢浮腫　390
マルターゼ　508, 509
マルチユニット型平滑筋組織　201
マルファン症候群　86
マンガン　534
慢性外傷性脳症　270
慢性気管支炎　484
慢性腎不全　559
慢性前立腺炎　601
慢性疲労症候群　457
慢性閉塞性肺疾患　484
満腹感　514
満腹中枢　268
マンモグラフィー　601
マンモグラム　601

み

ミアカルシン　338
ミエリン鞘　241
ミオグロビン　188, 196
ミオシン　188
ミオシン結合部位　188
ミオシン頭部　188
ミオシン尾部　188
ミオパシー（ミオパチー）

231
味覚　303
味覚嫌悪　305
味覚受容細胞　303, 304
味孔　303
味細胞　303, 304
未熟児　620
水　29, 360, 549
　──の分配比と分布　572
水中毒　566
水虫　117
ミセル　509
密線維性結合組織　90
ミトコンドリア　57, 58
ミトコンドリア外膜　57
ミトコンドリア基質　57
ミトコンドリア内膜　57
ミニピル　597
ミネラル　533
　──が失われる　130
　──のサプルメント　537
　──の貯蔵　505
　──のホメオスタシス　119
ミネラルコルチコイド　344
味微絨毛　303, 304
ミフェプリストン　328, 598
耳　4
味毛　303
脈拍　428
脈絡叢　263, 264
脈絡膜　306, 310
味蕾　303
ミルキング　403

む

無顆粒球　364, 365
無機化合物　28
無機質　131
無嗅覚　323
無血管性　74
無月経　604
無呼吸　482
虫歯　517
無症候性心筋虚血　392
無髄　241
むち打ち症　163
無尿　550
胸のカゴ　146
胸やけ　496
無脳症　613

め

迷走神経　278, 390, 391
迷走神経（X）　265
メガコロン　289
メッセンジャーRNA　61
メニエール病　322
めまい　323

メモリー細胞　445
メモリー細胞傷害性T細胞　449
メモリーT細胞　444, 452
メモリーB細胞　451, 452
メラトニン　268, 348
メラニン　103
メラニン細胞　102, 103
メラニン細胞刺激ホルモン　333, 336
メルケル円板　298
メルケル細胞　298
免疫（力）　434
免疫学　443
免疫学的記憶　451
免疫グロブリン　446
免疫系　443
免疫状態　114
免疫複合体反応　456

も

毛幹　105
毛球　105, 106
毛根　105
毛根周囲神経叢　105, 106
毛根神経叢　297, 298
毛細血管　397, 399, 510
毛細血管圧　400
毛細血管基底膜　468, 470
毛細血管前括約筋　400
毛細胆管　503
毛細リンパ管　435, 437
網状赤血球　362
網状赤血球数　364
毛束　319
盲腸　511, 512
毛乳頭　105, 106
毛母　105, 106
毛包　105, 105
毛母基　105, 106
網膜　308, 310
網膜芽細胞腫　323
網膜剥離　323
網様体　266, 307
毛様体筋　291, 307
毛様体小帯　307
毛様体神経節　288
毛様体突起　307
網様体賦活系　266
モーニングアフターピル　597
モノエン脂肪酸　33
モノクローナル抗体　451
モノマー　29
門脈　425, 503, 510

や

夜間多尿　559
薬剤の処理　504
薬物　383
夜尿　559
夜盲　314

ゆ

有郭乳頭　303, 304
有機化合物　28
有棘層　102
有鉤骨　150, 222
有効濾過圧　550
有糸分裂　64
遊出　442
有髄　241
疣贅　117
優性アレル　622
優勢卵胞　593
遊走マクロファージ　364, 441
有頭骨　150, 151, 222
誘発的流産　598
有毛細胞　316, 317, 319, 320
幽門　498, 499
幽門括約筋　498, 499
幽門管　498, 499
幽門洞　498, 499
幽門部　498
遊離縁　107, 108
遊離基　24
輸血　370
輸出細動脈　544, 545
輸出リンパ管　437, 438
輸送　358
輸送タンパク質　329
癒着　95
輸入細動脈　544
輸入リンパ管　437, 438

よ

葉　590
陽イオン　25
溶液　29
溶解したCO_2　477
ヨウ化物　534
葉間静脈　544, 545
葉間動脈　544, 545
葉気管支　466
溶血　49
葉酸　536
陽子　21
溶質　46
葉状乳頭　304
腰神経　256
腰神経叢　259
羊水　610
羊水穿刺　610, 626
腰椎　141, 143
腰椎穿刺　255
腰内臓神経　286
溶媒　29, 46
腰部彎曲　141, 142
腰方形筋　213, 214, 223
腰膨大　256, 257
羊膜　610, 611, 614
羊膜腔　610, 611
容量　471

翼口蓋神経節　288
抑制ホルモン　332
予備吸気量　473
予備呼気量　473
IV型反応　456
四分染色体　579
四領域（腹骨盤腔）　17

ら

ライ症候群　280
ライディッヒ細胞　578
ライノウイルス　485
ラ音　486
ラクターゼ　508, 509
ラクトフェリン　441
ラセン器　316
ラブ　389
ラムダ縫合　140
ランヴィエ絞輪　241
卵円窩　379, 381, 427
卵円孔　133, 137, 379, 426, 427
卵円窓　316
卵黄嚢　610, 611
卵割　608, 610
卵管　6, 585-587
卵管結紮術　596
卵管采　587
卵管摘出術　604
卵管漏斗　587
卵形嚢　316, 317, 321
ランゲルハンス細胞　102
ランゲルハンス島　341, 501
卵細胞質内精子注入法　625
乱視　311, 584
卵子　587
卵子発生（卵子形成）　584
卵巣　6, 327, 347, 584-586
卵巣癌　602
卵巣周期　591, 592
卵巣髄質　584
卵巣摘出術　604
卵巣動脈　408
卵巣嚢腫　584, 604
卵巣皮質　584
卵祖細胞　586
ランニング関連障害　231
卵胞　584
卵胞期　593
卵胞刺激ホルモン　332, 336, 581, 591
卵母細胞　584

り

リウマチ　182
リウマチ熱　394
理学的検査　10
梨状筋　224, 226
リズム法　598
リソソーム　56

リゾチーム　306, 440, 443
立方骨　157
立方細胞　75, 157
立毛筋　106
リトルリーグ肘　181
利尿薬　429, 553
リパーゼ　36
リボ核酸　37, 54
リボソーム　54, 55
リボソームRNA　54, 61
リボタンパク質　382, 527
リボタンパク質(a)　383
リボヌクレアーゼ　502, 508, 509
リボフラビン　536
リポプロテイン検査セット　367
流産　598
流暢失語　272
隆椎　143
両眼視　312
良性腫瘍　68
良性前立腺肥大症　599
両麻痺　279
緑錐体　309
緑内障　313
旅行者下痢　519
リラキシン　347, 593, 618
リン　22, 534
淋菌　603
リン酸緩衝系　570
リン酸基　37, 569
リン酸水素イオン　570
リン酸二水素イオン　570
リン脂質　33, 44, 45
輪状軟骨　464, 465
輪状ヒダ　506, 507
鱗状縫合　140
リンパ　5, 46, 92, 435
リンパ管　5, 435, 436
リンパ球　360, 364, 365
リンパ系　5, 435
リンパ系幹細胞　359, 361
リンパ行性転移　439
リンパ腫　457
リンパ小節　439
リンパ節　5, 435, 438
リンパ節炎　457
リンパ節症　457
リンパ組織　435
リンパ本幹　437
淋病　603
リンホトキシン　450

る

涙液　306
涙器　306, 440, 443
涙骨　134, 139
涙小管　306
涙腺　291, 305, 306
ルフィーニ小体　298
ループ状毛細血管　103

れ

冷却　182
冷受容器　299
冷凍療法　602
レイノー現象　293
レーザー処理　106
レーザー閉鎖術　401
レーザー補助脂肪吸引法　88
レーザーリサーフェシング　110
レーザー療法　602
レチナール　312
裂　468
裂傷　117

劣性アレル　622
レニン　405
レニン-アンギオテンシン-アルドステロン系　405
レニン-アンギオテンシン-アルドステロン経路　344, 346
レプチン　349
連結　167
連合野　271, 272
攣縮　197, 231

ろ

ロイコトリエン　348
漏洩チャネル　244
漏精　583

狼瘡　457
漏斗　330
老年医学　67
老年学　67
老廃物　543
　──の排泄　543
濾過　400
濾過膜　548
肋間隙　147
肋間神経　259
肋間動脈　408
肋骨　146, 147
肋骨呼吸　473
肋骨骨折　147
肋骨突起　143
肋骨面　148
肋軟骨　146

ロドプシン　312
濾胞細胞　334, 337
濾胞傍細胞　336, 337

わ

Y染色体上の性決定領域　624
ワクチン　452
ワーファリンナトリウム　369
腕神経叢　259
腕橈骨筋　219-221
腕頭静脈　418
腕頭動脈　408, 410, 411

Index

A

A band 188
abdominal aorta 406, 408, 409
abdominal cavity 15
abdominal thrust maneuver 486
abdominopelvic cavity 15
abdominopelvic region 17
abducens nerve 277
abducens nerve (Ⅵ) 265
abduction 174
ABO blood group 370
abortion 598
abrasion 117
abscess 442
absorption 75, 490, 508
absorptive cell 505
accessory digestive organ 489
accessory ligament 172
accessory nerve 278
accessory nerve (Ⅺ) 265
accessory sex gland 575, 582
accessory structure 305
—— of the skin 104
accommodation 311
ACE ➡ angiotensin converting enzyme
acetabulum 159
acetyl coenzyme A 523, 524
acetyl group 523
acetylcholine (ACh) 190, 249
acetylcholinesterase (AChE) 192
achondroplasia 129
achondroplastic dwarfism 129
acid 29
acidic 30
acidity 477
acidosis 31, 526, 571
acini 501
ACL ➡ anterior cruciate ligament
acne 106
acquired immunodeficiency syndrome ➡ AIDS
acrosome 579, 608
ACTH ➡ adrenocorticotropic hormone
actin 188, 189
action potential 186, 239, 245
activate complement 451
activation of vitamin D 505
active cytotoxic T cell 445
active helper T cell 445
active process 46, 53
active site 37
active transport 46, 49, 53
acupuncture 300
acute normovolemic hemodilution 373
acute prostatitis 601
acute renal failure 559
AD ➡ Alzheimer's disease
adaptation 296
adaptive immunity 434
Addison's disease 354
adduction 174
adductor brevis 227
adductor compartment 226, 227
adductor longus 224-227
adductor magnus 224-227
adenitis 457
adenoid 439
adenosine diphosphate 39
adenosine triphosphate 28, 39
ADH ➡ antidiuretic hormone
adhesion 95
adipocyte 85, 87
adipose tissue 349
ADP ➡ adenosine diphosphate
adrenal cortex 341, 345
adrenal gland 327, 341, 345
adrenal medulla 287, 341, 345, 347, 405
adrenaline 287, 347, 405
adrenocorticotropic hormone 332, 336
Adult stem cell 613
aerobic 524
aerobic cellular respiration 524
aerobic exercise 391
aerobic respiration 196
AF ➡ atrial fibrillation
afferent arteriole 544, 545
after-hyperpolarizing phase 245
afterbirth 427, 615
age 114, 530
age spot 103
age-related macular degeneration 313
age-related macular disease 313
agglutinate antigen 451
agglutinin 370
agglutinogen 370
aggregated lymphatic follicle 436
aging 10, 67, 131
agonist 203
AIDS 455
albinism 103
albino 103
albumin 359, 555
aldosterone 344, 552, 564, 566
alkaline 30
alkalosis 31, 571
all-or-none principle 246
allantois 613
allele 622
allergen 456
allergic 456
allograft 457
alpha cell 341, 342
alveolar cell 470
alveolar duct 468, 469
alveolar macrophage 470
alveolar pressure 471
alveolar sac 468, 469
alveolar wall 470
alveolus〔複 alveoli〕 468-470, 590
Alzheimer's disease 57, 279
AMD ➡ age-related macular disease
amenorrhea 604
amino acid 35, 510
amino group 36
aminoacyl 61
amniocentesis 626
amnion 610, 611, 614
amniotic cavity 610, 611
amniotic fluid 610
AMP ➡ antimicrobial protein
amphiarthrosis 168
ampulla 316, 320, 522
anabolic steroids 200
anabolism 27, 522, 524
anaerobic 524
anaerobic glycolysis 196, 524
anal canal 512
analgesia 300
anaphase 64
anaphase Ⅰ 580
anaphase Ⅱ 580
anaphylactic reaction 456
anaphylactic shock 456
anaplasia 69
anastomose 385
anatomic dead space 472
anatomical neck 149
anatomical position 11
anatomy 1
androgen 344, 346, 578
androgenic alopecia 106
anemia 372
anencephaly 613
anesthesia 280
aneurysm 431
angina pectoris 392
angiocardiography 394
angiogenesis 68, 431, 552
angiotensin Ⅰ 344
angiotensin Ⅱ 346, 552, 566
angiotensin converting enzyme 429, 344
angular movement 172
anion 25
annulus fibrosus 141
anorexia nervosa 518
anosmia 323
ANP ➡ atrial natriuretic peptide
ANS ➡ autonomic nervous system
antagonist 203
antebrachial 420
anterior 12
anterior cavity 309
anterior cerebral 411
anterior cerebral artery 410
anterior chamber 309, 310
anterior communicating 411
anterior communicating artery 410
anterior compartment 218, 221, 226, 227, 229
anterior compartment muscle 220
anterior corticospinal tract 274, 275
anterior cruciate ligament 178, 179
anterior fontanel 141
anterior gray horn 257, 258
anterior median fissure 257
anterior pituitary 330, 331, 333
anterior pituitary hormones

653

336
anterior root   258
anterior tibial artery   413
anterior tibial veins   422
anterior tibiofibular ligament   169
anterior white column   257
anterior white commissure   257
anterolateral fontanel   141
anterolateral pathway   273
anti-A antibody   370
anti-B antibody   370
antibody   359, 370, 444, 445
antibody-mediated immunity   443
anticoagulant drug   369
anticodon   62
antidiuretic hormone   333-336, 405, 552, 565, 566
antidiuretic substance   334
antigen   370, 442
antigen presentation   446
antigen processing   446
antigen receptor   443
antigen-binding site   446
antigen-presenting cell   446, 452
antimicrobial protein   441, 443
antimicrobial substance   440, 443
antioxidant vitamin   533
antireabsorptive drug   161
anuria   550
anus   5, 512
aorta   406, 406
aortic body   404
aortic insufficiency   384
aortic stenosis   384
aortic valve   381-383
aorticorenal ganglion   286
aortography   431
AP ➡ action potential
APC ➡ antigen-presenting cell
APC ➡ atrial premature contraction
apex   468
aphasia   272
apical foremen   494
apical layer   74
apical surface   74
apnea   482
apocrine sweat gland   107
apoptosis   69
appendicitis   517
appendicular skeleton   132
appendix   511, 512
aqueous humor   309
arachnoid mater   255, 261
arachnoid villus ［複 villi］   263, 264
arch   158

—— of aorta   406, 408, 409, 411
arcuate artery   545
arcuate popliteal ligament   178
arcuate vein   545
area   271
areola   590
ARF ➡ acute renal failure
arrangement
—— of cells in layers   75
—— of layers   75
arrector pili   106
arrhythmia   393
arterial stick   367
arteriole   397, 399
artery   379, 397
arthralgia   182
arthritis   182
arthrology   167
arthroplasty   180
arthroscopy   179
articular capsule   171, 178
articular cartilage   120, 121, 127, 171
articular disc   172, 180
artificial pacemaker   387
arytenoid cartilage   464, 465
ascending aorta   379, 406, 408, 409
ascending colon   511, 512
ascending limb   546
—— of the nephron loop   545
ascending tract   258
ascorbic acid   536
ASD ➡ atrial septal defect
aspartate   249
asphyxia   485
aspirin   370
assistance in movement   119
association area   271, 272
asthma attack   466
astigmatism   311
astrocyte   242
asystole   394
ataxia   268
atherosclerosis   382
atherosclerotic plaque   382
athlete's foot   117
atlas   143
atom   1, 21
atomic number   22
ATP ➡ adenosine triphosphate
ATPase   36
atrial fibrillation   393
atrial flutter   393
atrial natriuretic peptide   349, 406, 550, 552, 564, 566

atrial premature contraction   393
atrial septal defect   392
atrial systole   388
atrioventricular bundle   386
atrioventricular node   386
atrioventricular valve   381
atrium   379
atrophy   69
auditory association   271
auditory association area   272
auditory ossicles   316
auditory tube   316
auricle   315, 379
autoantibody   456
autograft   457
autoimmune disease   456
autoimmunity   456
autologous preoperative transfusion   373
autolysis   57
autonomic dysreflexia   293
autonomic ganglion   284
autonomic motor neuron   283, 284
autonomic nervous system   238, 283
autonomic plexuses   287
autonomic reflex   261
autonomic sensory neuron   283
autophagy   56
autopsy   6
autoregulation   401
autorhythmicity   200
autosome   623
AV bundle   386
AV node   386
AV valve   381
avascular   74
axial skeleton   132
axillary artery   410
axillary node   436
axillary vein   419
axis   143, 175
axon   239, 240

B

B cell   5, 452
bad cholesterol   527
ball-and-socket join   176
bariatric surgery   518
baroreceptor   390
baroreceptor reflex   404
baroreceptors in arch of aorta   391
baroreceptors in carotid sinus   391
barotraumas   323
barrier method   597
basal cell   301-304
basal cell carcinoma   114

basal ganglia   267, 270
basal layer   74
basal metabolic rate   530
basal state   530
basal surface   74
base   468
base triplet   61
Basedow disease   354
basement membrane   74
basic   30
basic metabolic panel   367
basilar artery   410
basilar membrane   316, 317
basilic vein   419
basophil   364
BBB ➡ blood-brain barrier
Bell's palsy   208
belly   203
benign prostatic hyperplasia   599
benign tumor   68
beta blocker   290
beta cell   341, 342
biaxial   175
bicarbonate ion   31, 478, 549
biceps brachii   219, 220
biceps femoris   225, 227
bicuspid valve   381, 383
bicuspid valve cusps   383
bilaminar embryonic disc   610-612
bile   504
bile canaliculi   503
bile duct   503
bilirubin   362, 504, 555
biliverdin   362
binocular vision   312
biopsy   69
biotin   536
bipolar cell layer   308
bipolar neuron   240
birth control   594
blackhead   107
blastocyst   609, 610
blastocyst cavity   609, 611
blastomere   609
blepharitis   323
blister   116
blood   4, 358
blood bank   373
blood capillary （⇨ capillary）   397, 510
blood cell production   120
blood clot   368
blood clotting   368
blood clotting factor   368
blood colloid osmotic pressure   400
blood doping   363
blood enzyme tests   367
blood group   370
blood plasma   46, 92, 359, 562

Index **655**

blood pressure 428, 402
blood reservoir 397
blood sample 367
blood test 367
blood tissue 92
blood type 370
blood vessel 4
blood viscosity 402
blood-brain barrier 264
BMR ➡ basal metabolic rate
body 143, 498, 499
—— of penis 576, 583
—— of uterus 586, 587
body cavity 14
body fluid 562
body piercing 104
body stalk 612
body surface area 572
body temperature 477, 482, 530
body temperature regulation 108
boil 107
bolus 495
bone 3, 119
bone deposition 128
bone marrow transplant 366
bone remodeling 128
bone resorption 128
bone scan 124
bone tissue 92, 122
bony labyrinth 316
Botox 112
botulinum toxin 112
bound to amino acids 478
BP ➡ blood pressure
BPH ➡ benign prostatic hyperplasia
brachial artery 410
brachial plexus 256, 259
brachial vein 419
brachialis 219, 220
brachiocephalic trunk 408, 410, 411
brachiocephalic vein 418
brachioradialis 219–221
bradycardia 428
bradykinesia 279
brain 4, 261
brain stem 261, 262
brain tumors 279
breast augmentation 591
breast cancer 439, 601
breast reduction 591
breathing 476
breathing rate 572
breech presentation 620, 626
Broca's speech area 271, 272
bronchial artery 408
bronchial tree 466
bronchial tube 5
bronchiole 466

bronchoscopy 485
browlift 112
brush border 507
buccinator 208, 209
buffer 30, 568
buffer system 30, 570
buffy coat 360
bulbourethral gland 576, 583
bulimia 538
bulk-phase endocytosis 52
bundle of His 386
bunion 162
burn 115
bursa 172, 178, 180
bursectomy 182
bursitis 172

C

C-reactive proteins 382
C-section 620
CABG ➡ coronary artery bypass grafting
CAD ➡ coronary artery disease
CAH ➡ congenital adrenal hyperplasia
calcaneus 157
calcification 122, 125
calcified extracellular matrix 127
calcitonin 338
calcitriol 339
calcium (Ca) 22, 534
calorie (cal) 529
Calorie (Cal) 529
cAMP ➡ cyclic AMP
canaliculi 122, 123
cancer 68
—— of the larynx 465
canine 493, 495
canker sore 518
capacitation 608
capillary (⇨ blood capillary) 397, 399
capillary basement membrane 470
capillary blood pressure 400
capillary exchange 400
capillary loop 103
capitate 150, 151, 222
capitulum of humerus 149
capsular space 548
carbaminohemoglobin 478
carbohydrate 31
carbohydrate loading 525
carbohydrate metabolism 504, 529
carbohydrate-digesting 509
carbon (C) 22, 23
carbon dioxide 477

carbon monoxide (CO) 250
carbon monoxide poisoning 477
carbonic acid 31
carbonic acid-bicarbonate buffer system 31, 570
carbonic anhydrase 478
carboxy group 36
carboxypeptidase 501, 509
carcinogen 68
carcinogenesis 68
cardia 498, 499
cardiac accelerator nerve 390, 391
cardiac arrest 394
cardiac catheterization 394
cardiac circulation 384
cardiac cycle 388
cardiac muscle 378
cardiac muscle tissue 93, 185
cardiac notch 468
cardiac output 389
cardiac plexus 286
cardiac rehabilitation 394
cardiology 376
cardiomegaly 394
cardiopulmonary resuscitation 378
cardiovascular center 264, 390, 391, 403, 404
cardiovascular disease 344
cardiovascular system 4, 358
cardioversion 393
carotene 104
carotid body 404
carpal 149, 151
carpal tunnel 150, 220
carpal tunnel syndrome 151, 220
carpus 149
carrier 44
carrier protein 48
cartilage 3, 90
cartilage model 125
cartilaginous joint 168, 170
cast 555
castration 603
catabolism 28, 522
catalyst 36
cataract 313
cation 25
cauda equina 256, 257
caudal 12
caudal anesthesia 144
caudate nucleus 267
CBC ➡ complete blood count
CCK ➡ cholecystokinin
CCK cell 507

cecum 511, 512
celiac ganglion 286
celiac trunk 406, 408
cell 2
cell biology 43
cell body 239
cell cycle 64
cell division 64
cell identity marker 45
cell junction 74
cell shape 75
cell-mediated immunity 443
cell-mediated reaction 456
cellular level 2
cellular respiration 523
cementum 494
central canal 122, 258, 257, 263
central chemoreceptor 480
central nervous system 236, 237, 242
central sulcus 269
central vein 503, 504
centromere 64
centrosome 53
cephalic 11, 12
cephalic phase 514
cephalic vein 419
cerebellar cortex 268
cerebellar hemispheres 268
cerebellar nucleus 268
cerebellar peduncle 268
cerebellum 261, 262, 268
cerebral arterial circle 410, 411
cerebral cortex 261
cerebral hemisphere 268
cerebral peduncle 265, 266
cerebral white matter 269
cerebrospinal fluid 46, 264
cerebrovascular accident 273
cerebrum 261, 262
cerumen 107
ceruminous gland 107, 315
cervical 11
cervical cancer 602
cervical cap 598
cervical curve 141, 142
cervical dysplasia 602
cervical enlargement 256, 257
cervical nerves 256
cervical node 436
cervical plexus 256, 259
cervical vertebra 141, 143
cervix of uterus 586, 587
cesarean section 620
CF ➡ cystic fibrosis

CFS ➡ chronic fatigue syndrome
chancre   603
channel protein   47
charley horse   226, 232
cheek   493
chemical bond   24
chemical digestion   490
chemical element   21
chemical energy   27
chemical factors   443
chemical level   1, 2
chemical peel   110
chemical reaction   27
chemical symbol   21
chemical synapse   248
chemistry   21
chemoreceptor   296, 390, 480
chemotherapy   66, 106
CHF ➡ congestive heart failure
chief cell   338, 499
chill   537, 537
chiropractic   162
chlamydia   603
chloride   534
chloride ion   549
chlorine（Cl）   22, 23
cholecystectomy   504
cholecystitis   518
cholecystokinin   349, 505, 514, 515
cholesterol   44
chondritis   182
chondrocyte   90
chondroitin sulfate   86
chordae tendineae   381, 383
chorion   611, 612
—— of chorion   614
chorionic villi   613, 614
chorionic villi sampling   626
choroid   306
choroid plexus   263, 264
chromatid   64
chromatin   59
chromium   534
chromosome   59
chronic bronchitis   484
chronic fatigue syndrome   457
chronic obstructive pulmonary disease   484
chronic prostatitis   601
chronic renal failure   559
chronic traumatic encephalopathy   270
chylomicron   510, 511, 527
chyme   501
chymotrypsin   501, 509
cilia   54, 443
ciliary body   307

ciliary ganglion   288
cilium   440
circadian rhythm   268
circular fold   506, 507
circulation time   431
circulatory route   406
circumcision   583
circumduction   174
cirrhosis   518
cistern   56
cisterna chyli   436
citric acid cycle   523, 529
claudication   431
clavicle   147, 148
clawfoot   162
cleavage   608, 610
cleavage furrow   66
cleft lip   139
cleft palate   139
clitoris   585, 587, 589
clonal selection   445
clone   445
closed fracture   128
clot retraction   369
CNS ➡ central nervous system
CO ➡ carbon monoxide
CoA ➡ acetyl coenzyme A
cobalt   534
coccygeal nerves   256
coccyx   141, 146
cochlea   316, 317
cochlear duct   316, 317
cochlear implant   323
codon   61, 63
coenzyme   37, 522
cofactor   37
cold sore   116
collagen fiber   85, 86
collecting duct   546, 547
colon   511
color blindness   314
colorectal cancer   517
colostomy   518
colostrum   620
colposcopy   603
combined pill   595
common hepatic artery   408
common iliac artery   406, 408, 413, 414
common iliac vein   422
common integrative area   271, 272
compact bone tissue   122
compartment   218
compartment syndrome   218
compensation   571
complement system   441, 443
complete abstinence   594
complete blood count   367
complete fracture   128
complete tetanus   199

complex carbohydrate   31
compound   24
compound fracture   128
compression   182
concentration   46
concentration gradient   46
concentric lamellae   122, 123
conceptus   626
conducting zone   462, 469
conduction   530
conduction system   386
condyloid joint   176
cone   309
congenital adrenal hyperplasia   347
congenital defect   392
congenital hypothyroidism   353
congestive heart failure   390
conjoined twins   608
conjunctiva   306
conjunctivitis   323
connecting stalk   612
connective tissue   73, 84
consciousness   267
constipation   514
constriction of the pupil   312
continuous conduction   246
contraception   594
contraceptive skin patch   597
contractility   186
contraction cycle   192
contralateral   12
control   36, 285
control center   8
convection   530
convergence   312
COPD ➡ chronic obstructive pulmonary disease
copper   534
cor pulmonale   394
coracobrachialis   216, 217
cord of umbilical artery   426
corn   117
cornea   306
corneal transplant   323
corona radiata   608
coronal suture   140, 169
coronary artery bypass grafting   383
coronary artery disease   382
coronary circulation   384
coronary sinus   379, 384, 406, 416, 417
coronoid fossa   149
coronoid process   150
corpus albicans   584, 586
corpus callosum   268

corpus cavernosum penis   576, 583
corpus luteum   584, 586
corpus spongiosum penis   576, 583
corpuscle of touch   103, 297, 298
cortical radiate artery   545
cortical radiate vein   545
corticotropin   336
corticotropin-releasing hormone   618
cortisol   346
coryza   485
costal breathing   473
costal cartilage   146
costimulation   447
covalent bond   25
Cowper gland   576
CPR ➡ cardiopulmonary resuscitation
cramp   231
cranial   12
cranial bone   132
cranial cavity   15
cranial meninx［複 meninges］   261, 263
cranial nerve   236, 265, 277
cranial reflex   260
craniosacral   288
creatine   195
creatine phosphate   195
creatine supplementation   197
creatinine   549
crenation   49
CRF ➡ chronic renal failure
CRH ➡ corticotropin-releasing hormone
cribriform plate   138
cricoid cartilage   464, 465
crisis   537
crista［複 cristae］   57, 320
crista galli   138
cross-bridge   192
crossing-over   579
crown   494
CRP ➡ C-reactive proteins
crying   306
cryptorchidism   578
CSF ➡ cerebrospinal fluid
CT ➡ calcitonin
CTE ➡ chronic traumatic encephalopathy
cuboid   157
cupula   320, 321
Cushing's syndrome   354
cuspid   495
cutaneous sensation   108
cuticle   107, 108
CV center ➡ cardiovascular center
CVA ➡ cerebrovascular accident

Index **657**

CVS ➡ chorionic villi sampling
cyanocobalamin 536
cyanosis 364
cyanotic 104
cyclic AMP 329
cystic fibrosis 486
cytokinesis 66
cytolysis 441
cytoplasm 43, 44, 52, 60
—— of secondary oocyte 608
cytoskeleton 52
cytosol 43, 52, 60
cytotoxic reaction 456
cytotoxic T cell 443, 452
cytotrophoblast 610, 611

D

DA ➡ dopamine
DBP ➡ diastolic blood pressure
deafness 318, 322
deamination 528
decidua basalis 614
deciduous teeth 495
decompose 27
decomposition reaction 27
deep 12
deep palmar arch 410
deep palmar venous arch 419
deep plantar venous arch 422
deep vein 416, 419, 422
deep vein thrombosis 431
deep wound healing 109
defecation 440, 443, 490, 514
defecation reflex 513
deferens 6
defibrillation 393
defibrillator 393
degenerating corpus luteum 586
dehydration 564
dehydration synthesis 31
delayed hypersensitivity 456
deltoid 216–218
deltoid tuberosity 149
dementia 280
demineralization 130
demyelination 251
denaturation 35
dendrite 239, 240, 302
dense body 201
dense connective tissue 90
dental caries or tooth decay 517
dentin 494
deoxygenated blood 379,

475
deoxyhemoglobin 477
deoxyribonuclease 502, 509
deoxyribonucleic acid 37
depilatory 106
depolarizing phase 245
depression 174
dermal fillers 110
dermal papillae 103
dermatology 100
dermis 100, 101, 103
descending colon 512
descending limb 546, 547
—— of the nephron loop 545
descending tract 258
detached retina 323
detrusor muscle 556
—— of male sexual characteristics 582
—— of secondary ossification center 126
—— of sexual function 582
—— of the ossification center 125
developmental biology 607
deviated nasal septum 162
DHT ➡ dihydrotestosterone
diabetes 344
diabetes insipidus 353
diabetes mellitus 344
diabetic retinopathy 323
diagnosis 10
diaphragm 15, 213, 214, 471, 597
diaphragmatic breathing 473
diaphysis 120, 121
diarrhea 514
diarthrosis 168
diastole 388
diastolic blood pressure 428
diencephalon 261, 262
dietary fiber 517
diff ➡ differential white blood cell count
differential white blood cell count 366
differentiation 6, 445
diffusion 46, 53
digestion 490
digestive system 5, 489
digital rectal exam 601
dihydrotestosterone 581
dilation and evacuation 598
dipeptide 35
diplegia 279
diploid cell 578
directional term 12

disaccharide 31
disease 10
dislocated knee 181
dislocation 182
—— of the radial head 181
disorder 10
disproportionate dwarfism 129
dissociate 29
dissolved CO_2 477
distal 12
distal convoluted tubule 545–547
distal epiphysis 121
distal tibiofibular joint 168
distribution of water 572
diuretics 553
diverticula 518
diverticulitis 518
diverticulosis 518
dizygotic twins 608
DMD ➡ Duchenne muscular dystrophy
DNA ➡ deoxyribonucleic acid
dominant allele 622
dopamine 250
Doppler ultrasound scanning 431
dorsal 12
dorsal artery of the foot 413
dorsal gray horn 258
dorsal median sulcus 257
dorsal respiratory group 479
dorsal root 258
dorsal root ganglion 258
dorsal venous arch 422
dorsal venous network of the hand 419
dorsiflexion 175
double helix 37
double-jointed 171
Down syndrome 626
DRG ➡ dorsal respiratory group
drug 383
DS ➡ Down syndrome
dual innervation 285
Duchenne muscular dystrophy 231
ductus 6
ductus arteriosus 381, 426
ductus (vas) deferens 576, 577, 582
ductus epididymis 577, 582
ductus venosus 426
duodenal gland 507
duodenum 505
dupp 389
dura mater 255, 261
dural venous sinus 418

DVT ➡ deep vein thrombosis
dwarfism 129
dynamic 7
dysmenorrhea 603
dyspareunia 604
dysplasia 69
dyspnea 485
dysrhythmia 393
dystocia 620
dysuria 559

E

ear 4
eardrum 315
early pregnancy test 618
EC ➡ emergency contraception
eccrine sweat gland 107
ECF ➡ extracellular fluid
ECG 387
ectoderm 612
ectopic pregnancy 616
ED ➡ erectile dysfunction
edema 436, 566
EEG ➡ electroencephalogram
EFA ➡ essential fatty acid
effector 8, 238, 241, 260, 261, 285
effector cell 445
efferent arteriole 544, 545
efficiency 36
ejaculation 583
ejaculatory duct 576, 582
EKG 387
elastic artery 398
elastic fiber 85, 86
elasticity 186
electrical excitability 186, 239
electrical synapse 247
electrocardiogram 387
electroencephalogram 276
electrolysis 106
electrolyte 25, 563
electromyography 195
electron 21, 23
electron accepted 25
electron donated 25
electron shell 23
electron transport chain 523, 524, 529
elevation 174, 182
embolus 369
embryo 607
embryo transfer 625
embryoblast 609
embryology 607
embryonic folding 615
embryonic period 607
embryonic stem cell 613
emergency contraception 597

emesis gravidarum   626
EMG ➡ electromyography
emission   583
emmetropic eye   311
emotional sweating   107
emphysema   484
emulsification   504
enamel   494
encapsulated nerve ending   296, 297
encephalitis   280
endocarditis   394
endocardium   378, 379
endocervical curettage   604
endochondral ossification   125
endocrine gland   83
endocrine system   4, 326
endocrinology   328
endocytosis   51, 53
endoderm   612
endometriosis   587
endometrium   587
— of uterus   609
endomysium   187, 188
endoneurium   258, 259
endoplasmic reticulum   55
endorphin   250
endosteum   121, 122
endothelium   76, 398
— of lymphatic capillary   437
end-stage renal failure   559
energy   27
enhance phagocytosis   451
ENS ➡ enteric nervous system
enteric nervous system   238, 491
enterokinase   502
enuresis   559
enzyme   36, 37, 45, 522
enzyme-substrate complex   37
eosinophil   85, 364
ependymal cell   242
epiblast   610-612
epicardium   377-379
epidermal wound healing   109
epidermis   100-102, 440
— of skin   443
epididymis   6, 576, 577, 582
epidural space   255
epigastric region   17
epiglottis   464, 465
epilepsy   251
epimysium   187, 188
epinephrine ➡ adrenaline
epineurium   258, 259
epiphyseal cartilages   170
epiphyseal line   121, 128

epiphyseal plate   127, 170
epiphysis   120
episiotomy   589
epistaxis   486
epithelial basement membrane   470
epithelial membrane   93
epithelial tissue   73
epithelium   74
EPO ➡ erythropoietin
equilibrium   46, 318
erectile dysfunction   584
erection   583
erector spinae   222, 223
erythema   104
erythrocyte ➡ red blood cell
erythropoietin   349, 364
esophageal artery   408
esophageal stage   496
esophagus   5, 496
essential amino acid   528
essential fatty acid   35
essential nutrient   532
estrogen   347, 591, 617
ethmoid bone   133, 134, 138
ethmoidal cell   138, 140
ethmoidal sinus   138, 140
eupnea   473
evaporation   530
eversion   175
exchange reaction   28
excretion
— of bilirubin   504
— of waste   543
excretory lacrimal duct   305, 306
exercise   131, 530
exhalation   469
exhaustion   350
exocrine gland   83
exocrine gland cell   499
exocrine portion   501
exocytosis   51-53
expiratory area   479
expiratory reserve volume   473
extended cycle birth control pill   597
extensibility   186
extension   173
extensor carpi radialis longus   221
extensor carpi ulnaris   221
extensor compartment   218, 221, 227, 226
extensor compartment muscle   220
extensor digitorum   221
extensor digitorum longus   228, 229
extensor retinaculum   220
external   12, 462
external auditory canal   315

external carotid artery   410
external (outer) ear   315, 321
external iliac artery   408, 413, 414
external iliac vein   422
external intercostal muscle   213, 214, 471
external jugular vein   418
external naris   463
external nose   462
external oblique   211, 212, 471
external respiration   461, 475
external root sheath   105
external urethral orifice   556, 557, 582, 583, 589
external urethral sphincter   556, 557
extracellular fluid   7, 46, 562
extracellular matrix   84
extraembryonic mesoderm   611, 612
extrinsic pathway   368
eye   4
eye damage   344
eyeball   306
eyebrow   305
eyelash   305
eyelid   305

F

facelift   112
facial bone   132
facial nerve   277
facial nerve (Ⅶ)   265
facial neuropathy   251
facial paralysis   208
facilitated diffusion   47, 53
false labor   619
false pelvis   152, 153, 159
family history   114
farsightedness   311
FAS ➡ fetal alcohol syndrome
fascia   186
fascia lata   224
fascicle   187, 188, 258
fasciculation   231
fasciotomy   218
fast glycolytic fiber   199
fast oxidative-glycolytic fiber   199
fast pain   299
fat transplantation   110
fat-soluble vitamin   533
fatty acid   33
fauces   493
feces   490, 513
feedback system   7
feeding center   268

female condom   597
female infertility   625
female reproductive cycle   591
female reproductive system   584
feminizing adenoma   354
femoral artery   413, 414
femoral component   180
femoral vein   414, 422
femur   154, 155
body of —   155
head of —   155
neck of —   155
fertilization   607, 610
fertilization age   626
fetal alcohol syndrome   626
fetal circulation   425
fetal period   607
fetal surgery   626
fetal ultrasonography   626
fetus   607
fever   442, 443, 537
fever blister   116
FG fiber   199
fiber   86
fibrillation   231
fibrin   368
fibrinogen   359, 368, 383
fibrinolysis   369
fibroblasts   85
fibrocystic disease   591
fibroids   603
fibromyalgia   231
fibrosis   95
fibrous astrocytes   242
fibrous joint   168
fibrous membrane   171
fibrous pericardium   377, 378
fibrous tunic   306, 310
fibula   156
head of —   156
fibular artery   413
fibular collateral ligament   178, 179
fibular compartment   229
fibular notch   156
fibular vein   422
fibularis longus   228, 229
fight-or-flight response   289, 349
filament   187
filiform papilla   304
filtration   400
fimbriae   587
finger or heel stick   367
first cuneiform   157
first line of defense   440, 443
first messenger   329
first polar body   586
first trimester   607
first-order neurons   274

fissure 268
fixator 204
flaccid 195
flaccid paralysis 275
flagellum 54
flat bone 120
flatfoot 158
flatus 519
flexion 172
flexor carpi radialis 221
flexor carpi ulnaris 221
flexor compartment 218, 221, 226, 227
flexor compartment muscle 220
flexor digitorum longus 228, 229
flexor digitorum profundus 221
flexor digitorum superficialis 221
flexor retinaculum 220
flu ➡ seasonal influenza
fluid and electrolyte imbalance 568
fluid balance 563
fluoride 534
FOG fiber 199
folacin 536
folate 536
foliate papilla 304
folic acid 536
follicle-stimulating hormone 332, 336, 581
follicular cell 334, 337
follicular phase 593
fontanel 140
food poisoning 518
foramen ovale 137, 379, 426
formation of articular cartilage and the epiphyseal plate 127
formed element 359
fornix 587
fossa ovalis 379, 381, 427
fourth ventricle 263, 264
fovea centralis 309
fracture 128
fractured clavicle 147
Frank-Starling law of the heart 389
fraternal twins 608
freckle 103
free edge 107, 108
free nerve ending 103, 296, 297
free radical 24, 384
frontal belly 208, 209
frontal bone 132, 134, 135
frontal eye field area 271, 272
frontal lobe 269
frontal plane 13, 14
frontal sinus 140

frostbite 117
FSH ➡ follicle-stimulating hormone
fully saturated 477
functional development of the kidney 572
functional residual capacity 473
functioning of the NMJ 191
fundus 498, 499
―― of uterus 586, 587
fungiform papilla 304
fused tetanus 198

G

G cell 499
GABA ➡ gamma aminobutyric acid
gallbladder 5, 503
gallstone 504
gamete intrafallopian transfer 625
gamma aminobutyric acid 249
gamma globulin 457
ganglion［複 ganglia］ 240, 241, 286
ganglion cell layer 308
gap junction 200, 379
gastric emptying 501
gastric gland 498
gastric juice 440, 443, 499
gastric phase 514
gastric pits 498
gastrin 349, 499, 514, 515
gastrocnemius 228, 229
gastroesophageal reflux disease 496
gastrointestinal tract 349, 489
gastrulation 612
gate closed 47
gate open 47
GBS ➡ Guillain-Barré syndrome
gene 39, 59
general sense 295
genetic counseling 621
genetics 621
genital wart 603
genome 59
genomics 625
genotype 622
GERD ➡ gastroesophageal reflux disease
geriatrics 67
germinal epithelium 584
gerontology 67
gestational age 626
GFR ➡ glomerular filtration rate
GH ➡ growth hormone
GI tract ➡ gastrointestinal

tract
giantism 129
GIFT ➡ gamete intrafallopian transfer
gingiva［複 gingivae, gums］ 493, 494
GIP ➡ glucose-dependent insulinotropic peptide
gland 83
glandular epithelium 75
glans 589
glans penis 576, 583
glaucoma 313
gliding 172
glioma 241
globulin 359
globus pallidus 267
glomerular capsule 544, 546, 547
glomerular filtrate 547
glomerular filtration 547, 548
glomerular filtration rate 550
glomerulonephritis 559
glomerulus 544-547
glossopharyngeal nerve 278
glucagon 341
glucocorticoid 346
gluconeogenesis 525
glucosamine 86
glucose 549, 555
glucose anabolism 529
glucose carrier 48
glucose catabolism 529
glucose-dependent insulinotropic peptide 349, 507
glucosuria 550
glutamate 249
gluteus maximus 224-226
gluteus medius 224-226
gluteus minimus 226
glycerol 33
glycogen 525
glycolipid 44, 45
glycolysis 523, 524, 529
glycoprotein 44, 45
GnRH ➡ gonadotropin-releasing hormone
goblet cell 77, 505
goiter 354
Golgi complex 56
gomphosis 168
gonad 6, 347, 575
gonadal artery 408
gonadotropin-releasing hormone 581
gonorrhea 603
good cholesterol 527
gracilis 225-227
graft 457
granular leukocyte 364
granulysin 450

granzyme 450
Graves disease 354
gray matter 243
great saphenous vein 421
greater omentum 492
greater pelvis 152, 159
greater splanchnic nerve 286
greater trochanter 155
greater vestibular gland 590
groin pull 224
ground substance 85
growing follicles 586
growth 6
growth hormone 332, 336
Guillain-Barré syndrome 251
gustation 303
gustatory microvilli 303, 304
gustatory receptor cell 303, 304
gynecology 584
gynecomastia 354
gyrus 268

H

H zone 188
H1N1 influenza 485
hair 4, 310, 317, 440, 443
hair bulb 105
hair bundle 319, 320
hair cell 316, 317, 319, 320
hair follicle 105
hair matrix 105
hair root 105
hair root plexus 105, 297, 298
hair shaft 105
hamate 150, 151, 222
hamstring strains 226
hamstrings 225, 227
haploid 578
hard palate 493
haustra 512
Hb ➡ deoxyhemoglobin
Hb-CO$_2$ ➡ carbaminohemoglobin
Hb-O$_2$ ➡ oxyhemoglobin
hCG ➡ human chorionic gonadotropin
hCS ➡ human chorionic somatomammotropin
HD ➡ Hodgkin disease
HDL ➡ high-density lipoprotein
HDN ➡ hemolytic disease of the newborn
head 11, 579, 581
heart 4, 327, 349, 376, 377
heart block 393
heart murmur 389
heart prominence 615

heart rate 389
heartburn 496
heat 529
heat cramp 538
heat exhaustion 538
heat prostration 538
heatstroke 538
helper T cell 443, 452
hemangioma 116
hematocrit 359, 361
hematology 358
hemiplegia 279
hemispheric lateralization 275
hemochromatosis 373
hemodialysis 554
hemoglobin 104, 361
hemolysis 49
hemolytic disease of the newborn 373
hemopoiesis 120, 359
hemorrhage 367, 373
hemospermia 583
hemostasis 367
Henle loop 545
hepatic artery 503
hepatic portal circulation 425
hepatic portal vein 425, 426, 503, 510
hepatic sinusoid 503, 504
hepatic vein 504
hepatitis 518
hepatitis A 518
hepatitis B 518
hepatitis C 518
hepatitis D 518
hepatitis E 518
hepatocyte 503
hernia 211
herniated disc 162
heterozygous 622
high altitude sickness 475
high-density lipoprotein 382, 527
hinge joint 176
hip bone 152
hip fracture 162
hip girdle 133, 152
hirsutism 106, 354
histology 73
HIV ➡ human immunodeficiency virus
hives 116
Hodgkin lymphoma 457
homeostasis 7, 367
homocystein 383
homologous chromosome 578, 622
homozygous 622
hormone 131, 326, 530
hormone injection 597
Horner's syndrome 287
HR ➡ heart rate
human chorionic

gonadotropin 349, 594, 618
human chorionic somatomammotropin 618
human immunodeficiency virus 455
humerus 148, 149
　body of —— 149
　head of —— 149
hyaluronic acid 86
hyaluronidase 86
hydrocephalus 264
hydrogen（H） 22, 23
hydrogen bond 27
hydrogen ion 29
hydrolysis 29, 31
hydrophilic 29
hydrophobic 29
hydroxide ion 29
hymen 587, 589
hyoid bone 140
hyperbaric oxygenation 474
hypercapnia 480
hyperextension 173
hypermetropia 311
hyperopia 311
hyperplasia 69
hypersecretion 353
hypersplenism 457
hypertension 429
hyperthyroidism 336
hypertonia 232
hypertonic solution 49
hypertrophy 69
hyperventilation 481
hypervitaminosis 533
hypoblast 610–612
hypocalcemia 569
hypocapnia 481
hypochloremia 569
hypogastric plexus 286
hypogastric region 17
hypoglossal nerve 278
hypoglossal nerve（Ⅻ）265
hypokalemia 569
hypokinesia 279
hypomagnesemia 569
hyponatremia 569
hypoparathyroidism 354
hypophosphatemia 569
hypophyseal fossa 133, 137
hypophyseal portal vein 330
hyposecretion 353
hyposmia 301
hypotension 431
hypothalamus 267, 327, 330, 331, 333
hypothermia 531
hypotonia 232
hypotonic solution 49, 392

hypovolemia 566
hypoxia 364, 392, 480, 485
hysterectomy 587

I

I band 188
IBS ➡ irritable bowel syndrome
ice 182
ICF ➡ intracellular fluid
ICSI ➡ intracytoplasmic sperm injection
identical twins 608
IFN ➡ interferon
IgA 447
IgD 447
IgE 447
IGF ➡ insulin-like growth factor
IgG 447
IgM 447
IL-2 ➡ interleukin-2
ileocecal sphincter 505
ileum 505
iliac node 436
iliacus 224–226
iliocostalis 222, 223
iliopsoas 224
iliotibial tract 224
ilium 152–154
immobilize bacterium 451
immune system 443
immune-complex reaction 456
immunity 5, 434
immunoglobulin 446
immunological memory 451
immunological status 114
immunology 443
impetigo 117
impingement syndrome 216
implantation 609, 610
in vitro fertilization 625
incisors 493, 495
incomplete dominance 623
incomplete tetanus 198
incus 316
infectious hepatitis 518
infectious mononucleosis 457
inferior 12
inferior cervical ganglion 286
inferior colliculus 266
inferior extensor retinaculum 227
inferior lacrimal canaliculus 305
inferior mesenteric artery 406, 408
inferior mesenteric ganglion

286
inferior nasal concha［複 conchae］ 134, 135, 139, 463
inferior oblique 210
inferior phrenic artery 408
inferior rectus 210
inferior vena cava 379, 406, 416, 417
inflammation 441, 443
inflammatory bowel disease 518
inflation reflex 482
infrapatellar fat-pad 171, 178
infraspinatus 216–218
infundibulum 330, 587
ingestion 489
　—— of food 530
inguinal hernia 211
inguinal node 436
inhalation 468
inheritance 621
inhibin 347, 581, 593
inhibiting hormone 332
injury to the medulla 264
innate immunity 434
inner ear 316
inner layer 398
inner mitochondrial membrane 57
inorganic compound 28
insertion 203
insoluble fiber 517
inspiratory area 479
inspiratory capacity 473
inspiratory reserve volume 473
insufficiency 384
insula 269, 271
insulin 341
insulin-like growth factor 332
integral protein 44, 45
integrase inhibitor 455
integrating center 260
integrative function 238
integumentary system 3, 100
interatrial septum 379
intercalated disc 200, 379
intercostal nerve 259
interferon 440, 443
interleukin-2 447
interlobar artery 545
interlobar vein 545
intermediate 12
intermediate filament 52, 200, 201
internal 12
internal carotid 411
internal carotid artery 410
internal defenses 443

internal ear 316, 321
internal iliac artery 408, 413, 414
internal iliac vein 422
internal intercostal muscle 213, 214, 471
internal jugular vein 418
internal naris 463
internal oblique 211, 212, 471
internal respiration 461, 475
internal root sheath 105
internal urethral sphincter 556, 557
interneuron 241
interosseous membrane 168, 169
interosteonic canal 123
interphase 64
interstitial cell 577, 578
interstitial fluid 46, 562
interventricular septum 379, 381
intervertebral disc 141, 142
intervertebral foramen 258
intervillous space 614
intestinal gland 505
intestinal juice 507
intestinal node 436
intestinal phase 514
intracellular fluid 46, 562
intracytoplasmic sperm injection 625
intradermal 117
intraepidermal macrophage 102
intramembranous ossification 125, 125
intraocular pressure 309
intrauterine device 597
intravenous pyelogram 559
intrinsic factor 499
intrinsic pathway 369
intubation 465
inversion 175
involuntary muscle 185, 200
iodide 534
ion channel 44
ion concentrations 572
ionic bond 24
ipsilateral 12
iris 307
iron（Fe） 22, 534
iron-binding protein 441, 443
irregular bone 120
irritable bowel syndrome 518
irritation of airway 482
ischium 152-154

islet of Langerhans 501
isotonic solution 48, 49
itch 298
IUD ➡ intrauterine device
IVC ➡ inferior vena cava
IVF ➡ in vitro fertilization 625
IVP ➡ intravenous pyelogram

J

jaundice 104, 373
jejunum 505
jet lag 348
joint 3, 167
joint capsule 171
joint cavity 171

K

K cell 507
keloid 116
keratin 102
keratinization 103
keratinocyte 100, 102
keratosis 116
ketone body 527, 555
ketosis 526
kidney 5, 327, 349, 542, 543
kidney damage 344
kidney stone 559
kidney transplantation 544
kilocalorie 529
kinesiology 167
kinesthesia 299
kinetic energy 27
knee replacement 180
Krebs cycle 523
kwashiorkor 538
kyphosis 163

L

labium majus［複 labia majora］ 585, 587, 589
labium minus［複 labia minora］ 585, 587, 589
labor 619
laceration 117
lacrimal apparatus 306, 440, 443
lacrimal bone 134, 139
lacrimal canaliculus 306
lacrimal fluid 306
lacrimal gland 305, 306
lactase 508, 509
lactation 590, 620
lacteal 507, 510
lactose intolerance 37, 508
lacuna［複 lacunae］ 90, 122, 123, 611, 612
lacunar network 611, 612

lambdoid suture 140
lamellar granule 102
lamellated corpuscle 100, 297, 298
lamina propria 491
large intestine 5, 511
laryngitis 465
laryngopharynx 463, 464
larynx 5, 462-464
laser resurfacing 110
laser treatment 106
late-stage abortion 598
lateral 12
lateral collateral ligament 178
lateral compartment 227, 229
lateral condyle 155, 156
lateral corticospinal tract 274, 275
lateral gray horn 257, 258
lateral head 219, 220
lateral malleolus 156
lateral mass 138
lateral meniscus 178-180
lateral plantar artery 413
lateral rectus 210
lateral surface 74
lateral ventricle 263, 264
lateral white column 257
latissimus dorsi 216-218
LDL ➡ low-density lipoprotein
leak channel 244
least splanchnic nerve 286
left adrenal gland 345
left atrium 380, 381
left auricle of left atrium 380
left brachiocephalic 420
left bronchiole 469
left bundle branch 386
left common carotid 411
left common carotid artery 408, 410
left common iliac 414, 423
left coronary artery 384, 408
left gastric artery 408
left hypochondriac region 17
left inferior parathyroid gland 339
left inguinal region 17
left kidney 542
left lobar bronchus 469
left lobe 337
——— of thyroid gland 337
left lower quadrant 18
left lumbar region 17
left lung 462
left main bronchus 466, 469

left pleural cavity 16, 377
left pulmonary artery 379, 406
left segmental bronchus 469
left subclavian 411
left subclavian artery 408, 410
left superior parathyroid gland 339
left temporal lobe 272
left terminal bronchiole 469
left upper quadrant 18
left ureter 542
left ventricle 380, 381
lens 307, 310
lens placode 615
leptin 349
LES ➡ lower esophageal sphincter
lesser element 22
lesser pelvis 152
lesser splanchnic nerve 286
lethal gene 626
leukemia 373
leukocyte 364, 555
leukocytosis 366
leukopenia 366
leukotriene 348
levator palpebrae superioris 210
levator scapulae 214, 215
LH 336
ligament 171
ligamentum arteriosum 381, 428
ligamentum teres 426
ligamentum venosum 427
limbic system 270
limbic system stimulation 481
lingual frenulum 493
lingual lipase 493, 509
lingual tonsil 440, 464
lipid 31
lipid bilayer 44, 45
lipid metabolism 504, 529
lipid-digesting 509
lipolysis 526
lipoprotein 382, 527
lipoprotein(a) 383
lipoprotein panel 367
liposuction 88
liquid connective tissue 92
little-league elbow 181
liver 5, 327, 503
liver function test 505
LLQ 18
lobar bronchus 466
lobe 468, 590
lobule 468, 577, 578, 590
lobule containing alveoli

590
long bone 120
long head 219, 220
longissimus 222, 223
longitudinal arch
  lateral part of —— 158
  medial part of —— 158
longitudinal fissure 268
loose connective tissue 90
lordosis 163
low-density lipoprotein 382, 527
low-tension glaucoma 313
lower esophageal sphincter 496
lower limb 11, 12, 133, 154
lower limb bud 615
lower motor neuron 274, 275
lower respiratory system 462
LT ➡ leukotriene
lubb 389
lumbar curve 141, 142
lumbar enlargement 256, 257
lumbar nerves 256
lumbar plexus 256, 259
lumbar puncture 255
lumbar splanchnic nerve 286
lumbar vertebra 141, 143
lumen 398
lumpectomy 602
lunate 150, 151
lung 5, 462, 466
lung cancer 484
lunula 107, 108
lupus 457
LUQ 18
luteal phase 594
luteinizing hormone 332, 336, 581
luxation 182
lymph 5, 46, 92, 435
lymph node 5, 435, 438
lymphadenopathy 457
lymphatic capillary 435, 437
lymphatic fluid 5
lymphatic nodule 439
lymphatic system 5, 435
lymphatic tissue 435
lymphatic vessel 5, 435, 436
lymphocyte 364
lymphoid stem cell 359, 361
lymphoid system 435
lymphomas 457
lymphotoxin 450
lysosome 56
lysozyme 306, 440, 443

M

MAb ➡ monoclonal antibody
macrophage 85, 441
macula 319
macula lutea 309
magnesium（Mg） 22, 534
major calyx 544
major element 22
major histocompatibility antigen 366
male condom 597
male infertility 625
male reproductive system 575
malignancy 68
malignant melanoma 114
malignant tumor 68
malleus 316
malnutrition 538
malocclusion 518
maltase 508, 509
mammary gland 6, 590
mammogram 601
mammography 601
mandible 134, 135, 139
manganese 534
marasmus 538
Marfan syndrome 86
marrow cavity 126
mass 21
mass number 22
mass peristalsis 513
masseter 209
mast cell 85
mastication 495
matter 21
mature B cell 443, 444
mature follicle 584, 586, 593
mature T cell 443, 444
maxilla 134-137
maxillary sinus 140
mechanical digestion 490
mechanical ventilation 485
mechanoreceptor 296
medial 12
medial collateral ligament 178
medial compartment 226, 227
medial condyle 155, 156
medial head 219, 220
medial malleolus 156
medial meniscus 179, 180
medial plantar artery 413
medial rectus 210
median antebrachial vein 419
median cubital vein 419
mediastinum 15, 16
medulla oblongata 264, 265

medullary cavity 121, 122, 126, 127
medullary respiratory center 264, 479
megacolon 289
meiosis 64, 578
meiosis Ⅰ 578
meiosis Ⅱ 578
melanin 103
melanocyte 102
melanocyte-stimulating hormone 333, 336
melatonin 348
membrane 15, 93
membrane potential 243
membranous labyrinth 316
memory 275
memory B cell 445, 452
memory cell 445
memory cytotoxic T cell 445
memory helper T cell 445
memory T cell 452
menarche 599
Ménière's disease 322
meningitis 280
meninx 254
meniscus 180
menopause 599
menorrhagia 603
menstruation 593
mesenchyme 122
mesentery 492
mesoderm 612
mesothelioma 484
mesothelium 76
messenger RNA 61
meta female syndrome 626
metabolic rate 529, 572
metabolic water 564
metabolism 6, 28, 522
metacarpal 150, 151
metacarpus 150
metaphase 64
metaphase Ⅰ 580
metaphase Ⅱ 580
metaphase plate 64
metaphysis 120, 121
metaplasia 69
metastasis 439
metastasis regulatory gene 69
metatarsal 157, 158
metatarsus 158
MHC antigen ➡ major histocompatibility antigen
Miacalcin 338
micelle 509
microbe 555
microdermabrasion 110
microfilament 52
microglial cell 242

microtubule 53, 54
microvillus［複 microvilli］ 52, 77, 506, 507
micturition 557
micturition reflex 557
midbrain 266
middle cervical ganglion 286
middle ear 316, 321
middle layer 398
middle nasal concha［複 conchae］ 138, 463
midsagittal plane 12, 14
mifepristone 328, 598
mineral 131, 533
mineral homeostasis 119
mineralocorticoid 344
mini pill 597
minor calyx 544, 546
minute ventilation 472
mitochondria 57
mitochondrial matrix 57
mitosis 64
mitotic phase 64
mitotic spindle 64
mitral insufficiency 384
mitral stenosis 384
mitral valve 381
mitral valve prolapse 384
mixed nerve 258
mixing 489
molar 493, 495
molecule 1, 24
monoclonal antibody 451
monocyte 364
monoenoic fatty acid 33
monomer 29
monoplegia 279
monosaccharide 31, 510
monounsaturated fatty acid 33
monozygotic twins 608
mons pubis 589
more than one double covalent bond 33
morula 609, 610
motility 489
motion 27
motion sic 322
motor area 271, 272
motor division 238
motor end plate 190, 191
motor function 238
motor neuron 190, 241, 260, 261
motor tract 258
motor unit 190
motor unit recruitment 199
mouth 5, 492
movement 6
mRNA ➡ messenger RNA
MS ➡ multiple sclerosis
MSH ➡ melanocyte-stimulating hormone

mucosa 491, 500, 506, 513
mucous connective tissue 614
mucous membrane 93, 440, 443
mucous neck cell 499
mucus 440, 443
multiple allele inheritance 623
multiple sclerosis 250
multipolar neuron 240
multiunit smooth muscle tissue 201
muscle action potential 190
muscle cell 187
muscle fatigue 197
muscle fiber 186-189
muscle of mastication 209
muscle strain 232
muscle tone 195
muscular artery 398
muscular atrophy 190
muscular dystrophy 231
muscular hypertrophy 190
muscular portion 190
muscular system 4
muscular tissue 73, 93
muscularis 491, 500, 506, 513
muscularis mucosae 491
musculoskeletal system 185
mutation 39, 68, 622
MV ➡ minute ventilation
MVP ➡ mitral valve prolapse
myalgia 232
myasthenia gravis 231
myelin sheath 241
myelinated 241
myeloid stem cell 359, 361
myocardial infarction 392
myocardial ischemia 392
myocarditis 394
myocardium 378, 379
myofibril 188-189
myoglobin 188, 196
myogram 198
myology 185
myoma 232
myomalacia 232
myometrium 587
myopathy 231
myopia 311
myosin 188, 189
myositis 232
myotonia 232
MyPlate 532
myxedema 353

N

nail 3, 107
nail bed 107, 108
nail body 107, 108
nail matrix 107, 108
nail root 107, 108
nasal bone 134, 135, 137
nasal cavity 462, 463
nasal conchae 464
nasal septum 463
nasolacrimal duct 305, 306
nasopharynx 463, 464
natriuresis 564
natural blood doping 363
natural killer cell 441, 443
natural pacemaker 386
navicular 157
neck 11, 12, 494
necklift 112
necrosis 69
negative feedback system 8
neoplasm 68
nephrology 541
nephron 544
nephron loop 545-547
nerve 4, 236, 243
nerve block 280
nerve damage 344
nerve impulse 7
nerve tract 243, 258
nervous system 4, 530
nervous tissue 73
net diffusion 46
net filtration pressure 550
neural fold 613
neural groove 613
neural layer 308
neural pathway 285
neural plate 612
neural portion 190
neural tube 613
neural tube defects 613
neuralgia 280
neuritis 280
neuroblastoma 251
neuroglia 95, 241
neurologist 236
neurology 236
neuromuscular disease 231
neuromuscular junction 190, 191
neuron 95, 239
neuropathy 251
neuropeptide 250
neurosecretory cell 330
neurosyphilis 603
neurotransmitter 52, 240, 285
neurotransmitter receptor 249
neurulation 613
neutralize antigen 451
neutron 21
neutrophil 85, 364
nevus 103

NHL ➡ Non-Hodgkin lymphoma
niacin 536
nicotinamide 536
night blindness 314
nipple 590
nitric oxide 250, 328
nitrogen (N) 22, 23
nitrogenous base 37
NK cell ➡ natural killer cell
NMJ ➡ neuromuscular junction
NO ➡ nitric oxide
nociceptor 296, 299
nocturia 559
nocturnal enuresis 559
node of Ranvier 241
Non-Hodgkin lymphoma 457
non-incisional sterilization 594
nonessential amino acid 528
nonpolar tails 34
nonsteroidal anti-inflammatory drug 348
nonstriated 185, 201
noradrenaline 249, 287, 347, 405
norepinephrine ➡ noradrenaline
normal curve 141
normal sinus rhythm 393
normal-tension glaucoma 313
nose 462
notochord 612
NSAID ➡ nonsteroidal anti-inflammatory drug
NTDs ➡ neural tube defects
nuclear envelope 58
nuclear pore 58
nucleases 509
nucleolus 58
nucleotide 37
nucleus 21, 23, 43, 44, 58, 60, 264
nutrient 532
nystagmus 323

O

obesity 537
oblique plane 13, 14
oblique popliteal ligament 178
obturator foramen 159
occipital belly 208, 209
occipital bone 133-136
occipital lobe 269
occipitofrontalis 208, 209
occlusion 431
oculomotor nerve 277
oculomotor

nerve (Ⅲ) 265
odorant 301
office hypertension 431
oil gland 3
olecranon fossa 149
olfaction 301
olfactory bulb 301
olfactory cilium [複 cilia] 301, 302
olfactory epithelium 302, 463, 464
olfactory foramen 138
olfactory gland 301
olfactory nerve 277
olfactory (Ⅰ) nerve 301
olfactory nerve (Ⅰ) fibers 265
olfactory receptor 301
olfactory receptor cell 301, 302
olfactory tract 301
oligodendrocyte 242
oliguria 550
oncogene 68
oncogenic virus 68
oncology 68
oocyte 584
oogenesis 586
oogonia 586
oogonium 586
oophorectomy 604
open fracture 128
ophthalmology 295
ophthalmoscope 308
opposition 175
optic chiasm 314
optic disk 309
optic foramen 137
optic nerve 265, 277, 314
optic tract 314
oral rehydration therapy 566
orbicularis oculi 208, 209
orbicularis oris 208, 209
organ 3
organ level 2, 3
organ transplantation 448
organelle 43, 60
organic compound 28
organism 3
organismal level 2, 3
origin 203
oropharyngeal membrane 612
oropharynx 463, 464
ORT ➡ oral rehydration therapy
orthodontics 128
orthopedics 185
orthostatic hypotension 431
osmoreceptor 296, 334
osmosis 48, 53
ossification 125
ossification center 125

osteoarthritis 162, 182
osteoblast 122, 123
osteoclast 122, 123
osteocyte 122, 123
osteogenic cell 122, 123
osteogenic sarcoma 163
osteology 119
osteomalacia 162
osteomyelitis 162
osteon 122, 123
osteonic canal 123
osteopenia 163
osteoporosis 161
otalgia 323
otic ganglion 288
otic placode 615
otitis media 322
otolithic membrane 319
otolithic org 319
otoliths 319
otorhinolaryngology 295, 462
outer layer 398
outer mitochondrial membrane 57
oval window 316
ovarian artery 408
ovarian cancer 602
ovarian cortex 584
ovarian cycle 591, 592
ovarian cyst 584, 604
ovarian follicle 584
ovarian medulla 584
ovary 6, 327, 347, 584–586
ovulation 586, 593
ovum 586, 587
oxygen (O) 22, 23
oxygen debt 197
oxygenated blood 379, 475
oxyhemoglobin 477
oxytocin 333, 336

P

P wave 387
pacinian corpuscle 100, 298
pain 482
palatine bone 134–136, 139
palatine tonsil 436, 439, 464
pallor 104
palmar venous plexus 419
palmaris longus 221
palpitation 394
pancreas 5, 327, 341, 342, 501
pancreatic amylase 501, 507, 509
pancreatic cancer 502
pancreatic duct 501
pancreatic islet 341, 342, 501

pancreatic juice 501
pancreatic lipase 501, 508, 509, 604
pantothenic acid 536
Papanicolaou test 84, 604
papilla 303, 493
—— of the hair 105
papillary duct 546, 547
papillary muscle 381, 383
parafollicular cell 336, 337
paranasal sinus 140
paraplegia 279
parasagittal plane 13, 14
parasympathetic 391
parasympathetic division 285, 288
parasympathetic nervous system 238
parasympathetic postganglionic neuron 284
parasympathetic preganglionic neuron 284
parathormone 553
parathyroid gland 327, 338, 339
parathyroid hormone 129, 338, 553
paraurethral gland 589
parenchyma 95
parietal bone 133–136
parietal cell 499
parietal layer 93, 377
—— of serous pericardium 378
parietal lobe 269
parietal pleura 466
Parkinson's disease 57, 279
parotid salivary gland 493
paroxysmal tachycardia 394
partial fracture 128
partial knee replacement 180
partial pressure 474
parturition 619
passive process 46, 53
patella 154, 155
patellar component 180
patellar ligament 178, 179, 226
patellar reflex 260
patellofemoral stress syndrome 154
patent ductus arteriosus 392
pathogen 434
pathological cardiomegaly 392
pathologist 73
pathway 259
PCL ➡ posterior cruciate ligament

PD ➡ Parkinson's disease
PDA ➡ patent ductus arteriosus
pectineus 224–227
pectoral girdle 133, 147, 148
pectoralis major 216, 217
pectoralis minor 214, 215
pelvic axis 153
pelvic brim 152
pelvic cavity 15
pelvic girdle 133, 152
pelvic inflammatory disease 603
pelvic inlet 152, 159
pelvic outlet 153
pelvic splanchnic nerve 288
pelvimetry 153
pelvis 152
penis 6, 583
pepsin 499, 509
pepsinogen 499
peptic ulcer 517
peptic ulcer disease 517
peptidase 508, 509
peptide 35
peptide bond 36
peptidyl 61
perception 271, 296
percutaneous transluminal coronary angioplasty 383
perforated eardrum 315
perforating canal 122
perforin 450
pericardial cavity 15, 16, 377, 379
pericardial fluid 379
pericarditis 379
pericardium 16, 17, 93, 377, 378
perichondrium 90, 125
perimetrium 587
perimysium 187, 188
perineum 589
perineurium 258, 259
periodontal disease 517
periodontal ligament 494
periosteum 120, 121, 123, 125, 126
peripheral chemoreceptor 480
peripheral nervous system 236, 237, 242
peripheral protein 44, 45
peristalsis 496, 513
peritoneum 17, 93, 556
peritonitis 492
peritubular capillary 544, 545
permanent teeth 495
peroneal artery 413
peroneus longus 229
peroxisome 57

perpendicular plate 138
perspiration 440
pH scale 30
phagocyte 51, 441, 443
phagocytosis 51, 364, 441
phagosome 51
phalanges 151, 152, 157, 158
phantom limb sensation 299
pharyngeal stage 496
pharyngeal tonsil 439, 464
pharynx 5, 462, 464, 496
phenotype 622
phenylketonuria 528, 622
pheochromocytomas 354
phlebitis 431
phlebotomist 373
phosphate buffer system 570
phospholipid 33, 44, 45
phosphorus (P) 22, 534
photopigment 312
photoreceptor 296
photoreceptor cell 309
photoreceptor cell layer 308
photosensitivity 114
physical factors 443
physiological cardiomegaly 392
physiology 1
pia mater 255, 261
PID ➡ pelvic inflammatory disease
pigmented layer 308, 309
pimple 107
pineal gland 268, 327, 348
pinkeye 323
piriformis 224, 226
pisiform 150, 151, 222
pituitary dwarfism 129
pituitary gland 327, 330, 331, 333
pivot joint 176
PKD ➡ polycystic kidney disease
PKR ➡ partial knee replacement
PKU ➡ phenylketonuria
placenta 349, 426, 613
placental stage 620
planar joint 175
plane 12
plane joint 175
plantar flexion 175
plasma ➡ blood plasma
plasma cell 85, 365, 445, 450, 452
plasma membrane 43, 44, 60
—— of secondary oocyte 608
plasmin 369
plasminogen 369

Index **665**

platelet 92, 366
platelet plug 367
platysma 208, 209
pleura 16, 17, 93
pleural cavity 15, 466
pleural membrane 466
pleurisy 485
plexus 259
pluripotent stem cell 359, 361
PMS ➡ premenstrual syndrome
pneumonia 484
PNS ➡ peripheral nervous system
polar head 34
polarized 243
polycystic kidney disease 559
polycythemia 362, 373
polyenoic fatty acid 33
polyp 517
polypeptide 35
polyribosome 63
polysaccharide 31
polyunsaturated fatty acid 33
polyuria 550
pons 265
pontine respiratory group 266, 479
popliteal artery 413
popliteal vein 422
portal vein 425
positive feedback system 8
post-traumatic stress disorder 350
postcentral gyrus 269
posterior 12
posterior cerebral 411
posterior cerebral artery 410
posterior chamber 309, 310
posterior column 274
posterior column-medial lemniscus pathway 273
posterior communicating 411
posterior communicating artery 410
posterior compartment 218, 221, 226, 227, 229
posterior compartment muscle 220
posterior cruciate ligament 179, 180
posterior fontanel 141
posterior gray horn 257, 180
posterior intercostal artery 408
posterior median

sulcus 257
posterior pituitary 330, 331, 333
posterior pituitary hormones 336
posterior root 258
posterior root ganglion 258
posterior tibial artery 413
posterior tibial veins 422
posterior white column 257
posterolateral fontanel 141
postganglionic neuron 285
postovulatory phase 594
postsynaptic neuron 247
potassium（K） 22, 23, 534
potassium ion 549
potential energy 27
power stroke 192
pre-Bötzinger complex 479
pre-T cell 444
precapillary sphincter 400
precentral gyrus 269
preeclampsia 626
prefrontal cortex 271, 272
preganglionic neuron 285
pregnancy 607
premature ejaculation 584
premature infant 620
premenstrual syndrome 601
premolar 493, 495
premotor area 271, 272
prenatal development 581, 607
preovulatory phase 593
prepuce 576, 583, 589
—— of clitoris 587
pressure ulcer 116
presynaptic neuron 247
prevertebral ganglia 286, 287
PRG ➡ pontine respiratory group
primary auditory area 271, 272
primary bronchus 466
primary germ layer 612
primary gustatory area 271, 272
primary hypertension 429
primary lymphatic organ 438
primary motor area 271, 272
primary olfactory area 271, 272
primary oocyte 586
primary ossification center 125-127

primary response 452
primary somatosensory area 271
primary spermatocyte 577-579
primary visual area 271, 272
prime mover 203
primitive node 612
primitive streak 612
PRL ➡ prolactin
process 143
processing of drug and hormone 504
product 36, 37
production of hormone 541
progeny 69
progeria 69
progesterone 347, 593, 617
prolactin 332, 336, 620
proliferation 445
promoter 61
pronation 175
pronator teres 219, 221
propagation 246
prophase 64
prophase Ⅰ 580
prophase Ⅱ 580
proportion of water 572
proportionate dwarfism 129
proprioceptive sensation 299
proprioceptor 299
proprioceptor stimulation of breathing 481
propulsion 489, 500
prostaglandin 348
prostate 576, 582
prostate cancer 601
protease inhibitor 456
proteasome 57
protection 108, 119, 182, 358
protein 35
protein anabolism 529
protein buffer system 570
protein catabolism 529
protein metabolism 504, 529
protein-digesting 509
proteomics 69
prothrombin 368
prothrombinase 368
proto-oncogene 68
proton 21
protoplasmic astrocytes 242
protraction 174
provitamin 533
proximal 12
proximal convoluted tubule 545-547

proximal epiphysis 121
pruritus 116
pseudopod 51
psoas major 224-226
psoriasis 116
pterygopalatine ganglion 288
PTH ➡ parathyroid hormone
PTSD ➡ post-traumatic stress disorder
puberty 598
pubic arch 159
pubic symphysis 152, 170
pubis 152-154
PUD ➡ peptic ulcer disease
puerperal fever 626
puerperium 620
pulled hamstrings 226
pulmonary circulation 406, 437
pulmonary edema 485
pulmonary embolism 370
pulmonary plexus 286
pulmonary trunk 379, 406
pulmonary valve 381-383
pulmonary vein 379, 406
pulmonary ventilation 461, 468, 476
pulmonologist 462
pulp 494
pulp cavity 494
pulse 428
pump 49
Punnett square 622
pupil 307
Purkinje fiber 386
pus 442
putamen 267
pyloric 498
pyloric antrum 498, 499
pyloric canal 498, 499
pyloric part 498
pyloric sphincter 498, 499
pylorus 498, 499
pyridoxine 536
pyrogen 537

Q

QRS complex 387
quadrant 17
quadratus femoris 226
quadratus lumborum 213, 214, 223
quadriceps femoris 225-227
quadriceps tendon 226
quadriplegia 279

R

RA ➡ rheumatoid arthritis
RAA system ➡ renin-angiotensin-aldosterone system

rabies 251
radial artery 410
radial fossa 149
radial notch 150
radial tuberosity 150
radial veins 419
radiation 530
radical mastectomy 602
radio frequency nonsurgical facelift 112
radius 149, 150
—— head of —— 150
rale 486
range of motion 172
rapidly adapting receptor 296
RAS ➡ reticular activating system
Raynaud's phenomenon 293
RBC ➡ red blood cell
RDS ➡ respiratory distress syndrome
reabsorption 400
receptor 7, 45, 328
recessive allele 622
recovery oxygen uptake 197
rectum 5, 512
rectus abdominis 211, 212, 471
rectus femoris 225, 226, 227
red blood cell 92, 361, 555
red bone marrow 120, 359, 436, 438, 444
red nucleus 266
red pulp 439
red-green color blindness 624
referred pain 299
reflex 259
reflex arc 260
refraction 311
regeneration 243
regeneration tube 243
regulation 358
—— of blood pH 541
—— of blood volume and blood pressure 541
—— of ion levels in the blood 541
relaxation period 388
relaxin 347, 593, 618
releasing hormone 332
renal artery 408, 544, 545
renal calculus 559
renal capsule 544
renal column 544
renal compensation 572
renal corpuscle 544, 546, 547
renal cortex 543, 544
renal failure 559
renal ganglion 286

renal hilum 544
renal medulla 543, 544
renal papilla 546
renal pelvis 544
renal pyramid 544
renal tubule 544
renal vein 544
renin-angiotensin-aldosterone pathway 344
renin-angiotensin-aldosterone system 405
reperfusion 384
repolarizing phase 245
reproduction 6
reproductive cell division 64
reproductive system 6
residual body 51
residual volume 473
resistance 434
resistance reaction 349
respiration 461
respiratory bronchiole 468, 469
respiratory center 479
respiratory compensation 571
respiratory distress syndrome 485
respiratory failure 485
respiratory membrane 468, 470
respiratory pump 403, 435
respiratory zone 462, 469
responsiveness 6
rest 182
rest-and-digest 290
resting membrane potential 243
reticular activating system 266
reticular fiber 85, 86
reticular formation 266
reticulocyte 362
reticulocyte count 364
retina 308, 310
retinaculum 220
retinoblastoma 323
retraction 175
retroperitoneal organ 492
retropulsion 500
reverse transcriptase inhibitor 455
reversible reaction 28
Reye's syndrome 280
Rh blood group 370
Rh factor 370
rheumatic fever 394
rheumatism 182
rheumatoid arthritis 182
rhinitis 486
rhinoplasty 463
rhodopsin 312
rhomboid major 214, 217
rhythm method 598

rib 146, 147
rib fracture 147
riboflavin 536
ribonuclease 502, 509
ribonucleic acid 37
ribosomal RNA 61
ribosome 54
rickets 162
right adrenal gland 345
right anterior tibial 414, 423
right atrium 380, 381
right auricle of right atrium 380
right axillary 411, 420
right basilic 420
right brachial 411, 420
right brachiocephalic 418, 420
right bronchiole 469
right bundle branch 386
right cephalic 420
right common carotid 411
right common carotid artery 408, 410
right common iliac 414, 423
right coronary artery 384, 408
right deep palmar 420
right deep plantar venous arch 423
right dorsal artery of foot 414
right external iliac 414, 423
right external jugular 418
right femoral 414, 423
right fibular 414, 423
right great saphenous 423
right hip bone 152
right hypochondriac region 17
right inferior parathyroid gland 339
right inguinal region 17
right internal iliac 414, 423
right internal jugular 418
right kidney 542
right lateral plantar 414
right lobar bronchus 469
right lobe 337
—— of thyroid gland 337
right lower quadrant 18
right lumbar region 17
right lung 462
right lymphatic duct 435, 436
right main bronchus 462, 466, 469
right medial plantar 414
right median 420
right median cubital 420

right palmar venous plexus 420
right peroneal 414, 423
right pleural cavity 16, 377
right popliteal 414, 423
right posterior tibial 414
right pulmonary artery 379, 406
right radials 420
right segmental bronchus 469
right small saphenous 423
right subclavian 411, 420
right subclavian artery 408, 410
right superficial palmar venous arch 420
right superior parathyroid gland 339
right terminal bronchiole 469
right ulnars 420
right upper quadrant 18
right ureter 542
right ventricle 380, 381
right vertebral 411, 418
rigor mortis 194
RLQ ➡ right lower quadrant
RNA ➡ ribonucleic acid
rod 309
ROM ➡ range of motion
root 258, 494
—— of penis 576, 583
—— of tooth 169
root canal 494, 495
root canal therapy 495
rosacea 109
rotation 174
rotator cuff 215
rotator cuff injury 181, 216
rough ER 55
round ligament 426
round window 316
rRNA ➡ ribosomal RNA
RS ➡ Reye's syndrome
RU486 328
rugae 498, 556
rule of nines 116
running related injury 231
rupture of the tibial collateral ligaments 181
ruptured follicle 586
RUQ ➡ right upper quadrant

S

S cell 505
SA node ➡ sinoatrial node
saccule 316, 317
sacral curve 141, 142
sacral nerve 256
sacral plexus 256, 259

Index

sacrum 141, 143, 146
SAD ➜ seasonal affective disorder
saddle joint 176
sagittal plane 12
sagittal suture 140
saliva 440, 443, 494
salivary amylase 494, 509
salivary gland 5, 493
salivation 494
salpingectomy 604
salt 29
saltatory conduction 247
sarcolemma 188
sarcomere 188, 189
sarcoplasm 188
sarcoplasmic reticulum 188
sartorius 225-227
satellite cell 242
satiety center 268
saturated fatty acid 33
SBP ➜ systolic blood pressure
scala tympani 316, 317
scala vestibuli 316, 317
scalene 471
scaphoid 150, 151
scapula 148
SCD ➜ sickle-cell disease
Schwann cell 242
sciatica 280
sclera 306
scleral venous sinus 309
scoliosis 163
scotoma 323
scrotum 575, 576
seasonal affective disorder 348
seasonal influenza 485
sebaceous gland 106
sebum 440, 443
second cuneiform 157
second line of defense 440, 443
second messenger 329
second trimester 607
second-order neurons 274
secondary bronchus 466
secondary hypertension 429
secondary lymphatic organ and tissue 438
secondary oocyte 586
secondary ossification center 126, 127
secondary polar body 586
secondary response 452
secondary spermatocyte 577, 579
secretin 349, 505, 514, 515
secretion 75, 489
secretory vesicle 52
section 13
segmental artery 545

segmental bronchus 466
segmentations 507
selective permeability 44
selective serotonin reuptake inhibitor 249
selenium 534
self-tanning lotion 115
self-tolerance 443
semen 583
semicircular canal 316
semicircular duct 316
semilunar valve 382
semimembranosus 225, 227
seminal vesicle 576, 582
seminiferous tubule 577, 578
semitendinosus 225, 227
sensation 295
sensory area 271, 271
sensory division 238
sensory function 238
sensory neuron 241, 260
sensory receptor 238, 241, 260
sensory tract 258
separate cell 296, 297
separated shoulder 181
septicemia 373
serosa 491, 506, 513
serotonin 250
serous fluid 93
serous membrane 15, 93
serous pericardium 377
serratus anterior 214, 215
Sertoli cell 578
serum 368
sex chromosome 623
sex-determining region of the Y chromosome 624
sex-linked inheritance 624
sexual intercourse 583
sexually transmitted diseases 602
shin splint syndrome 228
shin splints 157, 227
shingles 279
shivering 531
shock 431
short bone 120
short head 219, 220
short-chain fatty acid 510
shoulder girdle 133
sickle-cell disease 35, 372, 623
side chain 36
SIDS ➜ sudden infant death syndrome
sigmoid colon 512
sign 10
silent myocardial ischemia 392
simple diffusion 46, 53
simple fracture 128
simple sugar 31

single-unit smooth muscle tissue 201
sinoatrial node 386
sinusitis 140
size of the lumen 402
Sjögren's syndrome 96
skeletal muscle 186, 187, 203
skeletal muscle pump 403, 436
skeletal muscle tissue 4, 93, 185
skeletal system 3, 119
skin 3, 100, 327, 443
skin cancer 114
skin graft 102
skin type 114
skull 132, 133
SLE ➜ systemic lupus erythematosus
sleep 267
sliding-filament mechanism 192
slipped disc 162
slow oxidative fiber 199
slow pain 299
slowly adapting receptor 296
small intestine 5, 327, 505
small saphenous vein 422
smegma 604
smooth ER 55
smooth muscle tissue 93, 185, 200
smooth muscle tone 201
SNS ➜ somatic nervous system
SO fiber ➜ slow oxidative fiber
socket of alveolar process 169
sodium (Na) 22, 23, 534
sodium ion 549
sodium-potassium pump 50
soft palate 493
soleus 228, 229
soluble fiber 517
solute 46
solution 29
solvent 29, 46
somatic cell 64
somatic cell division 64
somatic motor neuron 284
somatic motor pathway 274
somatic nervous system 238
somatic reflex 261
somatic sense 295
somatic sensory pathway 273
somatosensory association area 271
spasm 231

spastic paralysis 275
special movement 174
special sense 295
specificity 36
sperm 579
sperm cell 577-579
sperm duct 575
spermatic cord 582
spermatid 577, 579
spermatogenesis 578
spermatogenic cell 578
spermatogonium 577-579
spermatozoon 577
spermicide 597
spermiogenesis 579
sphenoid bone 133-137
sphenoidal sinus 140
sphincter 186
sphygmomanometer 428
spina bifida 162, 613
spinal cord 4, 255
spinal meninges 255
spinal nerve 236, 258
spiral organ 316
spinal reflex 260
spinal tap 255
spinalis 222, 223
spinothalamic tract 273, 274
spirogram 472
spirometer 472
spleen 5, 436, 439
splenectomy 439
splenic artery 408
splenic vein 425, 426
splenomegaly 457
spongy bone tissue 124
sports hernia 211
sprain 86, 182
squamous cell carcinoma 114
squamous suture 140
SSRI ➜ selective serotonin reuptake inhibitor
stage
—— of dilation 619
—— of expulsion 620
stapes 316
STD ➜ sexually transmitted diseases
stellate reticuloendothelial cell 503, 504
stem cell 59, 95, 613
stenosis 384
stent 383
stercobilin 362
sterilization 596
sternocleidomastoid 212, 223, 471
sternum 146, 147
steroid 33
steroid hormone 328
stimulation of anabolism 582
stimulus 239

STM ➡ sympto-thermal method
stomach 5, 327, 498
stool 490
storage of vitamin and mineral 505
stored 27
strabismus 209, 323
strain 182
stratum basale 102
stratum corneum 102, 103
stratum granulosum 102
stratum lucidum 102, 103
stratum spinosum 102
streptokinase 370
stress response 349
stressor 349
stretch receptor 482
striation 185
stroke 273
stroke volume 389
stroma 95
styloid process
—— of radius 150
—— of ulna 150
subarachnoid space 255, 263
subclavian vein 419
subcutaneous tissue 100, 186
sublingual salivary gland 494
subluxation 182
submandibular ganglion 288
submandibular node 436
submandibular salivary gland 494
submucosa 491, 500, 506, 513
subscapularis 216, 217
substantia nigra 266
substrate 36, 37
sucrase 508, 509
suction lipectomy 88
sudden cardiac death 394
sudden infant death syndrome 485
sudoriferous gland 107
sulcus 268
sulfur (S) 22, 534
sun exposure 114
sun protection factor 115
sunblock 115
sunscreen 115
sunstroke 538
superficial 12
superficial palmar arch 410
superficial palmar venous arch 419
superficial vein 416, 419, 422
superior 12
superior cervical

ganglion 286
superior colliculus 266
superior extensor retinaculum 227
superior lacrimal canaliculus 305
superior mesenteric artery 406, 408
superior mesenteric ganglion 286
superior mesenteric vein 425, 426
superior nasal concha［複 conchae］ 138, 463
superior oblique 210
superior phrenic artery 408
superior rectus 210
superior sagittal sinus 264, 263
superior vena cava 379, 406, 416, 417, 420
supination 175
supinator 219
support 119
supporting cell 301-304, 316, 317, 319-321
supporting connective tissue 90
supporting structure 575
suprarenal artery 408
supraspinatus 216, 217
supraventricular tachycardia 393
surface epithelium 74
surface mucous cell 498
surfactant 468
surgical neck 149
suspensory ligament of the breast 590
sustentacular cell nucleus 577
suture 140, 168
SV ➡ stroke volume
SVC ➡ superior vena cava
SVT ➡ supraventricular tachycardia
swallowing 496
sweat gland 3
swollen knee 181
sympathetic division 285, 286
sympathetic nervous system 238
sympathetic postganglionic neuron 284
sympathetic preganglionic neuron 284
sympathetic trunk
sympathetic trunk ganglia 287
symphysis 170
sympto-thermal method 598
symptom 10

synapse 240
synapsis 579
synaptic cleft 190, 247
synaptic end bulb 190, 191
synaptic transmission 247
synarthrosis 168
synchondrosis［複 synchondroses］ 170
syncope 431
syncytiotrophoblast 610, 611
syndesmosis 168
synergist 204
synovial cavity 171
synovial fluid 93, 171
synovial joint 168, 171
synovial membrane 93, 171
synovitis 182
synthesis 27
—— of vitamin D 109
synthesis reaction 27
synthetic oxytocin 334
syphilis 603
system 3
system level 2, 3
systemic circulation 406, 437
systemic lupus erythematosus 96, 457
systole 388
systolic blood pressure 428

T

T cell 5
t-PA ➡ tissue plasminogen activator
T tubule 188
T wave 387
tachycardia 428
tachypnea 486
tactile disc 102, 297
tactile epithelial cell 102, 298
tactile sensation 298
TAF ➡ tumor angiogenesis factor
tail 579, 581, 615
talus 157, 157
target cell 328
tarsals 157
tarsus 157
tastant 303
taste aversion 305
taste bud 303
taste pore 303
tattooing 104
Tay-Sachs disease 57
tectorial membrane 316, 317
teeth 494
telomere 67

telophase 66
telophase I 580
telophase II 580
temperature 529
temporal bone 133-136
temporal lobe 269
temporalis 209
temporomandibular joint syndrome 139
tendon 188
—— of quadriceps femoris 226
teniae coli 512
tennis elbow 181
tenosynovitis 203
tensor fasciae latae 224-226
teratogen 626
teres major 216-218
teres minor 216-218
terminal bronchiole 466
terminal ganglia 287, 288
terminator 61
tertiary bronchus 466
testicular artery 408
testicular cancer 601
testis 6, 327, 347, 575-577
testosterone 347, 578, 581
tetany 354
tetrad 579
tetralogy of Fallot 392
TF ➡ tissue factor
thalamus 267, 314
thermal sensation 299
thermoreceptor 299
thiamin 535
thick filament 188, 189
thin filament 188, 189
third cuneiform 157
third trimester 607
third ventricle 263, 264
third-order neurons 274
thirst center 268, 564, 566
thoracic aorta 406, 408, 409
thoracic cage 146
thoracic cavity 15
thoracic curve 141, 142
thoracic duct 435, 436, 510
thoracic nerves 256
thoracic vertebra 141, 143
thoracolumbar 286
thorax 133, 146
threshold 245
thrombin 368
thrombocytopenia 373
thrombolytic agent 370
thrombophlebitis 431
thrombosis 368, 369
thrombus 369
thymosin 349
thymus 5, 327, 349, 436, 438, 444
thyroid cartilage 464

Index

thyroid crisis 354
thyroid follicle 334, 337
thyroid gland 327, 334, 337
thyroid hormone 328, 336
thyroid-stimulating hormone 332, 336
thyroxine 336
TIA ➡ transient ischemic attack
tibia 155, 156
tibial collateral ligament 178, 179
tibial component 180
tibial tuberosity 156
tibialis anterior 228, 229
tibialis posterior 229
tic 231
tickle 298
tidal volume 472
tinnitus 323
tissue 2, 73
tissue factor 369
tissue level 2
tissue plasminogen activator 370
tissue regeneration 95
tissue rejection 97
tissue repair 95
tissue transplantation 97
TKR ➡ total knee replacement
TMJ syndrome ➡ temporomandibular joint syndrome
tocopherol 535
tongue 493
tonsil 5, 439
tonsillectomy 457
topical product 110
torn cartilage 179
total blood vessel length 402
total knee replacement 180
total lung capacity 473
touch 298
trabecula〔複 trabeculae〕 123-125
trace element 22
trachea 5, 462, 463, 465, 467
tracheotomy 465
trachoma 323
transcription 61
transcutaneous drug administration 109
transdermal drug administration 109
transfer RNA 61
transferrin 362
transfusion 370
transient ischemic attack 273
translation 61

transport in vesicles 53
transportation 358
transporter 45
transverse abdominis 471
transverse arch 158
transverse colon 512
transverse ligament of the knee 179, 180
transverse plane 13, 14
transverse tubule 188
transversus abdominis 212
trapezium 150, 151, 222
trapezius 214, 215
trapezoid 150, 151, 222
traveler's diarrhea 519
tremor 231, 279
triceps brachii 219, 220
trichomoniasis 603
tricuspid valve 381, 383
trigeminal nerve 277
trigeminal nerve（V） 265
triglyceride 32, 510
triglyceride anabolism 529
triglyceride catabolism 529
triglyceride storage 120
triiodothyronine 336
trilaminar embryonic disc 612
trimesters 607
tripeptide 35
triquetrum 150, 151, 222
tRNA ➡ transfer RNA
trochlea of humerus 149
trochlear nerve 277
trochlear nerve（Ⅳ） 265
trochlear notch 150
trophoblast 609
tropic hormone 330
tropomyosin 188
troponin 188
true labor 619
true pelvis 152, 153
trunk 11, 12
trypsin 501, 509
TSH ➡ thyroid-stimulating hormone
tubal ligation 596
tuberculosis 484
tubular reabsorption 547, 548, 550
tubular secretion 547, 548, 551
tumor 68
tumor angiogenesis factor 68
tumor marker 69
turbinate 464
twitch contraction 197
type Ⅰ alveolar cell 470
type Ⅰ anaphylactic reaction 456
type Ⅰ cutaneous

mechanoreceptor 297, 298
type Ⅱ alveolar cell 470
type Ⅱ cutaneous mechanoreceptor 297, 298
type Ⅱ cytotoxic reaction 456
type Ⅲ immune-complex reaction 456
type Ⅳ cell-mediated reaction 456

U

UES ➡ upper esophageal sphincter
ulcer 442, 517
ulna 149, 150
ulnar artery 410
ulnar tuberosity 150
ulnar veins 419
ultrasound 601
umbilical arteries 426
umbilical cord 426, 427, 614
umbilical region 17
umbilical vein 426, 614
umbilicus 426, 615
unfused tetanus 198
unipolar neuron 241
unmyelinated 241
upper esophageal sphincter 496
upper limb 12, 11, 133, 148
upper limb bud 615
upper motor neuron 274, 275
upper respiratory system 462
urea 549
ureter 5, 542, 586
ureteral opening 556
ureters 555, 556
urethra 5, 542, 556, 557, 576, 582
uric acid 549
urinalysis 553
urinary bladder 5, 542, 555
urinary incontinence 557
urinary retention 559
urinary system 5, 541
urine 440, 541, 547, 443
urobilin 362
urobilinogen 362, 555
urologist 541
urology 541
uterine cavity 586, 587
uterine（menstrual）cycle 591, 592
uterine tube 6, 585-587
uterus 585, 587
utricle 316, 317

uvula 493

V

V-fib 393
V-tach 393
vacuum aspiration 598
vagina 6, 585-587
vaginal contraceptive ring 597
vaginal orifice 587, 589
vaginal pouch 597
vaginal secretion 440, 443
vagus nerve 278
valence shell 24
vallate papilla 304
valve 381, 401
valvular stenosis 392
variable region 446
varices 401
varicose veins 401
vasa recta 545
vascular resistance 402
vascular spasm 367
vascular tunic 306, 310
vasectomy 596
vasoconstriction 398
vasodilation 398
vasomotor tone 405
vasopressin 336
vastus intermedius 225-227
vastus lateralis 225-227
vastus medialis 225-227
vein 379, 397, 401
venipuncture 367
venous arch 420
venous return 402
ventral 12
ventral gray horn 258
ventral median fissure 257
ventral respiratory group 479
ventral root 258
ventricle 264, 379
ventricular fibrillation 393
ventricular fold 465
ventricular premature beat 393
ventricular premature contraction 393
ventricular septal defect 392
ventricular systole 388
ventricular tachycardia 393
venule 397, 399, 401
vertebra 141
vertebra canal 15
vertebral arch 143
vertebral artery 410
vertebral canal 15
vertebral column 133, 141
vertebral vein 418

vertigo　323
very low-density lipoprotein　527
vesicle　46, 50
vestibular apparatus　319
vestibular fold　463
vestibular membrane　316, 317
vestibular nerve　320
vestibule　316, 589
vestibulocochlear nerve　265, 278
Vf　393
vibration　298
villus［複 villi］　506, 507, 510
virilism　347
virilizing adenoma　354
virotherapy　69
viscera　15
visceral layer　93, 377
　──── of serous pericardium　378
visceral pleura　466
visceral reflex　261
visceral sense　295
visceral smooth muscle tissue　201
vision　305
visual association area　271, 272
vital capacity　473
vitamin　131, 533
vitamin supplement or mineral supplement　537
vitiligo　103
vitreous body　309
vitreous chamber　309, 310
VLDL ➡ very low-density lipoprotein
vocal fold　463, 465
voltage-gated channel　244
voluntary stage　496
vomer　134-136, 139
vomiting　501, 440, 443
VRG ➡ ventral respiratory group
VSD ➡ ventricular septal defect
VT　393
vulva　589

vulvovaginal candidiasis　602

W

wandering macrophage　364
wart　117
waste　543
water　29, 549
water intoxication　566
water-soluble vitamin　533
wave summation　198
WBC ➡ white blood cell
Werner syndrome　69
Wernicke's area　271, 272
wheeze　485
whiplash injury　163
white blood cell　92, 364, 555
white coat hypertension　431
white column　258
white fibrous capsule　577, 578
white matter　243, 268
white pulp　439
whole blood　373
withdrawal reflex　259
wrinkle　109

X

xenograft　457
xenotransplantation　97

Y

yellow bone marrow　120
yolk sac　610, 611

Z

Z disc　188
zinc　534
zona pellucida　608
zygomatic bone　134, 136, 139
zygomaticus major　208, 209
zygote　587

トートラ人体解剖生理学　原書11版

令和2年8月30日　発　　　行
令和7年2月5日　第4刷発行

編訳者　　佐　伯　由　香・細　谷　安　彦
　　　　　髙　橋　研　一・桑　木　共　之

発行者　　池　田　和　博

発行所　　丸善出版株式会社
　　　　　〒101-0051　東京都千代田区神田神保町二丁目17番
　　　　　編　集：電　話(03)3512-3266／FAX(03)3512-3272
　　　　　営　業：電　話(03)3512-3256／FAX(03)3512-3270
　　　　　https://www.maruzen-publishing.co.jp

© Yuka Saeki, Yasuhiko Hosoya,
Kenichi Takahashi, Tomoyuki Kuwaki, 2020

組版／株式会社 日本制作センター
印刷・製本／三美印刷株式会社

ISBN 978-4-621-30539-3　C 3047　　　　　Printed in Japan

本書の無断複写は著作権法上での例外を除き禁じられています．